RANGTAFEL

SA	NSFK	NSKK	RADm	RADw
	Reichsminister der Luftfahrt			
Stabschef	Korpsführer	Korpsführer	Reichsarbeitsführer	
Obergruppenführer	Obergruppenführer	Obergruppenführer		
Gruppenführer	Gruppenführer	Gruppenführer	Obergeneral-arbeitsführer	
Brigadeführer	Brigadeführer	Brigadeführer	Generalarb.führer Generalarbeitsarzt	
Oberführer	Oberführer	Oberführer		
Standartenführer	Standartenführer	Standartenführer	Oberstarbeitsführer Oberstarbeitsarzt	Stabshauptführerin
Obersturmbann-führer	Obersturmbann-führer	Oberstaffelführer	Oberarbeitsführer Oberarbeitsarzt	Stabsoberführerin
Sturmbannführer	Sturmbannführer	Staffelführer	Arbeitsführer Arbeitsarzt	Stabsführerin
Hauptsturmführer	Hauptsturmführer	Hauptsturmführer	Oberstfeldmeister Arbeitsfeldarzt	Maidenhaupt-führerin
Obersturmführer	Obersturmführer	Obersturmführer	Oberfeldmeister Hpt.mus.zugführer	Maidenober-führerin
Sturmführer	Sturmführer	Sturmführer	Feldmeister Obermus.zugführer	Maidenführerin
			Unterfeldmeister Musikzugführer	Maidenunter-führerin
Haupttruppführer		Haupttruppführer		
Obertruppführer	Obertruppführer	Obertruppführer		
Truppführer	Truppführer	Truppführer	Obertruppführer	Jungführerin
Oberscharführer	Oberscharführer	Oberscharführer		
Scharführer	Scharführer	Scharführer	Truppführer	Kameradschafts-älteste
			Untertruppführer Hauptvormann	
			Obervormann	
Rottenführer	Rottenführer	Rottenführer	Vormann	
Obersturmmann	Sturmmann	Obersturmmann		
Sturmmann	NSFK-Mann	Sturmmann	Arbeitsmann	Arbeitsmaid
SA-Anwärter				

JUSTIZ UND NS-VERBRECHEN

JUSTIZ UND NS-VERBRECHEN

SAMMLUNG DEUTSCHER STRAFURTEILE

WEGEN

NATIONALSOZIALISTISCHER TÖTUNGSVERBRECHEN 1945-1999

AMSTERDAM UNIVERSITY PRESS
2010

K.G. SAUR VERLAG MÜNCHEN
2010

JUSTIZ UND NS-VERBRECHEN

SAMMLUNG DEUTSCHER STRAFURTEILE

WEGEN

NATIONALSOZIALISTISCHER TÖTUNGSVERBRECHEN 1945-1999

BAND XLIII

Die vom 20.04.1979 bis zum 24.10.1980 ergangenen Strafurteile
Lfd. Nr. 853 – 863

Bearbeitet im
Seminarium voor Strafrecht en Strafrechtspleging 'Van Hamel'
der Universität Amsterdam

von

PROF. MR. C. F. RÜTER
DR. D. W. DE MILDT

unter Mitwirkung
von
L. HEKELAAR GOMBERT

AMSTERDAM UNIVERSITY PRESS
2010

K.G. SAUR VERLAG MÜNCHEN
2010

Diese Veröffentlichung kam zustande mit finanzieller Unterstützung
der Rechtswissenschaftlichen Fakultät der Universität Amsterdam,
der Senatsverwaltung für kulturelle Angelegenheiten von Berlin,
und der Pressestiftung Tagesspiegel, Berlin

Anschrift der Redaktion:
Instituut voor Strafrecht, Universiteit van Amsterdam
Postbus 1030, NL-1000 BA Amsterdam
www.jur.uva.nl/junsv

Bibliografische Information der Deutschen Nationalbibliothek

Die Deutsche Nationalbibliothek verzeichnet diese Publikation in der Deutschen Nationalbibliografie; detaillierte bibliografische Daten sind im Internet unter http://dnb.d-nb.de abrufbar.

ISBN 978 90 8964 112 0 (Amsterdam University Press)
ISBN 978 3 598 24602 9 (K. G. Saur Verlag,
ein Imprint der Walter de Gruyter GmbH & Co. KG)
NUR 824

Library of Congress Catalog Card Number: 68-58003

VORBEMERKUNG ZUM DREIUNDVIERZIGSTEN BAND

In diesem Band werden die Urteile der westdeutschen Strafverfahren veröffentlicht, die mit einem in der Zeit vom 20.April 1979 bis zum 24.Oktober 1980 ergangenen Landgerichtsurteil abgeschlossen wurden.

Drei in diesem Bande veröffentlichte Verfahren haben Seltenheitswert: das erste befasst sich mit der Organisation der Entrechtung, Verhaftung und Deportation der in Frankreich lebenden Juden durch die Dienststelle des BdS Frankreich [1], das zweite ist das bis heute einzige westdeutsche Gerichtsverfahren, das während des Warschauer Aufstandes des Jahres 1944 begangene Tötungsverbrechen zum Gegenstand hat [2]. Das dritte Verfahren beschäftigt sich mit einem lettischen Kollaborateur, der mit einem von ihm gegründeten Kommando an der Ermordung der Juden in Lettland teilnahm [3]. Eine Illustration der Problematik des Zeugenbeweises in NS-Verfahren bietet das Verfahren Nr.853, in dem zwei Schwurgerichte auf Grund nahezu identischer Fakten zu einer stark divergierenden Beurteilung der Aussageehrlichkeit, Zuverlässigkeit und Glaubwürdigkeit des Hauptbelastungszeugen kommen.

Die in diesem Band veröffentlichten Verfahren werden, ausser durch das Inhaltsverzeichnis (mit einer Kurzbeschreibung des Gegenstandes des Verfahrens), durch das *Verfahrensregister*, in dem die Verfahren nach verschiedenen Tat-, Täter- und Opferkriterien aufgelistet sind, erschlossen.

Die Darstellung der *Rechtsgrundlagen* dieser Verfahren und der Abdruck des Wortlauts der für das Verständnis der Urteile wichtigen Gesetze, Verordnungen und Dokumente (die *'Hilfsmittel'*) erfolgen im Registerband. Sie können bis zum Erscheinen dieses Gesamtregisters (bei Abschluss der Serie) dem *Registerband zu den Bänden I-XXII* und dem *Vorläufigen Verfahrensregister zu den Bänden XXIII ff.* entnommen werden.

Die Auswahl und Bearbeitung der Urteile und die Systematik ihrer Veröffentlichung folgen den Richtlinien und Kriterien, die im ersten Band (S.XIII ff.) sowie im dreiundzwanzigsten Band (S.V) dargelegt worden sind.

[1] Verfahren Nr.858.

[2] Verfahren Nr.860.

[3] Verfahren Nr.856.

INHALTSVERZEICHNIS

Die in diesem Band veröffentlichten Entscheidungen:

VERFAHRENSREGISTER

Tatland

Tatort

Tatzeit

Lfd.Nr.853

Tatkomplex
Andere Massenvernichtungsverbrechen

Tatort
Czortkow, Kopyczynce, Skala

Tatzeit
4209, 43

Gerichtsentscheidungen
LG Stuttgart vom 30.04.1979, II Ks 20/76
LG Mannheim vom 10.05.1974, 1 Ks 1/70
BGH vom 07.04.1976, 3 StR 286/75
BGH vom 19.12.1979, 3 StR 396/79

INHALTSVERZEICHNIS

der unter Lfd.Nr.853a, 853b und 853c veröffentlichten Urteile

LG Stuttgart vom 30.04.1979, II Ks 20/76

LG Mannheim vom 10.05.1974, 1 Ks 1/70

BGH vom 07.04.1976, 3 StR 286/75

II Ks 20/76

Im Namen des Volkes

Strafsache gegen

den am 25.6.1912 in Hermannstadt/Siebenbürgen/Rumänien geborenen, in Stuttgart-Feuerbach wohnhaften, ledigen Rentner Richard P. [1]

wegen Verdachts des Mordes.

Die II. Schwurgerichtskammer des Landgerichts Stuttgart hat in der Sitzung vom 4.Oktober 1978 bis 30.April 1979 am 30.April 1979 für Recht erkannt:

Der Angeklagte wird freigesprochen.
Die Kosten des Verfahrens, einschliesslich des Revisionsverfahrens, und die dem Angeklagten erwachsenen notwendigen Auslagen werden der Staatskasse auferlegt.
Der Angeklagte ist für die Zeit vom 17.5.1965 bis 27.2.1970 für die vorläufige Festnahme und die erlittene Untersuchungshaft zu entschädigen.

GRÜNDE

I. « Verfahrensgeschichte »

Dem Angeklagten Richard P. wird zur Last gelegt, er habe als Angehöriger der SS nach einer Judenaktion an einem nicht genau bekannten Tag im Juni oder Juli 1943 in Kopyczynce/Galizien einen 11 oder 12 Jahre alten jüdischen Jungen auf offener Strasse und anschliessend am selben Tag eine ca. 55 Jahre alte Jüdin in einem Wohnhaus erschossen, als diese einige ihrer, von ihm vorher sichergestellten Habseligkeiten heimlich an sich zu nehmen versucht habe.
Anklage und Eröffnungsbeschluss würdigen den Tatvorwurf als Mord, strafbar nach §211 StGB, da der Angeklagte vorsätzlich und aus niedrigen Beweggründen getötet habe.

Das Schwurgericht Mannheim hat den Angeklagten deswegen am 10.Mai 1974 wegen versuchten Mordes in zwei Fällen zu 8 Jahren Gesamtfreiheitsstrafe verurteilt. In 6 weiteren Fällen hat es ihn freigesprochen, in einem Fall das Verfahren wegen Verjährung eingestellt. Das Schwurgericht Mannheim stützte seine Feststellungen im wesentlichen auf die Aussage des heute in Bogota (Columbien) lebenden Zeugen Benzion Sch., der dort mehrfach konsularisch vernommen wurde.

Auf die Revision des Angeklagten wurde dieses Urteil samt seinen Feststellungen durch Urteil des Bundesgerichtshofs vom 7.April 1976 - 3 StR 286/75 - aufgehoben und die Sache zu neuer Verhandlung und Entscheidung, auch über die Kosten des Rechtsmittels, an das Landgericht Stuttgart zurückverwiesen. Das Urteil des Landgerichts Mannheim wurde im wesentlichen wegen Verfahrensfehlern aufgehoben, u.a. weil ein Beweisantrag der Verteidigung, der die Personalangaben des Hauptbelastungszeugen Sch. betraf, zu Unrecht abgelehnt wur-

[1] Rechtskräftig durch Urteil des BGH vom 19.12.1979, 3 StR 396/79, Lfd.Nr.853d; siehe auch Verfahren Lfd.Nr.811.

de. Der Bundesgerichtshof führte in seiner Entscheidung u.a. aus, das Schwurgericht habe zwar ausserordentlich sorgfältig die Glaubwürdigkeit des Zeugen Sch. anhand seiner verschiedenen Aussagen im Strafverfahren gegen den Angeklagten und anhand seiner Angaben im Wiedergutmachungsverfahren überprüft, jedoch es im wesentlichen für unerheblich gehalten, dass der Zeuge Sch. in Bezug auf seine Person unrichtige Angaben gemacht habe. Falsche Angaben zur Person seien indessen nicht ohne weiteres begreiflich und könnten einen Hintergrund haben, der in grösserem Masse Zweifel an der allgemeinen Zuverlässigkeit des Zeugen Sch. wecken könnte. Ob dies so sei, müsse der Tatrichter erneut entscheiden.

Am 14.11.1977 begann vor der III.Schwurgerichtskammer des Landgerichts Stuttgart die erneute Hauptverhandlung gegen den Angeklagten. Am 17.4.1978 wurde diese jedoch unterbrochen, nachdem der Bundesgerichtshof durch Urteil vom 11.4.1978 - 1 StR 576/77 - den Geschäftsverteilungsplan des Landgerichts Stuttgart und damit auch die Zuständigkeit der Schwurgerichtskammer beanstandet hatte.

II. « Der festgestellte Sachverhalt »

Die erneute Hauptverhandlung vor der II.Schwurgerichtskammer hat folgenden Sachverhalt ergeben:

1. « Der persönliche und berufliche Werdegang des Angeklagten »

Der Angeklagte Richard P. wurde am 25.Juni 1912 in Hermannstadt/Siebenbürgen geboren. Sein Vater war Postamtmann bei der ungarischen Post und verstarb im Jahre 1944. Seine Mutter war bereits 1914 verstorben. Der Angeklagte wuchs bei seinem Vater auf, der sich später wieder verheiratete. Er besuchte in Hermannstadt die Elementar- und anschliessend die Realschule, die er der hohen Gebühren wegen nach 4 Jahren verlassen musste, da die finanziellen Belastungen der Familie zu gross geworden waren. Der Vater musste noch für 3 Halbgeschwister des Angeklagten sorgen. Nach seiner Schulentlassung begann der Angeklagte 1927 mit einer Autoschlosserlehre, die er 1930 mit der Gesellenprüfung und der Note "gut" abschloss. Anschliessend war er als Geselle noch bei seinem Lehrherrn tätig, der ihn aber nach etwa einem Jahr entlassen musste, weil er keine Arbeit mehr hatte. Ab 1931 arbeitete der Angeklagte dann in einer Stoffabrik, wo er Kraftwagen und Maschinen instand zu halten hatte. Am 15.3.1934 wurde er zur rumänischen Kriegsmarine nach Konstanza eingezogen. Er war auf einem Zerstörer eingesetzt und diente bis Dezember 1936. Er wurde mit dem Rang eines Turbinenmaates aus dem Wehrdienst entlassen. Danach kehrte er nach Hermannstadt zurück. Da er bei der Marine im Umgang mit Benzin und Rohöl Hautausschläge bekommen und ihm der Militärarzt deswegen empfohlen hatte, nicht mehr in seinem alten Beruf zu arbeiten, nahm er eine Stellung in einer Bleistiftfabrik an. 1938 arbeitete er in Budweis 8 Monate lang als Volontär.

In Hermannstadt bestand seinerzeit ein Büro des VDA (Verband der Deutschen im Ausland [2]). Ein Bekannter des Angeklagten, der dort tätig war, gab ihm den Rat, nach Deutschland zu gehen und sich dort auf Kosten des VDA weiterbilden zu lassen. Die Deutschstämmigen würden dort vom VDA in Heimen betreut. Der Angeklagte, dessen Vater Deutscher war, sagte zu, weil auch seine Freunde sich entschlossen hatten, durch die Vermittlung des VDA nach Deutschland zu reisen. Er hatte jedoch zunächst nur die Absicht, sich 2 Jahre lang in Deutschland ausbilden zu lassen.

[2] Richtig: Volksbund für das Deutschtum im Ausland.

Im Oktober 1938 kam er in ein Heim des VDA in Frankfurt/Main und bekam eine Stelle als Volontär bei einer Frankfurter Opelvertretung. Im April 1939 wechselte er mit Genehmigung des VDA zu einer DKW-Generalvertretung über. Da er jedoch zur See fahren wollte, bewarb er sich bei der Firma Hapag in Hamburg. Dort stellte er sich Ende August 1939 vor und heuerte dann Ende August 1939 auf dem Frachtschiff "Westerwald" als Maschinenwärter an. Mit dem Schiff fuhr er von Hamburg nach Bremerhaven, von wo aus dieses nach Ausbruch des deutsch-polnischen Krieges wieder zurückbeordert wurde. Da er noch rumänischer Staatsangehöriger war, wurde er in Hamburg sofort aus der Handelsmarine entlassen.

Da er beim VDA-Büro in Hamburg noch registriert war, meldete er sich nunmehr wieder dort, wo ihm vorgeschlagen wurde, Soldat zu werden. Mit weiteren Deutschstämmigen wurde er am nächsten Tag zur Kaserne des Ersatzbataillons der SS-Standarte "Germania" in Hamburg-Langenhorn gebracht. Dort wurde er eingekleidet und als Panzergrenadier ausgebildet. Nach dem Ende des Polenfeldzugs wurde den Deutschstämmigen die Möglichkeit gegeben, ihre Entlassung zu beantragen. Der Angeklagte, der den Vorschlag des VDA-Büros Soldat zu werden, mehr oder weniger als ein Muss aufgefasst hatte, machte von dieser Möglichkeit Gebrauch und wurde daraufhin Anfang November 1939 wieder entlassen. Danach arbeitete er bei einer Maschinenbaufirma in Hamburg als Monteur. Obwohl er noch die rumänische Staatsangehörigkeit besass, wurde er am 17.6.1940 erneut zur Waffen-SS einberufen und musste sich wieder bei seiner alten Einheit melden.

Während einer Übung am Timmendorfer Strand erlitt der Angeklagte einen Herzanfall, worauf er vom 24.-28.8.1940 bei der Sanitätsinspektion der Waffen-SS in Dachau untersucht wurde. Er wurde dort als truppenverwendungsfähig bezeichnet und wieder zu seiner Einheit zurückgeschickt. Während eines Urlaubs in Berlin traf er dort mit einem Freund zusammen, der Sachbearbeiter bei der Volksdeutschen Mittelstelle war. Die Volksdeutsche Mittelstelle (Vomi) hatte die Aufgabe, die Volksdeutschen, also diejenigen, die nach Abstammung und Sprache dem deutschen Volkstum zugehörten, ohne die deutsche Staatsangehörigkeit zu besitzen, zu erfassen und zu betreuen. Von diesem Freund hörte er auch, dass die Vomi, die im Juni 1941 zu einem SS-Hauptamt erhoben wurde, Dolmetscher für die rumänische Sprache benötigte. Da der Angeklagte die rumänische und ungarische Sprache beherrschte, zeigte er Interesse an dieser Aufgabe.

Nachdem er in Langenhorn noch ein paar Monate Dienst gemacht hatte, wurde er aus seiner Einheit entlassen. Er musste sich nun bei der Vomi-Dienststelle in Berlin melden. Dort bekam er eine feldgraue SS-Uniform mit schwarzen Kragenspiegeln, jedoch ohne Runen, und wurde zum SS-Mann ernannt. Er gehörte damit weiterhin der Waffen-SS an. Da seine ursprüngliche Verwendung als Dolmetscher nicht mehr möglich war, wurde er bei der Vomi als Betreuer eingesetzt und nach Stahnsdorf beordert, wo er auf ein Kommando wartete. Nach etwa 3 Wochen wurde ihm befohlen, nach Zoppot bei Danzig zu fahren. Dort wurde er beauftragt, ein Pferdelager für Deutschstämmige, die mit ihren Pferdefuhrwerken aus dem Baltikum kamen, aufzubauen. Dieses Lager leitete er von Ende Oktober / Anfang November 1940 bis etwa Juli 1941. Anschliessend war er noch bei 3 verschiedenen Vomi-Dienststellen tätig. Zuletzt war er Führer eines Lagers in Benzlin, wo er wieder Volksdeutsche zu betreuen und für deren Verpflegung und Beschäftigung zu sorgen hatte. Im Dezember 1941 kehrte er sodann nach Berlin-Stahnsdorf zurück.

Ende Februar / Anfang März 1942 wurde er mit etwa 10 weiteren Mann nach Lemberg beordert, wo sie sich bei dem SS-Untersturmführer Lo., dem Leiter der Vomi-Dienststelle für den Distrikt Galizien, meldeten. In einem vier Tage dauernden Schnellverfahren wurde der Angeklagte auf seine neue Aufgabe vorbereitet, die darin bestand, im Kreis Czortkow die Deutschstämmigen herauszufinden, ihnen gegebenenfalls Arbeit zu verschaffen, Schulen einzurichten, und sie in Gesprächen zum Deutschtum zurückzuführen. Eine Kommission sollte später nachkommen und die Einbürgerung vollziehen.

Ende Februar / Anfang März 1942 traf der Angeklagte in Czortkow ein. Er führte dort den Titel eines Kreisbeauftragten der Vomi. Der Schriftverkehr trug die Bezeichnung: "Der SS- und Polizeiführer, Beauftragter des Reichskommissars für die Festigung deutschen Volkstums, Dienststelle Lemberg, Der Kreisbeauftragte in Czortkow". Seine Dienststelle hatte der Angeklagte im Gebäude der Kreishauptmannschaft eingerichtet.

Der Angeklagte blieb bis September 1943 in Czortkow. Am 1.4.1943 war er von dem SS--Hauptsturmführer Ilc. abgelöst worden. Im September 1943 meldete sich der Angeklagte bei der Vomi-Dienststelle in Lemberg, bei der er nur kurze Zeit tätig war. Danach wurde er in das Ölgebiet Galiziens abgeordnet. Dort baute er ein Umsiedlungslager für deutschstämmige Ukrainer auf und kehrte anschliessend wieder nach Lemberg zurück. Am 20.12.1943 wurde er zu einer Waffen-SS Einheit in Ellwangen versetzt. Bei dieser Einheit traf er am 10.Januar 1944 ein. Er wurde nunmehr als Unterführer ausgebildet und kam nach etwa 3 Monaten nach Dresden, wo eine Unterführerbrigade aufgestellt wurde. Mit dieser Brigade kam er nach Dänemark und bildete Letten an deutschen Waffen aus. Nach der Invasion am 6.6.1944 wurde er an der Front in Frankreich eingesetzt. In der Zwischenzeit wurde er zum SS-Unterscharführer befördert. Ende Juni 1944 wurde er am Westwall am Handgelenk verwundet. Er kam in ein Lazarett und geriet dort in amerikanische Gefangenschaft, aus der er am 8.November 1946 von Heilbronn aus nach Stuttgart entlassen wurde. Seither lebt der Angeklagte in Stuttgart. Er arbeitete dort zunächst als Bauhilfsarbeiter, danach als Heizungsmonteur und später etwa 10 Jahre lang als Kraftfahrer. Anschliessend war er Maschinenarbeiter bei zwei Gewürzmühlen und zuletzt Lagerarbeiter bei der Firma Böhm in Stuttgart. Am 17.5.1965 wurde er vorläufig festgenommen und befand sich vom 18.5.1965 bis 27.2.1970 in Untersuchungshaft. Nach seiner Entlassung hatte der Angeklagte eine Anstellung als Pförtner beim Bahnpostamt in Stuttgart. Mit Erreichung der Altersgrenze bezog er Rente und erhält zur Zeit monatlich 1.045,- DM.

Der Angeklagte ist nicht vorbestraft.

2. « Die Vomi-Dienststelle und die Juden Czortkows; die angeklagten Taten »

Als der Angeklagte Ende Februar / Anfang März 1942 nach Czortkow kam, lebten dort ungefähr 20000 Einwohner, davon ungefähr 7000-8000 Juden. Ausserdem gab es in Czortkow eine starke ukrainische Minderheit, die mit den Deutschen zusammenarbeitete.

Etwa Mitte 1942 trat der Kommandeur der Schutzpolizei (KdSch), der SS- und Polizeiführer Katzmann [3], anlässlich einer Kommandeursbesprechung in seinem Dienstgebäude in Lemberg an den Vomi-Dienststellenleiter Lo. heran und verlangte von ihm, dass die Angehörigen der Vomi in Galizien bei Judenaktionen mitwirken sollen. Da die Vomi in Lemberg jedoch nicht der sachlichen Befehlsgewalt Katzmanns unterstand, ferner die eindeutige Weisung aus Berlin vorlag, wonach sich die Vomi-Angehörigen nicht mit Judenangelegenheiten zu befassen hatten, lehnte Lo. eine Mitarbeit ab. Kurze Zeit später setzte sich Katzmann wiederum mit Lo. in Verbindung und schlug ihm vor, dass die Angehörigen der Vomi, wenn sie schon bei Judenaktionen nicht mitwirkten, doch wenigstens die Hausratsgegenstände der Juden nach Aktionen sicherstellen und lagern sollten, um sie dann den Volksdeutschen in Galizien zu überlassen. Hiergegen hatte Lo. keine Einwände; seine vorgesetzte Dienststelle liess ihm insoweit auch freie Hand.

In einem Schreiben an den Angeklagten und an die anderen ihm unterstellten Kreisbeauftragten gab Lo. nun die Anweisung, nach Aktionen die Habe der Juden aus den leer gewor-

[3] Katzmann war nicht Kommandeur der Schutzpolizei.

denen Häusern sicherzustellen und in Fragen, die mit der Sicherstellung zusammenhingen, die Befehle des SS-Untersturmführers Hildebrand [4], der zum Stab des KdS Lemberg gehörte, zu befolgen. Wegen eines geeigneten Lagerraumes sollte sich P. im Kreis Czortkow umsehen. Bei einer Dienstbesprechung in Lemberg wurde ihm weiterhin mitgeteilt, dass er sich wegen der Erfassung und Lagerung des Eigentums der Juden an den Dienststellenleiter der Sipo in Czortkow wenden solle, der ihn unterstützen werde. Es war ferner abgesprochen, dass die sichergestellten Gegenstände instandgesetzt werden sollten, um sie an Volksdeutsche weitergeben zu können. Die benötigten Hilfskräfte zu organisieren, war dem Angeklagten überlassen. Im übrigen war es ihm untersagt, an Judenaktionen sich in anderer Weise als durch Einsammlung des Vermögens zu beteiligen.

In der Folgezeit suchte sich nun der Angeklagte in Czortkow zwei Gebäude in der Nossastrasse aus, die ihm für sein neu hinzugekommenes Aufgabengebiet geeignet erschienen. Das eine Haus auf der zum Fluss Sereth hin gelegenen Strassenseite stand auf einem Villengrundstück und sollte als Reparaturwerkstätte dienen. Das Grundstück, auf dem sich neben dem Werkstattgebäude noch Stallungen befanden, war eingezäunt. Ihm gegenüber, auf der anderen Seite der Nossastrasse, lag ein mehrgeschossiges grosses Haus, das einem Juden namens Margulies gehört hatte. Dieses sollte als Lagerraum (Magazin) verwendet werden. Der Dienststellenleiter der Sipo in Czortkow war mit der ihm vom Angeklagten vorgeschlagenen Benutzung der beiden Häuser einverstanden. Wegen der zur Durchführung seiner Aufgabe benötigten Arbeitskräfte sollte sich der Angeklagte unmittelbar an den Kreisjudenrat wenden.

Als im Sommer 1942 in Czortkow und im Kreis Czortkow die ersten Judenaktionen anliefen, begann der Angeklagte unmittelbar nach den Aktionen die Habe der betroffenen Juden zu erfassen und in das Lager in der Nossastrasse zu verbringen. Er bediente sich dazu jüdischer Arbeitskräfte, die er sich vom Kreisjudenrat für die Einsammlung hatte zuweisen lassen. Anfänglich trat er wegen der von ihm benötigten Arbeiter immer an den Kreisjudenrat heran, später bildete sich jedoch ein Stamm von Arbeitskräften heraus, die überwiegend ein Handwerk erlernt hatten und ständig im Lager des Angeklagten arbeiten mussten.

Das Lager wurde bald bei den Juden in Czortkow als P.-Lager [5] bekannt. Es wurde als ständige Einrichtung vom Angeklagten nach der ersten grossen Umsiedlungsaktion in Czortkow, die Ende August 1942 stattfand und bei der die Betroffenen im Vernichtungslager Belzec endeten, geschaffen. Am Tage nach der Aktion begann der Angeklagte mit seinen Leuten, die Sachen der deportierten Juden einzusammeln. Zu diesem Zeitpunkt verpflichtete er auch den Zeugen Benzion Fri., der heute unter dem Namen Sch. im Bogota lebt, für sein Lager. P. lernte Fri. in der Kreishauptmannschaft kennen, wo dieser in einem Asservatenlager beschäftigt war.

Als Fri. in das P.-Lager kam, bestand dort erst die fünfköpfige Lagerwache. Er wurde im Lager alsbald zur rechten Hand des Angeklagten und war allen anderen Lagerarbeitern übergeordnet, wobei er stets mit P. engen Kontakt hatte. Zwischen dem Angeklagten und Fri. entwickelte sich in der Folgezeit ein enges Vertrauensverhältnis, was dazu führte, dass die im Lager arbeitenden Juden in Fri. den Vertreter des Angeklagten sahen, der die Funktion eines Direktors im Lager ausübte. Neben P. hatte Fri. das Recht, Juden ins Lager aufzunehmen bzw. Leute zu entlassen. Wegen seiner Tätigkeit im P.-Lager und der damit verbundenen engen Beziehung zum Angeklagten stand Fri. in dem negativen Ruf, ein Kollaborateur zu sein. Wegen seiner hervorgehobenen Stellung wurde Fri. vom Zeugen Ilc. als "Oberjude" bezeichnet.

[4] Siehe Lfd.Nr.355 und 653.

[5] P. = Name des Angeklagten.

Neben Fri. gehörten noch Wolf Win., der die Aufsicht über den Transport hatte, Stöckel, welcher die Küchenaufsicht führte, und Pinchas Bra., dem die Aufsicht über das Magazin übertragen war und der gleichzeitig Stellvertreter Fri.s war, zu den vom Angeklagten bevorzugten Juden.

Den Juden des P.-Lagers ging es den Verhältnissen entsprechend gut. Sie hatten zu essen, wofür der Angeklagte persönlich sorgte, und waren während ihrer Tätigkeit vor Übergriffen geschützt. Vom Angeklagten selbst hatten sie nichts zu befürchten. Sie wurden von ihm auch nicht misshandelt. Dieser relativen Sicherheit wegen drängten sich auch viele Juden danach, im P.-Lager arbeiten zu dürfen, denn der Aufenthalt im Lager bedeutete eine Art "Lebensversicherung".

Im P.-Lager waren ca. 50-100 jüdische Männer und Frauen beschäftigt, welche an den ins Lager gebrachten Gegenständen zu arbeiten hatten. So wurden beispielsweise Möbelstücke ausgebessert, Kleidungsstücke sortiert, gewaschen und hergerichtet. Aber nicht nur die Habseligkeiten der in Czortkow wohnhaft gewesenen Juden wurden durch das P.-Lager geschleust, vielmehr liess der Angeklagte auch in den Ortschaften des Kreises Czortkow die Habe der von einer Aktion Betroffenen einsammeln. So hatte der Angeklagte Zweiglager unter anderem in Kopyczynce und Tluste. Über den jeweiligen Ortsjudenrat bereitgestellte Arbeitskräfte mussten die Gegenstände aus den Häusern tragen und auf Pferdefuhrwerke in ein Lager am Ort verbringen. Von dort aus wurden die Sachen dann später zum zentralen Lager nach Czortkow weitertransportiert. Wegen seiner Tätigkeit erhielt der Angeklagte von den Juden den Spitznamen "Universalerbe aller Juden". Während Möbelstücke und Kleider an Volksdeutsche weitergegeben oder auch möglicherweise nach Deutschland weitergeleitet wurden, musste der Angeklagte dagegen Wertgegenstände wie Schmuck, Gold und Devisen, die vornehmlich in Kleidungsstücken eingenäht gewesen waren, dem Judenreferenten Köllner [6] abliefern.

Ausserhalb des Lagers mussten sich die Juden des P.-Lagers im Ghetto aufhalten. Sie wohnten zunächst im früheren Hotel "Imperial" und kamen dann kurz vor der Liquidierung des P.-Lagers im Sommer 1943 in das von Paul Thomanek [7] geleitete Zwangsarbeitslager, das mit Stacheldraht umzäunt und strenger als das P.-Lager bewacht war. Ebenso wie das Thomaneklager wurde das P.-Lager im Juni oder Juli 1943 liquidiert. Ein Teil der im Thomaneklager untergebrachten Juden des P.-Lagers wurde damals bei einer frühmorgens durchgeführten Aktion ergriffen und danach am Flugplatz bei Czortkow erschossen. Ein anderer Teil der im P.-Lager Beschäftigten kam in die Zwangsarbeitslager nach Swidowa und Jaglienica [8].

Der Angeklagte hatte die Vomi-Dienststelle in Czortkow, mit der die Aufgabe der Sammlung des jüdischen Vermögens verbunden war, offiziell bis März 1943 geleitet. Ab 1.4.1943 wurde er von dem SS-Hauptsturmführer Ilc. abgelöst. Es war vorgesehen, dass der Angeklagte Ilc. einarbeiten sollte. Ilc. kümmerte sich jedoch kaum um die ihm übertragenen Geschäfte, weshalb sie weiterhin vom Angeklagten, der Ilc. zu vertreten hatte, erledigt wurden. Praktisch leitete der Angeklagte als Vertreter Ilc.s das Lager bis zu dessen Auflösung weiter.

Das Schwurgericht konnte nach dem Ergebnis der Beweisaufnahme nicht die Überzeugung gewinnen, dass der Angeklagte im Rahmen seiner damaligen Tätigkeit im Juni oder Juli 1943 in Kopyczynce einen 11 oder 12 Jahre alten jüdischen Jungen auf offener Strasse und an-

[6] Siehe Lfd.Nr.541.

[7] Siehe Lfd.Nr.455 und 498.

[8] Gemeint ist wohl: Jagielnica.

schliessend eine ca. 55 Jahre alte Jüdin in einem Wohnhaus erschossen hat, wie es ihm die Anklage zur Last legt, obwohl nach wie vor erhebliche Verdachtsgründe in dieser Richtung bestehen.

III. « Einlassung des Angeklagten, Beweismittel und Beweiswürdigung »

1. « Beweismittel der Feststellungen zu II. »

a) Die Feststellungen zu den persönlichen Verhältnissen und zum Werdegang des Angeklagten beruhen auf seinen Angaben, denen in vollem Umfang gefolgt werden konnte.

b) Die Feststellungen zu den Aufgaben des Angeklagten in Czortkow beruhen auf den Angaben des Zeugen Lo., der im wesentlichen die Einlassung des Angeklagten bestätigte, den Vomi-Angehörigen sei es ausdrücklich untersagt gewesen, an Judenaktionen teilzunehmen.

c) Wann genau das P.-Lager aufgelöst wurde, konnte dagegen nicht mehr mit letzter Sicherheit festgestellt werden. Unrichtig ist jedenfalls die Behauptung des Zeugen Ilc., Juden des P.-Lagers seien im Herbst 1943 nach Jaglienica [9] abtransportiert worden. Alle jüdischen Zeugen, die zeitliche Angaben zur Liquidierung des P.-Lagers machen konnten, gaben als spätesten Zeitpunkt hierfür Juli 1943 an. So erklärte der Zeuge Benzion Sch., dass das Thomaneklager, in dem sich die Juden des P.-Lagers aufgehalten hätten, am 18. oder 19.7.1943 liquidiert worden sei. Der Zeuge Thomanek gab in der Hauptverhandlung ebenfalls an, sein Lager sei erst im Juli 1943 aufgelöst worden. Der Zeuge Leon Win. bekundete bei seiner kommissarischen Vernehmung am 27.12.1978 in Wien ebenfalls, das P.-Lager habe bis Ende Juli 1943 bestanden. Die Zeugen Klara Bet. und Michael Kes. meinten dagegen übereinstimmend, das P.-Lager sei Ende Juni 1943 aufgelöst worden. Die Zeugin Dora Ros. erklärte schliesslich, das P.-Lager sei im Juni oder Juli 1943 liquidiert worden. Die genannten Zeugenaussagen reichen aus, um feststellen zu können, dass das P.-Lager im Juni oder spätestens Ende Juli 1943 aufgelöst wurde.

2. « Einlassung des Angeklagten »

Der Angeklagte bestreitet mit Entschiedenheit beide ihm zur Last gelegten Taten. Im einzelnen hat er sich wie folgt eingelassen:

Im Jahre 1943 habe er nichts mehr mit Judenangelegenheiten, insbesondere mit dem Einsammeln des jüdischen Vermögens, zu tun gehabt. Er sei bereits im März 1943 von dem SS-Hauptsturmführer Ilc., sowohl in seiner Stellung als Beauftragter der Vomi, wie auch als Lagerleiter abgelöst worden. Er habe Ilc. nur noch einarbeiten müssen. Tatsächlich habe er sich jedoch trotz der Anwesenheit Ilc.s immer noch mit Vomi-Angelegenheiten beschäftigt. Jedenfalls sei Ilc. 1943 zuständig gewesen für das Einsammeln der jüdischen Sachen. Er wisse auch nicht, ob 1943 tatsächlich noch eingesammelt worden sei und wer dies veranlasst habe. Im Juni/Juli 1943 sei er überhaupt nicht in Kopyczynce gewesen. Lediglich im August 1943 habe er sich bei einer volksdeutschen Familie, die in der Eisenbahnstrasse in Kopyczynce gewohnt habe, verabschiedet. Schliesslich sei er im Juni oder Juli 1943 für zwei Wochen im Urlaub in Wien gewesen. Im übrigen habe er bei seiner Tätigkeit nie jüdische Häuser betreten und Gegenstände wie Bettwäsche angefasst, da er sich gefürchtet habe, an Fleckfieber zu erkranken, weil diese Krankheit durch Läuse übertragen werde. Ausserdem sei er nie mit Pferdefuhrwerken von Czortkow nach kleineren Städten im Kreis gefahren. Transporte nach Czortkow habe er immer mit einem von der Kreishauptmannschaft entliehe-

[9] Gemeint ist wohl: Jagielnica.

nen LKW durchgeführt, manchmal habe ihn auch Thomanek mit seinem PKW mitgenommen.

Die beiden Taten in Kopyczynce habe Fri. erfunden, um ihn zu belasten und sich dadurch bei seinen Landsleuten, bei denen er während der deutschen Besatzung im Rufe der Kollaboration gestanden habe, "reinzuwaschen". Fri. wolle seinen Landsleuten gegenüber "das Gesicht wahren". Nach seiner Festnahme im Jahre 1965 habe er den zuständigen Staatsanwalt gebeten, nach Fri. zu suchen. Er hätte Fri. nicht als Entlastungszeugen benannt, wenn er die ihm vorgeworfenen Taten in seinem Beisein begangen hätte. Im übrigen habe es in Kopyczynce im Juni oder Juli 1943 keine Erschiessungsaktionen gegeben. Es sei auch merkwürdig, dass bezüglich der Taten in Kopyczynce ausser dem Zeugen Sch. weder weitere Augenzeugen, noch Zeugen vom Hörensagen vorhanden seien.

Die Einlassungen des Angeklagten erwiesen sich zwar in einigen Punkten als unrichtig und werden insoweit durch das Ergebnis der Beweisaufnahme widerlegt:

a) Zur Überzeugung des Gerichts steht fest, dass der Angeklagte auch noch im Jahre 1943 zusammen mit seinen Leuten nach Aktionen Vermögensgegenstände der Juden eingesammelt hat. Im Jahre 1942 fanden in Czortkow und im Kreis Czortkow zunächst sogenannte Aussiedlungsaktionen statt, bei denen Juden in Vernichtungslager deportiert wurden. In der ersten Jahreshälfte 1943 wurden dagegen in verstärktem Masse sogenannte Liquidationsaktionen durchgeführt, bei denen die Juden zusammengetrieben und anschliessend, meist ausserhalb der Städte, erschossen wurden. Während im Jahre 1942 der grösste Teil jüdischen Vermögens, wie Möbel und Hausratsgegenstände, in grossem Umfange eingesammelt wurden, beschränkte sich das Einsammeln im Jahre 1943, besonders im Sommer 1943, zu einem wesentlichen Teil auf die Sicherstellung von Kleidungsstücken, in denen zum Teil Wertgegenstände eingenäht worden waren. So erklärte die Zeugin Mi. glaubhaft, viele Juden hätten im Sommer 1943 kaum mehr als das besessen, was sie am Leibe trugen und in einem Rucksack mit sich herumtragen konnten.

Die vom Angeklagten in der Hauptverhandlung abgegebene Einlassung, er habe 1943 überhaupt nichts mehr eingesammelt, steht zunächst in Widerspruch zu seinen Angaben, die er unmittelbar nach seiner Festnahme vor dem Staatsanwalt gemacht hatte. So erklärte der Angeklagte am 18.Mai 1965, nachdem er vom zuständigen Staatsanwalt über seine Rechte als Beschuldigter belehrt worden war, er sei im Mai oder Juni 1943 mit Thomanek [10] in Buczacz gewesen. Als sie nach Buczacz gekommen seien, sei die Aktion bereits im Gange gewesen. Er selbst sei nach der Aktion in die Wohnungen der Juden gegangen, um nachzusehen, ob noch irgendwelche erfassbaren Gegenstände vorhanden gewesen seien. In derselben Vernehmung erklärte der Angeklagte weiter, er sei im April oder Mai 1943 bei einer Aktion in Tluste gewesen, wo ebenfalls wieder Wohnungen geräumt wurden. Der Zeuge Arie Sche. erklärte, er habe den Angeklagten 1943 in Tluste nach einer Aktion einsammeln gesehen. Damals habe P. veranlasst, dass die Kleider erschossener Juden mit einem LKW zu einem Magazin gebracht worden seien. Schliesslich erklärte der Zeuge Thomanek in der Hauptverhandlung, er sei mit dem Angeklagten im ersten Halbjahr 1943 bei verschiedenen Aktionen gewesen, wobei er P. mit seinem roten DKW hingefahren habe. Von gewisser Bedeutung ist schliesslich auch der sogenannte Katzmannbericht, aus dem zu entnehmen ist, dass bis Ende 1943 neben erfassten Möbeln auch grosse Mengen Textilien erfasst und abgeführt wurden.

[10] Siehe Lfd.Nr.455 und 498.

Aufgrund der Beweisaufnahme steht daher fest, dass der Angeklagte auch noch im Jahre 1943, wenn auch nicht in dem Umfange wie 1942, Vermögensgegenstände der Juden eingesammelt hat.

b) Der Einlassung des Angeklagten kann auch insoweit kein Glauben geschenkt werden, als er behauptet, er sei im März 1943 von dem SS-Hauptsturmführer Ilc. abgelöst worden und sei danach nicht mehr im Lager tätig gewesen. Der Zeuge Ilc. sagte bei einer richterlichen Vernehmung am 31.Mai 1968 aus, man habe ihm in Lemberg nichts davon gesagt, dass der Angeklagte in Czortkow ein Judenlager unterhalte und dass er dieses Lager übernehmen solle. Er habe nach Judenaktionen keine jüdischen Häuser nach brauchbaren Hausratsgegenständen durchsucht. Um das Lager habe er sich nie gekümmert, vielmehr habe P., wie vor seiner Ankunft in Czortkow, seine frühere Tätigkeit weitergeführt.

Der Zeuge Sch. erklärte in einer Vernehmung vom 9.Januar 1968, Ilc. habe dem Angeklagten die Lagerleitung weiterhin überlassen. Er habe an Einsammlungsaktionen nicht teilgenommen, sondern dem Angeklagten die Weisungen gegeben, das Lager wie bisher weiterzuführen. Der Angeklagte habe dann seinerseits den Lagerordnungsdienst mit dem Einsammeln beauftragt. Der Zeuge Leon Win. bekundete schliesslich vor dem Schwurgericht in Mannheim, er habe den Angeklagten letztmals im Mai oder Juni 1943 gesehen. Zu diesem Zeitpunkt sei er noch Lagerleiter gewesen. Ausserdem fällt auf, dass Lagerinsassen des P.-Lagers der Name Ilc. überhaupt nicht geläufig war. So erklärte die Zeugin Ros., sie habe während ihres Aufenthalts im P.-Lager den Namen Ilc. nie gehört. Nach alledem steht daher fest, dass der Angeklagte tatsächlich das Lager bis zu dessen Liquidierung, auch nach Eintreffen des Zeugen Ilc., praktisch weiter leitete.

c) Auch die Einlassung des Angeklagten, er habe nach den Aktionen nie Häuser der Juden betreten, ist als blosse Schutzbehauptung zu werten und durch die Beweisaufnahme widerlegt. So erklärte der Zeuge Zel., er habe gesehen, wie der Angeklagte zusammen mit Fri. während der Aktionen Häuser betreten habe, um einzusammeln. Der Zeuge Hildebrand [11], der als SS-Untersturmführer dem Stabe Katzmann in Lemberg angehörte und Inspekteur sämtlicher Zwangsarbeitslager in Galizien war, bekundete, er sei nach einer Aussiedlungsaktion mit dem Angeklagten in einer Ortschaft in die Häuser hineingegangen, um zu schauen, ob brauchbare Vermögensgegenstände vorhanden gewesen seien. Der Zeuge Leon Win. erklärte, er habe gehört, P. sei in Häuser hineingegangen, um einzusammeln. Dass damals allgemein Vomi-Angehörige nach Aktionen zum Einsammeln Häuser betreten haben, folgt darüber hinaus aus der Aussage des Zeugen Poh., der bekundete, er selbst habe als Vomi--Angehöriger, jedoch nicht im Kreise Czortkow, Häuser betreten, um einzusammeln. Schliesslich erklärte der Angeklagte selbst in seiner Vernehmung vom 18.5.1965, er habe im Mai oder Juni 1943 in Buczacz und im April oder Mai 1943 in Tluste Häuser der Juden betreten.

Die Einlassung des Angeklagten, er sei mit Pferdefuhrwerken nie über Land gefahren, wird bereits widerlegt durch seine Aussage vom 19.5.1965, wo er erklärte, er sei im Sommer 1942 mit einem Pferdefuhrwerk ausserhalb von Czortkow gewesen, um irgendwo im Kreisgebiet Volksdeutsche zu betreuen und zu beraten.

d) Was schliesslich die Behauptung des Angeklagten betrifft, es habe im Juni oder Juli 1943 in Kopyczynce überhaupt keine Aktionen gegeben, so ist diese Einlassung durch die glaubhaften Aussagen einer Reihe von Zeugen widerlegt. So erklärte der Zeuge Gol., Liquidationsaktionen seien am 3.6., 6.6. und 7.6.1943 in Kopyczynce gewesen. Der Zeuge Edward

[11] Siehe Lfd.Nr.355 und 653.

W. sagte aus, es habe im Juni 1943 in Kopyczynce ein Pogrom gegeben; die Zeugin Mi. bekundete, es habe im Juni/Juli 1943 Aktionen in Kopyczynce gegeben. Schliesslich erklärte die Zeugin Var., die letzte Aktion habe im Juli 1943 stattgefunden. Da sämtliche Zeugen aus Kopyczynce stammen, die Aktionen teilweise selbst miterlebt haben und an ihrer Glaubwürdigkeit insoweit keine Zweifel bestehen, ist davon auszugehen, dass im Juni und Juli 1943 in Kopyczynce noch Aktionen stattfanden.

e) Das Schwurgericht ist der Auffassung, dass bei dem überwiegend negativen Ruf, den der Angeklagte hatte, ihm jedenfalls die zweite Tat, nämlich die Erschiessung der Frau in einem Haus, zuzutrauen ist. Aus den Zeugenaussagen ergibt sich, dass alle im Lager vor P. Angst hatten.

Der Zeuge Bre. bekundete, P. habe Ruwen Hal. erschossen; jeder habe Angst vor ihm gehabt. Der Zeuge Nathan Dre. erklärte, P. habe den Ruf eines Mörders gehabt. Auch der Zeuge Zygmund Got. bezog sich ebenfalls wie die Zeugin Var. auf den Fall Hal. und erklärte dann, P. habe den Ruf eines Mörders gehabt. Der Zeuge Fri. war der Meinung, dass man sich im Ghetto ursprünglich vor P. nicht verstecken habe müssen, erst nach der Erschiessung des jüdischen Tanzlehrers Goldstein habe sich der ursprünglich gute Ruf P.s geändert und die Juden hätten Angst vor ihm gehabt. Die Zeugen Sche. und Adina S. begründen den schlechten Ruf des Angeklagten damit, P. habe Angehörige von ihnen geschlagen. Sämtliche Zeugen kommen daher bei der Beurteilung des Rufes des Angeklagten nur deshalb zu einem negativen Ergebnis, weil ihnen bestimmte Erschiessungsfälle oder Misshandlungen jüdischer Mitbürger bekannt geworden sind. Der negative Ruf des Angeklagten steht in fast allen Fällen in direktem Zusammenhang mit seiner Tätigkeit nach Aktionen, bezieht sich jedoch nicht auf die Tätigkeit im Lager.

Dass der Angeklagte bei seiner Tätigkeit auch gegenüber Deutschen unangenehm aufgefallen ist, bestätigt nur die Zeugin Pet. P. sei arrogant und abweisend gewesen, Juden und Polen hätten vor ihm "gebuckelt".

Die Zeugen, die mit dem Angeklagten zusammenarbeiteten, bestätigen, dass der Angeklagte "gut gewesen sei", erklären aber gleichzeitig, der Angeklagte habe sich ausserhalb des Lagers bei Aktionen nicht korrekt verhalten und sei besonders gefürchtet gewesen. So erklärte der Zeuge Bil., dessen Frau für P. strickte, er habe ihn und seine Frau gerettet und aus dem Gefängnis geholt. Seine bei ihm beschäftigten Juden hätten von ihm nichts zu befürchten gehabt. Andere hätte er dagegen nicht geschont. Er sei besonders gefürchtet gewesen und alle Juden hätten vor ihm das Weite gesucht. P.s Schneider, der Zeuge Fre. bekundete, P. sei ihm gegenüber immer anständig gewesen, von anderen habe er dagegen nur Negatives über ihn gehört. Man habe ihm auch erzählt, dass P. zusammen mit Thomanek Juden erschossen habe. Der Friseur des Angeklagten, der Zeuge David Son., meinte, P. sei immer zu ihm anständig gewesen, er habe ihm jedoch einmal gesagt "im Dienste bin ich Mörder, ausserhalb Kaufmann und Ehrenmann."

Der Zeuge Ilc. erklärte, P. habe bei den Juden einen guten Ruf gehabt, sein Verhältnis zu ihnen sei gut gewesen. Der Zeuge Wol. bekundete, er habe von Mordtaten oder ähnlichem an Juden nichts gehört und gesehen, und die Zeugin Klara Bet. war der Meinung, dass P. nicht schlecht zu den Leuten gewesen sei, und dass man sich vor ihm nicht fürchten habe müssen. Eine dritte Gruppe von Zeugen erklärte schliesslich, der Angeklagte habe den Ruf eines Mörders gehabt, ohne Einzeltaten nennen zu können. Solche Aussagen machten vor allem die Zeugen Benio Baz., Scheftel Gro. und Michael Kes.

Zusammenfassend ist somit festzustellen, dass der überwiegend negative Ruf des Angeklagten in erster Linie in direktem Zusammenhang mit seiner Tätigkeit ausserhalb des Lagers beim Einsammeln jüdischer Vermögensgegenstände nach Aktionen steht. Sollte sich die Frau in Kopyczynce tatsächlich geweigert haben, an den Angeklagten Wäschestücke aus ihrer Truhe oder ihrem Koffer herauszugeben, so wäre dem Angeklagten nach Ansicht des Gerichts durchaus zuzutrauen, dass er dann diese Frau auf der Stelle erschossen hätte.

Zweifel bestehen dagegen, ob dem Angeklagten auch die Tötung eines 10-12-jährigen Jungen auf offener Strasse zuzutrauen ist. Eine solche Tat würde in keinem Zusammenhang mit der Tätigkeit des Angeklagten stehen und eine schwere Exzesstat darstellen. Es wurden zwar damals bei Aktionen Menschen auf offener Strasse erschossen. Eine Reihe von Zeugen erklärten jedoch, dass nach Beendigung der Aktionen solche Taten nicht vorgekommen seien und das Leben normal weitergegangen sei. Kein Zeuge bekundete, der Angeklagte habe, wie andere SS-Angehörige, aus reiner Mordlust Leute erschossen, wenn sie ihm z.B. begegnet seien. Die Erschiessung eines 10-12-jährigen Jungen, der darüber hinaus keine Armbinde mit dem Davidstern trug und dadurch nicht sofort als Jude erkennbar war, sondern nur an seinem Äusseren, oder der beim Auftauchen des Angeklagten erschrak und deshalb als Jude erkennbar war, setzt bei einem Täter ein besonders hohes Mass an Menschenverachtung voraus. Die Schwurgerichtskammer hat erhebliche Bedenken, ob der Angeklagte in der Lage gewesen wäre, in dieser Situation ein wehrloses Kind auf offener Strasse einfach niederzuschiessen und zu töten.

f) Zu bemerken ist weiterhin, dass der Angeklagte im Entnazifizierungsverfahren und im Antrag auf Ausstellung eines Ausweises für Vertriebene und Flüchtlinge mit keinem Wort seinen Aufenthalt in Czortkow erwähnte. Im Spruchkammerverfahren erklärte der Angeklagte unter anderem am 12.April 1948, er sei von der rumänischen Kriegsmarine als Unteroffizier abgegangen und aufgrund dieses Dienstgrades am 1.7.1944 an die Unterführerschule der Waffen-SS nach Radolfzell kommandiert worden. Insoweit kann dem Angeklagten jedoch nicht widerlegt werden, dass er bei wahrheitsgemässen Angaben nach dem Kriege durch die Besatzungsmächte erhebliche Nachteile erlitten hätte.

3. « Beweiswürdigung »

Trotz eines erheblichen Tatverdachts konnte angesichts des Bestreitens des Angeklagten das Gericht nicht die Überzeugung gewinnen, der Angeklagte habe die beiden Taten in Kopyczynce tatsächlich begangen. Der Angeklagte kann insbes. nicht aufgrund der Aussage des Zeugen Sch. überführt werden. Im einzelnen ist dazu folgendes auszuführen:

a) Der Zeuge Sch. erklärte, es müsse zwischen dem 8. und 15.Juli 1943 gewesen sein, als P. eines Tages gesagt habe, dass er, Sch., sowie Stöckel und Win. und noch ein paar Arbeiter des Lagers am nächsten Morgen nach Kopyczynce fahren müssten. Am darauffolgenden Morgen seien sie auch gegen 7.00 Uhr mit einem Fuhrwerk auf der Landstrasse von Czortkow nach Kopyczynce gefahren. Es könne sein, dass es auch zwei Fuhrwerke gewesen seien. P. habe sie begleitet, er vermute, dass P. nur deshalb mitgefahren sei, weil es damals für Juden selbst mit einem Passierschein der Gestapo gefährlich gewesen sei, über Landstrassen zu fahren. Sie seien zunächst nach Kopyczynce hineingefahren und anschliessend zum Friedhof weitergefahren. Der Friedhof sei an der Strasse in Richtung Tarnopol gelegen. Auf dem Friedhof sei eine grosse Anzahl getöteter Juden gelegen, die noch bekleidet gewesen seien. Er meine, dass man diese dort erschossen habe. Ein Massengrab habe er auf dem Friedhof allerdings nicht bemerkt. P. habe nun Stöckel und Win. sowie die anderen Arbeiter angewiesen, die Leichen zu entkleiden und die Kleidungsstücke einzusammeln. Ihm habe er befohlen, mit ihm in die Stadt zu gehen, während er Stöckel und Win. die Anordnung erteilt habe, zu einem gewissen Zeitpunkt am Nachmittag mit dem Fuhrwerk an einer bestimmten Stelle der Landstrasse zu sein.

Als er nun mit P. in Richtung der Stadtmitte gegangen sei, sei ihnen aus dem Zentrum ein 10-12-jähriger Junge entgegengekommen. Dieser Junge, der ohne die Armbinde mit dem

Davidstern gewesen sei, sei äusserlich klar als Jude erkennbar gewesen. Er habe mehr oder weniger hundertprozentige semitische Gesichtszüge gehabt. Ausser dem Jungen seien nur noch wenige Arier auf der Strasse gewesen, soweit er sich erinnere. P. habe nun dem Jungen befohlen, zu ihm heranzukommen. Daraufhin habe er seinen Revolver gezogen und das Kind auf der Stelle erschossen. Allerdings könne er sich nach so langer Zeit nicht mehr genau daran erinnern, ob P. den Jungen zu sich gerufen habe oder ob er ihn ohne Anruf niedergeschossen habe. Tatsache sei jedoch, dass er ihn niedergeschossen habe. Sicher sei er sich, dass P. den Jungen nicht weiter angeredet habe und ihn auch nicht gefragt habe, ob er Jude sei. Das Gesicht des Jungen habe einen erschrockenen Ausdruck gezeigt, dass er sich dadurch bereits auch als Jude verraten habe. Wenn ihm vorgehalten werde, dass er bei seiner konsularischen Aussage vom 9.9.1965 und 3.8.1967 erklärt habe, dass der von P. erschossene jüdische Junge in Kopyczynce eine Armbinde mit dem Davidstern getragen habe, so müsse er dazu sagen, dass er sich damals nicht auf die Vernehmungen habe vorbereiten können. Auf die jetzige Vernehmung habe er sich jedoch einige Wochen vorbereiten können. Oft habe er nachts wachgelegen. Dabei habe er sich erinnert, dass der kleine Junge in Kopyczynce keinen Davidstern getragen habe. Wie der Junge geheissen habe, wisse er nicht, da er selbst fremd in Kopyczynce gewesen sei. Er sei an jenem Tag, abgesehen davon, dass er einige Male durch Kopyczynce durchgefahren sei, das erste Mal in seinem Leben überhaupt in dieser Stadt gewesen.

Älter als 12 Jahre sei der Junge nicht gewesen. In seiner Heimat habe man damals hundertprozentig unterscheiden können, ob jemand Jude gewesen sei oder nicht. Er könne sich nicht vorstellen, dass P. auf der Strasse das Kind erschossen hätte, wenn er nicht angenommen hätte, dass es jüdisch gewesen sei. Er sei überzeugt davon, dass P. das Kind als Jude erkannt habe. Natürlich sei es für Juden gefährlich gewesen, sich ohne die Armbinde mit dem Davidstern sehen zu lassen. Es sei Glücksache gewesen, wenn man nicht erwischt worden sei. Die Verpflichtung, den Judenstern zu tragen, habe ab dem 10.Lebensjahr bestanden. Der Junge habe wohl keinen Stern getragen, weil ein 10-12-jähriger Junge doch noch als 9-Jähriger habe eingeschätzt werden können.

An die Haarfarbe des Kindes könne er sich nicht mehr erinnern. Er glaube, dass der Junge Höschen und eine Jacke aus Leinenstoff getragen habe.

Er wisse nun nicht mehr, ob P. einen oder mehrere Schüsse auf das Kind abgegeben habe. Der Junge sei danach hingefallen und habe sich nicht mehr bewegt. Seiner Erinnerung nach sei das Kind auf der Stelle tot gewesen. Wohin P. geschossen habe, wisse er nicht. Er erinnere sich aber, Blut gesehen zu haben. Als P. die Schüsse abgegeben habe, sei er selbst höchstens drei Meter von dem Jungen entfernt gestanden und maximal zwei Meter neben P. Wo er das Blut am Körper des Jungen gesehen habe, wisse er nicht mehr genau. Er vermute, dass es in der Herzgegend gewesen sei. Dass der Junge tot gewesen sei, nehme er an, weil er sich nach dem Schuss nicht mehr gerührt habe. Ausser den beiden Fällen in Kopyczynce (Junge und alte Frau) habe er keine anderen Verbrechen bei P. persönlich beobachtet. Bei beiden Opfern sei jedoch der Kopf völlig unverletzt gewesen. Bei dem Jungen habe er noch Blut in der Herz- oder Brustgegend gesehen, bei der Frau habe P. auch auf den Körper gezielt, der Kopf sei intakt gewesen. Seine Überzeugung, dass der Junge auf den Schuss von P. hin auf der Stelle tot gewesen sei, resultierte daraus, dass jener sofort niedergefallen und regungslos liegen geblieben sei. Soweit er sich erinnere, hätten sich die Passanten nicht weiter um das Ereignis gekümmert.

Er erinnere sich nicht mehr genau, wo der Friedhof in Kopyczynce gelegen sei. Jedenfalls habe man von Czortkow kommend durch das Zentrum des Städtchens hindurch und in Richtung Tarnopol fahren müssen.

Nach dem Verbrechen an dem Kind seien P. und er zum Judenratsgebäude gegangen. P. habe dort einen Ordnungsdienstmann verlangt, welcher ihm die Häuser der Juden zeigen sollte. In Begleitung dieses Ordnungsdienstmannes seien sie dann auch zu einigen jüdischen Häusern gegangen. Erinnern könne er sich nicht mehr, ob diese leer oder noch Sachen einzusammeln gewesen seien. Schliesslich seien sie in ein Haus gekommen, in dessen Flur sie eine Frau angetroffen hätten, die bei einer gepackten Truhe gestanden sei. P. habe nun die Truhe geöffnet, oder der Frau befohlen, sie zu öffnen. Danach habe er sie durchwühlt und brauchbare Sachen, die noch in gutem Zustand gewesen seien, entnommen und sie beiseite gelegt. In der Truhe hätten sich Wäsche und Kleider befunden. Als er ein noch besonders gutes Stück habe herausnehmen wollen, habe die Frau ein saueres Gesicht gemacht und damit zu erkennen gegeben, dass sie mit der Wegnahme dieses Gegenstandes nicht einverstanden sei. Diese Frau habe ein Gesicht gemacht, als wenn sie habe weinen wollen. Daraufhin habe P. den Revolver gezogen und die Frau erschossen. Wenn ihm vorgehalten werde, dass er am 3.8.1967 ausgesagt habe, die Frau habe versucht, Sachen aus dem Koffer herauszunehmen, so könne er dazu sagen, dass die Frau, wie er sich jetzt erinnere, keine Möglichkeit gehabt habe, Sachen aus dem Koffer zu entnehmen. Er wisse aber nicht mehr genau, ob P. den wertvollen Gegenstand aus der Truhe selbst genommen habe oder aber aus der Hand der Frau. Das besonders gute Stück, das P. an sich genommen habe, könne auch nur einen besonderen persönlichen Wert für die Frau gehabt haben. Dies wisse er nicht genau. Dass es jedoch etwas Besonderes gewesen sei, habe er damals daraus geschlossen, dass die Frau eine sauere Miene gemacht habe, daraufhin habe P. sie niedergeschossen.

Das Verbrechen habe sich in dem engen Hausflur abgespielt. Er habe dabei unmittelbar neben P. gestanden, während P. nur etwa einen halben Meter oder gar noch weniger von der Frau entfernt gewesen sei. Das heisst, sie hätten sich unmittelbar gegenüber gestanden. Nachdem er gebeten worden sei, die Situation zu rekonstruieren, erinnere er sich besser an den Vorfall, er glaube, dass sie zu viert um die Truhe herumgestanden seien, wobei P. vom Eingang aus gesehen auf der rechten Seite, die Frau gegenüber dem Eingang und er sowie der Ordnungsdienstmann auf der linken Seite gestanden seien. Die Frau sei also mit dem Gesicht zur Haustüre gestanden, während P. einerseits sowie er und der Ordnungsdienstmann andererseits sich gegenüber gestanden hätten. Er glaube, dass diese Schilderung richtig sei und nicht das, was er zuvor angegeben habe, nämlich dass er unmittelbar neben P. und P. der Frau gegenüber gestanden sei.

Die Frau sei etwa 1,55 Meter oder 1,56 Meter gross gewesen, vielleicht auch kleiner, sie sei mager gewesen. Es habe sich bei ihr um eine ältere Frau gehandelt, die einen schwächlichen Eindruck gemacht habe und die er nicht gekannt habe. Die Frau sei seiner Meinung nach zu schwach gewesen, um 10 Pfund zu tragen. Ihr Gesicht sei sehr mager gewesen. Er halte es für ausgeschlossen, dass diese Frau geplündert habe.

Nach dem Schuss sei die Frau sofort tot gewesen. Er nehme dies an, weil sie sich nicht mehr bewegt habe. Er könne sich nicht erinnern, Blut gesehen zu haben. Dies erkläre er sich damit, dass die Frauen in jener Zeit Bettwäsche oder andere Wäscheteile um den Körper gewickelt getragen hätten, um diese Gegenstände gegen Lebensmittel einzutauschen. Er nehme an, dass durch diese Polsterung das Blut nicht sofort zu sehen gewesen sei. Als die Gegenstände aus dem Haus der Frau abgeholt worden seien, habe sich die Leiche nicht mehr dort befunden. Er sei zwar selbst nicht in das Haus hineingegangen. Die Arbeiter, die es betreten hätten, hätten jedoch gesagt, dass die Leiche der Frau sich nicht mehr dort befinde. Er nehme an, dass der Judenrat von Kopyczynce bereits angeordnet gehabt habe, die Leiche abzuholen und zu beerdigen. Er glaube, dass zwischen dieser Tat und der Tötung des Jungen etwa 1½ Stunden vergangen seien.

Im einzelnen hätten sie in Kopyczynce an dem Tag nur 2 oder 3 Häuser, ausser dem, in welchem die Frau getötet worden sei, besucht, sie hätten vorher schon einige Dinge eingesammelt. Soweit er sich erinnere, habe es sich um Bettwäsche gehandelt, die der Ordnungsdienstmann oder vielleicht auch er getragen habe.

Nach dem Schuss sei der Sohn dieser Frau, den er vom Sehen her gekannt habe, aus einem Zimmer herausgekommen. Dass es der Sohn der Frau gewesen sei, nehme er deshalb an, weil der Junge ein sehr bestürztes Gesicht gemacht habe, wie es bei einem derartigen Vorfall nur ein naher Verwandter machen würde. Er wisse nicht, was mit dem Sohn der Frau weiter geschehen sei. P. habe ihm jedoch nichts getan, obwohl er ihn gesehen habe.

P. und er hätten nun das Haus verlassen. Dieses Haus sei auf dem Rückweg nach Czortkow noch innerhalb der Stadtgrenze gelegen. Sie seien am Morgen auf der Fahrt nach Kopyczynce zum Friedhof an diesem Haus vorbeigekommen. Es sei zum Sammelplatz für die angesammelten Gegenstände bestimmt worden. P. habe diese Bestimmung jedoch nicht schon auf dem Friedhof getroffen, sondern erst später, da die Fuhrwerke ja an diesem Haus vorbeikommen mussten. P. habe ihm gesagt, wenn sie kämen, solle er sie aufhalten. Tatsächlich seien später auch Sachen aufgeladen worden. Zu diesem Zeitpunkt seien jedoch seit der Tötung der Frau etwa 1½ Stunden vergangen.

In Kopyczynce hätten sie noch eine kleine Weile gewartet, seien dann zu den Pferdefuhrwerken hingegangen und anschliessend nach Czortkow zurückgefahren. Als sie von dem Haus der Frau weggegangen seien, hätten sie einen deutschen Gendarmeriewachtmeister der Czortkower Besatzung namens Kohn getroffen. Kohn sei kein SS-Mann, aber mit P. befreundet gewesen. Er sei des öftern in das P.-Lager gekommen. Kohn sei ein guter Mann gewesen, der keinem Böses getan habe. Als Kohn P. nun gesehen habe, habe er entweder zu ihm gesagt: "Dicker, du hast schon wieder zwei ermordet oder erschossen", oder "Dicker, du hast zwei ermordet oder erschossen". P. habe darauf nichts entgegnet.

Wenn er nun gefragt werde, was er, wie er im Dezember 1971 ausgesagt habe, in den 1½ Stunden nach dem Verlassen des Hauses, in welchem die Frau getötet worden sei, getan habe, so müsse er sagen, dass er sich nicht erinnere. Er glaube, sie hätten auf die Fuhrwerke gewartet, die vom Friedhof her auf dem Rückweg vorbeikommen sollten. Möglicherweise sei P. inzwischen fortgegangen. Wenn ihm nun weiter vorgehalten werde, dass er im Dezember 1971 ausgesagt habe, man sei zu den Fuhrwerken hingegangen, so glaube er, dass seine heutige Aussage richtig sei, wonach sie auf die Pferdefuhrwerke gewartet hätten. Die Bewachung der Sachen habe der Ordnungsdienstmann übernommen, da er ja im Gegensatz zum Ordnungsdienstmann keine Uniform getragen habe. Wenn er erwähnt habe, dass P. und er den ganzen Tag sich in Kopyczynce nicht getrennt hätten, so würde er sich doch dahingehend berichtigen, dass er es für wahrscheinlich halte, dass P. in der Zeit, in der er mit dem Ordnungsdienstmann bei dem Sammelplatz für die Pferdefuhrwerke gewartet habe, sich für kurze Zeit entfernt habe. Wenn ihm nun aus seiner Aussage vom Dezember 1971 vorgehalten werde, dass er dort gesagt habe, er sei mit P. weggegangen und sie hätten den Gendarmeriewachtmeister Kohn getroffen, so erkläre er, es könne auch sein, dass als sie das Haus mit der Truhe verlassen hätten, er und P. eine kleine Weile weggegangen seien und sie den Ordnungsdienstmann allein zurückgelassen hätten. Welches Ziel sie gehabt hätten, wisse er nicht. Die Pferdefuhrwerke seien jedoch noch nicht dagewesen. In der Zeit, als P. und er dann eine kleine Weile weggegangen seien, hätten sie den deutschen Gendarmeriewachtmeister Kohn getroffen, und zwar auf dem Weg vom Haus der Frau in Richtung des Zentrums. Wieviel Zeit zwischen der Erschiessung der Frau und dem Zeitpunkt, in welchem sie Kohn getroffen hätten, verstrichen sei, wisse er nicht mehr. Von dem Haus bis zum Ringplatz seien es vielleicht 400 Meter gewesen. P. und er seien in normaler Gangart gegangen. Kohn hätte sie in der Nähe des Ringplatzes angetroffen. Er wisse heute allerdings nicht mehr, ob von dem Punkt, an dem sie Kohn getroffen hätten, die Entfernung zum Judenratsgebäude grösser gewesen sei, als hier zum Haus, in welchem die Frau getötet worden sei. Es könne sein, dass es 50 Meter mehr oder weniger gewesen seien. Nicht gesehen habe er, dass jemand in der Zeit, in der er und P. dort gewesen seien, aus dem Haus auf die Strasse gegangen sei. Ob es weitere Ausgänge gehabt habe, wisse er nicht. Er glaube nicht, dass er und P. sich getrennt hätten, als sie nach der Begegnung mit Kohn wieder zurückgegangen seien. Es sei auch möglich, dass P. und er den Fuhrwerken schon vor dem Haus der Frau mit der Truhe begegnet und aufgestiegen seien. Mit Bestimmtheit könne er sagen, dass Kohn zu P. gesagt habe: "Dicker, du hast zwei ermordet". Es sei auch möglich, dass Kohn gesagt habe: "Dicker du hast wieder zwei ermordet".

b) Gegen die Glaubwürdigkeit und Zuverlässigkeit des Zeugen Sch. sprechen indessen eine Reihe gewichtiger Umstände.

So steht fest, dass der Zeuge mehrfach falsche uneidliche Aussagen gemacht und Meineide bezüglich seiner Personalien geleistet hat. Der Zeuge Sch. wurde sechs Mal (9.9.1965, 3.8.1967, 21.11.1967, 9.1.1968, 29.10.1968 und 27.1.1970) uneidlich konsularisch in Bogota vernommen. Darüber hinaus wurde er in Anwesenheit von Richtern des Mannheimer Gerichts sowie des Staatsanwalts und der Verteidiger am 6.12.1971 und 24.1.1972 in Bogota unter Eid vernommen. Bereits bei der ersten Vernehmung am 9.September 1965 und vor allem in den beiden letzten Vernehmungen am 6.12.1971 und 24.Januar 1972 ging es im Rahmen der Sachvernehmung im wesentlichen auch um den Namen und die Personenstandstatsachen des Zeugen. Allen Vernehmungen ist gemeinsam, dass der Zeuge vor der Vernehmung durch den Konsulatsbeamten zur Wahrheit ermahnt und über die strafrechtlichen Folgen einer falschen eidlichen oder uneidlichen Aussage belehrt wurde.

Bereits bei der ersten Vernehmung am 9.9.1965 erklärte der Zeuge Sch., er heisse mit Vornamen Benzion, sei Rentner und 69 Jahre alt. Sein amtlicher Nachname sei immer der Namen seiner Mutter, Sch., gewesen. Sein Vater heisse allerdings Fri. Unter diesem Namen sei er auch in der Stadt Czortkow bekannt gewesen und die Soldaten der deutschen Besatzung hätten ihn mit diesem Namen genannt. Da aber seine Eltern niemals zivil getraut gewesen seien, sondern nur nach mosaischem Ritus geheiratet hätten, sei sein eigentlicher Nachname immer der seiner Mutter gewesen. In derselben Vernehmung erklärte der Zeuge Sch. weiter, er sei am 25.Oktober 1895 in Monasterzyska/Polen geboren. In den folgenden konsularischen Vernehmungen vom 3.8.1967 bis 27.1.1970 blieb der Zeuge Sch. immer bei der Behauptung, er heisse Benzion Sch. und sei am 25.Oktober 1895 in Monasterzyska geboren. Bei seinen letzten Vernehmungen am 6.12.1971 und 24.Jan. 1972 erklärte er ebenfalls, er heisse Benzion Sch. und nicht Fri. Sein amtlicher Name sei immer der Name seiner Mutter gewesen, nämlich Sch. Unter diesem Namen sei er, Sch., in Czortkow bekannt gewesen. Im übrigen seien seine Eltern niemals zivil getraut worden, sondern nur nach mosaischem Ritus.

Diese Aussagen des Zeugen Sch. sind objektiv unrichtig. Die Schwurgerichtskammer ist davon überzeugt, dass der Zeuge insoweit bewusst und gewollt aus bestimmten Gründen der Wahrheit zuwider falsche Angaben gemacht und sich insoweit bezüglich seiner letzten beiden Vernehmungen zweier Verbrechen des Meineids und bei den übrigen Vernehmungen sechs Vergehen der uneidlichen Falschaussage schuldig gemacht hat.

Die Beweisaufnahme ergab, dass der Zeuge Sch. in Wirklichkeit Benzion Fri. heisst und am 25.10.1900 in Czortkow als Sohn des Israel Fri. und der Reiza, Fei. geb. Sch., geboren ist. Dies folgt eindeutig aus der Geburtsurkunde ZB/988/177/1900 des Standesamts Warschau Mitte.

Aus der Heiratsurkunde des Zeugen Fri., die ebenfalls beim Standesamt Warschau Mitte unter der Nummer ZB/988/24/1924 geführt wird, ergibt sich weiter, dass der Zeuge Fri. am 26.Oktober 1924 als 24-Jähriger mit Riwka Ro., 22 Jahre alt, die Ehe geschlossen hat. Aus derselben Urkunde ist zu entnehmen, dass der Vater des Zeugen Sch., Israel Fri. und die

Mutter Reiza Fei. geb. Sch. hiess. Als Geburtsort des Zeugen Sch. ist ebenfalls Czortkow vermerkt.

Aus einer weiteren Urkunde des Standesamts Warschau Mitte (Nr. ZB/988/90/1925) folgt, dass am 21.9.1925 dem Ehepaar Benzion Fri. und Riwka geb. Ro., ein Sohn Heinrich Hersz Fri. geboren wurde. Schliesslich enthält die Wählerliste der Stadt Czortkow für das polnische Parlament, dem Sejm, für das Jahr 1930 den Namen Benzion Fri. und das Alter 30 Jahre.

Da an der Echtheit dieser Urkunden nicht zu zweifeln ist, steht zur Überzeugung des Gerichtes fest, dass der Angeklagte insoweit falsche Angaben machte, als er behauptete, er sei am 25.10.1895 in Monasterzyska geboren, obwohl er am 25.10.1900 in Czortkow geboren ist. Die Ehe seiner Eltern war auch nicht nach mosaischem Ritus geschlossen, wie er behauptete. Vielmehr heirateten beide zivil vor dem Standesbeamten, wobei die Mutter des Zeugen Sch. den Namen Fri. annahm. Im übrigen ergab die Beweisaufnahme, dass der Zeuge Sch. in Czortkow nicht nur bei deutschen Zeugen, sondern auch bei seinen Landsleuten nur unter dem Namen Fri. bekannt war. Keiner der aus Czortkow stammenden jüdischen Zeugen, wie z.B. Win. und Mar. sowie Zel. und Adina S. kannten den Zeugen unter dem Namen Sch., sondern nur unter dem Namen Fri. Im übrigen erklärte der Sachverständige, Landesrabbiner Dr. Blo., es habe in Galizien zwar Ehen gegeben, die nur nach mosaischem Ritus geschlossen worden seien. Solche Ehen seien vor allem im 19.Jahrhundert vorgekommen. Von den österreichischen Behörden sei aber nur die Ziviltrauung anerkannt worden. Der Zeuge Leon Win. erklärte am 27.12.1978, bei der Generation seiner Eltern habe es zwar noch ungefähr bis zur Mitte des 19.Jahrhunderts Fälle von Ehen gegeben, die nach mosaischem Ritus geschlossen worden seien, später aber nicht mehr.

Der Name Sch. taucht zum erstenmal in einem sogenannten Repatriierungsausweis auf, der am 18.11.1945 von den sowjet-russischen Behörden des Distriktes Czortkow ausgestellt wurde. In diesem Repatriierungsausweis wird dem Bürger Sch., Benzion, israelische Religion, geboren 1895, Einwohner der Stadt Monaster Tarnopol die Erlaubnis erteilt, vom ukrainischen Gebiet der Sowjetunion in die polnische Republik überzuwechseln. Im Jahre 1947 brachte der Zeuge Sch. dann in Liegnitz ein Verfahren zur Ersetzung seiner angeblich verlorenen Geburtsurkunde in Gange. Mit Schreiben vom 22.Oktober 1947 an das Amtsgericht Liegnitz stellte er den Antrag, seine verloren gegangene Geburtsurkunde wieder herzustellen, wobei er ausführt, am 25.Oktober 1895 als Sohn des Israel und der Reiza geb. Sch., rechtmässige Eheleute Sch., in Monasterzyska Kreis Buczacz, Regierungsbezirk Tarnopol, geboren zu sein. Zur Bestätigung seiner Ausführungen berief er sich auf das Zeugnis des Zeugen Szymon Fle. und der Sara Kusnierz.

Im Termin vom 6.November 1947 erschien in nicht öffentlicher Sitzung der Antragsteller sowie der Zeuge Szymon Fle. Der Richter ordnete das Beweisverfahren an, worauf der Zeuge Fle. und der Antragsteller als nicht beeidigter Beteiligter gehört wurden. Der Zeuge Fle. erklärte, er kenne den Antragsteller ca. 25 Jahre aus Czortkow und könne sich erinnern, dass der Vater des Antragstellers Israel Sch. geheissen und die Mutter den Vornamen Reiza gehabt habe. Der Antragsteller Fri. erklärte damals, er sei am 25.Oktober 1895 in Monasterzyska als Sohn der Eheleute Israel und Reiza geb. Sch., rechtmässige Eheleute Sch., geboren. Es ist davon auszugehen, dass sowohl der Zeuge Fle. wie auch der Antragsteller vor ihrer Anhörung durch den Richter auf ihre Wahrheitspflicht hingewiesen wurden.

Aufgrund der Aussage des Zeugen Fle. und der Angaben des Zeugen Fri. als Beteiligter wurde dann durch das Amtsgericht Liegnitz durch Beschluss vom 6.November 1947 festgestellt, dass in den Akten des israelischen Matrikelstandesamtes in Monasterzyska im Oktober des Jahres 1895 eingetragen wurde, dass Benzion Sch., Sohn des Israel und der Reiza geb. Sch., am 25.Oktober 1895 in Monasterzyska Kreis Buczacz geboren wurde. Dieser Beschluss des Amtsgerichts Liegnitz wurde dann nach Eintritt der Rechtskraft an das Standesamt Warschau Mitte Bezirk I geschickt.

Später liess sich der Zeuge Sch. von den polnischen Behörden auf den Namen Benzion Sch., geb. am 25.10.1895 in Monasterzyska, einen Reisepass ausstellen, mit dem er dann 1949 nach Columbien ausreiste.

Ohne Zweifel hat der Zeuge Sch. auch insoweit bewusst vor Gericht über seinen Namen und seine Personalien falsche Angaben gemacht. An diesen Feststellungen ändert auch nichts die Erklärung des Zeugen Sch. bei seiner Vernehmung vom 6.12.1971. Damals sagte der Zeuge aus, er sei als Sohn des Israel Fri. in Czortkow bekannt gewesen und von seinen Freunden und Bekannten Fri. genannt worden. Er sei nur deshalb Fri. genannt worden, weil das polnische Wort "schor" auf deutsch "Ratte" heisst, so dass er von seinen polnischen Schulkameraden als Kind mit dem Wort "schor" gehänselt worden sei. Nach dem Einmarsch der Deutschen habe er sich in der Kreishauptmannschaft bei einem gewissen Schneider mit dem Namen Fri. vorgestellt. Von diesem Zeitpunkt an sei er von allen Deutschen in Czortkow Fri. genannt worden. Wie bereits ausgeführt, wurde der Zeuge Sch. aber nicht nur von den Deutschen, sondern auch von seinen Landsleuten immer nur Fri. genannt. Es haben sich keine Anhaltspunkte ergeben, dass Fri. als Kind unter dem Namen Sch. auftrat und von polnischen Kameraden wegen dieses Wortes gehänselt worden ist.

Die Aussagen des Zeugen Sch. bezüglich seines Namens und seiner übrigen Personenstandstatsachen stehen im übrigen auch in Widerspruch zu den Angaben, die er 1975 in einem Schreiben an die columbianische Fremdenpolizei machte. In diesem Schreiben führte der Zeuge Sch. aus, seine Mutter habe während der Schwangerschaft eine kurze Reise nach dem nahegelegenen Ort Monasterzyska unternommen, wo er vorzeitig und unerwartet zur Welt gekommen sei. Die Eintragung seines väterlichen Familiennamens ins Geburtenregister sei bestimmt erst gegen das Jahr 1925, in der Zeit, als er seine Eheschliessung vorbereitete, mit retroaktiver Gültigkeit vorgenommen worden. Tatsächlich wisse er nicht, in welchem Jahr er geboren worden sei.

Diese Ausführungen des Zeugen Sch. sind völlig unglaubhaft, da es nicht vorstellbar ist, dass jemand in einem zivilisierten Staat nicht weiss, in welchem Jahr er geboren ist. Neu gegenüber früheren Aussagen, insbesondere den Vernehmungen vom 9.9.1965 und 6.12.1971, ist die Behauptung, die Eintragung seines väterlichen Familiennamens ins Geburtsregister sei mit retroaktiver Gültigkeit vorgenommen worden. Eine solche Behauptung wird aber eindeutig durch die vorgelegte Geburtsurkunde des Zeugen Fri. aus dem Jahr 1900 widerlegt.

Die Ausführungen des Zeugen Sch. stehen darüber hinaus im Widerspruch zu der Aussage des Zeugen Dr. Ram., der den Zeugen im Wiedergutmachungsverfahren anwaltschaftlich vertreten hat. Der Zeuge Dr. Ram. erklärte vor dem Schwurgericht Mannheim, Sch. habe ihm erzählt, seine Eltern seien nicht gesetzlich verheiratet gewesen, er, Sch., habe früher Fri. geheissen. Bei der Ausfüllung des Wiedergutmachungsantrages habe Sch. den Namen seines Vaters mit Israel Sch. angegeben. Auf die Rolle des Zeugen Sch. sowie des Zeugen Dr. Ram. im Wiedergutmachungsverfahren wird später noch einzugehen sein.

Völlig unglaubhaft hält das Gericht die Aussage des Zeugen Mark Fl. vom 25.Februar 1977. Dieser Zeuge erklärte vor einem Untersuchungsrichter in der Sowjetunion, er kenne Benzion Sch., auch Fri. genannt, geboren 1900, gut. Fri. habe zwei Familiennamen gehabt, da seine Eltern eine unregistrierte Ehe abgeschlossen hätten. In diesen Fällen erhalte das Kind den Familiennamen der Mutter, nicht des Vaters. Sollten die Eltern später ihre Ehe gesetzlich registrieren lassen, so werde das Kind von diesem Zeitpunkt an auch den Namen des Vaters eingetragen bekommen und einen Doppelnamen führen. Aus diesem Grunde habe Fri. zwei Familiennamen gehabt, nämlich Sch. und Fri. Diese Aussage des Zeugen Fl. steht im Widerspruch zu allen Zeugenaussagen, die das Gericht zu diesem Punkte hörte. Die Zeugen Win. und Mar. erklärten übereinstimmend, wie auch der Sachverständige Dr. Blo., dass bei unregistrierten Ehen das Kind immer den Namen der Mutter erhalten habe. Nach standesamtlicher Heirat der Eltern hätten dagegen die Kinder den Namen des Vaters bekommen.

c) Der Zeuge Sch. dürfte auch insoweit sich einer falschen Aussage - objektiv und subjektiv - schuldig gemacht haben, als er bei seiner Vernehmung am 9.1.1968 uneidlich erklärte, er kenne keine in Bogota lebende Juden aus dem Kreis Czortkow. Bereits bei seiner früheren konsularischen Vernehmung vom 21.11.1967 hatte er bekundet, er habe keinen Kontakt zu Landsleuten, seit er in Columbien eingewandert sei. Diese Aussage ist unrichtig, da der Zeuge Sch. in seinem Wiedergutmachungsverfahren am 1.Oktober 1962 eine eidesstattliche Versicherung des Zeugen Sigmund Ha. vorlegte, der am 25.12.1929 in Czortkow geboren ist und heute in Cali in Columbien lebt. Ausserdem legte der Zeuge Sch. im Jahre 1961 eine eidesstattliche Versicherung des Zeugen Fle., der ebenfalls aus dem Kreis Czortkow stammt, und der heute in Kanada lebt, vor. Dies ist übrigens derselbe Zeuge, der 1947 vor dem Amtsgericht in Liegnitz erklärte, er könne sich erinnern, der Vater des Zeugen habe Israel Sch. geheissen.

Zusammenfassend ist somit festzustellen, dass der Zeuge Sch. mehrfach uneidliche Falschaussagen gemacht und Meineide geleistet hat, so dass seine Aussage schon aus diesem Grund mit grösster Vorsicht zu würdigen ist. Dass der Aussage eines derartigen Zeugen nur eine eingeschränkte Beweiskraft zukommt, hat der Gesetzgeber i.Ü. auch in der Bestimmung des §61 Nr.4 StPO zum Ausdruck gebracht.

d) Die Zuverlässigkeit und Glaubwürdigkeit des Zeugen Sch. wird auch durch seine Angaben im Wiedergutmachungsverfahren in Frage gestellt. Dort hatte der Zeuge (Verfahren Nr.27782 des Bezirksamtes für Wiedergutmachung in Mainz) unter dem Datum vom 24.4.1961 sowohl einen Wiedergutmachungsantrag wegen Schadens an Freiheit, als auch eine damit sachlich übereinstimmende eidesstattliche Erklärung unterzeichnet. Die darin enthaltenen Angaben weichen in erheblichem Umfange von seinen Bekundungen im vorliegenden Strafverfahren ab. Zunächst machte der Zeuge Sch. zu seinen Personalien dieselben unrichtigen Angaben, wie bei seinen konsularischen Vernehmungen. So erklärte er in der eidesstattlichen Versicherung vom 24.April 1961, er heisse Benzion Sch. und sei am 25.10.1895 in Monasterzyska, Kreis Buczacz geboren. Abweichend von seinen Erklärungen im Strafverfahren gab er jedoch an Eidesstatt an, er sei als Kind des Israel Sch. geboren, seine Mutter habe Reise Raiza geheissen, ihr Mädchenname sei ihm nicht mehr erinnerlich. Als seine Frau und sein Kind (ein Sohn) in Czortkow deportiert worden seien, habe er sich ausserhalb von Czortkow auf Zwangsarbeit befunden und sei so der Deportation entgangen. Es sei ihm hierauf gelungen, zu flüchten und sich in den folgenden Jahren in der Umgebung von Czortkow bis zum Einmarsch der Sowjettruppen verborgen zu halten. Dies sei ihm möglich gewesen, weil er sich bei ihm bekannten, teils unbekannten Bauern an verschiedenen Orten verstecken konnte. An die Namen der Personen, denen er das Leben verdanke, könne er sich nicht erinnern. Längere Zeitperioden habe er auf Feldern und in Verstecken unter schwersten Bedingungen verbringen müssen. Mit keinem Wort erwähnte der Zeuge seinen Aufenthalt im Lager des Angeklagten, der immerhin fast ein Jahr dauerte. Auch der Antrag des Zeugen Sch. im Wiedergutmachungsverfahren, der ebenfalls vom 24.April 1961 stammt, enthält dieselben Unrichtigkeiten wie die eidesstattliche Erklärung und stimmt mit dieser inhaltlich überein.

Ausserdem legte der Zeuge Sch. im Wiedergutmachungsverfahren zwei eidesstattliche Versicherungen der Zeugen Sigmund Ha. und Simon Fle. vor, die im wesentlichen seine falschen Angaben eidesstattlich bestätigen. Das Gericht ist davon überzeugt, dass diese eidesstattlichen Erklärungen unter Mitwirkung des Zeugen Sch. entstanden und auf seine Veranlassung hin abgegeben worden sind. Da sich nämlich der Zeuge Sch. bewusst war, dass er auch im Wiedergutmachungsverfahren falsche Angaben machte, besteht der dringende Verdacht, dass er auch bei der Abgabe der eidesstattlichen Erklärungen durch die Zeugen Fle. und Ha. diese veranlasste, falsche Angaben zu machen.

Am 28.3.1962 wurde der Zeuge Sch. im Wiedergutmachungsverfahren durch einen Beamten der Deutschen Botschaft in Bogota vernommen. Nachdem er über die Bedeutung der eidesstattlichen Versicherung und über die Folgen und die Strafbarkeit der Abgabe einer falschen eidesstattlichen Versicherung belehrt wurde, erklärte er an Eidesstatt u.a., seine Ehefrau und sein Sohn Henrik, die beide zu Beginn der Verfolgung mit ihm zusammen in Czortkow gelebt hätten, seien Ende 1942, während er sich auf Zwangsarbeit befunden habe, aus Czortkow deportiert worden. Diese eidesstattliche Erklärung steht im klaren Widerspruch zu Angaben in den konsularischen Vernehmungen vom 3.8.1967 und 6.12.1971. In diesen beiden Vernehmungen erklärte der Zeuge Sch., die erste Aussiedlungsaktion in Czortkow habe Ende August 1942 stattgefunden. Er könne sich deshalb genau an diese Aussiedlungsaktion erinnern, weil er damals 16 Familienangehörige, unter anderem auch seine Frau und seinen Sohn Henrik, verloren habe. In der Vernehmung vom 6.12.1971 bekundete er sogar unter Eid, er wünsche deshalb keine Gegenüberstellung mit dem Angeklagten, da er vermute, der Angeklagte habe bei der Aktion im August 1942 mitgewirkt, bei der seine Familienangehörigen umgekommen seien. Auch in der eidesstattlichen Erklärung vom 28.3.1962 erwähnte der Zeuge Sch. mit keinem Wort die Zeit seines Aufenthalts im P.-Lager. Er erklärt vielmehr, er sei auf Zwangsarbeit gewesen.

Die Überzeugung des Schwurgerichts, der Zeuge Sch. habe auch im Wiedergutmachungsverfahren bewusst falsche Angaben gemacht, wird auch nicht durch die Aussage des Zeugen Dr. Ram. erschüttert. Der Zeuge Dr. Ram., der Sch. im Wiedergutmachungsverfahren anwaltschaftlich vertrat, wurde am 29.10.1973 durch das Schwurgericht Mannheim und am 12.12.1977 durch die III.Schwurgerichtskammer des Landgerichts Stuttgart vernommen.

Der Zeuge Dr. Ram. gab bei seiner Vernehmung am 29.10.1973 an, dass die Angaben zur Person Sch.s und verschiedener Details zu dessen Schicksal während der Verfolgung auf einem Informationsirrtum des Zeugen Dr. Ram. und seiner Arbeitsweise beruhen könnten. Er bekundete, dass er Sch., den er über die Familie Gerstenblüt kennengelernt habe, im Betrieb aufgesucht und ihn zur Geltendmachung der Entschädigungsansprüche überredet habe. Bei einem zweiten Besuch habe ihm Sch. dann Angaben gemacht, die er, Ram., skizziert habe. Für ihn sei die Dauer der Verfolgung wesentlich gewesen. Er habe Sch. erklärt, es sei gleichgültig, wo er gewesen sei, dass er Jude sei, reiche. Er erinnere sich, dass Sch. ihm erzählt habe, in der Kreishauptmannschaft und in einem Lager gewesen zu sein, in welchem Kleider sortiert worden seien. Was Sch. ihm über sein Schicksal während der Verfolgung gesagt habe, habe er aber nicht notiert. Er habe nur über persönliche Daten Notizen gemacht. Die Anträge und die eidesstattlichen Versicherungen enthielten seine Formulierung. Er habe sie etwa ein Dreivierteljahr nach dem Gespräch mit Sch. zu Papier gebracht und seinem Klienten in der Fabrik zur Unterschrift vorgelegt. Dieser habe das Fehlen von Tatsachen, so des Lageraufenthalts, moniert. Er, Dr. Ram., habe den Zeugen aber davon abgebracht. Es sei belanglos gewesen, ob man in Einzelheiten ungenau gewesen sei, es sei nur auf die Entschädigungsvoraussetzungen angekommen, und alles sei nur unter diesem Gesichtspunkt betrachtet und bearbeitet worden. Auch habe Sch. die Schriftstücke nicht sorgfältig durchlesen können. Er sei ohne weiteres davon überzeugt gewesen, dass Sch. der Vatername des Zeugen gewesen sei. Er wisse nicht, wie er dazu gekommen sei zu schreiben, der Mädchenname der Mutter sei nicht erinnerlich. In seinen Notizen sei nur der Name Sch. enthalten gewesen. Da er geglaubt habe, der Vater habe Sch. geheissen, sei wohl dieses Missverständnis entstanden. Er, Dr. Ram., habe sich gedacht, dass Sch. nach 1942 versteckt gewesen sei, weil er ihm erklärt habe, bis 1942 den Stern getragen zu haben. Es könne bei ihm eine Erinnerungstäuschung vorgelegen haben, als er geschrieben habe, Sch. habe ausserhalb Czortkows Zwangsarbeit leisten müssen.

Der Zeuge Herbert Schm., der als ehemaliger Vorsitzender der III.Schwurgerichtskammer Dr. Ram. am 12.12.1977 in Stuttgart vernahm, erklärte, Dr. Ram. habe im wesentlichen dieselben Angaben gemacht wie vor dem Landgericht Mannheim. Er habe den Eindruck gehabt, dass der Zeuge Dr. Ram. alle Unrichtigkeiten im Wiedergutmachungsverfahren auf seine Kappe habe nehmen wollen.

Das Schwurgericht konnte indessen nicht der Auffassung des Zeugen Dr. Ram. folgen, dass die Angaben zur Person des Zeugen Sch. im Wiedergutmachungsverfahren auf einer Täuschung des Zeugen Dr. Ram. beruhen. Zwar hat der Zeuge nach seinen Bekundungen nicht in wünschenswertem Masse sorgfältig gearbeitet, wobei die Gespräche nicht im Büro des Anwalts, sondern in der Fabrik stattfanden. Der Inhalt des Wiedergutmachungsantrags und die hierzu abgegebene falsche eidesstattliche Versicherung beruht im wesentlichen, wie es der Zeuge Dr. Ram. auch einräumen musste, auf unrichtigen Informationen des Zeugen Sch. So hat der Zeuge Sch. den Namen seines Vaters gegenüber Dr. Ram. mit Israel Sch. angegeben. Weiter hat Sch. gegenüber Dr. Ram. erklärt, seine Eltern seien nicht gesetzlich verheiratet gewesen und er habe früher Fri. geheissen. Auch die weiteren Informationen zum Geburtsjahr und Geburtsort des Zeugen Sch. können nur von diesem stammen. Im übrigen ist zu bemerken, dass die eidesstattliche Erklärung vom 24.April 1961 vor dem Notar Men. von Sch. persönlich abgegeben wurde, wobei der Notar den Zeugen über die Bedeutung einer eidesstattlichen Erklärung sowie die Strafbarkeit einer vorsätzlichen oder fahrlässig gemachten falschen Abgabe einer eidesstattlichen Erklärung belehrte. Später hat dann der Zeuge Sch. am 28.3.1962 vor dem Konsulatsbeamten der Deutschen Botschaft in Bogota wieder unrichtige Erklärungen an Eides Statt abgegeben, bei denen der Zeuge Dr. Ram. überhaupt nicht mitgewirkt hat. Für das Gericht steht somit fest, dass die falschen Angaben im Wiedergutmachungsverfahren nicht durch einen Informationsirrtum des Zeugen Dr. Ram. zustande gekommen sind. Der Zeuge Sch. hat insoweit auch seinen Anwalt über seine wahre Identität getäuscht.

d) Die Schwurgerichtskammer hat sich eingehend mit der Frage befasst, warum der Zeuge Sch. seinen Namen und seine Personalien nach 1945 geändert hat. Diese Frage steht in unmittelbarem Zusammenhang mit dem Ruf des Zeugen Sch., den dieser vor allem bei seinen eigenen Glaubensbrüdern hatte. Die Beweisaufnahme ergab, dass der Zeuge Sch. bei seinen Landsleuten fast ausschliesslich einen negativen Leumund hatte. Dies hängt in erster Linie damit zusammen, dass er der engste Vertraute des Angeklagten und gegenüber den übrigen Lagerinsassen privilegiert war. Darüber hinaus wurde dem Zeugen Fri. vorgeworfen, er habe sich seinen Landsleuten gegenüber nicht korrekt verhalten und seine Position ausgenützt, um sich persönlich zu bereichern.

Der Ruf des Zeugen Fri. ist indes nicht uneingeschränkt negativ. So erklärte der Zeuge Zel., Fri. habe bei den Juden und beim Judenrat einen guten Ruf gehabt. Der Zeuge Ilc. meinte, Fri. sei der Vertrauensmann der Juden gewesen. Er sei "der Oberjude" und ein feiner und gebildeter Mensch gewesen. Auch die Zeugin Dora Ros. wusste nur Positives über Fri. zu sagen, aber wohl nur deshalb, weil sie von Fri. aus dem Ghetto ins Lager gebracht wurde und dadurch eine konkrete Überlebenschance hatte. Den Aussagen der Zeugen Zel. und Ilc. kommt im Gegensatz zu den Zeugen, die Fri. täglich im P.-Lager sahen und mit ihm zu tun hatten, kein all zu grosser Beweiswert zu, da Zel. selbst nicht im P.-Lager, vielmehr beim Kreisbauamt beschäftigt war. Auch der Zeuge Ilc. besuchte nur sporadisch das Lager und hat auch nach seiner Ankunft im wesentlichen dem Angeklagten die Leitung weiter überlassen.

Im Gegensatz hierzu kommt den Aussagen der Zeugen Win., Kes., Fre., Son. und Mar. eine stärkere Beweiskraft zu. Diese Zeugen erklären nicht nur übereinstimmend, Fri. sei der Vertrauensmann P.s gewesen, er habe sich darüber hinaus charakterlich nicht einwandfrei verhalten. So erklärte der Zeuge Leon Win. vor dem Schwurgericht in Mannheim, Fri. sei der "Macher", der Direktor des P.-Lagers gewesen. Die Juden hätten sich über ihn beklagt.

Der Zeuge Michael Kes. bekundete, Fri. sei der Liebling P.s und die graue Eminenz im Lager gewesen. Fri. sei ein böser und rachesüchtiger Mensch gewesen. Der Zeuge Jonas Fre. war der Meinung, Fri. sei ein Spion und Zuträger P.s gewesen, so dass ihn niemand habe leiden können. Die Zeugin Adina S. sagte aus, Fri. sei in dem Ruf gestanden, nicht anständig zu den Juden im P.-Lager gewesen zu sein. Sie äusserte die Meinung, er sei wegen seines schlechten Gewissens nach 1945 nicht nach Israel gekommen. Ihr Ehemann, der Zeuge Dr. Israel Sch., schrieb in einem Brief vom 7.5.1965 an die Staatsanwaltschaft Mannheim, Fri. sei der Hauptgehilfe und Vertrauensmann P.s gewesen, er sei ein Schurke, ein Lump. Während die Zeugin Klara Bet. in Fri. in erster Linie den Kollaborateur sah, war der Zeuge David Son. der Meinung, nicht dem Angeklagten, sondern Fri. als Vertrauensmann P.s gebühre die Todesstrafe. Schliesslich erklärte der Zeuge Mar. am 13.3.1979 in Paris, Fri. sei eine "grosse Kanaille" gewesen. Die Zeugen, die sich negativ über Fri. ausliessen, begründen dies in erster Linie mit dem Vorwurf, Fri. habe sich auf Kosten seiner Glaubensangehörigen während seiner Tätigkeit im P.-Lager bereichert. So erklärte der Zeuge Kes., dessen Mutter im P.-Lager gearbeitet hat, seine Mutter habe ihm erzählt, Fri. habe Geldscheine sortiert und auf einmal viel Geld gehabt und zur Schau getragen. Er habe auch Sachen an sich genommen, die den Juden nach Aktionen abgenommen worden seien. Der Zeuge Mar., der Fri. seit 1925 kannte, sagte aus, dieser habe sich bezahlen lassen, dass Leute ins Lager aufgenommen worden seien. Dass Fri. tatsächlich neben P. das Recht hatte, Leute in das Lager aufzunehmen, ergibt sich aus der Aussage der Zeugen Kes. und Dora Ros., die übereinstimmend bekundeten, entweder selbst oder, wie die Mutter des Zeugen Kes., über Fri. ins Lager gekommen zu sein. Auch der Zeuge Son. erklärte glaubhaft, Fri. sei mit Gold "bespickt" gewesen.

Das Schwurgericht ist nach alledem davon überzeugt, dass Fri. nur deshalb seinen Namen änderte, um 1945 vom russisch besetzten Czortkow nach Polen überwechseln zu können, da er befürchtete, seine Landsleute würden mit ihm abrechnen, wobei er möglicherweise auch noch durch die Russen als Kollaborateur bestraft worden wäre. So erklärte der Zeuge Jonas Fre. glaubhaft und überzeugend, nach der Befreiung durch die Russen sei Fri. verschwunden gewesen, und die überlebenden Juden hätten mit ihm abrechnen wollen. Auch der Zeuge Son. äusserte sich in dieser Richtung, wobei er der Meinung war, die überlebenden Juden hätten ihn nach der Befreiung erledigt. Fri. sei jedoch verschwunden gewesen, als die Russen gekommen seien. Dass es im übrigen solche Fälle von Namensänderungen gegeben hat, bestätigte auch der Sachverständige Dr. Blo. Er erklärte, Personen die etwas zu verbergen hatten, hätten nach dem Krieg häufig ihren Namen geändert. In Israel würden ehemalige Kollaborateure sogar bestraft.

e) An diesem negativen Ruf des Zeugen ändert nach Ansicht des Schwurgerichts auch nicht die Tatsache, dass der Zeuge Sch. in einem Ehrengerichtsverfahren nach dem Krieg in Breslau freigesprochen wurde. Er erklärte, während seines Aufenthaltes in Liegnitz habe 1947 in Breslau ein Treffen Czortkower Landsleute stattgefunden, zu dem er nicht hingegangen sei. Auf diesem Treffen habe man ihm eine Reihe von Vorwürfen gemacht, insbesondere, dass er sich der Czortkower Judenschaft gegenüber nicht loyal verhalten hätte. Bei dem zweiten Treffen Czortkower Bürger am 28.August 1948 sei er anwesend gewesen und habe sich reinwaschen wollen. Das Präsidium der Tagung habe ihn für unschuldig erklärt, das Verfahren in Breslau sei nicht wie ein Gerichtsverfahren geordnet gewesen, insbesondere habe es keinen Ankläger und keinen Verteidiger gegeben. An einen gewissen David Bet. könne er sich nicht erinnern.

Im Gegensatz hierzu erklärte der Zeuge David Bet. am 22.2.1979, er habe Fri. 1946 oder 1947 auf einer Versammlung Czortkower Juden in Breslau getroffen. An den Vorsitzenden der Versammlung habe sich Fri. gewandt und erklärt, viele jüdische Bürger aus Czortkow würden ihn beschuldigen, er habe mit den Deutschen zusammengearbeitet. Er habe gebeten, diese Vorwürfe durch ein Gericht überprüfen zu lassen. Es sei dann ein Ehrengericht gebildet worden, dessen Vorsitzender er gewesen sei. Ein gewisser Hal. habe als Ankläger fungiert. Im damaligen Verfahren seien etwa 10-15 Zeugen gehört worden. Die Beschuldigungen, die gegen Fri. erhoben worden seien, konnten aufgrund dieser Aussagen nicht bestätigt werden. Die Zeugin Klara Bet., die ebenfalls an dem Breslauer Verfahren teilgenommen hat, konnte sich noch daran erinnern, dass Fri. mangels Beweises freigesprochen worden sei. Er sei in Breslau rehabilitiert worden, da keine Belastungszeugen aufgetreten seien. Die Aussage der Zeugin Klara Bet. stimmt mit der Aussage des Zeugen Jakob Wol. überein, der ebenfalls der Meinung war, Fri. sei aus Mangel an Beweisen freigesprochen worden.

Aus den Aussagen der Zeugen Bet. und Wol. ist somit zu entnehmen, dass Fri. in Breslau nur deshalb freigesprochen worden war, weil man nichts finden konnte, was die Vorwürfe hätte stützen können. Das Verfahren wäre möglicherweise anders ausgegangen, wenn die Zeugen Kes., Son., Fre. in Breslau anwesend gewesen wären und ausgesagt hätten. Für das Gericht bestehen jedoch keine Anhaltspunkte, an der Glaubwürdigkeit dieser Zeugen zu zweifeln, da sie am ehesten in der Lage waren, über das Verhalten des Zeugen Fri. während seines Aufenthalts im P.-Lager auszusagen, nachdem sie ständig mit ihm Kontakt hatten.

f) Die Überprüfung der Aussagen des Zeugen Sch. ergab, dass eine Reihe von objektiven Unrichtigkeiten festzustellen sind, die zu erheblichen Zweifeln an der Zuverlässigkeit und an der sicheren Erinnerungsfähigkeit des Zeugen führen müssen. Dabei handelt es sich zum Teil um Unrichtigkeiten von solchem Gewicht, dass sie nicht durch den langen zeitlichen Abstand erklärt werden können. Die Beweisaufnahme ergab eindeutig, dass vom Zeugen Sch. Behauptungen aufgestellt wurden, die von keinem anderen Zeugen bestätigt wurden; vielmehr erklärten eine Vielzahl von Zeugen übereinstimmend genau das Gegenteil der vom Zeugen Sch. behaupteten Vorfälle und Tatsachen. Da nach dem Ergebnis der Beweisaufnahme mehrere gravierende Punkte objektiv unrichtig sind, müssen sich dem Gericht schwere Bedenken gegen die Zuverlässigkeit des Zeugen Sch. geradezu aufdrängen.

aa) Vor allem aus den Angaben des Zeugen Sch. zur Lage des Friedhofs in Kopyczynce lassen sich Bedenken über die Zuverlässigkeit des Zeugen herleiten. In diesem Zusammenhang erklärte der Zeuge, Kopyczynce sei ihm fremd gewesen, er sei zwar schon durch diese Stadt gefahren, jedoch habe er sich nie zuvor in ihr aufgehalten. Um zum Friedhof zu gelangen, habe man durch das Zentrum des Städtchens hindurchfahren müssen. Er erinnere sich, dass der Friedhof dann in Richtung Tarnopol gelegen sei. Sch. gab diese Darstellung zur Lage des Friedhofs vor allem in der Vernehmung vom 24.1.1972.

Die Darstellung des Zeugen Sch. zur Lage des jüdischen Friedhofs in Kopyczynce wird durch keinen der hierzu gehörten Zeugen unterstützt. Im Gegenteil ergab die Beweisaufnahme eindeutig, dass der jüdische Friedhof ausserhalb Kopyczynces an der Strasse nach Czortkow lag. So konnte der Zeuge Schimon Gol. bei seiner Vernehmung am 20.2.1979 präzise Angaben über seine Lage machen. Der Zeuge erklärte, der jüdische Friedhof habe an der Strasse nach Czortkow ausserhalb der Stadt gelegen, vom Zentrum des Städtchens habe man ihn über zwei Strassen erreichen können. Der nächste Weg habe über die Strasse nach dem Dorf Majdan geführt. Der jüdische Friedhof habe sich neben einem Feld in der Nähe eines Wäldchens befunden. Auf dem Feld habe man früher Vieh und Tiere begraben. In der Nähe sei auch der christliche Friedhof gewesen. Der andere, jedoch weitere Zufahrtsweg zum Friedhof, habe über die Strasse von Kopyczynce nach Czortkow geführt. Von dieser Strasse habe man nach rechts ein paar hundert Meter über freies Feld zum jüdischen Friedhof gelangen können. Die Zeugin Klara Mi. bekundete am 19.2.1979, der jüdische Friedhof habe von Kopyczynce aus gesehen rechts der Strasse in Richtung Czortkow gelegen. Die Aussagen der Zeugen Gol. und Mi. stimmen mit den übrigen Aussagen der aus Kopyczynce stammenden Zeugen überein, insbesondere bekundeten die Zeugen Bre., Dre., Got., W. und Baz. eindeutig und übereinstimmend, dass der jüdische Friedhof ausserhalb Kopyczynces an der Strasse nach Czortkow gelegen sei. Von einem Teil der Zeugen wird die Entfernung zum

Stadtzentrum übereinstimmend auf ca. einen Kilometer geschätzt. So meinen die Zeugen Bre. und Baz., die Entfernung zum Zentrum habe ungefähr einen Kilometer betragen, während die übrigen Zeugen keine präzisen Angaben hierzu machen konnten.

Wenn am Tattage der Zeuge Sch. tatsächlich mit dem Angeklagten von Czortkow nach Kopyczynce gefahren ist und wenn man, so wie der Zeuge Sch. es behauptet, zunächst am jüdischen Friedhof angehalten hätte, so wäre Sch. mit dem Angeklagten gar nicht nach Kopyczynce hineingekommen, da der jüdische Friedhof von Czortkow aus links neben der Landstrasse vor dem Städtchen lag. Dass ein Friedhof ausserhalb von Kopyczynce an der Strasse nach Czortkow sich befand, folgt ausserdem aus dem in der Hauptverhandlung in Augenschein genommenen Stadtplan von Kopyczynce, aus dem zu entnehmen ist, dass sich rechter Hand der Landstrasse von Kopyczynce nach Czortkow ein Friedhof befand, was in dem Stadtplan durch ein Kreuz gekennzeichnet ist.

Darüber hinaus gab es in Kopyczynce neben dem neuen jüdischen Friedhof auch einen alten Friedhof im Zentrum der Stadt. Aus der Aussage der Zeugin Mi. folgt, dass dieser alte Friedhof in der Nähe der Kirche, der Schule und des Sportplatzes an der Strasse nach Suchotzka lag. Der Zeuge Gol. bestätigte ebenfalls diese Aussage der Zeugin Mi. Aus seiner Aussage ist jedoch zu entnehmen, dass auf dem alten jüdischen Friedhof im Zentrum schon jahrelang keine Beerdigungen mehr stattgefunden hätten. Gol. sagte glaubhaft aus, der neue Friedhof sei ca. 50 Jahre alt gewesen und der alte Friedhof sei nicht mehr benützt worden. Zur Überzeugung der Schwurgerichtskammer steht daher aufgrund der glaubhaften Aussagen der Zeugen Gol. und Mi. fest, dass Bestattungen in der damaligen Zeit ausschliesslich auf den neuen jüdischen Friedhof, jedoch nicht auf dem alten jüdischen Friedhof im Zentrum der Stadt stattfanden. Die Behauptung des Zeugen Sch., der Friedhof habe an der Strasse nach Tarnopol gelegen, wobei man durch das Zentrum habe hindurchfahren müssen, wird daher eindeutig durch übereinstimmende, gegenteilige Zeugenaussagen widerlegt. An der Richtigkeit dieser Zeugenaussagen bestehen keine Zweifel, da diese Zeugen fast ausschliesslich vor und während des Krieges in Kopyczynce lebten, teilweise dort geboren sind und keine Anhaltspunkte erkennbar sind, warum diese Zeugen ausgerechnet zur Lage des Friedhofs unrichtige Angaben machen sollten.

bb) Unrichtig und durch die Beweisaufnahme widerlegt ist auch die Aussage des Zeugen Sch., auf dem jüdischen Friedhof in Kopyczynce habe eine Erschiessungsaktion stattgefunden. Zu diesem Punkte erklärten die Zeugen Dre., Bre., W., Baz. und Mi. übereinstimmend, es habe auf dem jüdischen Friedhof nie Erschiessungen gegeben. Die deutsche Zeugin Pu., die sich als Ehefrau eines deutschen Beamten in Kopyczynce zu dieser Zeit aufhielt, erklärte glaubhaft, dass die Massenerschiessungen in oder an einem Wäldchen in der Nähe des neuen jüdischen Friedhofs stattgefunden hätten. Die Zeugin Klara Mi. bekundete, die Erschiessungsstätte sei zwischen Wald und Friedhof gelegen. Der Zeuge Dre. war der Meinung, man sei über die Strasse nach dem Dorf Majdan zur Erschiessungsstelle gekommen. Der Zeuge Baz. gab darüber hinaus an, die Erschiessungsstelle sei ungefähr 500 Meter vom Friedhof im Wald gelegen. Alle Zeugen bekundeten übereinstimmend, dass es an dieser Erschiessungsstelle Massengräber gegeben habe, wobei die jüdischen Opfer die Gräber selbst ausheben und anschliessend, nachdem sie ihre Kleider hätten ablegen müssen, erschossen worden seien.

Aufgrund dieser Zeugenaussagen steht zur Überzeugung der Schwurgerichtskammer fest, dass es zu dieser Zeit auf dem jüdischen Friedhof in Kopyczynce selbst keine Erschiessungsaktionen gab, vielmehr wurden die Leute an der speziellen Erschiessungsstätte in der Nähe des jüdischen Friedhofs, wahrscheinlich in einem Wäldchen erschossen. Da diese Zeugen damals ebenfalls ständig um ihr Leben bangen mussten und nur deshalb überleben konnten, weil sie immer auf der Hut waren, hätten sie mit Sicherheit von solchen Vorgängen gehört, da zu dieser Zeit die sogenannten Liquidationsaktionen abliefen.

cc) Darüber hinaus ergab die Beweisaufnahme, dass die Aussage des Zeugen Sch. auch insoweit widerlegt ist, als er behauptete, die jüdischen Opfer seien in ihren Kleidern auf dem Friedhof erschossen worden. Anschliessend habe man den Leichen die Kleider ausgezogen und diese eingesammelt. Auch zu diesem Punkte erklärten deutsche und jüdische Zeugen übereinstimmend, dass es weder in Kopyczynce noch an anderen Orten in Galizien vorgekommen sei, dass bei Erschiessungsaktionen Leute in ihren Kleidern erschossen worden seien. Es habe zwar Einzelfälle gegeben, wo Juden versuchten zu flüchten oder nicht bereit gewesen seien, anzutreten oder sich in eine Kolonne einzureihen. Bei den Erschiessungsaktionen hätten sich die Opfer aber, nachdem sie Gräber ausgehoben hätten, durchweg immer entkleiden müssen und seien dann anschliessend von den Kommandos erschossen worden. Die deutschen Zeugen Koh., Thomanek [12] und Pu. bekundeten übereinstimmend, dass die Juden bei Aktionen nackt erschossen worden seien. Die Zeugen Eliezer Mag., Arie Sche. und Scheftel Gro. erklärten übereinstimmend, dass auch in Tluste, einer Stadt, die ebenfalls zum Kreis Czortkow gehörte, sich die Juden hätten ausziehen müssen und dann an zuvor von ihnen ausgehobenen Gräbern erschossen worden seien. Speziell auf Kopyczynce bezogen erklärten die Zeugen Dre., Mi., Gol. und Bre. glaubhaft, dass auch in Kopyczynce die Opfer sich vor ihrer Tötung hätten entkleiden müssen. Schliesslich erklärte der Zeuge Leon Win. überzeugend, im Kreis Czortkow habe man weder zur damaligen Zeit noch früher Juden in Kleidern erschossen und anschliessend den Leichen die Kleider ausgezogen.

Aufgrund dieses Ergebnisses der Beweisaufnahme ist das Gericht daher davon überzeugt, dass auf dem jüdischen Friedhof in Kopyczynce niemals, so wie es der Zeuge Sch. behauptet, Juden bei einer Liquidationsaktion in ihren Kleidern erschossen worden sind. Es ist auch völlig unwahrscheinlich, dass eine grosse Zahl von Leichen angesichts der Seuchengefahr im Hochsommer dort gestapelt oder liegengelassen worden sind. Auch insoweit ist zu bemerken, dass solche Vorfälle in einer Kleinstadt wie Kopyczynce mit Sicherheit unter den Betroffenen bekannt geworden wäre. Der Zeuge Bre. erklärte hierzu ausdrücklich, er sei sicher, dass er dies gehört hätte, wenn auf dem Friedhof eine grosse Zahl von Leichen gestapelt worden wären.

dd) Erhebliche Zweifel an der objektiven Zuverlässigkeit des Zeugen Sch. und an seiner Erinnerungsfähigkeit bestehen auch insoweit, als Sch. behauptet, nach der Erschiessung der Frau hätten sie auf der Strasse den deutschen Gendarmeriebeamten namens Kohn getroffen, der P. sinngemäss zugerufen habe, er habe zwei oder schon wieder zwei erschossen. Die Beweisaufnahme ergab, dass es einen deutschen Gendarmeriebeamten namens Kohn in Kopyczynce nicht gegeben hat. Nach der Aussage Sch. soll dieser Gendarmeriebeamte dem Zug Czortkow angehört haben. Zeugen aus Czortkow und Kopyczynce, die unter den gegebenen Umständen Kohn hätten kennen müssen, erklärten übereinstimmend, einen Gendarmeriebeamten Kohn habe es nicht gegeben. Der ehemalige Siposachbearbeiter, der Zeuge Pec. [13], sagte aus, ebenso wie die Zeugen Kes. und Fre., einen deutschen Gendarmeriebeamten namens Kohn nicht zu kennen. Auch dem Zeugen Thomanek, der damals mit P. eng befreundet war, war ein Gendarm namens Kohn nicht bekannt. Nach der Aussage des Zeugen Sch. soll dieser Gendarmeriebeamte öfters in das P.-Lager gekommen sein. Der Zeuge Baz. konnte sich ebenfalls an einen Kohn oder Kuhn in Kopyczynce nicht erinnern, ebenso wie die Zeugin Pu. Wenn es in Kopyczynce tatsächlich einen deutschen Gendarmeriebeamten namens Kohn gegeben hätte, so wäre dies den Zeugen sicherlich aufgefallen, da es sich bei Kopyczynce um eine Kleinstadt von 6000 bis 8000 Einwohner gehandelt hat. Auch hätte die Zeugin Pu. durch ihren Mann von seiner Existenz erfahren, da es in Kopyczynce nur sehr wenig deutsche Beamte gegeben hatte. Im Gegensatz zu den Juden, die zur damali-

[12] Siehe Lfd.Nr.455 und 498.

[13] Siehe Lfd.Nr.541 - dort "P.".

gen Zeit der Gendarmerie aus dem Wege gehen mussten, war sie als Deutsche keinerlei Verfolgungsmassnahmen ausgesetzt. Es wäre ihr daher sicherlich aufgefallen, wenn es in Kopyczynce neben ukrainischen Gendarmeriebeamten auch einen Deutschen gegeben hätte.

An diesen Feststellungen ändert auch nichts die Aussage der Zeugin Pet., die am 11.1.1973 vor dem Schwurgericht in Mannheim erklärte, einen Gendarmen Kohn oder ähnlich habe es in Czortkow nicht gegeben. In der Hauptverhandlung erklärte diese Zeugin jedoch, es habe in Zaleszcyki einen Gendarmeriebeamten namens Kuhn gegeben, der zum Gendarmeriezug Czortkow gehört habe. Die Zeugin konnte sich erinnern, dass dieser Gendarmeriebeamte Kuhn zu den jüngsten der Dienststelle gezählt habe, ungefähr 18 Jahre alt gewesen sei und in Radom geboren sei. Die Zeugin war ausserdem in der Lage, den Gendarmeriebeamten Kuhn in der Hauptverhandlung anhand eines Lichtbildes zu identifizieren. Das Schwurgericht ist aufgrund der Aussage der Zeugin Pet. zwar davon überzeugt, dass es in Zaleszcyki einen Gendarmeriebeamten namens Kuhn gegeben hat. Zaleszcyki, am Dnjester gelegen, liegt von Kopyczynce aber ungefähr 80 Kilometer entfernt. Aufgrund der Beweisaufnahme hält das Gericht es indessen für ausgeschlossen, dass dieser Gendarmeriebeamte Kuhn mit dem vom Zeugen Sch. genannten Gendarmeriebeamten Kohn in Kopyczynce identisch ist.

Es fällt auch auf, dass der Zeuge Sch. die Existenz eines angeblichen Gendarmeriebeamten Kohn erstmals in der Vernehmung vom 21.11.1967 und dann wieder am 24.1.1972 erwähnte, während er in früheren Vernehmungen die angebliche Begebenheit mit dem Gendarmeriebeamten Kohn nicht zur Sprache brachte. Schliesslich ist kaum vorstellbar, dass ein 18-jähriger Dienstanfänger den Angeklagten, der damals bereits 31 Jahre alt war, auf der Strasse mit den Worten: "Na Dicker, du hast schon wieder zwei erschossen" angerufen haben soll.

ee) Unrichtig und durch die Beweisaufnahme widerlegt ist auch die Aussage des Zeugen Sch., er habe mit Ausnahme des einen Mals in Kopyczynce selbst mit P. sich nie an Einsammlungsaktionen beteiligt und sei immer im Lager geblieben. Diese Aussage wird widerlegt durch die Aussagen der Zeugen Zel. und Dr. Ram. Der Zeuge Zel. erklärte, er habe Fri. zusammen mit P. gesehen, als diese zusammen mit anderen Juden nach Aktionen geraubte Sachen in das Lager des Angeklagten gebracht hätten. Der Bevollmächtigte des Zeugen Fri. im Wiedergutmachungsverfahren, der Zeuge Dr. Ram., erklärte vor dem Schwurgericht in Mannheim, Sch. habe ihm erzählt, er sei bei der Deportierung der Juden mit in die Wohnungen gegangen und habe eingesammelt. Schliesslich ist zu bemerken, dass der Angeklagte in seinen Vernehmungen vor dem zuständigen Staatsanwalt unmittelbar nach seiner Verhaftung immer wieder erklärte, Fri. sei bei den Einsammlungsaktionen dabei gewesen. Das Gericht kann sich des Eindrucks nicht erwehren, dass Fri. auch insoweit den Versuch unternahm, seine Vergangenheit, die ihm den Ruf eines Kollaborateurs einbrachte, zu verdrängen.

ff) Bei der Überprüfung der Aussagen des Zeugen Sch. sind weitere Unrichtigkeiten festzustellen, die zwar nicht allzu sehr ins Gewicht fallen, die jedoch ebenfalls geeignet sind, Zweifel an der Zuverlässigkeit des Zeugen aufkommen zu lassen. So erklärte der Zeuge in seiner ersten Vernehmung am 9.9.1965, der Angeklagte habe immer regelmässig Katzmann geschrieben. Das Schwurgericht hält es für völlig ausgeschlossen, dass der Angeklagte als einfacher SS-Mann ohne Einhaltung des Dienstweges seinen Schriftverkehr direkt mit Katzmann abwickelte. Des weiteren erklärte der Zeuge Sch., es habe im P.-Lager ein Telefon gegeben. Die Inaugenscheinnahme des amtlichen Telefonbuches für Galizien ergab jedoch, dass das P.-Lager tatsächlich keinen Telefonanschluss hatte. Schliesslich erklärte Sch. in seiner Vernehmung vom 9.9.1965, er habe den Angeklagten Ende Oktober 1941 zum ersten Mal gesehen. In der Vernehmung vom 9.1.1968 meinte er allerdings nach Vorhalt, es könne auch möglich gewesen sein, dass er den Angeklagten Anfang 1942 kennen gelernt habe. Tatsächlich ist der Angeklagte erst Ende Februar / Anfang März 1942 nach Czortkow gekommen. Dies wird vor allem auch durch den Zeugen Lo. bestätigt.

g) Die weitere Untersuchung der Aussagen des Zeugen Sch. ergab eine Reihe von Widersprüchen, die nicht ohne weiteres darauf zurückzuführen sind, dass die Vorgänge schon über 35 Jahre zurückliegen. Es hiesse zwar das menschliche Gedächtnis überfordern, wollte man verlangen, dass ein Zeuge auch nach so langer Zeit über alles, was ihn in seinem Leben einmal berührte, exakt und in allem zuverlässig müsse Auskunft geben können. In den Aussagen des Zeugen Sch. sind aber Widersprüche von solchem Gewicht zu erkennen, dass sie trotz des langen zeitlichen Abstands zu Zweifeln an der Zuverlässigkeit und an der sicheren Erinnerungsfähigkeit des Zeugen führen müssen. So bestehen vor allem Bedenken gegen die Glaubhaftigkeit der Zeugenaussagen Sch.s zum eigentlichen Tatkern. Bei der Überprüfung der diesbezüglichen Zeugenaussagen Sch.s fällt zunächst einmal auf, dass der Zeuge allerdings über ein gutes Gedächtnis verfügt und trotz des langen zeitlichen Abstands in der Lage ist, detaillierte Angaben zu Vorgängen und Personen sowie zu seiner früheren Tätigkeit im P.-Lager zu machen. Diese Aussagen decken sich teilweise mit den Einlassungen des Angeklagten, teilweise werden sie durch die Aussagen anderer Zeugen bestätigt. Gravierende Widersprüche treten jedoch vor allem in den Fällen auf, wo der Zeuge dem Angeklagten Tötungshandlungen vorwarf und ihn belastete. Auch das Schwurgericht Mannheim hat insoweit in den Fällen Goldstein und Orenstein die Aussagen des Zeugen Sch. in einer Reihe von Punkten nicht für zuverlässig erachtet [14]. Auch bei den beiden vom Angeklagten angeblich in Kopyczynce begangenen Taten fällt auf, dass in beiden Fällen erhebliche Widersprüche zum Tatkern festzustellen sind. Hätte der Zeuge Sch., so wie er schildert, beide Fälle tatsächlich aus nächster Nähe miterlebt, so hätte er sich angesichts seines guten Gedächtnisses mit Sicherheit an diese Dinge erinnern müssen. Im einzelnen ist folgendes auszuführen:

aa) In seinen Vernehmungen vom 9.9.1965 und 21.11.1967 schilderte der Zeuge, der Junge habe am Arm eine Binde mit dem Davidstern getragen und sei daher sofort für den Angeklagten als Jude erkennbar gewesen. Ca. 6 Jahre später erklärte der Zeuge Sch. dagegen in den Vernehmungen vom 6.12.1971 und 24.1.1972, er erinnere sich mit Sicherheit daran, dass der Junge keine Binde getragen habe. Der Junge habe aber mehr oder weniger hundertprozentig semitische Gesichtszüge gehabt. Auch habe das Gesicht des Jungen einen erschrokkenen Ausdruck gezeigt, so dass er sich dadurch bereits als Jude verraten habe. Zu seinen jetzigen Aussagen komme er deshalb, da er sich auf die Vernehmungen wochenlang habe vorbereiten können. Oft habe er nachts wach gelegen, wobei er sich erinnert habe, dass der kleine Junge in Kopyczynce keine Binde mit dem Davidstern getragen habe.

Diese Erklärungen des Zeugen Sch. sind wenig überzeugend. Dem Zeugen war frühestens im Jahre 1965 bekannt, dass gegen den Angeklagten ein Ermittlungsverfahren im Gange war. Zwischen der ersten und der zweiten Vernehmung lag ein Zeitraum von über 2 Jahren, in dem sich der Zeuge die Vorgänge sicherlich durch den Kopf gehen liess und sich eingehend damit beschäftigte. In Wirklichkeit bezieht sich der Widerspruch nicht auf einen Randumstand, sondern auf das eigentliche Tötungsmotiv. Während bei den ersten beiden Vernehmungen der Zeuge zum Ausdruck bringen wollte, P. habe den Jungen nur deshalb erschossen, weil er Jude gewesen sei und dies sofort durch das Tragen der Armbinde erkennbar gewesen sei, klingt in den beiden letzten Vernehmungen das Motiv an, P. habe den Jungen nur deshalb erschossen, weil er keine Armbinde getragen habe und er ihn deshalb habe bestrafen wollen. Tatsächlich ging der Zeuge davon aus, dass das Kind eine Armbinde hätte tragen müssen. Nicht überzeugend ist dagegen die Aussage Sch.s, der Junge habe gar keine Armbinde tragen müssen, da man einen 10-12-jährigen Jungen noch für einen 9-jährigen habe halten können und Kinder unter 10 Jahren nicht verpflichtet waren, den Davidstern zu tragen, da es sich insoweit lediglich um eine Vermutung des Zeugen handelt. Nach Ansicht des Schwurgerichts ist auch die Erklärung des Zeugen, warum der Junge als Jude erkannt wurde,

[14] Siehe Seite 62 ff. dieses Bandes.

äusserst fragwürdig, da der Junge äusserlich nicht sofort durch das Tragen der Armbinde als Jude erkennbar war. Die Meinung Sch.s, der Junge habe hundertprozentig semitische Gesichtszüge gehabt und habe sich auch durch sein erschrockenes Gesicht als Jude verraten, ist insoweit bedenklich und nicht überzeugend, da auch damals nicht in jedem Falle Menschen sofort als Juden erkennbar waren. So erklärte u.a. der Zeuge Hildebrand [15], man habe damals in Galizien häufig Juden nicht sofort auf den ersten Blick als Juden erkennen und von den Polen und Ukrainern unterscheiden können. Die Aussagen des Zeugen Sch. zum eigentlichen Tötungsmotiv sind daher zweifelhaft und nicht zuverlässig, zumal der Zeuge nach Vorhalt des Widerspruches versuchte, diesen durch Erklärungen und Vermutungen zu entkräften.

bb) Gegen die Zuverlässigkeit des Zeugen Sch. spricht auch die Tatsache, dass der Zeuge widersprüchliche Angaben in Bezug auf das Tatgeschehen machte, das der Erschiessung des Jungen unmittelbar voranging. So erklärte der Zeuge in der Vernehmung vom 9.9.1965, P. habe sofort geschossen, ohne den Jungen vorher anzurufen. In derselben Vernehmung bekundete der Zeuge dagegen, P. habe den Jungen angerufen und ihm befohlen, er solle herkommen. In der Vernehmung vom 3.August 1967 sagte der Zeuge anders aus: P. habe dem Jungen zugerufen, er solle stehenbleiben und habe ihn daraufhin erschossen. In der Vernehmung vom 21.11.1967 erklärte der Zeuge dagegen wieder, P. habe den Jungen zu sich her gerufen.

cc) Ein weiterer Widerspruch, der allerdings nicht schwerwiegend ist, muss darin gesehen werden, dass der Zeuge in den Vernehmungen am 9.9.1965 und 21.11.1967 erklärte, der Angeklagte habe zwei Schüsse auf den Jungen abgegeben. In der Vernehmung vom 25.1.1972 wusste der Zeuge dann nicht mehr, ob mehrere Schüsse oder nur ein Schuss abgegeben worden sind.

dd) Auch bei den Schilderungen der angeblichen Tötung der alten Frau sind ganz erhebliche Widersprüche festzustellen. So erklärte der Zeuge Sch. in der Vernehmung vom 9.9.1965, nur der Angeklagte und er seien in dem Haus der alten Frau gewesen. In der Vernehmung vom 3.8.1967 bekundete der Zeuge, er habe P. allein begleitet, allerdings sei es möglich, dass noch einige Hausbewohner dabei gewesen seien, die er nicht gekannt habe. In der Vernehmung vom 9.1.1968 erklärte der Zeuge Sch. plötzlich, bei der Erschiessung der alten Frau sei ihr ungefähr 30-jähriger Sohn dabei gewesen Er, Sch., habe diesen Sohn in Jazlowce, wohin sein jüngerer Bruder Moses geheiratet hätte, kennengelernt. In der Vernehmung vom 6.12.1971 sagte dann der Zeuge Sch. aus, dass er und P. nach der Erschiessung des Jungen gemeinsam zum Judenratsgebäude von Kopyczynce gegangen seien. Dort habe P. beim Judenrat einen Ordnungsdienstmann verlangt, der ihm die Häuser zeigen sollte, in denen noch Juden gewohnt hätten. Gemeinsam sei man dann zu einigen jüdischen Häusern gegangen. Der Ordnungsdienstmann sei bei der Erschiessung der alten Frau ebenfalls zugegen gewesen. In derselben Vernehmung erklärte der Zeuge, nach dem Schuss auf die alte Frau sei sofort der Sohn dieser Frau, den er vom Sehen her gekannt habe, gekommen. In der Vernehmung vom 24.1.1972 bekundete der Zeuge hierzu, dass es sich bei dem jungen Mann, der nach dem Schuss auf die Frau erschienen sei, um ihren Sohn gehandelt habe, er folgert dies daraus, weil dieser ein sehr bestürztes Gesicht gemacht habe. Wenn der Zeuge Sch. den Sohn der alten Frau tatsächlich, wie er angibt, in Jazlowce früher kennengelernt hätte, dann hätte er ihn auch wieder erkennen müssen und hätte nicht die blosse Vermutung geäussert, es müsse sich um den Sohn der erschossenen Frau handeln, weil dieser ein sehr bestürztes Gesicht gemacht habe.

[15] Siehe Lfd.Nr.355 und 653.

ee) Widersprüchlich sind die Aussagen des Zeugen Sch. darüber hinaus auch insoweit, als er in seiner Vernehmung am 3.8.1967 aussagte, P. sei in der Wohnung der Frau gewesen, im selben kleinen Zimmer wie sie, während er bei seiner letzten Vernehmung meinte, die Tat sei in einem engen Hausflur geschehen. Weiter bekundete der Zeuge Sch. am 3.8.1967 und 21.11.1967, die Frau habe Sachen aus einem Koffer bzw. grossen Koffer herauszunehmen versucht. In seiner letzten Vernehmung bezeichnete er dagegen dieses Behältnis als Truhe.

Ein weiterer Widerspruch ist in der Schilderung zum Anlass der Tat gegeben. Am 3.8.1967 erklärte der Zeuge Sch., P. habe den Koffer durchsucht und einige Stücke zur Seite gelegt, als die Jüdin versucht habe, einige ihrer Sachen an sich zu nehmen. Im September 1971 meinte er dagegen, er erinnere sich, dass die Frau keine Möglichkeit gehabt habe, etwas aus dem Koffer herauszunehmen. Der Angeklagte habe sie nur deshalb erschossen, weil sie wegen eines guten Stückes, das er an sich genommen habe, eine "saure Miene" gemacht habe. Allerdings wisse er nicht mehr genau, ob P. das Stück aus der Hand der Frau oder aus der Truhe genommen habe. Die Aussage des Zeugen Sch. zur Person des Sohnes der alten Frau sowie zum Mienenspiel der Frau zeigt darüber hinaus, dass der Zeuge zu Schlussfolgerungen neigt, die er als solche nicht sofort kenntlich macht. Es musste erst näher nachgefragt werden, um von ihm zu erfahren, dass er dies nur annehme und Vermutungen äussere.

ff) Zweifelhaft sind die Aussagen des Zeugen Sch. auch insoweit, als er am 21.11.1967 behauptete, er wisse nicht, ob man vor oder nach der Erschiessung des Jungen jüdische Häuser durchsucht habe. In der Vernehmung vom 3.8.1967 erklärte er dagegen, man habe vor der Erschiessung Häuser von Juden durchsucht.

Eine weitere Aussagedivergenz ist darin festzustellen, dass der Zeuge Sch. behauptete, vom ehemaligen Czortkower Judenrat lebe niemand mehr, obwohl er wusste, dass die Zeugen Win. und Mar. überlebt hatten.

gg) Auch zum Rufe des Angeklagten machte der Zeuge Sch. divergierende Angaben. So erklärte er in der Vernehmung vom 9.9.1965, P. sei sehr grausam gewesen, habe an Aktionen teilgenommen und sei bei jeder Umsiedlungsaktion im ganzen Kreis Czortkow dabei gewesen. In der Vernehmung vom 3.8.1967 bekundete er im Gegensatz hierzu, bei welchen Umsiedlungsaktionen P. mitgewirkt habe, wisse er nicht. Ausser den von ihm geschilderten Fällen (Goldstein, Orenstein, Fälle in Kopyczynce) habe er von keinen Erschiessungen gehört. Dass der Zeuge zu Ausschmückungen neigt, zeigt im übrigen auch seine Aussage in der Vernehmung vom 21.11.1967, wo er erklärte, P. habe immer auf die Brust geschossen. Auf Vorhalt musste er später diese Behauptung zurücknehmen.

hh) Schliesslich konnte sich der Zeuge auch nicht präzise daran erinnern, ob die Leichen nach der Erschiessungsaktion auf dem jüdischen Friedhof aufgestapelt waren oder nicht. In der Vernehmung vom 9.1.1968 sagte er aus, die Leichen seien auf dem jüdischen Friedhof aufgestapelt gewesen. In der Vernehmung vom 24.1.1972 wiederholte er zunächst diese Aussagen, meinte jedoch später, sich sicher daran erinnern zu können, die Leichen seien nicht gestapelt gewesen. Hierzu ist zu sagen, dass es kaum vorstellbar und ziemlich unwahrscheinlich ist, dass Leichen nach einer Erschiessungsaktion im Hochsommer angesichts der grossen Seuchengefahr gestapelt und nicht sofort begraben wurden. Letztlich kommt es aber hierauf nicht entscheidend an, da die Beweisaufnahme ergeben hat, dass auf dem neuen jüdischen Friedhof in Kopyczynce zu dieser Zeit keine Erschiessungsaktionen stattgefunden haben. Die Leichen sind auch nicht etwa in der Stadt aufgesammelt und dann auf den Friedhof gebracht worden, da der Zeuge Sch. in allen seinen Aussagen konstant behauptete, die Aktion habe auf dem Friedhof stattgefunden.

h) Für die angeblichen Taten des Angeklagten in Kopyczynce sind ausser dem Zeugen Sch. keine weiteren Augenzeugen vorhanden. Es fällt auch auf, dass hierfür keine Zeugen vom

Hörensagen gefunden werden konnten. Von den Zeugen, die aus Kopyczynce stammen und sich zur Tatzeit dort aufhielten, so z.B. die Zeugen Mi., Dre. und W., hatte keiner etwas über diese zwei Fälle gehört, obwohl man annehmen müsste, dass sie sich in einer Kleinstadt wie Kopyczynce herumgesprochen hätten. So erklärten eine Reihe von Zeugen, sie hätten gehört, dass P. den Ruwen Hal. erschossen habe. Auch die Tötung des jungen Freisinger durch den Postmeister Trautner sprach sich schnell herum, und eine Reihe von Kopyczyncer Zeugen konnte vom Hörensagen darüber berichten. Merkwürdig ist weiter, dass die beiden Zeugen Win. und Mar., die beide dem Kreisjudenrat angehörten und in ständiger Verbindung zu den jüdischen Gemeinden des Kreises Czortkow standen, nichts über diese Fälle gehört haben. Beide Zeugen berichteten übereinstimmend, dass es solche Exzesstaten zwar gegeben habe und dass sie bei Aktionen an der Tagesordnung gewesen seien; andererseits berichten diese Zeugen und auch andere, dass nach Aktionen das Leben wieder seinen gewohnten Gang genommen habe. Nach Ansicht der Schwurgerichtskammer spricht gerade das Nichtvorhandensein weiterer Augen- und Ohrenzeugen gegen die Richtigkeit der Aussage des Zeugen Sch. Dessen Aussage würde ohne Zweifel an Gewicht und damit auch an Überzeugungskraft gewinnen, wenn andere Zeugen, und seien es nur solche vom Hörensagen, speziell etwas über die angeklagten Fälle in Kopyczynce berichtet hätten.

An dieser Tatsache ändert auch nichts die Aussage des Zeugen Schimon Gol. Dieser Zeuge wurde zweimal richterlich vernommen und zwar am 5.6.1973 und am 20.2.1979. Der Zeuge Gol. bekundete bei seiner Vernehmung am 20.2.1979, er habe einmal gehört, dass eine etwa 50 Jahre alte Frau und ein Junge im Alter zwischen 10 und 15 Jahren in Kopyczynce erschossen worden seien. Eine Gruppe von Gestapoleuten sei aus Czortkow nach Kopyczynce gekommen. Nach einem Pogrom sei eine etwa 50 Jahre alte Frau bei der Arbeit beim Sortieren an der Sortierstelle erschossen worden. Der Junge, der ebenfalls erschossen worden sei, habe auch gearbeitet und sei bei der Arbeit auf der Strasse erschossen worden. Die Frau habe im Auftrag der Deutschen sortiert, wobei an der Sortierstelle noch weitere Leute beschäftigt gewesen seien. An nähere Einzelheiten könne er sich heute nicht mehr erinnern, nehme jedoch mit Sicherheit an, dass diese Frau auch vor der Verfolgung in Kopyczynce gelebt habe. Heute wisse er ihren Namen nicht mehr, habe ihn aber damals gewusst. Wenn die Frau nicht aus Kopyczynce gewesen wäre, hätte ihn ihr Schicksal überhaupt nicht interessiert. In beiden Fällen habe er keine Namen der Täter gehört. Er erinnere sich auch nicht daran, ob er den Namen des Angeklagten jemals gehört habe.

Bei seiner richterlichen Vernehmung vom 5.6.1973 hatte der Zeuge lediglich ausgesagt, er habe damals noch über andere Taten desselben Mannes, gemeint war der Angeklagte, gehört. P. solle auch einen kleinen Jungen bei der Arbeit erschossen haben, an Einzelheiten und an den Namen des Jungen erinnere er sich jedoch nicht mehr. In derselben Vernehmung erklärte der Zeuge weiter, er habe jemand in Erinnerung gehabt, von dem er nicht wusste, ob er Kahl, P. oder Mahl geheissen habe. Aufgrund der Ladung habe er jedoch angenommen, dass der richtige Name des Täters P. gewesen sei. P. sei ein Gestapomann aus Czortkow gewesen, dessen Aufgabe es gewesen sei, die Einsammlung der Kleider der getöteten Juden und auch die Sicherstellung der sonstigen Vermögensgegenstände aus den von den Juden verlassenen Wohnungen durchzuführen.

Vergleicht man die Aussage des Zeugen Gol. mit der Aussage des Zeugen Sch., so fällt auf, dass zwischen beiden erhebliche Divergenzen festzustellen sind. Der Zeuge Sch. bekundete, er sei allein mit dem Angeklagten und weiteren jüdischen Arbeitern nach Kopyczynce gefahren. Der Zeuge Gol. sagte dagegen aus, eine Gruppe von Gestapoleuten aus Czortkow sei nach Kopyczynce gekommen. Die vom Zeugen Sch. dem Angeklagten zur Last gelegten Fälle sollen sich nach einer Aktion abgespielt haben, während nach der Aussage des Zeugen Gol. beide Personen bei der Arbeit, und zwar die alte Frau beim Sortieren an der Sortierstelle, erschossen worden seien. Nach der Aussage des Zeugen Sch. war der Junge jedoch nicht bei der Arbeit getötet worden, und die alte Frau soll in ihrem Hause erschossen worden sein, als P. bei ihr Textilstücke sicherstellen wollte. Schliesslich ist zu bemerken, dass sich der Zeuge Gol. nicht an den Namen des oder der Täter erinnern konnte. Auch bei seiner früheren Vernehmung war ihm der Name des Angeklagten nur ganz vage bekannt. Offensichtlich handelt es sich um verschiedene Fälle, die nichts miteinander zu tun haben. Aus Zeugenaussagen ist zu entnehmen, dass es in Kopyczynce ein Lager gab, in dem nach Aktionen das jüdische Vermögen gesammelt wurde. Die Zeugen Bre. und Dre. bekundeten übereinstimmend, dass dieses Lager in der Czortkower Strasse gewesen sei. Es ist nicht auszuschliessen und es sprechen alle Umstände dafür, dass auch in diesem Lager sortiert wurde. Wenn der Zeuge Gol. im Gegensatz zum Zeugen Sch. behauptet, beide Personen seien bei der Arbeit, die Frau beim Sortieren im Magazin erschossen worden, so muss es sich hierbei um andere Fälle handeln, die sich möglicherweise in Kopyczynce ereignet haben, die aber mit den vom Zeugen Sch. geschilderten Fällen nicht identisch sind.

Im übrigen sprechen auch eine Reihe von Umständen gegen die Glaubwürdigkeit des Zeugen Gol. Bei seiner Vernehmung vom 5.6.1973 konnte sich der Zeuge noch an den Fall des Ruwen Hal. erinnern. Damals sollte er zu diesem Fall gehört werden. Bei seiner Vernehmung erklärte er dann auch prompt, er habe gehört, der Angeklagte habe Ruwen Hal. erschossen. Als ihm diese Aussagen am 20.2.1979 vorgehalten wurden, konnte er sich überhaupt nicht mehr an das Schicksal des Ruwen Hal. erinnern, obwohl er einige Jahre zuvor detaillierte Angaben gerade hierzu machte. Das Schwurgericht kann sich des Eindrucks nicht erwehren, dass der Zeuge Gol. immer Aussagen zu Fällen parat hat, zu denen er gerade vernommen werden soll, wobei er erklärt, er habe von diesen Fällen gehört.

Der Zeuge Gol. hat aber darüber hinaus im Wiedergutmachungsverfahren des Zeugen Dre. eine falsche eidesstattliche Versicherung abgegeben, so dass auch aus diesem Grund Zweifel an seiner Glaubwürdigkeit bestehen. So erklärte der Zeuge Gol. am 30.Dezember 1966 vor dem israelischen Notar R. der Wahrheit zuwider, er sei mit dem Zeugen Dre. im Ghetto von Kopyczynce die ganze Zeit zusammen gewesen. Sie hätten dort schwere Zwangsarbeiten beim Strassenbau und Erdarbeiten verrichten müssen. Nachdem ihm diese eidesstattliche Versicherung am 20.2.1979 vorgehalten wurde, musste er einräumen, dass diese unrichtig sei. Er behauptete jedoch, seine Unterschrift sei gefälscht. Vergleicht man jedoch die Unterschrift des Zeugen Gol. auf der eidesstattlichen Versicherung vom 30.12.1966 mit den Unterschriften bei seiner letzten Vernehmung vom 20.2.1979, so ist auf den ersten Blick erkennbar, ohne dass es hierzu eines Gutachtens bedürfte, dass die Unterschriften identisch sind und nichts gefälscht worden ist. Obwohl der Zeuge Gol. eingehend durch den Notar belehrt wurde, hat er offensichtlich eine falsche eidesstattliche Erklärung abgegeben und in dieser Erklärung noch weitere Angaben über die Verhältnisse in Kopyczynce vor Kriegsausbruch gemacht.

Schliesslich ist zu bemerken, dass die 2.Entschädigungskammer des Landgerichts Stuttgart den Zeugen Gol. als unzuverlässig beurteilt hat. In diesem Verfahren ging es um einen Anspruch auf Entschädigung wegen Schadens an Leben. Der Zeuge Gol. hatte angegeben, seine 1938 geborene Tochter Gisela sei im August 1943 im Ghetto von Kopyczynce umgekommen; er konnte aber den Nachweis der Existenz seiner Tochter Gisela nicht erbringen.

Zusammenfassend ist daher festzustellen, dass der Zeuge Gol. keineswegs als Zeuge vom Hörensagen die Aussagen des Zeugen Sch. bestätigte. Ausserdem bestehen aber auch erhebliche Zweifel an der Zuverlässigkeit dieses Zeugen.

4. « Freisprechung des Angeklagten P. »

Zweifellos sprechen nach dem Ergebnis der Beweisaufnahme gewichtige Gründe dafür, dass der Angeklagte die ihm zur Last gelegten Taten begangen hat. Er hat wiederholt Angaben gemacht, die durch die Beweisaufnahme widerlegt sind. Warum der Angeklagte falsche Angaben - häufig auch in völlig unwesentlichen Nebenpunkten - machte, konnte letztlich nicht geklärt werden. Es kann nicht ausgeschlossen werden, und gewisse Umstände sprechen dafür, dass er dadurch andere Fälle verdecken wollte. Angesichts der geleisteten Meineide, der mehrfachen uneidlichen Falschaussagen, der falschen eidesstattlichen Versicherung, der vielen Unrichtigkeiten und Widersprüche in den Aussagen des Zeugen Sch. hält es aber die Schwurgerichtskammer für ausgeschlossen, damit sichere, den Angeklagten überführende Feststellungen zu treffen. Schliesslich kann bei der Beurteilung der Glaubwürdigkeit des Zeugen Sch. nicht unberücksichtigt bleiben, dass der Angeklagte unmittelbar nach seiner Festnahme den zuständigen Staatsanwalt bat, Fri. als Entlastungszeugen suchen zu lassen.

Mitentscheidend ist in diesem Zusammenhang, dass sich das Gericht von dem Zeugen Sch. keinen persönlichen Eindruck verschaffen konnte und auf die Verlesung seiner früheren Aussagen und der Vernehmung der Verhörspersonen angewiesen ist. Nachdem der Zeuge Sch. nunmehr dauernd aus gesundheitlichen Gründen vernehmungsunfähig ist, scheidet auch die Möglichkeit aus, durch eine weitere Vernehmung die Unrichtigkeiten und Widersprüche in seinen früheren Aussagen zu beseitigen. Das Gericht kann sich insoweit auch nicht auf das Zeugnis der früheren Vernehmungspersonen verlassen, die über das Aussageverhalten des Zeugen in der Hauptverhandlung Angaben machten. Die Zeugen Dr. Kü., Jo., Rei. und Prof.Dr. Schm. erklärten zwar übereinstimmend, der Zeuge Sch. habe auf sie einen überzeugenden und glaubhaften Eindruck gemacht. Nachdem aber in beiden Fällen Sch. der einzige Augenzeuge ist und darüber hinaus keine weiteren Zeugen, auch nicht vom Hörensagen, vorhanden sind, kann für eine Schuldfeststellung auf eine persönliche Vernehmung des Zeugen durch das Gericht nicht verzichtet werden. Nur durch eine persönliche Befragung könnten seine Aussagen überprüft und ein Eindruck über sein Erinnerungsvermögen und seine Glaubwürdigkeit gewonnen werden. Auch die weitere Suche nach Zeugen, die unter Umständen von den angeblichen Taten des Angeklagten in Kopyczynce gehört hätten, versprach keine Aussicht mehr auf Erfolg. Der Zeuge Pinchas Bra., der Stellvertreter des Zeugen Sch. im P.-Lager war und möglicherweise sachdienliche Angaben hätte machen können, ist ebenfalls infolge Krankheit für dauernd vernehmungsunfähig.

Nach eingehender und umfassender Prüfung und Würdigung des Beweisergebnisses aus einer Gesamtschau können Zweifel und erhebliche Bedenken, dass der Angeklagte der Täter war, ja sogar, dass die Taten überhaupt begangen wurden, nicht ausgeräumt werden. Angesichts der charakterlichen und persönlichen Unzuverlässigkeit des Zeugen Sch. ist nicht auszuschliessen, dass dieser die beiden Fälle lediglich erfunden hat, um den Angeklagten zu belasten.

Die Schwurgerichtskammer hat sich eingehend mit der Frage beschäftigt, ob Gründe ersichtlich sind, die eine bewusst falsche Aussage des Zeugen Sch. rechtfertigen könnten. Nicht ganz von der Hand zu weisen ist in diesem Zusammenhang die Meinung der Verteidigung, dass der Grund für eine Falschbezichtigung in der Absicht des Zeugen zu suchen sei, mit seinen Glaubensbrüdern, die ihm illoyales Verhalten während der Nazizeit vorgeworfen hätten eine Art von Lebensfrieden zu schliessen. Aus den Aussagen der Zeugen Jo. und Rei. ist zu entnehmen, dass der Vorwurf der Kollaboration den Zeugen Sch. trotz der lang zurückliegenden Vorgänge sehr stark getroffen hat. Beide Zeugen erklärten glaubhaft, Sch. habe geduldig und ruhig alle Fragen über Tage hinweg beantwortet. Als man ihm jedoch die Aussage des Zeugen Son. vorgehalten habe, sei er aufgebraust und "rabiat" geworden. Offensichtlich peinigte der Vorwurf der Kollaboration ihn noch bei seinen damaligen Vernehmungen. Es kann daher nicht ausgeschlossen werden, dass er sich durch bewusst unwahre Angaben vor den Angehörigen seines Glaubens "reinwaschen" und sein Gewissen besänftigen wollte.

Noch mehr für sich hat allerdings die Vermutung, Sch. habe sich am Angeklagten rächen wollen. Überprüft man seine Aussagen nach einem Rachemotiv, so ist festzustellen, dass

Sch. davon ausging, P. habe an der Aussiedlungsaktion im August 1942 in Czortkow, an der der Zeuge 16 Familienangehörige verloren habe, mitgewirkt. Dies führte der Zeuge bereits in der Vernehmung vom 3.8.1967 aus. In der Vernehmung vom 6.12.1971 erklärte der Zeuge, als er gefragt wurde, ob er sich dem Angeklagten gegenüberstellen lasse, er wolle unter keinen Umständen eine Gegenüberstellung, da der Angeklagte bei der Ermordung seiner Familienangehörigen möglicherweise mitgewirkt habe und er nicht daran erinnert werden wolle. In derselben Vernehmung erklärte der Zeuge Sch., der Angeklagte habe ihn vor der Liquidierung des Lagers nicht gewarnt. Wenn P. wirklich gut gewesen wäre, dann hätte er ihn gewarnt, damit er hätte fliehen können. Da zwischen dem Angeklagten und dem Zeugen Sch. ein enges Vertrauensverhältnis bestand, sah der Zeuge Sch. es also als Vertrauensbruch an, dass er vor der Liquidierung des Lagers nicht vom Angeklagten gewarnt worden war. Nach alledem kann nicht ausgeschlossen werden, dass Sch. den Angeklagten bewusst zu Unrecht belastete.

Der Angeklagte war daher freizusprechen.

IV. « Kostenentscheidung »

Die Kosten- und Auslagenentscheidung beruht auf §467 StPO.

Gemäss §2 Abs.1 des Gesetzes über die Entschädigung für Strafverfolgungsmassnahmen war der Angeklagte für die erlittene Untersuchungshaft einschliesslich der vorläufigen Festnahme zu entschädigen. Die Entschädigung muss für den gesamten Zeitraum (17.5.1965 bis 27.2.1970) gewährt werden, obwohl wegen beider Taten Haftbefehl durch den Untersuchungsrichter erst am 1.9.1969 erlassen wurde. Wäre der Angeklagte jedoch wegen der beiden von ihm angeblich in Kopyczynce begangenen Fälle verurteilt worden, so wäre die gesamte Untersuchungshaft angerechnet worden, auch die Zeit, in der er sich aufgrund eines Haftbefehls, der sich auf andere Fälle bezog, in Untersuchungshaft befand. Nach der Rechtsprechung muss die Tat einer der Anlässe gewesen sein, die zur Untersuchungshaft führten, und das zum Abschluss kommende Verfahren muss sich während irgendeiner Phase auch auf die Tat bezogen haben (BGHSt. 4, 326, BGHSt. 1, 104, 173). Nachdem der Angeklagte darüber hinaus mit Ausnahme des Falles Goldstein in den übrigen Fällen freigesprochen wurde, besteht kein Zweifel, dass der Angeklagte in vollem Umfange für die gesamte Dauer der Untersuchungshaft zu entschädigen ist.

An dieser Entscheidung ändert auch nichts die Tatsache, dass im Falle Goldstein das Verfahren wegen Strafverfolgungsverjährung eingestellt wurde. Nach Ansicht der Schwurgerichtskammer findet §6 Abs.1 Nr.2 StrEG keine Anwendung. Nach dieser Bestimmung kann eine Entschädigung ganz oder teilweise versagt werden, wenn der Beschuldigte wegen einer Straftat nur deshalb nicht verurteilt worden ist, weil ein Verfahrenshindernis bestand. Diese Bestimmung entspricht im wesentlichen der in §467 Abs.3 Nr.2 StPO getroffenen Regelung, so dass die von der Rechtsprechung hierzu entwickelten Grundsätze entsprechend angewandt werden können.

Nach der Rechtsprechung sind notwendige Auslagen des Angeklagten im Falle des Freispruchs gem. §467 Abs.3 StPO immer dann der Staatskasse aufzuerlegen, wenn das Verfahrenshindernis schon bei Anklageerhebung bestand (so OLG Hamm NJW 69, 707). Im vorliegenden Verfahren war die Tat des Angeklagten (Fall Goldstein) bereits vor Anklageerhebung verjährt. Nach §67 StGB in der Fassung vor dem 9.Strafrechtsänderungsgesetz vom 4.8.1969 (Bundesgesetzblatt I 1969 S.1065) trat Strafverfolgungsverjährung wegen eines Verbrechens des Totschlags in 15 Jahren ein. Bei Verbrechen, die mit lebenslangem Zuchthaus bedroht sind, ruhte dagegen die Verfolgungsverjährung gemäss §1 des Gesetzes über die Berechnung strafrechtlicher Verjährungsfristen vom 13.April 1965 (Bundesgesetzblatt I

1965 S.315), so dass die Verjährungsfrist bei Mord am 1.1.1950 begann. Nach §67 Abs.4 StGB beginnt die Verjährung an dem Tag, an welchem die Handlung begangen worden ist.

Zunächst ruhte die Verjährung jedoch bis zum 9.5.1945, denn die Tötung eines Juden unter den hier gegebenen Umständen beruhte auch auf dem sogenannten Führerwillen, der der Verfolgung der Straftat entgegenstand. Ausserdem war bis 30.6.1945 das Ruhen der Verjährung durch das württemberg-badische Ahndungsgesetz vom 31.5.1946 angeordnet (Regierungsblatt 1946 S.171). Damit begann die Verjährungsfrist ab 1.7.1945 zu laufen. Die Straftat war mithin mit Ablauf des 30.6.1960 verjährt, da eine Unterbrechung der Verjährung nicht vorlag. Die erste richterliche Handlung gegen den Angeklagten lag im Erlass des Haftbefehls vom 27.4.1965. Anklage wurde erst am 3.September 1970 erhoben. Eine Versagung der Entschädigung gem. §6 Abs.1 Nr.2 StREG ist daher bei Sachlage nicht möglich.

1 Ks 1/70

Im Namen des Volkes

In der Strafsache gegen

den am 25.6.1912 in Hermannstadt/Rumänien geborenen, in Stuttgart-Feuerbach 30, wohnhaften, ledigen Arbeiter Richard P. [16]

wegen NS-Gewaltverbrechen

hat das Landgericht - Schwurgericht - Mannheim in den Sitzungen vom 11.November 1971 bis 10.Mai 1974 am 10.Mai 1974 für Recht erkannt:

> Der Angeklagte Richard P. aus Hermannstadt/Rumänien wird wegen versuchten Mordes in 2 Fällen zu ~...~, auf welche die erlittene Untersuchungshaft angerechnet wird, verurteilt (§§211, 43, 74 StGB). Für die Dauer von 5 Jahren wird ihm die Fähigkeit, öffentliche Ämter zu bekleiden, aberkannt.
> Im Falle Ziff.15 der Anklage (Goldstein) wird das Verfahren eingestellt; im übrigen wird der Angeklagte freigesprochen.
> Der Angeklagte trägt die Kosten des Verfahrens und seine notwendigen Auslagen, soweit er verurteilt wurde; soweit er freigesprochen oder das Verfahren eingestellt wurde, fallen die ausscheidbaren Kosten und notwendigen Auslagen der Staatskasse zur Last.

GRÜNDE

A) Der Werdegang des Angeklagten, seine Dienststellung und seine Aufgaben in Czortkow

I. « Der persönliche und berufliche Werdegang des Angeklagten »

Der Angeklagte Richard P. wurde am 25.Juni 1912 in Hermannstadt/Siebenbürgen geboren. Sein Vater war Beamter bei der ungarischen Post und hatte später die Dienststellung eines Postamtmanns. Er starb im Jahre 1944. Seine Mutter ist bereits 1914 verstorben. Der Vater hat sich später wieder verheiratet. Bei ihm wuchs der Angeklagte danach auf. Er besuchte in Hermannstadt die Elementar- und anschliessend die Realschule, die er der hohen Gebühren wegen nach 4 Jahren verlassen musste, da die finanziellen Belastungen der Familie - der Vater musste noch für 3 Halbgeschwister des Angeklagten sorgen - zu gross geworden waren.

Nach seiner Schulentlassung ergriff der Angeklagte 1927 die Lehre eines Autoschlossers, die er 1930 abschloss. Er hatte bei der Gesellenprüfung die Note gut erhalten. Anschliessend war er als Geselle noch bei seinem Lehrherrn tätig, der ihn aber nach etwa 1 Jahr entlassen musste, weil er keine Arbeit mehr hatte. Dem Vater des Angeklagten gelang es nun, ihm 1931 eine Beschäftigung in einer Stoffabrik zu verschaffen. Der Angeklagte musste dort Kraftwagen und Maschinen instand halten. Am 15.3.1934 wurde er zur rumänischen Kriegs-

[16] Nicht rechtskräftig soweit P. verurteilt worden ist. Insoweit wurde dieses Urteil aufgehoben und die Sache zurückverwiesen durch Urteil des BGH vom 7.4.1976, 3 StR 286/75, Lfd.Nr.853c; rechtskräftiges Urteil des Landgerichts bei Lfd.Nr.853a.

marine eingezogen. Er war auf einem Zerstörer eingesetzt und diente bis Dezember 1936. Er wurde mit dem Rang eines Unteroffiziers aus dem Wehrdienst entlassen. Danach kehrte er nach Hermannstadt zurück. Da er bei der Marine im Umgang mit Benzin und Rohöl Hautausschläge bekommen und ihm der Militärarzt deswegen empfohlen hatte, nicht mehr in seinem alten Beruf zu arbeiten, nahm er eine Stellung in einer Bleistiftfabrik an. 1938 arbeitete er beim Stammunternehmen der Fabrik in Budweis 8 Monate lang als Volontär.

In Hermannstadt bestand ein Büro des VDA (Verband der Deutschen im Ausland). Ein Bekannter des Angeklagten, der dort tätig war, trug ihm eines Tages an, nach Deutschland zu gehen und sich dort auf Kosten des VDA weiterzubilden. Die Deutschstämmigen würden vom VDA in Heimen betreut. Der Angeklagte, dessen Vater Deutscher war, sagte zu, weil auch seine Freunde sich entschlossen hatten, durch die Vermittlung des VDA nach Deutschland zu reisen. Er trug sich jedoch mit der Absicht, nur 2 Jahre lang zu bleiben.

Im Oktober 1938 kam er in ein Heim des VDA in Frankfurt/Main. Bei einer Frankfurter Opelvertretung erhielt er eine Stelle als Volontär. Etwa im April 1939 wechselte er mit Genehmigung des VDA zu einer DKW-Generalvertretung über. Da es jedoch sein Wunsch war, zur See zu fahren, bewarb er sich bei der Firma HAPAG in Hamburg. Als er gebeten wurde, sich im Heuerbüro vorzustellen, fuhr er Ende August 1939 nach Hamburg, wo er sich zunächst im Büro des VDA meldete, wozu er bei jedem Wohnortwechsel verpflichtet war. Nachdem er die Zusage der Firma HAPAG erhalten hatte, heuerte er Ende August 1939 auf dem Frachtschiff "Westerwald" als Maschinenwärter an. Mit dem Schiff fuhr er von Hamburg nach Bremerhaven, von wo aus es nach Ausbruch des deutsch-polnischen Krieges wieder zurückbeordert wurde. Da er noch rumänischer Staatsangehöriger war, wurde er in Hamburg sofort aus der Handelsmarine entlassen.

Er meldete sich nun wieder im VDA-Büro in Hamburg, wo ihm vorgeschlagen wurde, Soldat zu werden. Mit weiteren Deutschstämmigen wurde er am nächsten Tag zur Kaserne des Ersatzbataillons der "SS Standarte Germania" in Hamburg-Langenhorn gebracht. Er wurde in diese Waffen-SS-Einheit aufgenommen, wurde eingekleidet und ausgebildet. Nach dem Ende des Polenfeldzugs wurde den Deutschstämmigen die Möglichkeit gegeben, auf ihre Entlassung anzutragen. Der Angeklagte, der den Vorschlag des VDA-Büros, Soldat zu werden, mehr oder weniger als ein Muss aufgefasst hatte, machte von dieser Möglichkeit Gebrauch und wurde daraufhin Anfang November 1939 entlassen. Danach arbeitete er bei einer Maschinenbaufirma in Hamburg als Monteur. Am 17.6.1940 wurde er - obwohl noch rumänischer Staatsangehöriger - zur Waffen-SS einberufen und musste sich bei seiner alten Einheit wieder melden.

Da der Angeklagte P. während einer Übung am Timmendorfer Strand ohnmächtig geworden war, wurde er vom 24. bis 28.8.1940 bei der "Sanitätsinspektion der Waffen-SS" in Dachau untersucht. Er wurde als truppenverwendungsfähig bezeichnet und wieder zu seiner Einheit zurückgeschickt. Zuvor machte er jedoch 2 Tage Urlaub in Berlin, wo er mit einem Freund zusammentraf, der Sachbearbeiter bei der Volksdeutschen Mittelstelle (VOMI) war, welche die Aufgabe hatte, die Volksdeutschen, also diejenigen, die nach Abstammung und Sprache dem deutschen Volkstum zugehörten, ohne die Deutsche Staatsangehörigkeit zu besitzen, zu erfassen und zu betreuen. Von diesem Freund hörte er auch, dass die VOMI - die ab Juni 1941 zu einem SS-Hauptamt erhoben wurde - Dolmetscher für die rumänische Sprache benötige. Der Angeklagte zeigte sich an dieser Aufgabe interessiert.

Nachdem er in Langenhorn noch ein paar Wochen Dienst gemacht hatte, wurde er aus seiner Einheit entlassen. Er musste sich nun bei der VOMI-Dienststelle in Berlin melden. Dort bekam er eine feldgraue SS-Uniform mit schwarzen Kragenspiegeln, jedoch ohne Runen und wurde zum SS-Mann ernannt; er gehörte damit weiterhin der Waffen-SS an. Da seine ursprünglich geplante Verwendung als Dolmetscher nicht mehr möglich war, wurde er bei der

VOMI als Betreuer eingesetzt und nach Stahnsdorf beordert, wo er auf ein Kommando wartete. Nach etwa 3 Wochen wurde ihm befohlen, nach Zoppot bei Danzig zu fahren. Dort wurde er beauftragt, ein Pferdelager bei Behrendt für die Deutschstämmigen, die mit ihren Pferdefuhrwerken aus dem Baltikum kamen, aufzubauen. Dieses Lager leitete er sodann von Ende Oktober / Anfang November 1940 bis etwa Juli 1941. Anschliessend war er noch bei drei verschiedenen VOMI-Stellen tätig; zuletzt war er Führer eines Lagers in Benzlin, wo er wiederum Volksdeutsche zu betreuen und für deren Verpflegung und Beschäftigung zu sorgen hatte. Nachdem eine Einbürgerungskommission in Benzlin erschienen war, und die Einbürgerung der Deutschstämmigen vollzogen hatte, wurde das Lager aufgelöst. Im Dezember 1941 kehrte er sodann nach Berlin-Stahnsdorf zurück.

Ende Februar / Anfang März 1942 wurde er mit etwa weiteren 10 Mann nach Lemberg beordert, wo sie sich bei dem SS-Unterscharführer Lo., dem Leiter der VOMI-Dienststelle für den Distrikt Galizien, meldeten. In 4 bis 5 Tagen wurde er dort in einem Schnellverfahren auf seine neue Aufgabe vorbereitet, die darin bestand, im Kreis Czortkow die Deutschstämmigen herauszufinden, ihnen gegebenenfalls Arbeit zu verschaffen, und sie in Gesprächen zum Deutschtum zurückzuführen. Eine Kommission sollte später nachkommen und die Einbürgerung vollziehen.

Etwa im März 1942 traf der Angeklagte in Czortkow ein. Er führte dort den Titel eines Kreisbeauftragten der VOMI. Der Schriftverkehr trug die Bezeichnung: "Der SS- und Polizeiführer, Beauftragter des Reichskommissars für die Festigung deutschen Volkstums, Dienststelle Lemberg, der Kreisbeauftragte in Czortkow." Seine Dienststelle hatte er zunächst im Gebäude der Kreishauptmannschaft eingerichtet. Der Angeklagte blieb bis Mitte September 1943 in Czortkow. Er behauptete, bereits im März 1943 von dem SS-Hauptsturmführer Ilc. abgelöst worden zu sein.

Im September 1943 meldete er sich bei der VOMI-Dienststelle in Lemberg, bei der er nur kurze Zeit tätig war. Danach wurde er in das Ölgebiet Galiziens abgeordnet. Dort baute er ein Umsiedlungslager für deutschstämmige Ukrainer auf und kehrte anschliessend wieder nach Lemberg zurück. Am 20.12.1943 wurde er zu einer Waffen-SS-Einheit in Ellwangen einberufen bzw. versetzt, bei der er sich nach einem Kurzurlaub im Januar 1944 meldete. Er wurde als Unterführer ausgebildet und kam nach etwa 3 Monaten nach Dresden, wo eine Unterführerbrigade aufgestellt wurde. Mit dieser Brigade kam er nach Dänemark und bildete Letten an deutschen Waffen aus. Nach der Invasion am 6.6.1944 wurde er an der Front in Frankreich eingesetzt. Am Westwall wurde er - inzwischen war er SS-Unterscharführer geworden - am Handgelenk verwundet. Er kam in ein Lazarett und geriet dort in amerikanische Gefangenschaft, aus der er 1946 von Heilbronn aus nach Stuttgart entlassen wurde. Seither lebt der Angeklagte in Stuttgart. Er arbeitete dort zunächst als Bauhilfsarbeiter, danach als Heizungshilfsmonteur und später etwa 10 Jahre lang als Kraftfahrer. Anschliessend war er Maschinenarbeiter in zwei Gewürzmühlen und bis zu seiner vorläufigen Festnahme am 17.5.1965 Arbeiter in einem Feinkostgeschäft. Vom 18.5.1965 bis 26.2.1970 befand sich der Angeklagte in Untersuchungshaft. Zu Beginn der Hauptverhandlung hatte der Angeklagte eine Anstellung als Pförtner beim Bahnpostamt in Stuttgart. Er verdiente etwa 900,- DM im Monat.

II. « Dienststellung und Aufgaben des Angeklagten in Czortkow »

1. Etwa Mitte 1942 trat der KdS, der SS- und Polizeiführer Katzmann [17], anlässlich einer Kommandeursbesprechung in seinem Dienstgebäude in Lemberg an den VOMI-Dienststellen-

[17] Katzmann war nicht KdS.

leiter Lo. heran und verlangte von ihm, dass die Angehörigen der VOMI in Galizien bei Judenaktionen mitwirken sollen. Da die VOMI in Lemberg jedoch nicht der sachlichen Befehlsgewalt Katzmanns unterstand, ferner die Weisung aus Berlin vorlag, wonach sich die VOMI-Angehörigen nicht mit Judenangelegenheiten zu befassen hatten, lehnte Lo. eine Mitarbeit ab. Kurze Zeit später setzte sich Katzmann wiederum mit Lo. in Verbindung. Er schlug ihm vor, dass die Angehörigen der VOMI - wenn sie schon einmal bei Judenaktionen nicht mitwirkten - doch wenigstens die Hausratsgegenstände der Juden nach Aktionen sicherstellen und lagern sollten, um sie dann den Volksdeutschen in Galizien zu überlassen. Hiergegen hatte Lo. keine Einwände; seine vorgesetzte Dienststelle liess ihm insoweit auch freie Hand.

In Schreiben an den Angeklagten und die anderen ihm unterstellten Kreisbeauftragten gab Lo. nun die Anweisung, nach Aktionen die Habe der Juden aus den leergewordenen Häusern sicherzustellen und in Fragen, die mit jener Sicherstellung zusammenhingen, die Befehle des SS-Untersturmführers Hildebrand [18], der zum Stab des KdS Lemberg gehörte, zu befolgen; wegen eines geeigneten Lagerraums sollte sich P. im Kreis Czortkow umsehen. Bei einer Dienstbesprechung in Lemberg wurde ihm weiterhin mitgeteilt, dass er sich wegen der Erfassung und Lagerung des Eigentums der Juden an den Dienststellenleiter der Sipo in Czortkow wenden solle, der ihn unterstützen werde. Es war ferner abgesprochen, dass die sichergestellten Gegenstände instand gesetzt werden sollten, um sie an die Volksdeutschen weitergeben zu können; die benötigten Hilfskräfte zu organisieren, war dem Angeklagten überlassen. Im übrigen war es ihm untersagt, an Judenaktionen sich in anderer Weise als durch die Vermögenssammlung zu beteiligen.

2. In Czortkow suchte sich der Angeklagte nun zwei Gebäude in der Nossastrasse aus, die ihm für sein neu hinzugekommenes Aufgabengebiet geeignet erschienen. Das eine Haus auf der zum Fluss Sereth hin gelegenen Strassenseite stand auf einem Villengrundstück und sollte als Reparaturwerkstätte dienen. Das Grundstück, auf dem sich neben dem Werkstattgebäude noch Stallungen befanden, war eingezäunt. Ihm gegenüber auf der anderen Seite der Nossastrasse lag ein mehrgeschossiges grosses Haus, das einem Juden namens Margulies gehört hatte. Dieses sollte als Lagerraum (Magazin) verwendet werden. Der Dienststellenleiter der Sipo in Czortkow, Hildemann, war mit der ihm vom Angeklagten vorgeschlagenen Benutzung der beiden Häuser einverstanden; wegen der zur Durchführung der Aufgabe benötigten Arbeitskräfte sollte sich der Angeklagte an den Kreisjudenrat wenden.

3. Etwa im Juni 1942 begann der Angeklagte nach einer Aktion die Habe der von ihr betroffenen Juden zu erfassen und in das Lager der Nossastrasse zu verbringen. Er bediente sich dazu jüdischer Arbeitskräfte, die er sich vom Kreisjudenrat für die Einsammlung hatte zuweisen lassen. Anfänglich trat er wegen der von ihm benötigten Arbeiter immer an den Kreisjudenrat heran; später aber bildete sich ein Stamm von Arbeitskräften heraus, die überwiegend ein Handwerk erlernt hatten und ständig im Lager des Angeklagten, das bald als P.-Lager [19] bekannt war, arbeiten mussten. Das Lager als ständige Einrichtung wurde von dem Angeklagten nach der ersten grossen "Umsiedlungsaktion" in Czortkow, die am 26./27.8.1942 stattfand und im Vernichtungslager Belzec endete, geschaffen. Am Tag nach der Aktion begann der Angeklagte, die Sachen der etwa 1000 deportierten Juden einzusammeln. Zu diesem Zeitpunkt verpflichtete er auch den Juden Benzion Sch., der damals Fri. genannt wurde, für sein Lager. Dieser Jude wurde im Lager alsbald zur "rechten Hand" des Angeklagten, der allen anderen Lagerarbeitern übergeordnet schien und mit P. stets engen Kontakt hatte. Neben ihm gehörten noch Wolf Win., der die Aufsicht über den Transport

[18] Siehe Lfd.Nr.355 und 653.

[19] P. ist der Name des Angeklagten.

hatte, Stöckel, welcher die Küchenaufsicht führte, und Pinchas Bra., dem die Aufsicht über das Magazin übertragen war, zu den von P. favorisierten Juden.

Den Juden des P.-Lagers ging es den Verhältnissen entsprechend gut. Sie hatten zu essen - wofür der Angeklagte auch sorgte - und waren während ihrer Tätigkeit vor Übergriffen geschützt. Vom Angeklagten selbst hatten sie im Lager nichts zu befürchten; sie wurden von ihm nicht misshandelt. Dieser relativen Sicherheit wegen drängten sich auch viele Juden danach, bei P. arbeiten zu dürfen.

Ausserhalb des Lagers mussten sich die Juden im Ghetto aufhalten. Sie waren etwa ab Frühjahr 1943 in einem früheren Hotel, und wenig später in dem von Paul Thomanek [20] geleiteten Arbeitslager untergebracht, das im Juni oder Juli 1943 liquidiert wurde. Die meisten der im Thomanek-Lager konzentrierten Juden wurden damals bei einer frühmorgens durchgeführten Aktion ergriffen und am Flugplatz zu Czortkow erschossen. Danach bestand das P.-Lager - wenn überhaupt - nur noch wenige Tage.

4. Zuvor hatte der Angeklagte zwischen 50 und 100 jüdische Männer und Frauen beschäftigt, welche an den ins Lager gebrachten Gegenständen zu arbeiten hatten. So waren beispielsweise Möbelstücke auszubessern und Kleidungsstücke zu sortieren, zu waschen und herzurichten. Aber nicht nur die Habseligkeiten der in Czortkow wohnhaft gewesenen Juden wurden durch das P.-Lager geschleust. Vielmehr liess der Angeklagte auch in Ortschaften des Kreises Czortkow die Habe der von einer Aktion Betroffenen einsammeln. Über den jeweiligen Ortsjudenrat bereitgestellte Arbeitskräfte mussten im Regelfall die Gegenstände aus den Häusern tragen und auf Pferdefuhrwerke in ein Lager am Ort verbringen. Von dort aus wurden die Sachen dann später zum zentralen Lager nach Czortkow transportiert.

5. Der Angeklagte hat die VOMI-Dienststelle in Czortkow, mit der nun die Aufgabe der Sammlung des jüdischen Vermögens verbunden war, bis März 1943 geleitet. Ab 1.4.1943 wurde der SS-Hauptsturmführer Ilc. als Kreisbeauftragter nach Czortkow versetzt. Der Angeklagte sollte ihn einarbeiten. Ilc. kümmerte sich jedoch kaum um die ihm übertragenen Geschäfte, weshalb sie weiterhin dem Angeklagten, der ihn zu vertreten hatte, oblagen. Als Vertreter Ilc.s war P. auch noch im Nossa-Lager bis zu dessen Auflösung tätig.

B) Die Taten des Angeklagten

I. Die Tötung des Juden Goldstein in Czortkow

Im beginnenden Frühjahr 1943 - der genaue Zeitpunkt steht nicht fest - forderte der Judenreferent der Sipo in Czortkow, Kurt Köllner [21], den Angeklagten auf, ihm 5 oder 10 Juden für ein Arbeitslager zu überstellen. Der Angeklagte wies daraufhin den Zeugen Benzion Sch. (im Folgenden auch Fri. genannt) an, unter den in seinem Lager Beschäftigten die von Köllner verlangten Juden auszusuchen. Nachdem diese sich im Hof des Lagers eingefunden hatten - nicht geklärt werden konnte, ob Sch. die Anordnung P.s befolgte, oder ob der Angeklagte schliesslich selbst die Juden auswählte - ergriff plötzlich der Jude Goldstein, ein Tanzlehrer aus Czortkow, die Flucht, offenbar weil er glaubte, dass seine Überstellung an Köllner seinen nahen Tod bedeutete. Der Angeklagte, der sich ebenfalls im Hof aufhielt, wurde durch ein Geräusch auf den Fliehenden aufmerksam. Als er ihn sah, befand sich Goldstein bereits am Lagertor, das zu einer Sackgasse führte. Jene Sackgasse war eine Strasse, die von der von Osten nach Westen verlaufenden Nossastrasse nach rechts, also in nördlicher Rich-

[20] Siehe Lfd.Nr.455 und 498.

[21] Siehe Lfd.Nr.541.

tung, abzweigte. Die Nossastrasse lag fast parallel zum Fluss Sereth. Die Entfernung des P.-Lagers, das auf dem von der Nossastrasse und der Sackgasse begrenzten westlichen Eckgrundstück eingerichtet war, zum Fluss Sereth, der nördlich des Lagers vorbeifloss, betrug etwa 150 m.

Nachdem Goldstein durch das Lagertor gerannt war, wandte er sich nach links, lief bis zum Ende der Sackgasse, um von dort aus seine Flucht nach links auf einem Pfad fortzusetzen, der etwa 100 m vom Fluss entfernt parallel zu ihm verlief und die Gärten zur Sereth-Wiese abgrenzte. Der Angeklagte, der sofort die Verfolgung aufgenommen und dabei auch seine Pistole gezogen hatte, lief hinter ihm her, wobei er Goldstein mehrmals zurief, stehen zu bleiben. Goldstein reagierte hierauf jedoch nicht.

Für den weiteren Geschehensablauf bestehen nun zwei Möglichkeiten:

1. Nach kurzer Verfolgung auf dem Trampelpfad bog Goldstein, dessen Vorsprung etwa 50 m betrug, nach rechts ab und rannte zum Fluss. Er hatte seine Fluchtrichtung wahrscheinlich deshalb geändert, weil er bemerkte, dass ihm auf dem Pfad ein mit einem Karabiner bewaffneter ukrainischer Polizist entgegenkam. Der Angeklagte, der Uniform trug, forderte diesen Ukrainer durch Handzeichen auf, nach dem fliehenden Juden zu schiessen; er rechnete in diesem Augenblick damit, dass der Polizist seiner Aufforderung folgen werde und Goldstein durch eine Gewehrkugel tödlich getroffen werden konnte. Die Flucht des Juden wollte er jedoch um jeden Preis aufhalten. Der Ukrainer hatte die Aufforderung des Angeklagten verstanden. Er lief erst noch ein Stück hinter Goldstein her. Dann aber legte er sein Gewehr an und gab zunächst einen Schuss ab, der ohne Wirkung blieb. Danach repetierte er und feuerte ein zweites Mal auf den Juden. Von dem Projektil wurde Goldstein, der in den Fluss gelaufen und in Ufernähe stehengeblieben war, tödlich verletzt.

2. Goldstein bog plötzlich nach rechts ab und lief, vom Angeklagten weiterhin verfolgt zum Fluss. Zunächst rannte er noch einige Schritte am Ufer entlang, lief dann aber in den Sereth. Der Angeklagte blieb, seine Walter PPK immer noch in der Hand, am Ufer stehen und forderte möglicherweise Goldstein auf, aus dem Wasser zu kommen. Der Jude kam dem jedoch nicht nach. Der Angeklagte schoss nun mit seiner Waffe auf den nur wenige Schritte von ihm entfernten Goldstein. Dabei rechnete er damit, ihn tödlich zu verletzen; mit dem Tod Goldsteins war er jedoch einverstanden; er nahm ihn billigend in Kauf. Tatsächlich wurde der Jude durch den Schuss getötet.

3. Mag der Angeklagte nun selbst geschossen oder die Schüsse angeordnet haben (eine weitere Möglichkeit scheidet aus): Im einen wie im anderen Falle dachte er sich dabei, dass - wie das im Krieg so sei - der Fliehende erschossen werden könne. Derjenige, der fliehe oder eine Flucht nicht aufgebe, sei auf jeden Fall niederzuschiessen, auch um den Preis seines Todes. Möglicherweise hielt der Angeklagte es auch noch deshalb für erforderlich, auf Goldstein zu schiessen, um dem Entstehen und [22] Fluchtplänen in seinem Lager vorzubeugen. Wo Goldstein getroffen wurde, war nicht mehr sicher aufklärbar. Der Angeklagte trat selbst an sein Opfer heran und stellte dessen Tod fest. Anschliessend ging er in sein Lager zurück.

II. Die versuchte Tötung eines Kindes in Kopyczynce

An einem nicht mehr feststellbarem Tag im Juni oder Juli 1943 fuhr der Angeklagte frühmorgens mit dem Zeugen Benzion Sch. und einigen anderen Juden seines Lagers auf einem Pferdefuhrwerk von Czortkow nach Kopyczynce, wo sie an einem Friedhof anhielten, auf

[22] Gemeint ist wohl: von.

dem eine grössere Anzahl getöteter Juden lag, die noch bekleidet waren. Der Angeklagte wies nun seine Lagerarbeiter an, die Toten zu entkleiden und die Kleidungsstücke aufzuladen. Den Zeugen Sch. forderte er auf, inzwischen mit ihm in die Stadt zu gehen. Auf dem Weg zur Stadtmitte kam ihnen ein etwa 10 bis 12-jähriger Junge entgegen, den der Angeklagte für einen Juden hielt, der aber möglicherweise keine Armbinde mit dem Davidstern trug. Die äussere Erscheinung des Kindes liess jedenfalls den Angeklagten davon überzeugt sein, dass es jüdisch war. Wahrscheinlich befahl er ihm, heranzukommen. Als es in seiner Nähe war, holte er seinen Revolver hervor und schoss aus einer Distanz von höchstens 3 m in Richtung der Brust des erschreckten Jungen, wobei er dessen Tod zumindest billigend in Kauf nahm. Er traf das Kind auch im Bereich der Brust; die genaue Einschussstelle war jedoch nicht mehr feststellbar. Nach dem Schuss fiel es zu Boden und blieb reglos liegen. An seiner Brust war Blut zu sehen. Die Absicht, auf den Jungen zu schiessen, wurde möglicherweise dadurch ausgelöst, dass dieser keinen Davidstern trug, den ein Jude aber zu tragen hatte, er sonach mit seinem Vorgehen für die Verletzung jener allgemeinen Verordnung strafen wollte. Klar war er sich dabei, dass er für deren Einhaltung nicht zu sorgen hatte, dass der Anlass, der ihn schiessen liess, jedenfalls für ihn ein völlig nichtiger war. Möglich - wenngleich weniger wahrscheinlich - ist auch, dass er den Jungen ohne weiteren Anlass allein deshalb niederschoss, um in Bejahung nationalsozialistischer Ziele zur Ausrottung der Juden mit beizutragen.

III. Die versuchte Tötung einer alten Frau in Kopyczynce

Nachdem der Angeklagte das Kind niedergeschossen hatte, setzte er seinen Weg fort. Er suchte den Judenrat auf und ging anschliessend mit dem Zeugen Sch. und einem Ordnungsdienstmann, der ihm auf sein Verlangen zugewiesen worden war, um ihm die Häuser der Juden zu zeigen, auf die Suche nach Gegenständen, die später mit dem Fuhrwerk nach Czortkow mitgenommen werden sollten.

Nachdem sie bereits einige Häuser durchsucht hatten, betraten sie ein Haus, in dessen Flur sie eine magere, schwächlich aussehende alte Frau antrafen, die bei einer Truhe stand. Der Angeklagte trat nun an die Truhe heran, in der sich Wäsche und Kleider befanden, entnahm einige Stücke und legte sie zur Seite. Als er ein weiteres Stück an sich nehmen wollte, gab die Frau, die nach rechts versetzt vor ihm stand und ihm das Gesicht zuwandte, zu erkennen, dass sie damit nicht einverstanden sei, indem sie eine Miene machte, als ob sie weinen wollte; möglicherweise hatte sie auch schon ein Stück ihrer Habe angefasst, um es vor der Wegnahme zu retten. Der Angeklagte zog daraufhin seine Pistole und schoss die Frau nieder. Er hatte entweder in den Unterleib oder in Richtung des Oberkörpers gezielt, wo er dann auch traf. Die genaue Einschussstelle war nicht mehr feststellbar.

Wahrscheinlich schoss der Angeklagte, um die Frau zu töten, weil sie durch ihr Mienenspiel zu erkennen gegeben hatte, dass sie mit dem Vorgehen des Angeklagten nicht einverstanden war, und er hierin eine Widersetzlichkeit sah, die er ahnden wollte, und die seiner Meinung nach jedenfalls bei einem Juden den Tod zur Folge haben durfte. Möglich ist aber auch, dass er die Frau aus Verärgerung niederschoss, wobei er sich im Klaren war, dass sie an der Schusswunde sterben konnte, ihm das aber bei Abgabe des Schusses vollkommen gleichgültig war; sollte die Verletzung tödlich sein, war er damit auch einverstanden.

Die Frau stürzte nach dem Schuss zu Boden und blieb reglos liegen; sie war anscheinend tot. Der Angeklagte und der Zeuge Sch., der bei der Tat mit im Flur stand, und der sowohl den Angeklagten als auch die Frau beobachten konnte, verliessen nun das Haus. Sie liefen - vielleicht erst nach einiger Zeit - in Richtung Stadtmitte, wo ihnen ein deutscher Gendarm entgegenkam, der den Angeklagten kannte. Dieser sagte zu dem Angeklagten sinngemäss, er - P. - habe zwei erschossen. P. erwiderte hierauf jedoch nichts.

Einige Zeit später fuhr der Angeklagte mit seinen Begleitern auf dem Pferdefuhrwerk, das auf dem Rückweg nach Czortkow an dem Haus der alten Frau vorbeikam, in das Lager zurück. Die Sachen dieser Frau waren zuvor noch aufgeladen worden.

C) Beweiswürdigung

I. Zu den Abschnitten A I und II

1. Die Feststellungen zu den persönlichen Verhältnissen und zum Werdegang des Angeklagten (A I) beruhen auf seinen Angaben, denen gefolgt werden konnte. Ursprünglich meinte er allerdings, Anfang Februar 1942 in Czortkow eingetroffen zu sein. In der später verlesenen Aussage des Zeugen Lo., seines unmittelbaren Vorgesetzten, ist dieser Zeitpunkt jedoch mit März 1942 angeben. Da der Angeklagte die gesamten Bekundungen Lo.s, die dieser am 6.3.1968 vor dem Untersuchungsrichter machte (47, 16 ff.), als richtig bestätigt hat, ist davon auszugehen, dass er sich in seinen Zeitangaben korrigierte, auf die es insoweit ohnehin nicht wesentlich ankam.

2. Die Ausführungen in A II 1 gründen sich auf die Angaben des Zeugen Lo. vom 6.3.1968. In Übereinstimmung damit erklärt auch der Angeklagte, dass es ihm ausdrücklich untersagt war, an Aktionen an [23] Juden teilzunehmen. Das Schwurgericht hat erwogen, ob sowohl Lo. als auch P. sich diese Einlassung zum Zweck ihrer Verteidigung nur erdacht haben könnten, um einen etwaigen Verdacht, an Deportationen oder Tötungen von Juden mitgewirkt zu haben, zu entkräften. Es war jedoch kein Anhaltspunkt gegeben, der diese theoretische Möglichkeit hätte erhärten können. Vielmehr kam das Schwurgericht nach den stimmigen und detaillierten Angaben des Zeugen Lo. über die Ansinnen Katzmanns, und seinen ersten Widerstand unter Berufung auf Weisungen aus Berlin zu der Überzeugung, dass die Aussage des Zeugen Lo. - und damit auch die Behauptung des Angeklagten - richtig ist.

3. Die Feststellungen zu A II, 2 sind im wesentlichen auf die Einlassung des Angeklagten gestützt.

4. Das in A II 3 erwähnte Datum der ersten grossen Aktion in Czortkow beruht auf der Aussage des Zeugen Schl. und seinen Tagebuchaufzeichnungen, die er unter Angabe des Zeitpunktes der Aktion noch am Abend des Aktionstages - spätestens aber am übernächsten Tag - niedergeschrieben hat. Die Notizen bieten damit die grösste Gewähr dafür, dass jener Tag richtig überliefert wurde. Ob die von dem Zeugen geschätzte Zahl von 1000 Deportierten zuverlässig ist, kann nicht sicher beurteilt werden. Die meisten Zeugen sprachen von einer wesentlich grösseren Zahl von Opfern.

5. Der Angeklagte behauptete, den Zeugen Sch. (Fri.) im Juni 1942 im Kreisjudenrat getroffen zu haben, als er dort Arbeitskräfte für die Sammlung angefordert habe. Er habe Fri. gefragt, ob er ihm helfen wolle, was dieser auch bejaht habe. Anschliessend habe er ihn zum Vorarbeiter für das kommende Lager bestimmt.

Die Meinung P.s, Fri. bereits nach einer Aktion im Juni 1942 verpflichtet zu haben, erscheint nicht zutreffend. P. meinte selbst, dass jene Sammelaktion (im Juni) etwa 4 Wochen gedauert habe. Das ist aber wenig wahrscheinlich, da die erste grosse Aktion, die einen so grossen zeitlichen Aufwand für eine Sammlung zur Folge haben konnte, erst Ende August 1942 stattfand. Das lässt den Schluss zu, dass P. die Verpflichtung Fri.s zeitlich falsch ein-

[23] Sic!

ordnete. Der Zeuge Sch. selbst behauptete, dass [24] zwei Tage nach der grossen Aktion (am 30.8.1942) zu P. gekommen zu sein. Für ihn war jene Aktion, die ihn in Lebensgefahr gebracht hatte, ein einschneidendes Erlebnis und damit eine gute Erinnerungsstütze für eine zeitliche Fixierung seiner Verbindung mit P. Sch.s Meinung trifft daher mit grösster Wahrscheinlichkeit das genaue Datum. Der Angeklagte selbst hatte sich zunächst auch über seine Ankunft in Czortkow geirrt. Ferner kann der von ihm angegebenen Zeit des Vorfalls Goldstein nicht gefolgt werden, was noch auszuführen sein wird. Dies zeigt, dass er in solchen Fragen keineswegs als zuverlässig angesehen werden kann. In Folge des langen zeitlichen Abstandes zu den damaligen Ereignissen kann sich indessen auch der Zeuge Sch. geirrt haben. Das gilt auch, soweit Sch. behauptete, mit P. im Gebäude der Kreishauptmannschaft zusammengetroffen zu sein, während P. meinte, die Begegnung habe im Kreisjudenrat stattgefunden. Eindeutig für die Darstellung Sch.s spricht hier, dass er in der Kreishauptmannschaft als Magazinär beschäftigt war, während eine Verbindung zum Kreisjudenrat nicht bestand. Die VOMI aber war in der Kreishauptmannschaft untergebracht, so dass Begegnungen mit P. dort durchaus naheliegend waren.

6. Dass der Angeklagte zu den bei ihm beschäftigten Juden "gut" war, haben manche Zeugen bekundet. Allein die Zeugin Dora Ros. gab bei ihrer Vernehmung vor dem Schwurgericht an, von ihm im Lager mit einer Peitsche heftig geschlagen worden zu sein, als er sie in einem Zimmer angetroffen habe, von wo aus sie aus Sorge um ihre Angehörigen zugesehen habe, wie die Leute weggetrieben worden seien; sie meinte, während er auf sie eingeschlagen habe, habe er sie auch angeschrien und sie eine Verfluchte, ein Schwein genannt, dessen Ende auch noch komme.

Die Aussage dieser Zeugin erschien indessen in verschiedenen Punkten nicht bedenkenfrei. Auf Widersprüche und Übertreibungen aufmerksam gemacht, war sie selten bereit, den Fehler in Schwächen ihres Erinnerungsvermögens zu suchen, oder auch positive Aspekte bei dem Angeklagten gelten zu lassen. Als Beispiel für letzteres mag angeführt werden, dass sie energisch bestritt, dass es für die Juden des P.-Lagers warmes Essen gegeben habe. Erst nach eindringlichem Vorhalt des Angeklagten machte sie das Zugeständnis, dass sie das warme Essen nur nicht abgeholt habe. Gewiss hat die Zeugin bei ihrer ersten Darstellung nicht falsch aussagen wollen. Wäre das ihre Absicht gewesen, hätte sie einfach bei ihrer unrichtigen Aussage bleiben und den Vorhalt P.s als unrichtig bezeichnen können. Ihre objektiv unrichtige Aussage liess jedoch ihre negative Grundeinstellung gegenüber dem Angeklagten erkennen, bei dem menschliche Züge wenig in ihr Feindbild passten. Ein so eingestellter Zeuge ist unkritisch und neigt zu Belastungen. Der von ihr geschilderte Vorgang war hiervon eindeutig beeinflusst. Früher hatte sie dazu angegeben, mit der Faust geschlagen worden zu sein. Wäre sie tatsächlich mit einer Peitsche misshandelt worden, hätte sie das sicherlich bei ihrer Anhörung am 14.10.1966 schon bekundet. Ihre jetzige Darstellung zeigt ihre Neigung, das ihr widerfahrene Schicksal in Einzelheiten überzubetonen; dass dies bewusst geschehe, ist nicht anzunehmen. Die von ihr für ihre nunmehrige Behauptung weitergegebene Begründung, damals hätten ja alle Peitschen gehabt und damit geschlagen, lässt vermuten, dass sie Schlussfolgerungen von dem real Erlebten nicht mehr klar trennen kann. Dass sie ohne jeden objektiven Ansatz jenes "Erlebnis" schildern konnte, ist ausgeschlossen. Dafür, dass tatsächlich etwas zwischen ihr und dem Angeklagten, in dessen Lager sie zwei bis drei Monate arbeitete, vorgefallen ist, spricht ihr Aussageverhalten, ihre starke Gemütsbewegung, die echt wirkte und sie sogar einige Zeit am Sprechen hinderte. Doch bleibt damit naturgemäss offen, was genau sie mit dem Angeklagten erlebte. Es ist möglich, dass sie sich damals unerlaubt ihrer Arbeit entfernt hatte, und bei der Begegnung mit dem Angeklagten - vielleicht aus Todesfurcht - so tief erschrak, dass sich bei späteren Erzählungen dramatische-

[24] Sic!

re Details einstellten. Sollte der Angeklagte die Zeugin indessen mit der Hand geschlagen haben, würde dies angesichts der besonderen Situation, in der es geschehen wäre, nichts an der grundsätzlich positiven Beurteilung seines Verhaltens gegenüber seinen Lagerarbeitern ändern können.

Der Ruf P.s war freilich nicht uneingeschränkt gut. Der Zeuge Kes., der am 29.1.1973 vor dem Schwurgericht gehört wurde, betonte den krassen Widerspruch zwischen der Behandlung der Juden im Lager und dem sonstigen Verhalten des Angeklagten, dessen Namen Greuel und Schrecken vorausgegangen seien; seinen Eindruck konnte der Zeuge allerdings nicht mehr belegen. Eine Erklärung dafür, warum sich der Angeklagte um die in seinem Lager Beschäftigten gekümmert hat, sah der Zeuge Sch. darin, dass er sie brauchte. Auf sich selbst bezogen meinte der Zeuge, er sei für P. wie eine Zitrone gewesen, die solange ausgepresst wurde, wie Saft gekommen sei. Warum der Angeklagte die Juden brauchte, beleuchtete Lo. in seiner Aussage vom 6.3.1968, in der er angab, dass P. seines Erachtens daran interessiert gewesen sei, evtl. aus persönlichem Ehrgeiz, sein Lager in Czortkow als eine Art Musterlager zu führen.

7. Auflösung des Lagers.
Wann genau das P.-Lager aufgelöst wurde, ist heute nicht mehr feststellbar. Unrichtig ist jedenfalls die Behauptung des Angeklagten, dies sei im September 1943 gewesen. Alle Zeugen, die zeitliche Angaben zum "Judenrein" und zu der Liquidierung bzw. Auflösung des Thomanek- und P.-Lagers machen konnten, gaben als spätesten Zeitpunkt hierfür Juli 1943 an: Der Zeuge Benzion Sch. meinte, dass mit der Liquidierung des Thomanek-Lagers, die er auf 18. oder 19.7.1943 datierte, auch die Juden des P.-Lagers, die dort gewohnt hätten, umgebracht worden seien. Vom Angeklagten selbst ist bestätigt worden, dass die bei ihm Beschäftigten zum Schluss im Thomanek-Lager hausten. Es liegt deshalb nahe, dass die Juden des P.-Lagers zum grössten Teil jener Aktion zum Opfer fielen, die Thomanek [25] selbst auf Juni 1943 datierte. Wie Thomanek weiter ausführte, konnten damals aber etwa 40 Menschen - nach der Aussage des Zeugen Lie. waren es etwa 70 bis 100 - der Liquidation seines Lagers entgehen. Es ist möglich, dass darunter noch Leute des P.-Lagers waren, die vielleicht noch kurze Zeit ihre Arbeit bei P. fortführten. Damit ist vereinbar die Aussage des Zeugen David Son., der die Liquidierung des Thomanek-Lagers ebenfalls mit Juni 1943 angab und anschliessend meinte, dass das P.-Lager danach noch bestanden habe. In Übereinstimmung damit stehen auch die Bekundungen der Zeugen Leon Win. und Ilc., die aussagten, dass das Lager P.s im Juni 1943 liquidiert worden sei, und die dort Beschäftigten nach Jagielnica deportiert worden seien, was übrigens auch noch weitere Zeugen angaben. Der Aussage des Zeugen Ilc.s zufolge kann die Auflösung des P.-Lagers auch im Juli 1943 gewesen sein. Es erscheint nicht erforderlich, alle Zeugenangaben zur Frage der Liquidierung des Nossa-Lagers anzuhören. Die Genannten reichen aus um festzustellen, dass das Lager P.s im September 1943 bereits liquidiert war, der Angeklagte sich mithin in seiner zeitlichen Einschätzung täuschte.

8. Wie viele Juden der Angeklagte in seinem Lager ständig beschäftigte, war genau nicht mehr zu ermitteln. Mit dem Zeugen Benzion Sch. war beispielsweise auch der Zeuge Jakow Wol. der Meinung, dass etwa 100 Juden bei P. arbeiteten. Der Angeklagte selbst wie auch der Zeuge Mar. gaben die Zahl mit 50 an. Sowohl Sch. als auch der Angeklagte haben einen guten Überblick über die Lagerbesetzung gehabt. Keiner Aussage kann daher ein grösseres Gewicht beigemessen werden. Die genaue Belegung muss daher offen bleiben.

[25] Siehe Lfd.Nr.455 und 498.

Es steht nach dem vorhandenen DC-Unterlagen fest, dass Ilc. erst mit Wirkung vom 1.4.1943 nach Czortkow versetzt wurde. Die Angabe des Angeklagten, Ilc. habe bereits im März 1943 die VOMI-Dienststelle übernommen, ist daher falsch. Er räumte indessen ein, dass er Ilc., der sich selten im Lager sehen liess, zu vertreten hatte, und auch vertrat.

II. Zu Abschnitt B I

1. Der Angeklagte hat bestritten, den Juden Goldstein getötet oder die Weisung zur Tötung gegeben zu haben. Teilweise abweichend von den Feststellungen in B I, 1 hat er in der Hauptverhandlung erklärt, im September 1943 habe Köllner [26] von ihm 5 Juden für ein Lager gefordert. Auf sein - P.s - Befehl hin habe Fri. die 5 Mann ausgesucht, unter ihnen auch Goldstein, der als erster auf den Hof gekommen sei. Als er bemerkt habe, dass der Jude fliehe, sei er ihm nachgesprungen, ohne seine Pistole hervorzuholen. Er habe Munition sparen wollen und auch nicht daran gedacht, einen Warnschuss abzugeben. Es sei ihm nicht gelungen, den Juden einzuholen. Deshalb habe er dem ukrainischen Polizisten mit der Hand ein Winkzeichen gegeben, womit er habe ausdrücken wollen, dass der Ukrainer den fliehenden Goldstein aufhalten sollte. Dabei habe er nicht daran gedacht, dass der Polizist seine Waffe gebrauchen könnte. Zuerst sei der Gendarm Goldstein auch nachgelaufen. Plötzlich habe der Ukrainer jedoch den Karabiner angelegt und auf Goldstein geschossen, der zu diesem Zeitpunkt schon im Fluss gestanden sei. Mit diesem Verhalten des Polizisten habe er nicht gerechnet. Er habe die Erschiessung Goldsteins keineswegs gewollt. Verfolgt habe er ihn, weil er befürchtet habe, dass die Moral im Lager schlechter werde, wenn er die Flucht hinnehme. Ihm sei die Polizeigewalt über das Lager übertragen gewesen. Wenn er Goldstein hätte laufen lassen, wären es anderntags vielleicht 10 gewesen, die geflüchtet wären.

Vom zweiten Schuss getroffen sei Goldstein an das Ufer getaumelt. Als er - P. - hinzugekommen sei, habe er gesehen, dass der Jude tot gewesen sei. Als er sich den Toten angesehen habe, sei kein Mensch gekommen. In Begleitung des Gendarmen sei er dann ins Lager zurück, wo er Fri. befohlen habe, den Judenrat zu benachrichtigen. Dies sei geschehen und die Leiche Goldsteins sei zum Judenrat gebracht worden. Später sei der Kreisjudenrat Mar. ins Lager gekommen und habe die nassen Kleider des Toten gebracht. Er - P. - habe dies als Vorwurf angesehen, weshalb er ihn "zusammengestaucht" habe.

2. Der Einlassung des Angeklagten war im wesentlichen nicht zu folgen.

a) Seiner Darstellung steht allerdings nicht schon die Aussage des Zeugen Nathan Ros. entgegen.

aa) Dieser Zeuge, der im Verlauf der Hauptverhandlungen nicht gehört werden konnte, hat P. erstmals zu seiner Vernehmung vom 12.10.1964 (2, 128) erwähnt. Er war damals in der Strafsache gegen Brs. [27] gehört worden. Nachdem er zunächst als Augenzeuge geschildert hatte, wie Brs. einen Juden getötet habe, erklärte er, über P. könne er nicht viel erzählen, obgleich in Czortkow ein Deutscher namens P. gewesen sei. Dieser sei ihm als SS-Mann bekanntgewesen, der das Eigentum der ausgesiedelten und ermordeten Juden verwaltet habe.

bb) Bei seiner polizeilichen Vernehmung am 16.4.1965 (5, 131) erklärte der Zeuge, er sei Augenzeuge einer Mordtat gewesen, die durch P. an einem Juden ausgeführt worden sei, der aus dem Lager geflohen sei. Dieser Jude sei Tanzlehrer gewesen und habe Goldstein geheis-

[26] Siehe Lfd.Nr.541.

[27] Brs., der in dem gegen P. durchgeführten Verfahren mitangeklagt war, verstarb während der Hauptverhandlung; siehe auch Bd.XXXIX S.792.

sen. An der Jahreswende 1942/43 - das genaue Datum wisse er nicht mehr - sei er von der Arbeit beim Zollgrenzschutz in das Lager zurückgegangen und sei an dem Fluss Sereth auf den laufenden Juden Goldstein getroffen, den er gut gekannt habe. Goldstein sei voll Blut gewesen und in den Fluss gesprungen. Hinter Goldstein her sei P. mit einem Revolver in der Hand gelaufen. P. habe am Fluss angehalten und Goldstein zugerufen, er möge herauskommen. P. sei in Begleitung seines Favoriten Fri. und eines jüdischen Polizisten namens Win. gewesen. Goldstein sei jedoch nicht aus dem Fluss herausgekommen. Er erinnere sich, dass Goldstein mit erhobener Stimme gerufen habe: "Hier wirst du mich erschiessen." Die Entfernung, aus der P. nun Goldstein erschossen habe, habe nur wenige Meter betragen. Er, Ros., sei bei Abgabe des Schusses direkt neben P. gestanden. Überhaupt habe er sich während des ganzen Vorfalles neben P. aufgehalten, der ihm bei der Begegnung befohlen habe, mit ihnen, das heisse mit Fri., Win. und Bra. zu laufen. Auf Befehl P.s habe er zusammen mit diesen Juden auch die Leiche Goldsteins aus dem Wasser gezogen. Einer der Juden sei von P. zum Judenrat geschickt worden; diesem habe er auch befohlen, die Leiche mitzunehmen.

cc) Bei seiner richterlichen Vernehmung am 21.11.1967 (42, 223) bekundete der Zeuge folgendes:

Er sei von seiner Arbeitsstelle kommend am Lager des P. vorbeigegangen. In diesem Moment sei der Tanzlehrer Goldstein an ihm in Richtung des Flusses vorbeigelaufen. P. habe Goldstein verfolgt, und als er ihn, Ros., gesehen habe, habe er ihm befohlen, Goldstein nachzulaufen und ihn anzuhalten. Er habe gesehen, dass im Gefolge P.s sich die Juden Fri., Bra. und Win. befunden hätten. P. sei von Goldstein etwa 6 bis 8 m entfernt gewesen, als er auf ihn geschossen habe. Goldstein sei vom Lager des P. zum Fluss Sereth gerannt und habe sich hineingestürzt. P. sei ihm bis an das Ufer nachgerannt. Noch im Lauf habe P. die Pistole gezogen. Zu Goldstein habe P. gesagt: "Goldstein, komm heraus!" Goldstein habe geantwortet: "Ich komme nicht heraus; hier wirst du mich erschiessen!" P. habe nun sofort auf Goldstein zwei bis drei Schüsse abgegeben. Goldstein sei auf der Stelle tot gewesen. Nun habe P. ihm, Bra. und Win. befohlen, den Leichnam aus dem Fluss herauszuziehen. Zu Fri. habe P. gesagt, er solle zum Judenrat gehen und dafür sorgen, dass die Leiche wegkomme. Fri. habe getan, wie ihm befohlen worden sei. Als P. auf Goldstein geschossen habe, sei er - Ros. - von P. ca. 2 m entfernt gewesen.

dd) Bei seiner richterlichen Vernehmung am 7.7.1968 sagte der Zeuge aus:

Goldstein sei Anfang des Jahres 1943 um die Mittagszeit getötet worden. Er habe sich auf dem Weg von seinem Arbeitsplatz beim Zollgrenzschutz Czortkow zum Lager des Thomanek befunden. Um zum Lager Thomanek zu gelangen, habe er durch die Nossastrasse gehen müssen, in der das genannte Lager des P. gewesen sei. Als er durch die Nossastrasse gegangen sei, sei Goldstein aus dem Lagertor herausgelaufen in Richtung des Flusses Sereth. Hinter Goldstein sei P. hergelaufen, der in seiner Hand eine Pistole gehalten habe. Mit P. seien Fri., Win. und ein weiterer Mann gelaufen. Früher habe er gemeint, dass es sich dabei um Bra. gehandelt habe. Jetzt sei er der Meinung, nachdem er mit seiner Schwägerin Dora Ros. und mit David Son. gesprochen habe, dass es sich bei diesem Juden um David Schw. gehandelt habe. Als P. an ihm vorbeigelaufen sei, habe dieser ihm befohlen, Goldstein nachzulaufen. Dies habe er auch getan. Goldstein habe sich in den Fluss geworfen. Da er auf Befehl P.s nicht herausgekommen sei, diesem vielmehr erwidert habe: "Ich komme nicht heraus, hier wirst du mich erschiessen," habe P. sofort ein paar Schüsse auf Goldstein abgegeben. Goldstein sei auf der Stelle tot gewesen.

b) Den Angaben des Zeugen Ros. konnte nicht gefolgt werden; gegen sie bestehen gewichtige Bedenken.

aa) Auffallend ist zunächst, dass der Zeuge 1964 nichts davon erwähnte, dass P. Goldstein erschossen habe. Er hat zur Person P.s vielmehr nur erklärt, über ihn könne er nicht viel erzählen, um ihn danach noch als SS-Mann zu bezeichnen, der das Eigentum der ausgesiedelten und ermordeten Juden verwaltet habe. Diese Angaben machte er unmittelbar nach seiner Behauptung, vom Hören-Sagen zu wissen, dass Brs. das Kind der ihm bekannten Frau Jurmann ermordet habe. Äusserte er sich ohnehin im Verfahren Brs. auch zu P., hätte es sich jetzt doch geradezu aufgedrängt, im Anschluss an die erwähnte Tötung des Kindes einen Vorfall aus eigenem Erleben zu berichten, bei welchem der Angeklagte als Täter in Frage kam. Seine Worte, über P. könne er nicht viel erzählen, und die danach hervorgehobene Funktion des Angeklagten legen es daher nahe anzunehmen, dass er 1964 nichts weiter über P. berichten konnte, als dass jener das Vermögen der Juden verwaltete. Natürlich kann seine Äusserung, nicht viel über P. sagen zu können, auch dahingehend verstanden werden, dass er Brs. als einen SS-Mann ansah, der sich entschieden mehr Übergriffe an Juden erlaubt habe. Dafür spräche, dass Nathan Ros., bevor er den Fall Jurmann schilderte, Brs. als einen Mann charakterisierte, der schon auf Juden geschossen habe, und der, wie er (Ros.) selbst gesehen haben will, bei der grossen Aktion in Czortkow den Juden From getötet habe. Hätte Ros. jedoch nur einen quantitativen Unterschied zwischen Brs. und P. ausdrücken wollen, ist nicht einzusehen, warum er die Tötung Goldsteins nicht schon damals dem Angeklagten anlastete. Das Schwurgericht verstand deshalb die Aussage des Zeugen von 1964 dahin, dass ihm P. als Täter im Falle Goldstein nicht gegenwärtig war.

Gewiss könnte der Zeuge schlicht vergessen haben, dass P. Goldstein tötete. Denkbar wäre, dass er erst bei seiner Anhörung im Ermittlungsverfahren gegen den Angeklagten gründlich über ihn nachdachte, sich mehr auf ihn konzentrierte und durch weitere Anhaltspunkte seine Erinnerung beleben konnte. Dafür lassen sich jedoch überzeugende Gründe nicht finden. Seinen Aussagen zufolge hat der Zeuge nur wenige Tötungshandlungen durch ihn bekannte SS-Leute selbst erlebt. Es ist daher kaum wahrscheinlich, dass er Schwierigkeiten bei der Zuordnung einer Tat zu einer bestimmten Person gehabt haben sollte. Des weiteren erwecken die Unstimmigkeiten, die bei seiner Aussage auftraten, erhebliche Zweifel daran, dass er die Tötung Goldsteins miterlebt hat.

So hat der Zeuge Nathan Ros. bei seiner Vernehmung im Jahre 1965 klar bekundet, dass er am Fluss Sereth auf den laufenden Goldstein getroffen sei, wo ihm P. nun befohlen habe, mit ihm zu laufen. 1967 und 1968 hat der Zeuge hingegen angegeben, dass er P. und Goldstein auf seinem Rückweg vom Zollgrenzschutz zum Thomanek-Lager in der Nossastrasse begegnet sei; hierbei habe ihm P. befohlen, Goldstein nachzulaufen und ihn anzuhalten. Abgesehen davon, dass diese Bekundungen des Zeugen über die Stelle des Zusammentreffens mit P. widersprüchlich sind, erscheinen sie auch äusserst unwahrscheinlich. Ros. gab selbst an, dass mit P. noch Fri., Bra. und Win. gelaufen seien. Warum zur Verfolgung Goldsteins noch ein vierter Jude notwendig gewesen sein sollte, ist nicht ersichtlich. Ros. machte auch keine so detaillierten Angaben, dass aus ihnen geschlossen werden könnte, er sei zu Beginn der Flucht Goldsteins wesentlich näher zu Goldstein gestanden als P., so dass es nützlich gewesen sein konnte, ihn zur Verfolgung aufzufordern. Sprang Goldstein - entgegen der Behauptung P.s - nicht zum Lagertor hinaus, sondern durch den kleinen Ausgang zur Nossastrasse, hatte er nur wenige Meter bis zu der einmündenden Sackgasse zu laufen, durch die er davonlief. Es ist äusserst unwahrscheinlich, dass P. auf der kurzen Strecke, die er allenfalls auf der Nossastrasse zurückzulegen hatte - es können höchstens 5 m gewesen sein -, noch den Zeugen Ros. wahrgenommen und ihm jenen Befehl erteilt haben sollte, ehe er hinter Goldstein in der Seitengasse verschwand. Lebensecht wirkt diese Schilderung nicht. Sie ist zur Verfolgung auch noch insoweit widersprüchlich, als er bei seiner Vernehmung 1967 angab, P., der Goldstein bis zum Ufer nachgerannt sei, habe im Laufen die Pistole gezogen, während er 1 Jahr später bekundete, er habe P. als einen Mann wahrgenommen, der bereits mit der Pistole in der Hand hinter Goldstein hergelaufen sei, diese also nicht erst unter den Augen des Zeugen hervorholte. Für sich allein betrachtet käme dieser Aussagedifferenz keine Bedeutung zu, da sie einen völlig nebensächlichen Teil betrifft, hinsichtlich dessen sich die Erinnerung wandeln kann, den man auch nicht für so erheblich halten muss, um eine darüber bestehende gegenwärtige Vorstellung nochmals zu überdenken. Ihr besonderes Gewicht erhält diese Unstimmigkeit hier aber dadurch, dass sie die für die Unzuverlässigkeit des Zeugen sprechenden Gründe, welche bereits zu Zweifeln an der Aussage des Zeugen führten, unterstreicht. Sie ist beachtlich als ein Umstand, der das Bild dieses in seinen mitgeteilten Beobachtungen fragwürdigen Zeugen ergänzt.

bb) Ausser dem Zeugen Ros. hat auch kein anderer Zeuge davon gesprochen, dass P. von Fri., Win., Bra. und ihm begleitet worden sei. Die Zeugen Lie. und Schw., die ebenfalls den Vorfall beobachtet haben wollen, haben ausser dem Täter und seinem Opfer niemand anderen am Tatort wahrgenommen. Der Zeuge Ros. will sich jedoch immer neben P. aufgehalten haben. Dass Bra. den Angeklagten begleitet habe, widerrief der Zeuge Ros. 1968 unter Hinweis auf Gespräche mit den Zeugen Dora Ros. und David Son. Da er Bra. noch 1967 anführte, mussten die Unterredungen also zwischen dem 21.11.1967 und dem 7.7.1968 gewesen sein. In der Hauptverhandlung am 12.6.1972 zum Fall Goldstein befragt erklärte die Zeugin Dora Ros., sie habe in Jagielnica davon gehört, dass P. den Tanzlehrer Goldstein, der bis zum Sereth weggelaufen sei, erschossen habe. Sie habe nichts darüber gehört, dass noch jemand hinter Goldstein hergelaufen sei. Mit ihrem Schwager Nathan Ros. habe sie über den Vorfall nicht gesprochen. Auf Vorhalt seiner Aussage vom 7.7.1968 könne sie sagen, dass sie sich an ein solches Gespräch, bei welchem Namen erwähnt worden seien, nicht erinnere; es könne vielleicht einmal vor 20 Jahren stattgefunden haben.

Nach dieser Aussage muss davon ausgegangen werden, dass die Behauptung Nathan Ros.s, nicht Bra. sondern Schw. habe bei der Verfolgung mitgewirkt, jedenfalls nicht auf einem Gespräch mit seiner Schwägerin beruhen kann. Diese Zeugin hat im übrigen von der Tötung Goldsteins nur gehört. Es wäre auch nicht ohne weiteres nachvollziehbar, dass ein Augenzeuge, der jahrelang ein festgefügtes Erinnerungsbild vorbrachte, von einem Zeugen vom Hören-Sagen allein durch ein gewöhnliches Gespräch dergestalt massiv zum Nachdenken angeregt worden sein könnte, dass er in seinen Vorstellungen nicht nur verunsichert wäre (was einfühlbar ist), sie vielmehr aus innerer Überzeugung geändert hätte. Das gleiche Bedenken ist auch zu erheben, soweit der Zeuge Ros. auf eine Unterredung mit David Son. abhob. Denn Son. hat seine Aussage vom 28.10.1971 zufolge über den Fall Goldstein ebenfalls nur gehört. Der Grund, warum Ros. seine Angaben über Bra. geändert hat, kann darin liegen, dass er eine Aufdeckung bewusst falscher Angaben durch den noch in Israel lebenden Zeugen fürchtete. Dieser Verdacht erscheint angesichts seiner Aussagedifferenzen und seines nicht glaubhaft motivierten Aussagewechsels zur Person des vierten Juden am Tatort nicht ganz abwegig. Ausgeräumt wird der Verdacht jedenfalls nicht durch den Zeugen Jakov Wol. Zwar hat Wol., der mit Nathan Ros. sehr befreundet ist, und der auch von ihm über den Fall Goldstein in vielen Gesprächen der vergangenen Jahre informiert wurde, bei seiner Aussage am 19.10.1971 die Darstellung Ros.s zu dem Vorfall in groben Zügen bestätigt und insbesondere erwähnt, dass Schw. an der Verfolgung beteiligt gewesen sei. Doch kann nicht ausgeschlossen werden, dass Ros. auch seinen Freund unrichtig informiert hat. Denn Wol., der mit ihm nach Erhalt der Terminsladung zum 18.10.1971 noch einmal ein Gespräch hatte, hat nichts davon mitgeteilt, dass Ros. auch einmal Bra. als denjenigen bezeichnet habe, der mit P. hinter Goldstein hergelaufen sei. Das kann bedeuten, dass Ros. auch seinen Freund nicht voll zu unterrichten schien, dass er ihm gegenüber das Gehörte als eigenes Erlebnis ausgab, und dass er im Interesse einer Verurteilung des Angeklagten den Zeugen Wol. - in einer für diesen vielleicht nicht merkbaren Weise - zu steuern suchte, um die eigene Glaubwürdigkeit mit der Erwägung zu stützen, dass ein Motiv für eine unrichtige Sachdarstellung gegenüber dem Freund nicht ersichtlich sei.

cc) Auch der Zeuge Sch. (Fri.) hat bei seiner Vernehmung (6.12.1971 und 24.1.1972) in Abrede gestellt, mit P. zusammen dem Tanzlehrer Goldstein nachgelaufen zu sein. Der

Zeuge erklärte weiter: Er wisse sicher, dass Win. - entgegen der Aussage des Zeugen Nathan Ros. - bei dem Verbrechen nicht anwesend gewesen sei, sich vielmehr in der Infanteriekaserne aufgehalten habe. Der Mord an Goldstein sei an einem Freitag geschehen. Er erinnere sich, dass die Tat um die Zeit des Frühlingsanfangs begangen worden sei, etwa im März 1943. P. habe ihm an jenem Tag gesagt, dass auf Befehl Köllners für das Arbeitslager Tarnopol 10 Männer ausgesucht werden müssten. Zu diesem Zweck sollten die Männer, die zum Einrichten von Wohnungen bereits in die alte österreichische Infanteriekaserne in Czortkow gegangen seien, zurückgeholt werden. P. habe ihm auch gesagt, dass er (Sch.) die 10 Juden aussuchen solle. Das zu tun, habe er sich jedoch geweigert und P. erwidert, er (P.) sei der Lagerführer und solle die Auswahl vornehmen, ihm seien alle Juden gleich wert. P. habe ihm hierauf nichts entgegnet.

Nachdem die männlichen Juden aus der Kaserne - ausser Win., der als zur Lagerwache gehörend habe dort bleiben dürfen - zurückgekommen seien, hätten sich alle im Hof des Lagers versammelt. Er selbst, sowie Stöckel und Bra. hätten sich ebenfalls in die Reihe gestellt. P. habe als erstes angeordnet, dass er, Sch., sowie Stöckel und Bra. zur Seite treten sollten. Daraufhin habe P. 10 nichtqualifizierte Arbeiter ausgesucht, unter denen sich auch der dünne und zartgebaute Tanzlehrer Goldstein befunden habe. Die 10 ausgesuchten Juden seien einem Mitglied der Lagerwache namens Lieber Cohn übergeben worden, der sie in den Stall des Lagers untergebracht habe.

Wenig später habe P. ihn aufgefordert, ihn zu dem Lumpensammler Wolf zu begleiten. Nachdem sie eine kurze Wegstrecke gegangen seien, sei plötzlich Lieber Cohn erschienen und habe P. gemeldet, dass einer der 10 ausgesuchten Juden weggelaufen sei. Ob Cohn den Namen des Geflohenen genannt habe, wisse er heute nicht mehr. P. sei jedenfalls mit Cohn weggegangen. Zuvor habe er ihn, Sch., noch aufgefordert zu warten, er käme gleich wieder. Nach maximal 10 Minuten sei P. dann auch zurückgekehrt. Sie hätten gemeinsam ihren Weg zu dem Lumpensammler Wolf fortgesetzt. Wieder im P.-Lager angekommen, habe er den Leichnam Goldsteins bereits im Hof liegen sehen; er sei mit einem Mantel zugedeckt gewesen. Das Gesicht Goldsteins habe er nicht erkennen können; von allen Lagerarbeitern sei jedoch erzählt worden, dass P. Goldstein im Sereth erschossen habe.

Das Schwurgericht hatte keine Bedenken, den Aussagen Sch.s insoweit zu folgen, als er behauptete, nicht mit P. hinter Goldstein hergerannt zu sein, wenngleich seine Angaben im übrigen zu diesem Vorfall teilweise zweifelhaft erscheinen.

Diese Zweifel liegen jedoch nicht schon darin, dass er von 10 Juden spricht, die in ein Lager kommen sollten, während es nach den Bekundungen P.s 5 Juden gewesen sein sollen. Weder von dem Angeklagten noch dem Zeugen Sch. kann gefordert werden, dass sie nach fast 30 Jahren noch genau die Zahl der Juden wissen, die in das Arbeitslager überstellt werden sollten. Für keinen bestand ein Anlass, sich diesen Umstand exakt einzuprägen, zumal er nur zu dem Rahmen gehört, der die Tötung Goldsteins umgibt. In diesem Zusammenhang erscheint nachträglich nur wesentlich, dass der Ansatz für die Flucht in der Selektion von Juden lag; darin aber stimmen die Angaben des Angeklagten mit denen Sch.s überein. Weder bei dem Angeklagten noch bei Sch. ist übrigens ein vernünftiger Grund dafür ersichtlich, falsche Angaben über die Anzahl der Juden zu machen.

Die Angaben Sch.s weichen von denen des Angeklagten weiter darin ab, dass P. die abzutransportierenden Juden ausgewählt habe, während P. sich dahin einliess, Sch. habe die Leute selbst selektiert. Welche der beiden Darstellungen die richtige ist, lässt sich heute nicht mehr klären. Übereinstimmend gaben beide zunächst an, dass P. Sch. befahl, die angeforderten Juden auszusondern. Das ist auch deshalb glaubhaft, weil Sch. die rechte Hand P.s im Lager war, und der Angeklagte seine Anweisungen auch sonst über Sch. zu geben pflegte. Die Behauptung Sch.s aber, er habe sich geweigert, die Anordnung P.s auszuführen, erscheint wenig überzeugungskräftig. Mag Sch. auch die rechte Hand des Angeklagten gewesen sein, gewisse Vorrechte genossen und in P. keinen Judenhasser gesehen haben: Ihm blieb nicht verborgen, welch geringen Wert das Leben eines Juden in der damaligen Zeit hatte. Die Meinung Sch.s über den Angeklagten mag nach den damaligen Verhältnissen noch so positiv gewesen sein: Ein nicht ganz geringes Lebensrisiko barg seine Handlungsweise doch in sich. Das hat er auch durchaus erkannt. Denn er verwarf die Darstellung Ros.s mit dem Hinweis, dass sich jeder Jude beim Herannahen eines SS-Mannes in ein Mauseloch verkrochen habe. Damit machte er deutlich, dass eine Gefahr auch von P. ausging. Warum er dennoch so mutig gewesen sein will, die Anordnung P.s zurückzuweisen, bleibt unklar, jedenfalls wenig verständlich, da ja keine zwingenden Gründe dafür sprachen, dass die 5 oder 10 Männer auszuwählen bedeutet hätte, sie in den Tod zu schicken. Eine solche Ansicht Sch.s kann auch nicht seiner Bemerkung entnommen werden, er habe es nicht auf sein Gewissen nehmen wollen, einen Juden auszuliefern. Wenn er als dessen Folge den Tod gesehen hätte, wäre kaum anzunehmen, dass er sich selbst - wie er behauptet - in die Reihe der nun von P. auszuwählenden gestellt hätte. Freilich ist die Darstellung des Zeugen Sch. mit diesen Überlegungen nicht zu widerlegen. Es bleibt die Möglichkeit, dass es sich so zutrug, wie er den Hergang schilderte. Nur sehr wahrscheinlich sind seine Behauptungen hierzu nicht.

Seine Erklärung unter Hinweis auf sein Gewissen deutet an, warum er den Vorgang nun so sehen mag, als habe er sich P. widersetzt: Der Zeuge war von anderen Juden stark angefeindet, weshalb sie auch 1947/48 "zu Gericht" über ihn sassen. Es ist deshalb denkbar - in der Auswahl sah er ja Unrecht -, dass er aus Selbstrechtfertigung unangenehme Handlungen, die ihn moralisch schuldig erscheinen lassen könnten, verdrängt hat, so auch den genauen Vorgang um die Aussonderung der für das Arbeitslager vorgesehenen Juden. Allerdings ist dies nur eine theoretische Möglichkeit, für die es an Anhaltspunkten fehlt.

Die Aussage Sch.s im Falle Goldstein ist auch dort bedenklich, wo er im Gegensatz zu dem Angeklagten behauptete, mit ihm auf dem Weg zu dem Lumpensammler Wolf gewesen zu sein, als ihm (P.) die Flucht Goldsteins gemeldet worden sei. Für die Darstellung des Angeklagten, beim Entweichen des Juden noch im Lager gewesen zu sein, spricht einmal die Aussage des Zeugen Jonas Fre. Dieser hat am 1.12.1972 (H 7 III 64) ausgesagt, er habe sich im Frühling 1943, etwa im März oder April, in seiner im dritten Stock gelegenen Wohnung des Eckhauses Ring- und Eisenbahnstrasse, in der damals eine mit arischen Papieren versehene jüdische Familie gelebt habe, aufgehalten, von wo aus er das Lager P.s habe sehen können. Durch ein Geräusch aufmerksam geworden, sei er zur Balkontür getreten. Zum P.-Lager schauend habe er P. bemerkt, der aus dem Hof auf die Strasse gelaufen sei; ein anderer Mann sei bereits auf der Strasse gelaufen. P. habe hinter ihm hergeschossen, wie er gehört habe. Gesehen habe er, dass der Mann daraufhin niedergefallen sei. Danach habe er sich in die Wohnung zurückgezogen. Von Fri., den er auch im Lager gesehen habe - er habe ihn an seinen Brillengläsern erkannt -, sei ihm gesagt worden, dass es sich bei dem Verfolgten um Goldstein gehandelt habe.

Der Zeuge Fre. hat den Angeklagten gut gekannt; er hatte für ihn viele Schneiderarbeiten gemacht und ihn in der Spitalstrasse, wo er - P. - in Czortkow wohnte, oft aufgesucht. Der Angeklagte hat dies in seiner Erklärung vom 5.3.1973 nach Verlesung der Aussage Fre. auch nicht bestritten. Das Gericht zweifelt deshalb nicht daran, dass er den Angeklagten bei seiner Beobachtung des Vorgangs im Hof des Lagers zutreffend erkannt hat, zumal es nur "einige" Häuser vom Wohnhaus des Zeugen entfernt lag. Es wurde zwar verschiedentlich in Frage gestellt, ob Fre. tatsächlich den Lagerhof von seinem Standort aus einsehen konnte. Es waren jedoch keine Anhaltspunkte vorhanden, welche seine Behauptung ernstlich hätten zweifelhaft erscheinen lassen. Auch ist kein verständiger Grund ersichtlich, warum er der Wahrheit zuwider diese Beobachtungsmöglichkeit hätte angeben sollen. Ein Wille, den Angeklagten zu Unrecht zu belasten, kann dem Zeugen nicht einfach unterstellt werden. Dass seine Beobachtungen sich auf den Fall Goldstein bezogen, unterliegt keinen Bedenken. Ausserdem wurde ein weiterer Fall, bei dem der Angeklagte aus seinem Lager heraus einen anderen verfolgt hätte, nicht bekannt, vom Angeklagten auch nicht behauptet.

Dafür, dass der Zeuge Fre. richtig beobachtet hat, spricht auch noch die Überlegung, dass der Angeklagte dem Fliehenden wahrscheinlich gar nicht so dichtauf hätte folgen können, wenn er nicht im Lager gewesen wäre. Bedenkt man, wieviel Zeit vom Weglaufen Goldsteins verstreichen konnte, bis P. auf seinem Weg zu Wolf hiervon hätte benachrichtigt werden können, ferner bis er dann zurückkehrte und sich über den Fluchtweg orientieren konnte, so zeigt sich, wie unwahrscheinlich es ist, dass der Angeklagte - jenen Sachverhalt unterstellt - den Verfolgten überhaupt noch so nahe kommen konnte, wie es tatsächlich der Fall war. Für die Darstellung Sch.s spricht demnach nichts. Vielmehr steht aufgrund der Aussage des Zeugen Fre. fest, dass der Angeklagte bei der Flucht Goldsteins im Lager gewesen ist. Ob auch Sch. dort war, lässt sich der Aussage Fre.s nicht überzeugend entnehmen: Die Brillengläser sind kein zureichendes Identifizierungsmittel.

Die Tatsache, dass Sch. - wie dargelegt - wahrscheinlich eine objektiv unrichtige Aussage machte, bedeutet nicht, dass auch seine Behauptung, Goldstein nicht mitverfolgt zu haben, misstraut werden müsste mit der Folge, dass die Darstellungen Ros.s als zuverlässig anzusehen wäre.

Das Schwurgericht ist einmal der Überzeugung, dass die Angaben des Zeugen nicht bewusst unwahr sind. Er hatte keinen vernünftigen Anlass zu leugnen, bei der Flucht des Tanzlehrers im Lager anwesend zu sein. Mag man dem Zeugen unterstellen, dass er in einer Art Selbstreinigung darauf bedacht war, eigene Handlungen, die auch nur entfernt als moralische Mitverantwortung am Schicksal eines einzelnen Juden angesehen werden konnten, zu verdrängen: Seine blosse Anwesenheit im Lager bei der Flucht Goldsteins wäre offensichtlich kein ihm vorwerfbarer Tatbestand. Freilich kann er daran interessiert gewesen sein zu leugnen, P. bei der Verfolgung des Juden begleitet zu haben, um dem Vorwurf zu entgehen, selbst danach getrachtet zu haben, dass Goldstein wieder ergriffen werde, wobei er sich dabei im Klaren gewesen sein mag, dass die Ergreifung Goldsteins schlimme Folgen für diesen hätte mit sich bringen können, etwa eine Bestrafung. Hätte der Zeuge jedoch der Wahrheit zuwider bestreiten wollen, P. bei der Verfolgung begleitet zu haben, hätte er naheliegendere Sachverhalte erfinden können. So hätte er einfach in Abrede stellen können, auch hinter Goldstein hergelaufen zu sein, das Lager überhaupt verlassen zu haben. Seine Schilderung, auf dem Weg zu Wolf gewesen zu sein, hat auch nichts Konstruiertes an sich. Sie lässt eher darauf schliessen, dass er etwas wiedergab, was seiner heutigen Erinnerung über den Vorgang entspricht. Es bleibt möglich, dass er den Gang zum Lumpensammler unrichtig mit Goldstein in Verbindung brachte, während er sich in Wahrheit in anderem Zusammenhang zugetragen hatte.

Konkrete Anhaltspunkte dafür, dass der Zeuge Sch. geleugnet hätte, bei der Verfolgung Goldsteins mitgewirkt zu haben, wenn er tatsächlich daran beteiligt gewesen wäre, fehlen. Seine Bekundungen stehen insoweit auch in Einklang mit der Einlassung des Angeklagten. Auch der Zeuge Fre. hat nur gesehen, dass P. dem anderen Mann (Goldstein) nachrannte; freilich hat dieser Zeuge nur kurz die "Szene" beobachtet.

Das Schwurgericht hält danach auch die Behauptung des Zeugen Nathan Ros. für widerlegt, der Zeuge Sch. habe P. bei der Verfolgung des Tanzlehrers Goldstein begleitet.

dd) Schon aus den dargelegten Gründen, die sich noch durch weitere ergänzen liessen, konnte das Schwurgericht der Tatschilderung des Zeugen Ros. keinen Glauben schenken. Es ist möglich, dass er sich als Augenzeuge ausgab, obwohl er die Tat selbst nicht beobachtet hatte; hierbei kann dahinstehen, ob er auch bewusst wahrheitswidrig ausgesagt haben könnte. Ganz undenkbar wäre ein Motiv dafür nicht, zumal er den Angeklagten als einen Mann schilderte, der Juden geringfügiger Übertretungen wegen gequält, gefoltert und geschlagen habe. Dies will er übrigens von dem Zeugen David Son., der den Angeklagten jeden Morgen zu rasieren hatte, erfahren haben. Das steht aber im klaren Gegensatz zu dem, was Son. bei seiner richterlichen Vernehmung vom 28.10.1971 über den Angeklagten bekundete.

3. Gesehen zu haben, dass der Angeklagte Goldstein eigenhändig erschossen habe, sagte auch der Zeuge Joel Lie. bei seiner konsularischen Vernehmung vom 8.2.1972 aus. Im einzelnen gab er an:

a) Im Frühjahr 1943 - es sei die Zeit der Schnee- und Eisschmelze gewesen - sei er in einer Gruppe von 8 bis 10 Juden zur Arbeit gegangen. Sie seien auf einer Strasse, die Nadbzeczna geheissen, habe, gelaufen, die links (nördlich) des Sereth und parallel zu ihm gelegen sei. Auf der anderen Seite des Flusses habe er etwa 100 bis 150 m entfernt P. gesehen, der im Abstand von 5 bis 8 m hinter Goldstein, den er persönlich gekannt habe, und der in seinem Alter gewesen sei, hergerannt sei. P. sei in Uniform gewesen und habe eine Pistole in der Hand gehabt. Goldstein sei auf einer Strasse gelaufen, die unmittelbar am Sereth entlanggeführt habe. P. habe geschossen und Goldstein sei am Ufer zu Boden gefallen; zum Teil sei er im Wasser gewesen und auch teilweise darin gelegen. Er - Lie. - sei danach weggerannt. Sicher sei er, dass der Verfolger P. gewesen sei. Er habe ihn gekannt, ihn oft in SS-Uniform im Lager gesehen, wo er Thomanek [28] aufgesucht habe. P. sei ein untersetzter, stark gebauter Mann mit dunkelblondem Haar gewesen, vielleicht 30 bis 40 Jahre alt. Bei der Tat habe er ihn gut erkannt, sein Gesicht ziemlich gut sehen können.

b) Das Schwurgericht konnte dieser Aussage im wesentlichen nicht folgen. Zum Tatkern steht sie im Widerspruch zu den Bekundungen des Zeugen vor dem Generalkonsulat New York im Jahre 1966 (16, 168). Damals gab er an, er könne nicht sagen, ob Goldstein unmittelbar nach dem Schuss zu Boden gefallen sei, weil er sich bereits abgewandt gehabt habe und weggelaufen sei. Und an anderer Stelle der gleichen Vernehmung hatte er erklärt: Nach dem Schuss sei er weggerannt und könnte nicht sagen, wo sich Goldstein befunden habe, als P. geschossen habe; gehört habe er, dass man später Goldstein aus dem Fluss gezogen habe. Diesen Bekundungen zufolge bleibt offen, ob Goldstein von dem Schuss überhaupt getroffen, ob er seine Flucht fortsetzen konnte und später erschossen wurde. In seiner Aussage vom 8.2.1972 machte der Zeuge mithin erheblich weitergehendere Angaben. Diese änderte oder relativierte er weder auf Vorhalt seiner Äusserungen vom 24.10.1966, noch fand er für seine dem Angeklagten nun wesentlich stärker belastenden Bekundungen eine verständige Erklärung. Dass seine Behauptung, die Tötung Goldsteins beobachtet zu haben, objektiv wahr ist, kann daher nicht angenommen werden. Es ist kein einleuchtender Grund ersichtlich, warum er nicht bereits 1966 die Folgen des Schusses hätte schildern können, wenn er sie tatsächlich wahrgenommen hätte. Denn sie stellten ja den zentralen Kern jenes Ereignisses dar, den man am nachhaltigsten im Gedächtnis zu haben pflegt.

Die Aussageerweiterung zu Lasten des Angeklagten beruht möglicherweise auf einer von dem Zeugen nicht kontrollierbaren Belastungstendenz. Höchstwahrscheinlich hat der Zeuge auch oft mit anderen Juden, insbesondere mit dem auch in New York lebenden Steven S. Schw., gesprochen. Es ist nicht auszuschliessen, dass dadurch sein Erinnerungsbild derart verfälscht wurde, dass er heute das Gehörte von dem selbst Erlebten nicht mehr trennen kann. Ginge es dem Zeugen allgemein darum, den Angeklagten bewusst zu belasten, hätte er dies schon 1966 tun können. Ein Motiv für eine Änderung für seine Einstellung gegenüber dem Angeklagten und dem Verfahren ist nicht ersichtlich, damit auch nicht für eine bewusst Falschaussage im Jahre 1972.

[28] Siehe Lfd.Nr.455 und 498.

Auf eigenem Erleben des Zeugen beruht indessen nach der Überzeugung des Schwurgerichts die Beobachtung der Verfolgung Goldsteins durch P. Diesen Teil der Bekundungen des Zeugen zu bezweifeln, gab es keinen verständigen Anhaltspunkt. Aus seiner Aussage lässt sich jedoch schon nicht mehr mit der erforderlichen Sicherheit entnehmen, ob der Angeklagte entlang des Sereth hinter Goldstein herrannte oder ob beide doch wesentlich weiter vom Ufer entfernt liefen. Möglicherweise ist seine Erinnerung doch von dem Schluss überlagert, dass P. Goldstein am Ufer verfolgt hat, weil Goldstein (wie er später hörte) nach der Tat aus dem Wasser gezogen werden musste. Im Hinblick auf die aufgezeigte Unzuverlässigkeit des Zeugen Lie. erscheint die Überlegung nicht nur abstrakt-theoretischer Natur.

Ob das gleiche auch gilt, soweit Lie. angab, P. mit der Pistole in der Hand gesehen zu haben, kann dahinstehen. Wie noch auszuführen sein wird, ist das Schwurgericht aus anderen Gründen davon überzeugt, dass P. tatsächlich die Waffe in der Hand gehabt hatte, als er Goldstein verfolgte. Mit der Aussage des Zeugen allein wäre diese Überzeugung jedoch nicht zu gewinnen gewesen.

Nicht bedenkenfrei ist seine Aussage auch insoweit, als er behauptete, einen Schuss gehört zu haben und danach geflohen zu sein. Zweifel lassen sich freilich nicht schon daraus herleiten, dass er 1966 nichts davon erwähnte, in einer Gruppe mit anderen Juden gegangen zu sein; insoweit stellten seine jetzigen Angaben nur eine Konkretisierung dar. Doch erweckt Misstrauen, dass er nach dem Schuss davongelaufen sein will. Diese Reaktion ist zwar nicht ausgeschlossen, aber unwahrscheinlich. Der Zeuge selbst war nicht bedroht. Um ein eigenes Lebens- oder Leibesrisiko zu vermeiden, galt es, möglichst unauffällig zu bleiben. Der Zeuge gab selbst an, dass seine Flucht gefährlich war, wenn er darauf hinwies, dass der jüdische Ordnungspolizist, der die Gruppe begleitete, hinter ihm hergerufen habe, die Deutschen würden ihn töten. Es ist nicht recht verständlich, dass der Zeuge, der im Frühjahr 1943 schon manches Leid durch die Judenverfolgungen erfahren haben musste, durch einen ihn nicht unmittelbar betreffenden Vorgang so kopflos geworden sein soll, dass er sich selbst in Gefahr begab. Seine Darstellung - die durchaus wahr sein kann - vermochte das Schwurgericht daher nicht zu überzeugen.

Ist aber die Folge fragwürdig, dann notwendigerweise auch der sie auslösende Anlass. Ob der Zeuge einen Schuss vernahm, kann mithin nicht festgestellt werden. Abgesehen davon ist es auch zweifelhaft, ob aus der Aussage Lie.s hinreichend sicher geschlossen werden kann, dass der Schuss - vorausgesetzt er fiel - aus der Waffe P.s kam. Dafür spräche, dass der Zeuge keine weiteren Personen jenseits des Sereths mehr sah. Dem Zusammenhang seiner Behauptung ist auch zu entnehmen, dass er den Schall aus der Richtung des Verfolgers wahrgenommen haben will. Ob diese Umstände nach so langer zeitlicher Distanz zum Geschehen schon ausreichen können, andere Ursachen, die möglich sind, zu verwerfen, erscheint fraglich, musste aber letztlich nicht entschieden werden.

Das Schwurgericht war nach alledem nicht davon überzeugt, dass der Zeuge Lie. den Vorfall der Tötung des Tanzlehrers beobachtet hat. Allein als zuverlässig waren seine - teilweisen - Beobachtungen zur Verfolgung Goldsteins anzusehen. Dass Lie. den Tanzlehrer Goldstein und den Angeklagten kannte, hat er glaubhaft geschildert. Die von ihm angegebene Entfernung - und sei sie doppelt so gross gewesen - machte ein Erkennen der Personen nicht unwahrscheinlich.

4. Schliesslich behauptete der Zeuge Steven S. Schw., Augenzeuge der Tötung Goldsteins gewesen zu sein.

a) Er gab bei seiner konsularischen Vernehmung vom 8.2.1972 (H 7 I 256 ff.) folgendes an:

Die Tat sei 1943 Ende Winter, Anfang Frühling geschehen, möglicherweise im März. Er sei damals auf der anderen Flussseite auf der Nadbzeczna in Richtung der Wygnanka-Brücke gegangen, als er auf den Vorfall aufmerksam geworden sei, wie, könne er heute nicht mehr sagen. Genau erinnere er sich jedoch noch daran, dass P. - der in Uniform gewesen sei und den er zuvor schon mehrere Male gesehen habe - mit einer Handfeuerwaffe in der Hand im Abstand von 4 bis 5 m hinter Goldstein hergelaufen sei; er - Schw. - habe den Schuss gehört und danach sei Goldstein hingefallen. Er habe P. den Goldstein nur kurze Zeit verfolgen sehen, vielleicht weniger als eine Minute. Beide seien aus der Richtung des P.-Lagers gekommen. Er habe P. ganz sicher als den Schützen erkannt; eine Verwechslung sei völlig ausgeschlossen. Möglicherweise habe P. auch mehrere Schüsse abgegeben; er erinnere sich jedoch nur an einen Schuss. Vom Geschehensort sei er etwa 350 bis 450 Fuss entfernt gewesen. Er habe freie Sicht gehabt. Weitere Personen ausser P. und Goldstein habe er nicht bemerkt.

Er meine, dass Goldstein - dem P. möglicherweise vorher etwas zugerufen hatte - nach dem Schuss direkt am Wasser auf das Ufer gefallen sei. Auf Vorhalt, früher ausgesagt zu haben, Goldstein sei aus dem Wasser gezogen worden und tot gewesen: Heute habe er daran keine Erinnerung mehr. Wenn er derartiges angegeben habe, sei es sicher auch richtig gewesen. Von seinem Platz aus habe er nicht genau sehen können, ob Goldstein noch am Ufer, im Wasser, oder an der Grenze zwischen Ufer und Wasser gestanden sei, als er niedergefallen sei. Dass Goldstein tot gewesen sei, wisse er genau, da man ihn später begraben habe.

Bei seiner konsularischen Vernehmung am 18.10.1966 (16, 157) hatte der Zeuge ausgesagt, er erinnere sich an P., er habe ihn gut gekannt, weil er ihn schon mehrfach im Ghetto gesehen habe. Er habe auch seinen Namen gekannt; ausserdem habe er gewusst, dass er aus Siebenbürgen stamme. Seiner Erinnerung nach sei er sehr gross und dick gewesen, damals etwa 30 Jahre alt, möglicherweise blond. Er sei einfacher SS-Mann gewesen und habe die Aufgabe gehabt, die Sachen der jüdischen Menschen, die bei Aktionen weggebracht oder an Ort und Stelle erschossen worden seien, in ihren Wohnungen zu sammeln und die Sachen dann auch zu verwalten. Dafür habe er ein Lager in der Nossastrasse unterhalten. Er glaube, dass P. erst 1942 nach Czortkow gekommen sei.

P. habe Goldstein Ende Winter oder im Frühling 1942 oder 1943 erschossen. Er sei sich nicht mehr ganz sicher, in welchem Jahr es gewesen sei. Er erinnere sich daran, dass Goldstein nicht weit von der Wygnanka-Brücke und der Kolejowa-Strasse in das Wasser des Sereth gelaufen sei. Als P. geschossen habe, sei er, Schw., von beiden etwa 100 m entfernt gewesen. Er erinnere sich noch daran, dass P. etwas gerufen habe, ehe er geschossen habe. P. habe mehrfach auf Goldstein geschossen. Er erinnere sich noch, dass Goldstein am Ufer aus dem Wasser gezogen worden sei und dass er tot gewesen sei. Goldstein sei beerdigt worden.

Am 19.7.1967 erneut konsularisch vernommen, (30, 70) gab der Zeuge Schw. noch folgendes an: Die Kolejowa-Strasse in Czortkow habe senkrecht auf den Sereth zu und dann über die Wygnanka-Brücke weitergeführt. Er sei auf der anderen (nördlichen) Seite der Brücke gestanden und habe von dort aus über das flache Flussgelände hinweg den Tatort gut beobachten können. Er habe selbst gesehen, wie Goldstein erschossen worden sei. Vom Nossa--Lager sei der Tatort etwa 100 m oder vielleicht etwas mehr entfernt gewesen.

b) Das Schwurgericht konnte sich nicht davon überzeugen, dass die Aussagen des Zeugen Schw. zum Tatkern richtig sind. Zwar besteht kein Zweifel daran, dass er den Angeklagten gekannt hat. Die Beschreibung, die er in seiner Aussage von 1966 über ihn und seine Funktion gab, ist detailliert und zutreffend. Hervorzuheben ist, dass er sogar wusste, dass der Angeklagte aus Siebenbürgen stammt. Es ist kein Umstand ersichtlich, der den Verdacht nähren könnte, dass der Zeuge dies zu einem späteren Zeitpunkt - etwa erst im Zuge des Ermittlungsverfahrens - erfahren haben könnte. Auch die von der Verteidigung oft betonte

Möglichkeit einer Absprache der - in alle Welt verstreuten - jüdischen Zeugen, für die nie ein verständiger Anhalt aufgezeigt werden konnte, muss bereits deshalb ausscheiden, weil ausser ihm von den vielen gehörten Zeugen nur zwei über das Geburtsland P.s berichteten, die mit dem Zeugen Schw. in keinem erkennbaren Zusammenhang stehen. Hinzu kommt noch, dass der Zeuge den Angeklagten auch auf der ihm vorgelegten Lichtbildmappe Sonderband 115 gleichsam identifizierte. Er erklärte zwar nicht, dass das Bild 3 (Kopfbild P.s) den Angeklagten darstelle, vielmehr betonte er nur, dass, falls das Kopfbild des Angeklagten sich unter den ihm vorgelegten Fotografien befinde, es Nr.3 sei. Er hat damit die in seiner Erinnerung lebendigen Vorstellungen über das Aussehen P.s der richtigen Person zugeordnet. Eine Personenverwechslung hält das Gericht für ausgeschlossen, zumal der Zeuge - was mit den Ermittlungen übereinstimmt - wusste, dass es im Bezirk Czortkow (nur) zwei Deutsche mit dem Namen P. (phonetisch) gab: Einen in Buczacz (der frühere Mitbeschuldigte Peter Pa.) und den in Czortkow, dessen engere Beschreibung er dann in seiner Aussage von 1966 anschloss, die bereits wiedergegeben wurde.

Es ist auch sehr wahrscheinlich, dass man aus der vom Zeugen angegebenen Entfernung seines Standortes zum Tatort einen SS-Mann, den man zuvor schon einige Male gesehen hat, wiedererkennen kann. Dass sich der Zeuge nicht nur die äussere Erscheinung P.s eingeprägt hatte, sondern auch seine Gesichtszüge, macht seine gegenwärtige Aussage deutlich. Es ist auch nicht aussergewöhnlich, dass sich ein Jude in der Verfolgungszeit einen Uniformierten genau ansah; denn sein Leben konnte davon abhängen, dass er sich rechtzeitig jedenfalls vor solchen SS-Leuten zurückzog, die im Ruf standen, besonders gefährlich zu sein. Dazu musste man sie aber erst unterscheiden lernen.

Die Aussage des Zeugen enthält jedoch Unstimmigkeiten, die zu geringen, aber unüberwindlichen Bedenken führten; sie zu zerstreuen gab er auch kaum Gelegenheit, da er den Beteiligten im Anschluss an seine Vernehmungen nur je eine Frage gestattete.

1966 hatte der Zeuge angegeben, er habe gesehen, dass Goldstein in das Wasser des Sereth gelaufen sei. Er habe dabei den Eindruck gehabt, Goldstein sei kopflos, denn durch den Fluss hätte er ja nicht laufen können, er hätte ein guter Schwimmer sein müssen, um hindurchzukommen. 1972 hat er bekundet, er habe beobachtet, dass P. hinter Goldstein hergelaufen und dass Goldstein nach dem Schuss hingefallen sei. Er meine, dass Goldstein nach dem Schuss direkt am Wasser aufs Ufer gefallen sei.

An sich ist das kein schwerwiegender Widerspruch, wenn sich nach so vielen Jahren, die die Ereignisse nunmehr zurückliegen, die Erinnerung zu den Randumständen verändert; es entspricht im Gegenteil der Erfahrung, dass Details, denen im Bild eines Geschehens keine zentrale Bedeutung zukommt, insbesondere nach grosser Zeitdistanz nicht mehr, oder anders, oder mit anderem Akzent reproduziert werden. Ein negatives Urteil über die spezielle Glaubwürdigkeit und Zuverlässigkeit eines Zeugen lässt sich damit in der Regel nicht verbinden.

Der Zeuge Schw. bekundete 1972 des weiteren aber auch, er habe von seinem Platz aus nicht genau sehen können, ob Goldstein noch am Ufer, im Wasser oder an der Grenze zwischen Ufer und Wasser gestanden sei, als er niedergefallen sei. Ist das aber richtig, fragt es sich, wieso der Zeuge dann überhaupt genaue Angaben über den Ort, an dem Goldstein niederfiel, gemacht hat, sich nicht vielmehr gleich darauf berief, dass er von seinem Standort aus gar nicht die Möglichkeit hatte, genaue Beobachtungen hierzu zu machen. Es bleibt möglich, dieses Aussageverhalten auch dahin zu deuten, dass der Zeuge sich nicht genügend darum bemühte, selbstkritisch und beantwortungsbewusst [29] auszusagen, wie es im Interesse

[29] Sic!

einer objektiv wahren Sachverhaltsschilderung an sich geboten wäre, vielmehr auch Stimmungen unzulässig weiten Raum gab, wofür sich nicht allein sein pauschales Werturteil, P. habe ein Schweinsgesicht gehabt, anführen liesse. Diese betont negative Haltung gegenüber dem Angeklagten und sein "Eingeständnis", Beobachtungen gemacht zu haben, die er nicht machen konnte, lassen es auch nicht völlig fernliegend erscheinen, dass er zum zentralen Geschehen Gehörtes mit Erlebtem vermengte (der Widerspruch liesse sich im übrigen auch leicht mit zunehmendem Erinnerungsverlust - den der Zeuge ja betonte - und den damit einhergehenden Schlussfolgerungen von dem noch Erinnerten auf andere Positionen erklären).

Ein weiteres Indiz dafür, dass er die Tötung Goldsteins nicht selbst miterlebte, kann seine Aussageinkonstanz zum Beobachtungsplatz sein: 1967 hatte er angegeben, nördlich des Flusses vor der Wygnanka-Brücke auf der Kolejowastrasse gestanden zu sein und von dort aus den Vorfall beobachtet zu haben, was objektiv durchaus möglich gewesen wäre. Zwar hat er nicht wortwörtlich gesagt, von der Kolejowastrasse aus das Geschehen wahrgenommen zu haben. Dies folgt aber aus dem Zusammenhang seiner Aussage, die durch seine Skizze verdeutlicht wurde; der Zeuge hätte auch den Verlauf der Kolejowastrasse nicht so detailliert geschildert, wenn sie für seinen Standort unwesentlich gewesen wäre. 1972 hat er indessen angegeben, auf der Nadbzeczna-Strasse in Richtung der Wygnanka-Brücke gegangen zu sein, ehe er auf das Geschehen aufmerksam geworden sei. Die Nadbzeczna-Strasse verlief aber auf der nördlichen - also der dem P.-Lager gegenüberliegenden - Seite des Sereth fast parallel zum Fluss und mündete nahe des Flusses, etwa 30 bis 40 m von ihm entfernt, in die Kolejowastrasse ein, die über die Wygnanka-Brücke zu seiner südlichen Seite führte, wo nach etwa 50 m die Nossa-Strasse nach rechts abzweigte. Da die Nadbzeczna-Strasse unweit am Sereth vorbeiführte, konnte man jedenfalls ab Höhe des P.-Lagers das südliche Sereth--Ufer zur Stadt zu einsehen. An sich wäre es also möglich gewesen, den Vorfall von hier aus - bei variierendem Standort - zu beobachten, was auch der Zeuge Lie. bekundete.

Beide Stellen, von denen aus der Zeuge seine Wahrnehmungen gemacht haben will, unterschieden sich mithin deutlich. Ein blosser Irrtum in der Ortsbezeichnung kann nicht unterstellt werden, wenngleich die von ihm angegebenen Entfernungen zu dem Geschehen in seinen Vernehmungen übereinstimmten. Von einem Zeugen muss jedoch erwartet werden, dass er selbst nach längerer Zeit wenigstens die ungefähre Stelle, von der aus er wesentliche Vorgänge beobachtet haben will, zuverlässig reproduzieren kann, da diese sich in der Regel mit dem übrigen zentralen Geschehen einprägen. Möglich ist zwar, dass der Zeuge Schw. seinen ungefähren Beobachtungsplatz dem Kern nach übereinstimmend schilderte, wenn man jene Stelle in dem Bereich der Einmündung der Nadbzeczna-Strasse in die Kolejowastrasse legte, was seine Vernehmungen, insbesondere aber seine Skizze nicht ohne weiteres ausschliessen würden. Bei der knappen Aussage des Zeugen, die wenig Raum zu einer Überprüfung liess, kann hiervon zu Lasten des Angeklagten indessen nicht einfach ausgegangen werden. Muss man aber annehmen, dass er in zwei Vernehmungen jeweils eindeutig verschiedene und unverwechselbare Stellen angab, die ihm seine Wahrnehmungen ermöglicht haben sollen, ist die Zuverlässigkeit dieses Zeugen derart tangiert, dass Zweifel an seiner Tatschilderung bleiben. Für eine bewusst falsche Aussage zeigen seine Vernehmungen jedoch keine hinreichenden Anhaltspunkte. Das Schwurgericht war vielmehr der Meinung, dass die Aussage des Zeugen Schw., die durch die Bekundungen des Zeugen Lie. teilweise bestätigt wurde, mit sehr hoher Wahrscheinlichkeit auch objektiv zutreffend war.

5. Demzufolge gelangte das Gericht nicht zu der Überzeugung, dass der Angeklagte den Vorfall wahrheitsgemäss wiedergab.

a) Falsch war seine Einlassung, die er in der Hauptverhandlung gab, sicherlich insoweit, als sie seinen früheren Bekundungen zum Geschehenskern widersprach: Vor dem Schwurgericht gab er an, bei der Verfolgung keine Waffe in der Hand gehabt und dem Ukrainer nur ein

Winkzeichen gegeben zu haben, damit dieser Goldstein aufhalte, wobei er weder damit gerechnet noch überhaupt daran gedacht habe, dass der Polizist auf den Flüchtling schiessen könnte. Bei seiner polizeilichen Vernehmung vom 19.Mai 1965 aber hatte er hierzu ausgesagt - was er auf Vorhalt hin bestätigte -, er habe seine Pistole in der Hand gehabt, als er Goldstein nachgelaufen sei; den Ukrainer habe er durch Handzeichen aufgefordert, auf Goldstein zu schiessen, wobei er mit dem Tod des Juden gerechnet habe; es sei ihm klar gewesen, dass Goldstein tödlich getroffen werden könne.

Warum er 1965 die Unwahrheit gesagt habe, versuchte der Angeklagte damit zu erklären, er sei damals frisch verhaftet und sehr erregt gewesen. Er habe keine Zeit gehabt, sich den Fall genau zu überlegen. Dem konnte das Schwurgericht nicht folgen.

Der Angeklagte hatte - was er einräumte - zunächst von sich aus und ohne Vorhalte über den Fall Goldstein berichtet und dabei auch geschildert, den Ukrainer zum Schiessen aufgefordert zu haben; im Verlaufe seiner polizeilichen Vernehmung bestätigte er noch mehrmals, die Aufforderung zum Schiessen gegeben zu haben. Für den Angeklagten war ohne weiteres erkennbar, dass er sich damit belastete. Dass er dies grundlos getan haben sollte, hält das Gericht für ausgeschlossen. Grosse Aufregung bei einer Vernehmung jedenfalls legt es nicht nahe, gleich mehrmals ein Winkzeichen zum Aufhalten einer fliehenden Person in einen Schiessbefehl zu formulieren. Es besteht kein Anhalt, dass die vom Angeklagten ins Feld geführte Aufregung bewirkt haben könnte, dass er an mehreren Stellen des polizeilichen Protokolls zur gleichen Frage des Sachverhalts auch die gleichen unzutreffenden Angaben gemacht haben sollte. Im übrigen hat der Angeklagte bei seiner Vernehmung durch den Untersuchungsrichter am 31.10.1967 seine polizeiliche Aussage wiederholt: Er erklärte auch dort, dass er die Pistole in der Hand gehalten habe, als er Goldstein nachgelaufen sei; ferner gab er an (S.9 des Protokolls), er habe mit den Händen auf das Gewehr des Gendarmen gezeigt, um ihm klarzumachen, dass er schiessen solle; der Ukrainer habe ihn verstanden und auf Goldstein geschossen. Der Angeklagte meinte nun, bei der richterlichen Vernehmung habe er nur unglücklich formuliert. Dafür spricht jedoch nichts. Es ist z.B. auch nicht einzusehen, was an seiner Aussage an späterer Stelle des Protokolls (S.12) lediglich eine Unklarheit in der Formulierung sein sollte, wo er angab, es sei wahr und nicht zu ändern, dass er durch Handzeichen den ukrainischen Gendarmen aufgefordert habe, auf Goldstein zu schiessen. Ersichtlich wollte der Angeklagte mit seiner jetzt geänderten Einlassung nur der Gefahr seiner Verurteilung begegnen. Das Schwurgericht ist davon überzeugt, dass allein die vor der Hauptverhandlung gemachten Bekundungen des Angeklagten zur Erschiessung Goldsteins zutreffend sind, falls er überhaupt je wahrheitsgemäss darüber berichtet hat.

b) Dass sich der Vorfall so zugetragen hat, wie ihn der Angeklagte vor der Hauptverhandlung schilderte, ist möglich. Jedenfalls kann seine Einlassung nicht widerlegt werden. Der von ihm geschilderte Tatablauf ist nicht unwahrscheinlich. Mag auch der Angeklagte keine eigentliche Befehlsbefugnis gegenüber dem Gendarmen gehabt haben, so ist doch anzunehmen, dass der Ukrainer der Aufforderung des Angeklagten nachkam, weil er sich einem SS-Mann gegenüber dazu verpflichtet fühlte. Möglich ist auch, dass beide ihr Zusammenwirken als eine Art "Amtshilfe" verstanden.

Die Darstellung des Angeklagten war auch im wesentlichen widerspruchsfrei; soweit sie in der Hauptverhandlung zur Schiessaufforderung von seiner Einlassung im Vorverfahren abwich, war - wie bereits erörtert -, Ursache wohl allein die jetzige Ansicht des Angeklagten, sich so am besten gegen den Vorwurf der Tötung Goldsteins verteidigen zu können. Zum Ursprung der Tat stimmt seine Erklärung im Kern auch mit dem überein, was der Zeuge Sch. bekundete.

c) Sonach ist es möglich, dass der Angeklagte bei seiner polizeilichen und richterlichen Vernehmung die Wahrheit sagte; wahrscheinlicher erschien dem Schwurgericht freilich die Darstellung des Zeugen Schw. Dass sich der Vorfall jedoch noch auf eine andere, dritte Weise abgespielt haben könnte, hielt das Schwurgericht für ausgeschlossen. Entweder der Angeklagte hat selbst geschossen, oder er hat den Ukrainer zum Schiessen auf Goldstein aufgefordert. In beiden Fällen hat er den Tod des Juden verursacht. Ob er dafür auch verantwortlich gemacht werden kann, wird für beide Sachverhalte getrennt zu erörtern sein.

6. Der Angeklagte hat den Tod Goldsteins nach der Überzeugung des Schwurgerichts zumindest billigend in Kauf genommen.

a) Er räumte - legt man seine Sachverhaltsschilderung zugrunde - bei seiner richterlichen Vernehmung selbst ein, mit einer tödlichen Verletzung des Juden gerechnet zu haben. Er hatte auch keinen Anhaltspunkt anzunehmen, dass der Ukrainer den Fliehenden nur verletzen würde, um eine Fortsetzung der Flucht zu verhindern. Das Leben eines Juden galt wenig; ein Grund es entgegen den sonstigen Gepflogenheiten ohne Not zu schonen, bestand nicht. Der Angeklagte hat deshalb sicher auch damit gerechnet, dass der Gendarm nicht nur auf die Beine zielen werde, zumal der Ukrainer - was sich aus der damaligen Situation heraus ohne weiteres verstand - nicht annehmen konnte, dass ein SS-Mann, wenn er einen Schiessbefehl gegen einen Juden ohne jede erkennbare Einschränkung gibt, etwas anderes als dessen Tod wünschen konnte. Dass der Angeklagte dies erfasste, hält das Schwurgericht nicht für zweifelhaft. Dem Angeklagten ging es dabei nicht darum, Goldstein auf jeden Fall töten zu lassen, er wollte vielmehr dessen Flucht unterbinden, wobei er erkannte und damit einverstanden war, dass dies auch möglicherweise nur durch einen tödlichen Schuss gelingen konnte. Als er den Befehl oder die Aufforderung zum Schiessen gab, wollte er sein unmittelbares Ziel selbst um den Preis des Todes des Juden durchführen. Dafür spricht noch eindeutig seine Angabe im richterlichen Protokoll vom 31.10.1967 (S.13), wonach er - als er Goldstein nachgelaufen sei - gedacht habe, Goldstein fliehe, also werde er auf der Flucht erschossen, wie das im Krieg so sei; Goldstein sei flüchtig gewesen, deshalb sei er erschossen worden.

Obwohl diese Einlassung des Angeklagten es äusserst nahelegt, einen unbedingten Tötungswillen anzunehmen, lässt sie doch Raum für die Möglichkeit, dass der Angeklagte den Tod des Fliehenden als nicht zwingende Folge gesehen, diese aber billigend in Kauf genommen hat.

Wo Goldstein getroffen wurde, konnte das Gericht nicht mehr feststellen. Der Angeklagte erwähnte zwar bei seiner bereits genannten Vernehmung durch den Untersuchungsrichter, (S.10) der erste Schuss habe Goldstein am linken Unterarm, der zweite am Hinterkopf getroffen. Doch konnte das Schwurgericht es trotz der detaillierten Einlassung nicht ausschliessen, dass sich der Angeklagte nach so vielen Jahren seit der Tat über die genaue Einschussstelle irrte.

b) Geht man - der Aussage des Zeugen Schw. folgend - vom zweiten Sachverhalt aus, hat der Angeklagte aus nur kurzer Entfernung auf Goldstein geschossen. Kein Umstand spricht dafür, dass er etwa nur einen Warnschuss abgeben, den Juden überhaupt nicht treffen wollte. Es bestanden auch keine genügenden Anhaltspunkte anzunehmen, dass der Angeklagte allein mit einer Verwundung Goldsteins gerechnet haben könnte, jedenfalls aber den Tod des Juden nicht in Kauf nehmen wollte. Der Angeklagte hat seine Einstellung darüber, was mit einem Fliehenden geschehen dürfe, bei seiner Tatversion geschildert. Diese Einstellung ist unabhängig davon zu sehen, ob er selbst schoss oder schiessen liess. Das Schwurgericht war deshalb davon überzeugt, dass der Angeklagte - die Aussage des Zeugen Schw. als richtig unterstellt - in der Vorstellung geschossen hat, Goldstein solle lieber durch den Schuss zu Tode kommen, als seine Flucht fortsetzen und ihm weiter trotzen zu können. Er nahm den Tod Goldsteins billigend in Kauf.

c) Die Angaben, die der Angeklagte zu seiner weiteren Motivation machte, sind möglich, jedenfalls nicht widerlegbar. Es ist deshalb davon auszugehen, dass er Goldstein verfolgte (und auch schoss bzw. schiessen liess), weil er befürchtete, dass die "Moral" im Lager schlechter werde, wenn er die Flucht hinnehme. Dazu hat er noch in seiner Einlassung am 2.12.1971 ergänzend bemerkt, wenn er Goldstein hätte laufen lassen, wären es anderentags vielleicht 10 gewesen, die geflüchtet wären. Zwar ist ihm wohl kaum entgangen, dass die Juden in seinem Lager sich weniger gefährdet wähnten als im Ghetto; er selbst behauptete auch, dass die Juden es bei ihm gut gehabt hätten. Die Erwägung, die der Angeklagte angestellt haben will, ist gleichwohl möglich, weil die Juden - was auch sonst geschah - sich bei Bauern oder in den Wäldern verstecken konnten, der Angeklagte so um seine Arbeitskräfte und das Funktionieren seines Lagers fürchten musste; nicht alles, was in seinem Lager zu tun war, konnten ungelernte Arbeitskräfte verrichten.

7. Das Schwurgericht hatte keine Zweifel daran, dass der Angeklagte den Tod Goldsteins an Ort und Stelle zuverlässig feststellte.

Wann genau die Tat geschah, war nicht mehr aufzuklären. Dass die Erinnerung des Angeklagten objektiv falsch ist, folgt schon daraus, dass das P.-Lager spätestens im Juli aufgelöst wurde (C I). Den Zeitangaben des Zeugen Schw. - und auch der übrigen Zeugen Lie. und Sch. - zu misstrauen, bestand hingegen kein Anlass. Das Schwurgericht ist deshalb davon ausgegangen, dass sich der Vorfall zu Beginn des Frühjahrs 1943 zugetragen hat. Auf den exakten Zeitpunkt kam es für die Beurteilung des Falles indessen nicht an.

<u>III. Zu den Abschnitten B II und B III und zum Fall Orenstein, Ziff.16 der Anklage (Freispruch)</u>

Die unter B II und B III festgestellten Sachverhalte beruhen auf den Aussagen des Zeugen Benzion Sch., des einzigen Augenzeugen, der hierzu gehört werden konnte.

1. Dieser Zeuge hat noch einen weiteren Vorgang geschildert, der dem Angeklagten in Ziff.16 der Anklageschrift zur Last gelegt wurde.

a) Danach habe der Angeklagte an einem nicht genau bekannten Tag im Juni 1943 den 17 bis 18 Jahre alten Juden Orenstein, welcher ihm zufällig in einer Strasse innerhalb des Ghettos begegnet sei, ohne Anrede unvermutet durch einen Schuss getötet.
Nach Anklage und Eröffnungsbeschluss habe Richard P. damit vorsätzlich und aus niedrigen Beweggründen getötet; die Tat sei ein Verbrechen des Mordes, strafbar nach §211 StGB.

b) Das Schwurgericht hat hierzu festgestellt:

Am Vormittag eines nicht bestimmbaren Tages im Juni oder Juli 1943 ging der Angeklagte auf der im Ghetto gelegenen Skladowa-Gasse in südlicher Richtung. Er wollte zum Judenratsgebäude und wurde hierbei von dem Zeugen Sch. begleitet. Plötzlich sahen er und der Zeuge Sch., wie ein Jude in ein etwa 20 m vor ihnen von links in die Skladowa-Gasse einmündendes Gässchen lief. Nachdem der Angeklagte dem Zeugen befohlen hatte zu warten, zog er seinen Revolver und rannte ebenfalls in die Seitengasse. Kurz danach hörte der Zeuge einen oder zwei Schüsse. Wenig später kehrte der Angeklagte zurück und er und der Zeuge setzten nun ihren Weg zum Judenrat fort. Dort angekommen ging der Angeklagte in ein Zimmer, während Sch. auf dem Flur auf ihn wartete. In dieser Zeit kam ein ihm nicht bekannter Jude auf ihn zu und flüsterte, P. habe Lazar Orenstein erschossen.

c) Da das Schwurgericht keine weiteren sicheren Feststellungen treffen konnte, hat es den Angeklagten von dieser ihm vorgeworfenen Tat freigesprochen. Die Gründe hierfür werden noch im einzelnen dargelegt. Den Fall Orenstein schon an dieser Stelle anzuführen, war jedoch notwendig; denn von ihm hat allein der Zeuge Sch. berichtet. Seine Aussagen können aber nur als ganzes gesehen und gewürdigt werden. Überlegungen zu seiner Aussageehrlichkeit und Zuverlässigkeit im Falle Orenstein lassen sich nicht isoliert anstellen. Was gegen den Zeugen in einem Falle spricht, kann Auswirkungen auf die Beurteilung seiner Glaubwürdigkeit in anderem Falle haben. Eine zusammenhängende Erörterung der für und gegen den Zeugen Sch. sprechenden Umstände erschien mithin unerlässlich.

2. Der Angeklagte hat die drei von dem Zeugen Sch. geschilderten Vorfälle bestritten.

Er erklärte, er habe den Juden Orenstein nicht erschossen. Diese Tat - wie auch die anderen - habe Fri. aus der Luft gegriffen. Er habe ihn zu der angeblichen Tatzeit schon nicht mehr gebraucht. Die Judenräte hätten deutsch gesprochen; es hätte also auch überhaupt kein Anlass bestanden, ihn mitzunehmen. Zwar war er damals noch gelegentlich ins Ghetto gekommen, wenn er eine Arbeitskraft benötigt habe. Fri. habe ihn dabei aber nie begleitet. Merkwürdig finde er, dass - anders als im Falle Goldstein - niemand sonst diese angebliche Tat gesehen habe.

Auch die Erschiessung des Kindes in Kopyczynce habe Fri. erfunden. Zu der Zeit, als die Tat geschehen sein solle, sei er überhaupt nicht in dieser Stadt gewesen. 1943 sei er nur einmal - und zwar im August - nach Kopyczynce gekommen, um sich von einer volksdeutschen Familie zu verabschieden, die in der Eisenbahnstrasse gewohnt habe. Von einer 1943 in Kopyczynce durchgeführten Erschiessungsaktion habe er nichts gewusst. Es sei nicht seine Aufgabe gewesen, sich um die Kleidung der Toten zu kümmern. In das P.-Lager seien solche Kleidungsstücke auch nicht gekommen, vielmehr nur solche, die in den Häusern vorgefunden worden seien. Um die in das Lager verbrachten Stücke habe er sich allerdings auch nie gekümmert. Überhaupt sei man niemals mit Fuhrwerken in eine fremde Stadt gefahren. Wenn er weggefahren sei, habe er dazu den P 4 eines Privatmannes benutzt. Richtig sei allerdings, dass im Lager zwei Pferde und ein Wagen gehalten worden seien. In Kopyczynce habe er ferner keine Gendarmeriebeamten gekannt. Aus Czortkow sei ihm nur ein Beamter namens Simon erinnerlich; über einen Kohn wisse er nichts.

Die dritte ihm von Fri. zur Last gelegte Tat habe er ebenfalls nicht begangen. Jüdische Häuser habe er insgesamt nur dreimal betreten, einmal als ihm die Plünderung durch Ukrainer gemeldet worden sei, ferner als er die Toilette wegen einer Ruhrerkrankung habe aufsuchen müssen, schliesslich beim Besuch der Familie Bil. in Czortkow. Sonst habe er nie jüdische Wohnungen betreten, weil er sich vor Läusen gefürchtet habe, die das Fleckfieber übertragen hätten. Er sei auch nicht in die Häuser gegangen, um zu kontrollieren, ob die Juden, die zum Sammeln nach einer Aktion eingesetzt gewesen seien, ihre Aufgabe auch ordnungsgemäss erfüllt hätten. Er habe volles Vertrauen zu Fri. und Bra., die ihn jeweils begleitet hätten, gehabt und geglaubt, dass sie alles zu seiner Zufriedenheit erledigen würden. Im übrigen habe man von Juden, die noch in ihren Wohnungen anwesend gewesen seien, nichts wegnehmen dürfen. Das sei ausnahmslos befolgt worden. Im Mai 1965 habe er den Staatsanwalt, der ihn vernommen habe, gebeten, Fri. als Zeugen suchen zu lassen. Er hätte diesen Hinweis nicht gegeben, wenn er die Taten, deren ihn Fri. jetzt beschuldige, tatsächlich begangen hätte. Wahrscheinlich habe Fri. die Vorfälle erfunden, um sein Gesicht gegenüber seinen Landsleuten zu wahren.

3. Die Einlassung des Angeklagten wird durch die Aussage des Zeugen Sch. widerlegt.

a) « Zur Person des Zeugen Sch. sowie zu seinem Verhältnis zum Angeklagten »

Allgemein gab der Zeuge, dessen Bekundungen möglichst umfassend und zusammenhängend dargestellt werden sollen, bei seiner konsularischen Vernehmung im Dezember 1971 und Januar 1972 an, er heisse Benzion Sch. und nicht Fri. Sein amtlicher Name sei immer der

Name seiner Mutter gewesen, nämlich Sch. Sein Vater habe Fri. geheissen. Unter diesem Namen sei er, Sch., in Czortkow bekannt gewesen. Deshalb hätten ihn die Soldaten der deutschen Besatzung auch mit diesem Namen genannt. Da seine Eltern niemals zivil getraut worden seien, sondern nur nach mosaischem Ritus, sei sein eigentlicher Nachname der seiner Mutter gewesen. Sein Name sowohl im polnischen als auch im russischen Pass sei immer Sch. gewesen.

Bevor er zu P. gekommen sei, sei er als Magazinär in der Kreishauptmannschaft von Oktober 1941 bis 30.8.1942 tätig gewesen. Nach der Liquidierung des P.-Lagers habe er sich vom 22.7.1943 an in dem Bunker des Hauses von Margulies gegenüber dem P.-Lager, in welchem sich auch das Magazin der fertiggestellten Sachen befunden habe, versteckt gehalten. In dem Bunker habe er sich etwa 2 Monate aufgehalten, also bis etwa 20.9.1943. Danach habe er den Bunker verlassen und sei von einer ukrainischen Frau namens Palania in der Schustergasse versteckt worden. Dort sei er dann bis zum Einmarsch der Russen im April 1944 gewesen.

Er habe P. gut gekannt. Zwei Tage nach der Aktion vom 28.8.1942 in Czortkow sei er P. im Magazin der Kreishauptmannschaft begegnet. P. habe angeordnet, zu ihm ins Lager zu kommen. Vor diesem Tag habe er ihn schon öfter gesehen. Denn die VOMI, bei der P. gearbeitet habe, habe ihr Büro im Gebäude der Kreishauptmannschaft gehabt.

Als er in das P.-Lager gekommen sei, seien dort noch keine fest angestellten Arbeitskräfte gewesen. Nur die Lagerwache aus 6 Personen habe schon bestanden. Von P. sei er zunächst mit der Verwaltung des Magazins beauftragt worden. An Einsammelaktionen sei er nie beteiligt gewesen. Bald habe auch eine bestimmte Anzahl von Juden - maximal 110 - ständig in dem Lager gearbeitet. Mit der Zeit habe P. besonders Vertrauen zu ihm und drei weiteren Juden namens Win., Stöckel und Bra. gefasst. Stöckel sei dann die Küchenaufsicht übertragen worden, während Win. die Aufsicht über den Transport und Bra. über das Magazin der auszuliefernden Sachen gehabt habe.

Er selbst sei sehr häufig mit P. zusammengetroffen, habe täglich sogar etwa 10 bis 20 mal sein Büro betreten. P. habe sich dabei immer anständig zu ihm verhalten. Auch gegenüber den anderen Juden habe er sich keine Entgleisungen zu Schulden kommen lassen. P. habe nicht nur im Lager, sondern auch im Ghetto einen guten Ruf gehabt. Er habe auch dafür gesorgt, dass die Juden, die bei ihm gearbeitet hätten, Fleisch zu essen gehabt hätten. Die Juden des P.-Lagers seien gut behandelt worden. Leute, die ihr Handwerk verstanden hätten - und er habe Wert darauf gelegt, dass nur solche in sein Lager kämen, die in Friedenszeiten bereits ein Handwerk gelernt und gut gearbeitet hätten - habe er respektiert. Richtig sei, dass er oft mit einer gelben Lederpeitsche in das Lager gekommen sei. Im Lager selbst habe er diese aber nicht getragen. Er habe nie gesehen, dass P. mit der Peitsche jemanden geschlagen habe, auch ausserhalb des Lagers nicht, davon habe er auch nichts gehört. Er habe nichts davon bemerkt, dass P. die Juden gehasst habe. Alle Personen, die ihm persönliche Dienste geleistet hätten, so etwa sein Friseur David Son., sein Schneider Fre. und sein Schuhmacher Trajner, seien Juden gewesen. P. habe sich ihm gegenüber auch nie abfällig über Juden geäussert. Er habe nie gehört, dass P. Ausdrücke wie "Dreckjude" oder "Saujude" gebraucht habe. Ihn habe P. mit "Sie" angesprochen. Nur in Gegenwart anderer habe er Du zu ihm gesagt. P. habe ihn sowie Stöckel, Bra. und Win. bevorzugt. So habe er sie im P.-Lager schlafen lassen. Man könne sagen, dass sich bis Mitte Januar 1943 keine Juden vor P. versteckt gehalten hätten.

b) <u>Zum Fall Orenstein</u>

In der Zeit der endgültigen Liquidierung der Juden in Czortkow, etwa zwischen dem 10. und 15.7.1943, habe ihn P. eines morgens aufgefordert, mit ihm zum Judenrat zu gehen. Was P.

beim Judenrat gewollt habe, wisse er nicht. Als er ihn begleitet habe, habe er dabei keine besondere Funktion gehabt. P. habe häufig Wert darauf gelegt, dass Win. oder er ihn begleiteten. Das Judenratsgebäude sei im Ghetto gelegen. Man habe es (vom Lager P.s kommend) über die Skladowa-Gasse erreicht.

Als er mit P. auf jener Gasse gelaufen sei, - er meine, dass es zwischen 10 und 11.00 Uhr vormittags gewesen sei - habe er bemerkt, dass in einer Entfernung von etwa 20 m ein Jude - der Bekleidung nach sei es eine männliche Person gewesen - nach links in eine Seitengasse verschwunden sei, die allenfalls 1,20 m bis 1,50 m breit gewesen sei. Offenbar sei es so gewesen - jedenfalls vermute er dies -, dass der Jude beim Anblick P.s die Flucht ergriffen habe. P. habe diesen Juden auch bemerkt. Er habe ihm, Sch., zugerufen; "Bleiben Sie hier stehen." Er habe nun den Revolver gezogen und sei ebenfalls in die Seitengasse hineingelaufen, habe also den Juden verfolgt. Kurz darauf habe er einen oder zwei Schüsse gehört. Genau könne er die Anzahl der Schüsse nicht nennen, er erinnere sich daran nicht. P. sei nun zurückgekehrt und sie hätten ihren Weg zum Judenratsgebäude fortgesetzt. Der ganze Vorfall selbst habe sich in Sekundenschnelle abgespielt. Da dieser sich in der Seitengasse zugetragen habe, habe er nicht gesehen, wie P. auf den jungen Juden geschossen habe und auch nicht, ob er diesen getroffen habe.

Nachdem sie im Judenratsgebäude angekommen seien, sei P. in ein Zimmer gegangen, er selbst sei im Korridor stehengeblieben. Während er auf P. gewartet habe, habe ihm ein jüngerer, nicht aus Czortkow stammender Jude, den er nicht gekannt habe, auf jiddisch zugeflüstert, dass P. eben den Lazar Orenstein erschossen habe. An den genauen Wortlaut dieser Äusserung könne er sich nicht mehr erinnern, so wisse er nicht, ob der Jude gesagt habe, P. habe Lazar Orenstein erschossen, oder ob er geäussert habe, P. habe eben Lazar Orenstein getötet. Für ihn, Sch., habe jedoch keinerlei Zweifel daran bestanden, dass der Jude den Vorfall gemeint habe, der sich in dem Seitengässchen zur Skladowa-Gasse zugetragen habe. Einzelheiten über den Vorfall seien ihm von dem Juden indessen nicht berichtet worden. Er vermute, dass dieser auch kein Augenzeuge gewesen sei. Der Jude habe ihm nicht gesagt, dass er den Vorgang selbst gesehen habe. Da er im Ghetto sehr bekannt gewesen sei, als die rechte Hand P.s, vermute er, dass der Jude im Judenratsgebäude ihn gekannt habe. Für einen Juden sei es nicht gefährlich gewesen, ihm Dinge zu sagen, wie diese, dass P. gerade einen Juden erschossen habe; denn er sei hundertprozentiger Jude gewesen. Er habe den Juden, die sich an ihn gewandt hätten, immer gern geholfen. Die Leute des Ghettos hätten zu ihm Vertrauen gehabt.

Dass der Jude in der Skladowa-Gasse P. bemerkt habe, habe er daraus geschlossen, dass dieser schliesslich weggelaufen sei. Sicher sei er sich, dass Orenstein einen David-Stern getragen habe; denn alle Juden hätten einen solchen tragen müssen. Ob Lazar Orenstein beerdigt worden sei, wisse er nicht. Wenn er dies früher behauptet habe, so habe er damit nur eine Schlussfolgerung geäussert. An sich sei es Aufgabe des Judenrats gewesen, für die Beerdigung zu sorgen. Der Judenrat sei also die Stelle gewesen, der man zuständigerweise gemeldet habe, dass man einen Juden tot in der Strasse gefunden habe. Im Judenratsgebäude habe er indessen nicht gehört, dass die Anweisung erteilt worden sei, Orenstein zu bestatten.

Einen Juden namens Lazar Orenstein habe es in Czortkow gegeben. Er habe ihn gekannt. Lazar sei damals weniger als 20 Jahre alt gewesen und habe vor der Besetzung keine offizielle Schule besucht, da seine Eltern sehr fromm gewesen seien. Vielmehr habe er lediglich Talmud gelernt. Sein Vater habe Moses geheissen und ein Eisenwarengeschäft in der Ringstrasse geführt. Er habe Lazar Orenstein deshalb gekannt, weil das Geschäft seines - Orensteins - Vaters in derselben Gasse, nämlich der Ringstrasse, gelegen sei, in welchem sich auch das Lebensmittelgeschäft des Saul Rosenzweig, in welchem er, Sch., gearbeitet habe, befunden habe. Lazar Orenstein sei als Junge häufig gekommen, um im Geschäft des Rosenzweig etwas einzukaufen.

Das Verhalten P.s, der sich im Lager auch in der letzten Zeit anständig verhalten habe, könne er sich nur so erklären, dass er sich vor ihm, Sch., als Zeuge nicht mehr geniert habe, Verbrechen auszuüben. P. habe wahrscheinlich angenommen, dass ihn, Sch., das gleiche Schicksal erwarte wie alle anderen Juden, d.h., dass er den Krieg nicht mehr überleben werde.

c) Zum Schuss auf den Jungen

Zwischen dem 8. und 15.Juli 1943 müsse es gewesen sein, als P. eines Tages gesagt habe, dass er, Sch., sowie Stöckel und Win. und noch ein paar Arbeiter des Lagers am nächsten Morgen nach Kopyczynce fahren müssten. Am darauffolgenden Morgen seien sie auch gegen 7.00 Uhr mit einem Fuhrwerk auf der Landstrasse von Czortkow nach Kopyczynce gefahren. Es könne sein, dass es auch zwei Fuhrwerke gewesen seien. P. habe sie begleitet, er vermute, dass P. nur deshalb mitgefahren sei, weil es damals für Juden selbst mit einem Passierschein der Gestapo gefährlich gewesen sei, über Landstrassen zu fahren.

Sie seien zunächst nach Kopyczynce hineingefahren und anschliessend zum Friedhof weitergefahren, der in Richtung Tarnopol gelegen sei. Auf dem Friedhof sei eine grosse Anzahl getöteter Juden gelegen, die noch bekleidet gewesen seien. Er meine, dass man diese dort erschossen habe. Ein Massengrab habe er auf dem Friedhof allerdings nicht bemerkt. P. habe nun Stöckel und Win. sowie die anderen Arbeiter angewiesen, die Leichen zu entkleiden, und die Kleidungsstücke einzusammeln. Ihm habe er befohlen, mit ihm in die Stadt zu gehen, während er Stöckel und Win. die Anordnung erteilt habe, zu einem gewissen Zeitpunkt am Nachmittag mit dem Fuhrwerk an einer bestimmten Stelle der Landstrasse zu sein.

Als er nun mit P. in Richtung der Stadtmitte gelaufen sei, sei ihnen aus dem Zentrum ein etwa 10 bis 12-jähriger Junge entgegengekommen. Dieser Junge, der ohne die Armbinde mit dem David-Stern gewesen sei, sei äusserlich klar als Jude erkennbar gewesen. Er habe mehr oder weniger hundertprozentige semitische Gesichtszüge gehabt. Ausser dem Jungen seien nur noch wenige Arier auf der Strasse gewesen, soweit er sich erinnere. P. habe nun dem Jungen befohlen, zu ihm heranzukommen. Daraufhin habe er seinen Revolver gezogen und das Kind auf der Stelle erschossen. Allerdings könne er sich nach so langer Zeit nicht mehr genau daran erinnern, ob P. den Juden zu sich gerufen habe, oder ob er ihn ohne Anruf niedergeschossen habe. Tatsache sei jedoch, dass er ihn niedergeschossen habe. Sicher sei er sich, dass P. den Jungen nicht weiter angeredet habe und ihn auch nicht gefragt habe, ob er Jude sei. Das Gesicht des Jungen habe einen erschrockenen Ausdruck gezeigt, dass er sich dadurch bereits auch als Jude verraten habe. Wenn ihm nun vorgehalten werde, dass er bei seiner konsularischen Aussage vom 9.9.1965 und 3.8.1967 erklärt habe, dass der von P. erschossene jüdische Junge in Kopyczynce eine Armbinde mit dem Davidstern getragen habe, so müsse er dazu sagen, dass er sich damals nicht auf die Vernehmungen nicht [30] habe vorbereiten können, da er ja nicht genau gewusst habe, welche Fragen ihm gestellt werden würden. Auf die jetzige Vernehmung habe er sich jedoch einige Wochen vorbereiten können. Oft habe er nachts wachgelegen. Dabei habe er sich erinnert, dass der kleine Junge in Kopyczynce keinen Davidstern getragen habe. Wie der Junge geheissen habe, wisse er nicht, da er selbst fremd in Kopyczynce gewesen sei. Er sei an jenem Tag, abgesehen davon, dass er einige Male durch Kopyczynce durchgefahren sei, das erste Mal in seinem Leben überhaupt in dieser Stadt gewesen.

Älter als 12 Jahre sei der Junge nicht gewesen. In seiner Heimat habe man damals hundertprozentig unterscheiden können, ob jemand Jude gewesen sei oder nicht. Er könne sich nicht

[30] Sic!

vorstellen, dass P. auf der Strasse das Kind erschossen hätte, wenn er nicht angenommen hätte, dass es jüdisch gewesen sei. Er sei überzeugt davon, dass P. das Kind als Jude erkannt habe. Natürlich sei es für Juden gefährlich gewesen, sich ohne die Armbinde mit dem Davidstern sehen zu lassen. Es sei Glücksache gewesen, wenn man nicht erwischt worden sei. Die Verpflichtung, den Judenstern zu tragen, habe ab dem 10.Lebensjahr bestanden. Der Junge habe wohl keinen Stern getragen, weil ein 10 bis 12-jähriger Junge doch noch als 9-Jähriger habe eingeschätzt werden können.

An die Haarfarbe des Kindes könne er sich nicht mehr erinnern, er glaube, dass der Junge Höschen und eine Jacke getragen habe. Er meine auch, dass die Jacke aus Leinen gewesen sei.

Er wisse nun nicht mehr, ob P. einen oder mehrere Schüsse auf das Kind abgegeben habe. Der Junge sei danach hingefallen und habe sich nicht mehr bewegt. Seiner Erinnerung nach sei das Kind auf der Stelle tot gewesen. Wohin P. geschossen habe, wisse er nicht mehr. Er erinnere sich aber, Blut gesehen zu haben. Als P. die Schüsse abgegeben habe, sei er selbst höchstens 3 m von dem Jungen entfernt gestanden und maximal 2 m neben P. Wo er das Blut am Körper des Jungen gesehen habe, wisse er nicht mehr genau. Er vermute, dass es in der Herzgegend gewesen sei. Dass der Junge tot gewesen sei, nehme er an, weil er sich nach dem Schuss nicht mehr gerührt habe. Ausser den beiden Fällen in Kopyczynce (Junge und Frau) habe er keine anderen Verbrechen P.s persönlich beobachtet. Bei beiden Opfern sei jedoch der Kopf völlig unverletzt gewesen. Bei dem Jungen habe er nur Blut in der Herz- oder Brustgegend gesehen, bei der Frau habe P. auch auf den Körper gezielt, der Kopf sei intakt geblieben. Seine Überzeugung, dass der Junge auf den Schuss von P. hin auf der Stelle tot gewesen sei, resultiere daraus, dass jener sofort niedergefallen und regungslos liegengeblieben sei. Soweit er sich erinnere, hätten sich die Passanten nicht weiter um das Ereignis gekümmert.

Er erinnere sich nicht genau daran, wo der Friedhof in Kopyczynce gelegen sei. Jedenfalls habe man - von Czortkow kommend - durch das Zentrum des Städtchens hindurch und in Richtung Tarnopol fahren müssen.

d) Zum Schuss auf die Frau

Nach dem Verbrechen an dem Kind seien P. und er zum Judenratsgebäude gegangen. P. habe dort einen Ordnungsdienstmann verlangt, welcher ihm die Häuser der Juden zeigen sollte. In Begleitung dieses Ordnungsdienstmannes seien sie dann auch zu einigen jüdischen Häusern gegangen. Erinnern könne er sich nicht mehr, ob diese leer oder noch Sachen einzusammeln gewesen seien. Schliesslich seien sie in ein Haus gekommen, in dessen Flur sie eine Frau angetroffen hätten, die bei einer gepackten Truhe gestanden sei. P. habe nun die Truhe geöffnet oder der Frau befohlen, sie zu öffnen; danach habe er sie durchgewühlt und ihr brauchbare Sachen, die noch in gutem Zustand gewesen seien, entnommen und sie beiseite gelegt. In der Truhe hätten sich Wäsche und Kleider befunden. Als er ein noch besonders gutes Stück habe herausnehmen wollen, habe die Frau ein saures Gesicht gemacht und damit zu erkennen gegeben, dass sie mit der Wegnahme dieses Gegenstandes nicht einverstanden sei. Diese Frau habe ein Gesicht gemacht, als wenn sie habe weinen wollen. Daraufhin habe P. den Revolver gezogen und die Frau erschossen. Wenn ihm vorgehalten werde, dass er am 3.8.1967 ausgesagt habe, die Frau habe versucht, Sachen aus dem Koffer herauszunehmen, so könne er dazu sagen, dass die Frau, wie er sich jetzt erinnere, keine Möglichkeit gehabt habe, Sachen aus dem Koffer zu entnehmen. Er wisse aber nicht mehr genau, ob P. den wertvollen Gegenstand aus der Truhe selbst genommen habe, oder aber aus der Hand der Frau. Das besonders gute Stück, das P. an sich genommen habe, könne auch nur einen besonderen persönlichen Wert für die Frau gehabt haben. Dies wisse er nicht genau. Dass es jedoch etwas besonderes gewesen sei, habe er damals daraus geschlossen, dass die Frau eine saure Miene gemacht habe. Daraufhin habe P. sie niedergeschossen.

Das Verbrechen habe sich in dem engen Hausflur abgespielt. Er sei dabei unmittelbar neben P. gestanden, während P. nur etwa einen halben Meter oder gar noch weniger von der Frau entfernt gewesen sei. Das heisst, sie hätten sich unmittelbar gegenübergestanden. Nachdem er gebeten worden sei, die Situation zu rekonstruieren, erinnere er sich besser an den Vorfall, er glaube, dass sie zu viert um die Truhe herumgestanden seien, wobei P. vom Eingang aus gesehen auf der rechten Seite, die Frau gegenüber dem Eingang und er, sowie der Ordnungsdienstmann auf der linken Seite gestanden seien. Die Frau sei also mit dem Gesicht zur Haustür gestanden, während P. einerseits sowie er und der OD-Mann andererseits sich gegenüber gestanden hätten. Er glaube, dass diese Schilderung richtig sei und nicht das, was er zuvor angegeben habe, nämlich dass er unmittelbar neben P., und P. der Frau gegenüber gestanden sei. Zu dem Mord an der Frau müsse er bemerken, dass er durch die erste Tat P.s in Kopyczynce so konsterniert gewesen sei, dass er sich an die Einzelheiten der zweiten Tat nicht mehr so genau erinnere.

Die Frau sei etwa 1,55 m oder 1,56 m gross gewesen, vielleicht auch kleiner; sie sei mager gewesen. Es habe sich bei ihr um eine ältere Frau gehandelt, die einen schwächlichen Eindruck gemacht habe, und die er nicht gekannt habe. Die Frau sei seiner Meinung nach zu schwach gewesen, um 10 Pfund zu tragen. Ihr Gesicht sei sehr mager gewesen. Dass diese Frau etwa am Plündern gewesen sei, halte er für ausgeschlossen. Nach dem Schuss sei die Frau sofort tot gewesen. Er nehme dies an, weil sie sich nicht mehr bewegt habe. Er könne sich nicht erinnern, Blut gesehen zu haben. Dies erkläre er sich damit, dass die Frauen in jener Zeit Bettwäsche oder andere Wäscheteile um den Körper gewickelt getragen hätten, um diese Gegenstände gegen Lebensmittel einzutauschen. Er nehme an, dass durch diese Polsterung das Blut nicht sofort zu sehen gewesen sei. Als die Gegenstände aus dem Haus der Frau abgeholt worden seien, habe sich die Leiche nicht mehr dort befunden. Er sei zwar selbst nicht in das Haus hineingegangen, die Arbeiter, die es betreten hätten, hätten jedoch gesagt, dass die Leiche der Frau sich nicht mehr dort befinde. Er nehme an, dass der Judenrat von Kopyczynce bereits angeordnet gehabt habe, die Leiche abzuholen und zu beerdigen. Er glaube, dass zwischen dieser Tat und der Tötung des Jungen etwa 1½ Stunden vergangen seien.

Im einzelnen hätten sie in Kopyczynce an dem Tag nur zwei oder drei Häuser, ausser dem, in welchem die Frau getötet worden sei, besucht; sie hätten vorher schon einige Dinge eingesammelt. Soweit er sich erinnere, habe es sich um Bettwäsche gehandelt, die der Ordnungsdienstmann oder vielleicht auch er, getragen habe (Aussage Jan. 1972).

Nach dem Schuss sei der Sohn dieser Frau, den er vom Sehen her gekannt habe, aus einem Zimmer herausgekommen. Dass es der Sohn der Frau gewesen sei, nehme er deshalb an, weil der Junge ein sehr bestürztes Gesicht gemacht habe, wie es bei einem derartigen Vorfall nur ein naher Verwandter machen würde. Er wisse nicht, was mit dem Sohn der Frau weiter geschehen sei. P. habe ihm jedoch nichts getan, obwohl er ihn gesehen habe.

P. und er hätten nun das Haus verlassen. Dieses Haus sei auf dem Rückweg nach Czortkow noch innerhalb der Stadtgrenze gelegen. Sie seien am Morgen auf der Fahrt nach Kopyczynce zum Friedhof an diesem Haus vorbeigekommen. Es sei zum Sammelplatz für die angesammelten Gegenstände bestimmt worden. P. habe diese Bestimmung jedoch nicht schon auf dem Friedhof getroffen, sondern erst später, da die Fuhrwerke ja an diesem Haus vorbeikommen mussten. P. habe ihm gesagt, wenn sie kämen, solle er sie aufhalten. Tatsächlich seien später auch Sachen aufgeladen worden. Zu diesem Zeitpunkt seien jedoch seit der Tötung der Frau etwa 1½ Stunden vergangen.

In Kopyczynce hätten sie noch eine kleine Weile gewartet, seien dann zu den Pferdefuhrwerken hingegangen und anschliessend nach Czortkow zurückgefahren. Als sie von dem Haus der Frau weggegangen seien, hätten sie einen deutschen Gendarmeriewachtmeister der Czortkower Besatzung namens Kohn getroffen. Kohn sei kein SS-Mann gewesen, aber mit P. befreundet. Er sei des öfteren in das P.-Lager gekommen. Kohn sei ein guter Mann gewesen, der keinem Böses getan habe. Als Kohn P. nun gesehen habe, habe er entweder zu ihm gesagt: "Dicker, Du hast schon wieder zwei ermordet (oder erschossen)" oder: "Dicker, Du hast zwei ermordet (oder erschossen)". P. habe darauf nichts entgegnet. Wenn er nun (Jan. 1972) befragt werde, was er, wie er im Dezember 1971 ausgesagt habe, in den 1 bis 1½ Stunden nach dem Verlassen des Hauses, in welchem die Frau getötet worden sei, getan habe, so müsse er sagen, dass er sich nicht erinnere. Er glaube, sie hätten auf die Fuhrwerke gewartet, die vom Friedhof her auf dem Rückweg vorbeikommen sollten. Möglicherweise sei P. inzwischen fortgegangen. Wenn ihm nun weiter vorgehalten werde, dass er im Dezember 1971 ausgesagt habe, man sei zu den Fuhrwerken hingegangen, so glaube er, dass seine heutige Aussage die richtige sei, wonach sie auf die Pferdefuhrwerke gewartet hätten. Die Bewachung der Sachen habe der Ordnungsdienstmann übernommen, da ja er - im Gegensatz zum Ordnungsdienstmann - keine Uniform angehabt habe. Wenn er am Vortage erwähnt habe, dass P. und er den ganzen Tag sich in Kopyczynce nicht getrennt hätten, so möge er sich doch dahingehend berichtigen, dass er es für wahrscheinlich halte, dass P. in der Zeit, in der er mit dem Ordnungsdienstmann bei dem Sammelplatz auf die Pferdefuhrwerke gewartet habe, sich für kurze Zeit entfernt habe.

Wenn ihm nun aus seiner Aussage vom Dezember 1971 vorgehalten werde, dass er dort gesagt habe, er sei mit P. weggegangen und sie hätten den Gendarmeriewachtmeister Kohn getroffen, so erkläre er, es könne auch sein, dass er, als sie das Haus der Frau mit der Truhe verlassen hätten, mit P. eine kleine Weile weggegangen sei und sie den Ordnungsdienstmann allein zurückgelassen hätten. Welches Ziel sie gehabt hätten, wisse er nicht. Die Pferdefuhrwerke seien jedenfalls noch nicht dagewesen. In der Zeit, als P. und er dann eine kleine Weile gegangen seien, hätten sie den deutschen Gendarmeriewachtmeister Kohn getroffen und zwar auf dem Weg vom Haus der Frau in Richtung des Zentrums. Wieviel Zeit zwischen der Erschiessung der Frau und dem Zeitpunkt, in welchem sie Kohn getroffen hätten, verstrichen sei, erinnere er sich nicht. Von dem Haus bis zum Ringplatz seien es vielleicht 400 m gewesen. P. und er seien in normaler Gangart gegangen. Kohn hätten sie in der Nähe des Ringplatzes angetroffen. Er wisse heute allerdings nicht mehr, ob von dem Punkt, an dem sie Kohn getroffen hätten, die Entfernung zum Judenratsgebäude grösser gewesen sei als die zum Haus, in welchem die Frau getötet worden sei. Es könne sein, dass es 50 m mehr oder weniger gewesen seien. Er sei ja nur einmal in Kopyczynce gewesen. Nicht gesehen habe er, dass jemand in der Zeit, in der er und P. dort gewesen seien, aus dem Haus auf die Strasse gegangen sei. Ob es weitere Ausgänge gehabt habe, wisse er nicht.

Er glaube nicht, dass er und P. sich getrennt hätten, als sie nach der Begegnung mit Kohn wieder zurückgegangen seien. Es sei auch möglich, dass P. und er den Fuhrwerken schon vor dem Haus der Frau mit der Truhe begegnet seien und aufgestiegen seien. Mit Bestimmtheit könne er sagen, dass Kohn zu P. gesagt habe: "Dicker, Du hast zwei ermordet." Er sei sich nur nicht sicher, ob er auch gesagt habe: "Dicker, Du hast wieder zwei ermordet."

4. Das Schwurgericht war der Überzeugung, dass die Aussagen des Zeugen Sch. im Kern zuverlässig sind.

Gewiss sind die Berichte des Zeugen in manchen Punkten recht zweifelhaft. Wenn auch der Zeuge Dr. Ram. meinte, dass Sch. ein Mann mit einem ausserordentlich guten Gedächtnis sei, auf das man sich voll verlassen könne, so stellt dies nichts weiter als eine Wertung dar, die das Schwurgericht in dieser Allgemeinheit nicht teilen konnte. Bereits die Angaben Sch.s zum Falle Goldsteins weckten teilweise erhebliche Bedenken, die schon näher dargelegt wurden (C II 2 b, cc; C I 5). Auch in seinen übrigen Bekundungen mussten zu manchen seiner Behauptungen Zweifel aufkommen, was noch auszuführen sein wird. Das Schwurgericht sah jedoch keinen hinreichenden Grund, den zu den Taten wesentlichen Angaben des Zeugen zu misstrauen. Die Verteidigung hat eine Vielzahl von Anträgen gestellt, die letztlich zum Ziele hatten, die Unzuverlässigkeit des Zeugen zu belegen. Schon die Beratung über diese Anträge erforderte es, sich mit den Angaben des Zeugen Sch. in einem aussergewöhnlichen Ausmasse zu befassen. So blieb zum Ende kaum eine Überlegung - sie alle wiederzugeben erscheint nicht erforderlich - übrig, mit der sich das Schwurgericht mit der Überprüfung der speziellen Glaubwürdigkeit des Zeugen Sch. nicht auseinandergesetzt hätte. Es gelangte dabei zu der Überzeugung, dass die Kernaussage des Zeugen Sch.s wahr ist, das Verteidigungsvorbringen des Angeklagten mithin als widerlegt anzusehen ist.

a) Bei der Überprüfung der Angaben Sch.s entstand nicht der Eindruck, dass er den Angeklagten absichtlich zu Unrecht belastet haben könnte. Wäre es dem Zeugen darum gegangen, den Angeklagten falsch zu bezichtigen, wäre es ihm z.B. ein Leichtes gewesen zu behaupten, die Tötung des Juden Orenstein selbst beobachtet zu haben. Das aber hat er gerade nicht getan. Er hat auch nicht - was bei einer Falschverdächtigung naheliegend gewesen wäre - erklärt, die Leiche gesehen, wenigstens von ihrer Bestattung gehört zu haben. Wäre es dem Zeugen darum gegangen, den Angeklagten wahrheitswidrig zu verdächtigen, wäre es auch kaum verständlich, warum er die Angaben jenes nicht aus Czortkow stammenden Juden noch dadurch fragwürdig machte, dass er Zweifel daran äusserte, dass dieser Augenzeuge des Vorgangs gewesen sei. Dass er damit den Tatverdacht gegen den Angeklagten jedenfalls nicht verstärken konnte, liegt auf der Hand. Der Zeuge hat einen Juden namens Lazar Orenstein seiner Darstellung zufolge gut gekannt. Er gab aber an, den Juden, den P. verfolgte, nicht erkannt zu haben, vielmehr erst im Judenrat erfahren zu haben, dass es sich - wahrscheinlich - um Orenstein gehandelt habe. Hätte er den Angeklagten fälschlich belasten wollen, hätte es näher gelegen zu bekunden, das Opfer gleich erkannt oder aber - um eine Überprüfung zu vermeiden - überhaupt nicht gekannt zu haben, als den Umweg zur Person des Opfers über den in seinen Augen fragwürdigen Zeugen im Judenrat zu wählen. Die Sachverhaltsdarstellung des Zeugen Sch. trägt keine Merkmale eines konstruierten Geschehens. Sie wirkt echt, ist einfühlbar und in sich stimmig. Es fehlt jeder vernünftige Anhalt, der es rechtfertigen könnte, anzunehmen, dass er möglicherweise bei seiner Schilderung die Eigenbeobachtungen bewusst nur punktuell angesetzt, Schlussfolgerungen nur deshalb so freimütig zugestanden hätte, um den Eindruck eines besonders gewissenhaften Zeugen zu vermitteln und dadurch seinen übrigen Angaben um so mehr Gewicht verleihen zu können.

aa) Seine Aussage erscheint auch nicht deshalb zweifelhaft, weil er bei seiner konsularischen Vernehmung vom 9.9.1965, in der er in wenigen Sätzen den Fall Orenstein darstellte, erklärt hat, er sei mit P. in das Ghetto gegangen, als P. plötzlich vor sich einen Jungen gesehen und diesen grundlos erschossen habe. P. habe den Jungen nicht einmal vorher angesprochen, sondern sofort geschossen; er habe dann seinen Weg fortgesetzt und der Junge sei dann später durch den Judenrat begraben worden.

Zwar besteht hiernach ein Widerspruch zu den Bekundungen des Zeugen vom Dezember 1971 / Jan. 1972, da seine frühere Aussage dahin zu verstehen ist, dass er den Vorfall selbst beobachtet, und der Angeklagte den Jungen auch beim ersten Anblick sofort niedergeschossen habe. Diese Angaben sind jedoch so summarisch und unter Verzicht auf jedes Detail niedergelegt, dass daraus ein grundsätzlicher Widerspruch zu seiner späteren Darstellung nicht hergeleitet werden kann, zumal der Zeuge jetzt darlegte, dass er die Täterschaft P.s ebenso schlussfolgerte wie die Beerdigung des Jungen durch den Judenrat. Die ohne nähere Aufgliederung gemachten Angaben des Zeugen von 1965 sind erklärbar als eine Mischung von Erinnerung und Überzeugung, die der Zeuge erst nach längerer und intensiver Beschäftigung mit dem Sachverhalt zu trennen lernte, was auch dazu führte, dass immer mehr Einzelheiten reproduziert werden konnten. Der Zeuge hat glaubhaft erklärt, dass er vor seiner Vernehmung im Dezember 1971 oft nächtelang wach gelegen habe, in denen er sich mit dem Stoff beschäftigt habe, auch habe er sich wochenlang auf sie vorbereiten können. Es ist daher verständlich, dass damit sein Erinnerungsbild neu belebt und seine Aussage konkret wurde. Dass beide Darstellungen nicht mehr fugenlos ineinander übergehen, spricht daher nicht gegen den Zeugen, sondern liegt in der Natur eines Erinnerungsprozesses, bei dem es darum geht, lange zurückliegende Ereignisse sich in das Gedächtnis zurückzurufen. Im übrigen kann aus den "divergierenden" Angaben auch keine Belastungstendenz des Zeugen entnommen werden, da seine spätere Schilderung eine Abschwächung der früheren darstellt.

bb) Die Aussage Sch.s wird auch nicht durch die Einlassung des Angeklagten bedenklich, er habe Sch. nicht gebraucht, da die Judenräte deutsch gesprochen hätten. Der Zeuge Sch. hat nicht behauptet, dass der Angeklagte ihn aufgefordert habe, mit zum Judenrat zu kommen, weil er ihn als Dolmetscher benötigt habe. Vielmehr hat der Zeuge bekundet, er habe keine besondere Funktion gehabt, als er den Angeklagten begleitet habe. Auch die Erklärung des Zeugen, dass er im Korridor des Judenratsgebäudes habe warten müssen, stützt seine Angaben, dass P. seine Dienste dort nicht benötigte. Es ist auch nicht unwahrscheinlich, dass er den Angeklagten nur deshalb begleiten musste, um jederzeit etwaige Anordnungen entgegennehmen und ausführen zu können. Dass der Angeklagte den Zeugen im konkreten Fall nicht benötigte, schliesst mithin nicht aus, dass er seine Begleitung wünschte, zumal Sch. ja auch als seine rechte Hand galt. Möglich ist auch, dass der Angeklagte Sch. aus Gewohnheit aufgefordert hat, mitzukommen. Dafür spricht die Erklärung des Zeugen, P. habe häufig Wert darauf gelegt, dass Win. oder er ihn begleiteten. Die weitere Einlassung des Angeklagten, es habe überhaupt kein Anlass bestanden, den Zeugen Fri. mitzunehmen, vermag dessen Aussage sonach nicht zu entkräften, abgesehen davon, dass der Wahrheitsgehalt der Einlassung keineswegs feststeht.

cc) Der Zeuge Sch. hat zwar nicht behauptet, bei dem Vorfall den Juden Orenstein erkannt zu haben. Er hat aber angegeben, dass es in Czortkow einen unter 20 Jahre alten Juden namens Lazar Orenstein gegeben habe. Würde sich diese Aussage als falsch erweisen, müssten Bedenken an seiner Schilderung zumindest insoweit aufkommen, dass der nicht aus Czortkow stammende Jude ihm im Judenrat den Namen Lazar Orenstein genannt hat. Das Schwurgericht konnte jedoch nicht feststellen, dass die Bekundungen Sch.s insoweit falsch oder auch nur unwahrscheinlich sind.

Es gab zwar den einen oder anderen Zeugen, der sich nicht daran erinnern konnte, ob der Name Orenstein in Czortkow vertreten war (z.B. Sofia Of.). Die meisten jüdischen Zeugen haben diesen Namen in Czortkow jedoch schon gehört, so etwa die Zeugin Luise Bil. und Joel Lie. Der Vorsitzende des Kreisjudenrats aus Czortkow, Michael Mar., erinnerte sich daran, dass es in Czortkow mehrere Orensteins gegeben habe, konnte aber nichts näheres sagen. Der Zeuge Jacob Ko. erinnerte sich an Orensteins, die ein Tabakgeschäft gehabt hätten; auch glaubte er, dass am Ringplatz noch zwei Schwestern dieses Namens gelebt hätten. Der Kreisjudenrat Leon Win. bekundete, dass es in Czortkow viele mit Namen Orenstein gegeben habe. Er gab weiter an, er glaube, am Ring sei eine Eisenhandlung gewesen, die ein frommer Jude namens Orenstein innegehabt habe. Dieser habe Kinder gehabt, es sei eine grössere Familie gewesen, deren Schicksal ihm unbekannt sei.

Schon durch diese Aussage des Zeugen Win. werden die Bekundungen Sch.s, der behauptet hatte, die Eltern Lazar Orensteins seien sehr fromm gewesen und hätten ein Eisenwarengeschäft in der Ringstrasse gehabt, wesentlich gestützt. Weiter verstärkt werden sie durch die Aussage der Zeugin Frieda Gei., die bei ihrer richterlichen Vernehmung am 23.1.1973 bekundet hatte, sie besinne sich auf eine Familie Orenstein in Czortkow. Es sei eine fromme Familie gewesen, die einen Sohn und zwei Töchter gehabt habe. Ein Mädchen habe Sofia, das andere Perla geheissen. Den Namen des Sohnes, der älter als sie gewesen sei - sie sei im Dezember 1924 geboren - wisse sie nicht. Den Vater habe sie gekannt, er habe ein Eisenwarengeschäft in der Miskiewecza gehabt, etwa 200 m vom Ring entfernt. Wenn auch die Stelle, an der das Geschäft lag, von den Zeugen Win. und Gei. nicht übereinstimmend geschildert wurde, so hatte das Schwurgericht im Hinblick auf die übrige Konformität der Aussagen keinen Zweifel daran, dass sie dieselbe Familie meinten. Die Differenzen zur Örtlichkeit sind nach so langer Zeit verständlich und beeinträchtigen nicht die Zuverlässigkeit der Zeugen in ihrer übrigen detaillierten Aussage. Jedenfalls ist hiernach nicht ausgeschlossen, dass das Geschäft am Ring lag.

Zur Familie Orenstein machte weiterhin die Zeugin Dora Ros. Angaben. Sie bekundete, dass der Familienvater ein frommer Mann gewesen sei, der zwei Söhne und zwei Töchter gehabt habe. Eine Tochter habe Perle geheissen, ein Sohn Luzer; man könne dazu auch Lazar sagen. Die Jungen seien etwa 2 Jahre jünger als sie (geb. 1922) gewesen. Diese Aussage der Zeugin Ros. deckt sich im Kern mit derjenigen der Zeugin Frieda Gei. Dass sie dieselbe Familie meinen, folgt insbesondere auch daraus, dass sich beide an denselben Namen einer Tochter erinnern konnten. Dass sich die Zeugin Ros. über den Namen des Jungen getäuscht haben sollte, ist unwahrscheinlich. Ihre Angaben zum Alter des Luzer bzw. Lazar stimmt auch mit der Behauptung des Zeugen Sch. überein, wodurch dessen Bekundungen eine weitere Stütze erhielten.

Schliesslich hat die im März 1923 geborene Zeugin Tonia We. bei ihrer richterlichen Vernehmung am 5.4.1973 bekundet, sie habe in Czortkow zwei oder drei Familien Orenstein gekannt. Eine habe ein Eisenwarengeschäft am Rynek (Ring) gehabt. Mit einer Tochter dieser Familie, die Perla Orenstein geheissen habe, habe sie sich im Ghetto angefreundet. Gekannt habe sie sie schon vorher. Perla habe noch eine ältere Schwester namens Soszka und zwei Brüder gehabt, an deren Namen sie sich nicht erinnere. Soszka sei etwa 3 Jahre älter als sie, die Zeugin, gewesen. Im Alter sei dann ein Bruder, danach Perla und dann der jüngere Bruder gekommen. Die Eltern der Perla Orenstein hätten sehr fromm und traditionell, die Brüder in Talmud-Thora-Schulen gelebt. Auf Vorhalt glaube sie sich zu erinnern, dass einer der Brüder Lazar geheissen habe, sie sei sich darüber aber nicht sicher.

Diese Zeugin konnte sonach zwar nicht bestätigen, dass es in Czortkow einen Lazar Orenstein gab, stimmte aber in ihren übrigen Angaben im wesentlichen mit den Zeugen Gei. und Ros. überein, so dass das Schwurgericht keinen Zweifel daran hatte, dass diese Zeugen bei ihrer Schilderung die gleiche Familie im Auge hatten. Zwar sprach die Zeugin We. neben Perla Orenstein von einer Schwester namens Soszka, während Frieda Gei. den Namen Sofia angab. Diesem Unterschied mass das Schwurgericht angesichts des Umstandes, dass diese Namen phonetisch nicht sehr auseinanderliegen, keine Bedeutung zu.

Das Schwurgericht war davon überzeugt, dass die Zeugen zur Frage der Existenz der (von dem Zeugen Sch. sehr detailliert geschilderten) Familie Orenstein - Sch. zeigte noch weitere Verwandte auf, was darzustellen sich erübrigt - die Wahrheit gesagt haben. Es ist auch kein Umstand ersichtlich, der es rechtfertigen könnte, auf eine Absprache zu schliessen. Das Gericht sah mithin als erwiesen an, dass es in Czortkow einen Eisenwarenhändler namens Orenstein gab, der zwei Söhne und zwei Töchter hatte; dass der eine oder andere Handwerker, der Eisen verarbeitete, sich an einen Händler Orenstein in Czortkow nicht erinnern konnte, hielt es für unbedeutend, zumal es verschiedene Eisenhändler in Czortkow gegeben hat (Aussage M. Ka. H 7 IV 39 ff.).

Das Schwurgericht hat auch keinen Zweifel daran, dass ein Sohn jenes Eisenhändlers Orenstein Lazar hiess, jedenfalls aber einen ähnlich klingenden Vornamen, etwa auch Luzer trug. Nachdem die Angaben Sch.s zu jener Familie bestätigt wurden, besteht kein Anlass, seine Aussage zum Namen des Jungen, an den sich auch die Zeugin Ros. erinnern konnte, zu misstrauen. Wenn in dem Schreiben des Justizministeriums Warschau - Hauptkommission zur Untersuchung von NS-Verbrechen in Polen - vom 4.10.1973 davon die Rede ist, dass in den

Büchern des israelitischen Standesamtes von Czortkow aus den Jahren 1922 bis 1928 nur die Geburtsurkunde des am 4.9.1927 geborenen Mayer Orenstein gefunden worden sei (98 VII 13), zwingt dies nicht dazu anzunehmen, dass es Lazar Orenstein nicht gegeben habe. Denn weder steht fest, dass Lazar Orenstein in Czortkow geboren wurde, noch dass seine Eltern nicht nur nach mosaischem Ritus getraut waren, der Junge also in Wahrheit den Namen der Mutter zu tragen hatte. Auf die Frage, ob überhaupt eine Gewähr dafür besteht, dass in jenem Register alle Namen enthalten sind, braucht daher nicht mehr eingegangen zu werden. Zu weiteren Nachforschungen sah das Schwurgericht nach dem aufgrund der zuverlässig erscheinenden Zeugenaussagen gewonnenen Ergebnis keinen Anlass.

dd) Der Zeuge Sch. hat im Falle Orenstein weiter angegeben, ihm sei im Judenrat mitgeteilt worden, dass P. (eben) Lazar Orenstein erschossen habe. Seine Behauptung, sein Informant sei nicht aus Czortkow gewesen, ist sicherlich eine Schlussfolgerung aus dem Umstand, dass er ihn zuvor noch nicht gesehen hat. Das machte der Zeuge selbst deutlich, indem er erklärte, er habe jenen Juden nicht gekannt. Es kann ferner durchaus möglich sein, dass der Informant Sch.s - falls er tatsächlich ein Fremder war - Lazar Orenstein gekannt oder kennengelernt hat, nachdem er in das Czortkower Ghetto kam. Anlass zu näherer Überlegung gab jedoch die weitere Darstellung Sch.s, dass der Fremde sich an ihn gewandt habe, um ihm ein Verbrechen P.s zuzuflüstern. Der Zeuge Sch. meinte hierzu, vermutlich habe ihn der fremde Jude als die rechte Hand P.s gekannt. Für Juden sei es aber nicht gefährlich gewesen, ihm Taten P.s zu berichten, da er hundertprozentiger Jude gewesen sei, allen gern geholfen habe, die zu ihm gekommen seien, und die Leute des Ghettos zu ihm Vertrauen gehabt hätten.

Letzteres war gewiss nicht uneingeschränkt der Fall. So hat der Zeuge Fre. am 1.12.1972 bekundet, Fri. habe unter den Juden eine schlechte Reputation gehabt, weil er im Lager P. alles zugetragen habe, wenn einer nicht habe arbeiten können; er habe als Spion, als ein Zuträger gegolten, den niemand habe leiden können. Der Zeuge David Son. meinte am 28.10.1971, Fri. sei der Vertrauensmann P.s und mit Goldmünzen bespickt gewesen; Fri. sei beim Einmarsch der Russen sofort aus Czortkow verschwunden, denn die paar Juden, die am Leben geblieben seien, hätten ihn sicher erledigt; für seine Tätigkeit im Lager gebühre nicht dem Angeklagten, eher Fri. die Todesstrafe. Der damalige Kreisjudenrat Michael Mar. erklärte am 16.2.1973, als P. seinen Aufstieg begonnen habe, habe sich Fri. ihm angeschlossen und davon Vorteile gezogen; er sei der einzige Mittelsmann zu P. gewesen und habe sich dafür auch bezahlen lassen; er - Mar. - zweifle nicht daran, dass Fri. sein Schäfchen ins Trockene gebracht habe, sowohl durch Trinkgelder wie auch dadurch, dass er sich der Gelder bemächtigt habe, welche die Juden in ihren Häusern versteckt gehabt hätten; Benzion Fri. sei ein Jude von üblem Ruf gewesen. Die Zeugin Adina S. hat am 20.2.1973 angegeben, P. habe eine Anzahl Gehilfen gehabt, der schlimmste sei Fri. gewesen. Dieser sei in dem Ruf gestanden, nicht anständig gewesen zu sein. Er sei ein Schurke gewesen, der leider noch lebe. Genaues wisse sie freilich nicht über ihn; wahrscheinlich habe er die Arbeiter im Lager schlecht behandelt. Weiter hat der Zeuge Michael Kes. bekundet, Fri. habe sich zusammen mit P. stark bereichert, so sei Fri. im Besitz von sehr viel Geld gewesen, das ihm angeblich von P. gegeben worden sei. Aus allgemeinen Gesprächen habe er gehört, dass Fri. sich Sachen in die eigene Tasche gesteckt habe. Fri. sei ein böser Mensch gewesen, vor dem man sich habe vorsehen müssen. Seine Art habe ihn - Kes. - befremdet; man habe sich vor Fri. vorsehen müssen. Fri. habe sich jedoch sehr um seine - des Zeugen - Mutter und um seinen - des Zeugen - Cousin Auerbach gekümmert, die er unterstützt habe. Wegen der Zusammenarbeit mit P. hätte sich Fri. nach der Befreiung nicht in Czortkow zeigen dürfen.

Einen mehr vermittelnden Platz zum Ruf Fri.s nahm die Aussage des Zeugen Leon Win. ein, der bekundete, dass Sch. bei einigen den Ruf gehabt habe, zu P. zu freundlich gewesen zu sein, zu sehr zu ihm gehalten zu haben. Der Zeuge Benno Zel. hingegen meinte bei seiner richterlichen Vernehmung am 2.4.1973, Fri. habe auch während seiner Tätigkeit bei P. einen guten Namen gehabt. Günstig für Fri. sagte auch Dora Ros. aus, die erklärte, dass Fri. sie aus dem Ghetto herausgeholt habe, weil er geglaubt habe, dass dadurch für sie eine Überlebenschance bestehe.

Das Ansehen Fri.s, von dem wohl jeder, der ihn kannte, wusste, dass er bei P. arbeitete, war mithin uneinheitlich. Für seinen ungünstigen Ruf mag weniger die Tatsache beigetragen haben, dass er im P.-Lager tätig war, als der Umstand, dass er dort eine hervorgehobene Stellung innehatte, die bei dem einen oder anderen Misstrauen in seine Loyalität gegenüber den Juden aufkommen liess. Hinzu kam wohl noch, dass einige der Ansicht waren, Fri. habe sich an den Wertsachen seiner deportierten und getöteten Landsleuten bereichert. Sch. selbst bestritt das bei seiner Vernehmung. Dass der Angeklagte ihm Geld oder Wertsachen überlassen haben könnte, glaubte das Schwurgericht nicht. Dazu hatte der Angeklagte keinen verständigen Grund; er hatte es auch keineswegs nötig, Sch. zu "kaufen", mit ihm eine Art Kumpanei zu treiben. Die über den Juden schwebende Lebensgefahr war Druckmittel genug, sich ihn gefügig zu halten, zumal er im Lager eine relative Sicherheit genoss. Das Schwurgericht sah auch keinen Anhaltspunkt dafür, dass es Sch. gewagt haben könnte, Wertsachen ohne Wissen P.s an sich zu bringen. Dass Sch. sich zu Unrecht bereichert habe, hat kein Zeuge aus eigenem Erleben bekundet; auch der Zeuge Kes. konnte es nicht. Was die Zeugen gegen Sch. vorbringen konnten, waren nichts weiter als Vermutungen oder Verdächtigungen, deren Entstehungsgrund nicht mehr aufklärbar ist.

Auch das "Verfahren", das die überlebenden Juden aus Czortkow nach dem Krieg in Breslau gegen Fri. durchführten, brachte keine konkreten, den Zeugen belastenden Umstände zutage. Der Zeuge David Hal., hat hierzu am 3.11.1972 ausgesagt, er sei Fri. 1946 oder 47 bei einer Zusammenkunft der Czortkower Juden in Breslau begegnet. Er besinne sich, dass Fri. sich damals an das Präsidium der Tagung mit der Bitte gewandt habe, seine Angelegenheit zu klären. Es sei bekannt gewesen, dass er bei P. gewesen sei, und er habe dem Präsidium erklärt, dass er vor seiner Abreise nach Südamerika seine Tätigkeit bei P. durch ein Ehrengericht geklärt haben wolle. Ihm, Fri., sei damals nicht vorgeworfen worden, sich auch zu Unrecht bereichert zu haben. Die Tagung habe nun ihre Richter gewählt, einer davon sei David Bet. gewesen. Er, der Zeuge, sei zum Ankläger bestimmt worden. In seiner Gegenwart seien etwa 5 bis 6 Zeugen gehört worden, diese seien aus der Mitte der Tagung gekommen; wer etwas zur Angelegenheit Fri.s habe sagen sollen, habe sich gemeldet. Die Tagung habe etwa 50 bis 60 Teilnehmer umfasst. Die Richter seien schliesslich zu dem Ergebnis gekommen, dass kein Material zur Beschuldigung Fri.s vorhanden sei, sie hätten ihn für unschuldig gefunden.

In ihrem Kern stimmen diese Angaben des Zeugen Hal. mit denen des Zeugen David Bet. überein, der am 30.10.1972 bekundet hatte, dass er bei dem Zusammentreffen der Czortkower Juden in Breslau - das wohl 1947 gewesen sei - Fri. begegnet sei, den er schon aus der Zeit vor dem Krieg gekannt habe. Dieser habe sich an den Vorsitzenden des Initiativkomitees der Zusammenkunft gewendet, weil sich über ihn, Fri., Gerüchte verbreitet hätten. Auch er, der Zeuge, habe gehört, dass Fri. bei P. im Lager gearbeitet, und sich bei dieser Gelegenheit zu Juden nicht korrekt verhalten habe. Er solle Juden verraten und sich auch ungerechtfertigt bereichert haben. In der Versammlung sei nun beschlossen worden, die Vorwürfe gegen Fri. auf seinen Antrag hin zu untersuchen. Es sei nun ein Ehrengericht aus drei Richtern gebildet worden, dessen Vorsitzender er gewesen sei. David Hal. sei der Ankläger gewesen. Etwa 10 Zeugen seien gehört worden. Das Ergebnis der Verhandlung sei gewesen, dass man kein belastendes Material gegen Fri. habe feststellen können. Seiner Erinnerung nach sei Fri. von keinem Zeugen belastet worden. Einige hätten sogar ausgesagt, Fri. habe den Juden geholfen. Er besinne sich, dass das Ehrengericht auf Initiative Fri.s zustande gekommen sei und nicht durch andere. Ohne dessen freiwillige Mitwirkung wäre das Verfahren auch nicht möglich gewesen.

Beide Zeugen bestätigten somit die Bekundungen Fri.s, der behauptet hat, dass ihm in Breslau - gestützt auf die Vermutung, dass er nur aufgrund einer dem Judentum gegenüber illoyalen Haltung als Kollaborateur der Deutschen habe überleben können - vorgeworfen worden sei, er habe sich nicht loyal gegenüber den Czortkower Juden verhalten, das Präsidium der Tagung ihm aber erklärt habe, dass es ihn für unschuldig halte. Auch die Zeugen Jacob Wol. und Klara Bet., die in dem Breslauer Verfahren als Zeugen aufgetreten waren, erklärten, dass Sch. nicht für schuldig befunden wurde; die Zeugin Bet. bekundete weiter, dass sie gegen Sch. nichts Belastendes habe aussagen können.

Das Schwurgericht sah keinen Grund, die Aussagen dieser Zeugen in Zweifel zu ziehen. Danach steht fest, dass man gegen Sch. in Breslau nichts anderes als allgemeine Verdächtigungen vorbringen konnte, die in Czortkow durchaus nicht jeder geteilt hat, wie durch die Zeugen Ros. und Zel. belegt wurde. Wenn der Zeuge Jakob Wol. meinte, Fri. sei aus Mangel an Beweisen "freigesprochen" worden, so besagt das nur, dass man nichts finden konnte, was die Vorwürfe hätte stützen können. Gegen den Zeugen Sch. lässt sich in diesem Zusammenhang auch nicht anführen, dass er angegeben hat, ein "formelles" Verfahren habe gegen ihn überhaupt nicht stattgefunden, während die anderen Zeugen von einem Verfahren mit Ankläger und Richter sprachen. Dass Sch. das "Verfahren", das er an sich nicht abstritt, etwa nur als informelles ansah, und die Rolle der Beteiligten nicht wie diese so funktionell und pointiert empfand, vermag seine Glaubhaftigkeit im übrigen nicht anzutasten.

Dass der Informant im Judenratsgebäude dem Zeugen Sch. vertraute und ihm eine Tat P.s berichtete, ist sonach auch unter Berücksichtigung des schlechten Rufs des Zeugen bei manchen Czortkower Juden nicht unwahrscheinlich. Das Schwurgericht glaubte dem Zeugen auch, dass er auf die von ihm beschriebene Weise die Information erhalten hatte. Es sind keine ernsthaften Gründe vorhanden, seiner Aussage insoweit zu misstrauen. Wäre es dem Zeugen wahrheitswidrig um einen Täterschaftsnachweis des Angeklagten gegangen, hätte er ihn viel einfacher dadurch führen können, dass er - wie bereits oben ausgeführt wurde - behauptet hätte, den Vorfall unmittelbar miterlebt und dabei das Opfer erkannt zu haben. Es war im übrigen auch möglich, dass die Juden im Ghetto Tötungshandlungen beobachtet haben. Der Angeklagte selbst hat erklärt (Hauptverhandlung vom 14.6.1973), er habe im Ghetto von Czortkow mehrfach gesehen, dass sich nach Schüssen Vorhänge bewegt hätten.

ee) Der Zeuge Sch., der der Überzeugung ist, dass der Angeklagte den Juden Orenstein verfolgt und erschossen hat, hatte auch kein Motiv, den Angeklagten der Wahrheit zuwider mit seiner Schilderung zu diesem Vorfall und den festgestellten Straftaten zu belasten.

Zwar war Sch. der Auffassung, dass P. an der Aktion vom 28.8.1942, von der seine Familie erfasst wurde, beteiligt gewesen sei. Auch schrieb er ihm für die Vernichtung seiner Familie eine Mitschuld zu. Es wäre deshalb denkbar, dass er falsche Angaben gemacht haben könnte, um den Angeklagten dafür hinter Gitter zu bringen, wobei der Umstand, dass er als näherliegend nicht behauptete, Mordtaten des Angeklagten bei der Aktion beobachtet zu haben, den Zusammenhang der Falschbezichtigung mit seinem Motiv verschleiern sollte.

Für eine solche Annahme bestehen jedoch keine zureichenden Anhaltspunkte.

Aus der Aussage des Zeugen lässt sich nichts dafür herleiten, dass er P. in besonderer Weise hasste, und deshalb unter allen Umständen nun seine Vernichtung betreiben wollte. Die Aussage Sch.s ist vielmehr erkennbar von dem Bemühen um Objektivität gekennzeichnet, Seine Angaben zur Person P.s waren im wesentlichen freundlich. Er hat herausgestellt, dass P. in der damaligen Zeit sich nicht negativ abgehoben hat, ja sogar für Juden einen gewissen Schutz bot. Auch betonte Sch., dass es im Lager immer zu essen gegeben, und P. die bei ihm arbeitenden Juden nicht geschlagen oder in sonstiger Weise misshandelt hat. P. hat auch insbesondere gegenüber Sch. viel getan, was diesen über die damalige Zeit rettete. So hat er ihn nicht nur zu seiner rechten Hand gemacht, sondern ihm auch gestattet, ab der zweiten Aktion im Lager zu schlafen, wo er Zugriffen anderer SS-Leute nicht mehr ausgesetzt war. Sch. hat dies auch erkannt, wenngleich er das alles auch nur mit der Einschränkung versah, dass P. ihn eben brauchte und er ihm verübelte, dass er ihn zuletzt nicht vor der bevorstehenden Aktion gewarnt hat. Tatsache bleibt, dass Sch. nicht nur negative Seiten P.s aufzeigte, sondern auch seine guten erwähnte. Nach der Schilderung des Zeugen war P. im allgemeinen eher den Juden ein wohlgewogener Mann als einer, der auf ihre Vernichtung bedacht gewesen ist. Die Aussage Sch.s zeigt insgesamt erkennbar das Streben des Zeugen, der Person P.s gerecht zu werden; in ihr findet sich kein Ansatz für eine bewusste Falschbezichtigung oder eine einseitige Berichterstattung. Dass er etwa differenziert zu P. ausgesagt haben könnte, um eine besondere Gewissenhaftigkeit nur vorzutäuschen und damit Aussichten, mit einer lügenhaften Darstellung erfolgreich zu sein, zu erhöhen, hat das Schwurgericht zwar erwogen, aber mangels eines Anhaltspunktes, der diese Überlegung stützen könnte, wieder verworfen.

Die Verteidigung hat hervorgehoben, dass ihrer Meinung nach der Grund für eine Falschbezichtigung in der Absicht des Zeugen zu suchen sei, mit seinen Glaubensbrüdern, die ihm illoyales Verhalten vorgeworfen hätten, eine Art von Lebensfrieden zu schliessen. Sie meinte weiter, der Vorwurf der Kollaboration peinige den Zeugen noch heute, und er wolle diese Pein mit unwahren Vorwürfen besänftigen.

Abgesehen davon, dass diese Auffassung nur ein theoretisches Gebäude ohne Boden ist, ist auch schwerlich einzusehen, worin die Besänftigung der anderen Juden liegen sollte, wenn Sch. angibt, sogar einem "Mörder" gedient zu haben. Der Vorwurf, die rechte Hand P.s gewesen zu sein, wöge doch dann ungleich schwerer. Und der Gedanke, Sch. wolle P. als Wiedergutmachung für ein Verhalten darbieten, das nicht in seinen Augen, aber in der anderer verwerflich schien, ist schon deshalb abwegig, weil nichts dafür spricht, dass ihm das nützlich gewesen wäre. Da er von der Richtigkeit seiner Handlungsweise überzeugt war - jedenfalls lässt sich seine Aussage nichts Gegenteiliges entnehmen - brauchte er seinen Seelenfrieden auch nicht mit einer Lüge herzustellen. Das Schwurgericht fand keine tatsächlichen Anhaltspunkte, die die Ansicht der Verteidigung zum Motiv des Zeugen Sch. hätten stützen können. Dass Sch. in den von ihm geschilderten Fällen der einzige Zeuge ist, vermag den von der Verteidigung behaupteten Beweggrund keineswegs zu untermauern, was nicht näher begründet zu werden braucht.

ff) Die Zuverlässigkeit des Zeugen in den von ihm geschilderten Fällen kann auch nicht durch seine Angaben im Wiedergutmachungsverfahren in Frage gestellt werden. Dort hatte der Zeuge (Verfahren Nr.277982 des Bezirksamts für Wiedergutmachung in Mainz) unter dem Datum vom 24.4.1961 sowohl einen Wiedergutmachungsantrag wegen Schadens an Freiheit, als auch eine damit sachlich übereinstimmende eidesstattliche Erklärung unterzeichnet. Die darin enthaltenen Angaben weichen teilweise von seinen Bekundungen im vorliegenden Verfahren ab. So "erklärte" er damals, er sei als Kind des Israel Sch. geboren; seine Mutter habe Reise Rajza geheissen, ihr Mädchenname sei ihm nicht mehr erinnerlich. Als seine Frau und das Kind (ein Sohn) in Czortkow deportiert worden seien, habe er sich ausserhalb von Czortkow auf Zwangsarbeit befunden und sei so der Deportation entgangen. Es sei ihm hierauf gelungen, zu flüchten und sich in den folgenden Jahren in der Umgebung von Czortkow bis zum Einmarsch der Sowjettruppen verborgen zu halten. Es sei ihm möglich gewesen, sich teils bei bekannten, teils bei unbekannten Bauern an verschiedenen Orten zu verstecken. An die Namen der Personen, denen er das Leben verdanke, könne er sich nicht erinnern. Langere Zeitperioden habe er auf Feldern und in Verstecken im Freien unter schwersten Bedingungen verbringen müssen.

Selbst der Angeklagte hat nicht in Abrede gestellt, dass die Angaben Sch.s im vorliegenden Verfahren, bei ihm bis zur Auflösung seines Lagers - was immer man darunter verstehen mag - tätig gewesen zu sein, richtig sind, Sch. also im Strafverfahren insoweit die Wahrheit gesagt hat. Damit konnte der Zeuge auch die von ihm geschilderten Beobachtungen gemacht haben. Es ist aber allein entscheidend, dass er im Verfahren gegen P. wahr ausgesagt hat. Bestätigt wurde von dem Zeugen Joel Lie. auch die Behauptung Sch.s, bei der Bäuerin Palania bis zur Befreiung versteckt gewesen zu sein. Zwar konnte dieser Zeuge nur Angaben über die letzten paar Wochen vor dem Einmarsch der Russen aus eigenem Erleben machen, weil auch er sich in dieser Zeit bei Palania versteckt hielt und Fri. dort sah. Er hörte indessen, dass Sch. schon wesentlich früher dort eingetroffen war. Damit erweist sich die Behauptung Sch.s über sein letztes Versteck ebenfalls als richtig; jedenfalls hat das Schwurgericht daran keine Zweifel. Wenn dem gegenüber in der eidesstattlichen Versicherung von 1961 erklärt ist, sich an den Namen der Personen nicht mehr erinnern zu können, so kann darin kein die Glaubhaftigkeit des Zeugen erschütternder Umstand gesehen werden. Es entspricht der Erfahrung, dass man sich auf Namen zeitweilig nicht besinnen kann. Auch war es im Wiedergutmachungsverfahren nicht notwendig, sich in besonderem Masse um die Erinnerung von Details zu bemühen, die für den geltend gemachten Anspruch keine Rolle spielen konnten.

Das Schwurgericht hat ferner die übrigen Unstimmigkeiten, die teilweise auch blosse Übertreibungen sind, nicht für so bedeutungsvoll gehalten, dass sie die Zuverlässigkeit des Zeugen hätten bedenklich erscheinen lassen können: Der Zeuge Sch. hat auf Vorhalt seiner Angaben im Wiedergutmachungsverfahren bekundet, dass er ursprünglich keine Absicht gehabt habe, auf Wiedergutmachung anzutragen. Er sei jedoch von Dr. Ram. in der Schokoladenfabrik Thriumfe aufgesucht und beeinflusst worden, solche Anträge zu stellen. Dr. Ram. habe ihn danach noch mehrmals in der Schokoladenfabrik, in der er gearbeitet habe, besucht; dabei habe er, Sch., ihm mündliche Angaben gemacht. Die Besprechungen seien immer sehr rasch vor sich gegangen. Er erinnere sich nicht mehr daran, ob vom P.-Lager die Rede gewesen sei. Doch wisse er noch, dass er Dr. Ram. erzählt habe, dass er Zwangsarbeit habe leisten müssen. Hierbei habe er die Zwangsarbeit im P.-Lager gemeint. Die Formulierung in der eidesstattlichen Erklärung sowie im Antrag auf Entschädigung sei im Büro des Dr. Ram. gefertigt worden. Dr. Ram. sei mit diesen Erklärungen in die Schokoladenfabrik gekommen, wo er, Sch., sie nur flüchtig durchgelesen und dann unterschrieben habe. Er sei damals der Auffassung gewesen, dass der Anspruch ausreichend begründet gewesen sei, da er ja bis zum Einmarsch der Russen im Frühjahr 1944 den Judenstern habe tragen und auch unter unmenschlichen Bedingungen habe leben müssen. Er selbst habe keine Notwendigkeit gesehen, Angaben über nähere Einzelheiten vom Lageraufenthalt zu machen. Er habe sich bei den Angaben zur Begründung seines Freiheitsschadens ganz auf Dr. Ram. verlassen. Falsche Angaben habe er nicht gemacht. Mit Dr. Ram. sei nicht darüber gesprochen worden, ob sein Vater- oder Muttername Sch. sei. Offensichtlich sei Dr. Ram. davon ausgegangen, dass sein Vater Sch. geheissen habe. Niemals habe er Dr. Ram. gegenüber erklärt, dass ihm der Mädchenname seiner Mutter nicht mehr erinnerlich sei. Die entsprechenden Angaben des Dr. Ram. seien ihm beim flüchtigen Durchlesen der Unterlagen offenbar entgangen.

Diese Erklärungen des Zeugen hielt das Schwurgericht für glaubhaft. Der Zeuge Dr. Ram. hat bei seiner Vernehmung am 29.10.1973 bestätigt, dass die Angaben zur Person Sch.s und verschiedene Details zu dessen Schicksal während der Verfolgung auf seinem Versehen und seiner Arbeitsweise beruhen können. Er bekundete, dass er Sch., den er über die Familie Gerstenblüt kennengelernt habe, im Betrieb aufgesucht und ihn zur Geltendmachung der Entschädigungsansprüche überredet habe. Bei einem zweiten Besuch habe ihm Sch. dann Angaben gemacht, die er, Ram., skizziert habe. Für ihn sei die Dauer der Verfolgung wesentlich gewesen. Er habe Sch. erklärt, es sei gleichgültig, wo er gewesen sei; dass er Jude sei, reiche. Er erinnere sich, dass Sch. ihm erzählt hatte, in der Kreishauptmannschaft und in einem Lager gewesen zu sein, in welchem Kleider sortiert worden seien. Was Sch. ihm über sein Schicksal während der Verfolgung gesagt habe, habe er aber nicht notiert. Er habe nur über persönliche Daten Notizen gemacht. Die Anträge und die eidesstattlichen Versicherungen enthielten seine Formulierungen. Er habe sie etwa ein 3/4 Jahr nach dem Gespräch mit Sch. zu Papier gebracht und seinem Klienten in der Fabrik zur Unterschrift vorgelegt. Dieser habe das Fehlen von Tatsachen - so des Lageraufenthaltes - moniert. Er, Ram., habe den Zeugen aber davon abgebracht. Es sei belanglos gewesen, ob man in Einzelheiten ungenau gewesen sei; es sei nur auf die Entschädigungsvoraussetzungen angekommen, und alles sei nur unter diesem Gesichtspunkt betrachtet und bearbeitet worden. Sch. habe die Schriftstücke nicht sorgfältig durchlesen können; dazu habe er, Ram., auch keine Zeit gehabt. Er sei ohne weiteres davon überzeugt gewesen, dass Sch. der Vatername des Zeugen gewesen sei. Er wisse nicht, wie er dazu gekommen sei zu schreiben, der Mädchenname der Mutter sei nicht erinnerlich. In seinen Notizen sei nur der Name Sch. enthalten gewesen. Da er geglaubt habe, Sch. habe der Vater geheissen, sei wohl dieses Missverständnis entstanden. Er, Ram., habe sich gedacht, dass Sch. nach 1942 versteckt gewesen sei, weil dieser ihm erklärt habe, bis 1942 den Stern getragen zu haben. Es könne bei ihm eine Erinnerungstäuschung gewesen sein, als er geschrieben habe, er (Sch.) habe ausserhalb Czortkows Zwangsarbeit leisten müssen. Notizen darüber habe er sich ja nicht gemacht.

Das Gericht glaubte nach dieser Aussage, dass die Angaben zur Person des Zeugen Sch. im Wiedergutmachungsverfahren auf einer Täuschung des Zeugen Dr. Ram. beruhen. Der Zeuge hat nach seinen Bekundungen nicht in wünschenswertem Masse sorgfältig gearbeitet. Ausserdem fanden die Gespräche nicht im Büro des Anwalts, sondern in der Fabrik statt. Für den Zeugen Dr. Ram., dem es im wesentlichen um die sachlichen Entschädigungsvoraussetzungen ging, bestand auch kein besonderer Anlass, der Frage, wie der Vater des Zeugen Sch.s hiess, genau nachzugehen. Wie wenig Sorgfalt Dr. Ram. auf die Personalienfrage legte, zeigt auch, dass er zum Nachnamen der Mutter schrieb, dieser sei nicht erinnerlich. Dass dies eine Behauptung allein des Zeugen Dr. Ram. war, folgt daraus, dass entsprechendes aus den Gesprächsnotizen, die der Zeuge dem Gericht übergeben hat, nicht entnommen werden kann. Nach der Überzeugung des Gerichts hat Dr. Ram. insoweit Lücken eigenmächtig ausgefüllt. Es bestand auch keinerlei vernünftiger Grund für den Zeugen Sch., die Namen seiner Eltern falsch anzugeben. Sein Wiedergutmachungsverfahren konnte er hierdurch nicht beeinflussen. Glaubhaft erscheint auch, dass der Zeuge Sch. zumindest die Angaben zur Person nur überflogen hat. Er hatte keinen Grund, sie besonders genau zu lesen. Es entspricht auch der Erfahrung, dass bei einem Dokument oft nur seiner sachlichen Aussage Aufmerksamkeit gewidmet wird, nicht aber den als nebensächlich erachteten, ebenfalls aufgenommenen Personalien. Dabei mag die sonst berechtigte Ansicht mitwirken, ein Anwalt verdiene so viel Vertrauen, dass er im wesentlichen das richtig wiedergeben kann, was man ihm an Informationen gegeben hat.

Aus den Notizen Dr. Ram.s ergibt sich, dass Einzelheiten aus dem Leben Sch.s während der Verfolgung nicht festgehalten wurden. Soweit im Wiedergutmachungsverfahren Abweichungen zu den jetzigen Angaben des Zeugen Sch.s bestehen, ist ihre Entstehung mit der Arbeitsweise Dr. Ram.s, dem es allein auf die Entschädigungsvoraussetzungen ankam, hinreichend geklärt. Im Kern ist es zutreffend, dass Sch. Zwangsarbeit leisten und danach unter unmenschlichen Bedingungen leben musste. Die im Wiedergutmachungsverfahren enthaltenen "Ausschmückungen" wie: In Verstecken auf Feldern gelebt, bei mehreren bekannten und unbekannten Bauern sich verborgen gehalten zu haben, würde die Zuverlässigkeit des Zeugen im vorliegenden Verfahren selbst dann nicht berühren, wenn er jene Übertreibungen zu verantworten hätte, sie ihm beim oberflächlichen Durchlesen aufgefallen wären. Abgesehen davon, dass Dr. Ram. glaubhaft bekundete, Bedenken Sch.s über die Sachverhaltsdarstellung zerstreut zu haben, geht es nach Meinung des Schwurgerichts nicht an, Beobachtungen eines Juden zu einem Tötungsverbrechen deshalb anzuzweifeln, weil seine Erklärungen im Wiedergutmachungsverfahren nicht völlig korrekt gewesen sind. Im Parallelverfahren gegen den

Angeklagten (Fall Hal. [31]) hat es das Schwurgericht auch abgelehnt, aus wahrscheinlich unrichtigen Angaben eines jüdischen Augenzeugen zu seinen Vermögensverhältnissen im Verfahren nach dem Bundesrückerstattungsgesetz Folgerungen für seine spezielle Glaubwürdigkeit im Strafverfahren dergestalt zu ziehen, dass dieser allein hierdurch schon in Frage gestellt werden könnte. Der gegenteiligen, von der Verteidigung offenbar vertretenen Meinung liegt ersichtlich der Gedanke zugrunde, dass derjenige generell und glaubwürdig sei [32], der bei anderer Gelegenheit einmal Unwahres angegeben hat. Dass diese Auffassung unhaltbar ist, bedarf keiner näheren Begründung.

Die Verteidigung suchte auch noch aus einigen anderen in den Wiedergutmachungsakten enthaltenen Angaben Bedenken gegen die Zuverlässigkeit der Bekundungen des Zeugen Sch. im Strafverfahren zu wecken, etwa dadurch, dass sie darauf hinwies, dass Sch. im April 1961 eidesstattlich erklärt hat, staatenlos zu sein (Bl.16 Rs. und 21 EA), während er im Strafverfahren angab, er sei polnischer Staatsangehöriger. Sollte der Zeuge seine Ansicht über seine Staatsangehörigkeit geändert haben, spräche das jedoch keineswegs gegen seine Zuverlässigkeit in der Sache, was nicht weiter ausgeführt werden muss. Wahrscheinlicher aber ist, dass auch die Erklärung über die Staatsangehörigkeit von dem Zeugen Dr. Ram., der die eidesstattlichen Versicherungen formulierte bzw. ausfüllte, stammt, und der Zeuge Sch. im Vertrauen darauf, dass sein Anwalt alles richtig mache, die Erklärung bei der Unterzeichnung gar nicht bemerkt hat.

gg) Um seine eigene Darstellung zu stützen - und damit die Zuverlässigkeit Sch.s in den von ihm berichteten Fällen allgemein zweifelhaft erscheinen zu lassen - hat der Angeklagte darauf abgehoben, dass schliesslich er die Ermittlungsbehörden auf den Zeugen Fri. hingewiesen und gebeten habe, diesen suchen zu lassen. Im Einzelfall kann in einem solchen Verhalten eines Angeklagten durchaus ein Indiz für die Richtigkeit seiner Einlassung gesehen werden. Denn der Täter, der den Tatvorwurf bestreitet, pflegt gewöhnlich nicht auf die Beweismittel aufmerksam zu machen, die ihn widerlegen und überführen können. Hier aber konnte der Angeklagte überhaupt nicht erwarten, dass im Laufe der Ermittlungen der Name des Zeugen Fri. und dessen Funktion im Lager verborgen bleiben könnte. Dafür war Fri. eine offensichtlich viel zu zentrale Figur des P.-Lagers. Daraus aber, dass man den Ermittlungsbehörden nur scheinbare Hilfe leistet, lässt sich ein Argument für die eigene Glaubwürdigkeit nicht herleiten. Überdies wusste der Angeklagte damals nicht, dass Fri. die Verfolgungsmassnahmen überlebt hat. Er hatte auch keinen Grund, darauf vertrauen zu können.

b) Das Schwurgericht hielt die Angaben des Zeugen darüber, wie und aus welchem Anlass er mit P. nach Kopyczynce gekommen sei, nicht für bedenklich.

aa) Die Behauptung des Angeklagten, es sei überhaupt nicht seine Aufgabe gewesen, sich um die Kleidung der Toten zu kümmern, vermag die Aussage Sch.s nicht zu entkräften. Denn für die Richtigkeit dieser Einlassung spricht nichts. Die Angaben des Zeugen Sch. wurden dagegen durch die Bekundungen verschiedener Zeugen gestützt: So hat der Zeuge Hubert Koh. (Hauptverhandlung vom 11.1.1972) angegeben, dass nach Erschiessungen die Kleidung der getöteten Juden eingesammelt worden seien. Dieser Zeuge war - wie der Angeklagte - Kreisbeauftragter der VOMI und Lo. unterstellt; er war in Brzezany stationiert. Auch ihm war die Aufgabe zugewiesen worden, nach Aktionen die Habe der Juden sicherzustellen. Er erklärte dazu, dass die Gegenstände auf Wagen aufgeladen, zu einem von ihm zur Einlagerung ausgesuchten Haus gebracht und dort von volksdeutschen Hilfskräften sortiert worden seien. Nach Erschiessungsaktionen habe er zunächst nur Volksdeutsche an die jeweiligen

[31] Siehe Lfd.Nr.811.

[32] Gemeint ist wohl: generell unglaubwürdig sei.

Orte geschickt, um die Kleidungsstücke zu holen. Bei späteren Aktionen sei er jedoch mitgegangen, weil in der Kleidung der Toten manchmal Wertgegenstände verborgen gewesen seien, deren Plünderung er habe vorbeugen müssen. Die Kleidungsstücke seien als Lumpen verwertet worden. Die erfassten Wertsachen habe er einmal in Lemberg abgegeben.

Diese Aussage des Zeugen Koh. hielt das Schwurgericht für glaubhaft. Es ist nicht einzusehen, warum er wahrheitswidrig angegeben haben sollte, die Einsammlung der Kleidungsstücke veranlasst zu haben, zu ihrer Überwachung zuletzt auch an Ort und Stelle gewesen zu sein. Es liegt äusserst nahe, von der Zuständigkeit des einen Lemberg unterstellten "Sammlungsbeauftragten" auf die Aufgabe des anderen zu schliessen. Dem steht nicht etwa entgegen, dass der Angeklagte in Abrede stellte, je Wertsachen erfasst bzw. eingesammelt zu haben, wodurch eine Parallelbetrachtung zu Koh. fragwürdig werden könnte. Denn diese Einlassung des Angeklagten ist falsch.

Davon ist das Schwurgericht allein schon aufgrund der Aussage des Zeugen Thomanek [33] überzeugt, so dass es nicht darauf ankommt, näher zu untersuchen, ob die verschiedenen jüdischen Zeugen, die P. beim Einsammeln von Wertsachen bei Aktionen beobachtet haben wollen, ihn kannten und erkennen konnten. Bei Thomanek besteht diese Identifizierungsfrage nicht. Er war wie P. SS-Mann, Leiter des anderen Arbeitslagers in Czortkow und mit dem Angeklagten befreundet. Er hat u.a. bekundet (Hauptverhandlung vom 5.6.1972): 1943 sei er mit P. auf einem Berg in Buczacz gewesen, wo 300 bis 500 Juden erschossen worden seien. Er glaube nicht, dass dies im Februar gewesen sei, seiner Erinnerung nach sei es nicht mehr Winter gewesen. Die Juden hätten sich an der Erschiessungsstelle ausziehen und jeweils in Gruppen von 2 bis 4 Personen an eine Grube treten müssen, wo sie mit einer Maschinenpistole durch Genickschüsse getötet worden seien. Er habe P. zu dieser Aktion gefahren, da ihm von Lemberg befohlen worden sei, P. mit seinem Wagen zur Verfügung zu stehen. So habe er P. auch nach Swidowa, Tluste und Kopyczynce fahren müssen. An all diesen Orten habe P. während einer Erschiessungsaktion die Wertsachen, die von den Juden auf Anordnung des Aktionsleiters an einem bestimmten Platz abgelegt worden seien, in einen Sack gepackt. Nach der Aktion habe er P. nach Czortkow zurückgefahren, wo dieser den Sack in das Büro seines Lagers verbracht habe. Bei den Wertgegenständen habe es sich um polnisches und amerikanisches Geld, Uhren und Ringe gehandelt. Gesehen habe er in Buczacz, dass die Kleidungsstücke der Erschossenen an einer Stelle aufgeschichtet gelegen seien. Ob P. sie durchsucht habe, und wo sie hingekommen seien, wisse er nicht. Im P.-Lager sei allerdings auch an Kleidungsstücken gearbeitet worden.

Der Angeklagte bestritt diese Darstellung Thomaneks. Er erklärte, er sei mit Thomanek zwar einmal besuchsweise in Buczacz gewesen und anlässlich eines Spazierganges an eine Erschiessungsstelle gelangt. Er habe aber nie Geld und Wertsachen eingesammelt. Auch der Zeuge Hei. habe nichts darüber angegeben, dass er, P., Wertgegenstände erfasst habe. Thomanek habe ihn ferner nie zu einer Verladeaktion gefahren.

Abgesehen davon, dass es möglich ist, dass der Angeklagte und Thomanek auch einmal bei einem Spaziergang in Buczacz an einen Ort gelangten, an dem man Juden erschoss - der Zeuge Thomanek wusste sich freilich hieran nicht zu erinnern - hielt das Schwurgericht die übrige Einlassung des Angeklagten durch die Bekundungen des Zeugen Thomanek für widerlegt. Der Zeuge Thomanek, der, wie bereits bemerkt wurde, früher mit P. befreundet war, hatte keinen Grund, über ihn insoweit Unwahres auszusagen. Thomanek war während seiner Vernehmung zurückhaltend und vorsichtig. Man gewann den Eindruck, dass er eher ein Detail zu wenig als zu viel über den Angeklagten preisgab. Dass er ihn mit seinen Angaben

[33] Siehe Lfd.Nr.455 und 498.

über die Sammlung der Wertgegenstände dadurch belastete, dass er half, nicht nur über die Funktion des Angeklagten bisher nicht vorhandene Klarheit zu gewinnen, insbesondere aber ihn in Teilangaben zu widerlegen, konnte er nicht wissen. Dem Zeugen fehlte auch jedes Motiv, das Verhalten des Angeklagten wahrheitswidrig darzustellen. Zwar war Thomanek - wie er freimütig einräumte - über den Angeklagten verärgert, als er hörte, dass P. einmal Zuhörer in seinem Verfahren war, ohne sich zu melden: Er glaubte, P. hätte für ihn günstig aussagen können. Das Schwurgericht glaubte indessen der Versicherung des Zeugen, dass diese frühere Verärgerung ihn nicht bei seiner Aussage beeinflusst hat.

Die Tatsache, dass der Zeuge Hei. den Angeklagten P. bei der Februar-Aktion in Buczacz nicht bemerkt hatte, lässt für sich allein nicht den Schluss darauf zu, dass P. bei dieser Aktion nicht anwesend war, besagt aber insbesondere nichts darüber, ob er nicht bei einer anderen Erschiessungsaktion in Buczacz - solche haben auch im April und Mai 1943 dort stattgefunden - die von Thomanek geschilderte Funktion wahrgenommen hat. Die Zuverlässigkeit des Zeugen Thomanek, nach dessen Aussage die Aktion, zu der er P. zum Sammeln der Wertsachen fuhr, auch nicht im Winter stattfand, wird durch die Aussage des Zeugen Hei. mithin nicht berührt. Die Behauptung des Angeklagten, Thomanek habe ihn nie zu einer Verladeaktion gefahren, liegt neben der Sache. Denn Thomanek hat derartiges nie behauptet: Er sprach immer nur von Erschiessungsaktionen.

Aufgrund der Aussage des Zeugen Koh. besteht mithin schon eine grosse Wahrscheinlichkeit, dass auch P. gehalten war, die Kleidung der Getöteten zu erfassen. Dass man die Verwertung der Stücke erstrebte, zeigt die Tatsache, dass sich die Juden vor ihrer Ermordung ausziehen mussten. Dies wäre sinnlos gewesen, wenn man für die Kleidung keine Verwendung gesehen hätte. Dass sie im Lager des Angeklagten sortiert, teils aufbereitet wurde, bot sich bei seiner Funktion an. Warum die an den Gruben abgelegte Kleidung im Gegensatz zu den in den Häusern der Deportierten vorgefundenen Stücken hätte anders behandelt werden sollen, ist nicht einzusehen, zumal in ihnen auch Wertsachen zu vermuten waren.

Der Zeuge Scheffel Gro. (H 7 I 265) hat bekundet, dass die Kleider der erschossenen Juden nach Czortkow kamen. Er hat ausgesagt, dass er diese Sachen von der am Friedhof in Tluste (Kreis Czortkow) gelegenen Erschiessungsstelle mit einem Fuhrwerk zu einem Haus in der Stadt transportiert habe, von wo aus die Kleider am nächsten Tag nach Czortkow gebracht worden seien. Man habe erzählt, dass P. der Obermagazinär des in Czortkow befindlichen Bekleidungsamtes sei. Gewiss ist diese Aussage kein Beweis dafür, dass die Kleidungsstücke tatsächlich in das P.-Lager kamen. Sie zeigt aber doch, dass die Sachen der Toten - offenbar zwecks Verwertung - erfasst und wahrscheinlich nach Czortkow verbracht wurden.

Die Zeugin Frieda Gei. (H 7 III 147 ff.), die im Lager des Angeklagten zeitweise tätig war und auch an Kleidungsstücken zu arbeiten hatte, berichtete, dass in das Lager in der Nossastrasse nach allen Aktionen Kleider und Wäsche aus den Wohnungen der Opfer, aber auch von den Getöteten, gebracht worden seien. Es habe der Befehl bestanden, in der Kleidung vorgefundene Wertsachen sofort abzuliefern; wohin diese Wertgegenstände dann gekommen seien, wisse sie nicht.

Man wird heute nicht mehr klären können, ob der Angeklagte diese Gegenstände sämtlich abgeliefert, oder auch ein wenig in die eigene Tasche gewirtschaftet hat, was nach der Aussage des Zeugen Fre., der mit dem Angeklagten sehr gut bekannt war und diesen auch in seiner Wohnung in der Spitalstrasse in Czortkow oft aufgesucht hatte, durchaus nicht abwegig erscheint; es ist kein Grund ersichtlich, warum der Zeuge Fre. gelogen haben sollte, als er behauptete, P. habe von ihm einen Ledersack haben wollen und, nach den Zweck befragt, ihm in einer Kiste liegende Goldstücke, etwa 100 an der Zahl, gezeigt. Nach der Aussage der Zeugin Gei. ist aber die Wahrscheinlichkeit verstärkt, dass Kleidung getöteter Juden in das P.-Lager kam. Dem steht nicht entgegen, dass sie nicht angegeben hat, ob und wie man die aus den verlassenen Wohnungen geholten Stücke von denen unterscheiden konnte, die an den Gräbern abgelegt worden waren. Wesentlich ist im vorliegenden Zusammenhang nur, dass sie - aufgrund ihr heute nicht mehr bewusster Umstände - damals der Auffassung war, dass auch die Kleider der Getöteten ins Lager gebracht wurden. Nicht verkannt wurde, dass eine solche Meinung auch durch Gespräche mit Dritten, etwa anderen Lagerinsassen, gebildet werden konnte. Dass die Zeugin bei ihrer Aussage nicht etwa ihre damalige, sondern nur ihre gegenwärtige Ansicht und Überzeugung wiedergegeben haben könnte, hielt das Schwurgericht für ausgeschlossen. Sie hatte keinen erkennbaren Anlass, nach ihrem Ausscheiden aus dem P.-Lager darüber nachzudenken, ob dort auch die Kleidung Ermordeter angeliefert wurden. Sie konnte ferner nicht wissen, dass dieser Teil ihrer Aussage wesentlich werden könnte, als sie ausweislich des Protokolls von sich aus darüber berichtete.

Wie bereits erwähnt, wurde der Hauptsturmführer Ilc. mit Wirkung vom 1.4.1943 nach Czortkow versetzt. Er war in Czortkow dem Angeklagten, der ihn in die Angelegenheiten der VOMI-Dienststelle einzuarbeiten hatte, vorgesetzt. Ilc. kümmerte sich indessen kaum um das Lager, kam aber doch - zumindest gelegentlich - dort hin. Er erklärte (53, 162 ff.), dass der Oberjude Fri., der seiner Meinung nach ein feiner und erkennbar gebildeter Mensch gewesen sei, alles organisiert habe, so dass er nichts habe tun brauchen. Fri. sei einmal mit ein paar Sachen angekommen, die er aus alten jüdischen Kleidern herausgenommen gehabt habe. Vor jeder Erschiessung hätten sich die Juden nackt ausziehen müssen. Ihre Kleider seien dann in das P.-Lager gekommen, wo sie für die Volksdeutschen hergerichtet worden seien. Fri. habe er gesagt, dass er mit den Sachen (aus der Kleidung) nichts zu tun haben wolle, er, Fri., solle sie in den Panzerschrank legen.

Dass die Behauptung Ilc.s, wonach die Kleider der Erschossenen ins P.-Lager gebracht worden seien, eine blosse Vermutung darstellt, kann schwerlich angenommen werden. Immerhin war Ilc., wie er glaubhaft angab, von P. eingewiesen worden. Es liegt nahe, dass er dabei auch über die Herkunft der Kleidungsstücke unterrichtet wurde. Dass er als "Ortsvorgesetzter" P.s im Unklaren gewesen sein sollte, woher sie kamen, ist reichlich unwahrscheinlich. Auch der Zusammenhang seiner Bemerkung mit dem Auffinden der Wertsachen durch Fri. spricht für seine volle Orientierung.

Es bleibt nach alledem festzustellen, dass die Aussage des Zeugen Sch., er sei mit P. und einigen anderen Juden nach Kopyczynce gefahren, um die Kleider Erschossener zu holen, durch die Bekundungen der erwähnten Zeugen wesentlich gestützt wird. Warum er - wollte er nur einen Anlass für eine erfundene Geschichte konstruieren - ausgerechnet einen Vorgang gewählt haben sollte, der in keinem Zusammenhang mit den Aufgaben des Angeklagten stand und dessen Widerlegung damit drohte, ist auch nicht einzusehen. Das Schwurgericht war davon überzeugt, dass der Zeuge Sch. den Grund für die Fahrt nach Kopyczynce zutreffend geschildert hat.

bb) Der Angeklagte konnte nicht bestreiten, dass dem Lager ein Pferdefuhrwerk zur Verfügung stand. Es sind keine stichhaltigen äusseren Umstände vorhanden, die dagegen sprächen, dass für eine Ausfahrt nach Kopyczynce das Fuhrwerk benutzt wurde. Schliesslich galt es, Kleidungsstücke nach Czortkow zu schaffen. Der Angeklagte mag, wie er behauptete, gewöhnlich mit einem I 4, der einem Privatmann gehört habe, weggefahren sein. Das ist sogar wahrscheinlich; denn auch Sch. stellte das Verhalten als aussergewöhnlich hin, indem er erklärte, dass seiner Vermutung nach P. nur deshalb mitgefahren sei, weil es damals für Juden - selbst mit einem Passierschein der Gestapo - gefährlich gewesen sei, über Landstrassen zu fahren. Die Darstellung einer Begebenheit aber, die ausserhalb der normalen Erlebnissituation liegt, spricht schwerwiegend dafür, dass der Zeuge sie tatsächlich erlebt hat. Es besteht kein Grund anzunehmen, dass der Zeuge Sch. ein für den Angeklagten ungewöhnliches Verhalten geschildert haben sollte, um eine von ihm erfundene Geschichte glaubhaft zu gestalten. Das Schwurgericht hat nach alledem keine Zweifel daran, dass, wie der Zeuge bekundete, P. auf dem Pferdefuhrwerk mitgefahren ist.

cc) Aus den Angaben des Zeugen Sch. zur Lage des Friedhofs in Kopyczynce lassen sich Bedenken gegen seine Erklärung über den Zweck der Fahrt ebenfalls nicht herleiten. Sch. war zwar schon durch diese Stadt gefahren, war in ihr aber fremd; er hatte sich nie zuvor in ihr aufgehalten, wie er glaubhaft versicherte. Es ist deshalb verständlich, dass er sich - wie er angab - nicht genau erinnern konnte, wo der Friedhof lag. Ein Anlass, sich die Örtlichkeit so exakt einzuprägen, dass sie auch nach all den Jahren im Gedächtnis hätte sein müssen, bestand für ihn nicht. Seine Darstellung, man habe durch das Zentrum des Städtchens hindurchfahren müssen, und er erinnere sich, dass der Friedhof dann in Richtung Tarnopol gelegen sei, wird jedenfalls durch Zeugen gestützt. So hat die Zeugin Klara Mi., die in Kopyczynce aufgewachsen ist, bekundet (H 7 III 172 ff.), es habe einen alten jüdischen Friedhof gegeben, der zwischen der Grundschule und dem Sportplatz gelegen sei; die Schule habe sich an der Hauptstrasse befunden, die zu dem Dorf Suchostaw geführt habe.

Die Strasse über Suchostaw aber führte weiter nach Tarnopol. Nach der in Augenschein genommenen Karte gelangte man von Czortkow kommend in nordöstlicher Richtung nach Kopyczynce; die Strasse nach Tarnopol über Suchostaw führte in nordwestlicher Richtung aus der Stadt. Es ist - auch nach der Karte - in höchstem Masse wahrscheinlich, dass man im Zentrum Kopyczynces auf die Strasse nach Suchostaw gelangte.

Mit den Bekundungen der Zeugin Mi. stimmen die Angaben des Zeugen Edward W. überein, der am 28.2.1973 (H 7 III 236) ausgesagt hat, dass es in Kopyczynce einen alten jüdischen Friedhof gegeben habe, der hinter einer Schule am Weg nach Tarnopol gelegen sei. Auch dieser Zeuge stammte aus Kopyczynce und lebte z.Zt. der deutschen Besetzung dort. Den Aussagen der beiden Zeugen zu misstrauen, sah das Gericht keinen Anlass. Allerdings haben einige Zeugen (z.B. Edward W., Jakob Bre.) bekundet, dass Erschiessungen beim neuen jüdischen Friedhof von Kopyczynce stattgefunden hätten. Dieser aber lag, wenn man von Czortkow nach Kopyczynce fuhr, etwa 150 m links der Strasse vor der Stadt, vom Zentrum etwa 1 km entfernt. Indessen ist kein Beweis dafür vorhanden, dass Juden ausschliesslich am neuen Friedhof erschossen worden seien.

Der Zeuge Nathan Dre. hat bekundet, dass die bei einer Aktion in der Stadt Getöteten zum Friedhof gebracht worden seien. Da der Zeuge einen solchen Transport nicht begleitet hat, vielmehr nur eine Vermutung äusserte, bleibt es möglich, dass sie nicht zum neuen, sondern zum alten Friedhof gebracht wurden. Dafür spräche, dass die Leichen - wie Sch. bekundete - auf dem Friedhof lagen und noch bekleidet waren, während sich die Juden bei Massenerschiessungen üblicherweise vor ihrer Ermordung an einem Massengrab - ein solches will der Zeuge Sch. nicht bemerkt haben - ausziehen mussten. Freilich kann nicht festgestellt werden, dass dies ausnahmslos so geschehen wäre. Sch. hat seine ursprüngliche Behauptung, dass die Juden auf dem Friedhof getötet worden seien, nach näheren Befragen dahingehend klargestellt, dass er dies nur meine.

Es wäre im übrigen nicht ausgeschlossen, dass der Zeuge Sch. mit dem Fuhrwerk zum neuen jüdischen Friedhof gefahren ist. Die Zeugen Janina Hal. und Zygmund Got. haben bekundet, dass neben dem Friedhof eine Strasse vorbeigeführt habe. Die Zeugin Dora Scz. gab an, dass man auf diesen Weg nach Maidan gelangt sei, was nach der vorhandenen Karte bestätigt wird. Der Zeuge Izchak Hal. schliesslich sagte aus, dass man vom Stadtzentrum aus auf den am Friedhof vorbeiführenden Weg, der ein Feldweg gewesen sei, habe gelangen können. Ein Irrtum aber des ortsunkundigen Zeugen Sch. über den vom Zentrum aus eingeschlagenen Weg ist nicht von der Hand zu weisen. Darunter müsste aber seine übrige Aussage keineswegs leiden.

Ein Widerspruch des Zeugen mit früheren Angaben zur Lage des Friedhofs war nicht festzustellen. Zwar hatte er am 22.11.1967 (40, 201) und 9.1.68 (44, 189) ausgesagt, sie hätten - von Czortkow kommend - zunächst auf dem Friedhof angehalten; von dort aus seien er und P. - das Fuhrwerk zurücklassend - in die Stadt gegangen. In diese Darstellung lassen sich jedoch die von ihm 1971/72 bekundeten zusätzlichen Details einfügen, ohne dass sie in Gegensatz zu der ursprünglich nicht so in die Einzelheiten gehenden Schilderung der peripheren Ereignisse treten. Für die Tatbeschreibung musste - aus der Sicht des Zeugen - es völlig belanglos sein, ob er, um zum Friedhof zu gelangen, durch die Stadt gefahren war. Es bestand daher für ihn kein Anlass, die Zusammenhänge näher darzulegen. Demzufolge hatte der Zeuge bei seiner Vernehmung vom Dezember 1971 auch zunächst nichts anderes bekundet als früher (Protokollseite 23/24). Erst bei weiterer Befragung im Januar 1972 konkretisierte er die Fahrt näher (S.20).

Die Darstellung des Zeugen Sch. zur Lage des Friedhofs gab dem Schwurgericht nach alledem keinen Anlass, seiner Aussage zu misstrauen.

dd) Der Angeklagte behauptete, von November 1942 bis August 1943 überhaupt nicht in Kopyczynce gewesen zu sein. Die Richtigkeit dieser Einlassung ist - unabhängig von der Aussage des Zeugen Sch. - widerlegt, zumindest jedoch - wenn man die Überzeugung des Schwurgerichts nicht teilen will - so wenig wahrscheinlich, dass aus ihr keine Bedenken gegen die Zuverlässigkeit des Zeugen abgeleitet werden können. Die Erklärungen des Angeklagten sind schon allein aufgrund der Bekundungen des Zeugen Thomanek [34] recht fragwürdig. Dieser Zeuge, der erst im Herbst 1942 nach Czortkow kam, hat angegeben, dass er mit P. nach Erschiessungsaktionen auch in Kopyczynce (ohne hierzu allerdings genaue Zeitangaben zu machen) gewesen ist, um die Wertsachen einzusammeln. Erschiessungsaktionen aber fanden in diesem Ort bis mindestens Juni 1943 statt. Die Zeugin Henia Var. gab sogar an, dass die letzte im Juli 1943 gewesen sei. Auch der Zeuge Izchak Hal. meinte, dass die Stadt erst im Juli judenrein gewesen sei, ebenso seine Ehefrau Janina, die erklärte, dass im Juli 1943 noch eine Aktion stattgefunden habe. Dass 1943 jedoch mehrere Erschiessungsaktionen durchgeführt wurden, folgt klar aus den Angaben der Zeugen Var., Benio Baz. und Izchak Hal. Hierfür liessen sich noch weitere Zeugen anführen. An der Zuverlässigkeit der Benannten zu zweifeln, besteht jedoch kein Anlass. Dass jedoch der Angeklagte 1943 ausgerechnet in Kopyczynce, dass zum Bezirk Czortkow gehörte, seine ihm offenbar zugewiesene Aufgabe nicht mehr wahrgenommen haben sollte, wohl aber z.B. in Buczacz, ist nicht einzusehen, auch nicht glaubhaft.

Der Angeklagte hat nach der Umsiedlungsaktion vom 30.9.1942 in Kopyczynce ein Lager eingerichtet, das nach der Aussage des Zeugen Hal. bis mindestens Juni 1943 bestand. Dieser Zeuge, dessen Vater dem Judenrat angehörte, hat erklärt, den Angeklagten auch 1943 öfter in Kopyczynce beim Judenrat gesehen zu haben. Das Schwurgericht hielt diese Aussage für glaubhaft. Der Zeuge hat den Angeklagten gut gekannt; er hat ihn einwandfrei anhand der Lichtbilder identifiziert. Izchak Hal. hatte auch einen Anhaltspunkt, der zur Einordnung seiner Behauptung Hilfe leistete: Er ist der Überzeugung, dass der Angeklagte am 12.6.1943 seinen Vater erschossen hatte (vgl. Urteil vom 5.7.1974 [35]).

Der Angeklagte hatte auch sonst Grund nach Kopyczynce zu kommen. Denn in seinem Magazin in Kopyczynce wurden Arbeiten an den erfassten Gegenständen verrichtet. Der Angeklagte bestreitet zwar auch dies. Doch wurde er hier durch die Zeugin Var. und Janina Hal. widerlegt, die in dem Magazin gearbeitet hatten. Warum sie dies der Wahrheit zuwider

[34] Siehe Lfd.Nr.455 und 498.

[35] Siehe Lfd.Nr.811.

hätten angeben sollen, ist nicht ersichtlich. Die Zeugin Var. hat ausserdem ausgesagt, dass die Arbeitskräfte im Magazin nach jeder Aktion weniger geworden seien. Hieraus wird deutlich, dass das seit der Umsiedlungsaktion bestehende Lager längere Zeit bestand, jedenfalls bis in das Jahr 1943 hinein, in dem die meisten Erschiessungsaktionen durchgeführt wurden.

c) Die Darstellung des Zeugen Sch. zur Tötung des Kindes in Kopyczynce hielt das Schwurgericht im Kern für zuverlässig. Wie im Fall Orenstein waren Belastungstendenzen des Zeugen auch hier nicht feststellbar. Wo ihm die Erinnerung fehlte, drückte er dies aus. Wäre es dem Zeugen darum gegangen, den Angeklagten durch unrichtige Angaben zu belasten, hätte nichts näher gelegen, als einen tödlichen Schuss auf das Kind durch angeblich exakte Beobachtungen von Einzelheiten zu untermauern. So aber hat der Zeuge klargestellt, dass er sich nicht einmal mehr an die genaue Einschussstelle erinnere und nur noch im Gedächtnis habe, Blut in der Brustgegend gesehen zu haben. Ausserdem erklärte Sch., dass er den Tod des Kindes nur vermute, weil es später reglos liegengeblieben sei. Auch hier hätte bei einer Falschbezichtigung näher gelegen, einfach einen Kopf- oder Genickschuss zu behaupten, der erfahrungsgemäss tödlich wirkt. Dass Sch. solche Folgerungen erkannt, sie aber zur Stützung einer sonst unwahren Aussage kalkuliert habe, hielt das Schwurgericht für ausgeschlossen. Dafür besteht genausowenig ein Anhaltspunkt wie für die dem Schwurgericht vorgetragene Meinung, Sch. sage zwar falsch aus, wolle aber damit keine Verurteilung des Angeklagten, vielmehr nur seine eigene "Reinwaschung" erreichen.

aa) Gegen den Zeugen Sch. spricht auch nicht, dass er 1965 (15, 92) und 1967 (31, 198; 40, 201) bekundet hatte, der Junge habe eine Armbinde mit dem Davidstern getragen, während er nunmehr (1971/72) aussagte, dieser sei ohne Armbinde gewesen, habe jedoch mehr oder weniger hundertprozentige semitische Gesichtszüge gehabt. Diese Aussagen decken sich in ihrem Kerngehalt, der darin besteht, dass der Junge als Jude zu erkennen war, sie differieren nur bei der Frage, woran er als solcher erkannt werden konnte. Eine die Zuverlässigkeit des Zeugen erschütternde Bedeutung kommt diesem Widerspruch, der nur den Geschehensrahmen betrifft, indessen nicht zu. Der Zeuge Sch. hat auf Vorhalt seiner abweichenden früheren Angaben erklärt, dass er sich auf seine jetzige Vernehmung (1971/72) einige Wochen habe vorbereiten können, in denen er oft nachts wachgelegen und sich dabei erinnert habe, dass der kleine Junge keinen Davidstern getragen habe. Es entspricht indessen durchaus der Erfahrung, dass Beobachtungen zu Randumständen - insbesondere nach längerer Zeit - anders erinnert werden, dass bisherige Vorstellungen durch spätere intensive Überlegungen, die oft auch mit Schlussfolgerungen verbunden sind, verwischt, abgeschwächt werden, oder einen anderen Inhalt erfahren können. Das Schwurgericht vermochte in dem Aussagewechsel ein Indiz für eine bewusste Falschaussage nicht zu erkennen. Eher zeigt er das Bemühen des Zeugen, ein möglichst objektives Bild des Geschehens zu geben. Hätte er den Angeklagten zu Unrecht verdächtigen wollen, wäre er mit grösserer Wahrscheinlichkeit bei diesem Detail aussagekonform geblieben. Nimmt man an, er habe sich insoweit an den Inhalt seiner früheren Aussagen nicht erinnert, obwohl er bei drei Vernehmungen die Version mit der Armbinde gebracht hatte, hätte es näher gelegen zu behaupten, dass der Junge eine Armbinde umhatte, um den Vorwurf der Tötung eines jüdischen Kindes deutlich zu machen, statt Erwägungen darüber anzustellen, dass der Junge auch noch als unter 10 Jahre alt angesehen werden konnte, einem Alter, in welchem man seiner Meinung nach noch keine Armbinde benötigte. Tatsächlich ging der Zeuge aber davon aus, dass das Kind eine Armbinde hätte tragen müssen. Dass er dem Angeklagten auch die Tötung eines Juden vorwerfen wollte, zeigt seine Erklärung, man habe das Kind an seinen Gesichtszügen als Juden erkennen können.

bb) Aufgrund des Aussagewechsels konnte das Schwurgericht freilich nicht mehr feststellen, woran das Kind als jüdisch zu erkennen war. Das Gericht hielt es jedoch für wahrscheinlicher, dass insoweit die letzte Aussage des Zeugen Sch. richtig ist, die er ja nach längerer Überlegung und Vorbereitung machte. Dass viele sich für fähig hielten, im Kreis Czortkow

Juden von Nichtjuden ohne weiteres zu unterscheiden, hat die Beweisaufnahme ergeben. So hat beispielsweise die Zeugin Pauline Cha., die im Kreis Czortkow aufgewachsen ist, erklärt, dass man die Juden gewöhnlich auch ohne Armbinde erkennen konnte; dasselbe meinte ihr Ehemann, der Zeuge David Cha. Auch der Zeuge Hag. [36], Sipo-Angehöriger in Stanislau und später in Czortkow, behauptete, die Juden habe man von anderen unterscheiden können. Der Zeuge Thomanek schliesslich äusserte, es sei im Osten kein Problem gewesen, einen Juden als solchen auch ohne Judenstern zu erkennen; er sei einmal dabei gewesen, als Rux, ein Czortkower Sipo-Angehöriger, zwei Jüdinnen erschossen habe, weil sie keinen Stern getragen hätten; Rux habe den Frauen auf den Kopf zugesagt, dass sie Jüdinnen seien, was diese auch bejaht hätten. Gegen die Aussage Sch.s lassen sich nach alledem auch keine Bedenken wegen der Behauptung herleiten, der Junge habe semitische Gesichtszüge gehabt. Auf die Frage, ob man die Juden im Kreis Czortkow von den dort wohnenden Nichtjuden unterscheiden konnte, einzugehen, erschien angebracht, da die Verteidigung ihr deutlich herausragende Aufmerksamkeit geschenkt hat.

cc) Gegen die Aussage des Zeugen spricht nicht, dass er zunächst bekundet hatte, P. habe den Jungen befohlen heranzukommen (Dezember 1971 S.24), während er auf "Vorhalt" bekundete, sich nicht mehr genau zu erinnern, ob P. den Jungen zu sich gerufen oder ohne Anruf niedergeschossen habe (S.33). Sch. schränkte seine ursprüngliche Aussage erst ein, nachdem ihm fälschlicherweise vorgehalten worden war, er habe am 9.9.1965 angegeben, P. habe den Jungen erschossen, ohne ihn heranzurufen. In Wahrheit hatte er damals schon und auch in der Vernehmung vom 21.11.1967 erklärt, dass der Angeklagte das Kind aufgefordert habe, heranzukommen. Der Zeuge hat indessen auf den "Vorhalt" hin seine Angaben nicht widerrufen, vielmehr nur seine Behauptung abgeschwächt, sie als solche in ihrer Bestimmtheit nicht mehr aufrecht erhalten. Eine solche Unsicherheit aber nach dem Vorhalt früherer "abweichender" Angaben ist einfühlbar und verständlich; sie ist kein Merkmal eines konstruierten Geschehens. Eher indiziert sie die Bereitschaft des Zeugen, über eine einmal gemachte Aussage nachzudenken - besonders dann, wenn die Ereignisse so lange zurückliegen - und sie notfalls zu korrigieren.

dd) Einen Widerspruch in der Aussage Sch.s vermochte das Gericht nicht darin zu sehen, dass der Zeuge einerseits erklärt hatte, er glaube nicht, dass der Angeklagte ein Judenhasser gewesen sei, andererseits aber bekundete, er könne sich nicht vorstellen, dass P. das Kind erschossen hätte, wenn er nicht angenommen hätte, dass es jüdisch gewesen sei.

Der Zeuge hat einmal damit keine Tatsachen behauptet, sondern lediglich Meinungen geäussert. Aber auch diese stehen nicht in einem Gegensatz zueinander. Denn die zweite Äusserung des Zeugen stellt nichts weiter dar als den Versuch, das Motiv für eine unfassbare Tat aus ihr selbst zu finden. Das wird auch aus seiner weiteren, in sein bisheriges Bild über den Angeklagten passenden Aussage deutlich, wonach er es nicht für möglich gehalten habe, dass P. den Jungen töten werde. Hätte der Zeuge den Angeklagten zu Unrecht belasten wollen, hätte auch hier die Möglichkeit für ihn bestanden, von Anfang an zu behaupten, den Angeklagten für einen Judenhasser gehalten zu haben, statt differenziert zu ihm Stellung zu nehmen. So hätte er beispielsweise die Erklärung Ros.s, P. habe aus dem Lager geflohene Juden erschossen, nicht als Lüge bezeichnen (Protokoll im Januar 1972 S.36) brauchen. Wäre es ihm darum gegangen, das Motiv für die Tötung des Kindes verständlicher zu machen, hätte er schon dadurch, dass er der Aussage Ros.s nicht entgegengetreten wäre, die Möglichkeit gehabt, eine allgemein negative Einstellung des Angeklagten gegenüber den Juden in den Raum zu stellen. Aus der Angabe des Zeugen Sch. zu der Behauptung Ros.s lässt sich jedoch nicht - wie die Verteidigung will - ein Widerspruch zu seiner Darstellung über die

[36] Siehe Lfd.Nr.675.

Tötung des Kindes konstruieren. Wenn er sagte, Ros. habe insoweit gelogen, so drückte er auch nichts weiter als seine Überzeugung aus, die mit seinem allgemeinen Bild über den Angeklagten in Einklang stand.

ee) Einen Verdachtsgrund für eine Lüge des Zeugen Sch. schon darin sehen zu wollen, dass keine weiteren Augenzeugen vorhanden sind, geht nicht an. Das Schwurgericht hat Verständnis dafür, dass es schwerfallen mag zu glauben, dass ein Mann, wie der Angeklagte, dessen Leben unauffällig verlief, der von Hause aus kein Krimineller ist und den Typ des rechtschaffenen Bürgers zu repräsentieren scheint, der in der Hauptverhandlung einen guten Eindruck machte, zurückhaltend blieb und während ihrer langen Dauer nie von sich aus unsachlich wurde, eine Tat begangen haben kann, wie sie ihm von dem Zeugen Sch. zur Last gelegt wird. Zweifel an der Zuverlässigkeit eines Zeugen aber schon daraus herleiten zu wollen, dass es ausser ihm keine weiteren gibt, die den Vorfall bestätigen können, ist unvernünftig.

Bedenken gegen die Glaubhaftigkeit der Zeugenaussagen Sch.s zum Tatkern waren nach Auffassung des Schwurgerichts auch nicht daraus herzuleiten, dass manches, was er zum allgemeinen Geschehen bekundete, objektiv unrichtig gewesen sein mag. Es hiesse das menschliche Gedächtnis überfordern, wollte man verlangen, dass ein Zeuge auch nach langer Zeit über alles, was ihn in seinem Leben einmal berührte, exakt und in allem zuverlässig müsse Auskunft geben können. Die gerichtliche Praxis zeigt, dass viele unverdächtige Zeugen schon in einer Berufungsverhandlung Details anders oder gar nicht mehr erinnern, obwohl seit der Hauptverhandlung erster Instanz nur eine verhältnismässig kurze Zeit verstrichen ist. Für die Aussageehrlichkeit eines Zeugen jedenfalls ist der Nachweis von Erinnerungsschwankungen und Veränderungen - weil sie natürlich sind - bedeutungslos. Das gleiche gilt von Schlussfolgerungen zu Randbegebenheiten, mit denen oft auch - unbewusst - Erinnerungslücken überbrückt werden. Das Schwurgericht hat es deshalb z.B. als unerheblich angesehen, ob Thomanek tatsächlich zu dem Angeklagten "Dicker" sagte, oder ob sich Sch. insoweit täuschte, und diesen Ausdruck fälschlicherweise einer anderen Person zuordnete als der, die ihn gebrauchte. Ohne Belang schien es dem Schwurgericht auch, ob der Angeklagte in seinem Lager Telefon besass oder nicht, der Zeuge Sch. sich also möglicherweise über die Art und den Ort einer Verständigung täuschte. Was sollte der Zeuge auch für ein Interesse haben, zu solchen Fragen falsch auszusagen. Oft entstand der Eindruck, als ginge man davon aus, dass das Gedächtnis einem Film vergleichbar sei, den es nur abzurufen gelte und der auch nach Jahr und Tag - von einer selektiven Wahrnehmung abgesehen - alles naturgetreu reproduziere. Wäre dem so, dann wäre natürlich auch der Frage grosse Bedeutung zu schenken, ob es zwischen dem 8. und dem 15.Juli 1943 - die Richtigkeit des Datums sei hier unterstellt - einen Tag gab, an dem es in den Stunden, während deren sich der Zeuge in Kopyczynce aufhielt, die Sonne vom wolkenlosen Himmel schien oder nicht; denn der Zeuge hatte ja schliesslich behauptet, als sie in Kopyczynce gewesen seien, sei es, wie er sich sicher erinnere, ein schöner unbewölkter Tag gewesen, und hatte es keinen solchen Tag gegeben - wäre dann zu folgern -, seien zumindest begründete Zweifel an der Tat berechtigt. Solchen Überlegungen vermochte das Gericht jedoch nicht zu folgen. Gelänge der Nachweis, dass es einen klaren Sonnentag zur möglichen Tatzeit nicht gab, die Sonne zwar schien, aber doch gelegentlich durch Wolken verdeckt war, wäre nur eine objektive Täuschung des Zeugen zu einem fast 30 Jahre zurückliegenden, völlig belanglosen Nebenumstand dargetan, ohne dass damit etwas für oder gegen die Zuverlässigkeit seiner Aussage zum Tatvorgang an sich gewonnen wäre. Ein Interesse des Zeugen, über das Wetter falsche Angaben zu machen, ist nicht ersichtlich. Es liegt auf der Hand, dass nichts Negatives gegen seine Aussage zu den Taten hätte hergeleitet werden können, wenn er erklärt hätte, sich nicht mehr an die Wetterverhältnisse erinnern zu können. Das Schwurgericht zweifelt nicht daran, dass der Zeuge die entsprechende Angabe machte, weil er an ihre Richtigkeit glaubte.

Das von der Verteidigung eingeholte Wettergutachten, das nicht Kopyczynce unmittelbar betrifft, schliesst im übrigen nicht aus, dass in der von Sch. angegebenen Zeitspanne ein Tag unbewölkt war. Nähere Ausführungen hierzu erscheinen jedoch überflüssig. Ausserdem ist die von dem Zeugen angegebene Tatzeit keineswegs gesichert. Es ist möglich, dass er sich um einen Monat irrte, er also an irgendeinem Tag im Juni mit dem Angeklagten in Kopyczynce gewesen ist. Es wurde bereits erwähnt, dass Thomanek die Liquidierung seines Lagers auf Juni 1943 ansetzte. Der Zeuge Sch. aber gab dafür Juli 1943 an. (Protokoll Januar 1972 S.3) Er begründete dieses Datum mit einem Rückschluss: Die Rote Armee sei am 24.4.1944 in Czortkow einmarschiert; zu dem Zeitpunkt aber sei er 9 Monate im Versteck gewesen. In seinem Wiedergutmachungsverfahren (eidesstattliche Versicherung vom 24.4.1961 Bl.21 Rs. in 277982) hatte der Zeuge selbst jedoch den Tag des Einmarsches der russischen Truppen mit dem 23.3.1944 angegeben, ein Monat, der auch mit den Bekundungen anderer Zeugen übereinstimmt, die anzuführen nicht erforderlich erscheint. Wahrscheinlich kann sich der Zeuge Sch. nicht mehr genau daran erinnern, wann die Russen nach Czortkow kamen, so dass auch das Ergebnis der Rückrechnung objektiv falsch sein kann. Es ist daher möglich, dass die Taten in Czortkow und Kopyczynce im Juni 1943 stattgefunden haben. Exakt ermitteln liess sich der Zeitpunkt nicht mehr. Ein anderer Zeitraum als Juni / Juli 1943 kommt aber nach der Überzeugung des Schwurgerichts auch nicht in Frage.

Die Verteidigung hat noch darauf hingewiesen, dass Sch. ein grossartiges Detailwissen und Erinnerungsvermögen habe, so etwa zur Farbe und Länge der Peitsche, die P. getragen habe, zum Gebäude der Kreishauptmannschaft und zur Lage des Amtes der VOMI; ungenau sei der Zeuge aber bei der Tatdarstellung gewesen: Weder an die Zahl der Schüsse noch an die Treffer habe er sich erinnert.

Diese Angaben des Zeugen sind jedoch nicht miteinander unvereinbar: Das Gebäude der Kreishauptmannschaft hatte er als Czortkower oft gesehen, er kannte es auch von innen. Die Peitsche P.s konnte er häufig wahrnehmen; dass er heute noch bestimmte Vorstellungen von ihr hat, ist deshalb verständlich. Das Niederschiessen des Jungen aber kam für ihn überraschend. Er hatte keine lange Zeit zu eingehenden Beobachtungen, und erst recht keine Veranlassung, sich die genaue Zahl der Schüsse zu merken. Wahrscheinlich hat der Angeklagte nur einmal geschossen und der Zeuge kann heute nur nicht mehr sicher ausschliessen, ob nicht auch ein zweiter Schuss abgegeben wurde. Diese Zurückhaltung in der Tatschilderung spricht indessen deutlich für das Bemühen des Zeugen um eine objektive Rekonstruktion des Geschehens. Hätte er diesen Willen nicht, wäre es ihm ein leichtes gewesen, einfach einen Schuss oder eine bestimmte Anzahl zu behaupten.

Schliesslich steht mit der Beurteilung der Zuverlässigkeit des Zeugen Sch. zum Tatkern in keinem wesentlichen Zusammenhang, dass er - möglicherweise objektiv unrichtig - bekundet hat, er habe sich niemals an Einsammelaktionen ausserhalb des Lagers - der Fall Kopyczynce ausgenommen - beteiligt. Für eine solche Unrichtigkeit kann indessen nicht die Aussage des Zeugen Ko. angeführt werden, der angab, Fri. gekannt und gesehen zu haben, wie er mit einer Gruppe von Leuten angekommen sei, welche die Sachen, die andere nach einer Aktion auf die Strasse gestellt hätten, aufgeladen hätten. Daraus ist nicht zwingend zu schliessen, dass Fri. sich damit auch am Einsammeln beteiligte. Denkbar wäre, dass er zwar die Gruppe begleitet hätte, sich aber nur mit Wolf Win. verständigen wollte. Dass er diesen für den Transport von Hausratsgegenständen verantwortlichen Juden schon Aufträge, Hausrat einzusammeln, erteilt hatte, hat er ausgesagt und dieses Verhalten offensichtlich nicht als eine Beteiligung an einer Sammelaktion begriffen. Für eine bewusste Falschaussage sah das Schwurgericht keinen Anhaltspunkt, abgesehen davon, dass der einzelne die Frage, was man tun muss, um an einem Vorgang beteiligt zu sein, unterschiedlich beantworten kann. Aussagen von Zeugen, die der Sache nach angaben, von einer Beteiligung Fri.s gehört zu haben, waren nach alledem ebenfalls bedeutungslos.

d) Das Schwurgericht hat auch die Überzeugung gewonnen, dass der Angeklagte - nach der Tat an dem Jungen - eine alte Frau in einem Hausflur niedergeschossen hat.

Freilich konnten die Angaben die der Zeuge Sch. zu diesem Vorfall machte, in manchen Einzelheiten nicht als zuverlässig angesehen werden. So waren Widersprüche nicht nur innerhalb seiner im Dezember 1971 / Januar 1972 gegebenen Darstellung, sondern auch zu früheren Bekundungen festzustellen. Ausserdem neigte er zu Schlussfolgerungen, die er als solche nicht sofort kenntlich machte. Dass es sich bei dem jungen Mann, der nach dem Schuss auf die Frau erschienen sei, um ihren Sohn gehandelt habe, hat der Zeuge zunächst ohne Einschränkung behauptet. Es musste erst näher nachgefragt werden, um von ihm zu erfahren, dass er nur annehme, es sei ihr Sohn gewesen, weil dieser ein sehr bestürztes Gesicht gemacht habe. Ursprünglich hatte er auch schlicht behauptet, die Frau habe ein saures Gesicht gemacht, als P. ein besonders gutes Stück aus der Truhe haben nehmen wollen. Im einzelnen nach dem "besonders guten Stück" befragt, erklärte er zunächst, es könne auch nur für die Frau einen persönlichen Wert gehabt haben. Anschliessend offenbarte er seine blosse Annahme: Dass es etwas besonderes gewesen sei, habe er daraus geschlossen, dass die Frau eine saure Miene gemacht habe. Solchen Schlüssen hat das Schwurgericht jedoch keine wesentliche Bedeutung bei der Beurteilung der Zuverlässigkeit des Zeugen zum Tatkern beimessen können. Denn es besteht kein hinreichender Anhaltspunkt, dass er bei der Darstellung über den Schuss auf die Frau ähnlichen fragwürdigen Folgerungen erlegen sein könnte, die - unbewusst - wahrscheinlich nichts anderes darstellen als der Versuch, eine bestehende Überzeugung durch Tatsachen verständlich zu machen. Der Zeuge Sch. hätte sich solche "Blössen" nicht geben müssen, wenn er bewusst unwahr ausgesagt hätte. Es stellt an die Fantasie gewiss keine grossen Anforderungen, ein - etwa durch Stickereien - wertvolles Tuch zu beschreiben. Dagegen erscheint es für einen Lügner nicht gerade naheliegend, dass er eine Behauptung durch Umstände zu belegen sucht, welche diese Behauptung nur möglich, nicht aber besonders wahrscheinlich machen.

aa) Auch die Unstimmigkeiten innerhalb der Aussage 1971/72 liessen das Schwurgericht nicht an der Zuverlässigkeit des Zeugen zum unmittelbaren Tatgeschehen zweifeln.

Zwar hatte der Zeuge Sch. im Dezember 1971 angegeben, er könne sich nicht erinnern, ob bereits Sachen eingesammelt worden seien, bevor er mit P. an das Haus gelangt sei, in welchem P. die Frau erschossen habe, während er im Januar 1972 bekundete, es sei eingesammelt worden, er wisse nur nicht, wer die Gegenstände getragen habe, er oder der Ordnungsdienstmann. Diese Aussageinkonstanz indessen erschien unbedenklich. Es entspricht der Erfahrung, dass das Erinnerungsvermögen schwankt, und auch zu einem späteren Zeitpunkt Einzelheiten ins Gedächtnis zurückgerufen werden, auf die man sich zuvor nicht besinnen konnte. Diese Erinnerungsschwankung bildet keinen Grund, seiner Aussageehrlichkeit zu misstrauen; sie spricht, weil sie natürlich ist, klar für das Bemühen des Zeugen, sich auf die wahren Vorfälle zu besinnen.

Das gilt auch für die Divergenzen in der Aussage einmal zum Standort der Personen beim Schuss, zum anderen zu seinem und P.s Verhalten nach dem Schuss.

Die zweite Schilderung über den Standort der bei dem Schuss Anwesenden gab der Zeuge erst nach dem Versuch einer Rekonstruktion. Es ist einfühlbar und verständlich, dass sich in einem solchen Fall das Erinnerungsbild wandeln kann, weil die mit der Rekonstruktion verbundene Anschaulichkeit bisher unbeachtete Umstände beleben und damit zu einem neuen Gesamtbild führen kann. Wie einfach wäre es doch für den Zeugen gewesen, die "Rekonstruktion" so zu gestalten, dass sie seine Aussage vom Vortage entsprochen hätte, wäre es ihm darum gegangen, als sicherer Zeuge für eine lügenhafte Geschichte zu wirken. Hätte Sch. den Vorfall erfunden, hätte es näher gelegen, in diesem Falle für eine Aussagekonstanz zu sorgen, statt eine Aussagedivergenz zu offenbaren.

Uneinheitlich war die Darstellung des Zeugen auch zu den Vorgängen nach Abgabe des Schusses. Zunächst hatte er dazu geäussert, als sie vom Haus der Frau weggegangen seien, hätten sie den Gendarmen Kohn getroffen. Später (Jan. 1972) sagte er aus, was er nach dem Verlassen des Hauses getan habe, erinnere er nicht, er glaube, sie hätten (vor dem Haus) auf die Fuhrwerke gewartet. Danach wusste er nicht mehr ob P. inzwischen weggegangen war. Auf Vorhalt erklärte er anschliessend, es könne auch sein, dass er, nachdem sie das Haus verlassen hätten, mit P. eine Weile weggelaufen sei. Letztlich räumte er ein, es sei möglich, dass sie nicht erst vor dem Haus, sondern schon etwas früher auf das Fuhrwerk aufgestiegen seien.

Offensichtlich hatte der Zeuge den Geschehensablauf nicht mehr klar im Gedächtnis, was nach nahezu 30 Jahren auch nicht verwundern kann, zumal der Zeuge keinerlei Anlass hatte, sich die Einzelheiten genau zu merken. Sie waren nach dem, was er zuvor erlebt hatte, mehr als nebensächlich. Bei seinen Bekundungen über das, was er und P. nach dem Verlassen des Hauses taten, ist gewiss auch manches nur Vermutung, orientiert an wenigen Details, auf die er sich noch besinnen konnte, so die Begegnung mit "Kohn", an der er festhielt, und die er auch bei seiner ersten zusammenhängenden Darstellung angegeben hat. Die aufgetretenen Unsicherheiten und Schwankungen in seiner Schilderung sind indessen - eingedenk der langen Zeitdistanz seit den Ereignissen - verständlich; sie unterstützen eher seine Aussageehrlichkeit, als dass sie sie in Frage stellen könnten. Daran vermag auch nichts der Umstand zu ändern, dass es einen deutschen Gendarmeriebeamten namens Kohn nicht gegeben hat. Das Schwurgericht war davon überzeugt, dass der Zeuge die Figur des deutschen Uniformierten nicht erfunden hat. Um den Angeklagten zu belasten, bedurfte es dieses Beamten nicht; dass die Opfer tot gewesen seien, bekundete er selbst. Es spricht kein Anhalt dafür, dass der Zeuge im Rahmen einer erdachten Geschichte glaubte, eine solche Person zu ihrer Absicherung einführen zu sollen. Die gegenteilige Überlegung ist näherliegend: Mit der Namensnennung schaffte Sch. die Möglichkeit, seine Angaben zu überprüfen. Das aber pflegt derjenige, der lügt, gerade vermeiden zu wollen. Sch. konnte nicht davon ausgehen, dass der Nachweis einer "Märchenfigur" seine Glaubwürdigkeit steigere. Wäre es ihm etwa darum gegangen, eine erdachte Tat auszuschmücken, wäre er gewiss auch zu der Vorsicht fähig gewesen, den Gendarmeriebeamten nicht namentlich zu kennen.

Danach bleibt, dass der Zeuge zwar über die Begegnung zuverlässig berichtete, sich aber im Namen des Uniformierten irrte. Dass er ein so überragendes Namensgedächtnis habe, dass eine unrichtige Namensnennung eine bewusst falsche Darstellung indiziere, kann nicht angenommen werden. So hatte er beispielsweise den Czortkower Sipo-Angehörigen Rosenow - nur er führte häufig einen (Schäfer) Hund mit sich - als Ros. (Jan. 1972 S.3) in Erinnerung. Offenbar meinte er auch den Sipo-Angehörigen Rux, als er ausführte, ein SS-Offizier Luchs habe einen Juden erschossen. Welcher Deutsche sich hinter dem Namen Kohn verbirgt, blieb unbekannt. Möglich ist u.a., dass der Zeuge Sch. den vom Angeklagten erwähnten Czortkower Gendarmeriebeamten Simon meinte, dessen Namen er phonetisch nur noch als Kohn in Erinnerung gehabt haben mag.

Das Schwurgericht hatte keine Bedenken, die von Sch. wiedergegebene Äusserung "Kohns" sinngemäss als zuverlässig wiedergegeben anzusehen. Danach hat dieser Gendarmeriebeamte zu dem Angeklagten bemerkt, er, P., habe zwei Menschen umgebracht. Dieser Ausspruch stellt ein aus dem gewöhnlichen herausragendes Erlebnis dar, das zudem in enger Verbindung für den von Sch. berichteten Taten zu stehen schien. Dass sich diese Äusserung deshalb in das Gedächtnis des Zeugen einprägte, ist aus ihrer Besonderheit erklärbar und verständlich. Zweifelhaft ist, ob Sch. sich noch auf ihren genauen Wortlaut besinnen konnte; denn der Zeuge gab selbst zwei mögliche Versionen. Doch stimmen beide in ihrem Kern darüber überein, dass P. zwei Menschen umgebracht habe. Keine Bedenken bestanden daher, dies als Inhalt der Äusserung festzustellen. Die Angaben Sch.s zu diesem Punkt zeigen im übrigen wiederum, dass er nach bestem Vermögen um eine korrekte Aussage bemüht war. Es wäre für ihn leicht gewesen, dem Ausspruch einen bestimmten Inhalt zu geben, oder ihn nach den Opfern zu konkretisieren, wäre sein Anliegen die Untermauerung einer Falschbezichtigung gewesen.

Es erhebt sich die Frage, wen der Gendarmeriebeamte gemeint haben kann. Der Sinn seiner Äusserung zwingt nicht anzunehmen, dass er die beiden Vorfälle in Kopyczynce im Auge hatte. Ausgeschlossen wäre dies freilich nicht. Jedenfalls liesse sich nichts Konkretes aus den Angaben des Zeugen Sch. über das Geschehen in der Zeit nach dem Verlassen des Hauses einwenden. Denn es steht nicht fest, dass Sch. und P. sofort in Richtung des Ringplatzes liefen, nach dem sie wieder auf die Strasse gelangt waren. Die Aussage Sch.s lässt hier in ihrer - auch zeitlichen - Unschärfe Raum für die Möglichkeit, dass inzwischen die Nachricht über das Schicksal auch der Frau zu "Kohn" gedrungen ist, der sie im Judenrat erfahren haben mag, bei dem die Tötung einzelner Juden gewöhnlich angezeigt wurde. Doch fehlt es an genügenden Anhaltspunkten, dass der Gendarm den Fall mit der Frau tatsächlich gemeint hat. Dass Sch. dieser Auffassung war, ist unerheblich, wenngleich seine Folgerung naheliegt. Damit aber wird der erwähnte Ausspruch Kohns selbst nicht fragwürdig: Denkbar wäre auch, dass er den Fall "Orenstein" und den Fall des Jungen vor Augen hatte, als er P. ansprach. Schliesslich ist möglich, dass er überhaupt andere Begebenheiten meinte, ohne dass etwas zu der "Berechtigung" gesagt werden kann, sie dem Angeklagten vorzuwerfen.

bb) Die letzte Aussage Sch.s stand auch teilweise in Widerspruch zu seinen früheren Angaben. Darunter verstand das Schwurgericht freilich nicht schon die Erklärung Sch.s, ein Ordnungsdienstmann habe sie begleitet, während er am 9.9.1965 (15, 93) bekundet hatte, bei den Taten sei er mit P. allein gewesen. Die Fortführung seiner Aussage: Die anderen Arbeiter aus dem Lager seien zu jener Zeit auf dem Friedhof gewesen, macht deutlich, dass er mit dem Wort "allein" nur ausdrückte, dass er der einzige von P.s Lager war, der zugegen gewesen ist.

Als bedeutungslos für die Zuverlässigkeit des Zeugen war auch der Umstand anzusehen, dass er am 3.8.1967 aussagte, P. sei in der Wohnung der Frau gewesen, im selben kleinen Zimmer wie sie, während er bei seiner letzten Vernehmung meinte, die Tat sei in einem engen Hausflur geschehen. Im Gedächtnis des Zeugen blieb als Kern haften, dass sich der Vorgang in einem kleinen Raum abspielte. Insofern ist seine Aussage konstant. Dass er den Tatort nicht mehr exakt bestimmen bzw. beschreiben konnte, ist mit der langen Zeitdistanz zu erklären. Ihn sich genau zu merken, erschien auch für die Tat selbst nicht wesentlich, anders als die Enge des Raumes, die ein nahes Zusammenstehen der Personen bedingte. Eine Erklärung für die Uneinheitlichkeit der Bekundungen kann auch die Äusserung des Zeugen bilden, dass er durch den Vorfall mit dem Jungen "konsterniert" gewesen sei. In einem solchen Falle pflegt man seiner Umgebung keine besondere Aufmerksamkeit zu schenken; man nimmt sie mehr am Rande wahr. Hinzu kommt noch, dass der Zeuge - wie bereits erwähnt - in Vorbereitung seiner letzten Vernehmung sehr viel nachdachte; auch das konnte - völlig unbewusst - zu dem veränderten Erinnerungsbild geführt haben. Ein Indiz für eine Falschaussage vermochte das Schwurgericht darin jedenfalls nicht zu sehen. Hierfür bietet auch die Gesamtaussage des Zeugen keinen genügenden Anhalt. Das Schwurgericht durfte es sich nicht so leicht machen, ohne Ringen um das Verständnis aller für die zu einer Aussageänderung führenden Zusammenhänge jeden Widerspruch, jede Unstimmigkeit, schlicht als Ausdruck einer erfundenen Geschichte anzusehen. So zu verfahren würde bedeuten, unkritische Folgerungen aus einem voreingenommenen Standpunkt zu ziehen.

Gegen die Aussageehrlichkeit und Zuverlässigkeit des Zeugen lässt sich ferner nicht anführen, dass er am 3.8.1967 (31, 198) und 21.11.1967 von einem Koffer bzw. grossen Koffer sprach, aus welchen die alte Frau Sachen herauszunehmen versucht habe, während er in seiner letzten Vernehmung dieses Behältnis als Truhe bezeichnete. Die frühere Angabe wurde dem Zeugen im Zusammenhang mit einem anderen Widerspruch vorgehalten; aus seiner

Antwort geht hervor (Jan. 1971 S.33 unten), dass er der Sache nach zwischen diesen Begriffen nicht unterschied, er sie vielmehr wahlweise gebrauchte. Vom Verständnis des Zeugen her besteht mithin insoweit kein Widerspruch.

Eine Aussagedivergenz ist jedoch in seiner Schilderung zum Anlass der Tat vorhanden: Am 3.8.1967 (31, 198) hatte er angegeben, P. habe den Koffer durchsucht und einige Stücke zur Seite gelegt; als die Jüdin versucht habe, einige ihrer Sachen an sich zu nehmen, habe er sie erschossen. Im Dezember 1971 äusserte er dagegen, wie er sich jetzt erinnere, habe die Frau keine Möglichkeit gehabt, etwas aus dem Koffer zu nehmen; P. habe sie erschossen, weil sie wegen eines guten Stücks, das er an sich genommen habe, eine "saure Miene" gemacht habe; allerdings wisse er nicht mehr genau, ob P. das Stück aus der Hand der Frau oder aus der Truhe genommen habe.

Trotz dieses Widerspruchs erschienen die Ausführungen des Zeugen zur Tat selbst dem Schwurgericht nicht zweifelhaft. Führt man beide Darstellungen des Zeugen auf ihren Kern zurück, sind sie im wesentlichen gleich. Sie besagen, dass Anlass für den Schuss die Tatsache war, dass die Frau mit der Wegnahme nicht einverstanden gewesen ist und dies äusserlich zu erkennen gab. Ihr etwaiger Versuch, einen Teil ihrer Habe an sich zu nehmen, ist eine Form der "Widersetzlichkeit" gegenüber dem Täter. Änderungen in der Schilderung des Zeugen traten allein in den Einzelheiten, in denen sich die P. entgegengesetzte Haltung der Frau ausgedrückt hat, auf. Diese Einzelheiten stehen zueinander indessen nicht in einem solchen Widerspruch, dass sie sich gegenseitig ausschliessen. Sie sind vielmehr auch nebeneinander - sozusagen kumulierend - denkbar. Aussageänderungen können in einem solchen Fall dadurch auftreten, dass man bei mehrmaligen Reproduktionen eines Geschehens verschiedene Details nicht, oder anders erinnert, oder einzelnen von ihnen auch ein andere Umstände verdrängendes Gewicht beilegt. Dass hierbei die lange Zeitdistanz zum Geschehen selbst und zu den Vernehmungen untereinander eine wesentliche Rolle spielte, bedarf keiner näheren Erörterung.

Die Veränderung im Erinnerungsbild trat nicht erst bei der letzten Anhörung zutage. Schon am 21.11.1967 (40, 201) sagte der Zeuge zunächst aus, die Jüdin habe ein böses Gesicht gemacht, als sie gemerkt habe, dass P. ihr die Sachen abnehmen wolle. Er fuhr dann fort, dass P. seine Pistole gezogen und die Frau aus nächster Nähe ohne ein Wort zu sagen erschossen habe, als er gesehen habe, dass sie nicht einverstanden gewesen sei. Es bedurfte erst eines Vorhalts aus seiner Aussage vom August 1967, um ihm bei dieser Vernehmung in Erinnerung zu rufen, dass die Jüdin versucht hatte, einige Sachen auf die Seite zu legen, was P. wohl empört habe. Primär sah der Zeuge also schon knapp 4 Monate nach seiner Vernehmung vom August 1967 den Anlass der Tat im Mienenspiel der Frau, eine Vorstellung, die sich bis zu seiner letzten Einvernahme erhielt.

Darin sah das Schwurgericht jedoch keinen Grund, die Zuverlässigkeit der Aussage des Zeugen zum Vorfall selbst in Frage zu stellen. Freilich lässt die Schwankung in der Aussage keine klare Feststellung darüber zu, welcher Vorgang die Tat auslöste; es kann sowohl das Mienenspiel der Frau, als auch ihr Versuch gewesen sein, einige Stücke zu retten; möglich ist auch ein Zusammenwirken beider Umstände. Aus der Tatsache, dass die letzten Bekundungen des Zeugen mit seinen früheren Angaben nicht in allen Details deckungsgleich waren, liessen sich nach Auffassung des Gerichts keine begründeten Einwendungen gegen seine Glaubwürdigkeit herleiten. Hätte Sch. das Ereignis konstruiert, hätte es nahegelegen, sich die Einzelumstände einzuprägen, sie nicht so komplex zu halten. Das Schwurgericht war der Überzeugung, dass sich der Zeuge nicht diese unterschiedliche Darstellung in den Einzelheiten "geleistet" hätte, wenn er den Angeklagten tatsächlich der Wahrheit zuwider hätte belasten wollen. Wäre dem Zeugen an einer Falschbezichtigung gelegen, wäre auch eher zu erwarten gewesen, dass er klar behauptet hätte, wo die Frau tödlich verletzt worden sei, statt für ihren Tod nur eine Schlussfolgerung anzubieten. Er gab sogar an, nicht einmal Blut gesehen zu haben, wofür er noch eine Erklärung suchte und sie schliesslich darin fand, dass die Frau wohl Wäschestücke um den Leib gewickelt habe. Gerade dieses Suchen nach dem Verständnis für einen Vorgang oder für das Ausbleiben eines erwarteten Ereignisses ist ein starkes Indiz dafür, dass real Erlebtes reproduziert wird.

cc) Die Einlassung des Angeklagten hinderte das Schwurgericht nicht an seiner Überzeugung von der Richtigkeit der Aussage Sch.s. Die Furcht vor einer Fleckfiebererkrankung war beim Angeklagten offenbar nicht so stark ausgeprägt, dass sie ihn davon abzuhalten vermochte, überhaupt Häuser, in denen Juden gewohnt hatten, zu betreten. Er hatte die dienstliche Aufgabe, die den Juden gehörenden Vermögensgegenstände einzusammeln. Damit war es auch seine Pflicht, wenigstens durch Stichproben zu überwachen, ob die Arbeit auch seinen Vorstellungen entsprechend ausgeführt wurde. Die Zeugen Poh. und Koh. - die beide VOMI--Angehörige und in der gleichen Position wie der Angeklagte waren - haben erklärt, dass sie mit in die Häuser hineingegangen sind, um - wie Poh. sagte - die Arbeit zu kontrollieren. Dass gerade der Angeklagte die Kontrolle nicht als Teil seiner Aufgabe angesehen habe, ist nicht ersichtlich. Dass er sie vernachlässigt oder - auf Juden - übertragen habe, ist wenig wahrscheinlich. Der Zeuge Hildebrand, [37] früher SS-Untersturmführer, gab sogar an, sich genau daran zu erinnern, nach Aussiedlungsaktionen mit P. in die Häuser hineingegangen zu sein, um nach vorhandenen Gegenständen zu sehen.

Der Angeklagte hat dies zwar in Anschluss an die Vernehmung Hildebrands bestritten und erklärt, jener sei nie wegen der VOMI nach Czortkow gekommen, vielmehr zur Überwachung der Gestapo. Andererseits aber hatte er früher (Hauptverhandlung vom 29.11.1971) angegeben, ihm sei in einem Geheimschreiben mitgeteilt worden, dass er in Fragen der Sicherstellung des jüdischen Eigentums die Befehle des SS-Untersturmführers Hildebrand zu befolgen habe. Er erklärte weiterhin, dass er mit Hildebrand an Aktionstagen ausser in Czortkow auch in Kopyczynce, Berczczow und Tluste gewesen sei, wo sie durch die Orte gelaufen seien. Seine Behauptung, er habe dabei nur von aussen in ein Haus gesehen, ist nicht glaubhaft. Es ist auch kein Grund ersichtlich, warum Hildebrand der Wahrheit zuwider geäussert haben sollte, er sei sich ganz sicher, dass P. mit in die Häuser gegangen sei, er irre insoweit mit Gewissheit nicht. Dass er damit den Angeklagten belasten könnte, hat er schwerlich erahnt, abgesehen davon, dass nichts dafür ersichtlich ist, dass er eine solche Absicht überhaupt gehabt haben könnte. In seinem Bestreben, den Zeugen Hildebrand als unglaubwürdig hinzustellen, hat der Angeklagte auch behauptet (24.2.1972), Hildebrand sei nie in seiner Wohnung gewesen, dabei aber übersehen, dass seiner Einlassung vom 29.11.1971 zufolge Hildebrand jedenfalls am Morgen vor der August-Aktion in Czortkow in seiner Wohnung erschien. Freilich bleibt ein Irrtum Hildebrands möglich. Doch ist die Einlassung des Angeklagten jedenfalls so wenig wahrscheinlich, dass sie die Angaben Sch.s im Ergebnis nicht fragwürdig machen konnte.

Im übrigen hat auch noch der Zeuge Leon Win. bekundet, er habe P. in Czortkow auch einmal sammeln sehen. Er habe die Leute angewiesen, und sei auch selbst in die Häuser mit hinein; P. habe die Häuser erst inspiziert, ehe er jemanden von den ihm zur Verfügung stehenden Leuten hineingeschickt habe. Dass der Zeuge insoweit einer Erinnerungstäuschung zum Opfer gefallen sein sollte, liegt wenig nahe. Es wäre eher auffällig gewesen, wenn P. sich aus den Häusern ferngehalten hätte, als wenn er - entgegen dem für Dritte bestehenden Anschein seiner Pflichten - in die Häuser selbst mit hineinging. Auch der damalige Vorsitzende des Kreisjudenrats in Czortkow, Michael Mar., hat am 16.2.1973 eindeutig bekundet, gesehen zu haben, dass P. nach der Aktion (in Czortkow) in die leeren Häuser gegangen sei und deren Einrichtungen ausräumte.

[37] Siehe Lfd.Nr.355 und 653.

e) Zur Aussage Sch.s ist abschliessend zu bemerken, dass das Schwurgericht unter Würdigung aller Umstände, die für und gegen die Zuverlässigkeit des Zeugen sprachen oder in Betracht kamen, keinen Grund sah, den Kerngehalten seiner Angaben zu misstrauen. Das Gericht hielt die Aussage des Zeugen im aufgezeigten Umfange für glaubhaft und zuverlässig. Es war der Überzeugung, dass der Zeuge den Angeklagten nicht zu Unrecht belastete, vielmehr nur das mit ihm real Erlebte wiedergegeben hat.

5. Das Gericht war davon überzeugt, dass der Angeklagte als mögliche Folge seines Handelns auch den Tod des Kindes und der alten Frau vorhergesehen hat, dieser ihm jedoch völlig gleichgültig gewesen ist.

a) Er hat den Schuss auf das Kind aus nächster Nähe abgegeben und es auch im Bereich der Brust getroffen. Hätte er den Jungen nur zurechtweisen wollen, hätte er weder seine Pistole hervorholen noch schiessen brauchen. Dass er nur geschossen habe, um ihn zu erschrecken, hielt das Schwurgericht für ausgeschlossen. Angesichts der kurzen Distanz zwischen ihm und dem Kind ist das Gericht der Überzeugung, dass er sein Opfer nicht nur versehentlich getroffen hat.

Der Junge wurde im Bereich der Brust verletzt. Es besteht kein Anhaltspunkt dafür, dass der Angeklagte nicht auf den Oberkörper gezielt haben könnte. Angesichts der räumlichen Nähe zwischen Täter und Opfer erschien dies auch ausgeschlossen.

Dass ein Schuss in die Brust zum Tode führen kann, ist so äusserst naheliegend, dass der Angeklagte diese Möglichkeit nach der Überzeugung des Schwurgerichts bei Abgabe des Schusses auch erkannt hat. Es ist kein Umstand ersichtlich, der ihn hätte darauf vertrauen lassen können, dass das Kind die Verletzung überleben werde. Da ein solcher Schuss in der Regel geeignet ist, den Tod herbeizuführen, und der Angeklagte dies auch wusste, hatte das Schwurgericht keinen Zweifel daran, dass er, zumindest, auch mit dem Tod des Kindes rechnete und damit einverstanden war.

b) Die alte Frau stand - ebenso wie der Angeklagte - bei der Truhe, als er auf sie schoss. Berücksichtigt man noch die Enge des Raumes, in welchem sich der Vorfall ereignete, erhellt, dass der Angeklagte auch hier aus nächster Nähe - jedenfalls nicht mehr als 2 m von seinem Opfer entfernt - den Schuss abgegeben hat. Zwar hat der Zeuge bei der Frau kein Blut gesehen, vielmehr nur bemerkt, dass ihr Kopf unverletzt geblieben war. Es besteht jedoch kein Anhaltspunkt dafür, dass der Angeklagte, der sich kurz zuvor nicht gescheut hatte, einem Kind in die Brust zu schiessen, bei der Frau ein anderes Ziel als ihren Leib sich ausgesucht haben könnte. Die Tatsache, dass der Zeuge kein Blut sah, fand eine das Schwurgericht überzeugende Erklärung in der von ihm geschilderten Übung, Wäschestücke um den Körper zu winden. Die Möglichkeit, dass der Angeklagte danebengeschossen haben, die Frau nur aufgrund des lauten Knalls des Schusses ohnmächtig geworden sein könnte, hielt das Schwurgericht für ausgeschlossen.

Es steht nun nicht fest, dass der Angeklagte auch der Frau in die Brust geschossen hat. Das Schwurgericht konnte nicht ausschliessen, dass er in die Gegend des (Ober)Bauches seines Opfers zielte und es dort traf. Dass aber auch ein Bauchschuss - und nicht nur ein Brustschuss - den Tod herbeiführen konnte, war - jedenfalls in der damaligen Zeit - so selbstverständlich, dass der Angeklagte diese mit Sicherheit gesehen hat. Im Hinblick auf die recht hohe Wahrscheinlichkeit des Todeseintritts kann nicht davon gesprochen werden, dass der Angeklagte, dem der geringfügige Anlass zum Schuss auf einen Menschen ausreichte, gehofft haben könnte, die Frau werde mit dem Leben davonkommen. Dass er mit sofortiger ärztlicher Versorgung und Operation gerechnet haben könnte - abgesehen davon, dass auch sie die Überlebenschancen kaum verbesserte (die Entwicklung der Antibiotika stand erst am Anfang) - glaubte das Schwurgericht nicht; es fehlte dazu jeder Anhalt. Das Gericht war der

Überzeugung, dass der Angeklagte nicht nur die Möglichkeit des Todeseintritts sah, dass ihm bei Abgabe des Schusses vielmehr auch völlig gleichgültig war, ob die Frau an der Verletzung - mag sie nun im Bauch oder im Brustbereich gelegen haben - sterben musste oder nicht; er war auch mit ihrem - äusserst naheliegenden - Tod einverstanden.

6. Das Schwurgericht konnte indessen nicht feststellen, dass der Junge und die Frau tatsächlich ihren Verletzungen erlegen sind. Dass sie daran starben, ist zwar äusserst wahrscheinlich; doch konnte sich das Gericht hiervon nicht überzeugen. Es erscheint nicht ausgeschlossen, dass das eine oder andere Opfer aufgrund besonderer glücklicher Umstände mit dem Leben davon gekommen ist. So hat das Schwurgericht in dem Verfahren gegen den früher mitangeklagten Albert Brs. [38] die Erfahrung gemacht, dass ein Jude einen Genickschuss überlebt hat, den Brs. ihm beigebracht haben soll. Der Zeuge Sch. gründete seine Überzeugung vom Tode des Kindes und der Frau auf den Umstand, dass beide nach dem Schuss reglos liegengeblieben seien. Diese Reglosigkeit konnte aber auch auf einer Ohnmacht beruhen; sie bildete jedenfalls kein ausreichendes Indiz, um die Zweifel des Gerichts zu beseitigen. Die Bemerkung des Gendarmeriebeamten, von dem Sch. glaubte, dass er Kohn heisse, bezog sich - wie bereits aufgeführt - möglicherweise nicht auf die Taten des Angeklagten in Kopyczynce. Aber auch alle diese Umstände zusammen - wobei das stärkste Gewicht dem Umstand zukommt, dass eine Schussverletzung in den Leib in der Regel tödlich zu sein pflegte - konnten dem Gericht letztlich nicht die Bedenken nehmen, ob das Kind und die Frau nicht doch noch überlebt haben.

7. a) Das Schwurgericht war davon überzeugt, dass der Angeklagte das Kind niedergeschossen hat, weil es ein Jude war. Es besteht kein Anhalt dafür, dass er auch geschossen hätte, wenn er davon ausgegangen wäre, einen polnischen Jungen vor sich zu haben.

Trug das Kind keinen Davidstern, kann der Angeklagte geschossen haben, um es zu bestrafen. Zu einem solchen Vorgehen war er nicht gehalten. Weder gab es einen Rahmenbefehl - jedenfalls wusste der Angeklagte nach seiner glaubhaften Darstellung hiervon nichts -, ein jüdisches Kind, das ohne Stern angetroffen wurde, niederzuschiessen, noch war es Aufgabe des Angeklagten als Angehöriger der VOMI, die Endlösung dadurch zu fördern, dass er auf Juden schoss. Der Angeklagte hat oft betont, - was durch die Zeugen Koh., Poh. und Lo. auch bestätigt wurde - dass es nicht zu den Pflichten der VOMI gehört habe, an Aktionen mitzuwirken. Sie hatte die jüdische Habe zu erfassen, mehr Teilnahme an Aktionen war ihr nicht auferlegt. Den Schuss auf das Kind hat der Angeklagte aus eigener Machtvollkommenheit abgegeben. Niemand hat es ihn geheissen; niemand hätte daran Anstoss genommen, wenn er, ohne sich um das Kind zu kümmern, seines Weges gegangen wäre. Der Anlass für ihn, ein noch recht junges Menschenleben aufs Spiel zu setzen, war ein denkbar geringer. Er nutzte die Gelegenheit, um sich zum Herren über Leben und Tod aufzuspielen und danach auch in willkürlicher Weise zu verfahren. Sein Handeln entsprang damit einem verwerflichen Machtbewusstsein, das er auch äusserlich zur Geltung bringen wollte. Die damit verbundene Geringachtung menschlichen Lebens ist auch kaum erklärbar ohne eine Bejahung der Ziele, die mit der Endlösung verfolgt wurden. Allein der Jude - oder der, der dafür gehalten wurde - musste sich die notfalls mit seinem Tode endende Willkür gefallen lassen; nur an ihm wurde sie auch so exzessiv praktiziert.

Geht man davon aus, dass der Junge eine Armbinde trug, bleibt als Anlass für den auf ihn abgegebenen Schuss allein sein Jude-sein. Die Vernichtung der Juden war Ziel des NS-Regimes. Der Angeklagte hat dies gewusst. Er hat in seiner Funktion als Vermögeneinsammler Erschiessungsaktionen miterlebt, die etwa Anfang 1943 - nach den sogenannten Umsiedlungs-

[38] Brs., der in dem gegen P. durchgeführten Verfahren mitangeklagt war, verstarb während der Hauptverhandlung; siehe auch Bd.XXXIX S.792.

aktionen - vermehrt einsetzten. Ihm war damit die "Endlösung" der Judenfrage plastisch vor Augen geführt. Er sah, dass die durch die NS-Propaganda - die den Juden als rassisch Minderwertigen, gefährlichen und verachtswerten Volksschädling hinstellte, in welchem das Prinzip des Bösen, die Ursache jedes Niedergangs verkörpert sei - gegen die Juden vorbereiteten Massnahmen schliesslich darin gipfelten, diese allesamt auszurotten, Männer, Frauen und Kinder. Durch seinen Schuss auf das Kind hat er sich diesem Ziel bejahend angeschlossen. Das Schwurgericht hatte keinen Zweifel daran, dass der Angeklagte jedenfalls dann, wenn der Junge eine Armbinde trug, ihn zu töten beabsichtigte. Dass er nur aus blinder Gefolgschaft geschossen haben könnte, hielt das Gericht für ausgeschlossen. Es war der Überzeugung, dass das Niederschiessen eines jüdischen Kindes auf offener Strasse ohne jeden äusseren Anlass und nur weil es Jude war, durch eigene Hassgefühle, möglicherweise auch durch den Willen, willkürlich Macht zu demonstrieren an einem Menschen, bei dem man es ungestraft tun konnte, motiviert gewesen ist.

Den genannten und vom Schwurgericht allein für möglich gehaltenen Beweggründen des Angeklagten steht nicht sein allgemeines Verhalten den Juden gegenüber entgegen.

Gewiss hat er die in seinem Lager Beschäftigten gut behandelt. Das wurde von nahezu allen Zeugen, die bei ihm gearbeitet haben, bestätigt; die gegenteilige Aussage der Zeugin Ros. wurde bereits erörtert (C I 6). Doch brauchte der Angeklagte die in seinem Lager eingesetzten Juden auch. Sie waren ihm und seiner Aufgabe nützlich. Solange wurden sie von ihm auch geschont, wahrscheinlich aus der von Lo. angedeuteten Überlegung heraus, ein Musterlager zu führen. Mit einem Nützlichkeitsdenken ist auch sein Verhalten gegenüber der Zeugin Luise Bil. zu erklären und zu vereinbaren. Die Zeugin, die im Ghetto lebte, hatte für P. einen Pullover gestrickt, und anschliessend noch weiter privat für ihn gearbeitet. Offenbar weil er die Zeugin für seine Zwecke einsetzen konnte, hatte er sich auch bemüht, sie wieder freizubekommen, nachdem sie bei der Oktober-Aktion in Czortkow erfasst worden war. Um den Ehemann der Zeugin, der ebenfalls in das Czortkower Gefängnis abgeführt worden war, kümmerte er sich erst, nachdem Frau Bil. sich geweigert hatte, ohne ihren Mann zu gehen. Der Tatsache, dass der Angeklagte dieser Zeugin, die für ihn private Arbeiten verrichtet hat, einmal einen Eimer Wasser ins Haus getragen hat, als niemand in der Nähe war, vermochte das Schwurgericht keine besondere Bedeutung beizumessen. Dahingestellt bleiben konnte daher, ob die Zeugin tatsächlich "Arierin" gewesen ist - der Zeuge Han. jedenfalls meinte, dass dies in Czortkow allgemein bekannt gewesen sei -, und auch der Angeklagte in seinem Benehmen ihr gegenüber davon möglicherweise beeinflusst worden war.

Die Zeugin Luise Bil., die - wenn man in der Befreiung aus dem Gefängnis eine Lebensrettung sehen will - dem Angeklagten ihr Weiterleben verdankt, hat weiterhin glaubhaft bekundet, gehört zu haben, dass P. sich ausserhalb Czortkows ausgetobt und Juden geschlagen haben soll. Sie erklärte auch, dass in Czortkow alle Juden vor ihm ausgerissen seien und sich vor ihm gefürchtet hätten, fügte dann allerdings einschränkend hinzu, dass alle vor jedem Uniformträger Angst gehabt hätten. Diesen "geteilten" Ruf P.s hatte auch schon der Zeuge Kes. hervorgehoben, was bereits dargestellt wurde (C I 6). Die Aussage des Zeugen Leon Win. bestätigte ihn weiter. Der Zeuge - früher Kreisjudenrat - meinte zunächst, P. habe seine eigenen Leute wohl nicht schlecht behandelt. Danach aber äusserte er, er habe gehört, dass P. mit Thomanek [39] und Rux in Lagern ausserhalb Czortkows gewesen sei, wo auch Juden erschossen worden seien; P. solle sich daran beteiligt haben; dies sei ihm etwa Anfang 1943 berichtet worden. Die enge Verbindung P.s zu Thomanek ist erwiesen; weder der Angeklagte noch Thomanek haben hieraus einen Hehl gemacht.

[39] Siehe Lfd.Nr.455 und 498.

Durch die Aussage Köllners [40] steht auch eine Freundschaft Thomaneks zu dem als "Judenschlächter" angesehenen Sipo-Angehörigen Rux fest (35, 187; 47, 129). Es ist deshalb auch wahrscheinlich, dass - wie der Zeuge Fre. angab - Rux gelegentlich P. und Thomanek bei ihren Ausfahrten in die Provinz begleitet hat, obwohl Thomanek dies bei seiner Vernehmung am 5.3.1973 bestritt. Freilich konnte nicht festgestellt werden, ob die Informationen, die der Zeuge Win. über den Angeklagten erhielt, auch zuverlässig waren. Allerdings besteht kein Anhaltspunkt dafür, dass er sich darüber getäuscht haben könnte, die Klagen über P. gehört zu haben, dies um so weniger, als seiner Information nach die Juden von P. erschossen worden sein sollen, als er - P. - zum Sammeln gekommen sei, der Zeuge Win. als zusätzliche Erinnerungsstütze damit auch noch die Funktion des Angeklagten hatte und nennen konnte. Dass der Zeugen den Angeklagten kannte, hat die Hauptverhandlung klar ergeben. Auch der Angeklagte hat bei seinen Fragen an den Zeugen eindeutig zu erkennen gegeben, dass er mit ihm oft im Judenrat zusammengetroffen war. Das Schwurgericht war davon überzeugt, dass der Zeuge das, was er über den Angeklagten vom Hören-Sagen berichtet hatte, auch über ihn erfahren hat.

Der Zeuge Fre., der Schneider des Angeklagten, berichtete, dass P. zu ihm sehr gut gewesen sei, auch zu seinen Arbeitern sei er gut gewesen. Von anderen habe er aber nur schlechte Dinge über ihn gehört, etwa dass er mit Thomanek (und gelegentlich Rux) in die Städte der Umgebung gefahren sei, um von den Judenräten Sachen zu verlangen; dabei hätten beide auch Juden erschossen. Gewiss bleibt auch hier fragwürdig, ob solche Informationen zuverlässig sind; immerhin aber hat der Zeuge bekundet, dass der Angeklagte selbst - im Juni 1943, der Endphase der Judenliquidierungen - ihm einmal berichtet habe, in Kopyczynce einen Juden getötet zu haben. Dem Bericht des Zeugen Fre. zufolge sei P. mit Thomanek zu ihm in seine im Thomanek-Lager gelegene Werkstätte gekommen. P. habe ihm erzählt, dass er in Kopyczynce gewesen sei und dort einen Mann gesehen habe, der früher bei ihm, Fre. gearbeitet habe. Als dieser auf seine, P.s, Frage, was er hier mache, erwidert habe, Fre. habe ihm Urlaub gegeben, habe er, P., zu ihm gesagt, dann werde er ihm jetzt Urlaub geben und habe ihn erschossen.

Es ist unwahrscheinlich, dass Fre. sich dieses Gespräch "aus den Fingern gezogen" hat, wie der Angeklagte bei seiner Einlassung von 5.3.1973 meinte. Jedenfalls besteht dafür kein genügender Anhaltspunkt. Das Schwurgericht war der Überzeugung, dass der Angeklagte von Fre. nicht bewusst wahrheitswidrig belastet wurde. Für eine unbewusst falsche Zuordnung dieses Gesprächs besteht auch kein Anhalt. Eine Personenverwechslung ist ausgeschlossen. Der Angeklagte selbst gab an, Fre. gut gekannt zu haben. Allerdings ist möglich, dass sich der Vorfall selbst nicht ereignet hat, der Angeklagte seine Äusserung nur "scherzhaft" meinte, oder Fre. sie falsch verstanden oder ausgelegt hat. Dagegen gab der Zeuge Fre. an, selbst gesehen zu haben, dass P. im Thomanek-Lager - und zwar im Mai oder Juni 1943, kurz vor der Liquidierung des Lagers - einen jungen Mann namens Krell geschlagen habe. Thomanek habe gestattet, dass der Junge zu seinen im Thomanek-Lager arbeitenden Eltern komme. Offenbar habe P. hiervon erfahren, sei ins Lager gekommen und habe den Jungen verlangt. Nachdem er ihn zur Rede gestellt habe, habe er ihn mit einem Stock geschlagen und anschliessend von einem jüdischen Polizist namens Wolf verlangt, weiterzuschlagen; der Junge sei wie tot liegengebleiben.

Der Angeklagte hat diesen Vorfall bestritten. Der Zeuge Thomanek hat dazu erklärt, von den bei P. beschäftigten Juden habe keiner zu ihm gewollt, es habe sich auch keiner an ihn gewandt; möglich sei, dass sich jemand in sein Lager "reingeschmuggelt" habe. Wenn P. in

[40] Siehe Lfd.Nr.541.

seinem Lager jemanden hätte schlagen lassen, wäre ihm das bekannt geworden; Wolf hätte ihm das sofort gemeldet.

Durch die Aussage des Zeugen Thomanek wird die Schilderung des Zeugen Fre. nicht unglaubhaft. Dass er selbst dabei gewesen sei, als Thomanek dem Jungen gestattet habe, in seinem Lager zu arbeiten, hat er nicht bekundet. Offenbar war das Einverständnis Thomaneks nur eine Annahme von ihm, oder er hat nur das wiedergegeben, was er hierzu gehört hatte. Es bleibt daher die auch von Thomanek eingeräumte Möglichkeit, dass der Jude Krell ohne sein Wissen sich in seinem Lager aufhielt. Das Schwurgericht sah auch keinen Grund, warum Fre. diese Geschichte erfunden haben sollte. Seine Darstellung, dass der Junge sich über eine Art Gestell habe legen und die Hosen herunterlassen müssen, wirkt nicht gekünstelt oder konstruiert, ebensowenig, dass man nach den Schlägen über den Reglosen einen Eimer mit Wasser geschüttet habe. Diese Details sprechen vielmehr nach der Überzeugung des Gerichts dafür, dass der Zeuge diesen Vorfall tatsächlich erlebt hat, wobei allenfalls fraglich erscheint, ob er die von ihm genannte Anzahl der Stockschläge - es sollen insgesamt 25 gewesen sein - noch genau in Erinnerung hatte. Das Schwurgericht hatte auch keinen Zweifel daran, dass P. der Täter gewesen ist. Die Aussage Thomaneks, Wolf hätte ihm sicher gemeldet, wenn P. in seinem Lager jemanden hätte schlagen lassen, ist nichts weiter als eine Annahme. Wolf konnte auch davon ausgegangen sein, der mit Thomanek sehr gut befreundete P. werde ihm das schon selbst berichten. Dass Fre. das Ereignis wahrheitswidrig bewusst auf P. übertragen haben könnte, hielt das Gericht für ausgeschlossen. Es sah dafür keine genügenden Anhaltspunkte, ebensowenig für eine unbewusste Übertragung.

Das Schwurgericht war nach alledem der Ansicht, dass aus dem Ruf P.s, seinem allgemeinen Verhalten, keine begründeten Bedenken gegen die angeführten möglichen Tatmotive hergeleitet werden können. Ausser dem Fall Krell zeigte auch die Tötung Goldsteins, dass der Angeklagte jedenfalls im Endstadium der Judenliquidierungen zu Gewalttaten gegen Juden fähig war, mag er sie im Falle Goldstein vielleicht auch nicht eigenhändig ausgeführt haben. Eine andere Möglichkeit, denn zu töten, war damals gewiss gegeben. Ob freilich die emotionsgeladene Äusserung des Michael Mar. (Protokoll vom 16.2.1973 H 7 III 255) auf ihn zutreffen mag, P. sei ein "Aasgeier" gewesen, wenn er Augenblicke der Menschlichkeit gehabt hätte, hätte er - Mar. - aufgrund seiner Funktion als erster davon Kenntnis erhalten, bedarf keiner Erörterung. Dass P. die in seinem Lager Beschäftigten nicht misshandelte, dass diese sich geschützt fühlten, hat übrigens auch er betont, während er andererseits darauf hinwies, gehört zu haben, dass P. "in den Bezirken" Juden umgebracht habe. Die Aussage des Zeugen Hor. (22, 112; 43, 230) steht dem nicht entgegen. Seine allgemein positive Beurteilung des Angeklagten (P. war ein anständiger Junge) beruht nicht auf eigenen Erfahrungen, sondern auf Berichten der im Lager P.s Beschäftigten. Das ergibt sich klar aus seiner weiteren Äusserung, er habe mit Leuten, die bei P. gearbeitet hätten, gesprochen, und diese hätten gesagt, dass er - P. - sehr anständig sei. Dass P. jedoch zu den Juden seines Lagers "gut" war, jedenfalls solange er sie brauchte, ist unbestritten.

b) Der Schuss auf die alte Frau wurde ausgelöst durch ihr Nichteinverständnis mit der Handlung des Angeklagten, das sie durch ihre Miene oder eine Geste ausdrücke. Diesen Umstand, den man überpointiert als Widersetzlichkeit - keinesfalls als Widerstand - ansehen konnte, hätte der Angeklagte leicht ignorieren können. Seine Reaktion indessen war eine Fortsetzung dessen, was er bereits bei dem Kind praktiziert hatte: Ein sich Aufschwingen zum Herrscher über Leben und Tod, für den ein geringfügiger Anlass, eine Nichtigkeit ausreichte, um Menschenleben aufs Spiel zu setzen. Der Nichtigkeit des Anlasses war sich der Angeklagte - wie auch bei dem Kind - gewiss bewusst; daran hatte das Schwurgericht keinen Zweifel. Zwar wurde der Angeklagte in diesem Falle bei einer Tätigkeit gestört - mehr auch nicht -, die seiner Aufgabe entsprach: Jüdische Habe zu sammeln. Weitergehende Rechte hatte er aber nicht, auch nicht den Juden gegenüber. Sein Auftrag lautete vielmehr, bewohnte Häuser zu meiden. P. selbst bekannte, nur im Lager eine Art Polizeigewalt gehabt zu haben. Kein Anhalt besteht dafür, dass er etwa weitergehende Befugnisse bestritt, weil er glaubte, sich so besser verteidigen zu können.

Nichts wäre passiert, wenn der Angeklagte das Verhalten der Frau hingenommen hätte. Irgendwelche Auswirkungen waren nicht zu befürchten. So aber tat er nichts weiter, als Macht zu demonstrieren, und dies nur deshalb, weil er eine Jüdin vor sich hatte, was wiederum deutlich macht, dass er auch Ziele, die mit der Endlösung erstrebt wurden, bejahte. Auf das bereits oben im Falle des jüdischen Jungen Ausgeführte wird insoweit verwiesen. Das dort Dargestellte gilt sinngemäss auch hier.

8. Im Falle Orenstein konnte dem Angeklagten nicht nachgewiesen werden, dass er auf den Juden, dem er nachgelaufen ist, auch gezielt geschossen hat. Keine Anhaltspunkte bestehen dafür, dass ein anderer - etwa ein Angehöriger der Sicherheitspolizei -, den Sch. nicht sehen konnte, auf den Fliehenden geschossen, oder aus anderen Gründen Schüsse abgegeben haben könnte. Nach der Tatschilderung Sch.s hat sich der Vorfall innerhalb so kurzer Zeit abgespielt, dass sich der Zusammenhang der Verfolgung mit dem abgegebenen Schuss aufdrängt; das Schwurgericht hatte deshalb keine Zweifel, dass der Angeklagte geschossen hat.

Es war indessen nicht davon überzeugt, dass er den Fliehenden auch treffen - und nicht etwa nur einen Warnschuss abgeben - wollte, obwohl schwerwiegende Umstände dafür sprachen. Wäre es nur seine Absicht gewesen, den Juden zum Stehenbleiben zu bringen, hätte er ihm auch - jedenfalls zunächst - eine entsprechende Aufforderung zurufen können. Der Angeklagte reagierte erst auf den Juden, als dieser - wohl aus Furcht vor dem SS-Mann - davonsprang. Für den Angeklagten haben in jener Endphase der Judenliquidierung geringere Anlässe als die Flucht eines Juden ausgereicht, um einen gezielten Schuss abzugeben. Hinzu kommt, dass der Zeuge Sch. im Judenrat davon unterrichtet wurde, P. habe Orenstein getötet. Die Schlussfolgerung, die der Zeuge daran knüpfte, drängte sich auf. Welchen anderen als den in der Seitengasse der Skladowa verfolgten Juden sollte jener Informant sonst gemeint haben, wobei gleichgültig ist, ob er den Tathergang selbst beobachtet hat oder nicht. Dass der Angeklagte in Czortkow - abgesehen von Goldstein und Orenstein - weitere Juden getötet haben sollte, wurde nicht bekannt. Der Schluss liegt nahe, dass der von Sch. teilweise beobachtete Fall in Czortkow mit dem von dem Informanten im Judenrat gemeldeten übereinstimmte.

Gleichwohl gelangte das Gericht nicht zu der Überzeugung, dass der Angeklagte gezielt geschossen hat. Es blieb möglich - wenngleich es äusserst unwahrscheinlich war -, dass der Angeklagte doch nur einen Warnschuss abgeben wollte; ausserdem glaubte das Gericht, ohne die Angaben jenes Informanten näher prüfen und ihren Weg zurückverfolgen zu können, die Gefahr eines Irrtums nicht ausreichend ausschliessen zu können.

Vom Vorwurf, in Czortkow im Juni 1943 einen Juden (Orenstein) getötet zu haben, war der Angeklagte daher freizusprechen.

D) Rechtliche Würdigung

I. Der Fall Goldstein (B I)

1. Auf den Angeklagten war nach §4 Abs.II StGB das deutsche Strafrecht anzuwenden.

a) Zur Zeit des Vorfalls war P. rumänischer Staatsangehöriger. Die Tat hat er in Czortkow, das zum früheren Staatsgebiet Polens gehörte, begangen. Sie war auch am Tatort mit Strafe bedroht. Es galt das polnische Strafgesetzbuch von 1932, dessen Artikel 225 §1 lautete: "Wer einen Menschen tötet, wird mit Gefängnis nicht unter 5 Jahren oder mit lebenslangem Gefängnis oder mit dem Tode bestraft."

Zwar war nach der sowjetischen Besetzung der ehemals polnischen Gebiete spätestens seit 22.10.1939 das ukrainische Strafrecht anzuwenden. Doch wurde nach der deutschen Besetzung Galiziens durch Verordnung vom 1.8.1941 mit Wirkung vom gleichen Tage das Wiederinkrafttreten der auch auf dem Gebiet des Strafrechts am 31.8.1939 gültigen Gesetze, damit die Wiedereinführung des polnischen Strafgesetzbuchs von 1932, bestimmt. Bis zum Ende der deutschen Besetzung galt danach wieder polnisches Strafrecht (vgl. Gutachten des Max-Planck-Instituts für Ausländisches und Internationales Strafrecht vom 28.7.1972, Bd.98 III Bl.232).

b) Nach der Tat ist der Angeklagte Deutscher geworden.

Mit Erlass vom 19.5.1943 (Reichsgesetzblatt I 315) wurden alle Angehörigen der Waffen-SS deutsche Staatsangehörige. Der Erwerb der deutschen Staatsangehörigkeit hing nicht davon ab, dass ein Feststellungsbescheid der Einwandererzentrale nach dem Runderlass des RMdJ vom 23.5.1944 (RMBliV Seite 551) erging. Der Runderlass spricht in Ziff.2 vom Erwerb der deutschen Staatsangehörigkeit "kraft des Führererlasses." Dieser aber bestimmte als Zeitpunkt des Erwerbs ausdrücklich die Verkündung des Erlasses (BGH NJW 1954, 510; anders BVerfG NJW 53, 497).

Der Erlass vom 19.5.1943 ist nicht nichtig; er wurde es auch nicht durch Gesetz Nr.12 der AHK. Dieses Gesetz stellt die anfängliche Unwirksamkeit des Führererlasses nur fest, soweit er die Globaleinbürgerung französischer und luxemburgischer Staatsangehöriger betrifft. Die unterschiedslose Geltung für jede Zwangsverleihung ist damit weder ausgesprochen noch gewollt.

§10 des Gesetzes zur Regelung von Fragen der Staatsangehörigkeit vom 22.2.1955 (BGBl. I S.65) steht der Auffassung des Schwurgerichts nicht entgegen. Diese Vorschrift (zu ihrer Verfassungsmässigkeit vgl. Schätzel S.282 ff.) vermag an der Tatsache, dass der Erwerb der deutschen Staatsangehörigkeit einmal eingetreten war, nichts zu ändern. Damit ist die Bestimmung des §4 Abs.II Nr.1 StGB erfüllt.

c) Jedenfalls aber ist der Angeklagte Deutscher nach Artikel 116 Grundgesetz. Er ist - wie seine Einlassung zu seinen persönlichen Verhältnissen zu entnehmen ist - deutscher Volkszugehörigkeit und lebt seit seiner Entlassung aus amerikanischer Gefangenschaft in Deutschland. Er hatte sich der SS freiwillig angeschlossen, und es sind keine Umstände ersichtlich, dass er je versucht hätte, in seine Heimat zurückzukehren. Über den VDA kam er auch freiwillig nach Deutschland. Dem Angeklagten wurde von der Verwaltungsbehörde auch ein Flüchtlingsausweis ausgestellt (vgl. Sonderband 127). Ob er allerdings - wie er in der Hauptverhandlung vom 18.6.1973 angab - 1954 die deutsche Staatsangehörigkeit erlangt hat (vgl. §6 ff. StARegG; die Verwaltungsbehörden gingen in der Praxis von der Entscheidung des Bundesverfassungsgerichts zu den Wirkungen des Führererlasses vom 19.5.1943 aus), konnte nicht festgestellt werden.

Ist der Angeklagte aber wenigstens Deutscher nach Artikel 116 Grundgesetz, ist er deutscher Staatsangehöriger im Sinne des §4 Abs.II Nr.1 StGB (BGHSt. 11, 63), für den das deutsche Strafrecht gilt.

d) Ginge man davon aus, dass der Angeklagte nicht einmal nach Art.116 Grundgesetz Deutscher wäre, müsste auf ihn deutsches Strafrecht jedenfalls nach §4 Abs.II Nr.3 StGB angewendet werden. Ein Auslieferungsantrag ist nicht gestellt; ein solcher ist auch nicht zu erwarten. Sollte er gleichwohl angebracht werden, wäre die Auslieferung auch nicht zulässig. Das ist eindeutig für das Verhältnis zur Sowjetunion, auf deren Gebiet der Tatort heute liegt. Denn zwischen der Sowjetunion und der Bundesrepublik Deutschland besteht kein Auslieferungsvertrag; zwischen diesen Staaten findet eine Auslieferung auch nicht statt (Grützner II S 11 Nr.2).

Mit Rumänien, wo nach Art.4 des rumänischen Strafgesetzbuchs das Personalprinzip gilt, besteht ebenfalls kein Auslieferungsvertrag, bei Verbürgung der Gegenseitigkeit aber Auslieferungsverkehr. Da nach rumänischem Recht die Straftat des Angeklagten nach Art.122 des rumänischen Strafgesetzbuchs verjährt und auch die spezielle Verjährung nach Art.124 des rumänischen Strafgesetzbuchs (Grützner IV R 4 S.11) eingetreten wäre, könnte der Angeklagte heute in Rumänien nicht mehr bestraft werden. Damit wäre auch seine Auslieferung unzulässig. Jedenfalls in einem Fall wie dem vorliegenden, in welchem eine Auslieferung offensichtlich nicht in Betracht kommt, ist es nicht geboten, dass die Feststellung der Nichtauslieferung von der im Auslieferungsverfahren zuständigen Behörde getroffen wird.

2. Der Angeklagte hat den Tatbestand des §212 StGB erfüllt; denn er hat vorsätzlich einen Menschen getötet.

Keiner näheren Begründung bedarf, dass er den Tatbestand als Täter verwirklichte, wenn er selbst den Schuss auf Goldstein abgegeben hat. Er ist aber auch dann als Täter anzusehen, wenn man den anderen möglichen Tathergang zugrundelegt. Zwar hat er in diesem Fall nicht selbst geschossen, gab aber die Anordnung dazu, von deren Befolgung er ausging und deren Konsequenzen er überschaute. Nur er hatte auch ein Interesse an der erfolgreichen Verhinderung der Flucht Goldsteins. Er hatte ferner ständig die Tatherrschaft inne. Das Schwurgericht ist davon überzeugt, dass der Ukrainer nicht geschossen hätte, wenn der Angeklagte seine ursprüngliche Anordnung widerrufen hätte. Nach den Angaben P.s war der Ukrainer nie so weit von ihm entfernt, dass er nicht durch einen Zuruf erreichbar gewesen wäre. Nichts spricht dafür, dass der Polizist aus eigenem Antrieb weitergehandelt hätte. Der Angeklagte hatte Täterwillen. Sein Interesse an der Verhinderung der Flucht Goldsteins zeigt eindeutig, dass er die Tat als eigene wollte. Im übrigen hätte er auch selbst geschossen, wenn er nicht geglaubt hätte, dass Goldstein für einen Schuss aus der Pistole, die er in der Hand hielt, zu weit entfernt sei.

Der Angeklagte hat den Tod auch vorsätzlich herbeigeführt. In beiden Fällen nahm er eine tödliche Verletzung Goldsteins billigend in Kauf, nur um dessen Flucht verhindern zu können. Er sah dem Tod des Juden als mögliche Folge seines Handelns und war seines Zieles wegen auch damit einverstanden. Er hat damit bedingt vorsätzlich gehandelt. Für den inneren Tatbestand des §212 StGB genügt bedingter Vorsatz.

3. Die Merkmale des §211 StGB konnten nicht festgestellt werden. Der Angeklagte hat nicht heimtückisch gehandelt. Als der tödliche Schuss abgegeben wurde, war Goldstein nicht mehr arglos. Er musste vielmehr nach Sachlage damit rechnen, dass auf ihn geschossen werde, nachdem er der Aufforderung, anzuhalten, nicht nachgekommen war. Auch hat der Angeklagte nicht aus niedrigen Beweggründen gehandelt. Unter niedrigen Beweggründen versteht man Motivationen, die nach sittlicher Anschauung auf tiefster Stufe stehen. Der Angeklagte muss sich bei der Tat auch der Umstände bewusst sein, die sein Tun als sittlich besonders verwerflich erscheinen lassen. Davon kann hier keine Rede sein. Motiv des Angeklagten war - jedenfalls auch -, die Flucht eines Juden zu verhindern, um möglichen Auswirkungen auf die Haltung der übrigen bei ihm beschäftigten Juden zu begegnen. Er selbst sagte, dass möglicherweise am nächsten Tag 10 Juden geflohen seien, wenn er in diesem Falle Nachsicht und Milde hätte walten lassen. Diese Beweggründe des Angeklagten sind zwar verwerflich. Denn auch für ihn erkennbar ist der Jude Goldstein nur geflohen, weil er sich fürchtete, nach Tarnopol transportiert zu werden, nicht aber deshalb, weil er sich im P.-Lager befand. Hätte der Angeklagte die Flucht Goldsteins geduldet, wären überhaupt keine Auswirkungen auf die Moral seiner Leute zu befürchten gewesen. Es bleibt aber möglich, dass der Angeklagte in dem Augenblick, in dem er sich entschied, die Sachlage nicht so klar erkannt hat und glaub-

te, mehr oder weniger ein Exempel statuieren zu müssen, um möglichen Massenfluchten vorzubeugen. Dieses Motiv, wie es wahrscheinlich vorgelegen hat, steht jedoch sittlich nicht auf tiefster Stufe. Die mordqualifizierenden Merkmale sind demnach nicht gegeben.

4. Die Tat des Angeklagten war rechtswidrig. Auch war sie schuldhaft. Der Angeklagte befand sich nicht in einem Befehlsnotstand. Zwar hatte Katzmann in einem Geheimbefehl, dessen genaues Datum nicht feststeht, der aber in seiner schriftlichen Fassung spätestens 1942 vorlag, angeordnet, dass für jeden flüchtigen Juden, den man nicht wieder habe ergreifen können, 10 Geiseln zu erschiessen seien, und dass ferner Arbeitsunfähige, Arbeitsverweigernde, flüchtende oder wiederergriffene Juden zu erschiessen seien. Diesen Befehl aber, den der Zeuge Thomanek [41] nach der Überzeugung des Schwurgerichts inhaltlich im wesentlichen richtig wiedergegeben hat, kannte der Angeklagte nicht. Der Angeklagte hat immer wieder in Abrede gestellt, je etwas Konkretes von dem Katzmann-Befehl gehört zu haben. Dies ist glaubhaft, weil es nahegelegen hätte, sich zur Rechtfertigung auf diesen allgemein gehaltenen Befehl zu berufen, mag dieser auch den Bekundungen Thomaneks zufolge vornehmlich für die Arbeitslager an der Rollbahn D 4 gedacht gewesen sein. Thomanek jedenfalls hat nicht bezweifelt, dass dieser Befehl auch für sein Arbeitslager in Czortkow galt, erklärte vielmehr nur, dass er ihn nie habe anwenden müssen. Auch auf einen sonstigen Befehl (Rahmenbefehl) hat sich der Angeklagte nicht berufen, ein solcher ist auch nicht ersichtlich. Hätte er einen allgemeinen Befehl, der das Töten von Juden vorschrieb, gekannt, hätte er sicher auch darauf Bezug genommen, zumal er die Tat selbst - nach seiner früheren als glaubhaft angesehenen Einlassung - nicht bestritten hatte.

Nicht ausgeschlossen werden kann, dass sich der Angeklagte in einem Verbotsirrtum befand. Er gab an, er habe sich bei der Verfolgung gedacht, Goldstein fliehe, also werde er auf der Flucht erschossen, wie das im Krieg so üblich sei. Daraus kann entnommen werden, dass er glaubte, sein Vorgehen sei gerechtfertigt, weil ein Fliehender erschossen werden dürfe. Es bedarf keiner näheren Ausführung, dass ein solcher allgemeiner Rechtfertigungsgrund nicht existierte. Hielt er ihn aber für gegeben - und hiervon musste zu seinen Gunsten infolge seiner unwiderlegbaren Einlassung ausgegangen werden -, hatte er bei der Tat kein Unrechtsbewusstsein.

Dieser Irrtum über das Bestehen eines nicht existenten Rechtfertigungsgrundes war jedoch nach der Überzeugung des Schwurgerichts für den Angeklagten vermeidbar. Dass die Tatsache der Flucht aus einer Zwangsverpflichtung, in der nicht einmal Kriegswichtiges geleistet wurde, für sich allein nicht berechtigen kann, ein Menschenleben einfach auszulöschen, liegt so nahe, dass der Angeklagte dies bei den ihm zumutbaren Anstrengungen durchaus hätte erkennen können. Es entspricht so sehr sittlicher Wertvorstellung, dass menschliches Leben als höchstes Gut zu schonen ist, dass der nichtige Anlass, aus dem heraus es geopfert wurde, bei einigem Nachdenken auch dem Angeklagten den Schluss aufgedrängt hätte, dass dieser Grund den Tod nicht rechtfertigen kann. Die Flucht Goldsteins war für den Angeklagten erkennbar nicht gegen die Verhältnisse in seinem Lager gerichtet. Seine Lagerinsassen musste er nicht abschrecken, mag er dies auch zunächst erwogen haben. Ausserdem steht keineswegs fest - und der Angeklagte hat dies auch nicht behauptet -, dass Goldstein, der ja in den Fluss lief, nicht mehr einzufangen gewesen wäre. Seine Handlung war daher auch unter dem Gesichtspunkt einer beanspruchten Strafgewalt eindeutig Übermass. Nach dem Eindruck, den der Angeklagte in der Hauptverhandlung hinterliess, hatte das Schwurgericht keinen Anlass anzunehmen, dass er damals nicht imstande gewesen sein könnte, das von ihm begangene Unrecht bei der notwendigen Abwägung zu erkennen, oder dass er zu einer solchen Abwägung nicht imstande gewesen wäre. Er wirkte keineswegs primitiv oder auch nur mässig

[41] Siehe Lfd.Nr.455 und 498.

intelligent. Dass dies früher anders gewesen sein sollte, indizieren die ihm bei der SS übertragenen Aufgaben nicht; auch sonst bestehen dafür keine Anhaltspunkte.

Das Schwurgericht hat bei alledem nicht verkannt, dass die massive antijüdische Hetze die Juden herabwürdigte, den Wert ihres Lebens leugnete. Es muss hier nicht im einzelnen auf die NS-Propaganda zur Judenfrage eingegangen werden; sie ist offenkundig. Sicher wurde der Angeklagte von ihr auch erreicht, in vermehrten Masse wohl, als er über den VDA nach Deutschland kam. Erst recht spricht seine spätere Ausbildung und seine Zugehörigkeit zur SS für die Kenntnis des Propagandainhalts. Seine damit verbundene Beeinflussung macht es möglich, dass er die Wertigkeit von Anlass und Folge im Falle Goldstein bei der notwendigen Gewissensanspannung nicht so krass gesehen hätte. Nach der Überzeugung des Schwurgerichts wäre ihm das Unrecht seines Verhaltens aber doch aufgefallen.

Dass der Angeklagte zu den gänzlich Verblendeten gezählt haben könnte, ist nirgends ersichtlich. Eine solche Annahme wäre reine Hypothese, mit der sich das Gericht nicht auseinanderzusetzen hat. Das menschliche Leben ist ein so hohes Gut und die sittliche Verpflichtung des: "Du sollst nicht töten" so sehr im Menschen verwurzelt, dass Umstände vorhanden sein müssen, die es als möglich erscheinen lassen, dass bei einem bestimmten Menschen menschliche Regungen wenigstens partiell durch Hetze erloschen sein könnten. Beim Angeklagten fehlen solche Umstände.

5. Nach der zur Tatzeit geltenden Fassung des §212 war der Totschlag mit lebenslangem Zuchthaus oder mit Zuchthaus nicht unter 5 Jahren zu bestrafen. 1953 wurde die Vorschrift neugefasst und als Regelstrafe Zuchthaus nicht unter 5 Jahren angedroht. Nur in besonders schweren Fällen war lebenslanges Zuchthaus vorgesehen. Für die Frage der Verjährung musste die Neufassung der Vorschrift als das mildere Gesetz zugrundegelegt werden.

Die Tat des Angeklagten ist verjährt. Nach §67 StGB in der Fassung vor dem 9.Strafrechtsänderungsgesetz vom 4.8.1969 verjährte die Strafverfolgung wegen eines Verbrechens des Totschlags in 15 Jahren. Nach §67 Abs.IV StGB beginnt zwar die Verjährung an dem Tag, an welchem die Handlung begangen worden ist. Zunächst ruhte sie jedoch bis zum 9.5.1945, denn die Tötung eines Juden unter den hier gegebenen Umständen beruht auch auf dem Führerwillen, der der Verfolgung der Straftat entgegenstand. Ausserdem war bis 30.Juni 1945 das Ruhen der Verjährung durch das Württemberg-Badische Ahndungsgesetz vom 31.5.1946 angeordnet. Damit begann die Verjährung ab 1.7.1945 zu laufen. Die Straftat war mithin mit Ablauf des 30.Juni 1960 verjährt, da Unterbrechungen der Verjährung nicht vorliegen. Die erste richterliche Handlung gegen den Angeklagten P. liegt im Erlass des Haftbefehls vom 27.4.1965.

6. Das Verfahren gegen den Angeklagten P. war mithin einzustellen, soweit ihm die Tötung des Juden Goldstein zur Last gelegt wurde.

II. Die Fälle in Kopyczynce (B II und III)

1. Der Angeklagte unterlag dem deutschen Strafrecht.

a) Die Taten wurden frühestens im Juni 1943 begangen. Der Angeklagte aber wurde mit dem Führererlass vom 19.5.1943 deutscher Staatsangehöriger (vgl. oben D I 1 b). Auf ihn war daher nach §3 Abs.I das deutsche Strafrecht anzuwenden.

b) Folgte man dieser Auffassung nicht, wäre das deutsche Strafrecht nach §4 StGB anzuwenden. Die Voraussetzungen dieser Vorschrift liegen vor; insoweit wird auf die Ausführungen zu D I 1 a, c und d verwiesen. Nach Artikel 23 §1 des polnischen Strafgesetzbuchs war auch der Versuch der Tötung strafbar; nach Artikel 24 §1 betrug die Mindeststrafe Gefängnis nicht unter 5 Jahren (vgl. Gutachten des Max-Planck-Instituts vom 10.5.1974 (98 VII 220)).

2. Der Angeklagte hat den Tatbestand der §§211, 43 StGB erfüllt.

Als er auf das Kind und die Frau schoss, hat er zumindest billigend in Kauf genommen, dass beide an den Folgen ihrer Verletzung sterben werden. Er hat damit - bedingt - vorsätzlich ihren Tod gewollt. Dass dieser Erfolg auch eingetreten ist, konnte nicht festgestellt werden.

Der Angeklagte hat aus niedrigen Beweggründen gehandelt. Er hat nichtige Begebenheiten, die er auch als solche erkannt hatte, zum Anlass genommen, um zu "strafen" oder seine Verärgerung - bei dem Jungen möglicherweise auch seinen Hass auf die Juden - abzureagieren. Er hat dabei seine Machtstellung gegenüber den Juden in verwerflicher Weise benutzt, um gleichsam willkürlich über Leben und Tod zu entscheiden. Wer - wie der Angeklagte - Anlässe der gegebenen Art ausreichend sein lässt, um das Leben eines Menschen aufs Spiel zu setzen, handelt bei Einsatz seiner Macht sittlich in hohem Masse verwerflich. Seine Motive stehen auf sittlich niedrigster Stufe. Er tat das alles auch nur, weil es sich bei den Opfern um Juden handelte, er für seine Handlungsweise keine Bestrafung fürchten musste. Auch dessen war er sich nach der Überzeugung des Schwurgerichts bewusst.

3. Die Tat des Angeklagten war rechtswidrig. Rechtfertigungsgründe waren nicht ersichtlich.

4. Sie war auch schuldhaft begangen. Das Schwurgericht hielt es für ausgeschlossen, dass der Angeklagte geglaubt haben könnte, zu seinem Vorgehen berechtigt zu sein. Er hatte keinen Befehl, unter den gegebenen Umständen notfalls zu töten. Der Angeklagte selbst hat auch - wie bereits erwähnt - erklärt, das Bestehen eines solchen allgemeinen Befehls nicht gekannt zu haben. Dies hielt das Schwurgericht für glaubhaft (vgl. oben D I 4).

Der Angeklagte war allgemein nicht befugt, gegen die Juden, die seinem Lager nicht angehörten, Sanktionen zu verhängen. Das war ihm auch von Lo. deutlich gemacht worden. Dass er die Tötung von Juden generell für erlaubt gehalten haben könnte, erschien ausgeschlossen. Es ist zwar unbestreitbar, dass das NS-Regime eine physische Vernichtung der Juden erstrebte und zu diesem Zweck auch die Massenaktionen durchführte. Diese verbrecherische Praxis aber konnte das bestehende Recht nicht ändern, selbst die §§211, 212 StGB blieben unverändert. Die Tötung von Menschen widerspricht auch so elementar ethischen Grundsätzen, dass besondere Umstände vorliegen müssen, um annehmen zu können, der Täter habe möglicherweise das Empfinden von Recht und Unrecht verloren. Der Angeklagte hat beispielsweise gesehen, wie an Massengräbern Männer, Frauen und Kinder erschossen wurden; er hat die Grausamkeit erlebt, die Unmenschlichkeit, die sich an den Gruben abspielte. Dass dies Recht gewesen sei, hat er, davon ist das Schwurgericht überzeugt, nicht angenommen. Das Gericht hat dabei sehr wohl die Hetze bedacht, mit der man gegen die Juden agitierte, und diese zu niedrigen Wesen herabzuwürdigen suchte. Dass dies aber das Bewusstsein in dem Angeklagten aufgehoben haben könnte, dass auch der Jude Mensch ist, erschien dem Schwurgericht ausgeschlossen. Der Angeklagte mag davon ausgegangen sein, dass alle Handlungen gegen die Juden nicht verfolgt, jedenfalls nicht bestraft werden. Eine solche Vorstellung aber betrifft nicht das Unrecht der Tat, sondern nur ihre - gegenwärtige - Strafbarkeit; ein Irrtum über die blosse Strafbarkeit ist kein Verbotsirrtum; er berührt das Unrechtsbewusstsein nicht.

Im übrigen ergibt sich aus einem als geheime Kommandosache bezeichneten Schreiben an das Hauptamt SS-Gericht in München, welches die Auffassung des Reichsführers der SS mitteilte, dass die Tötung eines Juden auch nicht in jedem Falle straflos bleiben sollte, eine Bestrafung vielmehr von den Handlungsmotiven abhängen müsse (Sonderband 111 Bl.1 (2)).

Allerdings ist das Datum dieses Schreibens unleserlich. Möglich ist, dass die darin enthaltene Meinung 1942/43 ausgegeben war.

5. Da weitere mögliche Schuldausschliessungsgründe nicht ersichtlich sind - auch das psychiatrische Gutachten ergab keinen Anhaltspunkt -, war der Angeklagte nach alledem des versuchten Mordes in zwei Fällen schuldig zu sprechen.

E) Strafzumessung

Mord ist mit lebenslanger Freiheitsstrafe bedroht (vgl. auch §211 Abs.II der zur Tatzeit geltenden Fassung). Für die versuchte Tat kann die Freiheitsstrafe nach §44 Abs.II StGB bis auf 3 Jahre herabgesetzt werden. Das Gericht hatte keine Bedenken, von dieser Milderungsmöglichkeit Gebrauch zu machen und für die Strafzumessung von der Mindeststrafe auszugehen.

Im einzelnen hat das Schwurgericht hierbei berücksichtigt, dass der Angeklagte seine Opfer durch die Schüsse verletzt hat. Er hat sie mit Sicherheit in grosse Todesgefahr gebracht. Doch war andererseits zu beachten, dass seit Begehung der Taten inzwischen über 30 Jahre vergangen sind. Der Angeklagte hat nach dem Kriege einen rechtschaffenen Lebenswandel geführt. Es ist auch nicht die Gefahr zu sehen, dass er erneut straffällig werden könnte. Die Voraussetzungen, die ihn zum Verbrecher machten, die sein Unrechtsempfinden verflachen liessen, sind beseitigt. Das Schwurgericht ist davon überzeugt, dass der Angeklagte - der auch vor dem Kriege nicht auffällig wurde - weiterhin ein straffreies Leben führen wird. Strafzwecke mit vorwiegend spezialpräventivem Charakter mussten daher ausscheiden; sie konnten die Strafe nicht mehr zum Nachteil des Angeklagten beeinflussen. Das Gericht hat zu Gunsten des Angeklagten weiter erwogen, dass er sich ursprünglich nicht von sich aus zur SS beworben hat, hierzu vielmehr veranlasst wurde. Auch wurde er ohne eigenes Zutun in die Judenvernichtungsmassnahmen verstrickt, wenngleich mehr am Rande.

Unter Abwägung aller Umstände hielt das Gericht für den Tötungsversuch an dem Jungen eine Freiheitsstrafe von 5 Jahren, für den an der Frau eine Freiheitsstrafe von 4½ Jahren für angemessen. Die unterschiedliche Straffestsetzung erschien gerechtfertigt, da der Angeklagte die Tat an der Frau im Zusammenhang mit der ihm zugewiesenen Funktion beging, und der Anlass zu ihr in der "Widersetzlichkeit" der Frau lag, hier also der Angeklagte unmittelbar angesprochen war. Zu seinen Gunsten konnte noch berücksichtigt werden, dass er das Haus möglicherweise menschenleer glaubte, als er es betrat.

Unter Würdigung des bisher Ausgeführten und im Hinblick darauf, dass der Angeklagte, der mit der Liquidierung der Juden an sich nichts zu tun hatte, an einem Tag innerhalb kurzer Zeit zweimal versuchte, Menschen zu töten, hielt das Schwurgericht eine Gesamtfreiheitsstrafe von 8 Jahren für gerechtfertigt und notwendig. Eine geringere Strafe erschien dem Schwurgericht zur Ahndung des von dem Angeklagten begangenen Unrechts nicht ausreichend.

Es bestand kein Grund, die erlittene Untersuchungshaft auf die erkannte Strafe nicht anzurechnen. Die ausgesprochene Nebenfolge beruht auf §31 StGB.

F) Die dem Angeklagten nicht nachweisbaren Taten

I. « Anklagevorwurf »

Dem Angeklagten war weiterhin vorgeworfen, er habe

1. in Skala am 26.September 1942 in den frühen Morgenstunden im Hause des Rabbiners Drimer die etwa 80-jährige Jüdin Golda Henia Drimer, die sich im Keller des Hauses zu

verstecken versucht hätte, von ihm aber mit den Worten: "Juden heraus" zum Verlassen ihres Unterschlupfes gezwungen worden sei, durch einen Pistolenschuss in den Kopf getötet, als sie seiner Aufforderung nicht schnell genug nachgekommen sei;

2. in Skala am 26.9.1942 zwischen 11.30 und 12.00 Uhr in der Hauptstrasse den etwa 60 Jahre alten Juden Chaim Engelbach, der von ukrainischen Hilfspolizisten aus einem Versteck herausgeholt worden sei, durch einen Pistolenschuss getötet;

3. in Skala am 26.9.1942 gegen 12.00 Uhr in der Nähe des Judenratsgebäudes die Jüdin Pesia Szyf geb. Drimer, welche gerade aus einem Haus herausgekommen sei, mit den Worten: "Was machst Du da, Alte?" angesprochen, seine Pistole gezogen und sie erschossen;

4. in Skala am 27.9.1942 vormittags, gemeinschaftlich mit Kurt Köllner [42], Arthur Rosenow und anderen, unbekannten Angehörigen der Sicherheitspolizei 26 namentlich unbekannte Juden, die während der "Umsiedlungsaktion" am Vortag zu fliehen versucht hätten, erschossen, nachdem Köllner oder Rosenow durch die Bemerkung: "Erledigen" den Befehl dazu erteilt hätte.

Er habe somit in 4 Fällen aus niedrigen Beweggründen - im letzten Falle auch grausam - Menschen getötet.
Die Taten seien Verbrechen des Mordes, strafbar nach den §§211, 47, 44 StGB.

II. « Der festgestellte Sachverhalt »

Das Schwurgericht hat zu den Tatvorwürfen folgende Sachverhalte festgestellt:

1. Am 26.9.1942 fand in Skala, das zum Bezirk Czortkow gehörte, eine grosse Aktion statt, die sich bis zum 27.9.1942 erstreckte. An ihr waren ausser der Sicherheitspolizei aus Czortkow auch deutsche und ukrainische Gendarmerie beteiligt; Angehörige des in Skala stationierten Zollgrenzschutzes wirkten an den Absperrmassnahmen mit. Von der Aktion, die im Morgengrauen begann, wurden etwa 600 Menschen erfasst, die zunächst zum Sammelplatz an der alten polnischen Kaserne getrieben und anschliessend nach Belzec transportiert wurden. Etwa 30 Juden wurden im Verlaufe der Aktion erschossen.

Nachdem das Judenratsmitglied Abraham Bil. am frühen Morgen des 26.9.1942 von ihrem Beginn unterrichtet worden war, begab er sich zum Judenrat, der im Hause des Rabbiners Drimer seinen Sitz hatte. Am Eingang des Gebäudes traf er mit einem SS-Mann zusammen, von dem er der Überzeugung ist, dass es sich um den Angeklagten P. gehandelt hat. Bil. betrat mit dem uniformierten Deutschen das Haus. Als sie in das erste Zimmer gelangten, konnten sie durch eine geöffnete Tür in die zur Wohnung des Rabbiners gehörende Küche sehen, in der sich auch der Zugang zum Keller befand. Sie bemerkten noch, dass die Schwester des Rabbiners, Nechama, im Kellereingang verschwand; vor ihr war bereits seine Tante, Golda Henia Drimer, in den Keller gegangen, um in diesem Versteck die Aktion zu überleben.

Der SS-Mann lief sofort in die Küche, zog seine Pistole und schrie: "Juden heraus!" Auf diese Aufforderung erschien zunächst Nechama, die er unbehelligt liess. Der danach die Kellerleiter emporsteigenden Golda Henia schoss er jedoch - an der Kelleröffnung stehend - eine Kugel in den Kopf; wahrscheinlich beeilte sich die alte Frau nicht in dem Masse, wie er

[42] Siehe Lfd.Nr.541.

es gerne gesehen hätte. Als sie kurz darauf aus dem Keller gezogen wurde, war sie bereits tot. Sie wurde spätestens am nächsten Tag beerdigt.

2. Einige Stunden nach dieser Tat - etwa gegen 11.00 Uhr vormittags - kam der Zeuge Bil. mit dem Uniformierten, der Golda Henia Drimer getötet hatte, und dem Rabbi Jehuda Drimer aus dem in Skala gelegenen Haus des Juden Edelmann. Als sie sich entweder noch auf den Stufen der Eingangstreppe zum Anwesen Edelmann oder schon auf der Strasse befanden, wurden sie - möglicherweise hervorgerufen durch Lärm und Geschrei - auf zwei Ukrainer aufmerksam, von denen einer versucht hatte, den Juden Chaim Engelbach aus seinem Haus zu zerren, um ihn wohl zum Sammelplatz zu treiben. Das Haus des Juden Engelbach war ein Eckhaus. Verliess man das Haus Edelmann und wandte sich nach rechts, kreuzte etwa in 20 m Entfernung eine Querstrasse. Das erste Eckhaus links - aus der Sicht des Hauses Edelmann gesehen - war das Haus des Juden Engelbach, der damals zwischen 50 und 60 Jahre alt war und vor dem Krieg eine Bierhandlung betrieben habe. Der Eingang zum Hause Engelbach lag in jener Seitenstrasse. Der Sammelplatz der Juden bei der früheren polnischen Kaserne war vom Haus Engelbach etwa 200 bis 300 m entfernt. Um zu ihm zu gelangen, musste man nach Verlassen des Anwesens Engelbach sich an der Strassenkreuzung gleich nach rechts wenden und die am Hause Edelmann vorbeiführende Strasse entlanglaufen. Der SS--Mann ging nun auf das Haus Engelbach zu. Der Zeuge Lac., der bei den ukrainischen Polizisten stand, sah ihn näher kommen. Lac. hatte sich nach Beginn der Aktion auf den Feldern bei Alt-Skala versteckt. Er war jedoch von zwei ukrainischen Gendarmen entdeckt worden, die ihn zum Sammelplatz bringen wollten. Als er mit einem Ukrainer - der andere hatte sich unterwegs entfernt - auf Umwegen am Haus des Juden Engelbach angelangt war, bemerkte er, wie ein ukrainischer Polizist gerade versuchte, den Juden Engelbach aus dem Haus zu zerren. Engelbach stand unter dem Rahmen der Eingangstüre und war nur mit seiner Unterwäsche bekleidet. Dem Versuch des Ukrainers, ihn zur Strasse herunterzuziehen, widersetzte sich Engelbach und schrie dabei laut. Der ukrainische Polizist, der Lac. begleitet hatte, trat nun hinzu und sagte zu dem Gendarmen, er werde Engelbach erschiessen. Lac. blieb währenddessen seitlich hinter dem Polizisten stehen, von wo aus er auch das Haus Edelmann einsehen konnte. Beide Ukrainer, die mit Karabinern bewaffnet waren, fuhren fort zu schreien; auch Engelbach schrie sehr laut.

Unterdessen kam der SS-Mann auf die Gruppe zu, gefolgt von Bil. und Drimer. Er drängte die beiden ukrainischen Polizisten, die inzwischen das Gewehr gegen Engelbach in Anschlag gebracht hatten, zur Seite und trat vor den Juden hin. Er rief nunmehr Engelbach etwas zu. Es ist möglich, dass er dem Juden befahl, auf die Strasse zu kommen und zum Sammelplatz zu laufen. Als Engelbach auf den Zuruf nicht reagierte, holte er seine Pistole hervor und gab auf ihn aus etwa 3 m Entfernung einen Schuss ab. Engelbach wurde von der Kugel tödlich getroffen. Nach der Tat ging der Uniformierte, von Bil. und Drimer begleitet, weg. Dem Zeugen Lac. war es unterdessen gelungen zu entfliehen.

3. Am frühen Nachmittag des gleichen Tages liefen jener SS-Mann, Bil. und der Rabbiner Drimer zurück zum Judenrat. Als sie beim Haus des Zeugen Bil. angelangten, öffnete die alte, taube Jüdin Pesia Schiff, die dort wohnte, die Haustüre. Der uniformierte Deutsche, der sie bemerkt hatte, rief ihr zu, was sie da mache. Er zog darauf seinen Revolver und schoss auf sie aus etwa 8 bis 10 Metern Entfernung. Die Jüdin fiel von der Kugel getroffen nieder und erlag wenig später ihren Verletzungen.

4. Am Morgen des 27.9.1942 mussten sich auch die Mitglieder des Judenrats zum Sammelplatz begeben. Dort bemerkte Bil. wieder jenen SS-Mann, der am Tag zuvor die drei Juden getötet hatte. Er erstattete einem anderen "Gestapo-Mann", wahrscheinlich war dies der Czortkower Angehörige der Sicherheitspolizei namens Köllner, Rapport über den Verlauf der Aktion. Dabei kam das Gespräch auch auf 26 Juden, die von den übrigen getrennt gefangen

gehalten wurden. Der SS-Mann erklärte dem "Gestapo-Mann", dass die Juden versucht hätten, zu entfliehen. Dieser befahl daraufhin, sie zu "erledigen".

Die 26 Menschen mussten sich nun in einer Reihe aufstellen. Sie wurden sodann erschossen. Auch der SS-Mann, von dem Bil. behauptete, dass es der Angeklagte P. gewesen sei, beteiligte sich an der Erschiessung. Später gab er den Befehl, die Leichen zu begraben.

III. « Einlassung des Angeklagten »

Der Angeklagte hat die ihm zur Last gelegten Taten bestritten. Er erklärte, nie in Skala gewesen zu sein. Zwar sei er auch für Skala zuständig gewesen, habe dort aber nie die Hinterlassenschaften eingesammelt oder sich sonst aufgehalten.

IV. « Beweiswürdigung »

Das Schwurgericht hatte keinen Zweifel daran, dass sich die Vorfälle ereignet haben. Es war jedoch nicht davon überzeugt, dass der Angeklagte der Täter war. Für den Angeklagten sprachen zwar eine Reihe schwerwiegender Umstände, die nicht alle erörtert werden sollen. Im Endergebnis konnten jedoch die Bedenken, die die Aussage des Zeugen Bil. zur Frage, ob jener SS-Mann tatsächlich P. gewesen ist, aufwarf, nicht beseitigt werden. Nicht zuletzt war dafür auch ursächlich die Tatsache, dass sich der Zeuge wegen seiner Krankheit einer eingehenden Vernehmung nicht stellen und sich somit nicht detailliert zu den Anklagepunkten äussern konnte. Eine gründliche Überprüfung des Zeugen, der den Angeklagten bei vier Mordtaten beobachtet haben will, wäre aber nach so langer Zeitdistanz zum Tatgeschehen notwendig gewesen, um eine gewissenhafte Entscheidung über seine Zuverlässigkeit abgeben zu können. Die wenigen Angaben des Zeugen in seiner polizeilichen Vernehmung vom 22.4.1965, 24.11.1967 und 20.3.1974 waren dem Schwurgericht nicht Grundlage genug.

V. « Die Aussage des Zeugen Lac. »

Die Frage, ob der Zeuge Bil. den Angeklagten zu identifizieren vermochte, trat auf, nachdem der Zeuge Lac., der die Tötung des Chaim Engelbach mitbeobachtet hat, sich hierzu nicht imstande zeigte.

1. Der Zeuge Lac. hat bei seiner kommissarischen Vernehmung 1971 folgendes bekundet:

Am 26.9.1942 habe in Skala eine grosse Aktion stattgefunden. Bereits im Morgengrauen seien verschiedene LKW auf der Strasse, die nach Czortkow führte, angekommen, auf denen Uniformierte und Zivilisten gewesen seien. Er sei durch das Motorengeräusch erwacht, habe aus dem Fenster seiner in Skala - Stara - gelegenen Wohnung gesehen und sich gleich gedacht, dass nunmehr eine Aktion im Gange sei. Er habe sich sofort aus dem Haus entfernt, sei etwa 200 bis 300 m weit gelaufen und habe sich an einem Bach hinter einem Gebüsch versteckt. Nach langer Zeit sei er dort eingeschlafen. Erwacht sei er, als zwei ukrainischen Polizisten, die mit Karabinern bewaffnet gewesen seien, bei ihm gestanden seien. Diese hätten ihn nun zum Sammelplatz, einer alten polnischen Kaserne, führen wollen. Unterwegs sei er von ihnen mit dem Gewehrkolben geschlagen worden, nachdem sie ihn immer wieder aufgefordert hätten, ihnen versteckte Juden zu zeigen. Zwischendurch hätten ihn die Ukrainer auch immer wieder in Häuser geführt, die leer gestanden seien und die von Juden bewohnt gewesen seien. Auf diese Weise sei man etwa 2 km weit gegangen.

Als sie zum Hause des Chaim Engelbach gekommen seien - ganz in der Nähe der Kaserne - habe er dort den Engelbach gesehen, einen etwa 50-jährigen Mann, der allseits bekannt gewesen sei und der einen Bierausschank gehabt habe. Engelbach sei nur mit Unterwäsche bekleidet gewesen und unter dem Türrahmen gestanden. Ein ukrainischer Polizist habe versucht, ihn die Stufen - es mögen etwa zwei bis drei Stufen gewesen sein - zur Strasse herunterzuziehen. Engelbach habe sich dem widersetzt und dabei laut geschrien. Der Ukrainer, der ihn - den Zeugen - geführt habe, - der zweite Polizist sei inzwischen verschwunden gewesen - habe daraufhin zu dem Polizisten bei Engelbach gesagt: "Lass mich, ich werde ihn erschiessen." Er, Lac., habe dabei etwa 2 m hinter seinem Polizisten gestanden. Das Haus Engelbachs sei ein Eckhaus gewesen. Von seinem, des Zeugen, Standort aus habe man zu dem etwa 25 m entfernten Haus des ihm bekannten Edelmann sehen können. In dieses Haus hätten etwa vier bis fünf Stufen geführt. Auf dem oberen Teil dieser Stufen seien Abraham Bil. und Jehuda Drimer gestanden. Darunter - wohl ebenfalls noch auf den Stufen - ein deutscher Gestapo-Mann, wohl ein Offizier. In diesem Zeitpunkt sei der Lärm, der vor dem Hause Engelbach geherrscht habe, gross gewesen. Nicht nur Engelbach selbst, sondern auch die zwei Ukrainer hätten geschrien. Offenbar habe der Deutsche den Lärm gehört, weshalb er näher gekommen sei und etwas gerufen habe. Ihm seien Bil. und Drimer gefolgt. Beim Näherkommen habe er das Gesicht des Deutschen von vorn gesehen, den er bis dahin nicht gekannt habe. Der Deutsche sei nun auf die Gruppe zu, habe die Ukrainer zur Seite gedrängt und Chaim Engelbach etwas zugerufen. In diesem Zeitpunkt sei der Deutsche links von ihm gestanden. Die Ukrainer, die zunächst das Gewehr gegen Engelbach in Anschlag gebracht hätten, seien rechts von ihm nach hinten zurückgewichen. Der Deutsche habe nun seine Pistole gezogen und auf Chaim Engelbach einen Schuss abgegeben. Dabei habe er das rechte Profil des Deutschen deutlich gesehen. Er sei sich sicher, dass nur der Deutsche geschossen habe, denn der Widerhall des Schusses sei von ihm gekommen, und er habe auch gesehen, wie jener den Abzug betätigt habe. Nach dem Schuss sei Engelbach die Stufen heruntergefallen und liegen geblieben. Diesen Moment habe er, Lac., benutzt und sei losgerannt. Er sei an dem Haus Edelmann vorbei zu einem Bach gelaufen, wo er sich unter einem Steg versteckt habe.

Nach dem Ende der Aktion gegen Mittag des 27.9.1942 sei er zum Judenrat gegangen. Dort habe man darüber gesprochen, dass P. Menschen erschossen habe. Es seien verschiedene Fälle genannt worden, darunter wohl auch der Name des Engelbach. Mehr als Schlussfolgerungen aus diesem Gespräch sei der Eindruck entstanden, dass P. ein gefährlicher Mörder sei. Plötzlich habe jemand gerufen, P. komme. Noch bevor sie hätten flüchten können, sei P. in der Tür erschienen. Er habe in ihm klar denjenigen erkannt, der zuvor auch Chaim Engelbach erschossen hatte. P. habe nun den Befehl gegeben, ihm eine Gruppe von Juden zur Verfügung zu stellen, die das jüdische Eigentum einsammeln sollten. Nachdem P. gegangen sei, habe man erklärt, dass es Aufgabe P.s sei, das jüdische Vermögen zu requirieren.

Auch er, der Zeuge, sei vom Judenrat für die Arbeit bei P. bestimmt worden. Er habe mit anderen Juden die verlassenen Häuser nach zurückgelassenen Gegenständen durchsuchen müssen. Viele Häuser seien zuvor schon von Ukrainern durchsucht worden, die ebenfalls Gegenstände mit sich genommen hätten. Die Ukrainer hätten auch mit Pferdewagen die Durchsuchung begleitet. Auf diese Wagen seien dann die Gegenstände aufgeladen und zur jüdischen Synagoge verbracht worden. Während dieser Durchsuchungsaktion habe er P. noch einmal gesehen. Dieser sei in die jüdischen Häuser gegangen und habe offenbar kontrolliert.

Ein viertes Mal habe er P. wiederum im Judenratsgebäude gesehen. Erneut habe jemand geschrien: "P. kommt". Als dieser jedoch an der Tür erschienen sei, sei es ihm, Lac., gelungen, durch den zweiten Zimmereingang in das Nebenzimmer zu verschwinden, und aus dem Haus durch ein Loch in der Wand zu entkommen. Auch damals habe er P. ganz deutlich gesehen. Dies sei wohl am 27.9.1942 gewesen. Auch später habe er P. noch einige Male gesehen. Er habe die Arbeit inspiziert, die Wochen gedauert habe.

P. sei grösser als er gewesen, vielleicht 1,75 m. Er habe eine volle Statur gehabt und eine ziemlich hohe Stimme. Er habe weiterhin ein volles Gesicht gehabt. Das Bild Nr.1 (P.) in der Lichtbildmappe 35/1 stelle P. dar. Lichtbilder von P. habe er vor dem heutigen Tag noch nicht gesehen.

Wo Chaim Engelbach von P. getroffen worden sei, könne er nicht sagen. Er habe daran keine Erinnerung mehr. Er erinnere sich auch nicht, Blut gesehen zu haben. Sicher sei er sich jedoch, dass Chaim Engelbach getötet worden sei. Bei der Aktion am 26.9.1942 seien insgesamt 29 Menschen ums Leben gekommen. Der Judenrat habe eine Liste erstellt, auf der die Getöteten verzeichnet worden seien. Diese sei in hebräischer Schrift in jiddischer Sprache abgefasst gewesen. Jeder habe sie beim Judenrat einsehen können. Der Name Chaim Engelbach sei auch darauf gestanden. Er habe die Liste gesehen und den Namen selbst gelesen. Als P. geschossen habe, sei er in Uniform gewesen. An bestimmte Rangabzeichen könne er sich nicht mehr erinnern. Er wisse auch nicht mehr, was für eine Mütze P. damals getragen habe, und wie sie ausgesehen habe. Er habe P. zweimal mit einer Mütze gesehen, und zwar einmal mit einem Schiffchen, das andere Mal mit einer runden Mütze. Er könne heute nicht mehr sagen, welche Mütze P. bei der ersten Begegnung aufgehabt habe.

Von Abraham Bil. und anderen habe er gehört, dass P. am Aktionstage auch die Golda Henia Drimer und die Pesia Drimer erschossen habe. Pesia Drimer sei seiner Erinnerung nach am oder im Judenratsgebäude erschossen worden. Näheres könne er dazu nicht sagen.

2. Am 11.6.1973 wurde der Zeuge nochmals in Israel richterlich vernommen. Hierbei gab er an:

Nach seiner Vernehmung im Oktober 1971 habe er Zweifel darüber bekommen, ob derjenige SS-Mann, der Engelbach erschossen habe, mit demjenigen SS-Mann, der die Sammlung des jüdischen Vermögens durchgeführt habe und der P. gewesen sei, identisch sei. Was ihn zu diesen Zweifeln veranlasst habe, wisse er nicht mehr genau. Er glaube jedoch, dass es Fragen nach Einzelheiten über das Aussehen des Täters gewesen seien, so, ob er Offizier gewesen sei, und welche Mütze er getragen habe. Er unterrichte Philosophie, und habe sich deshalb daran gewöhnt, auch in seinen Gedanken und Überlegungen den Dingen auf den Grund zu gehen; daneben wolle er gerecht bleiben bis zum Äussersten. Möglicherweise habe ihn auch die Tatsache verunsichert, dass er nicht alle Fragen, die ihm zur Identifizierung des Täters gestellt worden seien, habe beantworten können. Die Zweifel daran hätten ihn seither gequält. Heute könne er nicht mehr mit Sicherheit sagen, dass eine Identität bestehe zwischen dem Mann, der Engelbach erschossen habe, und dem Manne, welcher das Vermögen der Juden eingesammelt habe. Er könne die Frage nicht mehr beantworten, ob er bei der in seiner Aussage vom 26.10.1971 geschilderten Situation, als er P., beim Judenrat, gesehen habe, und er von anderen als P. bezeichnet worden sei, ihn damals mit vollständiger Sicherheit als denjenigen erkannt habe, der Engelbach erschossen habe. Er habe P. späterhin jedesmal immer nur während weniger Minuten und in einer Verfassung von Erregung gesehen. Darum sei er im Zweifel, ob er mit Sicherheit sagen könne, dass der Täter bei der Erschiessung des Engelbach und P. dieselbe Person gewesen seien, dass sie dasselbe Gesicht gehabt hätten.

Er kenne Chaim Fie. Er habe auch gut dessen verstorbenen Vater gekannt, und es sei sehr wahrscheinlich, dass er mit ihnen über die Ereignisse der Verfolgungszeit gesprochen und dabei die Erschiessung Engelbachs erwähnt habe. Was er damals erzählt habe, könne er nicht mehr sagen. Wahrscheinlich habe er damals P. als Täter bezeichnet, weil er überzeugt gewesen sei, dass er auch der Täter sei.

Wann Zweifel über die Identität bei ihm erwacht seien, wisse er nicht genau. Sie seien jedoch schon vor seiner Vernehmung vom 4.4.1973 vorhanden gewesen. Als ihm damals das Protokoll vorgelesen worden sei, wonach er nochmals sicher behauptet habe, dass der Täter P. gewesen sei, sei ihm nicht verständlich gewesen, wieso er dies habe sagen können, und warum er nicht sofort seine Aussage verbessert habe in: "Und das war wahrscheinlich P.".

Dies habe ihn gequält, weshalb er den ersuchten Richter angerufen und diesem seine Bedenken mitgeteilt habe. Am 8.4.1973 habe er deshalb auch den Brief an den israelischen Richter Dr. Jac. abgesendet.

3. a) Das Schwurgericht hielt die Bekundungen des Zeugen Lac. zum Tathergang für zuverlässig.

Der Zeuge hat eine insgesamt geschlossene und sehr detailreiche Schilderung des damaligen Geschehens gegeben. Seine Darstellung ist in sich stimmig und zum Kerngeschehen ohne Widerspruch. Auch zu den Randereignissen hatte er noch eine gute und zuverlässig erscheinende Erinnerung, wofür mitursächlich sein mag, dass der Zeuge eine höhere Schulbildung genossen hat und als Lehrer heute noch einer gewissen Gedächtnisschulung unterworfen ist. Unerschöpflich war sein Erinnerungsvermögen gewiss nicht. Wenn er sich nicht mehr an Einzelheiten erinnern konnte, räumte er dies unumwunden ein; eine Tendenz zur Lückenschliessung war bei ihm nicht erkennbar. So hat er beispielsweise zur Frage, wo Engelbach getroffen wurde, erklärt, dass er dies nicht sagen könne, er erinnere sich auch nicht, Blut gesehen zu haben. Hätte der Zeuge - auch unbewusst - eine Neigung zu Übertreibungen und zur Belastung des Angeklagten, hätten hierzu weitere Angaben nahegelegen.

Dass der Zeuge nicht sagen konnte, welche Kopfbedeckung der Täter bei der ersten Begegnung trug, wie die Uniform im einzelnen aussah, und ob sie mit Rangabzeichen versehen war, gab dem Schwurgericht keinen Anlass, seiner Erlebnisschilderung zu misstrauen. Die Situation gebot nicht, auf diese Umstände zu achten und sie sich einzuprägen; weder für die kommende Tat noch für die Flucht des Zeugen, zu der jener eine Chance suchte, waren diese Einzelheiten entscheidend. Das Schwurgericht war davon überzeugt, dass der Zeuge Lac. die Tat objektiv und zuverlässig geschildert hat; es hatte keine Zweifel daran, dass der Jude Chaim Engelbach auf die von dem Zeugen beschriebene Weise bei der Aktion in Skala getötet wurde.

Der Zeuge hat auch den Angeklagten gekannt. Die von ihm gegebene Beschreibung passte auf P., auch kam er mit ihm in Kontakt im Zusammenhang mit der Vermögenssammlung. Seine Angaben hierzu anzuzweifeln, bestand kein Anlass. Ausserdem hat er den Angeklagten anhand der Lichtbilder identifiziert. Das Schwurgericht war daher der Überzeugung, dass der Angeklagte - entgegen seiner Behauptung - bei der Aktion in Skala war, wofür eindeutig auch sein dienstlicher Auftrag hinweist.

Es bestanden aber Bedenken daran, ob der Zeuge Lac. in demjenigen, den er später als P. im Judenrat kennenlernte, zuverlässig den Täter im Falle Engelbach wiedererkennen konnte.

Der Zeuge hat bei seiner Vernehmung im Oktober 1971 keinerlei Zweifel darüber aufkommen lassen oder ausgedrückt, dass der Angeklagte der Täter im Falle Engelbach gewesen ist. Bei seiner Identifizierung anhand des Lichtbildes war der Zeuge sogar sehr bewegt. Es ist deshalb davon auszugehen, dass der Zeuge bei seiner Vernehmung 1971 fest davon überzeugt war, dass P. Chaim Engelbach getötet hat. Die Zweifel des Zeugen setzten nach seiner eigenen Aussage nun erst ein, nachdem er sehr intensiv über die Vorgänge befragt worden ist. Letztlich kann der Zeuge nicht angeben, worauf sich seine Zweifel stützen. Man kann deshalb auch nicht sicher beurteilen, ob die Zweifel von ihrem Ansatz her auch berechtigt sind. Der Zeuge sagt zwar, dass ihn die Tatsache, dass er nicht alle Fragen zur Beschreibung des Täters habe beantworten können, verunsichert habe. Selbst nach den Angaben des Zeugen ist es jedoch nur möglicherweise der Grund für seine Zweifel. Ob daneben nicht noch andere, unbewusste Motivationen eine Rolle spielen, kann der Zeuge selbst nicht ausschliessen, ja es ist nicht einmal sicher, ob der von ihm genannte Anlass ihn tatsächlich verunsichert hatte, ob er also auf der Suche nach den Gründen für seine jetzigen Zweifel es als denkbar, wenn auch nicht als sicher ansah, dass die für ihn unbeantwortbaren Fragen ausschlaggebend gewesen seien. Dabei erscheint es selbstverständlich, dass man nach Ablauf so vieler Jahre zwischen der Aussage des Zeugen im Jahre 1971, und dem Ereignis der Tötung des Chaim Engelbach im Jahre 1942 einfach nicht mehr alle kleinen Einzelheiten über Aussehen und Bekleidung des Täters wissen kann. Die Tatsache also, dass der Zeuge, der selbst ohne militärische Vorkenntnisse war, nicht angeben konnte, ob es sich bei dem Täter um einen Offizier gehandelt hat, des weiteren die Tatsache, dass er nicht mehr genau wusste, welche Mütze der Täter auf hatte, musste bei vernünftiger Überlegung die vorhandene Überzeugung über die Täterschaft des Angeklagten nicht erschüttern. Möglich ist jedoch bei der Persönlichkeit des Zeugen Lac., der zu ständigem Überlegen und Grübeln zu neigen scheint, dass er sich nach der intensiven Vernehmung im Jahre 1971 immer wieder mit dem Stoff seiner Aussage befasst hat, ihn immer wieder selbstkritisch überdachte und seine Zweifel allein aus der Tatsache herleitete, dass zwischen Tat und Aussage lange Jahre vergangen sind. Weiterhin ist denkbar, dass der Zeuge bisher noch von niemandem zu so detailliertem Nachdenken über die damaligen Ereignisse gezwungen wurde, er vielleicht früher nie in dieser Entschiedenheit und Klarheit über die Frage nachgesonnen hat, ob der Täter im Falle Engelbach und der SS-Mann beim Judenrat identisch seien, und er nunmehr bei der Konfrontation mit vielen Einzelheiten zu Zweifeln kam, die ihm eigentlich auch schon damals hätten kommen müssen, wenn er die Ruhe gehabt hätte, sie kritisch zu prüfen. Es ist nach der jetzigen Aussage des Zeugen Lac. nicht auszuschliessen, dass er den Mörder des Chaim Engelbach bei Abgabe des Schusses nicht klar gesehen hat, und vorhandene Ähnlichkeiten, die sich im Gesicht oder der Bekleidung ausdrückten, ihn damals zu der Überzeugung brachten, dass P. der Täter gewesen ist, zumal der Zeuge nach seiner neuerlichen Darstellung den Angeklagten immer nur in einem Zustand von Furcht und Verängstigung gesehen haben will, dabei dessen Physiognomie möglicherweise nicht klar erfasst hat. Es ist anzumerken, dass die letzteren Überlegungen mehr oder weniger theoretischen Charakter haben, dass es vielmehr nahezu sicher ist, dass der Zeuge Lac. bei der Begegnung mit P. im Judenrat diesen sofort als denjenigen erkannte, der Chaim Engelbach getötet hat, und ein Irrtum darüber bei ihm auch nicht gegeben war. Der Zeuge Lac. selbst bestritt nicht, von der Täterschaft P.s damals überzeugt gewesen zu sein. Jetzt zweifelt er nur daran, ob er kritisch genug die Voraussetzungen seiner Überzeugung durchdacht hat, sie kritisch genug überprüft hat. Dies ist für ihn nun nicht mehr nachholbar. Für das Gericht selbst musste damit aber auch Zweifel daran bleiben, ob der Zeuge Lac. in P., den er beim Judenrat sah, den Mörder Engelbachs identifizieren konnte. Denn die eigene Unsicherheit des Zeugen kann nicht mit unbegründeten und nur theoretischen Selbstzweifeln, wie sie durch ständiges bzw. immer wiederkehrendes Befassen mit einer Sache einmal entstehen können, begründet werden.

Festzuhalten bleibt jedoch, dass P. mit hoher Wahrscheinlichkeit Engelbach getötet hat, dass die Zweifel des gewissenhaften Zeugen Lac. hervorgerufen wurden durch den grossen Zeitabstand, der jeden selbstkritisch denkenden Menschen die Frage aufwerfen lässt, ob er dennoch eine zutreffende Aussage gewährleiste oder sie unmöglich mache.

VI. « Die Aussage des Zeugen Kle. »

Die Aussage des Zeugen Kle. konnte die nach den Bekundungen des Zeugen Lac. bestehenden Zweifel an der Täterschaft P.s im Falle Engelbachs nicht beseitigen.

1. Der Zeuge hat bei seiner kommissarischen Vernehmung am 30.10.1972 angegeben, die Tötung Engelbachs gesehen und den Angeklagten als Täter erkannt zu haben. Er bekundete im wesentlichen:

P. habe er gekannt; er habe ihn 1941 oder 1942 beim Zollgrenzschutz kennengelernt. P. sei mit Eng. und Pfeiffer, zwei Zollgrenzschutzangehörigen, zu Häusern von reichen Juden gegangen, um dort Sachen zu beschlagnahmen. Seine, Kle.s, Aufgabe sei es gewesen, ihnen die Häuser reicher Juden zu zeigen. Er habe auch Chaim Engelbach, einen damals 54 oder

55 Jahre alten Mann, gekannt. Dieser habe Bier an Schankwirte geliefert. Geschäft und Wohnung Engelbachs seien nur etwa 5 Häuser von seiner, Kle.s Wohnung entfernt gewesen. Engelbach sei bei der Hauptaktion in Skala erschossen worden.

Am Aktionstag sei die Stadt von Deutschen und Ukrainern umzingelt worden. Er habe sich auf dem Dach des Hauses, in welchem er gewohnt habe, versteckt, später auf dem Dach des Nachbarhauses. Von dort aus habe er beobachtet, wie die Familie Engelbach aus dem Haus gebracht worden sei. Er habe Chaim Engelbach gesehen, der - was er gehört habe - geschrien habe und von Ukrainern geschlagen worden sei. Engelbach sei in einem schrecklichen Zustand gewesen und habe sich nicht beruhigt. Da habe er gesehen, wie P. mit gezogener Pistole auf ihn zugegangen sei und ihn aus vielleicht 3 m Entfernung erschossen habe.

Auf Vorhalt seiner Angaben vom 7.4.1969, wonach er erklärt habe, nicht Augenzeuge der Tötung Engelbachs gewesen zu sein, hiervon vielmehr nur gehört zu haben: Die Erschiessung Engelbachs durch P. habe er, wie er es berichtet habe, gesehen. Er habe den Fall dem vernehmenden Ede. 1969 so geschildert, weil er nicht nach Deutschland habe fahren wollen. Ausserdem habe Ede. damals gesagt, dass das Protokoll nur "für uns" sei. Er habe deshalb alles kurz erzählt, ohne darüber nachzudenken. Auf die Frage, warum er bei seiner Vernehmung vom 7.4.1969 über die Erschiessung des Huna Sc. durch Eng. [43] ausführlich erzählt habe, erwidere er, dass er damals ausführlich danach gefragt worden sei.

Er habe gesehen, dass P. aus dem Haus Engelbach herausgekommen sei. Ihm scheine, dass eine Tochter Engelbachs das Haus verlassen habe, und P. hinter ihr hergekommen sei, die Pistole in der Hand. Chaim Engelbach sei zu diesem Zeitpunkt schon auf der Strasse bei einer Gruppe von Juden gestanden. Er sei geschlagen worden und schreiend auf sein Haus zugelaufen. Er nehme an, dass er zu seiner Tochter gewollt habe. Dann sei P. hinzugetreten und habe Engelbach erschossen.

Als Engelbach getötet worden sei, habe er einen Anzug angehabt und eine 3/4 lange Jacke. Die Juden hätten gewöhnlich einen dunklen Anzug getragen, so auch Engelbach. Er nehme an, dass Engelbach vorher schon geschlagen - gesehen habe er dies nicht - und ihm ein Kleidungsstück abgerissen worden sei. Als er getötet worden sei, sei er schon nicht mehr richtig bekleidet gewesen; er habe kein Jackett mehr angehabt. Auf Vorhalt einer Zeugenaussage erklärte er, dass Engelbach am Oberkörper nur noch die Unterwäsche getragen habe. Die Hosen habe er noch angehabt, vielleicht seien sie etwas heruntergerutscht gewesen.

Die Entfernung von seinem Versteck bis zum Ort des Vorfalls habe etwa 200 bis 300 m betragen.

2. Die Aussage Kle.s konnte das Schwurgericht nicht überzeugen.

Der Zeuge hatte - was er einräumte - bei seiner Vernehmung im Jahre 1969 zunächst angegeben, er habe gleich nach der Aktion erfahren, dass P. den Engelbach erschossen habe, auch im Judenratsgebäude habe man davon gesprochen. Bei seiner Vernehmung in Tel Aviv äusserte er spontan schon eingangs seiner umfangreichen Vernehmung, dass er die Tötung Engelbachs durch P. selbst gesehen habe. Später gab er dann eine detaillierte Schilderung über den Vorfall.

Befragt, warum er früher angegeben habe, nur ein Hörensagenzeuge gewesen zu sein, äusserte er zunächst: Er habe dem Vernehmenden nicht alles sagen wollen, weil er nicht nach

[43] Siehe Lfd.Nr.723; Huna Sc. ist identisch mit Chune Schw. im Verfahren Nr.723.

Deutschland habe fahren wollen und in Ruhe gelassen werden wollte. Gleich danach erklärte er, der Zweck seiner Befragung sei ihm nicht bekannt gewesen, Ede. habe zu ihm gesagt: "Das Protokoll ist für uns."

Diese Erklärung ist schon in sich widersprüchlich. Wenn der Zeuge nämlich glaubte, dass das Protokoll nur für die Israelpolizei und damit möglicherweise nur für das Dokumentationszentrum Yad-Vaschem sei, konnte er schlecht befürchten, deshalb nach Deutschland fahren zu müssen. Seine Erklärung ist auch dann voller Widerspruch, wenn man sein früheres Protokoll ins Auge fasst. Dort nämlich hat er zum Fall der Tötung Sc. durch Eng. eingehende Schilderungen gemacht. Wenn es also seine Sorge gewesen wäre, nach Deutschland fahren zu müssen, hätte er sich auch insoweit um eine Aussage drücken müssen.

Die hiermit aufgezeigten Ungereimtheiten und Widersprüche lassen Zweifel daran aufkommen, dass er den Vorfall in der von ihm geschilderten Weise tatsächlich beobachtet hat.

Unbedenklich scheint, dass er sich während der Aktion auf dem Dach seines Hauses, bzw. auf dem Nebendach hinter einem Schornstein versteckt hielt. Bereits bei seiner Vernehmung 1969 hat er dies angegeben.

Dem Zeugen Kle. kann schliesslich auch geglaubt werden, dass das Haus, auf dem er sich vor der Aktion verbarg, nahe dem engelbachschen Anwesen und in der gleichen Strasse wie dieses lag. Zwar meinte der Zeuge Leon Sc., der in New York vernommen worden ist, dass Kle. in einer anderen Gegend gewohnt habe, doch sprechen wesentliche Anzeichen dafür, dass sich Sc. hier in der Person des Zeugen täuschte. Dies folgt nicht allein daraus, dass es mehrere Juden namens Kle. in Skala gab. Sc. bezeichnete vielmehr direkt den Zeugen Kle. als Lastenträger, der unverheiratet gewesen sei. Tatsächlich jedoch hatte Kle. ein Schuhgeschäft und war verheiratet. Im übrigen musste Sc. auch keine sichere Kenntnis von der Person Kle.s haben, da er zu ihm keinen Kontakt hatte.

Der Zeuge hat den Abstand zwischen seinem Versteck und Engelbachs Haus einmal mit 200 bis 300 m angegeben. Bei einer Demonstration wies er auf eine Entfernung von etwa 40 m, die Länge eines Flurs. Bedenkt man, dass der Versuch einer räumlichen Orientierung darunter leiden musste, dass die Blickweite des Zeugen durch den nur 40 m langen Flur begrenzt war, muss zu Gunsten des Angeklagten angenommen werden, dass die räumliche Distanz mindestens 100 m betragen hat.

Aus dieser Entfernung ist ein SS-Mann, den man nur in voller Uniform und im Profil sieht, und zu dem man kaum Kontakt gehabt hatte, nur schwer zu erkennen, unmöglich ist es freilich nicht. Aus den gegebenen Umständen heraus erscheint es jedoch äusserst unwahrscheinlich, dass der Zeuge die Zeit hatte, sich diesen Mann genauer anzusehen. Er verbarg sich vor der Aktion. Er wusste, dass sie noch in vollem Gange war und Deutsche und Ukrainer nach Juden suchten. Für ihn galt es daher, so wenig wie möglich von sich zu zeigen. Schaute er selbst nach den Ereignissen, musste er damit rechnen, auch gesehen zu werden. Es ist deshalb nahezu mit Sicherheit davon auszugehen, dass der Zeuge auf seinem Dach sich kaum rührte und den Ereignissen auf der Strasse so wenig wie nur möglich zusah, um selbst eine Überlebenschance zu wahren. Möglicherweise hat der Zeuge doch den einen oder anderen Blick riskiert. Dies lässt jedoch ein genaues Betrachten der Ereignisse, die um ihn herum vorgingen, nicht zu. Es bleiben in einem solchen Falle lediglich Momentaufnahmen haften, bei denen durchaus ein den Beobachter erschütternder Geschehenskern bewahrt werden kann. Als solcher kann die Tötung des Chaim Engelbach, den der Zeuge ja gut kannte, angesehen werden. Es ist deshalb möglich, wenngleich nach seinen früheren Bekundungen im Jahre 1969 zweifelhaft, dass er bei der Erschiessung Engelbach aufmerkte, diesen vielleicht fallen oder am Boden sah. Engelbach kannte er so gut, dass er ihn auch durch ein kurzes Hinsehen identifizieren konnte.

Vielleicht hat der Zeuge auch erst nach dem Schuss kurz nach unten geblickt und Engelbach dabei am Boden gesehen. Vielleicht wurde er dabei auch gewahr, dass ein SS-Mann nahe bei Engelbach stand. Den Tatablauf, den er indessen schilderte, scheint von ihm jedoch mit ziemlicher Sicherheit konstruiert. Dafür spricht nicht allein, dass er früher nur angab, blosser Hörensagenzeuge zu sein, sondern auch seine nur nach und nach und spärlich gegebenen Einzelheiten, die nicht ganz ohne inneren Widerspruch waren. So hat er zunächst angegeben, Engelbach habe einen schwarzen Rock getragen. Erst als ihm die Aussage Lac.s vorgehalten worden ist, bemerkte er, dass Engelbach am Oberkörper nur mit seiner Unterwäsche und einem weissen Laibchen bekleidet gewesen sei. Er bemerkte auch zunächst, dass Engelbach geschlagen worden sei, musste aber später zugeben, dies nicht gesehen zu haben. In seinem Aussageverhalten zeigte der Zeuge die Tendenz, zu jeder Frage eine Antwort zu wissen, was des weiteren den Verdacht stärkt, dass der von ihm geschilderte Tathergang eine - vielleicht ungewollte - Verbindung von Erlebtem und Gehörtem darstellt. Unwahrscheinlich wird seine Erzählung auch noch dadurch, dass er längere Zeit den Ereignissen hätte zusehen müssen, wenn er sie so detailliert hätte wahrnehmen wollen, wie er sie geschildert hat. Das aber hätte ihn doch - wie bereits bemerkt - wiederum in die Gefahr gebracht, selbst entdeckt zu werden, was er aller Wahrscheinlichkeit nach vermieden hat.

Es bleibt daher nur die Möglichkeit, dass der Zeuge durch ein kurzes Hinsehen bemerkt hat, dass Engelbach getötet wurde, dass er aber den genauen Hergang der Tat nicht überblickte, und auch die Person des Täters nicht erkennen konnte. Zu letzterem ergeben sich auch noch Zweifel daraus, dass es nach den in dem Verfahren gewonnenen Erkenntnissen äusserst unwahrscheinlich ist, dass P. - jedenfalls nicht zu dem von dem Zeugen genannten frühen Zeitpunkt - überhaupt eine Verbindung zum Zollgrenzschutz hatte, wie sie der Zeuge angab. Wenn der Zeuge meinte, er habe P. erstmals beim Zollgrenzschutz gesehen, etwa eine Stunde später sei ihm dann gesagt worden, wer dieser SS-Mann gewesen sei, und beim zweiten Mal sei P. mit Pfeiffer unterwegs gewesen, um von ihm Beschlagnahmen durchführen zu lassen, so erscheint aufgrund dieser Unwahrscheinlichkeiten eine Personenverwechslung nicht ausgeschlossen. Damit aber wird fragwürdig, dass der Zeuge P. bei dem Vorfall mit Engelbach identifizieren konnte. Möglich erscheint nur, dass er aufgrund einer späteren Begegnung mit P. gleichsam rückschauend nur meinte, dieser sei der Täter gewesen. Noch mehr liegt jedoch die Annahme nahe, dass er zwar gleich nach der Aktion hörte, P. habe Engelbach erschossen, und dass er nun heute selbst keine Zweifel mehr daran hat, P. als Täter erkannt zu haben, während dies tatsächlich eben nicht der Fall war.

VII. « Die Aussage des Zeugen Bil. »

Die Bedenken des Gerichts an der Täterschaft des Angeklagten konnten auch die Bekundungen des Zeugen Abraham Bil. nicht ausräumen.

1. a) Der Zeuge hatte am 22.4.1965 angegeben, er habe während der Deutschen Okkupation in Skala gelebt und dort auch dem Judenrat angehört. Als Judenrat von Skala sei er auch beim Kreisjudenrat in Czortkow gewesen. Dort habe er mehrfach P. gesehen, der gekommen sei, um Geld und Wertsachen zu holen. Der Kreisjudenrat von Czortkow habe dieses Geld und die Wertsachen von allen Judenräten des Kreises eingesammelt; sie selbst hätten es jeden Monat abliefern müssen.

P. sei ungefähr 1,75 bis 1,80 gross gewesen, kräftig gebaut, dick, er habe ein rundes Gesicht gehabt und sei damals ungefähr 30 bis 35 Jahre alt gewesen. Über die Haarfarbe wisse er nichts mehr, er habe P. immer in der Mütze gesehen.

Nach den Begegnungen im Kreisjudenrat in Czortkow sei er mit P. im Judenrat von Skala ebenfalls zusammengetroffen, und während der Aktion vom 26.9.1942 sei er gezwungen gewesen, mit P. von 6.00 Uhr morgens bis ungefähr 1.00 Uhr mittags zusammenzusein.

Am Tag der Aktion gegen 6.00 Uhr morgens habe ihn der Angehörige des Judenrats namens Sternberg geweckt und ihm gesagt, dass in der Stadt eine Aktion begonnen habe. Er sei deshalb zum Gebäude des Judenrats gegangen, das neben seinem Haus gelegen sei. Vor dem Judenrat habe P. schon gewartet, und sie seien dann zu Dritt in das Gebäude hinein. Der Rabbiner, der im Judenratsgebäude seine Wohnung gehabt habe, habe sich ebenfalls schon dort befunden. Zu diesem Zeitpunkt habe man schon Schüsse und Schreie aus der Stadt gehört. Als er in den Judenrat hineingegangen und in das erste Zimmer gekommen sei, habe man durch eine offene Tür die Küche, die zur Wohnung des Rabbiners gehört habe, sehen können. In dieser Küche habe sich ein Zugang zum Keller befunden. In diesem hätte sich die Tante des Rabbiners namens Golda Henia Drimer, und die Schwester des Rabbiners versteckt gehalten. P. habe jedoch noch die Haare der Schwester wahrnehmen können, da es den Frauen nicht mehr gelungen sei, den Eingang des Kellers zu schliessen. P. sei nun in die Küche gelaufen und habe geschrien: Juden heraus. Die Schwester des Rabbiners sei aus dem Keller herausgegangen, die alte Tante habe nicht mehr so schnell die Leiter emporklettern können. P. habe daraufhin die alte Frau in den Kopf geschossen. Den Revolver habe er in dem Augenblick gezogen, als er in die Küche hineingelaufen sei und geschrien habe.

In der Stadt habe man die Juden auf den Platz bei den Kasernen getrieben. P. habe den versammelten Mitgliedern des Judenrats und der jüdischen Ordnungspolizei befohlen, die Sachen der aus den Wohnungen getriebenen Juden zu sammeln. Er habe auch einzelnen Gendarmen zusammen mit jeweils zwei Angehörigen des Judenrats oder der Ordnungspolizei befohlen, die Sachen wegzutragen, und habe die jeweiligen Strassen gezeigt. Nach Ausgabe der Befehle und Bildung der jeweiligen Dreier-Gruppen habe er den Rabbiner und ihn zu sich gerufen. Zu dritt hätten sie nun das Zusammensuchen des jüdischen Vermögens kontrolliert. P. sei in Uniform gewesen. Er habe eine Gestapo-Uniform getragen.

Gegen 11.30 Uhr bis 12.00 Uhr, als sie gerade mit P. aus einem Haus gekommen seien, in dem schon niemand mehr gewesen sei und alle Sachen weggeholt worden seien, hätten sie gesehen, wie ein ukrainischer Polizist einen Juden, Chaim Engelbach, der nur Unterwäsche getragen habe, herausgezogen haben. Dieser Jude habe geschrien und um Gnade gebeten. Der Polizist habe ihn jedoch weiter in Richtung des Platzes gezogen. In diesem Augenblick sei von der anderen Seite der Strasse ein zweiter Polizist gekommen, der einen andern Juden führte, einen Juden namens Gedali Lac. Dieser Polizist habe die Schreie Engelbachs gehört und zu seinem Kollegen gesagt, er solle diesen Juden erschiessen. P., der gerade herangekommen sei und dies gesehen habe, habe dem Polizisten mit einer Handbewegung Einhalt geboten, sei an den schreienden Engelbach herangetreten, habe den Revolver herausgenommen und ihn an Ort und Stelle erschossen. In dem Moment, als P. mit dem Revolver in der Hand zu Engelbach herangetreten sei, habe er, Bil., mit dem Kopf zu Lac. hingenickt und ihm auf jiddisch zugerufen: Lauf weg. Lac. sei nun in das Haus hineingelaufen, aus dem er gerade mit P. herausgekommen sei. Gegen 1.00 Uhr mittags, nach Abschreiten einer Reihe von Strassen, in denen sich jüdische Häuser befunden hätten, sei P. in den Judenrat zurückgekehrt und der Rabbiner und er seien mit ihm gegangen. Auf dem Weg zum Judenrat habe P. noch eine alte Jüdin (Pesia Schiff) erschossen.

Am 27.9.1942 habe P. 8 Angehörigen des Judenrats befohlen, sich auf dem Umschlagplatz, wo man die zusammengetriebenen Juden über Nacht bewacht und zusammengehalten habe, einzufinden. Dort habe P. allen Juden befohlen, ihr Geld und ihre Wertsachen abzuliefern. Später sei noch Köllner hinzugekommen. Gehört habe er, wie P. Köllner Rapport über den Verlauf der Aktion erstattet habe. P. habe dabei von 26 Juden gesprochen, die auf dem alten Materialplatz zurückgehalten worden seien. Er habe Köllner erklärt, dass diese zu fliehen versucht hätten. Hierauf habe Köllner gesagt: "Erledigen." Daraufhin seien Köllner, P. und andere Gestapobeamte zu den Juden hingegangen, hätten diese in eine Reihe aufgestellt und auf sie geschossen. Die Juden seien tot zu Boden gefallen. Er habe gesehen, dass auch P. geschossen habe.

Nach der Aktion habe er P. noch einige Male getroffen. P. sei nach Skala mit dem Ziel gekommen, jüdisches Eigentum wegzuholen, das am Tage der Aktion hätte zurückbleiben müssen. Die Liquidierung des jüdischen Eigentums habe lange gedauert. Wie er später erfahren habe, habe P. das Referat der Liquidierung jüdischen Vermögens für den ganzen Kreis Czortkows geleitet. Die Sachen habe er in Czortkow in seinen Lagerhäusern konzentriert. Dort hätten Juden gearbeitet, und die Gegenstände seien, nachdem sie sortiert worden seien, nach Deutschland verschickt worden.

b) Der Zeuge Bil., der schon lange Zeit schwer krank und einer ordnungsgemässen Vernehmung seit geraumer Zeit nicht mehr gewachsen ist, gab bei einer polizeilichen Anhörung am 20.3.1974 noch einmal ergänzend - wenn auch nicht erschöpfend - Auskunft.

Hierbei erklärte er im wesentlichen, als er P. im Kreisjudenrat beim Abholen von Wertsachen gesehen habe, seien auch Mar. und Win. anwesend gewesen. Er schliesse es aus, P. mit dem Gestapoangehörigen Frank zu verwechseln. P. habe er gut gekannt, ihn sich bei der Aktion vom 26.9.1942 gut im Gedächtnis eingeprägt.

Dem Zeugen Bil. wurde nun sein Schreiben vom April 1961 in der Strafsache Köllner [44] an den Untersuchungsrichter in Saarbrücken vorgehalten, in welchem er den Vorfall der Tötung der 26 Juden (in dem Schreiben gab er jedoch die Zahl 30 an) geschildert und angegeben hatte, Köllner habe einen Offizier namens Franz, der bei der Aktion das Kommando gehabt habe, gefragt, warum die Juden separiert seien, worauf Franz geantwortet habe, dass diese zu entfliehen versucht hätten; auf Befehl Köllners seien dann alle erschossen worden. Auf diesen Vorhalt hin erklärte der Zeuge Bil., er könne sich an den Inhalt seines Briefes nicht erinnern, aber wenn er damals den Namen Frank (oder Franz) erwähnt habe, so habe er P. gemeint.

2. Die Aussage des Zeugen lässt es offen, ob er tatsächlich den Angeklagten gekannt hat. Die Personenbeschreibung, die er von ihm gab, reicht zu seiner sicheren Identifizierung nicht aus. Sie wurde auch nicht durch die Darstellung untermauert, die er zur Frage gab, wann und wie er den Angeklagten kennengelernt haben will. Bei seiner Vernehmung 1964 gab er an, den Angeklagten erstmals im Frühjahr 1942 in Skala gesehen zu haben, als er bei manchen reichen Familien gewisse Sachen beschlagnahmt habe. Die Aufgabe, jüdisches Vermögen - und das nach Aktionen - zu erfassen, fiel dem Angeklagten jedoch erst später zu. Dass er im Frühjahr 1942 aus eigener Machtvollkommenheit einfach Beschlagnahmen durchgeführt habe, ist nicht wahrscheinlich, wenngleich auch der Zeuge Kle. behauptet hatte, P. habe Beschlagnahmen befohlen.

Bil., der dem Judenrat in Skala angehörte, behauptete, P. im Kreisjudenrat zu Czortkow im Mai oder Juni 1942 mehrmals begegnet zu sein. Er sagte weiter aus, P. sei dort gewesen, um Gold und Wertsachen abzuholen. Zwar hat die Beweisaufnahme ergeben, dass der Angeklagte nach Aktionen auch Wertsachen eingesammelt hat, doch besteht kein genügender Anhaltspunkt dafür, dass er dies auch beim Kreisjudenrat tat. Überdies haben die Zeugen Mar. und Win. übereinstimmend erklärt, dass sich P. nie an den Judenrat wegen irgendwelcher Wertsachen gewendet habe. Zu Gunsten des Angeklagten muss deshalb auch hiervon ausgegangen werden. Schon damit bestehen Zweifel, ob der Zeuge den Angeklagten in Wirklichkeit gekannt hat. Dass er um seine Funktion wusste, stützt seine Glaubhaftigkeit hier nicht. Welche Aufgabe P. hatte, war allgemein bekannt. Sie konnte daher auch der Zeuge wissen.

[44] Siehe Lfd.Nr.541.

Aber auch seine Schilderung über die Einteilung der Gruppen weist nicht zwingend auf den Angeklagten hin. Dass bei der Vermögenssammlung solche Kommandos gebildet worden seien, wie sie Bil. beschrieb, blieb unbestätigt. Dagegen hat die Beweisaufnahme ergeben, dass bei Aktionen Dreier-Gruppen gebildet wurden, um die Juden aus ihren Häusern zu treiben und in ihren Verstecken aufzuspüren. Dass es sich vorwiegend um solche Gruppen gehandelt hat, ist deshalb naheliegend, weil jeder wenigstens ein Angehöriger der Gendarmerie beigeordnet war.

Seine Behauptung, er habe mit dem SS-Mann und dem Rabbiner kontrollieren müssen, ob die Vermögenssammlung ordnungsgemäss durchgeführt worden sei, wäre nur dann ein gewichtiges Indiz für seine Zuverlässigkeit, wenn eine Belastungstendenz bei ihm verneint werden könnte. Das aber ist nicht der Fall. Sie lässt sich schon deshalb nicht ausschliessen, weil er im Eng.-Verfahren [45] in seiner richterlichen Vernehmung vom 17.12.1969 P. nur als Täter bei der Tötung der 80-jährigen Jüdin Golda Henia Drimer nannte, und die Tötung der Gruppe der Juden anführte, ohne einen Täter zu erwähnen.

Verstärkt wurden die ohnehin bestehenden Zweifel des Gerichts auch noch dadurch, dass Bil. in seinem Schreiben vom April 1961 einen Gestapomann Franz in der gleichen Rolle nannte, die P. angeblich gespielt haben soll. Die Erklärung des Zeugen, er habe mit Franz P. gemeint, konnte das Gericht nicht überzeugen.

VIII. « Keine ausreichenden Beweise für die dem Angeklagten zur Last gelegten Taten in Skala »

Dem Angeklagten war daher nicht nachzuweisen, dass er Chaim Engelbach erschossen hat. Da der Zeuge Bil. alleiniger Zeuge in den anderen dem Angeklagten in Skala zur Last gelegten Taten ist, musste auch in jenen Fällen die Täterschaft P.s fragwürdig bleiben. Die Möglichkeit, die Zweifel des Gerichts durch weitere Ermittlungen auszuräumen, bestand nicht, nachdem der Zeuge Bil. infolge seiner Krankheit einer eingehenden Vernehmung nicht ausgesetzt werden kann.

IX. « Freisprechung des Angeklagten in den Fällen 9-12 und 16 »

Der Angeklagte war daher ausser im Falle Ziff.16 der Anklage (Fall Orenstein) auch in den Fällen Ziff.9 bis 12 freizusprechen.

G. « Kostenentscheidung »

Die Kostenentscheidung beruht auf den §§465, 467 StPO.

[45] Siehe Lfd.Nr.723.

3 StR 286/75

Im Namen des Volkes

In der Strafsache gegen

den Arbeiter Richard P. aus Stuttgart-Feuerbach, geboren am 25.Juni 1912 in Hermannstadt (Rumänien),

wegen versuchten Mordes.

Der 3. Strafsenat des Bundesgerichtshofs hat in der Sitzung vom 7.April 1976 für Recht erkannt:

> Auf die Revision des Angeklagten wird das Urteil des Schwurgerichts bei dem Landgericht Mannheim vom 10.Mai 1974 mit den Feststellungen aufgehoben, soweit er verurteilt worden ist.
> In diesem Umfang wird die Sache zu neuer Verhandlung und Entscheidung, auch über die Kosten des Rechtsmittels, an das Landgericht Stuttgart zurückverwiesen.

GRÜNDE

Das Schwurgericht hat den Angeklagten wegen versuchten Mordes in zwei Fällen zu acht Jahren Gesamtfreiheitsstrafe verurteilt. In fünf Fällen hat es ihn freigesprochen, in einem Fall das Verfahren wegen Verjährung eingestellt.

Die Revision des Angeklagten greift das Erkenntnis des Schwurgerichts an, soweit er verurteilt worden ist. Sie leugnet die Befugnis deutscher Gerichte, über die in Galizien begangenen Taten des Angeklagten, der noch heute die rumänische Staatsangehörigkeit besitze, nach deutschem Recht zu urteilen. Ferner ist sie der Meinung, das Verfahren sei nicht wirksam eröffnet worden, da es an einer hinreichenden Bezeichnung der Taten fehle. Schliesslich macht die Revision eine Reihe von Verfahrensfehlern geltend und erhebt die Sachbeschwerde.

Das Rechtsmittel hat Erfolg.

I. « Befugnis des Schwurgerichts »

Das Schwurgericht hat allerdings im Ergebnis zutreffend seine Befugnis angenommen, über die dem Angeklagten zur Last gelegten Taten nach deutschem Recht zu urteilen. Es kann unerörtert bleiben, ob der Angeklagte im Hinblick auf seine Zugehörigkeit zur SS durch den Führererlass vom 19.Mai 1943 die deutsche Staatsangehörigkeit erlangt hat oder doch zumindest als Vertriebener deutscher Volkszugehörigkeit im Sinne des Art.116 GG anzusehen ist, für den §4 Abs.2 Nr.1 StGB a.F., §7 Abs.2 Nr.1 StGB n.F. gilt. Denn jedenfalls liegen die Voraussetzungen von §4 Abs.2 Nr.3 StGB a.F., §7 Abs.2 Nr.2 StGB n.F. vor. Die vom Schwurgericht festgestellten Taten waren und sind sowohl nach polnischem als auch nach rumänischem Recht mit Strafe bedroht. Ob ihrer Verfolgung nach rumänischem Recht das Verfahrenshindernis der Verjährung entgegensteht, ist nach der Rechtsprechung des Bundesgerichtshofs unerheblich (BGHSt. 2, 161; vgl. LK 9.Aufl. §4 Rn.6). Ein solches Hindernis besteht im übrigen nach rumänischem Recht nicht, so dass auch nach der im Schrifttum vertretenen Auffassung, stellvertretende Strafrechtspflege setze die Verfolgbarkeit auch im Ausland voraus (Schönke-Schröder-Eser, StGB 18.Aufl. §7 Rn.14), der Anwendbarkeit der genannten Vorschriften unter diesem Gesichtspunkt nichts im Wege steht. Rumänien hat, worauf die Revision zutreffend hinweist, der UNO-Konvention über die Nichtverjährung von Kriegs- und Menschlichkeitsverbrechen vom 27.November 1968 (Text bei van Dam, Die Unverjährbarkeit des Völkermordes, S.11 ff.) zugestimmt und sie ratifiziert. Nach rumänischer Auffassung wirkt sich die Konvention selbst auf solche Taten aus, die nach nationalem Recht bereits verjährt waren, als die mit ihr übernommene Verpflichtung in Kraft trat (vgl. van Dam a.a.O. S.22 f.). Daraus muss geschlossen werden, dass die Vorschrift in Art.121 Abs.2 des rumänischen Strafgesetzbuches vom 21.Juni 1968 (Grützner, Internationaler Rechtshilfeverkehr in Strafsachen, IV R 4 S.10), wonach die strafrechtliche Verantwortlichkeit bei Straftaten gegen den Frieden und die Menschlichkeit durch die Verjährung nicht beseitigt wird, nach rumänischer Rechtsauffassung auch auf die dem Angeklagten zur Last gelegten Taten anzuwenden ist. Die zweite Voraussetzung von §4 Abs.2 Nr.3 StGB a.F., §7 Abs.2 Nr.2 StGB n.F. liegt ebenfalls vor. Auch ohne Einholung einer Erklärung der für den Auslieferungsverkehr zuständigen deutschen Behörde ist der Schluss gerechtfertigt, der Angeklagte werde, falls er rumänischer Staatsangehöriger oder Staatenloser sein sollte, nicht ausgeliefert. Mit einem Auslieferungsersuchen Rumäniens wegen im Jahre 1943 in Polen begangener Taten braucht heute, fast 40 Jahre nach dem Weggang des Angeklagten aus seiner Heimat, vernünftigerweise nicht mehr gerechnet zu werden. Das gilt um so mehr, als der Angeklagte sich nicht nur zum deutschen Volkstum bekennt, sondern auch einen Flüchtlingsausweis beantragt und erhalten hat und schliesslich in der Hauptverhandlung davon ausgegangen ist, deutscher Staatsangehöriger geworden zu sein (UA S.167 [46]). Von Bedeutung ist in diesem Zusammenhang auch, dass die deutschen Behörden seit mehr als 10 Jahren ein Strafverfahren gegen ihn durchführen, das zu einer über mehrere Jahre sich hinziehenden öffentlichen Hauptverhandlung geführt hat. In einem solchen Fall besteht kein ernstlicher Zweifel daran, dass ein Auslieferungsersuchen nicht mehr gestellt wird. Nur wenn ein Zweifel in diesem Sinne noch besteht, gelten die in der Entscheidung BGH NJW 1963, 1164 (= BGHSt. 18, 283) aufgestellten Grundsätze, auf welche die Revision sich beruft. Hier dagegen stellt ein etwaiges Auslieferungsbegehren Rumäniens lediglich eine "nur theoretische Möglichkeit" (BGH a.a.O.) dar.

II. « Wirksame Eröffnung des Verfahrens; kein Verstoss gegen Art.6 Abs.1 MRK »

1. Das Verfahren gegen den Angeklagten ist auch wirksam eröffnet worden. Die unverändert zur Hauptverhandlung zugelassene Anklage gibt die hier in Rede stehenden Taten als Fälle 17 und 18 im Anklagesatz hinreichend deutlich und von anderen möglichen Taten unterscheidbar wieder (Bd.93 Bl.13 d.A.). Unterstützend kann die Darstellung im wesentlichen Ergebnis der Ermittlungen (Bl.121 bis 123 a.a.O.) zur Identifizierung der Taten hinzugezogen werden. Eine genauere Bezeichnung des Tatvorwurfs nach Tatzeit, Tatort und Opfer scheitert an der Unmöglichkeit, insoweit noch heute Feststellungen zu treffen. Das ist eine Folge der damaligen Zustände und kann nicht dazu führen, dass wegen derartiger Taten ein Verfahren nicht einmal eröffnet werden darf.

2. Unbegründet ist ferner die Auffassung der Revision, das Verfahren müsse wegen eines in seiner langen Dauer liegenden Verstosses gegen Art.6 Abs.1 MRK eingestellt werden. Es ist zwar nicht zu verkennen, dass das seit langen Jahren anhängige Verfahren für den Angeklagten eine ungewöhnliche Belastung darstellt. Selbst wenn der Fortgang des Verfahrens durch unzulängliche Massnahmen der hierfür zuständigen Organe verzögert worden wäre, liesse

[46] = Seite 100 dieses Bandes.

sich daraus aber kein Verfahrenshindernis herleiten (BGHSt. 24, 239). Hier ist nicht einmal das ersichtlich.

III. « Weitere Verfahrensrügen »

Die zahlreichen Verfahrensrügen des Beschwerdeführers, die zu einem grossen Teil den Anforderungen des §344 Abs.2 Satz 2 StPO nicht gerecht werden oder offensichtlich unbegründet sind, brauchen nicht sämtlich erörtert zu werden. Insbesondere bedarf es keines Eingehens auf die Frage, ob die in der Hauptverhandlung gegen den Willen der Verteidigung vorgenommenen Tonbandaufzeichnungen zulässig waren und ob die Ablehnung von Beweisanträgen der Verteidigung mit der blossen Begründung, die Beweistatsache sei ohne Bedeutung, in allen Fällen dem Gesetz entsprach. Der Senat kann sich vielmehr auf die nachfolgend behandelten Rügen beschränken.

1. Das Schwurgericht stützt seine Feststellung, der Angeklagte habe im Juni oder Juli 1943 als Angehöriger der SS in Kopyczynce (Galizien) aus niedrigen Beweggründen in Tötungsabsicht zwei Juden - einen Jungen und eine alte Frau - mit der Pistole niedergeschossen, im wesentlichen auf die Aussage des heute in Bogota (Kolumbien) lebenden und dort mehrfach konsularisch vernommenen Zeugen Benzion Sch. Die weiter zu diesem Komplex gehörten Zeugen haben die festgestellten Taten nicht beobachtet, sondern sich zu Umständen geäussert, welche für die Glaubwürdigkeit des Zeugen Sch. und für die Frage bedeutsam sein konnten, inwieweit die Einlassung des Angeklagten zutrifft.

Nach den Feststellungen des Schwurgerichts waren die Bekundungen des Zeugen Sch. im Ermittlungsverfahren und während der Hauptverhandlung nicht einheitlich. Auch ergaben sich Unstimmigkeiten mit dem Inhalt von Anträgen, die Rechtsanwalt Dr. Ram. aus Bogota in einem Wiedergutmachungsverfahren für den Zeugen gestellt hat. Der Angeklagte, der behauptet, der Zeuge Sch. habe die Beschuldigungen gegen ihn erfunden, hat sich bemüht, dessen Glaubwürdigkeit zu erschüttern, und zu diesem Zweck eine Vielzahl von Anträgen gestellt, deren Behandlung durch das Schwurgericht er mit der Revision beanstandet. Eine Reihe dieser Anträge diente dem Versuch nachzuweisen, dass die Aussage des Zeugen über seinen Familiennamen falsch ist. Der Zeuge war in Czortkow, seinem Wohnort, unter dem Namen seines Vaters, Fri., bekannt. Er behauptet, in Wahrheit heisse er, da seine Eltern nur nach mosaischem Ritus getraut worden seien, nach seiner Mutter Sch.; auf diesen Namen hätte auch sowohl sein polnischer als auch sein russischer Pass gelautet.

Es kann dahinstehen, wie die Rügen des Beschwerdeführers, die sich mit dieser Frage befassen, insgesamt zu beurteilen sind. Denn jedenfalls dringt die Revision mit der auf Seite 14 ff. der Begründungsschrift des Verteidigers Rechtsanwalt Wi. vom 22.April 1975 vorgetragenen Rüge, mit der eine Verletzung des §244 Abs.3 StPO geltend gemacht wird, durch. Die Rüge betrifft einen Antrag, den der Verteidiger in der Sitzung vom 18.April 1974 gestellt hat (Antrag Nr.307/74, Anlage 10 zum Protokoll). In der Revisionsbegründungsschrift ist er zwar nicht wörtlich wiedergegeben. Die Angabe seines wesentlichen Inhalts und der wesentlichen Begründung seiner Ablehnung durch am 6.Mai 1974 verkündeten Beschluss genügt jedoch noch den Anforderungen des §344 Abs.2 Satz 2 StPO, da sie - ihre Richtigkeit unterstellt - eine erste Beurteilung der Begründetheit der Rüge ermöglicht. Die Darstellung ist auch, wie sich aus der Gegenerklärung der Staatsanwaltschaft ergibt, vollständig.

Mit dem Antrag begehrte die Verteidigung u.a. die Beiziehung bestimmter Strafakten, aus denen ein Schreiben des Standesamtes Lodz-Stadtmitte verlesen werden sollte, nach dem sich die Standesamtsunterlagen aus der früheren Woiwodschaft Tarnopol - zu der Czortkow gehörte - beim Standesamt Warschau-Stadtmitte befinden sollten. Bei diesem Standesamt sollte ferner eine Auskunft darüber angefordert werden, dass Benzion Fri. am 10.September 1924 in Czortkow die Regina Rywka geborene Ro. geheiratet habe und am 21.September 1925

Vater des Henryk Fri. geworden sei. Das Schwurgericht lehnte die Beiziehung der Akten und die Einholung der Auskünfte ab, da die dem Antrag zugrunde liegenden Behauptungen durch nichts begründet seien und es sich "vorwiegend insgesamt nur um einen Ermittlungsantrag" handele.

Diese Beurteilung des Antrags kann nicht gebilligt werden. Er enthielt die bestimmte Behauptung, der Zeuge Sch., auf dessen Person die angegebenen Daten - abgesehen vom Familiennamen - zutrafen, habe entgegen seiner Behauptung in Czortkow amtlich den Namen Fri. geführt, unter diesem Namen geheiratet und diesen Namen an seinen ehelichen Sohn weitergegeben. Das ergebe sich aus den Standesamtsunterlagen, die sich, wie eine bestimmte Stelle in einer deutschen Strafakte beweise, bei dem Standesamt Warschau-Stadtmitte befänden. Der Antrag führte auch ein bestimmtes Beweismittel, nämlich die Einholung einer Auskunft dieses Standesamtes, an. Somit handelte es sich um einen Beweisantrag, der nur aus den in §244 Abs.3 StPO angegebenen Gründen hätte abgelehnt werden dürfen.

Es ist nicht auszuschliessen, dass das Urteil auf der fehlerhaften Behandlung des Beweisantrages beruht. Hätte die beantragte Beweiserhebung stattgefunden, so hätte sich möglicherweise ergeben, dass der Zeuge Sch. vor Gericht vorsätzlich falsche Angaben zu seiner Person gemacht hat. Das Revisionsgericht kann nicht ohne weiteres davon ausgehen, dass eine solche Erkenntnis ohne Einfluss auf die Überzeugung des Schwurgerichts geblieben wäre, die belastenden Angaben des Zeugen zum Kern des Tatgeschehens seien zuverlässig. Zwar hat das Schwurgericht in ausserordentlich sorgfältigen und in sich widerspruchsfreien Darlegungen mitgeteilt, aus welchen Gründen es den Zeugen trotz vieler Abweichungen in seinen verschiedenen Aussagen und trotz festgestellter Erinnerungsfehler für glaubwürdig hält. Es hat aber an keiner Stelle des Urteils eine vorsätzlich falsche Bekundung des Zeugen festgestellt und sich damit auseinanderzusetzen gehabt. Auch seine Ausführungen auf Seite 109 der Urteilsausfertigung [47], die sich hilfsweise damit befassen, wie etwaige falsche Angaben in einem Wiedergutmachungsverfahren sich auf die Glaubwürdigkeit in Bezug auf Aussagen zu einem Tötungsverbrechen auswirken würden, können dem Senat nicht die Überzeugung vermitteln, das Schwurgericht habe es für ganz unerheblich gehalten, ob der Zeuge Sch. in Bezug auf seine Person unrichtige Angaben gemacht hat. Denn an dieser Urteilsstelle geht es allein um die Darlegung von Vermögensverhältnissen, bei der das Ziel, eine jedenfalls moralisch als berechtigt empfundene Entschädigung zu erlangen, auf der Hand liegt. Demgegenüber wären falsche Angaben zur Person nicht ohne weiteres begreiflich. Sie könnten einen Hintergrund haben, der in grösserem Masse Zweifel an der allgemeinen Zuverlässigkeit des Zeugen wecken könnte. Ob das so ist, muss der Tatrichter entscheiden.

2. Begründet ist auch die mit Schriftsatz des Rechtsanwalts Wi. vom 12.Mai 1975 unter 1a vorgetragene Rüge. Hier beanstandet die Revision, dass Anklage und Verteidigung von dem Termin zur konsularischen Vernehmung des Zeugen Sch. in Bogota am 9.Oktober 1973 nicht rechtzeitig unterrichtet worden seien, so dass keine Möglichkeit mehr bestanden habe, dem Zeugen Fragen der Verteidigung vorlegen zu lassen, und dass die Niederschrift über die eidliche Vernehmung des Zeugen in der Hauptverhandlung vom 29.Oktober 1973 gegen den Widerspruch der Verteidigung gemäss §251 Abs.1 Nr.2 StPO verlesen und bei der Urteilsfindung verwertet worden sei.

Die Prüfung dieser Rüge ergibt, dass der Vorsitzende des Schwurgerichts bereits am 26.September 1973 die deutsche Botschaft in Bogota gebeten hatte, den Zeugen anhand eines dem - mit Kurierpost beförderten - Schreiben beigefügten Fragebogens erneut zu vernehmen. Dabei hatte er um einen Vernehmungstermin erst nach dem 7.Oktober 1973 ersucht, da ein Verneh-

[47] = Seite 78 dieses Bandes.

mungsbeschluss des Schwurgerichts erst am 4.Oktober 1973 ergehen werde. Ferner hatte er um telegrafische Mitteilung des Termins "zwecks formell notwendiger Bekanntgabe an die Prozessbeteiligten (§224 StPO)" gebeten (Sdbd. H 4 III Bl.53 d.A.). Von diesen Vorgängen erfuhr die Verteidigung ersichtlich nichts. Allerdings wurde in der Hauptverhandlung vom 4.Oktober 1973 - entgegen der Behauptung der Revision (Bl.4 des Schriftsatzes Rechtsanwalt Wi. vom 31.Dezember 1975) - das Fernschreiben der deutschen Botschaft in Bogota vom 20.September 1973 verlesen (Bd.99 XIV Bl.92 d.A.), wonach der Zeuge wegen seines schlechten Gesundheitszustandes nicht bereit sei, sich in Gegenwart der Prozessbeteiligten vernehmen zu lassen (Sdbd. H 4 III Bl.45 d.A.). Im unmittelbaren Anschluss daran erging aber der Beschluss, der zuständige Beamte der deutschen Botschaft solle gebeten werden, den Zeugen zu vernehmen, und bereits vier Tage danach, am 8.Oktober 1973, erhielten die Verteidiger die Nachricht, dies werde tags darauf, am 9.Oktober 1973, geschehen.

Ein solches Verfahren kann in der Tat nicht gebilligt werden. Die Benachrichtigung der Verteidigung von dem Termin in Bogota war verspätet und verstiess daher gegen §224 StPO. Zwar waren die Verteidiger angesichts der Weigerung des betagten Zeugen, sich in Anwesenheit der Prozessbeteiligten vernehmen zu lassen, aus tatsächlichen Gründen ohnehin verhindert, von ihrem Fragerecht nach §240 StPO unmittelbaren Gebrauch zu machen. Der in der genannten Vorschrift zum Ausdruck kommende, für einen fairen Prozess fundamentale Gedanke, dass der Verteidigung Gelegenheit gegeben sein muss, bei der Erhebung der Beweise so weit wie möglich mitzuwirken, erfordert jedoch Beachtung auch unter solchen Bedingungen. Dem ist hier nicht Rechnung getragen worden. Der Verteidigung hätte das noch vor der Beschlussfassung des Schwurgerichts an die Botschaft in Bogota gerichtete Vernehmungsersuchen unverzüglich bekanntgegeben werden müssen, damit sie sich mit der für die Glaubwürdigkeit des Zeugen erheblichen Fragestellung auseinandersetzen und sie aus der Sicht des Angeklagten noch ergänzen konnte. Sie hätte dann auch erkannt, dass mit einem baldigen Termin nach der Beschlussfassung zu rechnen war, während der Beschluss selbst nach seinem Wortlaut den Eindruck erwecken musste, das Ersuchen an die Botschaft solle erst noch gestellt werden. Unter diesen Umständen ist das Fragerecht der Verteidigung in einem über die Behinderung durch die Haltung des Zeugen hinausgehenden Mass unnötig beeinträchtigt worden. Die "formell notwendige Bekanntgabe" des Termins an die Verteidiger konnte diesen Mangel nicht mehr wirksam beheben. Der Verteidigung war nicht zuzumuten, in so kurzer Frist ihre Interessen durch telefonisches oder telegrafisches Nachschieben von Fragen oder durch Antrag auf Terminsverschiebung geltend zu machen, nachdem sie zuvor fast zwei Wochen lang über die Vorbereitung der Vernehmung durch den Vorsitzenden im Unklaren gelassen worden war. Jedenfalls ist nicht auszuschliessen, dass sie bei rechtzeitiger Unterrichtung die Vernehmung in einer Weise hätte beeinflussen können, die zu einem für den Angeklagten günstigeren Ergebnis geführt hätte.

Nach alledem hätte das Protokoll über die Vernehmung des Zeugen Sch. am 9.Oktober 1973 gegen den Widerspruch der Verteidigung in der Hauptverhandlung nicht verlesen werden dürfen. In der Verlesung liegt deshalb ein Revisionsgrund. Der Senat folgt insoweit den Gedankengängen des 5.Strafsenats des Bundesgerichtshofs in BGHSt. 9, 24 zu einem Fall, in dem der Angeklagte erst nach dem Termin benachrichtigt worden war. Sie treffen jedenfalls unter den hier gegebenen Umständen auch bei verspäteter Benachrichtigung zu. Der im Urteil vom 25.Februar 1969 - 5 StR 749/68 - geäusserten, die Entscheidung nicht tragenden Meinung, die Verlesung einer mit dem Mangel der fehlenden oder unzulänglichen Terminsbenachrichtigung behafteten Vernehmungsniederschrift könne nicht als unzulässig angesehen werden, vermag sich der Senat nicht anzuschliessen. Das Beruhen des Urteils auf dem dargelegten Verfahrensmangel kann auch nicht mit der Erwägung ausgeschlossen werden, die Verteidigung hätte die ihr abgeschnittenen Fragen zum Anlass eines neuen Antrags auf Anhörung des Zeugen nehmen können. Abgesehen davon, dass nicht sicher ist, ob der Zeuge sich einer nochmaligen Vernehmung gestellt hätte, macht eine Unterlassung der Verteidigung einen Fehler des Gerichts, auf den sie ausdrücklich hingewiesen hatte, nicht hinfällig.

3. Zutreffend rügt die Verteidigung auch eine Verletzung des §265 Abs.1 StPO, die sich allerdings nur auf den Strafausspruch ausgewirkt haben kann. Der Angeklagte, gegen den das Verfahren in den zur Verurteilung führenden Fällen wegen vollendeten Mordes eröffnet worden war, ist in der Hauptverhandlung nicht darauf hingewiesen worden, dass insoweit auch eine Bestrafung wegen versuchten Mordes in Betracht kommt. Das ist für den Schuldspruch unschädlich. Denn der Angeklagte, der die Schüsse aus seiner Pistole überhaupt nicht abgegeben haben will, hätte sich gegen den Vorwurf des versuchten Mordes nicht anders verteidigen können als gegen den, die Taten vollendet zu haben. Jedoch kann nicht ausgeschlossen werden, dass der Strafausspruch auf dem Fehler beruht. Zwar sind die Strafen massvoll. Das Revisionsgericht kann aber nicht sicher beurteilen, ob es der Verteidigung gelungen wäre, eine weitere Herabsetzung der Strafen zu erzielen, wenn sie zum Strafmass Stellung genommen hätte. Gegenüber dem Vorwurf des vollendeten Mordes hatte sie hierzu keinen Anlass, da nur lebenslange Freiheitsstrafe oder Freispruch in Betracht kamen.

IV. « Die Sachbeschwerde bleibt unerörtert »

Da die unter III 1 und 2 erörterten Verfahrensmängel zur Aufhebung des Urteils in vollem Umfang führen, braucht auch auf die Sachbeschwerde nicht eingegangen zu werden. Sie hätte im übrigen keinen Erfolg haben können.

V. « Verweisung an das Landgericht Stuttgart »

Der Senat hat von der nach §354 Abs.2 Satz 1 StPO gegebenen Möglichkeit Gebrauch gemacht, die Sache an das Landgericht Stuttgart zurückzuverweisen, weil der Angeklagte dort seinen Wohnsitz hat und ihm angesichts seines schlechten Gesundheitszustandes die Anreise zu weiteren Terminen in Mannheim - auch im Interesse eines möglichst ungestörten Verfahrensablaufs - erspart werden soll.

3 StR 396/79

Im Namen des Volkes

In der Strafsache gegen

den Rentner Richard P. aus Stuttgart, geboren am 25.Juni 1912 in Hermannstadt/Siebenbürgen (Rumänien),

wegen Mordes.

Der 3. Strafsenat des Bundesgerichtshofs hat in der Sitzung vom 19.Dezember 1979 für Recht erkannt:

> Die Revision der Staatsanwaltschaft gegen das Urteil des Landgerichts Stuttgart vom 30.April 1979 wird verworfen.
> Die Kosten des Rechtsmittels und die dem Angeklagten entstandenen notwendigen Auslagen fallen der Staatskasse zur Last.

GRÜNDE

Der Angeklagte war im zweiten Weltkrieg Angehöriger der Waffen-SS. In den Jahren 1942 und 1943 hielt er sich als SS-Mann in Czortkow in Galizien auf. Er hatte in erster Linie die Aufgabe, die dort ansässigen Deutschstämmigen zu betreuen. Ausserdem wurde er damit beauftragt, nach Vernichtungsaktionen gegen die jüdische Bevölkerung deren Habe aus den leer gewordenen Häusern sicherzustellen. Zum Transport der Sachen in ein Magazin und zu ihrer Instandsetzung in einer Reparaturwerkstätte bediente er sich jüdischer Arbeitskräfte. Zu diesen gehörte der Zeuge Benzion Fri., der heute unter dem Namen Sch. in Bogota lebt.

Das vorliegende Verfahren hatte ursprünglich neun Mordvorwürfe gegen den Angeklagten zum Gegenstand. In sechs Fällen ist er rechtskräftig freigesprochen, in einem Fall, in dem nach dem Ergebnis der Hauptverhandlung nur eine Verurteilung wegen Totschlags in Betracht kam, wurde das Verfahren wegen Verjährung eingestellt.

In den beiden übrigen Fällen legt die Anklage dem Angeklagten zur Last, im Juni oder Juli 1943 in Kopyczynce einen elf oder zwölf Jahre alten Juden auf offener Strasse und am selben Tage eine etwa 55 Jahre alte Jüdin in einem Wohnhaus erschossen und sich dadurch jeweils des Mordes schuldig gemacht zu haben. Einziger Augenzeuge der angeblichen Taten soll der Zeuge Sch. gewesen sein. Das Landgericht hat den Angeklagten in beiden Fällen freigesprochen. Es ist angesichts erheblicher Zweifel an der Zuverlässigkeit und an der Glaubwürdigkeit des Zeugen Sch. trotz verbleibender Verdachtsgründe von der Schuld des Angeklagten nicht überzeugt.

Hiergegen wendet sich die Revision der Staatsanwaltschaft, die von dem Generalbundesanwalt nicht vertreten wird. Sie macht die Verletzung sachlichen Rechts geltend.

Das Rechtsmittel ist unbegründet.

Wie die Beschwerdeführerin nicht verkennt - sie weist selbst ausdrücklich darauf hin -, ist die Würdigung der in der Hauptverhandlung erhobenen Beweise grundsätzlich Sache des Tatrichters. Dessen Feststellungen können nur dann erfolgreich mit der Sachbeschwerde angegriffen werden, wenn sie auf Erwägungen beruhen, die mit den Denkgesetzen nicht übereinstimmen, wenn sie widersprüchlich sind oder gesicherter Lebenserfahrung zuwiderlaufen, schliesslich auch dann, wenn naheliegende Möglichkeiten, die Beweise zu würdigen, ausser acht bleiben. Derartige Fehler weist das Urteil des Landgerichts nicht auf. Was die Beschwerdeführerin zur Begründung des Rechtsmittels im einzelnen ausführt, geht zum Teil von falschen tatsächlichen Voraussetzungen aus, zum Teil beruht es auf einer von der des Tatrichters abweichenden eigenen Beweiswürdigung, mit der die Beschwerdeführerin nicht gehört werden kann, zum Teil schliesslich befasst es sich mit Ausführungen des Tatrichters, die für die Feststellung der Schuld unerheblich sind. Das letzte gilt für die Angriffe der Beschwerdeführerin gegen die Annahme des Landgerichts, die Erschiessung des jüdischen Jungen sei dem Angeklagten nach seinem sonstigen Verhalten nicht zuzutrauen. Denn ebensowenig wie das Landgericht auf eine gegenteilige Annahme allein den Schuldspruch hätte stützen können, hat es sich zur Begründung des Freispruchs auf die angegriffene Erwägung beschränkt. Sie ist für die Entscheidung unerheblich.

Nach den Feststellungen unrichtig ist die Behauptung der Beschwerdeführerin, der Zeuge Sch. habe als Erschiessungsstätte zutreffend den alten Friedhof im Zentrum von Kopyczynce bezeichnet. Demgegenüber heisst es im Urteil, dass die Angaben des Zeugen über einen Friedhof an der Strasse nach Tarnopol insbesondere durch die Aussagen von Bewohnern des genannten Ortes widerlegt worden sind (UA S.70/71 [48]). Der alte Friedhof lag an der Strasse nach Suchotzka; das Landgericht ist davon überzeugt, dass der Zeuge den an der Strasse nach Czortkow gelegenen neuen Friedhof gemeint haben muss. Das kann mit der Revision nicht angegriffen werden. Dass auf diesem Friedhof Erschiessungen stattgefunden hätten, hat der Zeuge Sch. auch nicht nur als Vermutung bekundet, wie die Revision meint; er hat es vielmehr konstant behauptet (UA S.89 [49]).

Auf das weitere Vorbringen der Revision im einzelnen einzugehen erübrigt sich. Es erschöpft sich in unzulässigen Angriffen auf die Beweiswürdigung des Tatrichters. Das gilt auch insoweit, als diesem lückenhafte Darlegungen und nicht ausreichend mit tatsächlichen Feststellungen belegte Schlussfolgerungen vorgeworfen werden. Das Landgericht hat die erhobenen Beweise unter Wiedergabe der Aussagen der Zeugen, soweit ersichtlich, mit grosser Sorgfalt gewürdigt, die naheliegenden Deutungsmöglichkeiten erörtert und auf Gegengründe zu den eigenen Schlussfolgerungen hingewiesen. Wenn es angesichts des gewonnenen Beweisergebnisses Zweifel an der Schuld des Angeklagten, ja sogar daran, ob die von dem Zeugen Sch. bekundeten Taten überhaupt begangen worden sind, nicht hat überwinden können, so kann das aus Rechtsgründen nicht beanstandet werden.

[48] = Seite 27 dieses Bandes.

[49] = Seite 32 dieses Bandes.

Lfd.Nr.854

Tatkomplex
Kriegsverbrechen

Tatort
Gargazon
(Südtirol)

Tatzeit
440826

Gerichtsentscheidungen
LG München I vom 08.06.1979, Ks 115 Js 4927/76

INHALTSVERZEICHNIS

des unter Lfd.Nr.854 veröffentlichten Urteils

LG München I vom 08.06.1979, Ks 115 Js 4927/76

Ks 115 Js 4927/76

Im Namen des Volkes

Das Schwurgericht des Landgerichts München I erlässt in der Strafsache gegen

Schw. Friedrich-Paul, geb. am 6.11.1906 in Böckingen/Heilbronn, verheirateter Rentner, deutscher Staatsangehöriger, wohnh. 8 München 90,
Eltern: Albert Schw. und Helene, letzt. geb. He.

wegen Totschlags

in der öffentlichen Sitzung vom 8.Juni 1979, aufgrund der Hauptverhandlung vom 30.4., 2.5., 3.5., 4.5., 11.5., 16.5., 17.5., 23.5., 25.5., 30.5., 31.5. und 8.6.1979 folgendes Urteil:

I. Der Angeklagte Schw. Friedrich-Paul, geb. am 6.11.1906 in Böckingen, Kreis Heilbronn, verheirateter Rentner, deutscher Staatsangehöriger, wohnh. 8 München 90, Eltern: Schw. Albert und Helene, letzt. geb. He.
ist schuldig eines Verbrechens der Beihilfe zum Totschlag. Er wird hierwegen zu zwei Jahren Freiheitsstrafe verurteilt.
II. Die Vollstreckung der Strafe wird zur Bewährung ausgesetzt.
III. Der Angeklagte hat die Kosten des Verfahrens und seine notwendigen Auslagen zu tragen.

Angewendete Vorschriften: §§212, 213 2.Alternative, 49 StGB a.F., 47 Abs.I Satz 2 Nr.2 Militärstrafgesetzbuch, 2 Abs.I und III StGB n.F.

GRÜNDE
(abgekürzt gemäss §267 Abs.IV StPO)

I. Die persönlichen Verhältnisse des Angeklagten

1. Der am 6.11.1906 in Böckingen, Kreis Heilbronn, geborene Angeklagte Friedrich-Paul Schw. wuchs zusammen mit zwei älteren Brüdern bei seinen Eltern auf. Sein Vater war Kfz-Mechaniker. Nach dem Besuch der Volksschule und einer Handels- und Gewerbeschule durchlief auch er eine Lehre als Kfz-Mechaniker und arbeitete sodann 2 Jahre als Fahrlehrer und Kfz-Sachverständiger; anschliessend war er drei bis vier Jahre Vertreter einer Motoren- und Flugzeugfabrik. Nachfolgend befasste er sich 1934 bis 1939 als selbständiger Kaufmann mit Exporthandel, Finanzierungen und Vermögensverwaltung. Seine Reisen führten ihn in die Sowjetunion, nach Persien, Afghanistan, Südamerika, USA und in die Balkanländer. Sein letzter inländischer Wohnsitz war München.

Ausforschungsarbeiten für den Staatssicherheitsdienst und die hierbei gewonnenen Erfahrungen liessen ihn - aktives Mitglied der NSDAP seit 1.2.1932 - als den geeigneten Mann für das 1942 anlaufende Falschgeldunternehmen "Bernhard" erscheinen, in dessen Rahmen der Angeklagte ab 1943 über ein Agentennetz den Vertrieb gefälschter englischer Pfundnoten im Raum Italien, Schweiz und Balkan organisierte und leitete. Mit dem Erlös wurden Devisen, Waffen und Wertgegenstände in Millionenwerten beschafft. Der Angeklagte häufte mit Duldung des Reichssicherheitshauptamtes auch persönlich ein erhebliches Vermögen an, das er zum Teil in Gold, Immobilien und Wertgegenständen, zum Teil auf Bankkonten in der Schweiz und anderswo anlegte.

In erster Ehe war der Angeklagte mit der Zeugin Agnes Cae., geborene von Gem., verheiratet. Aus dieser Ehe sind 1936 und 1939 zwei Töchter hervorgegangen. 1942 wurde diese Ehe geschieden. Am 10.2.1942 heiratete er seine frühere Sekretärin Hedda Hel., geb. Ne. 1944 gebar sie ebenfalls eine Tochter.

Bei Kriegsende geriet er in amerikanische Gefangenschaft, war 1945/46 Agent für die USA, setzte sich 1946 mit seiner Familie nach Südamerika ab und liess sich schliesslich in Lima/-Peru nieder. Nach einer Tätigkeit als Techniker und technischer Betriebsleiter bei General Motors und Volkswagen wirkte er wiederum als selbständiger Kaufmann. Seine deutsche Staatsangehörigkeit behielt er bei.

Das Schwurgericht Bozen/Italien verurteilte den Angeklagten am 16.5.1964 in Abwesenheit wegen der verfahrensgegenständlichen Tat zur Gefängnisstrafe von 21 Jahren.

Ein Gericht in Lima/Peru verurteilte ihn 1974 wegen eines Devisenvergehens zu Haft und einer hohen Geldstrafe. Nach knapp 2-jähriger Haft wurde er 1976 aus Peru abgeschoben und reiste am 4.7.1976 mit seiner Frau in die Bundesrepublik ein. Er hat allerdings einen Wiedereinreiseschein für Einwanderer in Händen, der ursprünglich am 28.6.1976 ausgestellt worden war und das Verfalldatum 28.6.1978 trägt.

In der Bundesrepublik wurde der Angeklagte aufgrund des in der vorliegenden Sache gegen ihn bestehenden Haftbefehls vom 17.12.1962 am 9.7.1976 festgenommen; nach Ausservollzugsetzung des Haftbefehles gegen Auflagen wurde der Angeklagte am 15.10.1976 entlassen. Er lebt seitdem mit seiner Frau in München; er bezieht Sozialhilfeunterstützung.

2. Der jetzt im 73.Lebensjahr stehende Angeklagte hat Anfang 1976 einen Herzinfarkt erlitten. Es besteht bei ihm eine coronare Herzerkrankung mit Zustand nach Herzinfarkt, absoluter Arrhythmie, bifaszikulärem Block und Extrasystole, ausserdem eine geringgradige links-rechts-Herzinsuffizienz, Varikosis der Beine, Ödembildung, Hypokaliämie bei Duretikamedikation, leichte Leberparenchymschädigung, Diabetes mellitus, Arteriosklerose, Aortensklerose, degenerative Wirbelsäulenveränderungen und Osteoporose.
Im Kriege hatte der Angeklagte bei Partisanenangriffen einen Oberschenkeldurchschuss und verschiedene Streifschüsse erlitten.
Es besteht eine altersbedingte, leichte Zerebralsklerose mit gewissen Störungen der Merkfähigkeit und des Konzentrationsvermögens.
Der Angeklagte ist aber auch unter Berücksichtigung dieses physischen und psychischen Zustandes verhandlungsfähig.

3. Der Angeklagte ist nicht vorbestraft.

II. « Der Sachverhalt »

1. Die Vorgeschichte der Straftat

a) Der Angeklagte hatte 1944 die Zentrale seines Agentennetzes auf Schloss Labers bei Meran in Südtirol. Er unterstand mit seiner Organisation direkt dem Reichssicherheitshauptamt (RSHA). Seine Anweisungen empfing er von dessen Chef Dr. Kaltenbrunner und von den jeweiligen Chefs der Ämter II und VI ("Verwaltung und Wirtschaft" sowie "Nachrichtendienst Ausland"); er hatte auch an das RSHA zu berichten sowie mit dem Amt abzurechnen.

Seine Dienststelle trug aus Tarnungsgründen die Bezeichnung "Sonderstab Generalkommando des 3.germanischen SS-Panzerkorps". Der Angeklagte war, obwohl zu keinem Zeitpunkt Mitglied der SS, mit dem Dienstrang "SS-Sturmbannführer" versehen, er trug den Tarnnamen "Dr. Wendig". Zum Schutz der Dienststelle und für Sonderaufgaben unterstand ihm eine 20-30 Mann starke, regulär uniformierte und bewaffnete Einheit der Waffen-SS, während er selbst sowie die Agenten grundsätzlich Zivil trugen. Seine Dienststellung entsprach der eines "Sonderführers der SS". Er wie auch seine Untergebenen unterstanden der SS- und Polizeigerichtsbarkeit.

Innerhalb seines Aufgabenbereiches war er befehlsbefugt, nach aussen hin im Verhältnis zu anderen Dienststellen des Reiches und der Wehrmacht hingegen auf Amtshilfe angewiesen. Zu diesem Zweck hatte er ein von Dr. Kaltenbrunner persönlich unterzeichnetes "Empfehlungsschreiben" in Händen, in dem - sinngemäss - alle Dienststellen des Reiches aufgefordert wurden, dem "SS-Sturmbannführer Dr. Wendig" jede begehrte Hilfe zu gewähren. Der Angeklagte legte dieses Schreiben auch bei allen "Kontaktbesuchen" ohne konkreten Anlass vor. Er galt bei allen deutschen Dienststellen in Oberitalien als "Günstling" Dr. Kaltenbrunners.

b) Mit auf Schloss Labers wohnten u.a. seine erste - geschiedene - Ehefrau mit den beiden Töchtern, seine zweite Ehefrau mit der weiteren Tochter, die Eltern und Geschwister seiner Frau, darunter sein Schwager Dr. Ne., ferner der ehemalige Generalkonsul Dr. Gyssling. Zum engsten Mitarbeiterkreis zählten ein gewisser Alois (Ludwig) Glavan, der sich auch Viktor Günther nannte, sowie als "Kapitän" bzw. "Capitano" bezeichnen liess, sowie Schw.s Sekretärin, die Zeugin Gertrud Tac., geb. Haa. Zumindest zeitweise verkehrten auf Schloss Labers auch einige der Hauptagenten, so die Zeugen Oskar und Rudolf Bla. sowie ein gewisser Fleischer.

c) Der Agent Fleischer war Mitte August 1944 auf Schloss Labers eingetroffen. Er brachte einen Verwandten namens Theophil Camber mit, den er vermutlich als Agenten in die Organisation einbeziehen wollte. Camber war Jugoslawe und sprach nicht deutsch. Der Angeklagte machte Fleischer heftige Vorwürfe, da Camber als Unbekannter ein Sicherheitsrisiko darstelle. Wenige Tage später trat Fleischer in Begleitung Cambers eine Reise nach Jugoslawien an; er nahm gefälschte englische Pfundnoten im Gegenwert von mindestens einigen hunderttausend Reichsmark mit. Zur selben Zeit gestattete der Angeklagte seiner Sekretärin einen Kurzurlaub nach Berlin. Er gab ihr Kurierpost für das RSHA mit. Fleischer wollte sie in seinem Pkw bis zur Bahnstation Brunneck oder bis Klagenfurt mitnehmen.

Bei Bozen bedrohte Camber plötzlich Fleischer und die Sekretärin mit einer Handfeuerwaffe und zwang Fleischer, statt nach Norden nach Süden Richtung Trient zu fahren. Nach einigen Kilometern liess er sie aussteigen und fuhr allein mit dem Fahrzeug weiter; die Kurierpost und das Geld hatte er zuvor in seinen Besitz gebracht. Ob er wusste, dass es sich um Falschgeld handelte, ist unbekannt. Möglicherweise kam es ihm nicht bloss auf das Geld an, sondern er wollte mit dem Geld und der Kurierpost zu Partisanen oder zum Kriegsgegner überlaufen.

Fleischer und die Sekretärin alarmierten die Feldgendarmerie. Stunden später wurde Camber an einer Strassensperre festgenommen. Aber auch Fleischer und seine Begleiterin wurden festgehalten. Die festnehmende Dienststelle berichtete sogleich an das RSHA. Auch Schw. wurde informiert; er wandte sich seinerseits an das RSHA mit der Bitte, die Freilassung Fleischers und seiner Sekretärin zu veranlassen, was noch am selben Tag geschah.

2. Die Straftat

a) Dem Chef der Sicherheitspolizei und des SD, SS-Obergruppenführer Dr. Kaltenbrunner, war ebenfalls über den Vorgang berichtet worden. Am selben Tag informierte entweder der damalige Chef des Amtes II des RSHA, SS-Standartenführer Spacil, oder der persönliche Adjutant Dr. Kaltenbrunners, Scheidler, den Angeklagten, "Dr. Kaltenbrunner sei wütend, was da für eine Schweinerei passiert sei", "der Alte (Dr. Kaltenbrunner) drohe, Schw. den Arsch auseinanderzureissen"; möglicherweise machte Spacil auch eine Andeutung, Schw. drohten Schwierigkeiten, wenn durch diese Panne die Falschgeldangelegenheit öffentlich bekannt werde. Insbesondere aber wurde Schw. mitgeteilt, Dr. Kaltenbrunner habe befohlen, Camber sei zu erschiessen. Der genaue Wortlaut dieses Befehls steht nicht fest.

b) Noch am Tag des Überfalls, der dem Datum nach nicht feststeht, aber ein Feiertag oder Sonntag Mitte bis Ende August 1944 war, wurde Camber über das Kommando der Sicherheitspolizei und des SD Bozen (KdS Bozen) an dessen Aussenstelle in Meran (KdS-Aussenstelle Meran) überstellt.
Der Kommandeur des KdS Bozen, SS-Sturmbannführer Tyrolf, lag ab Mitte August verwundet im Lazarett in Meran. Der Leiter der Dienststelle Meran, SS-Hauptsturmführer Schütz, war auswärts. Ihn vertrat als stellvertretender Dienststellenleiter der Zeuge Dr. Zir., SS-Untersturmführer und Leiter der Abteilung III (SD). Leiter der Abteilung IV (Gestapo) war der Zeuge Ni., Kriminaloberassistent und SS-Bewerber, der aber am Tag der Überstellung Cambers nach Meran auf Dienstreise war.

Am Tag der Überstellung Cambers zur Dienststelle Meran fand sich dort auch der Angeklagte ein. Möglicherweise verhörte er zusammen mit Dr. Zir. den Gefangenen. Möglicherweise berieten auch am selben Tag der Angeklagte und Dr. Zir. zusammen mit Tyrolf, was mit Camber geschehen solle. Das Ergebnis der Beratung ist unbekannt. Fest steht lediglich, dass Camber offiziell am anderen Tag zum KdS Bozen zurücküberstellt werden sollte, und dass Dr. Zir. hierüber informiert war.

c) Der Angeklagte Schw. entschloss sich, Camber während dieser Überstellungsfahrt "auf der Flucht" zu erschiessen, um auf diese Weise Dr. Kaltenbrunners Befehl zur Tötung Cambers auszuführen. Er erkannte den Befehl als einen rechtswidrigen und nicht verbindlichen Befehl zu einer vorsätzlichen und rechtswidrigen Tötung. Er wollte ihm aber nicht ausweichen, da er andernfalls Schwierigkeiten für sich selbst befürchtete. Diese sah er nicht in einer etwa sonst drohenden gegenwärtigen Leibes- oder Lebensgefahr für sich selbst oder Angehörige, sondern in wirtschaftlichen und persönlichen Nachteilen, wenn nämlich das Falschgeldunternehmen durch weitere Vernehmungen Cambers durch Dritte allgemein bekannt und damit auch gefährdet würde oder zumindest er selbst seiner äusserst einträglichen Stellung enthoben würde. Auch ging er davon aus, dass Camber nach der damaligen Praxis ohnehin von einem SS- und Polizeigericht zum Tode verurteilt und hingerichtet werden würde.

Am anderen Tag begab sich der Angeklagte frühmorgens zur KdS-Aussenstelle Meran. Dort fanden sich ausserdem sein Mitarbeiter Glavan, sein Schwager Dr. Ne., der stellvertretende Dienststellenleiter Dr. Zir. sowie der Gestapo-Beamte Ni. ein, der am frühen Morgen aus seiner Wohnung geholt worden war mit dem Hinweis, er müsse an der Überstellung eines Häftlings nach Bozen teilnehmen; die Vorgeschichte kannte er nicht. Ausserdem war noch ein der KdS-Dienststelle zugeteilter Mann des Südtiroler Ordnungsdienstes (SOD) namens Geier zugegen, sowie möglicherweise ein - dem Namen nach Unbekannter - rangniedriger Beamter des KdS Bozen oder Trient.

Der Angeklagte lenkte sein eigenes Fahrzeug, einen offenen viersitzigen Pkw. Auf Anweisung Dr. Zir.s stieg links hinten der Zeuge Ni. ein, rechts vorne nahm Glavan Platz. Vom nahegelegenen Gefängnis wurde sodann Camber abgeholt, welcher sich nach hinten rechts setzen musste, ohne gefesselt zu werden. Schw. und Glavan waren jeweils mit einer Maschinenpistole, Ni. mit einer Pistole bewaffnet. In einem zweiten Pkw fuhren Geier, Dr. Zir. und Dr. Ne. sowie möglicherweise der unbekannte Beamte. Ni. begleitete den Transport als der zuständige Gestapo-Mann, Dr. Zir. als stellvertretender Dienststellenleiter. Warum auch Glavan und Dr. Ne., welcher Arzt ist, mitfuhren, ist unbekannt. Auf der Überstellungsfahrt Richtung Bozen fuhr der Angeklagte voran, das zweite Fahrzeug folgte in einem wechselnden Abstand von einigen hundert Metern.

Nach wenigen Kilometern Fahrt hielt der Angeklagte sein Fahrzeug zwischen den Ortschaften Gargazon und Burgstall auf offener Strecke ohne äusseren Anlass an. Links der Strasse begann der steile Berghang, rechts reichten dichtstehende Obstbäume bis an die Strasse heran. Der Angeklagte äusserte, ohne einen seiner Begleiter direkt anzusprechen "Der Mann muss erschossen werden". Da er sich angesprochen fühlte, antwortete Ni., er machte so etwas nicht. Der Angeklagte nahm seine Maschinenpistole, stieg aus, ging vorne um das Auto herum und gebot mit einer Handbewegung Camber auszusteigen. Dieser befolgte die Aufforderung.

Mit einer weiteren Handbewegung und möglicherweise einem Zuruf deutete der Angeklagte dem Häftling, sich vom Auto weg in die Obstbaumpflanzung hinein zu entfernen. Camber, dem klar war, dass auf sein Verbrechen die Todesstrafe stand, war sich unsicher, ob er nun eine echte Chance zur Flucht erhalten oder ohne Gerichtsverhandlung erschossen werden sollte. Zögernd in Laufschritt fallend wollte er flüchten und blickte sich zugleich unsicher nach dem Angeklagten um. Er hatte sich erst wenige Meter entfernt, als der Angeklagte seinem vorgefassten Plan entsprechend die Maschinenpistole hochnahm und Camber durch eine auf den Kopf gezielte Schussgarbe tötete. Camber wurde von einem Geschoss im Bereich des linken Schlüsselbeines und von mindestens einem weiteren Geschoss, möglicherweise mehreren, am Schädel linksseitig getroffen, wodurch der Schädel barst. Camber verstarb sogleich.

Glavan und Ni. verhielten sich währenddessen passiv. Inzwischen hatte das nachfolgende Fahrzeug in der Nähe angehalten. Seine Insassen stiegen aus und gingen mit den anderen zu dem Getöteten hin. Ohne dass weiter über den Grund der Erschiessung gesprochen worden wäre, verbrachten sie die Leiche in Schw.s Kfz und dieser fuhr, gefolgt vom zweiten Wagen, zur Ortschaft Lana. Dort wurde der Leichnam in die Friedhofshalle gebracht und Ni. beauftragte den örtlichen Gendarmeriebeamten, den Zeugen Si., für die Bestattung Sorge zu tragen, was später auch geschah. Der Angeklagte und seine Begleiter fuhren hingegen sogleich nach Meran zurück.

Ni. liess in der KdS-Dienststelle von seiner Sekretärin Ladurner, geborene Holzgethan, einen Bericht an das KdS Bozen schreiben, in dem es sinngemäss hiess, der Häftling Camber sei bei einem Fluchtversuch erschossen worden. Der stellvertretende Dienststellenleiter Dr. Zir. unterzeichnete diesen Bericht. Am gleichen Tage noch erzählte Ni. seiner Sekretärin den wahren Hergang der Erschiessung.

Der Angeklagte Schw. berichtete an das Reichssicherheitshauptamt, er habe Camber auf der Flucht erschossen. Eine polizeiliche oder gerichtliche Untersuchung des Falles fand nicht statt.

III. Die rechtliche Würdigung

1. Der Angeklagte Schw. ist aufgrund des festgestellten Sachverhaltes eines Verbrechens der Beihilfe zum Totschlag schuldig (§§212, 213 2.Alternative, 49 StGB a.F., 47 Abs.I Satz 2 Nr.2 Militärstrafgesetzbuch, 2 Abs.I und Abs.III StGB n.F.).

Der Angeklagte hat als Gehilfe zu dem von Dr. Kaltenbrunner, Chef des Reichssicherheitshauptamtes, an Camber begangenen Totschlag durch Tat wissentlich Hilfe geleistet (§49

Abs.I StGB a.F.). Die Tötung stellt sich als Totschlag dar (§212 StGB); Mordmerkmale (§211 StGB) sind nicht gegeben.

Täter ist Dr. Kaltenbrunner, der vorsätzlich und rechtswidrig den Befehl, Camber zu töten, erteilte. Der Angeklagte ist trotz der eigenhändigen Tatausführung lediglich Gehilfe. Zu diesem Ergebnis führen sowohl die Anwendung des §47 Militärstrafgesetzbuch als auch die allgemeinen Rechtsgrundsätze zur Abgrenzung zwischen Täterschaft und Beihilfe.

§47 Abs.I Satz 2 Militärstrafgesetzbuch (RGBl. 1940 I 1347) lautete:

> "Wird durch die Ausführung eines Befehls in Dienstsachen ein Strafgesetz verletzt, so ist dafür der befehlende Vorgesetzte allein verantwortlich. Es trifft jedoch den gehorchenden Untergebenen die Strafe des Teilnehmers:
> 1. wenn er den erteilten Befehl überschritten hat oder
> 2. wenn ihm bekannt gewesen ist, dass der Befehl des Vorgesetzten eine Handlung betraf, welche ein allgemeines oder militärisches Verbrechen oder Vergehen bezweckte."

Diese Vorschrift findet auch auf den Angeklagten Anwendung über §3 der Verordnung über eine Sondergerichtsbarkeit in Strafsachen für Angehörige der SS und für Angehörige der Polizeiverbände bei besonderem Einsatz vom 17.10.1939 (RGBl. I 2107) in Verbindung mit den Erlassen des Reichsführers SS und Chef der deutschen Polizei vom 9.4.1940 und vom 8.8.1942. Der Angeklagte hatte den Status eines Sonderführers der SS. Damit unterlag er auch der Sondergerichtsbarkeit. Er hat die Tat in Ausführung eines ihm in Dienstsachen erteilten Befehles begangen.

Auch eine wertende Betrachtung auf Grund aller von den Vorstellungen der Beteiligten umfassten Umstände ergibt, dass der Angeklagte Gehilfe war. Der Befehl Dr. Kaltenbrunners war möglicherweise so formuliert, dass dem Angeklagten kein Spielraum für das "ob", sondern nur noch für das "wie" der Ausführung blieb. Zum Zustandekommen des Befehls hat der Angeklagte nichts beigetragen. Es ist auch nicht festgestellt, dass der Angeklagte die Tat auch ohne einen derartigen Befehl begangen hätte und insbesondere nicht, dass er die Tat als eigene wollte und ein eigenes Interesse daran hatte.

Auf die Tat sind die §§212, 49 StGB a.F. und §47 MStGB mit der Milderungsmöglichkeit nach §49 Abs.II und 44 StGB a.F. als das zur Zeit der Tat geltende Recht anzuwenden (§2 Abs.I StGB n.F.), da der damalige Rechtszustand gegenüber dem jetzt zum Zeitpunkt der Entscheidung geltenden Gesetz (§§212, 27, 49 StGB n.F.) das mildeste Gesetz darstellt (§2 Abs.III StGB n.F.).

2. Die Tat war rechtswidrig. Der Befehl Dr. Kaltenbrunners, Camber ohne Gerichtsverfahren zu erschiessen, hatte die Durchführung eines allgemeinen Verbrechens zum Inhalt, entbehrte jeder Rechtsgrundlage und durfte nicht befolgt werden. Eine nachträgliche Berufung auf einen Führerbefehl des Inhalts, dass Partisanen, die auf frischer Tat gestellt worden waren, ohne Verfahren sofort zu erschiessen seien, greift nicht durch. Camber wurde nicht als Partisan durch sofortiges Erschiessen bestraft, sondern dem Befehl Dr. Kaltenbrunners gemäss behandelt, welcher die Geheimhaltung des "Unternehmens Bernhard" zum Ziel hatte. Der Angeklagte wusste, dass die Tat rechtswidrig war. Gerade deswegen hat er eine Erschiessung auf der Flucht vorgetäuscht als eine geeignete Methode zur illegalen Liquidation, weil nach aussen hin der Schein der Legalität dieses rechtswidrigen Vorganges gewahrt werden sollte. Der Angeklagte handelte auch nicht im Befehlsnotstand. Für ihn hätte weder objektiv bei einer Befehlsverweigerung Gefahr für Leib oder Leben bestanden, noch hat der Angeklagte die Tat unter dem Eindruck einer solchen Gefahr, vielmehr aus blosser Befehlstreue begangen. Denn er hat keinerlei Ausweichversuche unternommen oder sonstiges Verhalten an den Tag gelegt, wie dies bei Vorliegen eines entsprechenden Gewissenskonfliktes

zu erwarten gewesen wäre. Ausweichmöglichkeiten hätten bestanden, nämlich den Gefangenen an eine andere Dienststelle zu übergeben.

3. Die Tat ist nicht verjährt. Die Verjährungsfrist richtet sich nach der Höhe der angedrohten Strafe (§67 StGB a.F. bzw. §78 StGB n.F.). Sie betrug für das dem Angeklagten angelastete Verbrechen der Beihilfe zum Totschlag gemäss §§212, 49 StGB nach §67 Abs.I StGB a.F. 15 Jahre. Die Verjährung der Straftat ruhte gemäss §69 StGB a.F. bis zum 8.5.1945, weil ihre Verfolgung während der nationalsozialistischen Herrschaft aus politischen Gründen mit Sicherheit gescheitert wäre. Die Verjährungsfrist begann daher erst am 9.5.1945. Vor ihrem Ablauf am 8.5.1960 wurde sie durch eine richterliche Ermittlungshandlung gemäss §68 StGB a.F. unterbrochen: Am 11.9.1958 wurde in dem gegen den Angeklagten laufenden Ermittlungsverfahren Aktenzeichen 1 b Js 1420/58 der Staatsanwaltschaft beim Landgericht Nürnberg-Fürth der Zeuge Dr. Zir. vom Ermittlungsrichter des Amtsgerichts Nürnberg vernommen. Die ab diesem Zeitpunkt neu laufende Verjährungsfrist wurde wiederum durch den Erlass des Haftbefehls des Amtsgerichts München vom 17.12.1962 unterbrochen.
Die neuerdings in Lauf gesetzte Verjährungsfrist von 15 Jahren ist dann am 4.8.1969 mit Inkrafttreten des 9.StRÄG vom 4.8.1969 (BGBl. I 1065), durch welches der bis dahin geltende §67 Abs.I StGB geändert wurde, in eine 20-jährige Verjährungsfrist umgewandelt worden (vgl. §78 III Nr.2 StGB n.F.). Diese Frist ist - unabhängig von weiteren Untersuchungshandlungen - noch nicht abgelaufen.

4. Die rechtskräftige Verurteilung durch das Schwurgericht Bozen vom 16.5.1964 wegen der verfahrensgegenständlichen Tat zur Gefängnisstrafe von 21 Jahren führte nicht zum Verbrauch der Strafklage im Sinn von Artikel 103 Abs.III Grundgesetz. Diese Wirkung kann nur von einem Urteil eines Gerichtes der Bundesrepublik Deutschland ausgehen (BGH NJW 1969, 1542).

IV. Strafzumessung

1. Das Gericht hat die Tat als einen milderen Totschlagsfall nach §213 2.Alternative StGB a.F. gewertet, der dem minder schweren Fall nach §213 StGB n.F. entspricht.

Es ist unzweifelhaft, dass die Tat Cambers nach damals geltendem Recht und auch der Praxis der SS-Gerichte mit der Todesstrafe geahndet worden wäre. Dabei fiel weniger der beabsichtigte materielle Schaden ins Gewicht als der Umstand, dass Camber durch Weitergabe der in seine Hände gefallenen Kurierpost und seiner durch Fleischer und auf Schloss Labers gewonnenen Erkenntnisse an den Kriegsgegner das Leben zahlreicher Agenten und die Aktion selbst gefährden konnte. Formelle polizeiliche Ermittlungen und eine Gerichtsverhandlung hätten zahlreiche weitere Mitwisser geschaffen, so dass die notwendige Geheimhaltung der Aktion ernsthaft gefährdet gewesen wäre.

Die Gesamtwürdigung zeigt, dass der normale Strafrahmen des §212 StGB, Freiheitsstrafe von 5-15 Jahren, unangemessen hart wäre; die Milderungsmöglichkeit wegen Beihilfe hat insoweit ausser Betracht zu bleiben.

2. Innerhalb dieses milderen Strafrahmens bis zu 5 Jahren (§213 StPO) hat das Gericht die Strafe weiter ermässigt, weil der Angeklagte nur als Gehilfe gehandelt hat (§§49, 44 StGB a.F.).

Zu seinen Gunsten wurde weiter berücksichtigt, dass er bis dahin nicht vorbestraft war. Die Tat ist nur aus der Besonderheit der Zeitumstände und der Art seiner damaligen Tätigkeit zu erklären. Vom Angeklagten geht heute keine Gefahr für die Rechtsordnung mehr aus.

Zu seinen Lasten musste sich andererseits auswirken, dass die Umstände der Tötung sorgfältig geplant waren und dass er die Tat kaltblütig ausgeführt hat. Das Opfer wurde einer trügerischen Hoffnung, sein Leben vielleicht doch retten zu können, ausgesetzt.

Unter Berücksichtigung dieser wesentlichen Strafzumessungsgesichtspunkte hielt das Schwurgericht eine Freiheitsstrafe von zwei Jahren für schuldangemessen.

3. Die Vollstreckung der Strafe wurde zur Bewährung ausgesetzt (§56 Abs.II und III StGB n.F.). Es ist zu erwarten, dass der jetzt im 73.Lebensjahr stehende Angeklagte auch ohne die Einwirkung des Strafvollzuges keine Straftaten mehr begehen wird. Besondere Umstände in der Persönlichkeit des Angeklagten und in der Tat selbst wurden in Ziffer I und II des Urteils ausführlich dargestellt. Auch die Verteidigung der Rechtsordnung, insbesondere das Bedürfnis nach Sühne, gebietet die Vollstreckung nicht mehr, nachdem seit der Tat 35 Jahre vergangen sind. Dem Bedürfnis nach der Verteidigung der Rechtsordnung ist durch den Schuldspruch und die ausgesprochene Strafe ausreichend Genüge getan.

V. « Kostenentscheidung »

Die Kostenentscheidung beruht auf den §§464, 465 StPO.

Lfd.Nr.855

Tatkomplex
NS-Gewaltverbrechen in Haftstätten

Tatort
KL Majdanek

Tatzeit
43

Gerichtsentscheidungen
LG Hannover vom 09.07.1979, 11 Ks 1/76
BGH vom 21.10.1980, 5 StR 54/80

INHALTSVERZEICHNIS

der unter Lfd.Nr.855 veröffentlichten Urteile

LG Hannover vom 09.07.1979, 11 Ks 1/76

BGH vom 21.10.1980, 5 StR 54/80

11 Ks 1/76

Im Namen des Volkes

In der Strafsache gegen

den Kraftfahrer Karl Johann Gal. [50], geboren am 21.Januar 1923 in Wien, wohnhaft in Ronnenberg,

wegen Mordes

hat die 1.grosse Strafkammer - Jugendkammer I - des Landgerichts Hannover in der Hauptverhandlung in der Zeit vom 15.September 1978 bis 9.Juli 1979 am 9.Juli 1979 für Recht erkannt:

> Der Angeklagte wird unter Freisprechung im übrigen wegen Mordes in vier Fällen, wobei es in drei Fällen beim Versuch blieb, zu einer Jugendstrafe von sieben Jahren verurteilt.
> Soweit der Angeklagte verurteilt worden ist, trägt er die Kosten des Verfahrens und seine eigenen notwendigen Auslagen. Im übrigen trägt die Landeskasse die Kosten des Verfahrens und die notwendigen Auslagen des Angeklagten.

(Angewandte Strafvorschriften: §§211, 22, 23, 25 II, 53 StGB; 1, 3, 105 JGG)

GRÜNDE

I. « Das KL Majdanek »

Gegenstand des Verfahrens sind Taten, die der Angeklagte in seiner Funktion als Kapo im Konzentrationslager Majdanek (so genannt nach einem Vorort Lublins) in der Zeit von April 1943 bis Frühjahr 1944 begangen hat, beziehungsweise begangen haben soll. Bei diesem Lager, dessen offizielle Bezeichnung bis Februar 1943 "Kriegsgefangenenlager der Waffen-SS Lublin" und sodann "Konzentrationslager Lublin" (KL Lublin) lautete, handelte es sich um ein Arbeits- und Vernichtungslager, mit dessen Errichtung auf Grund einer Anordnung Himmlers vom 21.Juli 1941 im Spätsommer 1941 begonnen wurde und dessen Aufbau Ende 1942 im wesentlichen abgeschlossen war.

Das Lager befand sich neben der Strasse von Lublin nach Chelm auf einer Fläche von etwa 270 ha und bestand zuletzt aus fünf parallel zur Strasse Lublin/Chelm hintereinander gestaffelt verlaufenden Feldern, auf denen sich jeweils etwa 22 Blocks zur Unterbringung der Häftlinge befanden. Die Felder, jeweils durch einen doppelten Stacheldrahtzaun voneinander getrennt, waren von der sogenannten Lagerstrasse aus zugänglich, die an der Lublin zugewandten Seite des Lagers verlief. Den Eingängen der Felder gegenüber - auf der anderen Seite der Lagerstrasse - lag eine Reihe verschiedener Werkstatt- und Magazinbaracken. Ausserdem befanden sich auf dem Lagergelände ein Kommandanturbereich, ein Lagergut, ein Bauhof, landwirtschaftliche Gebäude sowie zwei Wohnhäuser, in denen der Kommandant und der Schutzhaftlagerführer wohnten.

[50] Rechtskräftig durch Urteil des BGH vom 21.10.1980, 5 StR 54/80, Lfd.Nr.855b.

Die Organisation des Lagers bestand aus den fünf Abteilungen Kommandantur, Politische Abteilung, Schutzhaftlager, Verwaltung und Lagerarzt.

Die Häftlinge hatten eine gewisse Selbstverwaltung, indem sogenannte Funktionshäftlinge bestimmt wurden, die im Auftrage der SS einzelne Verwaltungs- und Schreibarbeiten ausführen mussten (zum Beispiel Feldältester, Blockältester, Blockschreiber).

Ausser diesen Funktionshäftlingen gab es die aus den Reihen der Häftlinge von der SS ausgewählten Kapos, deren Aufgabe in der Beaufsichtigung der Häftlings-Arbeitskommandos bestand. In dieser Position genossen sie Privilegien bezüglich Kleidung, Ernährung und Bewegungsfreiheit, waren im Rahmen der ihnen überlassenen Aufgaben weitgehend unabhängig und konnten je nach Charaktereigenschaft den Häftlingen helfen oder als berüchtigte Aufseher mit aller ihnen möglichen Willkür auftreten. Sie lebten in einer Art Grauzone des Lagers und wurden für Misshandlungen und Tötungen von Mithäftlingen nicht zur Rechenschaft gezogen. Die Häftlinge, die aus den verschiedensten Gründen in das Lager eingeliefert wurden, waren unterschiedlichster Herkunft, insbesondere handelte es sich um polnische Juden, polnische politische Gefangene und Russen. Der Grund ihrer Einlieferung war aus dem an ihrer Kleidung befindlichen Winkel zu erkennen. Politische Häftlinge trugen rote, Verbrecher grüne, Asoziale schwarze, Bibelforscher lila, Homosexuelle rosa, Juden gelbe und Zigeuner braune Winkel.

In normalen Belegungszeiten waren die Blocks mit je etwa 250 Häftlingen belegt. Diese Zahlen wurden von Mai bis August 1943 deutlich überschritten, so dass in dieser Zeit für die Häftlinge besonders menschenunwürdige Verhältnisse herrschten. Zu verschiedenen Zeiten brachen Krankheitsepidemien aus (insbesondere Fleckfieber und Typhus), und mangels ärztlicher Versorgung war schon aus diesem Grund die Sterblichkeitsrate sehr hoch. Hinzu kamen eine planmässig durchgeführte "Ausrottung" von Häftlingen durch Vergasungen und Erschiessungen und viele andere - gezielte oder mindestens geduldete - Tötungen durch Erhängen, Ertränken, Erschlagen und anderes mehr. Solche Tötungen durch SS-Angehörige und Kapos kamen täglich vor den Augen der Häftlinge vor und blieben - soweit nicht ohnehin angeordnet - ohne Sanktionen durch die Lagerleitung.

Nach polnischen Schätzungen sind im KL Lublin mindestens 360.000 Menschen umgekommen.

Von Ende April / Anfang Mai 1943 bis mindestens Februar 1944 hielt sich auch der Angeklagte im Lager auf.

II. « Die persönlichen Verhältnisse des Angeklagten »

Der Angeklagte, mit Wirkung vom 27.April 1945 deutscher Staatsangehöriger, wurde am 21.Januar 1923 in Wien als Sohn des Drehers Karl Gal., geboren am 6.Oktober 1897 und gestorben am 31.Mai 1944, und seiner Ehefrau Friederike, geborene Ka., geboren am 8.Juni 1904, gestorben im Mai 1979, geboren. Er wuchs zusammen mit seinem am 24.August 1924 geborenen Bruder Rudolph bei den Eltern auf. Die wirtschaftlichen und räumlichen Verhältnisse waren äusserst schlecht, es herrschten Not und Entbehrung. Zwischen den Eltern bestanden andauernde Spannungen. Der jähzornige Vater schlug Frau und Kinder selbst aus nichtigen Anlässen und benutzte dabei auch Knüppel und Treibriemen. Die Mutter musste mitarbeiten, damit die Kinder annähernd genügend zu essen und die nötigsten dürftigen Kleidungsstücke zum Anziehen hatten. Unter diesen Umständen fühlte sich der Angeklagte mehr zu seiner Mutter hingezogen, zumal er häufig unter Anfällen - laienhaft epileptischer Erscheinungsform - litt, bei denen er plötzlich keine Luft mehr bekam, im Gesicht blau wurde, am Körper zitterte und Speichel aus dem Munde floss, so dass ihm ein Handtuch zwischen die Lippen gepresst werden musste. Bei dergleichen Anfällen, die mindestens bis zum Jahre 1937 in verschieden grossen Zeitabständen auftraten, wurde der Angeklagte öfters von seiner Mutter in ein Kinderspital gebracht, von wo er aber stets nach kurzer Zeit wieder entlassen wurde, ohne zu Hause Medikamente einnehmen oder sonst behandelt werden zu müssen.

Im Alter von sieben Jahren kam der Angeklagte in Wien in die Volksschule, aus der er, nachdem er infolge Schwächen vor allem in Rechtschreibung, Rechnen und Erdkunde, aber auch Interesselosigkeit und krankheitsbedingter Versäumnisse öfters sitzengeblieben war, nach Abschluss der 5.Klasse entlassen wurde. Er lief gelegentlich von zu Hause fort und schlief im Freien. In seiner Freizeit spielte er gern Fussball.

Während sein Vater als gegen Hitler eingestellter Kommunist politisch engagiert war - er soll mit politischen Freunden die deutschsprachigen Sendungen von "Radio Moskau" gehört haben und wegen seiner politischen Überzeugung mehrmals verhaftet worden sein -, hat der Angeklagte - damals wie heute - kein politisches Interesse gezeigt. Im Jahre 1937 meldete sich die Mutter des Angeklagten überraschend auf eine Zeitungsannonce, verliess Wien und nahm unter Zurücklassung ihrer Familie eine Stellung als Köchin in England an. Ihre Ehe wurde kurz danach geschieden. Seitdem hatte der Angeklagte keine Verbindung mehr zu seiner Mutter. Erst im Verlaufe dieses Prozesses konnte die Anschrift der zuletzt in Florida lebenden Mutter in Erfahrung gebracht werden. Nach ihrer Zeugenvernehmung im Januar 1979 entschloss sie sich, zu dem Angeklagten nach Deutschland zu ziehen. Kurz nach ihrer Ankunft ist sie im Mai 1979 verstorben.

Nach der Entlassung aus der Volksschule im Jahre 1937 - die Mutter hatte die Familie bereits verlassen - begann der Angeklagte auf Veranlassung seines Vaters in der Fabrik, in welcher auch dieser arbeitete, eine Dreherlehre. Da ihm die Arbeit an der Drehbank nicht gefiel - er wäre, hätte es der Vater zugelassen, lieber Konditor geworden -, brach er die Lehre nach einem Jahr ab und kam daraufhin zum Landdienst nach Mecklenburg. Da es ihm dort zusagte, wollte er unter allen Umständen verhindern, wieder bei seinem Vater wohnen zu müssen. Nach Beendigung des einjährigen Landdienstes und Rückkehr nach Wien entschloss er sich deshalb, sich bei der Wehrmacht zu melden, wozu er die Unterschrift seines Vaters fälschte, der von dieser Verpflichtung keine Kenntnis erhalten sollte.

Am 10.April 1941 wurde der Angeklagte wegen eines Diebstahlsvorwurfs in Wien erkennungsdienstlich behandelt. Die damals gefertigten drei Photos des Angeklagten befinden sich - in Reproduktion - unter den Nummern 301-303 in der zu Identifizierungszwecken angelegten Lichtbildmappe.

Am 2.November 1941 erhielt der Angeklagte seine Einberufung zur Waffen-SS nach Berlin--Lichterfelde, worüber er enttäuscht war, weil er auf eine Einberufung zur Marine gehofft hatte. Nach dreimonatiger Ausbildung wurde er nach Giessen in ein Lazarett überführt, weil er häufig über Kopfschmerzen klagte. Kurze Zeit darauf wurde er zu seiner Einheit nach Berlin entlassen, erhielt dort aber aus nicht bekannten Gründen zu seiner grossen Enttäuschung den Entlassungsschein aus der Waffen-SS. In Wien wohnte er mangels anderweitiger Gelegenheit wieder bei seinem Vater und arbeitete nunmehr in einer Munitionsfabrik. Auch an dieser Arbeit zeigte er kein Interesse und erschien eine Zeitlang nicht mehr auf der Arbeitsstelle. Am 1.August 1942 wurde er von der Gestapo in Wien zum ersten Mal verhaftet und blieb bis zum 24.September 1942 in Haft. Am 9.Februar 1943 verhaftete ihn die Gestapo erneut und überstellte ihn am 27.April 1943 in das KL Lublin, wo er Ende April / Anfang Mai 1943 als Häftling eintraf.

Frühestens im Februar, spätestens im Mai 1944 - der genaue Zeitpunkt liess sich nicht mehr ermitteln - wurde der Angeklagte aus dem KL Lublin entlassen und zur Wehrmacht einberufen. Er fuhr für kurze Zeit nach Wien, wo er seinen Vater und seinen Bruder nicht mehr antraf, und rückte sodann als Panzer-Pionier nach Cottbus ein, von wo er nach vierwöchiger Ausbildung mit seiner Einheit nach Ostpreussen verlegt wurde. Im Frühjahr 1945 wurde er an den Beinen verwundet und nach kürzeren Aufenthalten in Travemünde und Hamburg ins Lazarett nach Lüneburg gebracht. Dort blieb er bis zum Ende des Krieges und kam sodann, zunächst in Braunschweig und dann in Hannover, in englische Kriegsgefangenschaft. Er wurde bei den Engländern als Kraftfahrer eingesetzt, was ihm wegen der für damalige Verhältnisse guten Behandlung und Verpflegung ausgesprochen zusagte.

Im Mai 1947 wurde er von den Engländern entlassen. Er blieb in Hannover, trat vorübergehend einem Boxsport-Verein bei und arbeitete in den folgenden Jahren auf zahlreichen Arbeitsstellen als Kraftfahrer oder Hilfsarbeiter. Seit 1975 ist er - nur durch die Untersuchungshaft in dieser Sache unterbrochen - bei der Firma Blank, Autogrosshandel, mit einem monatlichen Nettoverdienst von etwa 1.300,- DM beschäftigt gewesen. Diese Arbeitsstelle hat er im Verlaufe des Prozesses verloren und ist zur Zeit arbeitslos.

Der Angeklagte ist seit 1973 in zweiter Ehe verheiratet. Seine erste im Jahre 1953 geschlossene Ehe, aus der zwei jetzt erwachsene Kinder stammen, war im Jahre 1958 geschieden worden. Mit seiner zweiten Frau bewohnt er mietfrei ein Haus, das dem Sohn der Ehefrau aus erster Ehe gehört. Seine Frau ist nach dreizehnjähriger Tätigkeit als Arbeiterin beim Volkswagen-Werk jetzt nicht mehr berufstätig. Zu seinem eigenen in der DDR lebenden Sohn aus erster Ehe hat der Angeklagte keine Verbindung mehr. Seine Tochter aus erster Ehe, die Zeugin Monika Bli., hat er kurz vor Prozessbeginn nach mehreren Jahren zum ersten Mal wiedergesehen. Anlässlich des Prozesses hat er - nach fast 40 Jahren - auch seinen Bruder wiedergetroffen.

Der Angeklagte führt ein zurückgezogenes, schlichtes und sparsames Leben, meidet Gesellschaft und hat keinen Freundeskreis. Er weiss nicht, wie und über was er sich mit fremden Leuten unterhalten soll. Er raucht nicht und verträgt keinen Alkohol. Seine Interessen bestehen darin, fernzusehen - vor allem Sportsendungen, Kriminal- und Cowboy-Filme - und sich mit Streifenhörnchen zu beschäftigen, die er seit einigen Jahren aufzieht. Am Zeitgeschehen ist er nicht interessiert, er liest keine Zeitung und fühlt sich am wohlsten, wenn er für sich allein sein kann.

Er ist seit Jahren in ärztlicher Behandlung, insbesondere wegen von Zeit zu Zeit auftretender migräneartiger Kopfschmerzen und Konzentrationsschwäche. Psychiatrisch-psychologisch fällt der Angeklagte nicht aus dem Bereich des Normalen. Sein geistiges Leistungsvermögen liegt auf durchschnittlichem Niveau, er weist einen Intelligenzquotienten von insgesamt 90 auf (Hamburg/Wechsler). Anzeichen für psychopathologische Abweichungen liegen nicht vor. In psychologischer Sicht stellt er sich als wenig kontaktfähige, kaum kontaktbedürftige, starre, egoistisch-egozentrisch auf die eigenen Bedürfnisse und Wünsche eingeengte, affektiv-verkrampfte, sozial ausreichend angepasste Persönlichkeit dar.

Der Angeklagte ist bisher nicht bestraft.

Er befand sich in dieser Sache in Untersuchungshaft vom 6.Oktober bis 20.Dezember 1976 auf Grund des Haftbefehls des Landgerichts Hannover vom 28.September 1976 (30a 9/76).

III. « Der festgestellte Sachverhalt »

Nachdem der Angeklagte Ende April / Anfang Mai 1943 als Häftling in das KL Lublin eingeliefert worden war, wurde er dem Feld III zugeteilt, auf dem er sich ausser einer zwei- bis dreimonatigen Krankheitsunterbrechung (Spätsommer/Herbst 1943) bis zu seiner Entlassung aufhielt. Auf dem Feld fand der Angeklagte folgende Situation vor:

Von der Lagerstrasse aus gesehen befanden sich links wie rechts elf Häftlingsblocks hintereinander. Der zwischen den Blockreihen liegende unbebaute Teil des Feldes diente als Appell-Platz, auf dem sich die Häftlinge morgens und abends aufzustellen hatten. Die sich regelmässig über mehrere Stunden hinziehenden Appelle, bei denen die Häftlinge stehen mussten, dienten dazu, die Häftlinge zu schikanieren wie auch den Häftlingsbestand zu überprüfen. Nach dem Morgenappell wurden Arbeitskommandos gebildet, deren Stärke beim Ausrücken aus dem Feld festgestellt wurde und beim Einrücken nach der Arbeit dieselbe sein musste. Auch Häftlinge, die bei der Arbeit zusammengebrochen oder umgekommen waren, wurden deswegen wieder mit in das Feld hineingetragen und beim Abendappell links neben die blockweise angetretenen Reihen der Häftlinge gelegt. Während der Appelle wurden häufig Häftlinge unter Fluchtvorwand an dem zu diesem Zweck in der Mitte des Feldes aufgebauten Galgen erhängt, wobei sich neben den SS-Angehörigen auch einige Kapos hervortaten.

Ausser dem Galgen befanden sich auf dem Feld ein Wasser-Bassin, eine etwa vier Meter hohe Steinsäule mit drei Vogelfiguren und - am Eingang des Feldes - zwei von Häftlingen gebaute Monumente aus Stein, die eine Schildkröte und eine Eidechse als Symbole für langsame Arbeit und Wachsamkeit darstellen sollten. Das mit einem Hydranten in der Mitte versehene, 90 cm tiefe, ovale Wasser-Bassin befand sich vom Eingang des Feldes aus gesehen etwa in Höhe der zweiten Blockreihe in der Mitte des Feldes. Es ist - ebenso wie das Feld III in seiner Gesamtheit - erhalten und weist, damals wie heute, in Haupt- und Nebenachse Längen von 2,85 m beziehungsweise 1,33 m auf. Innerhalb des Bassins befindet sich eine Aussparung von 0,5 m x 1,28 m.

Der Angeklagte wurde zunächst in einem der vom Eingang aus gesehen links gelegenen Block untergebracht. Später wechselte er den Block mehrfach. Nach kurzer Tätigkeit als Vorarbeiter in einem Arbeitskommando wurde er schon in den ersten Wochen seines Lageraufenthaltes mit Funktion und Aufgabe eines Kapos betraut. Er trug einen roten oder grünen Winkel. Im Verlaufe der Zeit führte er verschiedene Arbeitskommandos, die ausserhalb des Feldes III, aber innerhalb des Lagers, ihre Arbeit verrichteten. Zeitweilig beaufsichtigte er ein mit Erdarbeiten und dem Bau von SS-Unterkünften befasstes Kommando, zeitweilig ein Kommando, das Strassenbauarbeiten ausführte. Diese Kommandos hatten unter den Häftlingen verschiedene Bezeichnungen, wie "Strassenbaukommando", "Kommando 100" - weil es täglich wieder auf eine Anzahl von einhundert Häftlingen aufgefüllt wurde - oder "Strafkommando", weil der Angeklagte als Kapo unter den Häftlingen besonders gefürchtet und jeder bemüht war, dem Kommando des Angeklagten nicht zugeteilt zu werden. Ohne Sorge, zur Rechenschaft gezogen zu werden, nutzte der Angeklagte seine den Häftlingen übergeordnete Stellung rücksichtslos aus und war dafür bekannt, die Häftlinge seines Kommandos aus nichtigem Anlass mit der Faust, einem Knüppel oder einer Schaufel überaus stark zu schlagen und dabei sowohl die rechte wie auch die linke Hand zu benutzen. Bei einer Grösse von 1,83 m und kräftiger Statur war er, besonders in den Fäusten, von ungewöhnlicher Körperkraft. Etliche Häftlinge fürchteten ihn als den sogenannten Wiener Kapo, obwohl er nicht der einzige aus Wien stammende Kapo auf Feld III war.

In vier der zum Gegenstand der Anklage gemachten 24 Fälle ist der Angeklagte des Mordes oder versuchten Mordes überführt worden.

1. Fall 8 der Anklage

Noch im Mai 1943 führte der Angeklagte als Kapo ein etwa 50-60 Mann starkes "Strafkommando", das damit beschäftigt war, innerhalb des Lagers in der Nähe des Bauhofes Fundamente für neue Unterkünfte der SS-Wachmannschaften auszuheben. Die Arbeit wurde - wie gewöhnlich - ausser vom Angeklagten von einem bewaffneten SS-Mann beaufsichtigt, der sich - wenn auch nicht ständig - in der Nähe aufhielt, ohne in das Geschehen bei der Arbeit selbst einzugreifen.

Eines Tages ergriff der Angeklagte während der Arbeit unvermittelt mit beiden Händen einen Spaten und schlug mit der Spatenschaufel grundlos mehrfach auf einen Häftling ein. Dieser fiel, von den Hieben am ganzen Körper getroffen, blutend zu Boden, blieb daraufhin mehrere Stunden bis zum Ende der Arbeit bewegungslos liegen und wurde dann von Mithäftlingen, unter anderem dem Zeugen Zak., der sich wenige Tage in dem Kommando befand und den Vorfall aus einer Entfernung von zunächst etwa 30-50 m und sodann etwa 4-5 m genau wahrgenommen hatte, tot zurück aufs Feld getragen. Infolge der Misshandlung war der Häftling verstorben und wurde deswegen beim Abendappell links neben die Reihe der angetretenen Häftlinge gelegt.

2. Fall 9 der Anklage

Noch im Mai 1943 ereignete sich ein weiterer Vorfall. Der Angeklagte schlug eines Tages unvermittelt und grundlos auf den geschwächten Körper eines Häftlings wahllos mit der Spatenschaufel ein. Der Häftling fiel um und blieb längere Zeit bis zur Beendigung der Tagesarbeit am Boden liegen und wurde zum Appell von Mithäftlingen des Arbeitskommandos auf das Feld zurückgetragen. Dem Zeugen Zak., der auch diesen Vorfall genau beobachtet hatte, erschien der niedergeschlagene Häftling "wie tot". Über den weiteren Verbleib des Häftlings konnten keine Feststellungen getroffen werden.

3. Fall 10 der Anklage

In der Zeit von Mai bis Juli 1943 - der genaue Zeitpunkt liess sich nicht ermitteln - führte der Angeklagte auch einmal ein mit Strassenbauarbeiten beschäftigtes Kommando. Hierbei versetzte er eines Tages unvermittelt und grundlos einem körperlich völlig geschwächten jüdischen Häftling mit einem Knüppel einen solchen Schlag, dass der auf einer Erdaufschüttung stehende Häftling herunterfiel, liegenblieb und nach Beendigung der Arbeiten von Mithäftlingen an Händen und Füssen in das Lager zurückgetragen wurde. Über den weiteren Verbleib des Häftlings konnten keine Feststellungen getroffen werden. Der damalige Häftling und heutige Zeuge Mic., der den Vorfall aus der Nähe genau beobachtet hat, hatte den Eindruck, der Häftling sei tot.

4. Fall 17 der Anklage

Im Juni 1943 kamen der Angeklagte und der damalige Lagerälteste und Kapo Birzer nach dem Abendappell, es war noch hell, gemeinsam auf den Appellplatz des Feldes III. Sie begaben sich in einen in der Nähe des beschriebenen Wasser-Bassins gelegenen Block und kamen kurze Zeit später mit einem Häftling heraus, von dem es hiess, seine Frau sei öfters von Birzer vergewaltigt worden. Der Angeklagte und Birzer schleppten den Häftling zu dem mit Wasser gefüllten Bassin und warfen ihn hinein. Als der Häftling wiederholt verzweifelt versuchte, sich zu erheben, wurde er abwechselnd vom Angeklagten oder Birzer oder von beiden gemeinsam wieder unter Wasser getaucht. Nach etwa einer halben Stunde hielten der Angeklagte und Birzer mit den Füssen den Häftling unter Wasser, so dass er im Bassin liegenblieb. Der Angeklagte und Birzer entfernten sich. Es wurde später erzählt, der Häftling sei zum Morgenappell aus dem Bassin herausgezogen worden. Weitere Feststellungen konnten nicht getroffen werden.

Der Vorfall war von dem Zeugen Zak. aus einer Entfernung von etwa 26 m durch einen Türschlitz der fast geschlossenen Blocktür des vom Eingang aus gesehen zweiten Blocks rechts (im Protokoll der Ortsbesichtigung als Block Nr.13 bezeichnet) genau beobachtet worden.

In den vier dargestellten Fällen handelte der Angeklagte ohne Anordnung oder Befehl in Ausnutzung seiner körperlichen Überlegenheit und bevorzugten Stellung aus eigener Machtvollkommenheit.

Irgendeinen Anlass, etwa den der Arbeitsverweigerung oder des Fluchtversuchs, hatten ihm die wehrlosen und ausgelieferten Häftlinge nicht gegeben. Der Angeklagte misshandelte sie, weil sie ihm möglicherweise nicht schnell genug arbeiteten, weil sie einen Fehler bei der Arbeit gemacht hatten, weil sie ihm nicht "gefielen", weil er der SS - deren Organisation Waffen-SS er einmal angehört hatte - willfährig sein wollte oder aus ähnlichem, ausschliesslich in seiner Person liegenden und durch keinen Befehl oder irgendeine Anordnung gedeckten Grunde. Dabei war ihm in jedem der Fälle vollkommen bewusst, dass der von ihm niedergeschlagene beziehungsweise unter Wasser getauchte körperlich geschwächte Häftling infolge der überaus brutalen Schläge beziehungsweise des wiederholten Untertauchens sterben konnte. Hiermit war er einverstanden.

Dieser Sachverhalt steht fest auf Grund der Einlassung des Angeklagten, soweit das Gericht ihr zu folgen vermochte, der eidlichen Vernehmung der Zeugen St., Smo., Zak., Le., Wis., Kro., Kop., Mil., Ols., Sn., Ar., Szm., Kep., Kor., Mic., Por., Spi., Bud., Übe., L., Olc. und Ko., der uneidlichen Vernehmung der Zeugen Ta., Dah., Pet. [51], Sob., Sd., Gie., Schm., Web., Bur., Rudolph Gal., Herta Gal., Far., Gra. und Bli. sowie der sachverständigen Zeugen Dr. För., Dr. Ber. und Dr. Küv.; der Zeuge Szi. ist auf seine Aussage teilweise vereidigt worden.

Der festgestellte Sachverhalt beruht ferner auf den verlesenen Aussagen der Zeugen Karl Gal., Hav., She., Si., Ho., Pan., Wec., Tru. und Kwi., dem verlesenen Protokoll der Ortsbesichtigung des KL Lublin und der Anhörung der unbeeidigt gebliebenen Sachverständigen Professor Dr. H. - Facharzt für Psychiatrie und Neurologie -, Diplom-Psychologin Sc.-J., Professor Dr. Löf., Dr. Rit. und Dr. Sche.

Die Bildmappe, die den Zeugen zu Identifizierungszwecken vorgelegt worden ist, besteht aus 73 von der Staatsanwaltschaft ausgewählten Photographien, die Personen unterschiedlicher Altersgruppen aus anderen Strafverfahren darstellen. Hinzu kommen sechs Bilder des Angeklagten, die sich auf den Seiten Nr.11, 26, 41, 111, 211, 301-303 befinden. Eine Skizze des Lagerkomplexes stand in der Hauptverhandlung zur Verfügung und ist teilweise mit den Zeugen erörtert worden.

Die Akten 3 R 123/57, 3 R 118/56, 3 R 33/57 LG Hannover und 72 Bände des Verfahrens 130 (24) Js 200/62 (Z) StA Köln (6.Ausfertigung in Photokopie) sind beigezogen worden und teilweise, ebenso wie weitere Urkunden, verlesen worden.

IV. « Einlassung des Angeklagten »

Der Angeklagte hat sämtliche Anklagevorwürfe bestritten und sich wie folgt eingelassen:

Er sei gegen Ende des Jahres 1942 in Wien verhaftet worden. Anders als in seiner richterlichen Vernehmung in Düsseldorf am 24.Juni 1976 angegeben, wonach ihm politische Gründe für seine Inhaftierung genannt worden seien, habe man ihn bei seiner Verhaftung als arbeitsscheu und asozial bezeichnet. Er sei ununterbrochen ein halbes Jahr in Haft gewesen und Anfang Mai 1943 mit weiteren Häftlingen ins Konzentrationslager Lublin verlegt worden. Dort habe man ihn zu einer Baracke geführt, er habe sich ausziehen müssen und sei am Kopf

[51] Siehe Lfd.Nr.869.

kahlgeschoren worden. Als Bekleidung habe er eine Jacke, eine Hose, ein Paar Holzschuhe und eine Mütze "in Pottform" erhalten. Am Ärmel seiner Kleidung habe sich zunächst ein roter Winkel befunden, nach drei Tagen habe er jedoch einen schwarzen Winkel erhalten; anders als früher angegeben, habe er in den ersten zwei bis drei Wochen als Vorarbeiter einen grünen Winkel getragen. Das Lager habe aus fünf oder sechs Feldern bestanden, er sei auf Feld III einquartiert worden, auf dem sich zu beiden Seiten zusammen etwa 20-25 Blocks befunden hätten. Er sei in den, vom Feldeingang aus gesehen, 4. oder 5.Block links gelegt worden. Dort seien in mehreren Reihen jeweils drei Holzpritschen übereinander aufgestellt gewesen, auf denen dünne Strohsäcke gelegen hätten. In seinem Block hätten sich etwa 120 Häftlinge befunden. Blockältester sei ein polnischer Jude gewesen.

Etwa in der Mitte des Feldes zwischen den Blöcken habe ein Galgen gestanden. In Höhe des 3. oder 4.Blocks, vom Eingang des Feldes aus gesehen, habe sich ein etwa einhalb Meter hohes Wasser-Bassin befunden. Eines Morgens habe er gesehen, dass ein toter Mensch darin gelegen habe.

Morgens und abends habe auf dem Feld ein Appell stattgefunden. Morgens seien dabei von der SS einzelne Arbeitskommandos gebildet worden, die zu ihren jeweiligen Arbeitsstellen abmarschiert seien. Am Eingang des Feldes sei die Stärke der einzelnen Kommandos festgestellt worden, die bei der Rückkehr auf das Feld genau dieselbe habe sein müssen. Deshalb hätten auch Häftlinge, die während der Arbeit erschöpft zusammengebrochen seien, wieder mit auf das Feld zurückgetragen werden müssen.

Anfangs habe er in einem Arbeitskommando ausserhalb des Feldes III, aber innerhalb des Lagers, zwischen den Baracken, in denen SS-Angehörige gewohnt hätten, für Sauberkeit sorgen müssen. Nach etwa drei Wochen sei er Vorarbeiter innerhalb eines solchen Arbeitskommandos geworden und habe an seiner Kleidung einen grünen Winkel mit dem Buchstaben V = Vorarbeiter getragen. Nach weiteren zwei bis drei Wochen sei er Kapo geworden und habe in dieser Funktion die Aufsicht über ein Arbeitskommando von höchstens 20 Mann ausgeübt, die zumeist aus seinem Block gekommen seien. Er selbst habe nicht mehr zu arbeiten brauchen, sondern nur auf Fluchtversuche aufpassen müssen; sein Kommando habe weiterhin zwischen den SS-Baracken saubergemacht. Die Oberaufsicht hätten Wachleute von der SS gehabt, die bei der Arbeit aber nicht immer anwesend gewesen seien. Er sei als Kapo dem Lagerkapo verantwortlich gewesen, habe aber gegenüber der SS keine Rechenschaft abzulegen brauchen. Irgendwelche Misshandlungen von Häftlingen habe er niemals wahrgenommen. Ihm seien noch die Namen Thumann, Birzer und Wyderka in Erinnerung. Thumann sei, so glaube er, Schutzhaft-Lagerführer gewesen. Bei Birzer und Wyderka habe es sich um den Lagerkapo beziehungsweise den Lagerältesten gehandelt; wer von beiden welche Funktion ausgeübt habe, könne er nicht mehr sagen. In seinem Block seien Häftlinge, die sich krankgemeldet hätten, verlegt worden, aber regelmässig nach gewisser Zeit wieder zurückgekommen. Allerdings habe er auch Selektionen beobachtet, bei denen kranke und nicht arbeitsfähige Häftlinge ausgesondert worden seien; diese Selektionen hätten bei den Appellen stattgefunden.

Davon, dass Häftlinge erschlagen oder ertränkt worden seien, wisse er nichts, er habe solche Vorfälle insbesondere nie beobachtet. Jedoch habe er des öfteren gesehen, dass Häftlinge am Galgen erhängt worden seien. Hierzu hätten sich alle Häftlinge des Feldes um den Galgen versammeln müssen, und Angehörige der SS hätten erklärt, der Delinquent habe einen Fluchtversuch unternommen. Der Häftling habe sich dann auf einen Hocker stellen müssen, ihm sei ein Strick um den Hals gelegt worden und ein SS-Mann habe den Hocker umgestossen. Bis der Häftling tot gewesen sei, habe es etwa fünf Minuten gedauert. Er habe an solchen Erhängungen nie selbst aktiv teilgenommen, sondern nur - auf Befehl - zugesehen.

Des öfteren hätten Häftlinge eine Prügelstrafe erhalten. Er selbst habe einmal, als ein Häftling seines Arbeitskommandos einen Fluchtversuch unternommen habe, auf dem sogenannten Bock insgesamt 75 Schläge (25 + 50) bekommen. Bei dem Bock habe es sich um ein etwa tischhohes Gestell gehandelt, über das man sich mit dem Oberkörper habe beugen müssen, die Füsse seien am unteren Ende des Gestells festgebunden worden. Ihm seien von einem SS-Mann und einem Lagerkapo die Schläge verabreicht worden.

Etwa im Spätsommer 1943 sei er an Typhus erkrankt und in das Lagerlazarett eingeliefert worden, wo er etwa zwei bis drei Monate gelegen habe. Er könne sich daran erinnern, Anfang November 1943 wieder auf das Feld III zurückgekommen zu sein und dort zunächst noch einige Tage krank auf der Pritsche gelegen zu haben. Während dieser Zeit sei eines Morgens das ganze Feld von Wachmannschaften abgesperrt worden und niemand habe das Feld verlassen dürfen. An diesem Tage habe er immer wieder Schüsse gehört.

Anders als in der erwähnten richterlichen Vernehmung angegeben, seien noch andere Leute aus Wien auf Feld III gewesen.

Er könne sich nicht erklären, wieso er von Zeugen mit Tötungen von Häftlingen in Verbindung gebracht werde. Hier müsse eine Verwechslung vorliegen, was sich schon daraus ergebe, dass etliche Zeugen berichteten, er habe mit der linken Hand geschlagen. Tatsächlich sei er niemals Linkshänder gewesen und übe auch jetzt keine Tätigkeiten mit der linken Hand aus.

Im übrigen sei er in Wien niemals erkennungsdienstlich wegen Diebstahls behandelt worden, die in der Bildmappe befindlichen Lichtbilder 301-303 stellten ihn nicht dar.

V. « Beweismittel und Beweiswürdigung »

1. Die Einlassung des Angeklagten vermag ihn nicht zu entlasten.

Abgesehen davon, dass er unterschiedliche Angaben über den Grund seiner Verhaftung in Wien, die Anzahl der Kapos aus Wien auf Feld III und über die Farben des Winkels, den er getragen hat, gemacht hat, sind zwei seiner Erklärungen, nämlich die, er habe während seines Lageraufenthaltes bis auf wenige Erhängungen keine Tötungshandlungen gesehen und auf den Fotos Nr.301-303 der Lichtbildmappe sei er nicht abgebildet, als falsch widerlegt worden.

Die Tatsache, dass im KL Lublin täglich Häftlinge auch durch Ertränken, Erschlagen und andere brutale Tötungsmethoden umgebracht wurden, ist allgemein bekannt und sowohl durch die Angaben des Geschichtssachverständigen Dr. Sche. als auch die Zeugenaussagen der ehemaligen Häftlinge wieder und wieder bestätigt worden. Dem Angeklagten, der mindestens dreiviertel Jahr Insasse des Lagers war, können daher solche Tötungshandlungen nicht entgangen sein. Seine gegenteilige Einlassung ist unglaubhaft.

Weiter steht zur Überzeugung der Kammer fest, dass die Lichtbilder 301-303 der Bildmappe den Angeklagten darstellen und es keine zweite ebenfalls am 21.Januar 1923 in Wien geborene Person namens Karl Gal. gibt oder gegeben hat.

Die Bilder sind Reproduktionen der Originalphotos, auf die sich in den Beiakten (Bl.5421-5423 Bd.30 - 130 (24) Js 200/62 (Z) StA Köln -) ein Hinweis fand und die - in Reproduktion - in das Verfahren eingeführt worden sind. Es handelt sich um drei Portrait--Photos, auf deren Rückseite sich der Vermerk befindet "Karl Gal., 21.1.1923 in Wien geb.".

In diesem Zusammenhang sind im Rahmen eines später eingestellten österreicherischen Ermittlungsverfahrens am 10. und 12.Mai 1965 zwei Schreiben verfasst worden, die - auszugsweise - folgenden Wortlaut tragen:

Schreiben vom 10.Mai 1965:

> "Laut Auskunft des ZMA. der BPD. Wien war ein
> Karl Gal.,
> 21.1.1923 in Wien geb., österr.St.Ang., Eltern: Karl und Friedericke geb. Ka., in Wien, X., Fritz Pregelg.1/2/7 pol. aufrecht gemeldet gewesen. Der Vater des Genannten, Karl Gal., 6.10.1897 geb., ist am 31.5.1944 lt. Standesamt Wien, X., Zl.1197/44, in Wien, X., Raxstr.98 gestorben. Die Mutter Friedericke Gal., 8.6.1904 in Wien geb., scheint im ZMA mit 19.X.1938 nach unbekannt wohin abgemeldet auf. Seither ist von Friedericke Gal. keine Neumeldung in Wien erfolgt. Laut Haftzettel vom 1.8.1942 wurde Karl Gal. von der Gestapo II D dem Gefangenhaus überstellt und am 24.9.1942 entlassen. Am 9.2.1943 erfolgte eine neuerliche Überstellung ins Gefangenhaus und wurde Karl Gal. durch die Gestapo am 27.4.1943 nach Krakau überstellt. Eine Neuanmeldung liegt über den Genannten im ZMA. nicht ein."

Schreiben vom 12.Mai 1965:

> "An das
> Landgericht für Strafsachen Graz
>
> Laut dortgerichtlichem Ausschreibungsantrag vom 21.4.1965, Zahl: 17 Vr 3334/65, wird um Aufenthaltsermittlung eines Karl Gal., ohne Personaldaten, ersucht.
> Im Erkennungsamt der Bundespolizeidirektion Wien, scheint ein Karl Gal., 21.1.1923 in Wien geb., österr.St.Angeh., Eltern: Karl und Franziska, geborene Ka., als vorgemerkt auf."

In den Personalangaben unterscheiden sich die zitierten Schreiben nur darin, dass in der Erklärung von 12.Mai 1965 der Vorname der Mutter des auf dem beigefügten - jetzt in Reproduktion vorliegenden - Photo Abgebildeten mit "Franziska" angegeben wurde. Dieser Umstand beruht aber ganz offensichtlich auf einem Versehen, wie sich aus einem Vergleich mit der Mitteilung vom 10.Mai 1965 ergibt, in der der Vorname - richtigerweise - mit "Friedericke" angegeben wurde. Beide Berichte beziehen sich unverkennbar auf denselben Beschuldigten und zugleich auf den Angeklagten, weil der Mädchenname der Mutter gleichermassen mit "Ka." angegeben wurde, dieses aber der Geburtsname der Mutter des Angeklagten ist. Die Möglichkeit, dass am 21.Januar 1923 in Wien ein weiterer Karl Gal. geboren wurde, dessen Mutter ebenfalls eine geborene Ka. war, ist so fernliegend, dass sie ausser Betracht bleiben kann, zumal auch laut Auskunft des Bundeskriminalamtes Wiesbaden vom April 1979 im Geburtenregister der Stadt Wien am 21.Januar 1923 nur ein einziger "Karl--Johann Gal., Eltern: Karl-Joseph und Friederike Elisabeth, geb. Ka." eingetragen ist.

Schon auf Grund dieser Umstände und der Augenscheinseinnahme der Lichtbilder und der dabei festgestellten Ähnlichkeit der Gesichtszüge der abgebildeten Person mit denen des Angeklagten bestand für die Kammer kein Zweifel, dass es sich hierbei um den Angeklagten handelt. Die auf Veranlassung der Staatsanwaltschaft zusätzlich eingeholten Gutachten der Sachverständigen Professor Dr. Löf. und Dr. Rit. haben diese Auffassung bekräftigt. Beide Gutachter, auf dem Gebiet der Anthropologie seit Jahrzehnten ausserordentlich erfahrene und anerkannte Kapazitäten, haben im Vergleich der Photos mit dem Angeklagten in gemeinschaftlicher wissenschaftlicher Untersuchung kein Merkmal gefunden, das darauf schliessen liesse, dass die Photos den Angeklagten nicht darstellen. Die Wahrscheinlichkeit der Identität mit dem Angeklagten haben sie mit 95% angegeben, wobei ihnen auf Grund der Portrait-Photos nur eine begrenzte Auswahl verwertbarer Merkmale zur Verfügung stand, diese aber (zum Beispiel Nase, Ohr, Stirn-Haaransatz) für eine Untersuchung sehr geeignet sind, weil sie im Verlaufe des Lebens relativ unverändert erhalten bleiben.

Das Gericht ist von der Sachkunde der erfahrenen Gutachter überzeugt, macht sich ihre Ausführungen zu eigen und sieht sich damit in der sicheren Annahme bestärkt, auf dem erkennungsdienstlichen Photo vom 10.April 1941 den Angeklagten abgebildet zu finden.

Hieran können die Angaben der Tochter, des Bruders und der Mutter des Angeklagten - der Zeugin Bli., Rudolph Gal. und Far. -, auf den Photos sei nicht der Angeklagte abgebildet, nichts ändern. Die Tochter kann zu den Jugend-Photos ihres Vaters naturgemäss nur eine bedingt verwertbare Zeugenaussage machen. Dieses trifft weitgehend und [52] auf die Mutter zu, die den Angeklagten einige Jahre vor Anfertigung der Aufnahmen verlassen hatte und zu dem äusseren Erscheinungsbild des Angeklagten im Jahre 1941 schwerlich etwas äussern kann. Der Bruder, der die Bilder noch am ehesten hätte beurteilen können, hat nach Auffassung des Gerichts in diesem Punkt nicht die Wahrheit gesagt oder ist auf Grund des Zeitablaufs einem Irrtum erlegen. Die Möglichkeit einer falschen Aussage aus verwandtschaftlicher Rücksicht ist auch bei der Mutter und der Tochter des Angeklagten nicht ausgeschlossen.

2. Bei der weiteren Würdigung des Ergebnisses der Beweisaufnahme, der Würdigung der Zeugenaussagen also, insbesondere derjenigen Zeugen, die den Angeklagten im Sinne der Anklage mit bestimmten Taten in Verbindung gebracht haben und ihn als Täter wiederzuerkennen glaubten, war dem besonderen Umstand Rechnung zu tragen, dass die dem Angeklagten zur Last gelegten Taten über 35 Jahre zurückliegen. Einen Geschehensablauf nach so langer Zeit wiederzugeben, ist schwierig und zuweilen unmöglich. Andererseits sind verallgemeinernde Beurteilungen nicht angezeigt, weil viele Menschen bestimmte Ereignisse, besonders stark emotional berührende Ereignisse, jahrzehntelang und sogar für das ganze Leben behalten. Dabei werden Erinnerungsverluste im Randgeschehen auftreten, so insbesondere in der zeitlichen Einordnung - zumal bei KL-Häftlingen ohne Kalender oder Uhr - und in nebensächlich empfundenen Bereichen wie beispielsweise der Kleidung. Gelegentlich wird ein Zeuge solche Lücken verspüren und sie, mehr unbewusst als bewusst, durch nachempfundene Schilderungen oder Gehörtes und Gelesenes auszufüllen versuchen, um ein Geschehen folgerichtig und einleuchtend darzustellen. Das ändert indessen nichts daran, dass ein Kerngeschehen unverändert im Gedächtnis haften und wiedergegeben werden kann.

Ähnliches gilt für die Frage, mit welcher Sicherheit nach solch langer Zeit jemand wiedererkannt werden kann. Mag auch die Beschreibung eines Menschen nach langer Zeit lückenhaft, ja sogar fehlerhaft geworden sein, so ist doch der Vorgang des Wiedererkennens ganzheitlich zu bewerten und weniger ein intellektueller, registrierender und der Beschreibung zugänglicher Vorgang als vielmehr ein das gesamte optische, eventuell auch akustische Erscheinungsbild des anderen erfassendes ganzheitliches Geschehen.

Was die subjektive Glaubwürdigkeit der für den Ausgang des Prozesses entscheidend gewesenen polnischen und israelischen Zeugen betrifft, so hatte das Gericht - bis auf den Zeugen Sn. (insoweit Freispruch), bei dem Vorbehalte angezeigt gewesen sind - in keinem Fall Anlass, den Willen der Zeugen, die Wahrheit zu sagen, in Zweifel zu ziehen. Die Zeugen haben eine Vielfalt ganz unterschiedlicher Aussagen geboten, teils deutlich gemacht, sich ge-

[52] Gemeint ist wohl: auch.

nau zu erinnern und den Angeklagten zu erkennen, teils sich nicht mehr erinnern zu können oder den Angeklagten nicht wiederzuerkennen, teils überhaupt nichts mehr dazu sagen zu können. Sie haben sich durchweg überaus vorsichtig, bedächtig und zurückhaltend geäussert, insbesondere dann, wenn es darum ging, den Angeklagten zu belasten und ihn zu identifizieren. Bei keinem von ihnen sind Hass- oder Rachegefühle zutage getreten oder irgendwelche Gründe erkennbar geworden, den Angeklagten zu Unrecht zu belasten. In keinem Fall ist auch nur annähernd eine Absprache der Zeugen zu beklagen gewesen.

Die objektive Glaubwürdigkeit der gehörten Zeugen - wie auch die Glaubhaftigkeit verlesener Aussagen - konnte anhand einiger Tatsachen gemessen werden, die auf Grund glaubhafter eigener Einlassungen des Angeklagten oder auf Grund eingeführter Urkunden feststanden:

Der Name des Angeklagten ist und war Karl Gal. Er stammt aus Wien, hatte in der Waffen-SS gedient, weist eine Grösse von 1,83 m auf, war im Januar 1943 zwanzig Jahre alt geworden, hatte damals dunkelblondes Haar, befand sich von Ende April / Anfang Mai 1943 bis mindestens Februar 1944 auf Feld III des KL Lublin, wurde dort nach einiger Zeit Kapo, führte verschiedene Arbeitskommandos, trug einen grünen oder roten Winkel und ist auf etlichen Photos der Bildmappe abgebildet.

3. Unter Beachtung der aufgezeigten Gesichtspunkte ist die Kammer bei den Zeugen Zak., Mic., St., Le., Wis., Bud., Olc., Mil., Kop., und Übe. davon überzeugt, dass sie den Angeklagten als "Kapo Karl Gal." oder "Wiener Kapo" einwandfrei wiedererkannt haben und mit ihm bestimmte Handlungen aus der damaligen Zeit in Verbindung bringen (der in Polen vernommene Zeuge Olc. hat den Angeklagten nicht gesehen, aber über ihn ausgesagt).

Der in der Hauptverhandlung vernommene polnische Zeuge Zak. hat bekundet, von Februar 1943 bis Juli 1944 - davon von Februar 1943 bis November 1943 auf Feld III - Häftling im KL Lublin gewesen zu sein und den Angeklagten mit Sicherheit als den Kapo Karl Gal. wiedererkannt zu haben. Gal. sei damals höchstens 22 Jahre alt gewesen und solle aus Wien gestammt haben. Er sei sehr gross, gut gebaut und schlank gewesen, habe kurze Haare, eine laute "befehlerische" Stimme mit kleinem Akzent und immer ein höhnisches Lächeln im Gesicht gehabt. Er habe ihn mit links geschlagen, andere aber auch mit rechts. Sein Winkel sei grün gewesen. Als er ihn auf dem Flur des Gerichtsgebäudes gesehen habe, sei ihm fast "das Herz stehengeblieben". In der Bildmappe habe er den Angeklagten auf den Bildern 11, 26, 111 und 211 wiedererkannt (die Bilder 301-303 konnten dem Zeugen noch nicht vorgelegt werden).

Er habe den Kapo Gal. kennengelernt, als er - der Zeuge - die Funktion eines sogenannten Brotverteilers bekommen habe. In dieser Zeit - Mitte April 1943, eventuell aber auch Mitte Mai 1943 - sei er dem Schutzhaft-Lagerführer Thumann aufgefallen, als er bei der Brotverteilung übriggebliebene Brotstücke gegessen habe, was natürlich nicht erlaubt gewesen sei. Er sei deshalb am nächsten Tag für insgesamt drei Tage in das unter der Aufsicht Gal.s stehende Strafkommando gekommen, um von Gal. besonders aufmerksam beobachtet zu werden. Bei dieser Gelegenheit sei er von Gal. auch mit der linken Hand geschlagen worden. Während dieser drei Tage habe Gal. zweimal einen wehrlosen geschwächten Häftling bei der Arbeit grundlos mit der Spatenschaufel niedergeschlagen. - Die nähere Schilderung entspricht der Darstellung unter III. 1. und 2. -

Der 66-jährige Zeuge ist heute als Bauingenieur Leiter eines Projektbüros und hat dem Gericht den Eindruck vermittelt, sich noch gut an die damaligen Ereignisse zu erinnern. Er hat eindrucksvoll geschildert, wie er sich gefühlt habe, als er dem Angeklagten vor der Verhandlung auf dem Flur begegnet sei. Das Gericht hat in Verbindung mit den für den Kapo Gal. aufgezeigten Merkmalen keinerlei Zweifel an der Identifizierung des Angeklagten durch den Zeugen. Dieser hat hinsichtlich des Alters, des Erscheinungsbildes und der Herkunft Gal.s

Angaben gemacht, die ohne Zweifel auf den Angeklagten zutreffen. Er hat ihn überdies auf vier von fünf Lichtbildern in der Bildmappe erkannt. Die Tatsache, dass der Zeuge die erste Begegnung mit Gal. mit einem besonderen persönlichen Erlebnis verbindet, bekräftigt seine Glaubwürdigkeit.

Gleiches gilt für die Schilderung der Vorfälle. Die Tage im Kommando des Angeklagten waren für den Zeugen ein besonders einprägsames Erlebnis. Die Vorfälle zu III. 1. und 2. hatte er schon in seiner Vernehmung vom 30.Mai 1972 geschildert und gleichermassen mit dem Angeklagten in Verbindung gebracht. Wenn der Zeuge in dieser Vernehmung angegeben hatte, beide niedergeschlagenen Häftlinge seien tot gewesen, so vermag das seine Glaubwürdigkeit in keiner Weise zu erschüttern, spricht vielmehr dafür, dass der Zeuge sich um eine völlig korrekte und verantwortungsbewusste Aussage bemüht hat. Im übrigen hat er zum Ausdruck gebracht, seiner Meinung nach sei auch der zweite Häftling (III. 2.) an den Schlägen gestorben, er könne das vor Gericht aber nicht mit letzter Sicherheit äussern.

Die Tatsache, dass der Zeuge den Fall zu III. 4. in dieser konkreten Form erstmals in der Hauptverhandlung geschildert hat, ist ebensowenig geeignet, an seiner Glaubwürdigkeit Zweifel aufkommen zu lassen. Der Zeuge hat nämlich in seiner früheren ihm vorgehaltenen Vernehmung vom 30.Mai 1972 allgemein ausgesagt, in fünf bis sieben Fällen gesehen zu haben, wie Gal. Häftlinge im Bassin ertränkt habe. Als Erklärung dafür, warum er sich jetzt an den konkreten Vorfall (III.4.) erinnere, hat er angegeben, die Kapos hätten des öfteren ihr "Spiel" gemacht und Häftlinge im Wasser-Bassin untergetaucht, unter anderem auch einmal einen seiner Bekannten, einen Ingenieur Panz, der dabei jedoch überlebt habe. Bei genauer Rückerinnerung sei ihm nun auch der im einzelnen geschilderte Fall (III. 4.) wieder ins Gedächtnis gekommen.

Von der Möglichkeit, durch den Türschlitz des vom Eingang aus gesehen zweiten Blocks rechts das Bassin genau einzusehen, hat sich das Gericht bei der Ortsbesichtigung überzeugt. Ob die Barackentüren heute nicht mehr dicht schliessen, während der Lagerzeit aber dicht geschlossen und auf "Pass" gearbeitet waren (so Beweisantrag 57 der Verteidigung), ist unerheblich. Ob die Barackentür im Zeitpunkt des Geschehens einen Türschlitz breit offenstand, konnte nur der Zeuge bekunden. Er ist auch insoweit glaubwürdig.

Aus den angeführten Gründen ist die Kammer den Angaben des Zeugen Zak. in vollem Umfang gefolgt und hat die Fälle zu III. 1., 2. und 4., wie von dem Zeugen geschildert, festgestellt.

Der in der Hauptverhandlung vernommene polnische Zeuge Mic. hat angegeben, sich von Januar 1943 bis April 1944 als Häftling im KL Lublin aufgehalten zu haben und die längste Zeit - mit kurzen Unterbrechungen im März und Sommer 1943 - auf Feld III untergebracht gewesen zu sein. Er habe im Angeklagten ohne den geringsten Zweifel den Kapo Gal. wiedererkannt; es gäbe Gesichter, die man nie vergesse. Seinerzeit sei Gal. 20 Jahre oder etwas älter gewesen, habe einen roten Winkel mit der Spitze nach oben getragen, sei gut gebaut und stark gewesen, habe mit der rechten und der linken Hand geschlagen, und es sei das Gerücht gegangen, er sei ein Verbrecher auf militärischem Gebiet und habe vordem in der SS gedient. In der Bildmappe habe er den Angeklagten auf Bild 11 und - teilweise - auf den Photos 111 und 211 wiedererkannt. An die Tätigkeit Gal.s könne er sich gut erinnern. Etwa im April 1943 habe er ihn erstmals gesehen, Gal. habe ungefähr in dieser Zeit und auch im Juni/Juli 1943 ein Kommando von etwa 20-30 Häftlingen geführt. Er, der Zeuge, habe in der Nähe dieses Kommandos gearbeitet und beobachten können, wie Gal. Häftlinge geschlagen habe. Regelmässig seien abends von Gal.s Kommando Leichen auf das Feld zurückgebracht worden, näheres könne er darüber heute nicht mehr sagen. Einmal habe er erlebt, wie Gal. an der Latrine einen Häftling so geschlagen habe, dass dieser in die Latrinengrube hineingefallen sei. Ob der Häftling überlebt habe oder umgekommen sei, könne er nicht mehr sagen

(Fall 11 der Anklage). Für das Gericht steht die Glaubwürdigkeit auch dieses Zeugen fest. Der Zeuge hat - ebenfalls sehr eindrucksvoll - an der Identifizierung Gal.s keinen Zweifel aufkommen lassen. Die Darstellung objektiv feststehender Merkmale (Alter, Statur, frühere Tätigkeit) trifft auf den Angeklagten zu. Was die Schilderung des Tatgeschehens betrifft, so hat sich der Zeuge bemüht, nur das zu sagen, was er noch genauestens in Erinnerung zu haben glaubte. Sehr deutlich kommt das darin zum Ausdruck, dass er bei der Schilderung des Vorfalls an der Latrinengrube ausgeführt hat, zum weiteren Schicksal des Häftlings keine Angaben machen zu können.

Die Kammer ist dem Zeugen deshalb in vollem Umfang gefolgt und hat auf Grund seiner Angaben die Feststellungen zu III. 3. getroffen.

Der in der Hauptverhandlung vernommene polnische Zeuge St. hat bekundet, sich von Januar 1943 bis Juli 1944 als Häftling im KL Lublin aufgehalten zu haben und von Januar bis August 1943 sowie von Oktober 1943 bis Ostern 1944 auf Feld III gewesen zu sein, wo er die längste Zeit die Funktion eines sogenannten Torläufers innegehabt habe. Seine Aufgabe habe hauptsächlich darin bestanden, das Feldtor zu öffnen und zu schliessen, verschiedene Botendienste innerhalb des Lagers und einzelne Tätigkeiten für die SS-Angehörigen zu verrichten. Hierbei sei ihm in gewisser Weise ein grösserer Überblick über das Lager zuteil geworden. - Hieraus erklärt sich die umfangreiche Aussage, die der Zeuge über Organisation und Aufbau des Lagers wie auch die damaligen Lebensverhältnisse zu machen in der Lage war. -

Den Angeklagten erkenne er als Kapo Karl Gal. ohne jeden Zweifel wieder, er habe sich kaum verändert, Gesichtszüge und Schädelform seien unverändert, ebenso habe er noch den wiegenden Gang von früher. Seinerzeit sei Karl Gal. etwa 22-23 Jahre alt gewesen und habe eine etwas hohe Stimme gehabt. Er habe meistens eine runde Mütze mit Schild getragen und mit der linken Hand geschlagen; er selbst sei von ihm auch geschlagen worden. Als einziger Lagerinsasse habe Gal. einen roten Winkel mit der Spitze nach oben getragen. In der Bildmappe habe er den Angeklagten auf den Bildern 11, 26, 41, 111 und 211 wiedererkannt (die Bilder 301-303 konnten dem Zeugen noch nicht vorgelegt werden).

Was Gal.s Tätigkeit betreffe, so habe er ihn erstmals im Mai/Juni 1943 auf Feld III gesehen. Gal. habe teilweise das Munitionslagerkommando geführt, das ausserhalb des Lagers gearbeitet habe und etwa 1000 Mann stark gewesen sei. Gal.s Kommandos hätten abends beim Einrücken auf das Feld immer eine Anzahl erschlagener Häftlinge mit sich geführt. Er selbst habe gesehen, wie Kapo Gal. Häftlinge erhängt oder mit Ziegelsteinen oder dem Stiel einer Schaufel erschlagen habe. Bis August 1943 habe er an etwa 80 Appellen teilnehmen müssen, bei denen Häftlinge erhängt worden seien, wobei Gal. bei etwa 40 solcher Appelle aktiv am Erhängen beteiligt gewesen sei.

Die Kammer hat von dem 55-jährigen Zeugen den Eindruck gewonnen, dass sein Erinnerungsvermögen an die damalige Zeit ausserordentlich gut ist, allerdings mit der Einschränkung, dass er bei Angaben über die Grösse der Kommandos und die Häufigkeit bestimmter Geschehnisse zu Übertreibungen neigte, wenngleich um Wahrheit bemüht. Dieses findet eventuell eine Erklärung darin, dass sich der Zeuge als Journalist nach dem Kriege intensiv mit den damaligen Vorkommnissen beschäftigt und ein Buch darüber veröffentlicht hat. An der Identifizierung des Angeklagten durch den Zeugen bestehen indessen keine Zweifel; die insoweit hinzugefügten Angaben entsprechen weitgehend den objektiv festgestellten Erkenntnissen. Auch in der Bildmappe hat der Zeuge den Angeklagten wiedererkannt.

Der ebenfalls in der Hauptverhandlung vernommene polnische Zeuge Le. hat angegeben, von Januar 1943 bis April 1944 als Häftling im KL Lublin gewesen zu sein und sich mit zwei kurzen Unterbrechungen unter anderem in der Zeit von Januar bis Dezember 1943 auf Feld

III aufgehalten zu haben. Er habe im Angeklagten - ebenfalls schon auf dem Flur des Gerichtsgebäudes - ohne Zweifel den Kapo Gal. wiedererkannt. Seinerzeit sei Gal. 20-23 Jahre alt, hochgewachsen (über 1,80 m) und kräftig gewesen und hat als einer der stärksten Männer gegolten. Er habe eine etwas hohe Stimme gehabt, und man habe sich unter den Häftlingen erzählt, er stamme aus Österreich und habe zuvor in der SS gedient. Mit welcher Hand Gal. seinerzeit geschlagen habe, könne er nicht angeben. Gal. habe einen roten Winkel mit der Spitze nach oben getragen. In der Bildmappe erkenne er den Angeklagten auf den Bildern 11 und 111 mit Sicherheit und auf Bild 41 mit Zweifeln wieder (die Bilder 301-303 konnten noch nicht vorgelegt werden).

Er habe Gal. in den ersten Monaten seines, des Zeugen, Lageraufenthaltes gesehen. Seiner Erinnerung nach sei Gal. schon bei seinem Eintreffen im Lager gewesen. Im April/Mai 1943 habe er mit ihm im selben Block gelebt. Gal. habe damals ein Strafkommando geführt, das "Kommando 100" genannt worden sei, weil es immer wieder auf eine entsprechende Häftlingsstärke aufgefüllt worden sei. Dieses Kommando habe abends immer Tote mit zerschlagenen Schädeln auf das Feld zurückgebracht. Vom Hörensagen wisse er, dass Gal. Häftlinge erschlagen und ertränkt habe. Seine Beteiligung an offiziellen Erhängungen habe er selbst miterlebt.

Die Kammer hat an der Identifizierung des Angeklagten durch den Zeugen keinen Zweifel. Der Zeuge hat, wie glaubhaft bekundet, teilweise mit dem Angeklagten in einem Block, also in seiner unmittelbaren Nähe gelebt und konnte sich deshalb sein Äusseres wie auch sein Aufgabengebiet gut einprägen. Insoweit hat der Zeuge Angaben gemacht, die andere Identifizierungszeugen bestätigt haben und die die Identifizierung bekräftigen. Dieses betrifft vor allem die Angaben über das Alter des Angeklagten, seine Herkunft aus Österreich und sein frühere Zugehörigkeit zur SS.

Allein die - objektiv nicht zutreffende - Angabe, seiner Erinnerung nach sei der Angeklagte schon vor ihm im Lager eingetroffen, vermag seine Glaubwürdigkeit nicht zu erschüttern. Ganz sichere Zeitangaben konnte der Zeuge ohnehin nicht machen. Zur Beurteilung von Zeitangaben durch ehemalige Häftlinge wird im übrigen auf die unter V. 2. gemachten Ausführungen verwiesen.

Die Kammer ist deshalb davon überzeugt, dass der Zeuge sich in der zeitlichen Einordnung irrt und das erstmalige Sehen des Angeklagten im Verlaufe der Jahre irrtümlicherweise auf einen unrichtigen Zeitpunkt verlegt hat. Seine Aussagen werden aus den dargelegten Gründen deshalb aber nicht in ihrer Gesamtheit in Zweifel gezogen.

Der polnische Zeuge Wis. hat in der Hauptverhandlung bekundet, sich mit einer Unterbrechung von Juni bis September 1943 vom Januar 1943 bis April 1944 als Häftling im KL Lublin aufgehalten zu haben und in dem Angeklagten ohne den geringsten Zweifel den Kapo Gal. - der Vorname sei ihm nicht erinnerlich - wiedererkannt zu haben. Grösse und Gestalt seien dieselbe wie früher. Gal. habe einen grünen Winkel getragen und mit links geschlagen, so dass man von ihm gesagt habe, "der Linkshänder" schlage. Gal. sei etwas jünger als er, der Zeuge, gewesen (der Zeuge ist 1912 geboren). Man habe sich erzählt, Gal. sei früher SS-Offizier gewesen. In der Bildmappe habe er den Angeklagten auf den Bildern 11, 40, 111 und 211 teilweise wiedererkannt; auf den Photos 301-303 habe er Gal. nicht erkannt.

Was die Tätigkeit des Kapos Gal. betreffe, so habe er ihn erstmals im Juli 1943 gesehen, als er das "Kommando 100" geführt habe. Er, der Zeuge, habe in der Nähe des Kommandos gearbeitet und während der Arbeit beobachten können, wie Gal. Häftlinge seines Kommandos geschlagen habe. Sein Kommando habe täglich neu aufgefüllt werden müssen, weil jeden Abend eine grosse Anzahl von Leichen zurückgebracht worden sei.

Anhaltspunkte, die Zweifel an der Identifizierung des Angeklagten durch den Zeugen aufkommen lassen könnten, sind nicht ersichtlich. Der Zeuge hat in der Nähe der Arbeitsstelle des Angeklagten gearbeitet und sich somit die Gestalt des Angeklagten gut einprägen können. Er hat über Merkmale des Angeklagten und seine Tätigkeit übereinstimmend mit anderen Identifizierungszeugen berichtet und dabei einen unbedingt glaubhaften Eindruck hinterlassen. Allein die Tatsache, dass er den Angeklagten auf den Photos 301-303 nicht wiedererkannt hat, lässt keine Zweifel an der Richtigkeit der Identifizierung aufkommen.

Der polnische Zeuge Bud. hat in der Hauptverhandlung bekundet, von Februar 1943 bis Mai 1944 - davon bis November 1943 auf Feld III - als Häftling im KL Lublin gewesen zu sein. Er habe ohne Zweifel im Angeklagten den Kapo Karl Gal. wiedererkannt, seine Gesichtsform habe sich nur wenig verändert. Damals sei Gal. überdurchschnittlich gross, etwa 30 Jahre alt und Linkshänder gewesen. Man habe sich erzählt, er sei früher SS-Offizier gewesen und stamme aus Österreich. Er habe einen roten Winkel mit der Spitze nach oben getragen. In der Bildmappe habe er den Angeklagten auf den Photos 1, 2, 5, 26, 101, 111 und 211 erkannt.

An sieben oder acht Tagen habe er in den von Karl Gal. als Kapo beaufsichtigten Kommandos gearbeitet und dabei des öfteren erlebt, dass Karl Gal. mit dem Stiel eines Spatens auf Häftlinge eingeschlagen habe. Später habe Gal. auch das "Sonderkommando 100" geführt. Abends seien von diesem Kommando immer von Gal. geschlagene Häftlinge auf das Feld zurückgebracht worden.

Auch dieser Zeuge hat in ruhiger und widerspruchsloser Weise seine Erlebnisse geschildert und eingehend erläutert, den Angeklagten wiederzuerkennen. Das Gericht ist deshalb auch von der Glaubwürdigkeit des Zeugen Bud. ohne Einschränkungen überzeugt.

Der in Polen vernommene Zeuge Olc., dem der Angeklagte nicht gegenübergestellt werden konnte, hat ebenfalls über den Angeklagten berichtet. Er hat ausgesagt, sich von Januar 1943 bis April/Mai 1944 als Häftling im KL Lublin aufgehalten zu haben. An die Person des Karl Gal. erinnere er sich ausgezeichnet. Gal. sei seinerzeit hochgewachsen, gut gebaut, etwa 1,82-1,85 m gross und Linkshänder gewesen und habe stets in der linken Hand einen Knüppel - offenbar den Stiel eines Spatens - getragen. Er habe ihm, dem Zeugen, gelegentlich von Wien erzählt und erklärt, Österreicher zu sein. Er habe die Funktion eines Kapos ausgeübt, einen roten Winkel getragen und sich vor den deutschen Häftlingen gebrüstet, ein ehemaliger SS-Mann zu sein. Er sei im Frühling 1943, es könne April oder Mai 1943 gewesen sein, zusammen mit 100 Kapos aus Buchenwald gekommen. Das wisse er von einem Kapo Lipinski, mit dem er später darüber gesprochen habe.

Gal. habe Juden und Slawen "pathologisch" nicht ausstehen können. Sein Kommando, das beispielsweise mit 150 Mann zur Arbeit losgezogen sei, habe bei Rückkehr zwar den gleichen Bestand aufgewiesen, 15 bis 20 Häftlinge seien aber auf Tragen zurückgebracht worden. Diese Häftlinge hätten nicht mehr gelebt, sie seien von Gal. ermordet worden. Er, der Zeuge, habe mit eigenen Augen gesehen, wie Gal. Häftlinge mit einem Schaufelstiel auf den Hinterkopf, ans Genick, geschlagen habe.

Die Angaben des Zeugen, an dessen subjektiver Glaubwürdigkeit die Kammer keinen Zweifel hat, sind hinsichtlich der Person des ihm bekannten Kapos Karl Gal. in wesentlichen Punkten so präzise und treffen in Übereinstimmung mit anderen Zeugenaussagen und objektiv feststehenden Merkmalen (Herkunft, frühere SS-Zugehörigkeit) so genau auf den Angeklagten zu, dass die Kammer an der Identität des geschilderten Kapos mit dem Angeklagten keinen Zweifel hat. Wenn der Zeuge ausgesagt hat, von einem Kapo Lipinski erfahren zu haben, dass Gal. aus Buchenwald gekommen sei, so trifft das zwar auf den Angeklagten nicht zu. Der Zeuge hat die Auskunft aber nur vom Hörensagen, es kann deshalb nicht ausgeschlossen werden, dass er die Auskunft fälschlicherweise auf den von ihm beschriebenen Karl Gal. bezogen hat.

Wenn fünf der genannten Zeugen - Zak., Mic., St., Wis. und Bud. - den Angeklagten als Linkshänder oder links-schlagend oder rechts- und links-schlagend geschildert haben, der Angeklagte sich aber als ausgesprochenen Rechtshänder bezeichnet hat, so beeinträchtigt das die Glaubwürdigkeit der Zeugen nicht, auch wenn der Angeklagte nach üblichem Sprachgebrauch kein Linkshänder war oder ist.

Beim Gebrauch der Hände ist, worauf der erfahrene Sachverständige Professor Dr. H. überzeugend hingewiesen hat, zwischen grob- und feinmotorischen Bewegungen zu unterscheiden. Beide müssen nicht von gleicher Ausrichtung sein. Bei gröberen Betätigungen, auch dem Schlagen also, kann trotz feinmotorischer Rechtsorientierung die Fähigkeit - auch - der linken Hand deutlich werden. Eine ausschliessliche Rechts- oder Linksorientierung gibt es ohnehin nicht; mehr oder weniger ist - jedenfalls bei grobmotorischen Bewegungen - jeder Mensch in der Lage, sich mit beiden Händen zu betätigen. Die vorübergehende Mitgliedschaft des Angeklagten in einem Boxverein bestätigt das.

Die Glaubwürdigkeit der Zeugen bleibt unberührt.

Während die eben beschriebenen Zeugen den Angeklagten als ehemaligen Kapo Karl Gal. oder Gal. identifiziert oder von ihm berichtet haben (Olc.), haben die jüdischen Zeugen Mil., Kop. und Übe. ihn als sogenannten Wiener Kapo wiedererkannt, ohne mit seinem Namen Vorstellungen zu verbinden.

Der Zeuge Mil. hat bekundet, von Mitte Mai bis Anfang September 1943 als Häftling im KL Lublin gelebt zu haben. Ohne jeden Zweifel erkenne er im Angeklagten von Grösse und Gestalt her den "Wiener Kapo" aus seiner Lagerzeit wieder. Damals sei dieser mindestens 1,80 m gross gewesen, habe einen grünen Winkel getragen, mit österreichischem Akzent gesprochen, und man habe allgemein angenommen, er stamme aus Wien. In der Bildmappe habe er den "Wiener Kapo" auf den Photos 301-303 ohne Zweifel und auf den Bildern 11, 41, 45, 111 und 201 mit gewissen Zweifeln erkannt.

Über die Tätigkeit des "Wiener Kapo" wisse er, dass er das sogenannte "Todeskommando" geführt habe, in dem auch er, der Zeuge, des öfteren gewesen sei. Hierbei habe er fast jeden Tag beobachtet, wie der "Wiener Kapo" Häftlinge ertränkt oder erstickt habe, indem er liegenden Häftlingen einen Stock auf den Hals gelegt und sich darauf gestellt habe. Er selbst, der Zeuge, habe abends Leichen auf das Feld III zurückgetragen. Ob der "Wiener Kapo" mit der rechten oder linken Hand geschlagen habe, wisse er nicht.

Der Zeuge hat den Angeklagten mit Bestimmtheit wiedererkannt und ihn - bis auf ein einziges Photo - auch in der Bildmappe identifiziert. Er hat die Person Gal.s in verschiedenen Punkten (Grösse, Herkunft) derart beschrieben, dass die Kammer die Glaubwürdigkeit auch dieses Zeugen nicht in Zweifel zieht.

Der Zeuge Kop. hat angegeben, sich von Juni bis September 1943 als Häftling auf Feld III im KL Lublin aufgehalten zu haben. Er erkenne im Angeklagten den "Wiener Kapo" wieder, sein Aussehen habe sich in den vergangenen Jahren zwar etwas verändert, aber "etwas bleibe". Aus der damaligen Zeit habe er den "Wiener Kapo" als grossen, schlanken, deutschsprechenden Mann im Alter von etwa 20 Jahren in Erinnerung. An die Farbe seines Winkels könne er sich nicht entsinnen. In der Bildmappe erkenne er den "Wiener Kapo" mit gewissen Zweifeln auf den Photos 12, 111 und 211 wieder.

Er habe seinerzeit beobachtet, dass der "Wiener Kapo" Häftlinge geschlagen habe, persönlich habe er mit ihm nichts zu tun gehabt.

Es sind keine Gründe oder Anhaltspunkte ersichtlich, die auf eine unrichtige oder irrige Aussage des Zeugen schliessen lassen könnten. Der Zeuge ist glaubwürdig, insbesondere in der hier entscheidenden Frage der Identität des Angeklagten mit dem "Wiener Kapo".

Der Zeuge Übe. hat bekundet, von November 1942 bis zur zweiten Hälfte des Monats Juni 1943 - davon seit Anfang Januar 1943 auf Feld III - Häftling im KL Lublin gewesen zu sein. Im Angeklagten habe er den "Wiener Kapo" aus der damaligen Lagerzeit wiedererkannt. In der Bildmappe müsse er die Photos 11, 26, 111 und 211 als dem "Wiener Kapo" ähnlich bezeichnen. Er habe diesen von damals her als einen grossen Mann mit einer schrillen, hohen Stimme in Erinnerung; von seinem Winkel wisse er nichts mehr.

Die Kammer hat auch bei diesem Zeugen keinen Zweifel an der Richtigkeit der Identifizierung des "Wiener Kapo" mit dem Angeklagten.

Damit steht zur Überzeugung des Gerichtes fest, dass der Angeklagte im KL Lublin auch unter dem Begriff "Wiener Kapo" bekannt war. Möglicherweise haben verschiedene Häftlingsgruppen denselben Kapo unter unterschiedlichen Bezeichnungen gekannt. Es ist nämlich auffallend, dass es sich bei den Zeugen, die den Angeklagten als Karl Gal. oder Gal. wiedererkannt oder beschrieben haben, um polnische Zeugen und bei denen, die ihn als "Wiener Kapo" identifizierten, um jüdische Zeugen gehandelt hat. Im übrigen können sich unter derart vielen Menschen, wie sie in unterschiedlicher Zusammensetzung im KL Lublin zusammengeballt waren, für ein und dieselbe Person ohne weiteres verschiedene Bezeichnungen herausgebildet und im Verlaufe der Zeit auch gewechselt haben. So ist es beispielsweise eine Erfahrungstatsache, dass in einer Gemeinschaft wie einer Schule derselbe Lehrer unter verschiedenen - den Schülern untereinander nicht bekannten - Spitznamen bekannt sein kann.

Dabei geht das Gericht davon aus, dass mit dem Begriff "Wiener Kapo" lediglich die Herkunft des Kapos aus Wien bezeichnet und nicht zum Ausdruck gebracht werden sollte, dieser Kapo sei der einzige Kapo aus Wien, was die Häftlinge gar nicht hätten wissen können. Vielmehr gab es auf Feld III, wie bereits gesagt, noch andere Kapos aus Wien, die der Lebenserfahrung entsprechend auch als "Wiener" oder "Wiener Kapo" bezeichnet worden sein mögen.

Von einem solchen - anderen - Kapo hat der polnische Zeuge Ols. gesprochen, als er einen etwa 40 Jahre alten "Wiener Kapo" geschildert hat, der sich zu den Häftlingen ordentlich verhalten habe und mit dem - ihm in der Hauptverhandlung gegenübergestellten - Angeklagten nicht identisch sei.

Zu Gunsten des Angeklagten ist in diesem Zusammenhang als wahr unterstellt worden, dass

a) die Zeugen Major Orb. und Rechtsanwältin R. als israelische Vernehmungspersonen den Zeugen Szi. bei einer Vernehmung darauf hingewiesen haben, der als "hoher Kapo" in Erscheinung getretene Kapo sei "identisch mit dem "Wiener Kapo" gleich einem Menschen namens Gal. oder Ga. mit dem Vornamen Karl oder Carol oder Karol", der aus Österreich, gegebenenfalls aus Wien oder wenigstens einem der Balkanländer stamme (Beweisantrag der Verteidigung Nr.2) und

b) der israelische Zeuge Fen. in seiner von der Polizei in Israel durchgeführten Vernehmung vom 23.Januar 1978 einen "Wiener" Kapo beschrieben hat, der sich bei Gegenüberstellung mit dem Angeklagten nicht als mit ihm identisch herausstellen werde (Beweisantrag der Verteidigung Nr.49).

4. Die Kammer hat sich eingehend mit der von der Verteidigung aufgeworfenen Frage einer Verwechslung des Angeklagten auseinandergesetzt und die - zum Teil verlesenen - Aussagen der sonstigen in der Hauptverhandlung gehörten, im Ausland vernommenen, unerreichbaren oder verstorbenen Zeugen ebenso wie die als wahr unterstellten Zeugenerklärungen darauf geprüft, ob den erwähnten Identifizierungszeugen ein Irrtum unterlaufen sein kann und eine Verwechslung im Bereich des Möglichen liegen könnte.

Zur Überzeugung des Gerichts ist das ausgeschlossen.

a) Die Zeugen Ta., Dah., Pet. [53], Sob., Sd., Schm. und L., die sich alle in verschiedenen Funktionen - aber nicht als Häftlinge - im KL Lublin aufgehalten haben, konnten sich an den Namen Gal. aus ihrer Lagerzeit nicht erinnern und haben im Angeklagten keine ihnen bekannte Person erkannt. Ihre Aussagen waren damit wertneutral.

b) Die Zeugen Smo., Kro., Ols., Bur. und Spi. haben bekundet, beim Angeklagten handele es sich mit grosser Wahrscheinlichkeit um den von ihnen beschriebenen Kapo Gal.; sie könnten sich jedoch nicht darauf festlegen. Hinweise auf einen verwechslungsfähigen anderen Kapo Gal. haben sich nicht ergeben.

c) Der Zeuge Kor., der sich seiner Aussage zufolge nur bis Ende März 1943 - vor Eintreffen des Angeklagten - im KL Lublin als Häftling aufhielt, hat weder in dem Angeklagten einen Kapo aus seiner Lagerzeit noch in der Bildmappe auf einem der Photos den Angeklagten wiedererkannt. Er hat sich andererseits an einen etwa 20 bis 25 Jahre alt gewesenen grossen und kräftigen Kapo Karl erinnern können, vor dem ihn andere Häftlinge gewarnt hätten. Man habe sich von ihm erzählt, er schlage mit der rechten und linken Hand. Der Zeuge hat weiter angegeben, nach seiner Inhaftierung im KL Lublin in das KL Gross-Rosen gekommen zu sein, wo er anderen von diesem Kapo Karl erzählt und man ihm gesagt habe, dieser Kapo Karl habe mit Nachnamen Gal. geheissen.

Die Aussage des Zeugen ist nicht geeignet, Zweifel an der Richtigkeit der Identifizierung durch die oben aufgeführten Zeugen aufkommen zu lassen. Der Zeuge Kor. hat den Angeklagten nicht wiedererkannt. Seine Erklärung, der von ihm beschriebene Kapo habe Karl Gal. geheissen, ist eine Schlussfolgerung, der nicht zwingend zu folgen ist. Es ist unsicher, ob der Zeuge Kor. und der Häftling in Gross-Rosen, von dem er die Auskunft erhalten werden [54] will, von derselben Person gesprochen haben. Selbst wenn das der Fall gewesen sein sollte, wird die Identifizierung des Angeklagten durch die oben erwähnten Zeugen nicht in Frage gestellt. Denn für eine Verwechslung müsste hinzukommen, dass der von Kor. beschriebene Kapo Karl (Gal.) dem Angeklagten auch noch zum Verwechseln ähnlich ausgesehen hätte. Diese Möglichkeit ist rein theoretischer Natur und kann deshalb ausser Acht bleiben.

d) Bei den Zeugen Por. und Szi. bestehen Zweifel an ihrer - objektiven - Glaubwürdigkeit. Der polnische Zeuge Por. - seinen Angaben zufolge von Januar 1943 bis April 1944 als Häftling auf Feld III - will ohne Zweifel im Angeklagten den Kapo Karl Gal. wiedererkannt haben. Erläuternd hat er ausgesagt: Karl Gal. sei damals 19 oder 20 Jahre alt und etwa 1,85 m gross gewesen, habe einen roten Winkel mit der Spitze nach oben getragen und mit der linken Hand geschlagen. Er habe ihn erstmals im Juli/August 1943 gesehen, als Gal. ein Kanalbau-Kommando von etwa 20 Häftlingen geführt habe. Man habe davon gesprochen, er sei Tscheche oder Deutscher oder von österreichischer Nationalität. Er habe polnisch und

[53] Siehe Lfd.Nr.869.

[54] Gemeint ist wohl: haben.

etwas tschechisch gekonnt. Im April 1944 habe er ihn aus den Augen verloren, jedoch im April 1945 noch einmal vor einer SS-Kaserne in Bergen-Belsen gesehen. In der Bildmappe will er den Angeklagten auf dem Photo Nr.11 wiedererkannt haben.

Das Gericht ist davon überzeugt, dass sich der Zeuge irrt. Die von ihm geschilderte Wiederbegegnung kann nicht stattgefunden haben, weil der Angeklagte den sonstigen Erkenntnissen zufolge nicht in Bergen-Belsen war. Wenn die Angaben des Zeugen aber insoweit nicht zutreffen, so sind sie auch im übrigen einer besonders kritischen Prüfung zu unterziehen. Hierbei fiel auf, dass sich der Zeuge mit Gal. polnisch und teilweise auch tschechisch verständigt haben will, während der Angeklagte nur deutsch spricht und gesprochen hat. Überdies hatte der Zeuge in seiner früheren Vernehmung vom 3.Mai 1966 den Kapo Gal. als einen blonden etwa 30jährigen Mann beschrieben, während er in der Hauptverhandlung das Alter mit 19 oder 20 Jahren angegeben hat. Diesen Widerspruch hat er mit einem damaligen Irrtum zu erklären versucht. Auffälligerweise hat der Zeuge sodann in der Hauptverhandlung auf Vorhalt seiner Aussagen vom 3.Mai 1966 und einer weiteren Vernehmung vom 18.Mai 1972 nachdrücklich und wiederholt erklärt, bislang überhaupt nur einmal, und zwar am 18.Mai 1972, vernommen worden zu sein. Erst am Tag nach seiner Vernehmung teilte er dem Gericht brieflich mit, sich geirrt zu haben und doch ein weiteres Mal in Warschau vernommen worden zu sein; die seinerzeit gemachten Aussagen seien richtig.

Die aufgezeigten Umstände lassen Zweifel an den Angaben des Zeugen insgesamt aufkommen, wobei seine Bereitschaft, die Wahrheit zu sagen, nicht in Abrede genommen werden soll. Eine Verwechslungsgefahr ist nicht gegeben. Entweder hat der Zeuge den Angeklagten erkannt und ihn - jedenfalls teilweise - mit unzutreffenden Eigenschaften und Begebenheiten in Verbindung gebracht (Sprachkenntnisse, Wiederbegegnung in Bergen-Belsen) oder er hat fälschlicherweise geglaubt, im Angeklagten die von ihm geschilderte Person wiederzuerkennen. Die weitere Möglichkeit, dass es - die Richtigkeit der Angaben des Zeugen unterstellt - auf Feld III einen mit dem Angeklagten nicht identischen Kapo gleichen Namens und zum Teil gleicher Merkmale (Alter, Grösse, Winkel, Linksbetätigung) wie auch zugleich eines derart verwechselbaren Aussehens gegeben hat, dass die oben erwähnten Identifizierungszeugen im Wiedererkennen und in der Beschreibung mit dem Angeklagten diesen "Anderen" gemeint haben könnten, hält die Kammer für ausgeschlossen.

Der jüdische Zeuge Szi. hat in der Hauptverhandlung bekundet, in dem ihm vom Namen her unbekannten Angeklagten den aus seiner Lagerzeit bekannten "hohen Kapo" wiederzuerkennen. Dieser sei - so der Zeuge nach der anfänglichen Erklärung, ausserdem habe es den kleineren und wesentlich älteren Wiener Kapo Wyderka gegeben - mit dem sogenannten Wiener Kapo identisch. Anders als in einer - israelischen - Vernehmung vom 19.Februar 1973 angegeben, wonach der viel ältere und kleinere Kapo Wyderka verschiedene Grausamkeiten begangen hat, sei der als "hohe Kapo" wiedererkannte Angeklagte der Täter.

Abgesehen von den nicht aufzuklärenden Widersprüchen, die die Aussagen des Zeugen nicht glaubhaft erscheinen lassen, ergibt sich kein Anhaltspunkt für eine Verwechslung durch die oben erwähnten Zeugen, selbst wenn auf den kleineren und wesentlich älteren - und damit nicht verwechslungsfähigen - Kapo Wyderka als Wiener Kapo abgestellt werden sollte.

e) Ebensowenig ist aus den als wahr unterstellten Tatsachen eine Verwechslungsgefahr abzuleiten.

Ausser den bereits erörterten Wahrunterstellungen (V.3.) sind folgende in das Wissen von Zeugen gestellte Tatsachen als wahr unterstellt worden:

Der Zeuge Gu. wird bekunden, "dass man in Block 19 auf dem III.Felde Personen einsperrte, die man zur Gaskammer führte. Er kann sich nur an einen Kapo erinnern, der viele Häftlinge ermordete und erstickte. Dieses war ein Kapo, hochgewachsen über 2 m. Er war der grösste Verbrecher. Er pflegte, 6 bis 8 Häftlinge täglich zu peinigen und zu ersticken" (Beweisantrag 11 der Verteidigung).

Der Zeuge Pop., von März/April 1943 bis etwa 5.August 1943 Häftling auf Feld III, Zeuge von Erhängungen und der Ertränkung eines Juden durch einen deutschen, 30 Jahre alten, mittelgrossen, braunhaarigen Kapo "Karol" mit grünem Winkel "wird weiter bei seiner Vernehmung, egal an welchem Ort u.a. nach Vorlage der Bildmappe bestätigen, dass der Angeklagte nicht identisch ist mit diesem brutalen Kapo Karol" (Beweisantrag 34 der Verteidigung).

Der Zeuge Cho. wird bekunden, "dass er im Februar 1943 nach Majdanek kam und auf das III.Feld in die vierte Baracke im Juli 1943. Hier erlebte er einen hochgewachsenen jungen Kapo mit grünem Winkel und dem Namen Gal., der nicht identisch mit dem Angeklagten ist. Der Zeuge wird sich erinnern, dass dieser namensgleiche Gal. im Frühjahr 1943 mit dem Transport aus Buchenwald gekommen war. Aus Buchenwald kam seinerzeit der Lagerkommandant Koch und in seiner Begleitung und mit ihm im Dienstwagen fahrend der damalige Rapportführer von Buchenwald und anschliessende Feldführer in Majdanek, der in diesem Verfahren als 31.Zeuge vernommene Pet. [55], ebenfalls angeklagt im Majdanek-Prozess. Der Zeuge hat sich diesen Gal. besonders gemerkt, weil er beim Abendappell auf dem III.Feld Leute auf dem Gerüst verprügelte. Dieses Gerüst wurde "Bock" genannt und auch der Zeuge hat darauf des öfteren gelegen. Er hat selbst mehr als 700 Peitschenhiebe von diesem Manne erhalten, der mit dem Angeklagten nicht identisch ist. Der Zeuge wird weiter bekunden, dass dieser fremde Kapo ausserordentlich stark war. Er kann sich nicht entsinnen, dass er von jemand abgelöst wurde, wenn er hintereinander 5-6-7 und mehr Leute schlug. Der Zeuge kann sich weiter an einen Fall erinnern, als dieser Mann rechts und irgendein anderer links schlug. Er schlug derartig, dass die Leute danach auf ihren Pritschen liegen mussten und zum Morgenappell mussten sie von ihren Kameraden unter den Achselns gestützt werden. Zumeist wurden sie nach solchen Foltern arbeitsunfähig. Der Zeuge wird weiter bestätigen, dass dieser fremde Kapo Gal. ausserordentlich gefährlich war und mindestens gefährlicher als andere grausame SS-Leute wie z.B. Gosberg" (Beweisantrag 35 der Verteidigung).

Der Zeuge Szk., seit 17.Januar 1943 Häftling auf Feld III, "wird bestätigen, dass er auch aus dieser Zeit sehr gut einen Kapo namens Karl Gal. kennt, der mit dem Angeklagten jedoch nicht identisch ist. Dieser Gal. kannte nicht nur die deutsche, sondern auch die tschechische Sprache. Der Zeuge wird bestätigen, dass er nicht weiss, woher dieser Mann war. Auf jeden Fall steht für ihn fest letztlich nach Vorlage der Bildmappe pp., dass es sich hier nicht um den Angeklagten handeln kann" (Beweisantrag 37 der Verteidigung).

Der Zeuge Hor. wird bestätigen, "dass der Angeklagte nichts mit der Ermordung des Juden Marmorstein zu tun hat" (Fall 19 der Anklage) und im Zusammenhang mit der Erschiessung des Kapos Birzer "mit alledem ... nichts zu tun hatte" und "an den Tötungshandlungen des Marmorstein völlig unbeteiligt" war (Beweisantrag 39 der Verteidigung).

Der Zeuge Roc. wird bestätigen, er habe "einen aus Buchenwald kommenden Gal. gekannt, der aber mit dem Angeklagten nicht identisch ist" (Beweisantrag 55 der Verteidigung in Verbindung mit der Protokollerklärung vom 5.Juni 1979).

[55] Siehe Lfd.Nr.869.

Die Zeugin Elisabeth Gal. in Ermetzhof / Kreis Rothenburg o.d.T. wird bezeugen, "dass ihr Mann ebenfalls einen gleichnamigen Vetter hatte mit dem Namen Karl Gal., geboren um 1908. Dieser Karl Gal. war bei der SS und während des Krieges auch Angehöriger der deutschen Streitkräfte. In den Jahren 1942 bis 1944 hielt er sich im Konzentrationslager Lublin/Majdanek auf" (Beweisantrag 61 der Verteidigung).

Der Zeuge Karl Gal. in Frankfurt am Main wird bestätigen, "dass er 1925 geboren wurde, und zwar im Kreis Falkenberg/Oberschlesien. Während des Zweiten Weltkrieges war er Mitglied der deutschen Streitkräfte und hielt sich von 1942 bis 1944 im Konzentrationslager Lublin-Majdanek auf. In welcher Eigenschaft er sich dort befand, konnte in der Kürze der Zeit noch nicht festgestellt werden, weil die Verteidigung soeben erst diese obige Information erhalten hat" (Beweisantrag 62 der Verteidigung).

Soweit die Möglichkeit einer Verwechslung des Angeklagten mit den von den eben genannten Zeugen beschriebenen anderen Kapos wegen abweichender Alters- oder Grössenangaben oder anderer Organisationszugehörigkeit nicht von vornherein ausschied (Beweisanträge 34, 61, 62) oder gar nicht erst in Rede stand (Beweisantrag 39), konnte die Gefahr einer Verwechslung durch die oben erwähnten Identifizierungszeugen mit Sicherheit ausgeschlossen werden. Diese Zeugen haben das Wiedererkennen des Kapos, mit dessen Person sie die geschilderten Handlungen verbinden, nicht an den Namen Gal. oder Karl Gal. oder Wiener Kapo angeknüpft, sondern in der beschriebenen Weise an die Person des Angeklagten in ihrem gesamten Erscheinungsbild. Die Möglichkeit, dass die in den Beweisanträgen beschriebenen anderen Kapos zugleich auch dem Angeklagten zum Verwechseln ähnlich sahen und von den Identifizierungszeugen mit dem Angeklagten verwechselt worden sind, ist derart fernliegend, unwahrscheinlich und theoretisch, dass sie ausser Betracht blieb.

f) Schliesslich bieten auch die verlesenen Aussagen der Zeugen Dr. Kwi., Tru. und She. keine Veranlassung, die Identifizierung des Angeklagten durch die oben erwähnten Zeugen anzuzweifeln.

Der mehrfach vernommene Zeuge Dr. Kwi. hat in seiner Vernehmung vom 26.August 1965 einen Kapo Karl Gal. beschrieben und angegeben, von SS-Leuten gehört zu haben, dass Karl Gal. gebürtiger Wiener und österreichischer Staatsbürger sei. Sein Alter habe er in den Jahren 1943/44 auf 30 bis 35 Jahre geschätzt. Gal. sei gross, gut gebaut und schlank gewesen, habe blonde Haare und blaue Augen gehabt, sei immer glattrasiert gegangen und habe eigentlich das gehabt, was man ein einnehmendes Äusseres nennen könne.

Im Jahre 1946 hatte der Zeuge vor der polnischen Militärkommission in Berlin unter anderem angegeben: Auf Feld II und IV seien ebenfalls Exekutionen durchgeführt worden, wie er durch den Zaun beobachtet habe. Die Ausführenden seien die Kapos Peter Wyderka und Karl Gal. gewesen. Bei Gal. habe es sich im übrigen um einen degradierten, aus Wien stammenden SS-Mann gehandelt.

Wegen der unzutreffenden Angaben über das Alter des Angeklagten und seine Feldzugehörigkeit - nach allen vorliegenden Erkenntnissen war der Angeklagte nur auf Feld III - bestehen gewisse Zweifel an der Richtigkeit der Angaben des Zeugen, wenngleich er mit hoher Wahrscheinlichkeit den Angeklagten beschrieben und sich in der Altersangabe verschätzt und der Feldzugehörigkeit geirrt haben mag. Eine Verwechslungsgefahr andererseits ist aus den zu 4.e) dargelegten Gründen nicht gegeben.

Von den Zeugen Tru. und She. (Vernehmungen vom 9.Mai 1966 und 25.Januar 1973 - Tru. - sowie vom 29.November 1965 und 12.März 1973 - She. -) hat dem bekannten Kapo Karl Gal. der Zeuge Tru. die gleichen beschreibenden Merkmale beigelegt wie die oben genannten Identifizierungszeugen; der Zeuge She. konnte ihn nicht beschreiben.

Nach alledem ist der Angeklagte der aufgeführten vier Taten überführt.

VI. « Nicht bewiesene Anklagevorwürfe »

Von den weiteren Anklagevorwürfen (die Fälle 3, 4, 6, 12, 13 und 21 der Anklage vom 16.Juni 1976 sind abgetrennt worden) war der Angeklagte mangels Beweises freizusprechen.

1. Zur Anklage vom 16.Juni 1976.

Fall 1

Der Angeklagte soll im Frühjahr 1943 gemeinsam mit dem verschollenen Kapo Wyderka die von der SS angeordnete Exekution eines Häftlings auf Feld III vollzogen und dem Häftling den Strick umgelegt haben.

Der hierzu gehörte Zeuge Smo. hat die Tatbeteiligung Gal.s in seiner früheren Vernehmung vom 21.März 1974 und in der Hauptverhandlung unterschiedlich dargestellt, vor allem aber im Angeklagten nicht zweifelsfrei den von ihm geschilderten Kapo Gal. wiedererkannt. Obwohl die Beschreibung des Kapos Gal. aus der damaligen Zeit den Schluss, es handele sich um den Angeklagten, sehr nahe legte, war die Kammer auf Grund der nicht zweifelsfreien Identifizierung trotz fortbestehender Verdachtsmomente von der Täterschaft des Angeklagten nicht überzeugt.

Fall 2

Der Angeklagte soll im Frühjahr/Sommer 1943 gemeinsam mit Wyderka bei der Erhängung eines Häftlings den Strick hochgezogen haben, das Opfer soll - erst nach zehn Minuten - durch Ersticken getötet worden sein.

Die verlesenen Aussagen des einzigen Zeugen Dr. Kwi. lassen, wie dargelegt, trotz grossen Tatverdachtes nicht mit letzter Sicherheit auf den Angeklagten schliessen.

Fall 5

Der Angeklagte soll einen Häftling seines Strassenbau-Kommandos mit dem Stiel einer Keilhacke totgeschlagen haben.

Der hierzu gehörte einzige Tatzeuge Bur. hat in der Hauptverhandlung angegeben, nicht mehr zu wissen, ob der Kapo Gal. der Täter gewesen sei. Eine Überführung war deshalb nicht möglich.

Fall 7

Der Angeklagte soll gemeinsam mit einem unbekannten SS-Mann, der das Arbeitskommando beaufsichtigt habe, einem Häftling ein oder zwei Feldmäuse in den Mund gestopft und den ohnmächtigen Häftling sodann in ein Wasserfass geworfen und ertränkt haben.

Die verlesenen Aussagen des einzigen Tatzeugen Tru. sind in ihrer Personenbeschreibung des Täters - trotz grossen Verdachtes - zu dürftig, um mit letzter Sicherheit auf den Angeklagten schliessen zu können.

Fall 11

Der Angeklagte soll mehrfach Häftlinge, die unter seiner Leitung mit dem Zuschütten der Latrinen der SS-Mannschaften befasst gewesen seien, in die Latrinengruben gestossen haben. Ein Häftling soll nicht mehr aus eigener Kraft aus der Latrine herausgekommen und deshalb umgekommen sein.

Der einzige Tatzeuge Mic. hat, wie dargelegt, im Angeklagten mit Sicherheit den ihm bekannten Kapo Karl Gal. wiedererkannt. Der Zeuge hat auch den Vorfall schildern können, aber einschränkend hinzugefügt, nicht mehr zu wissen, wielange der Häftling in der Grube gelegen habe und ob er nicht doch aus eigener Kraft oder mit Hilfe von Kameraden wieder herausgekommen sei. Diese Unsicherheit führte zum Freispruch. Die Tatschilderung reichte der Kammer auch zur Annahme eines Versuchs nicht aus.

Fälle 14 bis 16 und 20

Der Angeklagte soll auf den Appellplätzen der Felder III und IV mindestens drei Häftlinge, wahrscheinlich weit mehr, durch Schläge mit Stöcken, Knüppeln und Balken auf Kopf und Hals getötet haben (Fälle 14-16) und eines Nachts in einer Baracke des Feldes III einen Häftling mit seinem Gürtel erhängt haben.

Die verlesenen Aussagen des einzigen Tatzeugen She. vom 29.November 1965 und 12.März 1973 lassen ausser der Erwähnung des Kapos Karl Gal. eine Personenbeschreibung gänzlich vermissen, so dass die Identifizierung mit dem Angeklagten nicht möglich war.

Fall 18

Der Angeklagte soll sich mit einem Krückstock einen jüdischen Häftling aus einer Gruppe herausgeholt, ihn zum Wasser-Bassin gezogen und dort ertränkt haben.

Diesen Vorfall hat als einziger der Zeuge Smo. schildern können. Aus den zu Fall 1 ausgeführten Gründen konnte - trotz fortbestehenden starken Verdachtes - eine zweifelsfreie Identifizierung des Angeklagten nicht festgestellt werden.

Fall 19

Mutmasslich im Sommer 1943 soll der Angeklagte zusammen mit dem Lagerältesten Birzer den Juden Marmorstein bei einer Auseinandersetzung um Wertgegenstände aus der Baracke geholt, längere Zeit geschlagen und sodann an einem Balken in der Latrine aufgehängt haben.

Die zu diesem Vorfall vernommenen Zeugen St., Zak. und Por. haben eine Beteiligung des Kapos Karl Gal. an diesem Vorfall verneint (Zak. und Por.) oder nicht mit Sicherheit angeben können (St.), so dass auch hier ein Freispruch erfolgte.

Fall 22

Der Angeklagte soll einen ukrainischen Häftling, der angeblich einem Mithäftling ein Lebensmittelpaket entwendet hatte, mit den Fäusten, einem Holzschemel und den Füssen derart misshandelt haben, dass der Häftling bald nach seiner Einlieferung in das Revier verstorben sei.

Hierzu sind die Zeugen Ols. und Por. gehört worden. Abgesehen von Zweifeln an der Identifizierung des Angeklagten haben die Zeugen zum Todeszeitpunkt und der Todesursache unterschiedliche Angaben gemacht, so dass die Kausalität der Handlung für den Todeseintritt nicht hinreichend sicher festgestellt werden konnte.

2. Zur Anklage vom 30.März 1978.

Im Mai/Juni 1943 soll der Angeklagte zwei Häftlinge veranlasst haben, ihren Mithäftling Josel Sn. auf dem Bock zu verprügeln und das ohnmächtig gewordene Opfer anschliessend in ein Wasser-Bassin zu werfen, wo es ertrunken sein soll. Ebenfalls im Mai/Juni 1943 soll der Angeklagte eines Abends in einer Baracke dem Lagerhäftling Herbstein befohlen haben, sich auf die Erde zu legen. Er habe ihm dann einen dicken Stock quer über den Hals gelegt. Auf seinen Befehl hätten sich dann zwei Mithäftlinge auf die Enden des Stockes stellen müssen, bis das Opfer erwürgt worden sei.

Der einzige, in Israel vernommene, Belastungszeuge Sn. - Bruder bzw. Schwager der erwähnten Opfer - hat in seiner Vernehmung die Anklagevorwürfe bestätigt und als Täter - auch zahlreicher weiterer Vorfälle - einen etwa 20 Jahre alten, schlanken, 1,78 bis 1,82 m grossen, deutschsprechenden "Wiener Kapo" mit dunkelblondem Haar geschildert, der ein Arbeitskommando von etwa 60 Mann geführt, stets eine Peitsche getragen und mit links geschlagen habe. Er, der Zeuge, habe ihn täglich gesehen. In der Bildmappe will der Zeuge zahlreiche ihm bekannte Personen wiedererkannt haben, was bei der Auswahl der Bilder schlechterdings nicht zutreffen kann. Den von ihm beschriebenen "Wiener Kapo" hat der Zeuge auf keinem Photo wiedererkannt.

Die Kammer ist der Aussage des Zeugen Sn. nicht mit letzter Sicherheit gefolgt.

Die beschriebenen Tätermerkmale einschliesslich des Begriffes "Wiener Kapo" deuten zwar mit hoher Wahrscheinlichkeit auf den Angeklagten hin, mangels Identifizierung in der Bildmappe - eine Gegenüberstellung war nicht möglich - fehlt jedoch die letzte Sicherheit, wie sie die oben erwähnten Zeugen Mil., Kop. und Übe. vermitteln konnten, als sie in dem Angeklagten den "Wiener Kapo" wiedererkannten.

Überdies sind Widersprüche zutage getreten, die nicht hinreichend zu klären waren.

Der Zeuge war vor seiner in Anwesenheit der Kammer durchgeführten Anhörung bereits in den Jahren 1960, 1972 und 1977 vernommen worden, die ersten beiden Male von einem deutschen Untersuchungsrichter, das letzte Mal von der Israel-Polizei. Auffälligerweise hat er dabei trotz eingehender Erörterung des Gesamtkomplexes und der Schilderung von Vorfällen und der Beschreibung von Personen - wie beispielsweise des Kapos Wyderka - erstmals bei seiner Vernehmung im Jahre 1977 von der Ermordung seines Bruders und Schwagers berichtet und - obwohl Täter zahlreicher anderer Fälle - den "Wiener Kapo" erwähnt. Von dem vernehmenden israelischen Polizeibeamten darauf angesprochen, erklärte er, nach dem "Wiener Kapo" nicht befragt worden zu sein, ihn andererseits aber auch nicht vergessen zu haben, weil er seinen Bruder und Schwager umgebracht habe. Bei seiner jüngsten Vernehmung in Israel erwiderte er auf den gleichen Vorhalt, den "Wiener Kapo" früher deshalb nicht erwähnt zu haben, weil er an den Tod des Bruders und Schwagers nicht habe erinnert werden wollen, im übrigen sei er auch nicht danach gefragt worden.

Diese Erklärung des Zeugen ist nicht hinreichend geeignet, die aufgekommenen Bedenken auszuräumen. Der Hinweis, bei der ersten Vernehmung nach dem "Wiener Kapo" nicht gefragt worden zu sein, überzeugt wenig, weil die Gesamtwürdigung des Komplexes "KL Lublin" - das 1962 eingeleitete Ermittlungsverfahren betraf auch bereits den Angeklagten - Veranlassung hätte geben müssen, persönlich so stark berührende Vorfälle wie die Ermordung von Bruder und Schwager zur Sprache zu bringen.

Die andere Begründung hingegen, die Vorfälle verdrängt und deshalb nicht erwähnt zu haben, wirft die Frage auf, warum diese - ohnehin nicht leicht verständliche - Scheu im Jahre 1977 aufgegeben worden ist.

Hinzu kommt, dass der - ebenfalls in Anwesenheit der Kammer - in Israel gehörte Zeuge Szm. bekundet hat, mit dem ihm schon aus dem Warschauer Ghetto her bekannten und befreundeten Zeugen Sn. während seines ganzen Lageraufenthaltes im selben Block gelebt zu haben, von den beschriebenen Ereignissen aber - auch vom Hörensagen - nichts zu wissen. Die Erklärung des Zeugen Szm., man habe sich unter den Häftlingen über Geschehnisse im Lager infolge körperlicher Erschöpfung gar nicht unterhalten, hat wenig für sich und steht im Widerspruch zu den Aussagen etlicher anderer Zeugen, man habe sich sehr wohl untereinander ausgetauscht, schon deshalb, weil das Wissen von bestimmten Kapos lebensentscheidend habe sein können. Im Fall Herbstein kommt hinzu, dass sich der Vorfall abends in der Baracke zugetragen haben soll und dem Zeugen Szm. mithin gar nicht hätte entgehen können.

Die aufgezeigten Zweifel mussten trotz fortbestehenden Verdachtes gegen den Angeklagten im Ergebnis zu seinem Freispruch führen.

VII. « Rechtliche Würdigung »

Nach den getroffenen Feststellungen hat sich der Angeklagte tatmehrheitlich in drei Fällen des versuchten und in einem Fall des vollendeten Mordes schuldig gemacht (§§211, 22, 23, 25 Abs.2, 53 StGB).

1. Im Fall 8 der Anklage ist ein Mensch getötet worden. In den Fällen 9, 10 und 17 der Anklage konnte die Todesfolge - trotz sehr hoher Wahrscheinlichkeit - nicht mit letzter Sicherheit festgestellt werden. Zugunsten des Angeklagten ist deshalb Versuch angenommen worden.

2. In allen vier Fällen hatte der Angeklagte mindestens den bedingten Vorsatz, den Häftling umzubringen. Bei seiner überaus grossen Körperstärke und der situationsbedingten Überlegenheit den physisch wie psychisch geschwächten Häftlingen gegenüber war der Angeklagte ohne weiteres in der Lage, mit einer Spatenschaufel oder einem Knüppel - auch mit nur einem Schlag - einen Häftling zu töten. Selbstredend war auch das im Fall 17 der Anklage geschilderte über längere Zeit wiederholte Untertauchen unter Wasser geeignet, die unmittelbare Todesfolge herbeizuführen.
Der Angeklagte wusste um seine Überlegenheit und Stärke und handelte in dem Bewusstsein, dass die Häftlinge sterben könnten. Dabei handelte er aus eigener Machtvollkommenheit in den Fällen 8, 9 und 10 als Täter und im Fall 17 als Mittäter.

3. In allen Fällen handelte er aus niedrigen Beweggründen und im Fall 17 der Anklage überdies grausam.
Der Beweggrund, einen Menschen zu töten, ist niedrig und macht damit den Mord aus, wenn er nach allgemein sittlicher Anschauung verachtenswert ist und auf niedrigster Stufe steht (vgl. u.a. BGHSt. 2, 63; 3, 133). So war es hier.
In dem Bewusstsein, nicht zur Rechenschaft gezogen zu werden, nutzte der Angeklagte seine Stellung als Kapo aus und machte sich wissentlich den ihm bedingungslos ausgelieferten und wehrlosen Häftlingen gegenüber zu einem der Herren über Leben und Tod. Das Menschenleben galt ihm nichts. Irgendeinen Anlass, der sein Handeln auch nur annähernd als nicht verachtenswert und auf unterster Stufe menschlichen Verhaltens stehend erscheinen lassen könnte, hatten ihm die Opfer, wie der Angeklagte wusste, nicht gegeben.
Im Fall 17 stellt sich das Verhalten des Angeklagten überdies als grausam dar. Grausam handelt, wer seinem Opfer in gefühlloser und unbarmherziger Gesinnung Schmerzen und Qualen körperlicher oder seelischer Art zufügt, die nach Stärke oder Dauer über das für die Tötung als solche erforderliche Mass hinausgehen (vgl. u.a. BGHSt. 3, 181, 264). Solchermassen hat der Angeklagte wissentlich gehandelt, als er das Opfer einen längeren Zeitraum wieder und wieder unter Wasser drückte und es damit in Todesangst versetzte.

4. In einem Rechtfertigungs- oder Entschuldigungsnotstand (§§34, 35 StGB) befand sich der Angeklagte mangels gegenwärtiger Gefahr nicht. Er war Exzesstäter und sah sich keiner Kon fliktsituation gegenüber.

Seine Schuldfähigkeit war weder ausgeschlossen noch eingeschränkt (§§20, 21 StGB).

Nach dem ausführlichen, auf Grund fünftägiger stationärer Untersuchung des Angeklagten und langer Prozessbeteiligung erstatteten Gutachten des Sachverständigen Professor Dr. H. und den ergänzenden Ausführungen der Diplom-Psychologin Sc.-J. sind keine Anhaltspunkte erkennbar geworden, die auf eine krankhafte seelische Störung, eine tiefgreifende Bewusstseinsstörung, Schwachsinn oder schwere andere seelische Abartigkeit des Angeklagten zu den Tatzeiten schliessen lassen könnten. Der Angeklagte war und ist als normal anzusehen. Zu abweichender Beurteilung hätten - theoretisch - nur die dargestellten Anfälle in Kindheit und Jugend des Angeklagten Anlass geben können. Da Krankenunterlagen aus der damaligen Zeit nicht mehr beschafft werden konnten, war der Sachverständige insoweit im wesentlichen auf die Beschreibung der Vorgänge durch den Angeklagten, seine Mutter und seinen Bruder wie auf die Angaben und Untersuchungsergebnisse der sachverständigen Zeugen Dr. För., Dr. Ber. und Dr. Küv. angewiesen, die den Angeklagten in letzter Zeit untersucht haben. Der Sachverständige ist in Verbindung mit dem Ergebnis seiner eigenen Untersuchungen zu dem Schluss gekommen, dass ein früheres "Anfallsleiden" nicht grundsätzlich ausgeschlossen werden könne, bei dem Angeklagten aber bis heute keine hirnorganische Wesensveränderung festzustellen sei. Eine solche müsse jedoch vorhanden sein, wenn der Angeklagte in Kindheit oder Jugend ein epileptisches - und damit medizinisch überhaupt interessierendes - Anfallsleiden gehabt hätte. Die bei ihm in letzter Zeit aufgetretenen Kopfschmerzen könnten ihre Ursachen in einer Hirnarteriosklerose haben. Rückschlüsse auf eine auch nur verminderte Schuldfähigkeit zu den Tatzeiten seien nicht zulässig.

Die Kammer folgt dem überzeugenden Gutachten des erfahrenen Sachverständigen und fügt in Übereinstimmung mit ihm die Überlegung hinzu, dass selbst dann, wenn der Angeklagte auch noch während seiner Lagerzeit die beschriebenen Anfälle bekommen haben sollte, diese mit Sicherheit keinen Einfluss auf sein Tatverhalten ausgeübt haben könnten. Denn während der akuten Phase eines solchen Anfalls, ebenso wie kurz davor und kurz danach, wäre er zu gezieltem, zweckgerichtetem Handeln nicht fähig gewesen. Andererseits hätte ein überstandener Anfall, wie der Sachverständige abschliessend überzeugend dargelegt hat, keinerlei das Verhalten des Angeklagten beeinflussende Auswirkungen hinterlassen, insbesondere keine Spuren psychischer Natur.

VIII. « Anwendung des Jugendstrafrechts »

Auf den zu den Tatzeiten 20-jährigen Angeklagten war das Jugendstrafrecht anzuwenden (§105 JGG).

Um festzustellen, in welchem sittlichen und geistigen Entwicklungsstand sich der Angeklagte seinerzeit befand, wäre vor allem die Kenntnis seiner Entwicklung vom 14. bis zum 18.Lebensjahr entscheidend gewesen. Über diesen wichtigen Zeitraum konnten aber nur spärliche entscheidungserhebliche Fakten gewonnen werden. Es war daher, auch nach Hinzuziehung des Sachverständigen Professor Dr. H., nicht möglich, sich vom damaligen Entwicklungsstand des Angeklagten ein umfassendes Bild zu machen. Für die Anwendung des Erwachsenenstrafrechts hätte unter den gegebenen Umständen zwar die frühe Selbständigkeit des Angeklagten herangezogen werden können. Andererseits mussten die äusserst ungünstigen häuslichen Verhältnisse und insbesondere die mangelhafte schulische Ausbildung des Angeklagten Berücksichtigung finden. Unter Abwägung aller Gesichtspunkte konnte eine Reifeverzögerung nicht ausgeschlossen werden. Die verbleibenden Zweifel führten zugunsten des Angeklagten zur Anwendung des Jugendstrafrechts.

IX. « Strafzumessung und Kostenentscheidung »

Die in den festgestellten Taten wiederholt zum Ausdruck gekommene Stärke des verbrecherischen Willens rechtfertigt unter dem Gesichtspunkt der Schwere der Schuld nur eine Jugendstrafe (§17 Abs.2 JGG).

Die das Jugendrecht ansonsten beherrschenden Gedanken der Erziehung und Resozialisierung werden hier zugunsten des Sühnebedürfnisses verdrängt. Mag im Normalfall - der zur Tatzeit Jugendliche oder Heranwachsende wird alsbald verurteilt - auch bei Schwere der Schuld eine Jugendstrafe nur dann angezeigt sein, wenn sie aus erzieherischen Gründen erforderlich ist (so u.a. BGHSt. 16, 261 ff.), so kann das bei einem 56 Jahre alten Angeklagten, der sich in den vergangenen 35 Jahren eine geordnete bürgerliche Existenz aufgebaut hat und bei dem die Befürchtung weiterer Straffälligkeit nicht gegeben ist, keine Geltung beanspruchen. Ein solcher Angeklagter ist weder erziehungsbedürftig noch erziehungsfähig. Andererseits würde es unter dem Gesichtspunkt des Schuldstrafrechtes, insbesondere des Sühnebedürfnisses, als schlechthin unerträglich empfunden werden, von Jugendstrafe abzusehen und das Tatgeschehen mit einem Zuchtmittel zu ahnden. Die Höhe der mithin unabdingbaren Jugendstrafe war im oberen Strafrahmen anzusiedeln.

Der Angeklagte hat in skrupelloser Ausnutzung der ihm überlassenen Machtposition gehandelt und sich zum willfährigen Helfer eines Unrechtssystems gemacht. Sein Verhalten zeugte von besonderer Menschenverachtung, das Tatgeschehen ist von aussergewöhnlicher Brutalität gekennzeichnet und kann - weil wiederholt - nicht als einmaliges Versagen bewertet werden. Die Verstrickung in ein System der Gewaltherrschaft ist als eigenständiger Strafmilderungsgrund zu Recht nicht anerkannt (vgl. BGH NJW 1977, 1544), was eine Würdigung im Rahmen der allgemeinen Strafzumessungserwägungen nicht ausschliesst. Dem Angeklagten können die besonderen Verhältnisse des Konzentrationslagers nur sehr bedingt zugutegehalten werden, weil die Taten weitgehend in ihm selbst begründet und durch das NS-Regime lediglich ermöglicht worden sind.

Zugutegehalten ist dem Angeklagten, dass es in drei Fällen beim Versuch geblieben ist. (Hierbei ist auch §44 StGB a.F. in der bis zum 15.Juni 1943 geltenden Fassung Rechnung getragen worden.) Weiter war zu berücksichtigen, dass das Menschenleben im Konzentrationslager ganz allgemein nichts galt und der 20 Jahre alte Angeklagte nach Herkunft und Ausbildung sittlich und moralisch unzureichend gerüstet war, um den auf ihn einwirkenden Einflüssen Widerstand entgegensetzen zu können. Er war in primitiven Verhältnissen aufgewachsen, mit einem Vater, der jähzornig und unkontrolliert Frau und Kinder schlug, und einer Mutter, die den Verhältnissen nicht gewachsen war und die Kinder verliess, als diese ihrer noch dringend bedurft hätten. Er hatte eine höchst unzulängliche Schulbildung genossen und beruflich noch nicht Fuss gefasst, als er mit 20 Jahren in das Konzentrationslager kam, nachdem er zu seiner Enttäuschung vorher aus der Waffen-SS entlassen worden war. Derart disponiert hatte der Angeklagte der Verlockung, Macht und Gewalt auszuüben, wenig entgegenzusetzen.

Die Abwägung der für und gegen den Angeklagten sprechenden Umstände einschliesslich der Tatsache, dass er unbestraft ist und seit vielen Jahren ein geregeltes und geordnetes Leben führt, liess eine Einheitsjugendstrafe von sieben Jahren als schuldangemessen erscheinen.

Die erlittene Untersuchungshaft ist angerechnet worden (§52 a Abs.1 JGG).

Die Kostenentscheidung folgt aus §§465, 467 StPO.

5 StR 54/80

Im Namen des Volkes

In der Strafsache gegen

den Kraftfahrer Karl Gal. aus Ronnenberg, geboren am 21.Januar 1923 in Wien,

wegen Mordes u.a.

Der 5.Strafsenat des Bundesgerichtshofs hat in der Sitzung vom 21.Oktober 1980 für Recht erkannt:

> Die Revision des Angeklagten gegen das Urteil des Landgerichts Hannover vom 9.Juli 1979 wird verworfen.
> Der Beschwerdeführer hat die Kosten seines Rechtsmittels zu tragen.

GRÜNDE

Das Landgericht hat den Angeklagten wegen Mordes in einem Falle und versuchten Mordes in drei Fällen, begangen im Alter von 20 Jahren in der Zeit von Mai bis Juli 1943 im Konzentrationslager Maidanek bei Lublin, zu sieben Jahren Jugendstrafe verurteilt. Die Revision des Angeklagten, mit der er Verfahrensrügen und die Sachbeschwerde erhebt, hat keinen Erfolg.

« I. Zur Rüge der Doppelverfolgung »

Der Beschwerdeführer meint, die Strafklage sei verbraucht, weil vor einigen Jahren vor einem österreichischen Gericht ein Strafverfahren gegen den Angeklagten wegen der hier abgeurteilten Taten anhängig gewesen sei, welches dieses Gericht "verbindlich am 12.1.1973 ... zur Einstellung gebracht" habe. Das Verbot der Doppelverfolgung gilt indessen nicht im Verhältnis zur ausländischen Gerichtsbarkeit (BVerfGE 12, 62; BGHSt. 6, 176; 12, 36; BGH NJW 1969, 1542; BGHSt. 24, 53). Ein ratifizierter zwischenstaatlicher Vertrag zwischen der Bundesrepublik Deutschland und Österreich, der im Verhältnis dieser Staaten zueinander etwas anderes anordnete, besteht nicht.

« II. Verfahrensrechtliche Rügen »

1. Die Revision rügt, dass in der Hauptverhandlung von der Beeidigung des Zeugen Szi. durch Gerichtsbeschluss gemäss §61 Nr.5 StPO abgesehen worden ist, obwohl der Angeklagte die Beeidigung des Zeugen beantragt hatte. Das trifft zu. Auf diesem Fehler kann das Urteil aber nicht beruhen. Das Schwurgericht hat dem Zeugen nicht geglaubt, und zwar unabhängig davon, ob es dessen Aussage als (teilweise) beeidigt und (teilweise) unbeeidigt gewürdigt hat. Der Zeuge ist an zwei Verhandlungstagen eingehend unter Verlesung und Vorhalt einer früheren Bekundung und unter mehrmaligem Hinweis auf §57 StPO vernommen worden. Er hat, wie die Revision darlegt, schliesslich erklärt: "Wenn ich soll belasten Kapo Widerka [56], so werde ich belasten Kapo Widerka. Wenn ich soll belasten Kapo Gal., ich werde belasten Gal. Widerka ist ja auch schon tot". Unter diesen Umständen ist es ausge-

[56] Im Urteil Nr.855a 'Wyderka' geschrieben.

schlossen, dass auch eine beeidigte Aussage des Zeugen zur Wahrheitsfindung hätte beitragen können.

2. Die Revision beanstandet, dass der Nebenkläger Jechiel Sn. aus Tel Aviv durch einen Rechtsanwalt vertreten worden ist, der in dem Maidanek-Verfahren vor dem Landgericht Düsseldorf [57] einen SS-Führer verteidigt, der Feldführer des Angeklagten in Maidanek war. Die Rüge ist unbegründet. Ein Verstoss gegen §146 StPO - auch in entsprechender Anwendung - liegt nicht vor. Der Angeklagte ist entgegen der Auffassung der Revision durch die Anwesenheit dieses Rechtsanwalts in der Hauptverhandlung auch nicht in seiner Verteidigung unzulässig beschränkt worden.

3. Die Strafkammer hat sich entgegen den Revisionsrügen in den Fällen des schwedischen Zeugen Abraham Gu. und des Zeugen Karl Gal. aus Frankfurt/Main an die Wahrunterstellung gehalten, so dass §244 Abs.3 Satz 2 StPO nicht verletzt ist. Sie hat sich mit diesen und weiteren Wahrunterstellungen ausdrücklich befasst und dazu im wesentlichen ausgeführt, dass die Identifizierungszeugen das Wiedererkennen des Kapos, mit dessen Person sie die geschilderten Handlungen verbinden, nicht an den Namen Gal. oder Karl Gal. oder Wiener Kapo angeknüpft hätten, sondern an die Person des Angeklagten in ihrem gesamten Erscheinungsbild. Die Möglichkeit, dass die in den Beweisanträgen beschriebenen anderen Personen dem Angeklagten zugleich zum Verwechseln ähnlich sahen, hat der Tatrichter als "fernliegend, unwahrscheinlich und theoretisch" ausser Betracht gelassen.

4. Zu Unrecht rügt die Revision schliesslich, die Strafkammer habe §338 Nr.8 StPO durch Zurückweisung einer von der Verteidigung an einen Zeugen gestellten Frage verletzt. Die von der Revision wiedergegebene Frage an den als Zeugen vernommenen Staatsanwalt ist von der Strafkammer zu Recht als Rechtsfrage gewertet und daher nicht zugelassen worden.

5. Die übrigen Verfahrensrügen sind unzulässig, weil in der Revisionsbegründung die den behaupteten Mangel enthaltenden Tatsachen nicht angegeben sind (§344 Abs.2 Satz 2 StPO). Das gilt insbesondere für die Rüge der Verletzung von §338 Nr.3 StPO (der zurückweisende Beschluss ist nicht mitgeteilt), die Rüge, der Zeuge Kwi. hätte persönlich gehört werden müssen (die Schreiben des Generalkonsuls der Bundesrepublik Deutschland vom 5.März 1979 und der Rechtsanwälte Hamburger und Partner vom 28.Februar sind nicht mitgeteilt), und die Rüge, die Beweisanträge Nr.5, 24, 57, 61 seien zu Unrecht abgelehnt worden (in keinem Falle ist der ablehnende Gerichtsbeschluss mitgeteilt, teilweise fehlt auch die Wiedergabe der Beweisthemen). Soweit die Revision auf die entsprechenden Urkunden Bezug nimmt, kann das die inhaltliche Wiedergabe in der Revisionsbegründung nicht ersetzen.

« III. Zur Sachrüge »

Auch die Sachrüge ist unbegründet. Das Urteil lässt keinen sachlich-rechtlichen Mangel zum Nachteil des Angeklagten erkennen. Soweit die Revision Verstösse gegen die Denkgesetze behauptet, erhebt sie in Wahrheit nur unzulässige Angriffe gegen die dem Tatrichter vorbehaltene Beweiswürdigung.

Die Entscheidung entspricht dem Antrag des Generalbundesanwalts.

[57] Siehe Lfd.Nr.852.

Lfd.Nr.856

Tatkomplex
Andere Massenvernichtungsverbrechen

Tatort
Riga

Tatzeit
411208-411209

Gerichtsentscheidungen
LG Hamburg vom 21.12.1979, (37) 5/76

INHALTSVERZEICHNIS

des unter Lfd.Nr.856 veröffentlichten Urteils

LG Hamburg vom 21.12.1979, (37) 5/76

(37) 5/76

Im Namen des Volkes

In der Strafsache gegen

Viktor Bernhard Arajs [58], geboren am 13.Januar 1910 in Baldone, Kreis Riga/Lettland,

wegen Mordes,

hat das Landgericht Hamburg, Grosse Strafkammer 7 als Schwurgericht, in der Sitzung vom 21.Dezember 1979 für Recht erkannt:

> Der Angeklagte Viktor Bernhard Arajs wird wegen gemeinschaftlichen Mordes an mindestens 13.000 Menschen zu lebenslanger Freiheitsstrafe verurteilt.
> Die Kosten des Verfahrens und seine Auslagen hat der Angeklagte zu tragen.

(Angewandte Vorschriften: §§211, 47 alter, 25 Abs.2 neuer Fassung, 73 Abs.1 alter, 52 Abs.1, 2.Alternative neuer Fassung StGB.)

GRÜNDE

A. Feststellungen

A. I. Lebenslauf des Angeklagten

Viktor Bernhard Arajs wurde am 13.Januar 1910 (nach dem damals im russischen Reich noch geltenden alten Julianischen Kalender am 31.Dezember 1909) in Baldone, Lettland, geboren. Sein Vater, ein Lette, war von Beruf Schmied. Seine Mutter war die Tochter eines reichen Bauern und hatte unter ihren Vorfahren auch Deutsche. Im Haus der Eltern wurde lettisch gesprochen, obgleich Arajs' Mutter auch Deutsch konnte. Die Deutschbalten waren damals aber bei den Letten nicht beliebt und der Vater wollte nicht, dass die Mutter mit Arajs deutsch sprach. Tat sie es doch einmal, so erwiderte Arajs ihr auf Lettisch.

Im ersten Weltkrieg wurde der Vater von Arajs zur russischen Armee eingezogen. Später wurde er beschuldigt, mit den Deutschen zusammengearbeitet zu haben und nach Sibirien geschickt. Dort blieb er zehn Jahre, ehe er über China nach Lettland zurückkehrte. Aus China brachte er eine chinesische Freundin mit und seine Ehe wurde geschieden. Nach dem zweiten Weltkrieg wurde der Vater von den Russen erschossen. Die Mutter wanderte in die Vereinigten Staaten von Amerika aus. Der Angeklagte hat von ihr seit langem nichts mehr gehört.

1917 lebte Viktor Arajs mit seiner Mutter und seiner jüngeren Schwester in Riga. Die Mutter arbeitete dort in einer Fabrik und später auch auf dem Land, um die Familie zu ernähren. 1918 oder 1919 starb ihr Vater. Sie verwendete ihre Erbschaft dazu, in Mitau (Jelgava) eine grosse Wohnung zu mieten, in der sie eine Pension betrieb.

[58] Rechtskräftig durch Beschluss des BGH vom 22.9.1981, 5 StR 183/81.

Als die Mutter mit Arajs nicht mehr fertig wurde, gab sie ihn zu einem verwandten Bauern auf dem Land. Dort hütete er im Sommer die Kühe. Mit 11 Jahren kam er in die Volksschule. Im Alter von 15 Jahren wurde er Jungknecht und später Knecht. Er verliess schliesslich den Bauern und zog mit Handwerkern, die den Bauern Ställe und andere Gebäude bauten, einige Jahre durch Lettland. In dieser Zeit verdiente er sich Geld für seine Ausbildung.

Nach insgesamt fünf Jahren Schulzeit beendete Arajs in Mitau die Grundschule. Er wollte das Gymnasium besuchen, aber seine Mutter meldete ihn für die Handwerksschule an. Nach der ersten Klasse dieser Schule setzte Arajs seinen Wunsch durch: Er bestand die Aufnahmeprüfung des Gymnasiums und besuchte dann in Mitau sechs Jahre lang das klassische Gymnasium, wo er Unterricht auch in lateinischer und deutscher Sprache erhielt. Arajs war ein fleissiger Schüler und wurde mit einem Stipendium gefördert. Seine freie Zeit verwendete er, um zusätzlich Geld für seine Ausbildung zu verdienen. Er unterrichtete andere Schüler in Latein und im Aufsätze-schreiben. 1931 bestand Arajs die Reifeprüfung. Danach leistete er mehr als ein Jahr lang Wehrdienst beim Livländischen Artillerieregiment. Er wurde als Korporal entlassen.

Nachdem Arajs die Aufnahmeprüfung der Lettischen Universität in Riga bestanden hatte, wurde er am 15.September 1932 als Student der Rechtswissenschaft aufgenommen. Sein Ziel war es, Rechtsanwalt zu werden. Arajs finanzierte sein Studium anfangs durch Gelegenheitsarbeiten, bis er in den Dienst der Polizei aufgenommen wurde. Mit einer Sondererlaubnis durfte er daneben sein Studium fortsetzen.

Als Polizeibeamter diente Arajs auch in einer Spezialeinheit für besonders gefährliche Einsätze. Als 1934 die rechtsradikale, extrem lettisch-nationalistische Organisation Perkonkrusts (deutsch: Donnerkreuz) verboten wurde, musste Arajs bei der Verhaftung einiger ihrer Mitglieder mitwirken. Arajs selbst gehörte dem Perkonkrusts nicht an. Er betätigte sich vor dem Kriege nicht politisch und gehörte weder einer Partei noch einer politischen Organisation an. Als Student trat er der Verbindung Lettonia bei, die lettisch-patriotisch eingestellt war. Sie nahm keine Juden, Russen oder Deutsche auf; diese Minderheiten hatten in Lettland eigene, nationale Korporationen. Es war für Arajs nicht selbstverständlich, in eine solche Verbindung aufgenommen zu werden, die er selbst als "aristokratisch" bezeichnet hat. Aber er wollte, wie er gesagt hat, hochkommen und beweisen, dass er es zu etwas bringen konnte.

1937 unterbrach Arajs sein Studium und verliess auch den Polizeidienst, weil er nicht befördert worden war. Mit einem Stipendium der Regierung nahm er 1939 sein Studium wieder auf und schloss den schriftlichen Teil des Examens noch ab, ehe die Sowjets in Lettland die Macht übernahmen. Unter der kommunistischen Regierung musste er zusätzliche Kurse in Marxismus belegen und eine mündliche Prüfung ablegen. Am 10.März 1941 beendete er sein Studium mit der Qualifikation als Jurist. Da dieser Teil seines Examens nach der Eroberung Lettlands durch die Deutschen nicht anerkannt wurde, schrieb Arajs sich am 18.Februar 1944 noch einmal als Student der Rechte an der Universität Riga ein. Am 15.April 1944 beendete er den Lehrgang nach bestandenen Prüfungen in Zivil- und Strafrecht mit dem Recht auf Berufsausübung ohne wissenschaftlichen Grad.

Arajs empfand die Herrschaft der Kommunisten in Lettland zunächst nicht als das nationale Unglück, als das sie ihm später erschien. Er glaubte vorübergehend sogar an die kommunistische Idee. Das änderte sich allerdings bald. Arajs praktizierte bei einem Anwalt. Als die ersten Verhaftungen einsetzten, wurde auch dieser Anwalt festgenommen. Arajs begab sich aufs Land und setzte Schriftsätze für Bauern auf, die sich dagegen wehrten, dass die neuen Machthaber ihnen jeweils 10 Hektar ihres besten Landes enteignen wollten. Durch diese Tätigkeit fiel er in Ungnade. Einige seiner Freunde und Verwandten wurden festgenommen und, so hat er es dargestellt, ermordet. Auch Mitglieder der Lettonia, die von der neuen Regierung aufgelöst worden war, wurden von der sowjetischen Geheimpolizei Tscheka verhaftet. Arajs wurde gewarnt, dass auch ihm die Verhaftung drohe, und tauchte unter. Erst arbeitete er in Riga im Hafen, dann ging er in die Wälder und schloss sich antisowjetischen Partisanen an. Diese waren meist ehemalige Soldaten der lettischen bürgerlichen Armee, die geführt von ehemaligen Offizieren Sabotage trieben und sowjetische Patrouillen überfielen.

Nach dem Einmarsch der Deutschen im Juli 1941 baute der Angeklagte in Riga eine lettische Sicherheitshilfspolizei auf. Seine Tätigkeit in diesem Zusammenhang wird unten zu erörtern sein.

Zu einem nicht mehr genau feststellbaren Zeitpunkt des Jahres 1942 wurde Arajs vom Kommandeur der Sicherheitspolizei und des Sicherheitsdienstes (KdS) Lettland, Dr. Rudolf Lange, zum Major der Polizei ernannt. Im März 1942 verliess Arajs Lettland zu einem ersten Fronteinsatz. Von diesem Zeitpunkt an wurde der Angeklagte nach seiner Darstellung hauptsächlich zum Kampf gegen Partisanen im russischen Gebiet eingesetzt. Zum 20.April 1943 wurde Arajs noch als Major das Kriegsverdienstkreuz 2.Klasse mit Schwertern verliehen. Zum 31.Dezember 1943 erhielt er als Legionssturmbannführer das Eiserne Kreuz 2.Klasse.

Im Laufe des Jahres 1944 nahm Arajs am vierten Lehrgang für germanische Offiziere in der SS-Junkerschule Bad Tölz teil. Er wurde aber nicht in die Waffen-SS übernommen. Im November 1944 war er Sturmbannführer in der 15. Waffen-SS Grenadierdivision, einer Division der Lettischen Legion. Er nahm an Rückzugskämpfen unter anderem in Pommern teil und besuchte noch vor Kriegsende einen Lehrgang für Bataillonskommandeure in Güstrow.

Nach der Kapitulation der Deutschen geriet Arajs in britische Kriegsgefangenschaft. Ab 15.Juni 1945 wurde er in Internierungshaft genommen, die er unter anderem in einem Lager in Belgien und in Fallingbostel verbrachte. Am 1.Oktober 1948 wurde Arajs im Lager Fallingbostel verhaftet und für das Gericht der Kontrollkommission in Untersuchungshaft genommen. Nach mehreren Haftprüfungsterminen wurde er am 1.Februar 1949 aus der Untersuchungshaft entlassen. Er fand Arbeit als Kraftfahrer der britischen Militärregierung in Delmenhorst. Am 11.Oktober 1949 erliess der Untersuchungsrichter des Landgerichts Hamburg Haftbefehl gegen den Angeklagten. Als dieser Haftbefehl in Delmenhorst vollstreckt werden sollte, konnte Arajs nicht festgenommen werden. Er hatte am 15.Oktober einen Urlaub angetreten, aus dem er nicht mehr zurückkehrte.

Arajs begab sich in die französische Zone und hielt sich dort einige Zeit in Tübingen auf. Mit Hilfe der lettischen Exilregierung in London nahm er den falschen Namen Viktor Zeibots an. Er zog dann nach Frankfurt, wo er unter dem Namen Zeibots bis zu seiner Festnahme am 10.Juli 1975 lebte. Er arbeitete in Frankfurt als Hilfsarbeiter in einer Druckerei.

Seit dem 5.Juni 1938 ist der Angeklagte mit Selma Zeibots kinderlos verheiratet. Er lebt mindestens seit dem Krieg von seiner Ehefrau getrennt.

Der Angeklagte gilt als staatenloser Ausländer.

Der Angeklagte befindet sich seit seiner Festnahme am 10.Juli 1975 in Polizei- und Untersuchungshaft. Der Angeklagte ist nicht vorbestraft.

A. II. Überblick über die Geschichte Lettlands von 1918-1941

Am 18.November 1918 rief der neugegründete lettische Volksrat die Republik Lettland aus. Ministerpräsident der ersten Regierung wurde Karlis Ulmanis, einer der Führer des Bauernbundes. In der jungen Republik lebten starke nationale und religiöse Minderheiten, vor allem Russen, Deutsche, Juden, Polen und Litauer. Der Anteil der Juden betrug im Jahre 1920 5% der Bevölkerung. Von Rauch nennt für dieses Jahr 79.644 Juden. Sie lebten ausser in Kurland und Lettgallen vor allem in Riga. Nach 1920 zogen viele Juden aus der Sowjetunion nach Lettland, so dass die jüdische Bevölkerung noch zunahm.

Ein ausgesprochener Antisemitismus war in den baltischen Staaten zunächst nicht vorhanden. Das änderte sich allerdings mit dem Anwachsen des Nationalismus in den dreissiger Jahren, besonders in Lettland. Dort wurde 1933 eine extrem nationalistische und antikommunistische Organisation gegründet, die sich erst Ugunskrus (deutsch: Feuerkreuz) nannte und dann nach einem bald erlassenen Verbot unter dem Namen Perkonkrusts (Donnerkreuz) tätig wurde. Ihr Begründer war Gustav Celmins. Die Organisation gewann bis zu 6.000 Mitglieder, darunter besonders viele Studenten. Sie trugen graue Hemden und schwarze Barette und grüssten mit dem Ruf "Kampf Heil!" und erhobenem Arm. Unter der Parole "Lettland den Letten" war der Perkonkrusts gegen alle nationalen Minderheiten eingenommen, vor allem gegen Deutsche und Juden. Die Ablehnung der jüdischen Minderheit äusserte sich unter anderem im Boykott jüdischer Geschäfte. Auch der Perkonkrusts wurde verboten und 1934 aufgelöst.

Nach dem Ausbruch des 2.Weltkrieges verloren die baltischen Staaten bald ihre Selbständigkeit. Am 17.Juni 1940 marschierten sowjetische Truppen in Lettland ein. In Riga kam es zu Unruhen und kommunistischen Demonstrationen. Das Land wurde schliesslich auf Antrag des neuen Volksparlaments in die Sowjetunion eingegliedert.

In Lettland konnten sich die Sowjets nur auf kleine Kreise einheimischer Kommunisten stützen, die allerdings durch heimkehrende Emigranten aus der Sowjetunion verstärkt wurden. So konnten die inneren Verhältnisse Lettlands schnell an die der Sowjetunion angepasst werden. Die Masse der Bevölkerung stand dieser Entwicklung ablehnend, aber ohnmächtig gegenüber. Die nationale bürgerliche Führungsschicht war zum Teil emigriert, unter anderem nach Deutschland. Die baltendeutsche Minderheit wurde auf Grund einer geheimen Abmachung zwischen Deutschland und der UdSSR umgesiedelt. Um jeden möglichen Widerstand zu brechen, verschleppten die sowjetischen Machthaber viele Angehörige der politisch, militärisch und wirtschaftlich führenden Schichten in das Innere der Sowjetunion. Unter den aus Lettland Verschleppten befanden sich auch viele Angehörige des Perkonkrusts und jüdischer Organisationen, vor allem Zionisten. Die Verschleppungen erreichten ihren Höhepunkt im Juni 1941, kurz vor dem deutschen Angriff. Von Rauch gibt die Zahl der aus Lettland Verschleppten mit 34.205 an. Viele der Verhafteten wurden auch in den Gefängnissen, so zum Beispiel in Riga, misshandelt und umgebracht.

A. III. Die Verfolgung der Rigaer Juden bis zur Schliessung des Grossen Ghettos

Mit dem Angriff auf die Sowjetunion am 22.Juni 1941 begann die physische Vernichtung der Juden im deutschen Machtbereich in ihr entscheidendes Stadium zu treten. Ein massgebliches Instrument dieser Ausrottungspolitik waren die Einsatzgruppen mit ihren Einsatzkommandos und den alsbald nach der Besetzung der osteuropäischen Länder von ihnen aufgestellten einheimischen Hilfspolizeitruppen. Eine dieser Hilfspolizeien war die vom Angeklagten Arajs geführte Lettische Hilfspolizei bei der Sicherheitspolizei. Sie unterstand dem Einsatzkommando 2, aus dem später die Dienststelle des Kommandeurs der Sicherheitspolizei und des Sicherheitsdienstes Lettland (KdS) hervorging, und der Einsatzgruppe A, aus der später die Dienststelle des Befehlshabers der Sicherheitspolizei und des Sicherheitsdienstes Ostland (BdS) wurde.

A. III. 1.) Gründung, Aufgaben und Vormarsch der Einsatzgruppe A

Im Sommer 1941 wurden in der Grenzpolizeischule in Pretzsch und in nahegelegenen Orten die Einsatzgruppen A, B, C und D der Sicherheitspolizei und des Sicherheitsdienstes (SD) für den bevorstehenden Russlandfeldzug aufgestellt. Sie wurden vor allem aus Angehörigen der Geheimen Staatspolizei, des SD und der Kriminalpolizei gebildet. Es wurden ihnen noch

Einheiten der Waffen-SS und der Schutzpolizei sowie baltendeutsche Dolmetscher zugeteilt. Für Nordrussland und die baltischen Länder war die Einsatzgruppe A unter SS-Brigadeführer Walther Stahlecker vorgesehen. Zu ihr gehörte das Einsatzkommando 2 unter Sturmbannführer Rudolf Ba. mit etwa 80-100 Mann, das später ständig in Lettland stationiert wurde.

Der Chef der Sicherheitspolizei und des SD, SS-Obergruppenführer Reinhard Heydrich, hielt vor den in Pretzsch angetretenen Angehörigen der Sicherheitspolizei eine Rede über den bevorstehenden Einsatz. Der Inhalt dieser Rede hat im einzelnen nicht mehr festgestellt werden können. Die Führer der Einsatzgruppen und -kommandos jedenfalls erfuhren schon in Pretzsch, dass "die Beseitigung des jüdischen Volkstums", wie Ba. es ausgedrückt hat, zu ihren Aufgaben gehören sollte.

Mit einem Fernschreiben vom 29.Juni 1941 gab Heydrich Stahlecker und den anderen Einsatzgruppenchefs Weisungen, wie in den besetzten Gebieten die sogenannten Selbstreinigungsaktionen einheimischer Kräfte zu fördern seien. Heydrich befahl unter anderem:

> "Unter Bezug auf meine bereits am 17.VI in Berlin gemachten mündlichen Ausführungen bringe ich in Erinnerung:
>
> 1) den Selbstreinigungsbestrebungen antikommunistischer oder antijüdischer Kreise in den neu zu besetzenden Gebieten ist kein Hindernis zu bereiten. Sie sind im Gegenteil, allerdings spurenlos auszulösen, zu intensivieren wenn erforderlich und in die richtigen Bahnen zu lenken, ohne dass sich diese örtlichen "Selbstschutzkreise" später auf Anordnungen oder auf gegebene politische Zusicherungen berufen können.
> Da ein solches Vorgehen nur innerhalb der ersten Zeit der militärischen Besetzung aus naheliegenden Gründen möglich ist, haben die Einsatzgruppen und -kommandos der SP und des SD im Benehmen mit den militärischen Dienststellen möglichst bestrebt zu sein, raschestens in die neu besetzten Gebiete wenigstens mit einem Vorkommando einzurücken, damit sie das Erforderliche veranlassen können.
> Zu Leitern solcher Vorkommandos sind nur solche Angehörige der SP und des SD auszusuchen, die über das erforderliche politische Fingerspitzengefühl verfügen.
> Die Bildung <u>ständiger</u> Selbstschutzverbände mit zentraler Führung ist zunächst zu vermeiden; an ihrer Stelle sind zweckmässig örtliche Volkspogrome wie oben dargelegt, auszulösen."

Mit einem Schreiben vom 2.Juli 1941 gab Heydrich den Höheren SS- und Polizeiführern eine Übersicht über die wichtigsten Weisungen, die die Einsatzgruppen und -kommandos erhalten hatten. Darin führte er unter anderem aus:

> "4.) <u>Exekutionen</u>:
> Zu exekutieren sind alle
> Funktionäre der Komintern (wie überhaupt die kommunistischen Berufspolitiker schlechthin) die höheren, mittleren und radikalen unteren Funktionäre der Partei, der Zentralkommitees, der Gau- und Gebietskommitees Volkskommissare
> Juden in Partei- und Staatsstellungen
> sonstigen radikalen Elemente (Saboteure, Propagandeure, Heckenschützen, Attentäter, Hetzer usw.)
> <u>soweit</u> sie nicht im Einzelfall nicht oder nicht mehr benötigt werden, um Auskünfte in politischer oder wirtschaftlicher Hinsicht zu geben, die für die weiteren sicherheitspolizeilichen Massnahmen oder für den wirtschaftlichen Wiederaufbau der besetzten Gebiete besonders wichtig sind.

Insbesondere ist Bedacht zu nehmen, dass Wirtschafts-, Gewerkschafts- und Handelsgremien nicht restlos liquidiert werden, sodass keine geeigneten Auskunftspersonen mehr vorhanden sind. Den Selbstreinigungsversuchen antikommunistischer oder antijüdischer Kreise in den neu zu besetzenden Gebieten sind keine Hindernisse zu bereiten. Sie sind im Gegenteil, allerdings spurenlos, zu fördern, ohne dass sich diese örtlichen "Selbstschutz"-Kreise später auf Anordnungen oder gegebene politische Zusicherungen berufen können.

Da aus naheliegenden Gründen ein solches Vorgehen nur innerhalb der ersten Zeit der militärischen Besetzung möglich ist, haben die Einsatzgruppen der SP (SD) möglichst im Benehmen mit den militärischen Dienststellen bestrebt zu sein, in den betreffenden neu besetzten Gebieten raschestens, wenigstens mit einem Vorkommando, einzurücken.

Besonders sorgfältig ist bei Erschiessungen von Ärzten und sonstigen in der Heilkunde tätigen Personen vorzugehen. Da auf dem Lande auf etwa 10.000 Einwohner an sich nur ein Arzt fällt, würde bei etwa auftretenden Epidemien durch die Erschiessung von zahlreichen Ärzten ein kaum aufzufüllendes Vakuum entstehen. Wenn im Einzelfalle eine Exekution erforderlich ist, ist sie selbstverständlich durchzuführen, doch muss eine genaue Überprüfung des Falles vorausgehen."

Zu den Aufgaben der Einsatzgruppen und -kommandos gehörten ausserdem unter anderem der Gegnernachrichtendienst und der Kampf gegen Partisanen und feindliche Störtrupps im Rücken der Front.

Am 23.Juni 1941, dem Tag nach dem Angriff der deutschen Truppen auf die Sowjetunion, begann die Einsatzgruppe A der Heeresgruppe Nord folgend über Danzig, Kowno und Schaulen nach Riga zu marschieren. Die Einsatzgruppe bemühte sich, jeweils mit den Spitzen der Wehrmacht in die grösseren Städte einzudringen, um dort die Truppe zu schützen, kommunistische Funktionäre zu ergreifen und kommunistisches Material sicherzustellen. Aus einheimischen Freiwilligen, die im Sinne der Deutschen zuverlässig erschienen, bildete sie Formationen, die sich später teilweise zu einheimischen Polizeien entwickelten.

Schon in den ersten Tagen des Vormarsches löste die Einsatzgruppe A in Litauen schwere Pogrome aus. Allein in Kowno wurden dabei in der Nacht vom 25. zum 26.Juni 1941 1.500 und in den folgenden Tagen weitere 2.300 Juden umgebracht [59].

Am 1.Juli 1941 wurde Riga von den deutschen Truppen erobert. Mit der kämpfenden Truppe rückten Stahlecker und Teile der Einsatzkommandos 1a und 2 in die Hauptstadt Lettlands ein. Das Gros der Einsatzgruppe dagegen war noch am 2.Juli unterwegs nach Riga und befand sich erst am 4.Juli in der Stadt. Grosse Teile der lettischen Bevölkerung begrüssten die einmarschierenden Deutschen jubelnd als Befreier. Mädchen in Landestracht umarmten deutsche Soldaten und überreichten ihnen Blumen. Der Zeuge Dre., der mit Stahlecker am 1.Juli in Riga eintraf, hat von einer "kolossalen Verbrüderung" gesprochen.

Die Einsatzgruppe A folgte dem weiteren Vorrücken der Heeresgruppe Nord zunächst nicht, sondern widmete sich der sogenannten Befriedung der eroberten litauischen und lettischen Gebiete. Später wurde sie auch im altrussischen Gebiet tätig. Dort gewann dann im Raum

[59] Siehe Verfahren Lfd.Nr.526.

von Pleskau und vor Leningrad der Einsatz gegen Partisanen an Bedeutung. Im Vordergrund der Arbeit der Einsatzgruppe aber stand die Bekämpfung der Kommunisten und der Juden.

Nach dem Rückzug der Sowjets aus Riga wurden in der Präfektur (dem Rigaer Polizeipräsidium), im Zentralgefängnis und im Gebäude der Geheimpolizei die Leichen ermordeter Häftlinge gefunden. Noch im Juli 1941 wurden am Weissensee in der Nähe Rigas Massengräber getöteter Häftlinge entdeckt. Man fand auch Haftzellen, die mit Holzverschalungen zu Erschiessungsräumen hergerichtet waren. Der Zeuge Bra., der am 1.Juli aus einem Versteck nach Riga zurückkehrte, sah in diesen Räumen noch Blutspuren und Patronenhülsen.

Viele Letten glaubten, "die Juden" hätten mit den Sowjets gemeinsame Sache gemacht. In der lettischen Bevölkerung galten mehrere führende Funktionäre der sowjetischen Regierung Lettlands als Juden. So wurde die nun einsetzende Pogromhetze von manchen Letten bereitwillig aufgenommen und Freiwillige folgten den Aufrufen zum Kampf gegen "schädliche Elemente".

A. III. 2.) Die Gründung des Kommandos Arajs im Juli 1941

In Lettland verbreitete sich die Nachricht vom Vorrücken der deutschen Truppen schnell. Die Partisanengruppe, der Arajs angehörte, drang am Morgen des 1.Juli 1941 noch vor den Deutschen in die Stadt Riga ein. Dort kam es zu Schiessereien mit den abziehenden sowjetischen Soldaten. Letten begannen zu plündern, Brände zu legen und Rache an Leuten zu üben, die als Kommunisten galten.

Arajs und seine Gruppe erreichten noch vor den Deutschen die Präfektur. Dort ging alles drunter und drüber: Lettische Polizisten, Leute in Uniformen der alten lettischen Armee und Zivilisten liefen durcheinander; Waffen lagen umher. Der Offizier, der die Partisanen geleitet hatte, war nie bei der Polizei gewesen und begnügte sich damit, die eintreffenden Leute zu registrieren. Der Angeklagte erkannte die herrschende Verwirrung, ergriff die Initiative und begann, die Polizei zu organisieren. Er bewaffnete Leute und schickte eine kleine Gruppe aus, um, wie er unwiderlegt gesagt hat, Brandstiftungen und Plünderungen zu unterbinden. In Aufrufen forderte er frühere Polizeibeamte auf, sich wieder in den Revierwachen zu melden.

Inzwischen traf Stahlecker mit einem kleinen Vorauskommando in Riga ein. Sein ortskundiger Begleiter war der Zeuge Dre., der aus Riga stammt. Dre. hatte Arajs schon auf dem Gymnasium in Mitau (Jelgava) und später als Ausbilder der lettischen Armee gekannt. Aus der Militärzeit hatte Dre. eine günstige Erinnerung an Arajs, weil er und seine baltendeutschen Kameraden von Arajs nicht so schikaniert worden waren wie von anderen lettischen Ausbildern. Dre. erkannte Arajs unter den in der Präfektur versammelten Letten und umarmte ihn mit den Worten "Viktor, Du lebst ja noch!" Dann stellte er ihn Stahlecker vor. Arajs berichtete über die von ihm getroffenen Massnahmen und Stahlecker befahl ihm, weiterzumachen. Stahlecker erteilte zugleich dem Angeklagten den Auftrag, Freiwillige aus Kreisen der Schüler, Studenten und Korporierten zu einem Sonderkommando zu sammeln, mit diesem Kommando Pogrome gegen die jüdische Bevölkerung durchzuführen und Juden und Kommunisten zu liquidieren. Der Angeklagte hat noch in seinem letzten Wort als seine Aufgabe den "Kampf gegen den Kommunismus" und die "Reinigung des Landes von schädlichen Elementen" bezeichnet.

Am 2.Juli 1941 kam es zu einer weiteren Unterredung zwischen Stahlecker und Arajs. An dieser Konferenz nahmen auch lettische und deutsche Offiziere sowie lettische Zivilisten teil. Es wurde über Wirtschaftsfragen und über Sicherungsaufgaben gesprochen. Der Angeklagte erfuhr von Stahlecker, dass der ehemalige Leiter der lettischen politischen Polizei, Stiglics (deutsche Schreibweise: Stieglitz) zum Präfekten ernannt worden sei. Stiglics war mit den

Deutschen aus der Emigration zurückgekehrt. Der lettische Oberstleutnant Veiss wurde beauftragt, Freiwillige aus Kreisen der ehemaligen lettischen Armee zu sammeln und gegen versprengte Sowjets und Partisanen einzusetzen.

Am 2. oder 3.Juli 1941 übernahm der neu ernannte Präfekt Stiglics die Präfektur mit etwa 400 Polizisten, während der Angeklagte nur ungefähr 20 Mann behielt. In den ersten Julitagen erhielt er das frühere Bankgebäude des jüdischen Bankiers Schmulian in der Waldemarstrasse 19, Ecke Elisabethstrasse als Stabsquartier zugewiesen. In einem oberen Stockwerk desselben Gebäudes erhielten die sich sammelnden Mitglieder des Perkonkrusts ebenfalls einige Räume zugewiesen. Diese Organisation wurde allerdings noch im Sommer 1941 von der deutschen Besatzungsmacht wieder verboten. Arajs selbst warb durch Reden auf der Strasse und im Rundfunk Freiwillige für sein Kommando. Er rief dabei auf zum Kampf gegen die Bolschewisten, die das Land mit Blut getränkt hätten. Vor dem Gebäude der Lettonia wurden Tische aufgestellt, an denen Freiwillige sich einschreiben lassen konnten. Sie mussten Namen, Adresse, Beruf und Militärdienstzeit angeben. Am 4.Juli 1941 erschien in der Zeitung "Tevija" ein Aufruf, mit dem Freiwillige aufgefordert wurden, sich in der Waldemarstrasse 19 zu melden. In deutscher Übersetzung lautete er:

> "Aufruf
> Alle volksbewusst denkenden Letten - Donnerkreuzler, Studenten, Offiziere, Aizsargi und andere, die sich aktiv beteiligen wollen an der Säuberung unseres Landes von schädlichen Elementen, können sich melden bei der Leitung des Sicherheitskommandos, Waldemarstrasse 19, von 9 - 11 und 17-19 Uhr."

Wieviele Männer sich auf solche Aufrufe hin meldeten und wieviele von ihnen in das Kommando Arajs aufgenommen wurden, hat das Gericht nicht mehr feststellen können. Bewiesen ist jedenfalls, dass das Kommando noch im Juli 1941 eine Stärke von ungefähr 100 Mann erreichte.

Freiwillig, wie der Angeklagte selbst sich der von Stahlecker übertragenen Aufgabe gestellt hatte, traten auch die anderen Männer in das Kommando Arajs ein. Unter ihnen waren Studenten, ehemalige Polizisten, Angehörige der Aizsargi, einer paramilitärischen Organisation der lettischen Republik, und auch Schüler. Viele von ihnen waren Angehörige der von den Sowjets verschleppten oder umgebrachten Letten. Es ist möglich, dass auch Mitglieder der Organisation Perkonkrusts in das Kommando eintraten. Die von Arajs geführte Einheit wurde von ihren Angehörigen, aber auch von den Deutschen und in der Bevölkerung als "Arajs--Kommando" oder "Kommando Arajs" bezeichnet. Der Volksmund sprach zum Teil auch von "Arajs-Bande". Die offizielle Bezeichnung lautete: Lettische Hilfspolizei bei der Sicherheitspolizei. Es ist nicht sicher, dass diese offizielle Bezeichnung bereits Anfang Juli 1941 gebraucht wurde.

A. III. 3.) Pogrome, Verhaftungen und Erschiessungen

Von den Pogromen der ersten Julitage bis zu der Vernichtung der Insassen des Grossen Ghettos am 8.Dezember 1941 nahm der Angeklagte mit seinem Kommando massgeblich an der fast völligen Ausrottung der lettischen Juden teil. Sein Kommando war zwar nicht die einzige lettische Einheit, die der Einsatzgruppe zu diesen Aufgaben zur Verfügung stand. In ganz Lettland nahmen örtliche Verbände an den Judenverfolgungen teil, die sich vor allem aus Angehörigen der Aizsargi und der Polizei zusammensetzten. Auch in Riga scheint es in den ersten Tagen der Besetzung ein 2.Sonderkommando für Pogrome gegeben zu haben. Das Kommando Arajs aber entwickelte sich zu dem Spezialkommando der Einsatzgruppe A (und des ihr unterstellten Einsatzkommandos 2) für Massenerschiessungen. In dieser Eigenschaft wurde es nicht nur in Riga eingesetzt, sondern fuhr im ganzen Land umher. Seine Tätigkeit begann mit Pogromen, Massenverhaftungen und Erschiessungen in und bei Riga.

Mit der zugelassenen Anklage hat die Staatsanwaltschaft dem Angeklagten auch vorgeworfen, er habe sich an bestimmten Massenerschiessungen im Sommer und Herbst 1941 sowie im Jahre 1942 beteiligt. Auf Antrag der Staatsanwaltschaft hat das Gericht durch Beschluss vom 13.Februar 1978 das Verfahren insoweit gemäss §154 Abs.2 StPO vorläufig eingestellt. Gleichwohl hat das Gericht Feststellungen darüber treffen müssen, in welcher Weise der Angeklagte sich schon vor der Jeckeln-Aktion an der Verfolgung und Ermordung der jüdischen Bevölkerung Lettlands beteiligt hatte, weil dieses Verhalten des Angeklagten Schlussfolgerungen auf seine innere Einstellung erlaubt, mit der er sich an der angeklagten Tat beteiligte.

Während der ersten Woche der Besetzung Rigas wurden die Synagogen der Stadt eingeäschert. Mindestens zwei von ihnen, die in der Gogolstrasse und die in der Stabustrasse, wurden von Männern des Kommandos Arajs in Brand gesetzt. Dabei kamen im Keller der Synagoge in der Gogolstrasse auch einige Juden ums Leben. Arajs selbst befahl seinen Leuten, diese Synagoge in Brand zu setzen. Dabei erklärte er ihnen, dass sie, da die Bevölkerung Rigas die Juden hasse, ihre Haltung zum Ausdruck bringen und die Synagoge in Brand stecken müssten, damit von der jüdischen Kultur nichts übrig bleibe. Arajs sagte damals, die Juden seien Parasiten, sie hätten nie etwas geleistet und nun sei die Zeit gekommen, sie endgültig loszuwerden. Der Angeklagte befand sich zu einem nicht mehr genau feststellbaren Zeitpunkt bei der brennenden Synagoge in der Gogolstrasse. Ob er von den darin ums Leben kommenden Menschen wusste, hat das Gericht nicht mehr feststellen können.

Viele Juden wurden im Juli 1941 in Riga verhaftet, vor allem Männer. Die Festgenommenen wurden in Polizeirevierwachen, in der Präfektur und auch im Stabsgebäude des Angeklagten in der Waldemarstrasse 19 gesammelt. Von dort wurden sie entweder direkt zu Massenerschiessungen in den Bickernicker Wald (Wald von Bikernieki) bei Riga oder in das Zentralgefängnis transportiert. Die Verhaftungen wurden von lettischen Polizisten und in einigen Fällen auch von Angehörigen des Kommandos Arajs ausgeführt. Wo Juden zu finden waren, erfuhren sie von Nachbarn oder Hausmeistern.

In der zweiten Hälfte des Juli 1941 wurde auch die Zeugin Me. zusammen mit ihrer Mutter im Keller des Hauses Waldemarstrasse 19 eingesperrt. Ihre Mutter wurde nach einigen Tagen ausgesucht und, wie es damals hiess, in das Gefängnis gebracht. Frau Me. dagegen wurde etwa drei Wochen lang in dem Gebäude festgehalten und zu verschiedenen Arbeiten für das Kommando Arajs eingesetzt. In dieser Zeit erfuhr sie, wer Arajs war, weil Untergebene des Angeklagten sie auf ihn als ihren Vorgesetzten hinwiesen und sie ihn wiederholt sah. In den Polizeiwachen, in der Präfektur und auch in der Waldemarstrasse 19 kam es zu schlimmen Ausschreitungen gegen die Juden. So wurden junge Frauen von Männern des Arajs-Kommandos nachts aus dem Keller geholt und in den oberen Diensträumen vergewaltigt. Das Gericht hat nicht feststellen können, ob der Angeklagte sich an solchen Ausschreitungen beteiligt hat.

Insgesamt sind den von Letten ausgeführten Pogromen der ersten Juli-Tage in Riga 400 Juden zum Opfer gefallen. Sehr viel mehr wurden bei den organisierten Massenerschiessungen getötet, die ebenfalls Anfang Juli 1941 begannen. Solche Erschiessungen standen im Sommer und Herbst 1941 im Vordergrund der Tätigkeit des Arajs-Kommandos. Ohne einzelne Aktionen als historische Ereignisse in jedem einzelnen Fall abgrenzen zu können und zu müssen, hat das Gericht über den Ablauf der vor der Ghettoräumung durchgeführten Erschiessungen folgende Feststellungen noch treffen können:

Allein im Juli 1941 war das Arajs-Kommando mindestens zehnmal zu Massenerschiessungen in der Nähe Rigas, meist im Bickernicker Wald, eingesetzt. Auch nach dem Juli wurden dort und an anderen Orten Lettlands Massenerschiessungen mit dem Kommando Arajs vorgenommen. Die Zahl dieser Einsätze hat das Gericht nicht mehr feststellen können. Sie fanden jedenfalls in den Orten Rezekne (Rositten), Kuldiga (Goldingen), Talsi (Talsen), Krustpils (Kreuzburg), Ventspils (Windau) und Viljani statt. Die Einsatzbefehle zu solchen Aktionen wurden dem Kommando jeweils von der deutschen Sicherheitspolizei erteilt und wurden zum Beispiel von Dr. Lange, dem späteren Kommandeur der Sicherheitspolizei und des SD Lettland (KdS), der damals noch Abteilungsleiter der Einsatzgruppe A war, telefonisch oder durch Offizier übermittelt. Zu den Erschiessungen im Bickernicker Wald wurden die Opfer mit Bussen oder Lastwagen gebracht. Sie mussten sich im Wald auf den Boden setzen und die Erschiessung der anderen entweder mit ansehen, oder sie hören, bis sie selbst an die Gruben getrieben wurden. Die Menschen wurden durch ein Spalier von Männern des Arajs--Kommandos an den Rand der Gruben geführt und dort mit dem Gesicht zur Grube aufgestellt. Meist schossen je zehn Mann des Arajs-Kommandos kniend auf den Rücken und zehn stehend auf den Kopf oder das Genick der Opfer.

Offiziere der lettischen Sicherheitshilfspolizei gaben die Feuerkommandos. Deutsche Offiziere der Sicherheitspolizei, unter ihnen Dr. Lange und der verstorbene Angeklagte Bes. [60], waren regelmässig bei den Erschiessungen im Bickernicker Wald dabei. Sie führten die Aufsicht, gaben Gnadenschüsse auf nicht tödlich Getroffene ab und schirmten die Letten vor unerwünschten Störungen - etwa durch die Wehrmacht - ab. Es gab aber auch Erschiessungen, bei denen deutsche Schützen sich mit den Letten abwechselten.

Opfer der Massenerschiessungen waren vor allem jüdische Menschen, aber auch Letten, insbesondere Politruks und andere, die als Kommunisten galten. Vereinzelt wurden auch Zigeuner und Geisteskranke erschossen. Bei den ersten Erschiessungen wurden nur Männer erschossen, später auch Frauen und Kinder. Die Opfer wurden in der ersten Zeit bekleidet erschossen, später mussten sich mindestens die Männer ausziehen.

In der Regel liessen sich die Menschen ohne Widerstand umbringen. Nur vereinzelt gab es Fluchtversuche oder gar Widerstand. Das Erschiessungsgelände wurde von Männern des Arajs-Kommandos oder von deutschen Polizisten abgesperrt. Meist begannen die Erschiessungen sehr früh am Morgen und dauerten je nach Umfang mehrere Stunden. Die Beteiligten erhielten Wodka und Imbisse, vor allem nach den Aktionen.

An den Massenerschiessungen im Sommer und Herbst des Jahres 1941 nahm der Angeklagte wiederholt teil und leitete den Einsatz seiner Leute. Er schoss gelegentlich selbst auf Opfer, darunter auch auf Juden. Bei einer der ersten Massenerschiessungen stellte er selbst aus seinen Leuten die Gruppe der Schützen zusammen.

Die Zahl der bei einzelnen Erschiessungen dieser Art getöteten Menschen betrug bei den Erschiessungen im Bickernicker Wald bis zu 500. In anderen Orten wurden auch mehr Menschen erschossen. So werden für Rositten 800 Juden genannt. Vor dem 16.Juli 1941 wurden durch lettische Hilfspolizei und eigene Kräfte der Einsatzgruppe A rund 2.300 Juden aus Riga erschossen. Bis zum 15.Oktober 1941 erhöhte sich die Zahl der aus dem Gebiet von Riga insgesamt exekutierten Personen auf 6.378. Insgesamt wurden bis zu diesem Zeitpunkt in ganz Lettland durch die Einsatzgruppe A und ihre Hilfskräfte 30025 Juden umgebracht. Die Zahl der als Kommunisten angesehenen Opfer war dagegen sehr viel geringer: Sie betrug 1.843 in ganz Lettland. Die durch die Pogrome der ersten Julitage getöteten Juden sind in diesen Zahlen nicht enthalten.

[60] Siehe Lfd.Nr.820.

A. III. 4.) Die Einrichtung des Ghettos von Riga

Am 25.Juli 1941 trat Lohse den Dienst als Reichskommissar für das Ostland an. Er erliess mit Datum vom 13.August 1941 Vorläufige Richtlinien für die Behandlung der Juden im Gebiet des Reichskommissariats Ostland. Darin wurden zahlreiche Anordnungen getroffen, die eine weitgehende Entrechtung der jüdischen Bevölkerung zur Folge hatten. Unter anderem wurde angeordnet, dass die Juden sich registrieren lassen und mit gelben Sternen kennzeichnen mussten. Der Besitz bestimmter Gegenstände, die Benutzung zahlreicher öffentlicher Einrichtungen und die Ausübung vieler Berufe wurden ihnen verboten. Die Beschlagnahme ihres Vermögens wurde vorgesehen und die Einrichtung von Ghettos angeordnet.

Lohse ordnete unter anderem folgendes an:

> "V. Folgende weitere Massnahmen sind unter Berücksichtigung der örtlichen, insbesondere wirtschaftlichen Verhältnisse mit Nachdruck anzustreben:
>
> a) Das flache Land ist von Juden zu säubern.
> ...
> d) Die Juden sind tunlichst in Städten oder in Stadtteilen grosser Städte zu konzentrieren, die bereits eine überwiegende jüdische Bevölkerung besitzen. Dort sind Ghettos zu errichten. Den Juden ist das Verlassen der Ghettos zu verbieten.
> In den Ghettos ist ihnen nur so viel an Nahrungsmitteln zu überlassen, wie die übrige Bevölkerung entbehren kann, jedoch nicht mehr, als zu notdürftigen Ernährung der Insassen des Ghettos ausreicht. Das gleiche gilt für die Versorgung mit anderen lebenswichtigen Gütern.
> Die Insassen des Ghettos regeln ihre inneren Verhältnisse in Selbstverwaltung, die vom Gebiets-Stadtkommissar oder seinem Beauftragten beaufsichtigt wird.
> Als Ordnungsdienst für die innere Ordnung können Juden eingeteilt werden. Sie sind höchstens mit Gummiknüppeln oder Stöcken auszurüsten und durch weisse Armbinden mit gelbem Judenstern am rechten Oberarm kenntlich zu machen.
> Für die äussere hermetische Abschliessung der Ghettos sind tunlichst Hilfspolizisten aus den Landeseinwohnern einzusetzen.
> Das Betreten der Ghettos ist von der Erlaubnis des Gebietskommissars abhängig zu machen."

Noch im August begann in Riga die Registrierung und Umsiedlung der Juden in die Moskauer Vorstadt (auch Lettgaller Vorstadt genannt). Dies war eines der schlechtesten Wohnviertel von Riga. Die dort bis dahin wohnende nicht jüdische Bevölkerung musste in andere Stadtteile umziehen. Zum Teil tauschte sie mit Juden die Wohnungen. Bereits am 23.August 1941 erschien in der Zeitung "Tevija" ein Artikel über die Einrichtung des Ghettos, der über die bereits laufende Umsiedlung, die Grenzen des Ghettos, die Regelung der dortigen Lebensverhältnisse und anderes mehr berichtete.

Am 23.Oktober 1941 traf der Gebietskommissar Riga-Stadt die folgende

> "Anordnung
> über die Umsiedlung der Juden ins Ghetto.
>
> Sämtliche im Gebiet der Stadt Riga lebenden Juden sind verpflichtet, bis zum 25.Oktober 1941 18 Uhr, soweit sie sich nicht schon im Ghetto befinden, dort-

hin umzusiedeln [61]. Nichtbefolgung dieser Anordnung wird strengstens bestraft.

Riga, den 23.Oktober 1941.

Der Gebietskommissar Riga-Stadt".

Am 25.Oktober 1941 wurde das Ghetto geschlossen.

Das Ghetto wurde von lettischen Schutzpolizisten (auch Schutzmannschaften genannt) bewacht, die dem Kommandeur der Schutzpolizei unterstanden. Der Kommandeur der Schutzpolizei Riga erliess am 20.November 1941 eine Wachvorschrift für das Ghetto, in der unter anderem bestimmt wurde, dass Angehörige der lettischen Geheim- und Kriminalpolizei sowie der Sicherheitspolizei und des SD das Ghetto jederzeit betreten dürften.

Am 20.November 1941 berichtete der Generalkommissar in Riga dem Reichskommissar über den Abschluss der Einrichtung des Ghettos unter anderem:

"Das Ghetto in Riga.
Mit dem 25.Oktober 1941 sind alle in Riga lebenden Juden im Ghetto in der Moskauer Vorstadt, das von den Strassen Lettgaller, Witebsker, Lettgaller, Judenstrasse, Löwenstrasse, Gr. Bergstrasse, Lasdoner Strasse, Katholische Strasse, Jakobstädter Strasse und Carl-Schirren-Strasse begrenzt ist, untergebracht worden. Das Ghetto ist durch einen doppelten Stacheldrahtzaun vollkommen von den übrigen Stadtteilen Rigas abgeschlossen. Ein- und Ausgangsverkehr ist nur an einer Stelle möglich. Ab 25.10.1941 wird dieser Eingang von Polizeikräften der hiesigen Schutzmannschaften bewacht. Diese Wachmannschaften sind in einem besonderen Wachgebäude am Eingang des Ghettos untergebracht worden. Der Dienst dieser Überwachungsorgane regelt sich nach einer vom Kommandeur der Schutzpolizei Riga herausgegebenen Wachvorschrift, die in der Anlage abschriftlich beigefügt ist.

Der Arbeitseinsatz der Rigaer Juden.
Für alle Juden wurde eine Kartei angelegt, die folgendes Bild ergibt:

a) Kinder bis zu 14 Jahren	
Knaben	2794
Mädchen	2858
	5652
b) arbeitsfähige von 14 bis 65 Jahren	
Männer	6143
Frauen	9507
	15650
c) arbeitsunfähige Männer	2069
" Frauen	6231
	8300
zusammen:	29602"

[61] Im Urteil: umsiedeln.

Die Zahl der bei Schliessung im Ghetto lebenden Juden betrug mindestens 29.602.

A. IV. Die Räumung des Grossen Ghettos von Riga (Jeckeln-Aktion)

A. IV. 1.) Vorbereitungen der Jeckeln-Aktion

Anfang November 1941 wurde der Höhere SS- und Polizeiführer Ostland und Russland--Nord, Prützmann, von dem SS-Obergruppenführer Friedrich Jeckeln abgelöst. Mit Jeckeln kam ein Mann nach Riga, der von den ehemaligen Angehörigen seines Stabes Deg., Hem. und Zin. sowie von dem früheren SS- und Polizeiführer Lettland, Schr. als harter, eigenwilliger Vorgesetzten geschildert worden ist, der sich besonders für die Vernichtung der Juden einsetzte. Als Höherer SS- und Polizeiführer Russland-Süd hatte Jeckeln sich bereits mit umfangreichen Massenerschiessungen von Juden hervorgetan, die er nach einem von ihm selbst entwickelten Schema durchführen liess. Von dort nahm er auch seinen Stab mit nach Riga.

Aus Anlass seiner Ernennung zum Höheren SS- und Polizeiführer im Ostland und in Russland-Nord machte Jeckeln einen Besuch bei Himmler in Berlin. Dort erhielt er von Himmler die Weisung, die lettischen Juden des Rigaer Ghettos zu liquidieren.

Nach dem Muster der in Süd-Russland erprobten Aktionen entwarf Jeckeln in Riga den Plan für die Gesamtaktion. Er suchte bei einer Autofahrt selbst ein geeignetes Gelände in der Nähe der Bahnstation Rumbula aus. Dieses Gelände lag einige Kilometer vom Ghetto entfernt und ein paar hundert Meter links der Strasse von Riga nach Dünaburg. Es war etwas hügelig und hatte trockenen Sandboden. Auf dem Gelände befand sich auch ein kleiner Wald.

Der Baudezernent im Stab Jeckelns, der SS-Untersturmführer Ernst Hem., wurde beauftragt, zur Aufnahme von 25.000 bis 28.000 erschossenen Menschen Erschiessungsgruben zu planen und auszuheben. Er entwarf 6, vielleicht auch mehr Gruben, die etwa drei Meter tief waren und ungefähr 10 x 10 Meter massen. Die Gruben wurden an einer Seite mit schrägen Rampen versehen, damit die Opfer nicht hineinspringen mussten. Unter Hem.s Aufsicht wurden diese Gruben von etwa 300 russischen Kriegsgefangenen ausgehoben.

Jeckeln plante auch den Ablauf der Räumung innerhalb des Ghettos und führte Vorbesprechungen mit den Kommandeuren der beteiligten Polizeieinheiten. An Hand einer Stabsliste bestimmte er den Einsatz der Leute seines Stabes.

Kurz vor der Räumung fanden abschliessende Einsatzbesprechungen statt. In einer Besprechung beim Kommandeur der Schutzpolizei machte Jeckelns Ordonnanzoffizier, der verstorbene Angeschuldigte Deg., die sachlichen Ausführungen. Die anwesenden Offiziere hatten ihre einzelnen Befehle schon vor dieser Besprechung erhalten. Es ging nur noch um Einzelfragen. Alle Beteiligten wussten, dass es um eine Erschiessungsaktion ging. Bei dieser Vorbesprechung waren auch lettische Offiziere anwesend. Es war von vornherein klar, dass die Räumung zwei Tage dauern sollte. Das Gericht hat nicht feststellen können, ob der Angeklagte selbst oder durch seine Offiziere an solchen Vorbesprechungen teilgenommen hat.

Vor der Ghetto-Räumung wurden als Arbeitskräfte unentbehrliche Männer ausgesondert. Zu diesem Zweck wurden im östlichen Teil des Ghettos an der Ludsasstrasse einige Blocks geräumt und mit Stacheldraht vom Rest des Ghettos getrennt. In dieses von den Juden das Kleine Ghetto genannte Gebiet wurden dann jüdische Männer, darunter auch Halbwüchsige ab 15 Jahren, eingewiesen. Zum Teil wurden ganze Arbeitskolonnen nach einer Selektion am Haupttor des Grossen Ghettos in das Kleine Ghetto eingewiesen. Das geschah noch am Abend des 29.November 1941. Ausserdem wurden vor und nach dem 30.November 1941 einige hundert jüdische Frauen aufgerufen, sich als Schneiderinnen zu melden. Sie wurden in ein Gefängnis gefahren, dort ausgesucht und, soweit sie nicht als Arbeitskräfte in einem Gebäude, dem sogenannten Frauenghetto kaserniert wurden, wieder in das Grosse Ghetto zurückgebracht.

A. IV. 2.) Der erste Räumungstag am 30.November 1941

Am frühen Morgen des 30.November 1941 begannen lettische Schutzpolizisten, die im westlichen Teil des Ghettos wohnenden Menschen aus ihren Häusern zu holen. Geleitet wurden die Letten von Oberleutnant Danskop und unterstützt durch den jüdischen Ordnungsdienst des Ghettos. Es war kalt und noch dunkel, als die Räumung begann. Die Letten gingen sehr brutal vor. Wer nicht folgte, wurde geschlagen; manche wurden auch erschossen.

Die Räumung wurde von deutschen Schutzpolizisten unter Oberleutnant Hes. beaufsichtigt. Einer von ihnen war der Zeuge Otto Tuchel [62]. Er stellte auf der Ludsasstrasse Marschkolonnen von jeweils 1.000 Menschen zusammen. 8-10 solcher Kolonnen verliessen am 30.November 1941 das Ghetto. Sie marschierten über die Chaussee, die in Richtung Dünaburg führte, bis zum Wald von Rumbula. Nicht gehfähige Menschen wurden in Wagen hinausgefahren. Als gegen Mittag die Räumung des westlichen Ghettoteils beendet wurde, mussten Juden, die schon marschbereit angetreten waren, wieder in ihre Häuser zurückkehren.

Am Wald von Rumbula angekommen, mussten die Juden ihre Wertsachen abliefern und wurden dann, nachdem sie sich wenigstens teilweise entkleidet hatten, durch ein Spalier von Polizisten in die Gruben getrieben. Dort mussten sie sich auf die Leichen der vor ihnen erschossenen Menschen legen und wurden von Deutschen mit Maschinenpistolen einzeln erschossen.

Zahlreiche Angehörige verschiedener Dienststellen verfolgten an den Gruben das Geschehen. Im Einsatz waren insgesamt etwa 1.000 Mann. Das Gericht hat nicht feststellen können, ob der Angeklagte oder Mitglieder seines Kommandos am ersten Tag der Ghettoräumung eingesetzt waren.

A. IV. 3.) Der zweite Räumungstag am 8.Dezember 1941

Am 8.Dezember 1941 wurde die Ghettoräumung nach dem gleichen Schema fortgesetzt wie am 30.November 1941. Diesesmal wurde auch das Arajs-Kommando herangezogen.

Alle verfügbaren Männer des Kommandos, ungefähr 300 bis höchstens 400, waren im Einsatz. Sie fuhren auf Kraftfahrzeugen am Morgen in den Wald von Rumbula und wurden an Ort und Stelle von ihren Offizieren in ihre Aufgaben eingewiesen. Die Männer des Kommandos Arajs wurden an diesem Tag als das Absperrspalier an den Gruben eingesetzt. Sie bildeten zwei einander gegenüberstehende Sperrketten. Durch dieses Spalier wurden die Juden in die Gruben getrieben. Innerhalb dieses Spaliers wurden sie gezwungen, sich ganz oder teilweise auszuziehen.

Im Ghetto selbst wurde die Räumung wiederum mit der Behauptung getarnt, dass die Menschen in ein anderes Lager kommen sollten. Doch hatte sich nach dem 30.November 1941 die Nachricht von der Erschiessung der Juden in Rumbula bereits im Ghetto verbreitet. Die angebliche "Umsiedlung" oder "Verlegung" fand, wenn überhaupt, wenig Glauben.

[62] Siehe Lfd.Nr.789.

Am 8.Dezember 1941 räumte wieder die lettische Schutzpolizei vom frühen Morgen an unter Aufsicht deutscher Schutzpolizisten, die wieder von Hes. geleitet wurden, die Häuser. Diesmal stiess sie auf grössere Schwierigkeiten, weil die Bewohner des Ghettos argwöhnischer waren als am 30.November 1941. Juden, die sich der Räumung widersetzten, wurden geschlagen und Flüchtende wurden erschossen.

Die Juden wurden wieder in Kolonnen zusammengestellt und zu Fuss über die Moskauer Strasse auf die Landstrasse nach Dünaburg getrieben. Die Kolonnen wurden von lettischen und deutschen Polizisten begleitet. Auch berittene Polizei war im Einsatz. In den Kolonnen gingen viele Frauen, Kinder und ältere Menschen. Nicht Gehfähige wurden wiederum auf Fahrzeugen hinausgefahren. So wurden auch Kranke aus dem jüdischen Krankenhaus im Ghetto mit Fahrzeugen abtransportiert.

Die Kolonnen wurden von den Begleitmannschaften mit Schlägen angetrieben. Kinder, die auf den vereisten Strassen hinfielen, wurden von den nachdrängenden Menschen niedergetrampelt. Als die Kolonnen sich dem Wald von Rumbula näherten, mussten sie einen Absperrring passieren, der von Deutschen gebildet wurde. Männer in SS-Uniform empfingen die Kolonnen. Ein Deutscher stand an einer grossen Kiste, in die die Juden ihre noch vorhandenen Wertsachen werfen mussten. Manche waren schon bei der Räumung im Ghetto von lettischen Polizisten ausgeplündert worden. An der Kiste hörte man bereits die Schüsse aus den Maschinenpistolen. Die Juden wurden in das Spalier des Arajs-Kommandos getrieben. Sie wurden gezwungen, sich auszuziehen. Manche schrien und weinten, andere wurden verprügelt. Die Menschen standen dann nackt oder auch in Unterwäsche an den Gruben, bis sie nacheinander hineingingen und von Deutschen mit Einzelschüssen aus Maschinenpistolen in das Genick oder in den Kopf erschossen wurden. Auch die Zeugen Frieda Mi., Matis Lut., dessen Frau und die Zeugin Ella Me. mussten sich in diesem Spalier entkleiden. Frau Mi. versuchte, ihre lettischen Arbeitspapiere vorzuweisen. Doch einer der lettischen Posten gab ihr einen Faustschlag und rief, sie solle zu Stalin gehen mit ihren Dokumenten. Frau Mi. sah eine blonde Frau sich an den Mann wenden, der die Menschen in die Grube trieb. Diese Frau behauptete, sie sei mit einem Letten verheiratet. Frau Mi. nutzte diese Gelegenheit aus und liess sich zu Boden fallen. Sie wurde für tot gehalten und überlebte an der Grube unter einem Berg von Schuhen, den andere Juden nach und nach über ihr aufhäuften.

Der Zeuge Lut. wurde gemeinsam mit seiner Frau im Spalier gezwungen, sich auszuziehen. Da erblickte er Fahrer des Arajs-Kommandos, die Kleider der erschossenen Opfer auf Lastwagen luden. Er flehte sie an, ihn und seine Frau zu retten. Die Fahrer hörten auf seine Bitte und verbargen das Ehepaar Lut. unter den Kleidern. Sie fuhren sie mitsamt den Kleidern in die Waldemarstrasse 19. Dort wurden beide untergebracht und arbeiteten weiter für das Kommando Arajs. Arajs selbst erschien eines Tages in der Garage, um zu sehen, wo der gerettete Jude sei. Er sah Lut., lachte und ging weg.

Am frühen Nachmittag gegen 1-2 Uhr wurde das medizinische Personal des jüdischen Krankenhauses im Ghetto mit Autos abgeholt. Unter ihnen befand sich die Zeugin Me. mit ihrer Schwester. Sie wurden über die Moskauer Strasse nach Rumbula hinausgefahren. Dort sahen sie eine lange Kolonne Menschen vor sich und wurden wie die anderen an der Kiste für die Wertsachen vorbei in das Spalier zum Auskleiden getrieben. Als Frau Me. ihren Mantel ablegte, erhielt sie einen Schlag in den Rücken und fiel hin. Als sie sich wieder erhob, erblickte sie den Mann, der sie geschlagen hatte, und erkannte ihn als einen derjenigen, die sie im Stab des Arajs-Kommandos in der Waldemarstrasse 19 gesehen hatte. Sie flehte ihn an, er solle sie retten und behauptete dabei, sie sei keine Jüdin. Er antwortete ihr, er könne ihr nicht helfen; sie solle sich an seinen Vorgesetzten wenden. Frau Me. erblickte nicht weit entfernt Arajs und wandte sich an ihn. Ihre Bitte, sie zu retten, wies er jedoch zurück. Sie kehrte zu dem Mann zurück, der sie geschlagen hatte und bat ihn noch einmal, sie zu retten. Nun forderte er sie auf, mit Deutschen zu sprechen. Sie trat zu einem deutschen Offizier und sagte, sie sei keine Jüdin. Er fragte sie, auf welche Weise sie dorthin gekommen sei. Sie erwiderte, sie sei mit einem Juden verheiratet gewesen. Der Deutsche sagte ihr, wenn sie lüge, werde sie am nächsten Tag erschossen. Frau Me. behauptete noch einmal, es sei wahr. Er befahl ihr, sich zur Seite zu stellen, ihren Mantel herauszuziehen und Schuhe anzuziehen. Es gesellten sich noch drei andere Frauen nach und nach zu ihr. Diese vier Frauen wurden nach längerem Warten von Hauptmann Cukurs, einem Offizier des Arajs-Kommandos, nach Riga in die Dienststelle Jeckelns gefahren. Am nächsten Tag wurden sie von Jeckeln verhört. Frau Me. gelang es, mit Hilfe lettischer Bekannter einen lettischen Ausweis zu erhalten und zu überleben.

A. IV. 4.) Die abschliessende Durchsuchung am 9.Dezember 1941

Am 9.Dezember 1941 fand im Grossen und im Kleinen Ghetto eine die Jeckeln-Aktion abschliessende Durchsuchung statt, bei der versteckte Juden und einige der nicht zur Arbeit gegangenen Männer des Kleinen Ghettos zusammengetrieben und mit Bussen weggefahren wurden.

Die Anklage hat dem Angeklagten vorgeworfen, an diesem Tag bei der Durchsuchung mitgewirkt und eine Frau erschossen zu haben. Das ist jedoch nicht bewiesen.

A. IV. 5.) Die Zahl der Opfer

Insgesamt sind der Jeckeln-Aktion mindestens 25.100 Menschen aus dem Rigaer Ghetto zum Opfer gefallen. Davon sind 10.600 am ersten Räumungstag und mindestens 13.000 am 8.Dezember 1941 getötet worden. Höchstens 4.500 Menschen haben die Jeckeln-Aktion im Kleinen Ghetto und im sogenannten Frauenghetto überlebt.

A. V. Die Beteiligung des Angeklagten an der Jeckeln-Aktion

Zu einem nicht mehr genau feststellbaren Zeitpunkt wurde dem Angeklagten telefonisch der Befehl Dr. Langes übermittelt, alle verfügbaren Leute für den Einsatz in Rumbula bereitzustellen. Ob der Angeklagte selbst oder vertreten durch Offiziere seiner Einheit an Vorbesprechungen teilnahm und welche Vorbereitungen er sonst für diesen Einsatz traf, hat das Gericht nicht mehr feststellen können.

Festgestellt ist, dass Arajs selbst am Morgen des 8.Dezember 1941 seinen Männern den Befehl gab, mit bereitstehenden Fahrzeugen hinauszufahren. Der Angeklagte fuhr zusammen mit Hauptmann Cukurs und zwei anderen Offizieren seines Kommandos nach Rumbula. Seiner nicht widerlegten Einlassung nach geschah das gegen 10 oder 11 Uhr vormittags. In Rumbula kontrollierte und beaufsichtigte der Angeklagte seine Leute. Zeitweilig stand er mit hohen deutschen Offizieren an einer Erschiessungsgrube. Einmal trat er zu Letten und sagte in lettischer Sprache "Der schiesst gut." Damit meinte er den Deutschen, der in der Grube stand und die Menschen erschoss. Als Frau Me. Arajs erblickte, fiel sie vor ihm nieder und flehte ihn an: Vielleicht erinnere er sich an sie; sie sei keine Jüdin, er solle sie retten. Arajs lehnte das in lettischer Sprache mit den Worten ab: "Hier sind nur Juden. Heute muss jüdisches Blut fliessen."

Als der Angeklagte den Auftrag zum Einsatz in Rumbula übernahm, als er seinen Leuten den Befehl zum Einsatz gab, sie bei diesem Einsatz leitete und beaufsichtigte und als er Frau Me. in Rumbula zurückwies, tat er dies, weil er den Hass der nationalsozialistischen Machthaber auf die Juden teilte, weil ihm das Leben der Juden nichts bedeutete und er ihre Ausrottung in Lettland zu seiner eigenen Sache gemacht hatte. Der Angeklagte teilte dabei die gefühllose und unbarmherzige Gesinnung, mit denen den Opfern die mit den Umständen dieser Aktion verbundenen Qualen zugefügt wurden.

Der Angeklagte wusste und wollte bei seinem Tun von vornherein, dass die Juden in Rumbula getötet werden sollten und getötet wurden, nur weil sie Juden waren. Er wusste und wollte, dass ihnen dabei aus gefühlloser und unbarmherziger Gesinnung bei der Räumung der Häuser im Ghetto, während des Marsches, vor und in den Gruben durch Schläge, Todesangst, Ausziehen und Warten in der Kälte und das Erleben des Sterbens anderer besondere Qualen zugefügt wurden.

Der Angeklagte wusste, dass er gemeinschaftlich mit denjenigen Männern der deutschen Führung, die die Vernichtung auch der lettischen Juden angeordnet hatten, sowie mit den in Riga handelnden Befehlsgebern an einer planmässigen, arbeitsteiligen Massentötung mitwirkte, bei der seinem Kommando eine für den Erfolg der ganzen Aktion wesentliche Aufgabe unmittelbar vor den Erschiessungsgruben zugewiesen war.

B. Feststellungsgrundlagen

B. I. Allgemeines zu den Feststellungsgrundlagen

1.) Der Angeklagte hat sich zu dem Vorwurf der Anklage, sieht man auf seine gesamte Einlassung während der zweieinhalbjährigen Dauer der Hauptverhandlung, wechselhaft und widersprüchlich geäussert. Dabei hat sein Bestreben, dem Gericht das Bild eines kranken alten Mannes zu bieten, der der Verhandlung nicht mehr folgen, sich nicht vernünftig einlassen und verteidigen könne, eine wesentliche Rolle gespielt. So hat er mehrfach behauptet, er wisse überhaupt nicht, warum er hier (in der Verhandlung) sitze, ihn gehe dies alles gar nicht an; er wisse kaum, wovon die Rede sei und habe "damit" - gemeint hat er die Verfolgung der Juden - nichts zu tun gehabt. Wiederholt und noch in seinem letzten Wort hat der Angeklagte betont, er sei unschuldig. Zwar könne er nicht ausschliessen, dass Mitglieder des von ihm gebildeten Kommandos an Erschiessungen, auch von Juden, beteiligt gewesen seien. Damit habe er aber nichts zu tun gehabt. Den Befehl zu solchen Einsätzen hätten andere erhalten und befolgt. Er glaube, dass es sich dabei insbesondere um Hauptmann Laukers gehandelt habe.

Von einem Arajs-Kommando habe man auch erst später, in den Jahren 1943 und 1944 gesprochen. Er, der Angeklagte, habe bei Dr. Lange gegen diese Bezeichnung protestiert. Als deutsche Juden nach Riga gebracht wurden, hätten zu Beginn des Jahres 1942 - nach der Jeckeln-Aktion - mehrere lettische Offiziere ein Protestschreiben an Dr. Lange gerichtet, in dem sie sich dagegen verwahrt hätten, dass Lettland zum "Judenfriedhof" gemacht werde. Er, Arajs, habe dieses Schreiben als erster unterschrieben und sei deshalb bei den Deutschen in Gefahr geraten.

In deutlichem Gegensatz hierzu hat der Angeklagte mehrfach, zuerst am 2.Dezember 1977, erklärt, er habe vor dem Staatsanwalt (so wörtlich:) "ein umfassendes Geständnis abgelegt". Diese Erklärung hat er dann gelegentlich relativiert mit dem Hinweis, er habe dort mehr gesagt, als er gewusst habe und Dinge berichtet, die er erst nach dem Krieg in den Lagern gehört habe. Zur Begründung hat er dazu gesagt, das habe er aus Geltungsbedürfnis getan. Diese Begründung hat einen wahren Kern, was aber nicht heisst, dass der als Geständnis zu wertende Teil der Einlassung des Angeklagten unrichtig ist: Nach der Verhaftung hatte der Angeklagte erstmals seit rund 25 Jahren seine Identität wiedererlangt. Er brauchte seine Rolle als Hilfsarbeiter Zeibots nicht mehr zu spielen, eine Rolle, die weder seiner aussergewöhnlichen Begabung noch seinem Selbstverständnis entsprach. In der Euphorie, nun wieder "Arajs" sein zu dürfen, hat der Angeklagte dann mehr von seiner Erinnerung an die Geschehnisse des Jahres 1941 preisgegeben, als es seinem Verteidigungsinteresse entsprach. Insbesondere hat er zur Jeckeln-Aktion in Rumbula eine Darstellung gegeben, die ihn selbst als Mitwirkenden im strafrechtlichen Sinn kennzeichnet. Diese Aussagen sind ihm in der Hauptverhandlung wiederholt vorgehalten worden und er hat sie im wesentlichen bestätigt.

Das Gericht hat diese Geständnisse des Angeklagten, soweit er sie auf Vorhalt wiederholt und bestätigt hat, dem Urteil zugrundegelegt. Bei seinen Geständnissen hat der Angeklagte aber seine Verteidigung keineswegs völlig aus dem Blick verloren. Als Leiter seiner Männer bei Erschiessungen oder als Hauptverantwortlichen der Erschiessungsaktionen hat er sich für die Zeit vor der Jeckeln-Aktion nicht dargestellt. Über seine Beziehungen zu Dr. Lange hat er nur sehr vorsichtig und ausweichend gesprochen. Für den ganzen Zeitraum vom Juli 1941 bis zur Jeckeln-Aktion hat er nur für einen Fall eingeräumt, Dr. Lange zu einer Massenerschiessung begleitet zu haben.

Allerdings hat der Angeklagte eingeräumt, zum Einsatz in Rumbula den Befehl von Dr. Lange erhalten und befolgt zu haben. Dabei mag es eine Rolle gespielt haben, dass diese Aktion in ihrem für Lettland aussergewöhnlichen Umfang vom Höheren SS- und Polizeiführer Jeckeln und dessen Dienststelle geplant und geleitet, in wesentlichen Teilen auch von deutschen Kräften ausgeführt wurde, so dass der Angeklagte rückblickend geglaubt hat, sich als Mitwirkenden von geringer Bedeutung darstellen und seine Beteiligung gefahrlos einräumen zu können. Dem entspricht es, dass seine Versuche, diese Beteiligung zu leugnen oder doch abzuschwächen, erst hervorgetreten sind, nachdem ihm spätestens in der Hauptverhandlung klar geworden war, dass der vor dem Staatsanwalt eingeräumte Tatbeitrag ausreichen könnte, ihm die strafbare Beteiligung am Mord vorzuwerfen. In diesem Zusammenhang hat sich der Angeklagte wiederholt darüber beklagt, dass einer seiner Verteidiger ihm erklärt habe, seine Angaben beim Staatsanwalt reichten aus, ihn wegen Beihilfe im Zusammenhang mit der Jeckeln-Aktion zu verurteilen.

2.) Bedeutsame Feststellungen hat das Gericht auf die verlesenen Aussagen der Zeugen gestützt, die im Juni 1978 und im Januar 1979 auf Ersuchen des Gerichts durch sowjetische Staatsanwälte vernommen worden sind. Diese Zeugen sind alle uneidlich vernommen worden, weil der Eid in der Sowjetunion abgeschafft worden ist. Das Gericht hat die Niederschriften dieser Aussagen in deutscher Übersetzung gem. §251 Abs.1 StPO wie richterliche Protokolle verlesen, weil die Funktion der sowjetischen Staatsanwälte bei diesen kommissarischen Vernehmungen der eines ersuchten Richters entsprochen hat. Sowjetische Richter stehen für solche Aufgaben nicht zur Verfügung.

Das Gericht hält diese Aussagen nicht, wie es der Angeklagte gemeint hat, für generell ungeeignet, der Wahrheitsfindung zu dienen: Die mehrfach und nachdrücklich geäusserte Behauptung des Angeklagten, diese Zeugen stünden unter Druck; sie müssten sagen, was vorgeschrieben sei und um ihr Leben fürchten, wenn sie ihn nicht belasteten, ist durch den aus den Protokollen ersichtlichen Ablauf und Inhalt der Aussagen, sowie durch die glaubwürdige Aussage des sprachlich sachverständigen Zeugen Prof.Dr. Kr. widerlegt.

a) Dass die Zeugen von den sowjetischen Behörden nicht auf einen bestimmten Inhalt ihrer Aussagen festgelegt worden sind, ergibt sich bereits aus dem Umstand, dass den in Riga anwesenden deutschen Prozessbeteiligten ein uneingeschränktes Fragerecht eingeräumt worden ist. Davon haben die deutschen Beteiligten, wie die verlesenen Protokolle zeigen, ausgiebig Gebrauch gemacht. Keine ihrer Fragen ist von den sowjetischen Staatsanwälten beanstandet oder als unzulässig zurückgewiesen worden. Einen solchen Ablauf der Vernehmungen hätten die sowjetischen Behörden nicht riskieren können, wenn sie versucht hätten, die Zeugen auf einen bestimmten Inhalt ihrer Aussagen festzulegen.

Die Zeugen haben erkennbar eigenständig und uneinheitlich ausgesagt. Nicht einmal durch Vernehmungen, die früher stattgefunden hatten, haben sie sich auf bestimmte Inhalte festlegen lassen. Sie haben sich vielmehr in vielen Fällen zu ihren früher protokollierten Aussagen in Widerspruch gesetzt.

So hat der Zeuge Mur., wie sich aus dem Vorhalt eines Protokolls vom 5.Mai 1976 und seiner Antwort hierauf ergibt, früher etwas anderes über den Zeitpunkt gesagt, zu dem Arajs bei der Synagoge in der Gogolstrasse eintraf, als im Juni 1978 (Blatt 5636 f.). Die Zahl der Opfer einer Erschiessung, bei der der Angeklagte selbst zugegen war, hat Mur. anders angegeben als im vorgehaltenen Protokoll vom 4.Mai 1976 und dazu erklärt: Er vergesse. Er könne nicht Buch führen. (Blatt 5639).

Kal., der dem Kommando Arajs 1941, also in der Zeit der vielen Massenerschiessungen angehörte, hat ausgesagt, er erinnere sich nur an eine Massenerschiessung im Bickernicker Wald (Blatt 5694). Auf Vorhalt einer früheren Aussage, in der er von mehreren gesprochen hatte, hat er sich auf sein schlechtes Gedächtnis berufen. Das hat er auch bei Vorhalten seiner früher protokollierten Aussagen getan, dass Arajs von Befehlen gesprochen habe, die aus der Dienststelle Reimerstrasse kamen (Blatt 5690), dass deutsche Offiziere an Erschiessungen teilgenommen hätten (Blatt 5696) und dass der Angeklagte Freiwillige als Schützen ausgewählt habe (Blatt 5698).

Eli. hat trotz Vorhalt seiner früheren Aussage, dass der Angeklagte bei einer Erschiessung aus einer Maschinenpistole einen Feuerstoss auf Juden in einer Grube abgegeben habe, diesen Vorgang nicht bestätigt (Blatt 5716).

Jur. hat bestritten, vor seinem Eintritt in das Kommando Arajs im Juli 1941 gewusst zu haben, dass das Kommando Erschiessungen ausführte. Dabei ist er geblieben und hat sich sogar zu der Behauptung verstiegen, er habe nicht die geringste Vorstellung von dem haben können, was "dabei" (mit "dabei" hat der Zeuge die Tätigkeit im Arajs-Kommando gemeint) herauskam, obwohl ihm vorgehalten worden ist, dass er früher das Gegenteil gesagt habe (Bl.5789 f.). Einen anderen Widerspruch zu vorgehaltenen früheren Angaben über die Unterstellung des Kommandos Arajs unter das Einsatzkommando 2 hat er nicht erklärt (Blatt 5795). Weitgehend abgerückt ist Jur. auch von seiner früher protokollierten Aussage über die hier angeklagte Tat: Wie die Juden in Kolonnen zur Hinrichtung getrieben worden seien, habe er nicht selbst gesehen, sondern nur von anderen gehört (Blatt 5801). Im Gegensatz zu einem vorgehaltenen Protokoll einer früheren Vernehmung hat Jur. behauptet, nicht zu wissen, wer bei zwei Erschiessungen, bei denen er eingesetzt worden war, erschossen wurde. Schliesslich hat er auf wiederholte Fragen pauschal von Juden, Russen, Letten und anderen gesprochen (Blatt 5792, 5794, 5795).

Wan. hat frühere Angaben über das Datum seines Eintritts in das Kommando Arajs (Juli 1941) widerrufen und behauptet, er sei vielleicht erst im Dezember (1941) oder Januar (1942) eingetreten (Blatt 5729, 5731) - also nach der Jeckeln-Aktion.

b) Wären die Rigaer Zeugen in dem vom Angeklagten behaupteten Sinn festgelegt gewesen, hätte sich das in ihren Aussagen in einer deutlichen und betonten Belastung des Angeklagten, vor allem in Bezug auf die angeklagte Tat, zeigen müssen. Tatsächlich lassen die verlesenen Aussagen vielfach eher eine Tendenz der Zeugen erkennen, den Angeklagten zu schonen.

Von den im Juni 1978 vernommenen Zeugen haben überhaupt nur drei bekundet, den Angeklagten während der Aktion in Rumbula im Bereich Erschiessungsstätte gesehen zu haben: Mur. (Blatt 5647), Pro. (Blatt 5669) und Lut. (Blatt 5677). Lut. hat das im Verlauf seiner Aussage noch abgeschwächt und gesagt, "er glaube", dass er Arajs gesehen habe (Blatt 5678). Dabei haben Mur. und Lut. sich an keine bestimmte Tätigkeit des Angeklagten am Tatort erinnern können oder wollen: Mur. hat auf die Frage des sowjetischen Staatsanwalts, ob Arajs dort irgendwelche Anordnungen oder Befehle gegeben habe, erklärt, er habe nicht gehört worüber dort gesprochen worden sei. Und: Er wisse nicht, ob Arajs geschossen habe (in Rumbula) (Blatt 5647).

Überhaupt hat das Gericht in der Aussage des Zeugen Mur. trotz aller Belastungen des Angeklagten die sie enthält, die Tendenz gefunden, Arajs zu schonen. Dieser Zeuge hat z.B. im Gegensatz zu seiner ihm vorgehaltenen früheren Aussage eigenhändige Erschiessungen des Angeklagten eher als Ausnahmen dargestellt und erst auf wiederholte Fragen einzelne solcher Fälle preisgegeben. Zunächst hat er nur von einem Fall erzählt (Blatt 5638). Auf die weitere Frage, ob der Angeklagte in Kuldiga oder Krustpils selbst auf Menschen geschossen habe, ist der Zeuge erst ausgewichen und hat gesagt, lokale Polizei und Mitglieder des Arajs-Kommandos hätten geschossen. Auf wiederholte Frage hat er dann berichtet, dass Arajs in Kuldiga auf Menschen geschossen habe, die zu flüchten versuchten, und dass er dabei einen erschossen habe (Blatt 6441 f.). Erst auf weitere Fragen hat er davon berichtet, dass Arajs auch in Krustpils "einem den Rest gegeben" und ihn erschossen habe (Blatt 5643). Schliesslich hat er auch aus dem Jahr 1942 von einer Erschiessung berichtet, bei der der Angeklagte zwei oder drei Juden mit der Pistole erschossen habe. Auf Vorhalt seiner früheren Aussage, es sei eine Maschinenpistole gewesen, hat der Zeuge angekündigt, wenn er noch einmal aussagen müsse, werde er es völlig vergessen haben (Blatt 5645).

Das Gericht hat aus dieser Entwicklung der verlesenen Aussage des Zeugen Mur. geschlossen, dass er seine Erinnerung an das Verhalten des Angeklagten bei Massenerschiessungen nur widerwillig preisgegeben hat und bestrebt war, den Angeklagten zu schonen. Kal. hat zwar eingeräumt, dass er selbst in Rumbula im Einsatz war, hat aber behauptet, nicht zu wissen, ob auch der Angeklagte dabei war (Blatt 5698 f.). Im übrigen ist er Fragen immer wieder ausgewichen, so z.B. zur Verhaftung jüdischer Bürger: Darüber wisse er nichts Bestimmtes. Dann hat er auf weitere Fragen schliesslich eingeräumt, dass er selbst zu solchen Verhaftungen eingesetzt worden sei (Blatt 5691).

Auch Eli. ist Fragen nach dem Einsatz in Rumbula ausgewichen: Erst hat er erklärt, er wisse nichts darüber. Dann hat er auf Vorhalt der Bekundungen anderer Zeugen zugegeben, dass er selbst (als Leiter der Garage des Arajs-Kommandos) die Fahrzeuge zum Einsatz bereitstellen musste. Weitere Einzelheiten über die Jeckeln-Aktion hat er nicht bekunden wollen oder können (Blatt 5117 f.). Bezeichnend für die Versuche der in Riga vernommenen ehemaligen Angehörigen des Kommandos Arajs, den Angeklagten in ihren Aussagen eher zu schonen, ist auch die Antwort, die Eli. auf die Frage des lettischen Staatsanwalts Bu. gegeben hat, wie der Angeklagte Arajs sich zu Juden verhalten habe: Eli. hat darauf als erstes berichtet, dass Arajs den in der Garage arbeitenden jüdischen Schlosser Lut. geschützt habe, weil er ein guter Fachmann war, und dass Arajs sogar Lut.s Frau erlaubt habe, einige Zeit bei Lut. zu wohnen (Blatt 5712).

Ka., der zur Zeit der deutschen Besetzung Lettlands der politischen Polizei unter Tei. angehörte, hat sich zunächst geweigert, überhaupt nähere Angaben zur Sache zu machen. Das ist zwar nicht dem Protokoll seiner Vernehmung am 16.Juni 1978 zu entnehmen, aber Prof. Kr. hat als Zeuge glaubwürdig ausgesagt, dass Ka. im zweiten Satz seiner Aussage erklärt habe, mehr habe er nicht zu sagen. Der Zeuge hat sich dann auf Fragen doch geäussert, sich aber anfangs geweigert, über Hörensagen zu berichten (Blatt 5736 f.). Er hat geschildert, dass Arajs ihm eine Wohnung nachgewiesen habe und sich zögernd zu der Schlussfolgerung bekannt, dass Arajs Informationen darüber hatte, welche Wohnungen von Juden frei waren oder frei werden sollten (Blatt 5736 f.) und schliesslich eingeräumt, dass das allgemein bekannt war (Blatt 5741).

Auch in der Aussage des Zeugen Jur. hat das Gericht eine deutliche Tendenz gefunden, den Angeklagten zu schonen. Jur. gehörte dem Kommando Arajs von Mitte Juli 1941 bis zum Ende der deutschen Besetzung an (Blatt 5783). Fragen, wer bei den Erschiessungen, bei denen er eingesetzt war, geschossen habe und wer die Opfer gewesen seien, ist er ausgewichen: Darüber sei nicht gesprochen worden (Blatt 5786). Schliesslich: Diese Dinge hätten ihn nicht interessiert (Blatt 5792). Erst auf wiederholte Fragen hat er dann eingeräumt, die Opfer seien Juden, Russen, Letten und andere gewesen. Das habe er gehört. Erst danach hat er zugegeben, dass er selbst im Sommer und Herbst 1941 zu Massenerschiessungen von Juden, Letten und anderen nach Rositten, Viljani, Windau und Wolmar gefahren sei (Blatt 5798 ff.).

Auch der Zeuge Bed., der als Fahrer im Arajs-Kommando arbeitete und den Angeklagten häufig zu Erschiessungen fuhr, ist Fragen nach dem Verhalten des Angeklagten, vor allem im Zusammenhang mit den Erschiessungen, vielfach ausgewichen. Z.B. hat er auf entsprechende Fragen geantwortet, "vielleicht" habe Arajs geschossen, "vielleicht" habe Arajs das Feuerkommando gegeben. Erst auf Vorhalt einer früheren Aussage hat er berichtet, selbst gehört zu haben, dass der Angeklagte "Feuer!" kommandierte (Blatt 5757 ff.). Auf eine fast groteske Weise ist dieser Zeuge der Frage ausgewichen, ob der Angeklagte selbst auf Häftlinge geschossen habe: Er habe gesehen, wie Arajs am Rand einer Grube schoss, aber wohin, das wisse er nicht. Er habe nicht gesehen, wer in der Grube gewesen sei. Erst auf weitere Frage, wer vorher in die Grube getrieben worden sei, hat er dann gesagt: Juden (Blatt 5761). Ein solches Aussageverhalten zeigt, dass dieser Zeuge nicht angetreten ist, um den Angeklagten der Wahrheit zuwider zu belasten.

Selbst die den Angeklagten in einigen Punkten schwer belastenden Aussagen der Zeugen Pro. und Me. enthalten keine pauschale, undifferenzierte Belastung des Angeklagten. So haben beide Zeugen von Vergewaltigungen berichtet, Pro. auch von anderen Misshandlungen, die im Stabsgebäude des Angeklagten vorgekommen waren, ohne den Angeklagten als daran selbst Beteiligten zu nennen (Pro.: Blatt 5659 f., Me.: Blatt 6310 f.).

c) Schon die in den verlesenen Aussagen enthaltenen Widersprüche zu vorgehaltenen Protokollen früherer Vernehmungen und die bei mehreren Zeugen erkennbare Tendenz, den Angeklagten zu schonen, hat das Gericht als Anhaltspunkte dafür angesehen, dass die Zeugen in Riga nicht unter dem Druck, eine bestimmte belastende Aussage machen zu müssen, gestanden haben. Einen solchen Eindruck haben die Zeugen auch nicht während der kommissarischen Vernehmung gemacht. Das hat das Gericht der überzeugenden Aussage Prof. Kr.s entnommen, der als Dolmetscher der russischen Sprache an den kommissarischen Vernehmungen teilgenommen und darüber in der Hauptverhandlung ausgesagt hat. Prof. Kr. hat berichtet, der eine oder andere Zeuge habe zwar zu Beginn seiner Vernehmung einen etwas gehemmten Eindruck gemacht, das habe sich dann aber bald gelegt. Prof. Kr. hat sich auf Vorhalt noch daran erinnert, dass einer der Zeugen seine Aussage sogar mit den Worten begann: "Als die Deutschen uns befreiten ..." Prof. Kr. hat ausgesagt, die sowjetischen Staatsanwälte hätten ihre Fragen nicht suggestiv oder drohend formuliert: das könne er völlig ausschliessen. Ihre Fragen seien korrekt und neutral gewesen und die Zeugen hätten "frei von der Leber weg" ausgesagt. Aus Ka. allerdings habe man alles Punkt für Punkt herausfragen müssen. Eine Bekundung, die im verlesenen Protokoll der Aussage Ka.s ihre Bestätigung findet. Bis auf Pun. (dessen Aussage das Gericht nicht verwertet hat) hätten die Zeugen auch keinen gebrechlichen Eindruck gemacht.

Allerdings hat Prof. Kr. auch eine Bemerkung der Zeugin Me. gehört, die am Schluss ihrer Aussage hervorstiess: "Ich habe Angst." Das Gericht hat es ausgeschlossen, dass diese Zeugin aus einem Grund Angst hatte, der mit dem Inhalt ihrer Aussage zusammenhängt. Darauf wird bei der Würdigung der Aussage dieser Zeugin zu den Ereignissen des 8.Dezember 1941 näher einzugehen sein.

d) Das Gericht hält die verlesenen Aussagen der in Riga vernommenen Zeugen insoweit für glaubwürdig und zur Überführung des Angeklagten verwertbar, als sie den Angeklagten als Leiter einer Sicherheitspolizei schildern, die eigens zu dem Zweck aufgestellt wurde, Juden und politische Gegner der deutschen Besatzungsmacht zu verfolgen und zu beseitigen, die zu diesem Zweck vor allem im Sommer und Herbst 1941 tätig wurde und die später auch im Partisanenkampf und an der Front eingesetzt wurde. Dass es das Arajs-Kommando war, das unter der Leitung des Angeklagten die physische Vernichtung der Juden Lettlands massgeblich durchführte, war insbesondere in Riga schon 1941 so allgemein bekannt, dass selbst ein Zeuge wie Dr. Bra., der dem Angeklagten damals politisch nahestand und jede konkrete Belastung des Angeklagten peinlich zu vermeiden bemüht war, dies als ganz unbestreitbar und selbstverständlich dargestellt hat. Ka. hat das in die Worte gekleidet: "Davon, dass das Arajs-Kommando Erschiessungen durchführt, sprachen sogar die Kinder." (Blatt 5737, auf Fragen nach Judenerschiessungen in den ersten Monaten der deutschen Besetzung.) Dies hat eine Bestätigung auch im ersten Stahlecker-Bericht gefunden, in dessen verlesenen Auszügen davon berichtet wird, wie lettische Kräfte gegen die jüdische Bevölkerung eingesetzt wurden. Der Angeklagte hat dem Gericht plastisch und lebendig geschildert, wie Stahlecker selbst ihm in der Rigaer Präfektur den Befehl erteilte, "weiterzumachen" und wie er dann aus Freiwilligen in der Waldemarstrasse 19 das Kommando Arajs aufbaute. In dieses Bild fügen sich die Aussagen der in Riga vernommenen Zeugen ein. Das gilt auch für die Schilderung der Tätigkeit des Kommandos Arajs, die die Zeugen Ber. und Bre. in ihren verlesenen Aussagen vor sowjetischen Vernehmungsbeamten gegeben haben. Beide Zeugen haben für die erbetene kommissarische Vernehmung im Beisein deutscher Prozessbeteiligter nicht mehr zur Verfügung gestanden. Das Gericht hat in ihren verlesenen Aussagen keine Anhaltspunkte dafür gefunden, dass diese Aussagen in unzulässiger Weise zu Lasten des Angeklagten beeinflusst worden wären. Beide Zeugen sind schon zu Beginn der 70er Jahre auf Grund von Rechtshilfeersuchen des Landgerichts Hamburg, die in Verfahren gegen andere Angeschuldigte ergangen waren, als Zeugen gehört worden. Sie haben ihre damals gemachten Angaben in Vernehmungen des Jahres 1975, die nach der Verhaftung des Angeklagten stattfanden, wiederholt, ohne sich in Widersprüche zu verwickeln. Ber. hat den Angeklagten, wie schon bei seiner Vernehmung am 2.April 1974 (Blatt 6384) wiederum nur als Kommandeur des Arajs--Kommandos genannt (Blatt 3898), ihn aber nicht als Beteiligten der von ihm (Ber.) erlebten Erschiessungen bezeichnet (Blatt 3902). Bre. hat zwar in den Vernehmungen, die nach der Verhaftung des Angeklagten am 21., 24. und 26.November 1975 stattfanden (Blatt 3759 ff.), mehr Einzelheiten über das Kommando Arajs und dessen Tätigkeit berichtet, als er das 1971 (Blatt 6391 ff.) und 1974 (Blatt 6399 ff.) getan hatte. Das ist aber damit zu erklären, dass es vor der Verhaftung des Angeklagten nicht darum ging, die Tätigkeit seines Kommandos im einzelnen aufzuklären. Über das Verhalten des Angeklagten selbst hat Bre. 1975 eher zurückhaltend und ohne dass eine Tendenz zur Belastung erkennbar würde, ausgesagt.

Der Angeklagte hat seine Wertung, den in Riga vernommenen Zeugen dürfe kein Wort geglaubt werden, nach der Verlesung der Aussagen nicht aufrechterhalten. Er hat erklärt, dass diese Zeugen dem Kommando Arajs angehört hätten, vermute er; dass sie bei den Ausschreitungen dabei gewesen seien, sei auch ihm eindeutig. Aber sie hätten das freiwillig getan. Er habe nichts damit zu tun gehabt.

3.) Die Feststellungen unter Ziffer A. hat das Gericht auf die Aussagen der in der Hauptverhandlung gehörten Zeugen gestützt, soweit es ihnen hat folgen können. Das Gericht hat die eidlichen Aussagen der Zeugen Fes. (früher Dvo.), Dol., Alexander Lew. und Sil., die uneidlichen Aussagen der Zeugen Tuchel [63], Trü. [64], Ki. und Kar., sowie die als uneidlich gewerteten Aussagen der Zeugen Bra. und Dre. zugrundegelegt. Ausserdem hat das Gericht im Rahmen der Beweiswürdigung die eidlichen Aussagen der Zeugen Kr. und R. verwertet.

Ferner hat das Gericht die Feststellungen unter Ziffer A. auf verlesene Aussagen gestützt, soweit es ihnen zu folgen vermochte. Diese Aussagen werden im folgenden mit Fundstellen

[63] Siehe Lfd.Nr.789.

[64] Siehe Lfd.Nr.820.

bezeichnet. Blattzahlen ohne Zusatz sind solche der Sonderbände dieses Verfahrens gegen Arajs, Az. (37) 5/76. Der Zusatz M. kennzeichnet Blätter der Hauptakte des Verfahrens gegen May. [65] u.a., Az. 141 Js 534/60, und der Zusatz D. bezieht sich auf die Sonderbände des Verfahrens gegen Deg. u.a., Az. 147 Js 5/71. Es sind verwertet worden:

Die eidliche Aussage der Zeugin Mi.
vor dem Richter in Haifa vom 20.Juli 1978, Blatt 5916 ff.,

die uneidlichen Aussagen der Zeugen
Lut. vom 13.Juni 1978, Blatt 5673 ff.,
Me. (Mel.) vom 15.Januar 1979, Blatt 6306 ff.,
Mur. vom 12.Juni 1978, Blatt 5632 ff.,
Pro. (Prc.) vom 13.Juni 1978, Blatt 5655 ff.,
Eli. vom 15.Juni 1978, Blatt 5709 ff.,
Wan. vom 16.Juni 1978, Blatt 5727 ff.,
Bed. vom 19.Juni 1978, Blatt 5753 ff.,
Jur. vom 20.Juni 1978, Blatt 5782 ff. und
Jan. vom 21.Juni 1978, Blatt 5807 ff.,
die alle vor sowjetischen Staatsanwälten gemacht worden sind,

die uneidlichen Aussagen der Zeugen
Ber. vom 2.April 1974, Blatt 6384 ff. und vom 3.Dezember 1975, Blatt 3897 ff.,
Bre. vom 7.Mai 1971, Blatt 6391 ff., vom 12.März 1974, Blatt 6399 ff., vom 21., 24. und 26.November 1975, Blatt 3759 ff.,
die vor Beamten des sowjetischen Staatssicherheitsdienstes und in einem Fall, am 24.November 1975 (Bre.) auch vor einem sowjetischen Staatsanwalt gemacht worden sind,

die uneidlichen Aussagen des verstorbenen Angeschuldigten Deg.
vom 21.Juni 1961, Blatt 2238 ff. M.
(vom Staatsanwalt als Beschuldigter gehört; soweit sie verlesen worden ist),
vom 28.Februar 1962, Blatt 3468 ff. M.
vor dem Untersuchungsrichter,
vom 11.November 1963, Blatt 6744 ff. M., vom 14.November 1963, Blatt 6782 ff. M., vom 15.November 1963, Blatt 6797 ff. M., vom 18.November 1963, Blatt 6810 ff. M., vom 21.November 1963, Blatt 6856 ff. M., vom 4./5.März 1964, Blatt 7343 ff. M., vom 13.März 1964, Blatt 7369 ff. M., vom 6.November 1964, Blatt 8520 ff. M.,
alle vor dem Staatsanwalt gemacht,
vom 23.April 1968, Blatt 11952 ff. M., vom 24.März 1969, Blatt 12764 ff. D. (soweit verlesen), vom 25.März 1969, Blatt 12772 ff. D., vom 26.März 1969, Blatt 12776 ff. D., vom 16.April 1969, Blatt 12810 ff. D.,
alle vor dem Untersuchungsrichter gemacht,

die uneidlichen Aussagen des verstorbenen Angeschuldigten Hes.
vom 25./26.September 1963, Blatt 6388 ff. M. (soweit verlesen), vom 29.Oktober 1963, Blatt 6536 ff. M. (soweit verlesen), vom 10.September 1964, Blatt 8115 ff. M. (soweit verlesen),
alle vor dem Staatsanwalt gemacht,
vom 30./31.Mai 1968, Blatt 12139 ff. M.
vor dem Untersuchungsrichter,

[65] Siehe Lfd.Nr.843.

die uneidlichen Aussagen des verstorbenen Angeschuldigten Zin.
vom 21.April 1961, Blatt 2135 ff. M.
(soweit verlesen) als Beschuldigter vor dem Staatsanwalt,
vom 23.Oktober 1962, Blatt 4536 ff. M.
vor dem Untersuchungsrichter,

die uneidlichen Aussagen des verstorbenen Angeschuldigten Hem.
vom 25.Juli 1965, Blatt 9505 ff. M. (soweit verlesen)
als Zeuge vor dem Staatsanwalt,
vom 11.März 1969, Blatt 12718 ff. D.
vor dem Untersuchungsrichter,

die uneidliche Aussage des verstorbenen Beschuldigten Jeckeln [66]
vom 14.Dezember 1945, Ordner G, Dokument 15, S.33 ff.
vor einem Vernehmungsoffizier des NKWD,

die uneidlichen Aussagen des verstorbenen Zeugen Lohse
vom 18., 19. und 20.April 1950, Blatt 2240 ff.
vor dem Untersuchungsrichter,

die uneidliche Aussage des verstorbenen Angeschuldigten Ba.
vom 27.Januar 1963, Blatt 1279 ff. M. (soweit verlesen)
vor dem Staatsanwalt (= Blatt 2923 ff.),

die uneidlichen Aussagen des verstorbenen Angeklagten Bes.
vom 30.Mai 1963, Blatt 5596 ff. M. (als Zeuge), vom 19.Februar 1965, Blatt 8952 ff. M.,
beide vor dem Staatsanwalt,
vom 12.Dezember 1974, Blatt 13679 ff. der Akte (50) 44/74 des Verfahrens gegen Trü. und Bes. [67] (soweit sie verlesen worden ist),

die uneidlichen Aussagen des verstorbenen Zeugen Schr.
vom 18.Februar 1950, Blatt 1816 ff., vom 19.Februar 1962, Blatt 3423 ff. M. (soweit verlesen),
beide vor dem Untersuchungsrichter,
vom 10.Dezember 1964, Blatt 8814 ff. M.
vor dem Staatsanwalt (soweit verlesen) und
vom 25.April 1968, Blatt 2269 ff.
vor dem Untersuchungsrichter,

die uneidliche Aussage des Zeugen Ka.
vom 16.Juni 1978, Blatt 5734 ff.
vor einem sowjetischen Staatsanwalt,

die uneidlichen Aussagen des verstorbenen Zeugen Fre.
vom 9.März 1976, Blatt 3377 ff. und vom 13.Mai 1976, Blatt 3630 ff.
vor der Polizei und

die uneidlichen Aussagen des verstorbenen Zeugen Tei.

[66] Jeckeln wurde am 3.Februar 1946 von einem sowjetischen Militärgericht in Riga zum Tode verurteilt und noch am selben Tag im ehemaligen Ghetto von Riga hingerichtet.

[67] Siehe Lfd.Nr.820.

vom 9.Februar 1973, Blatt 1696 ff. (soweit verlesen)
vor der Polizei und
vom 11.November 1975, Blatt 2164 ff.
vor dem Staatsanwalt.

Die Feststellungen unter Ziffer A. hat das Gericht ausserdem auf die in der Hauptverhandlung verlesenen Urkunden gestützt, die bei der Erörterung der Feststellungsgrundlagen unter Ziffer B. II. genannt werden.

Schliesslich hat das Gericht den Feststellungen die Einlassung des Angeklagten zugrundegelegt, soweit es ihr hat folgen können.

4.) Keine Feststellungen hat das Gericht auf die eidlichen Aussagen der Zeugen Eic., Lid. (vom 4.Januar 1979, Blatt 6528 ff.), Kra. (vom 5.Januar 1979, Blatt 6662 ff.), Eck., Rei., Mic. [68], Ha. (in der Hauptverhandlung und in den verlesenen Niederschriften vom 19.Juli 1978, Blatt 5913 ff. und vom 22.April 1979, Blatt 6987 ff.), Rai. (vom 18.Juli 1978, Blatt 5907 ff.) und Zes., sowie auf die uneidlichen Aussagen der Zeugen Ken., Kal. (vom 14.Juni 1978, Blatt 5685 ff.), Oz.-O. (vom 8.Oktober 1979, Blatt 7395 ff.), Pun. (vom 17.Juni 1978, Blatt 5747 ff.), Vab. (vom 16.Januar 1979, Blatt 6348 ff.), Ne. [69], Rit., Lip., Wul. und Rafael Lew., sowie auf die Aussagen des verstorbenen Angeklagten Lav. (vom 3.Januar 1945, Blatt 4627 ff., vom 18.Januar 1945, Blatt 4644 ff. und vom 5.Februar 1945, Blatt 4513 ff.) gestützt.

Der Zeuge Eic. hat behauptet, er habe Riga schon im August 1941 verlassen und ist Fragen nach der Tätigkeit des Angeklagten derart ausgewichen, dass das Gericht den Eindruck gewonnen hat, er habe den Angeklagten schützen wollen. Ausserdem hat Eic. selbst Erlebtes und nach dem Krieg, z.T. in seinem eigenen Strafverfahren [70] erfahrene Tatsachen so miteinander vermengt, dass seine Aussage auch aus diesem Grund nicht zu verwerten war.

Auch der Zeuge Ken. hat sich erkennbar bemüht, seinen früheren Kommandeur Arajs in Schutz zu nehmen, indem er ihn als blosses "Aushängeschild" des Arajs-Kommandos bezeichnet und behauptet hat, Hauptmann Laukers sei der Mann gewesen, der im Kommando Arajs alles anordnete. Das hat Ken. allerdings nur in Bezug auf das Jahr 1942 gesagt. Trotz Vorhalt einer anderslautenden früheren Aussage ist er dabei geblieben, dass er erst 1942 dem Kommando Arajs angehört habe. Das Gericht hat seiner Aussage nichts zur Entlastung des Angeklagten entnehmen können. Dass Laukers schon im Jahr 1941 der massgebende Mann des Arajs-Kommandos gewesen sei und nicht der Angeklagte, hat auch Ken. nicht behauptet. Dafür hat die Beweisaufnahme auch sonst keinen Anhaltspunkt ergeben.

Der Zeuge Oz., der sich heute Oz.-O. nennt, hat behauptet, ihm sei nichts darüber bekannt, ob die lettische Hilfssicherheitspolizei unter Arajs im Jahr 1941 an Judenerschiessungen beteiligt gewesen sei. Dieser Zeuge ist aufgrund der Angaben der auszugsweise verlesenen lettischen Propaganda-Broschüre "Daugavas Vanagi - Wer sind sie?" (Lettischer Staatsverlag Riga, 1963, S.86) verdächtig, schon im Sommer 1941 Angehöriger des Kommandos Arajs gewesen zu sein. Seine Bekundung ist nicht geeignet, Zweifel an den vom Gericht getroffenen Feststellungen zu begründen.

[68] Siehe Lfd.Nr.812.

[69] Siehe Lfd.Nr.789.

[70] Siehe Lfd.Nr.890. Eic. wurde wegen der Erschiessung von Juden in Rositten und von Einwohnern des Ortes Audrini vom LG Landau am 26.Juni 1984 zu sechs Jahren Freiheitsstrafe verurteilt. Er verstarb im Juli 1984. Das Urteil ist nicht rechtskräftig geworden.

Auch auf die Aussage des Zeugen Pun. hat das Gericht keine Feststellungen stützen können. Dieser Zeuge hat, wie Prof. Kr. glaubwürdig ausgesagt hat, bei seiner kommissarischen Vernehmung einen gebrechlichen Eindruck gemacht. Seine verlesene Aussage lässt erkennen, dass sein Gedächtnis nicht mehr zuverlässig ist. So hat er z.B. den Angeklagten Arajs mit einem Häftling des Rigaer Zentralgefängnisses verwechselt.

Die Zeugin Rei., die 1941 als Sekretärin von Ba., dessen Nachfolger Strauch und Dr. Lange in Riga arbeitete, und die Zeugin Eck., die 1942 Sekretärin Dr. Langes war, haben keine konkreten, verwertbaren Tatsachen über die Tätigkeit des Angeklagten bekunden wollen oder können.

Der Zeuge Mic. erlebte als Zuschauer die Erschiessung in Rumbula an einem Tag, wahrscheinlich am 30.November 1941. Konkrete Angaben über die Beteiligten, insbesondere über die eingesetzten lettischen Kräfte, hat er nicht mehr machen können oder wollen. Seine Erinnerung an das Geschehen ist verblasst und nicht mehr zuverlässig.

Der Zeuge Ne. war als Angehöriger der deutschen Schutzpolizei an beiden Tagen der Jekkeln-Aktion im Einsatz. Auch er hat keine sichere Erinnerung mehr an das Geschehen und konnte oder wollte keine konkreten Angaben über das Geschehen und die daran Beteiligten machen.

Die Zeugen Rai., Zes., Lip. und Rafael Lew. verfügen nicht mehr über eine zuverlässige Erinnerung an die Ereignisse des Jahres 1941. Insbesondere hat der Zeuge Rafael Lew. einen kranken und desorientierten Eindruck auf das Gericht gemacht.

Im übrigen wird auf einzelne der nicht verwerteten Aussagen im Rahmen der Erörterung zu einzelnen Feststellungen noch einzugehen sein.

B. II. 1.) Grundlagen der Feststellungen zu Ziffer A. I.

Die Feststellungen zum Lebenslauf des Angeklagten beruhen auf folgenden ganz oder auszugsweise verlesenen Urkunden: der Immatrikulationsurkunde vom 15.September 1932 (Blatt 6426), der Studienbescheinigung vom 15.April 1944 (Blatt 6433), der Immatrikulationsurkunde vom 19.Februar 1944 (Blatt 6432), der Auskunft des Bundesarchivs über die Verleihungsliste (Anlage zum Hauptverhandlungsprotokoll vom 6.Juni 1979), den DC- und WASt-Unterlagen (Schnellhefter I), den Einlieferungs- und Entlassungsvermerken der Untersuchungshaftanstalt Braunschweig (Blatt 364), den Hafteinlieferungsbefehlen (Blatt 367 ff.), dem Haftbefehl vom 11.Oktober 1949 (Blatt 8 der Beiakte 2 zum Aktenzeichen (57) 7/60), dem Fernschreiben der Kriminalpolizei Delmenhorst vom 18.Oktober 1949 (Blatt 24 der Beiakte 2 zum Aktenzeichen (57) 7/60), der Heiratsurkunde (Blatt 6427), dem Festnahme--Protokoll vom 10.Juli 1975 (Blatt 526), der Auskunft aus dem Bundeszentralregister (Hülle vor Blatt 3308) und dem Lebenslauf vom 7.Januar 1941 (Blatt 6429 ff.).

Der Angeklagte hat seinen Lebenslauf vom 7.Januar 1941 in der Hauptverhandlung nach vorsichtigem Zögern wiedererkannt und erläutert: Mit Rücksicht auf die sowjetische Geheimpolizei habe er die reiche Herkunft seiner Mutter und die im 1.Weltkrieg gegen seinen Vater erhobenen Vorwürfe verschwiegen. Im übrigen hat er den Lebenslauf als richtig anerkannt. Auch sonst hat der Angeklagte sich wiederholt lebhaft und mit guter Erinnerung über seinen Lebenslauf geäussert, so dass das Gericht die Feststellungen zum Lebenslauf auch auf die Einlassung des Angeklagten hat stützen können, soweit es ihr gefolgt ist.

Der Zeuge Sil. hat die Einlassung des Angeklagten in einem Punkt glaubhaft bestätigt: Sil. war einer der Gründer des Perkonkrusts und bemühte sich, nach dem Einmarsch der Deutschen die Mitglieder dieser Organisation wieder zu sammeln. Seine Büroräume hatte er schon Anfang Juli 1941 in einem oberen Stockwerk des Gebäudes Waldemarstrasse 19, in dem auch das Arajs-Kommando untergebracht war. Sil. konnte damals bei seinen Bemühungen keinen Anhaltspunkt dafür finden, dass der Angeklagte Arajs jemals dem Perkonkrusts angehört hätte.

B. II. 2.) Grundlagen der Feststellungen zu Ziffer A. II.

Die zur Geschichte Lettlands bis zum Einmarsch der Deutschen festgestellten Tatsachen sind allgemeinkundig. Das Gericht hat sie an Hand der Darstellung Georg von Rauchs (Geschichte der Baltischen Staaten, 2.Auflage, München 1977) in die Hauptverhandlung eingeführt. Das Gericht stützt diese Feststellungen ferner auf die mit v. Rauchs Ausführungen in vielen Punkten übereinstimmenden und glaubhaften Angaben des Angeklagten und der Zeugen Bra., Ka. (Blatt 5738) und Tei. (vom 11.November 1975, Blatt 2165) über die Haltung, die die Letten vor dem Krieg den Juden gegenüber einnahmen.

Das Gericht hat den Zeugen Bra. beeidigt. Es hat im weiteren Verlauf der Beweisaufnahme aber den Verdacht geschöpft, dass Bra. möglicherweise als Mitarbeiter der Gestapo in Riga an Judenverfolgungen und auch an der Ghettoräumung im November und Dezember 1941 beteiligt gewesen sein könnte. Bei der Staatsanwaltschaft in Hannover ist unter dem Aktenzeichen 11 Js 11/73 ein Ermittlungsverfahren gegen Bra. geführt worden, weil er von Zeugen beschuldigt worden ist, an Massenerschiessungen von Juden in der Nähe Rigas im Sommer 1941 und an Verfolgungsmassnahmen noch 1942 beteiligt gewesen zu sein (auszugsweise verlesene Einstellungsvermerke vom 5.Januar 1965 und 7.Juli 1976, Blatt 138 ff. und Blatt 254 ff. der Akte 11 Js 11/73 der Staatsanwaltschaft Hannover). Bra. hat als Zeuge sehr zurückhaltend und vorsichtig darüber berichtet, dass er Arajs im Sommer 1941 gekannt habe und dass damals jeder gewusst habe, dass das "Sonderkommando Arajs völlig unschuldige Juden im Wald erschoss". Er hat auch bekundet, dass er gesehen habe, wie bewaffnete Letten eine Synagoge in Brand setzten und dass dabei Juden zusammengetrieben wurden. Der Zeuge ist aber konkreten Angaben über die Tätigkeit des Angeklagten deutlich ausgewichen. Insbesondere ist er Fragen nach der Jeckeln-Aktion ausgewichen, obwohl er zugegeben hat, dass er zur Tatzeit in Riga war. Er hat dazu erklärt, das, was er damals gewusst haben müsse, habe er wohl vergessen. Das Gericht hat aus dem Verhalten des Zeugen im Zusammenhang mit den gegen ihn erhobenen Beschuldigungen den Verdacht gewonnen, dass er möglicherweise an der angeklagten Tat beteiligt war. Es hat deshalb seine Aussage als uneidlich im Sinne des §60 Ziff.2 StPO gewertet.

B. II. 3.) Grundlagen der Feststellungen zu Ziffer A. III. 1.)

Die Feststellungen über die Aufstellung der Einsatzgruppe A beruhen auf glaubhaften Angaben, die Ba. (Blatt 1280, 1282 M.), Bes. [71] (am 30.Mai 1963, Blatt 5597, 5599 M. und am 12.Dezember 1974, Blatt 13680 der Akte (50) 44/74) und Ki. hierzu gemacht haben.

Die Feststellungen über die der Einsatzgruppe A gestellten Aufgaben beruhen auf den verlesenen Befehlen Heydrichs vom 29.Juni und 2.Juli 1941 (Blatt 5889 f. und Blatt 5885 f.), auf dem auszugsweise verlesenen Gesamtbericht der Einsatzgruppe A bis zum 15.Oktober 1941, dem sogenannten ersten Stahleckerbericht (IMT Band XXXVII, Seite 670 ff.) sowie auf den insoweit glaubhaften Angaben von Ba. und Ki.

Heydrich hat in seiner Zusammenfassung der den Einsatzgruppen gegebenen Befehle vom 2.Juli 1941 ausgeführt, zu exekutieren seien die Juden in Partei- und Staatsstellungen. Damit

[71] Siehe Lfd.Nr.820.

war nicht gemeint, dass nur Juden in solchen Funktionen umgebracht werden sollten. Vielmehr hatten die den Chefs der Einsatzgruppen und -kommandos mündlich erteilten Befehle zum Inhalt, dass alle Juden der eroberten Gebiete zu liquidieren seien. Davon ist das Gericht aus folgenden Gründen überzeugt: Der verstorbene Beschuldigte Ba. hat in seiner auszugsweise verlesenen Aussage vom 27.Januar 1961 erst geleugnet, dann aber insoweit glaubhaft eingeräumt, dass ihm in Pretzsch bereits als seine Aufgabe "die Beseitigung des jüdischen Volkstums" bekannt war (Blatt 1280, 1282 M.). Der Zeuge Ki. hat das, insoweit glaubhaft, bestätigt: Er hat berichtet, dass Ba. mit ihm in Pretzsch darüber gesprochen habe, dass die Juden im Osten liquidiert werden sollten. Das bestätigt auch der erste Stahlecker-Bericht. Darin liess Stahlecker keinen Zweifel daran, dass sein Einsatz gegen alle Juden gerichtet war. Er führte dort aus:

> "3) Bekämpfung des Judentums.
> Es war von vornherein zu erwarten, dass allein durch Pogrome das Judenproblem im Ostlande nicht gelöst werden würde. Andererseits hatte die sicherheitspolizeiliche Säuberungsarbeit gemäss den grundsätzlichen Befehlen eine möglichst umfassende Beseitigung der Juden zum Ziel. Es wurden daher durch Sonderkommandos, denen ausgesuchte Kräfte - in Litauen Partisanentrupps, in Lettland Trupps der lettischen Hilfspolizei - beigegeben wurden, umfangreiche Exekutionen in den Städten und auf dem flachen Lande durchgeführt. Der Einsatz der Exekutionskommandos war reibungslos. Bei der Zuteilung von litauischen und lettischen Kräften zu den Exekutionskommandos wurden insbesondere solche Männer ausgewählt, deren Familienmitglieder und Angehörige von den Russen ermordet oder verschleppt worden waren."
> (Seite 30 des ersten Stahlecker-Berichtes; Unterstreichung durch das Gericht.)

Damit übereinstimmend heisst es an anderer Stelle desselben Berichtes:

> "Befehlsgemäss war die Sicherheitspolizei entschlossen, die Judenfrage mit allen Mitteln und aller Entschiedenheit zu lösen." (Seite 4)

Die Feststellungen über den Vormarsch der Einsatzgruppe A nach Riga hat das Gericht auf die auszugsweise verlesenen Ereignismeldungen UdSSR Nr.11, 12 und 15 vom 3., 4. und 7.Juli 1941 gestützt (Ordner A) die von Dre. im Hinblick auf den Marsch über Danzig ergänzt worden sind. Die Feststellungen über die Pogrome in Litauen hat das Gericht auf die glaubhaften Angaben des ersten Stahlecker-Berichts gestützt.

Die Feststellungen über die Eroberung Rigas am 1.Juli 1941, den Einmarsch Stahleckers und die Begrüssung der Deutschen in der Stadt durch die lettische Bevölkerung hat das Gericht auf die hierzu übereinstimmenden, zum Teil einander auch ergänzenden Angaben der Ereignismeldungen UdSSR Nr.12 und 15 und des ersten Stahlecker-Berichts, auf die insoweit glaubhaften Angaben der Zeugen Bra., Ki. und Dre., sowie auf die Einlassung des Angeklagten, soweit es ihr folgen konnte, gestützt. Dabei hat das Gericht die Aussage des Zeugen Dre. als uneidlich gewertet. Dazu wird auf die folgende Ziffer B. II. 4.) verwiesen.

Dass im Vordergrund der Tätigkeit der Einsatzgruppe A nach der Eroberung Lettlands der "Kampf" gegen Kommunisten und Juden stand und dass sie erst später im russischen Gebiet tätig wurde, hat das Gericht auf Grund des ersten Stahlecker-Berichts festgestellt. Die Feststellungen über die Gewalttaten der Sowjets in Riga und Lettland, sowie darüber, dass man diese den Juden zur Last legte, hat das Gericht vor allem auf Grund der in diesem Punkt glaubhaften Einlassung des Angeklagten getroffen. Sie beruhen ausserdem auch auf der hierzu glaubhaften Bekundung des Zeugen Bra. sowie auf der Ereignismeldung UdSSR Nr.40 vom 15.August 1941 (Ordner A I), in der über die Massengräber am Weissensee berichtet wurde.

B. II. 4.) Grundlagen der Feststellungen zu Ziff. A. III. 2.)

Die Feststellungen über die Ankunft des Angeklagten in Riga im Juli 1941 und seine ersten Massnahmen in der Präfektur beruhen auf der Einlassung des Angeklagten, die das Gericht insoweit geglaubt hat.

Unter welchen Umständen der Angeklagte in der Präfektur mit Stahlecker zusammentraf, hat das Gericht der Einlassung des Angeklagten und der in diesem Punkt glaubhaften Aussage des Zeugen Dre. entnommen.

Dre. hat auf die Frage, mit welchen Aufgaben Arajs betraut worden sei, gesagt, das wisse er "nicht mehr"; es müssten Sicherungsaufgaben gewesen sein. Das Gericht hat den Verdacht geschöpft, dass Dre. mit seinem Wissen über die Aufgaben und Einsätze des Angeklagten zurückgehalten hat, um seinen alten Kameraden Arajs zu schonen. Dre. ist Fragen in diesem Zusammenhang ausgewichen, während er über seine Vorkriegsbekanntschaft mit Arajs und über die aus seiner Sicht wohl unverfänglichen äusseren Umstände des Treffens in der Präfektur freimütig ausgesagt hat. Dre. hat seine Aussage beschworen. Im weiteren Verlauf der Beweisaufnahme hat das Gericht aber den Verdacht geschöpft, dass Dre. an der angeklagten Tat in strafbarer Weise beteiligt gewesen sein könnte.

Dieser Verdacht ist auf folgende Erwägungen gestützt: Der Angeklagte hat ausgesagt, Stahlecker sei bei der Erschiessung in Rumbula an den Gruben erschienen. Das hat Deg. in seiner Aussage vom 4.März 1964 (Blatt 7345) bestätigt. Stahlecker wurde jedenfalls im Jahre 1941 oft von Dre., der zu seinem Stab gehörte, begleitet. So auch beim Einmarsch in Riga und, nach Dre.s eigener glaubhafter Aussage, beim Einsatz an der Front vor Leningrad im Jahre 1941. Dre. kam erst Ende Oktober, etwa 14 Tage vor der Geburt seines Sohnes, die am 9.November 1941 erfolgte, von diesen Einsätzen nach Riga zurück. Er blieb mindestens sechs Wochen dort und war daher zur Zeit der Ghetto-Räumung in Riga, insbesondere am 8.Dezember 1941. Gleichwohl hat der Zeuge Dre. behauptet, er habe von der Ghetto-Räumung nichts wahrgenommen und wisse nicht, welche Einheiten dabei eingesetzt worden seien. Diese Behauptung ist bei einem Angehörigen der Dienststelle des Befehlshabers der Sicherheitspolizei (die aus der Einsatzgruppe A hervorging) schon an sich nicht glaubhaft, weil alle deutschen Polizeidienststellen in Riga in die wochenlangen Vorbereitungen dieser Grossaktion eingeschaltet waren.

Dass Dre. nichts über diese Aktion erfahren und von ihr wahrgenommen haben will, ist unglaubwürdig, weil er selbst eingeräumt hat, dass er damals Berichte über die Stimmung der lettischen Bevölkerung schreiben musste. Die Ghetto-Räumung war aber, nachdem die Juden am hellen Tage auf der Strasse nach Dünaburg in die Gruben getrieben worden waren, Stadtgespräch in ganz Riga. Schliesslich hat Dre. selbst an anderer Stelle seiner Aussage gesagt, er habe Stahlecker nach der Aktion über sie berichten müssen. Er wusste also über diese aussergewöhnliche Aktion besser Bescheid, als er es vor Gericht hat zugeben wollen. Seine Zurückhaltung in diesem Punkt kann darauf beruht haben, dass er selbst in das Tatgeschehen verstrickt war. Das Gericht hält den Zeugen Dre. auf Grund seiner Aussage im Zusammenhang mit den übrigen Erkenntnissen der Beweisaufnahme daher für verdächtig, an der Ghetto-Räumung beteiligt gewesen zu sein. Es hat seine Aussage deshalb im Sinne des §60 Ziff.2 als uneidlich gewertet.

Das Gericht hat seine Feststellungen zum Inhalt der dem Angeklagten Arajs übertragenen Aufgaben auf dessen eigene Einlassung gestützt, soweit es ihr hat folgen können. Der Angeklagte hat anfangs behauptet, Stahlecker habe ihn beauftragt, Freiwillige zum Kampf an der Front zu werben; sie hätten Frontlücken füllen sollen. Diese Einlassung hat er allerdings nach und nach fallen gelassen, als im Verlauf der Beweisaufnahme immer deutlicher wurde, dass sie unhaltbar war. Der Angeklagte hat dann übereinstimmend mit den Aussagen vieler

Zeugen (zum Beispiel der Zeugen Ki. und Trü. [72]) klargestellt, dass er eine Polizei leitete, die, wie er selbst es einmal in der Hauptverhandlung ausgedrückt hat, alles machte, was die Sicherheitspolizei so machte. Dazu gehörte "die Säuberung des Landes von schädlichen Elementen", wie er selbst es genannt hat. Mit diesem Ausdruck hat er seinen von Stahlecker erhaltenen Auftrag dem damaligen Sprachgebrauch folgend umschrieben. Was das im einzelnen bedeutete, hat das Gericht den im folgenden zitierten Urkunden und darüber hinaus durch Schlussfolgerung aus der festgestellten Tätigkeit des Kommandos Arajs in der ersten Zeit nach dem Einmarsch der Deutschen entnommen: Es waren Pogrome und Massenverhaftungen von Juden in Riga, sowie mindestens die ersten der zahlreichen Massenerschiessungen von Juden und Kommunisten in der Umgebung Rigas.

Indem Stahlecker dem Angeklagten diesen Auftrag erteilte, folgte er den grundsätzlichen Anweisungen Heydrichs, wie sie in den schon genannten Schreiben vom 29.Juni und 2.Juli 1941 (Blatt 5889 f. und 5.885 f.) überliefert sind. In der Ereignismeldung UdSSR Nr.15 vom 7.Juli 1941 (Ordner A) und im ersten Stahlecker-Bericht (IMT Band XXXVII, Seite 670 ff.) wurde über die Ausführung dieser Weisungen auch Bericht erstattet, ohne dass der Angeklagte Arajs allerdings namentlich erwähnt wurde. Aber eine der in der Ereignismeldung Nr.15 genannten selbständigen Gruppen, im Stahlecker-Bericht "einheimische antisemitische Kräfte" genannt (dort Seite 4), auch "Sicherheitskommandos" (dort Seite 16) wie in dem Aufruf in "Tevija" vom 4.Juli 1941 (Blatt 6434), war die Einheit des Angeklagten. An anderer Stelle spricht der Stahlecker-Bericht im Zusammenhang mit den Pogromen in Riga von der lettischen Hilfspolizei (dort Seite 22). Gemeint war damit jedenfalls auch das Kommando Arajs.

Das Gericht kann nicht ausschliessen, dass auch die Sicherung gegen versprengte Soldaten der Roten Armee zu den zeitlich ersten Aufgaben des Arajs-Kommandos gehörte. Der Angeklagte hat jedenfalls während der Verlesung des ersten Stahlecker-Berichts behauptet, der dort (Seite 4) erwähnte Kampf lettischer Freiwilligenformationen mit versprengten Russen in Riga sei sein Einsatz gewesen. Immerhin hat auch der Zeuge Bre. in seiner verlesenen Aussage vom 21.November 1975 davon berichtet, dass Arajs bei seinem (Bre.) Eintritt in das Kommando von der Aufgabe gesprochen habe, versprengte Rotarmisten zu bekämpfen (Blatt 3760). Bre. war einer der Männer, die in den ersten Julitagen in das Kommando Arajs eintraten. Einsätze dieser Art sind jedoch für den Sommer 1941 nicht festgestellt worden. Wenn es sie überhaupt gab, spielten sie jedenfalls keine bedeutende Rolle.

Die Feststellungen über die Konferenz bei Stahlecker am 2.Juli 1941 beruhen auf der Einlassung des Angeklagten, der allerdings seinen Auftrag zur Judenverfolgung verschwiegen hat. Dass Stiglics mit den Deutschen nach Riga zurückkehrte, bestätigt auch die Ereignismeldung UdSSR Nr.12 vom 4.Juli 1941 (Ordner A) in der Stiglics nur als früherer Leiter der politischen Polizei, nicht namentlich, erwähnt wird. Der Aufbau einer weiteren Hilfspolizei durch Oberstleutnant Veiss wird übereinstimmend mit der Einlassung des Angeklagten durch die Ereignismeldung UdSSR Nr.15 vom 7.Juli 1941 belegt. Dort wird der Name allerdings fälschlich "Neiss" geschrieben. Der Angeklagte selbst hat das anlässlich der Verlesung der Ereignismeldung richtiggestellt. Die Schreibweise dieser Meldung ist entweder ein Tippfehler oder ein Übermittlungsfehler.

Durch die Einlassung des Angeklagten selbst ist bewiesen, dass Stiglics die Präfektur übernahm. Auf Grund der übereinstimmenden Angaben des Angeklagten und der Zeugen Mur. (Blatt 5633), Pro. (Blatt 5656), Jan. (Blatt 5808/9), Ber. (Blatt 3897/8 und 6384), Wan. (Blatt 5731), Jur. (Blatt 5783/4), Lut. (Blatt 5674 ff.), Me. (Blatt 6307) und Sil. hat das

[72] Siehe Lfd.Nr.820.

Gericht festgestellt, dass sich das Hauptquartier des Angeklagten im Jahre 1941 im Gebäude Waldemarstrasse 19 befand. Dass dies in den ersten Tagen des Juli, wahrscheinlich schon am 2.Juli 1941 der Fall war, ist zur Überzeugung des Gerichts durch die Aussagen der Zeugen Mur. und Jan. bewiesen. Mur. wurde noch am Abend des 1.Juli 1941 in die Einheit des Angeklagten aufgenommen. Er verbrachte die Nacht zum 2.Juli zu Hause und tat dann Dienst in der Waldemarstrasse 19. Auch Jan. wurde bereits in den ersten Julitagen von Arajs selbst in die Waldemarstrasse 19 geschickt, wo er in das Kommando eintrat. Von dort aus nahm er auch teil an der Einäscherung der Synagoge in der Gogolstrasse.

Die Feststellung, dass auch der Perkonkrusts in diesem Gebäude einige Räume erhielt, hat das Gericht auf die übereinstimmenden und in diesem Punkt glaubhaften Angaben des Angeklagten und der Zeugen Sil. und Mur. (Blatt 5652) gestützt. Sil. hat auch über das nach wenigen Wochen erfolgende Verbot des Perkonkrusts berichtet.

Die Feststellung, dass die Angehörigen des Kommandos nicht kaserniert waren, sondern zu Hause wohnten, beruhen auf der Einlassung des Angeklagten, die durch die Aussage des Zeugen Mur. (Blatt 5638) glaubhaft bestätigt worden ist.

Der Angeklagte hat darüber berichtet, dass er selbst Leute auf der Strasse und im Rundfunk geworben habe. Er hat behauptet, in seinen Reden sei von Juden nicht gesprochen worden. Das ist jedenfalls für diese Werbereden nicht zu widerlegen. Auch im Aufruf vom 4.Juli 1941 in "Tevija" war von Juden nicht ausdrücklich die Rede (Blatt 6434). Dieser Aufruf ist in der Hauptverhandlung in deutscher Übersetzung verlesen worden. An seiner Echtheit und an der Originaltreue der von den sowjetischen Behörden übersandten Fotokopie hat das Gericht keinen Zweifel. Der Inhalt des Aufrufs entspricht nicht nur der Einlassung des Angeklagten, sondern auch den Bekundungen derjenigen Zeugen, die wie Dol. und Alexander Lew. über solche Aufrufe berichtet haben. Der Angeklagte wird in dem Aufruf zwar nicht namentlich genannt, das Gericht ist aber davon überzeugt, dass das genannte Kommando dasjenige des Angeklagten war: Ein anderes war in der Waldemarstrasse 19 nicht stationiert.

Die Feststellungen zur Personalstärke des Arajs-Kommandos im Juli 1941 beruhen auf den Angaben, die die Zeugen Mur., Jan., Ki., Eli. sowie - mit Einschränkungen - auch Jur. hierzu gemacht haben. Trotz mancher Unsicherheiten in Einzelheiten stimmen die Aussagen dieser Zeugen darin überein, dass das Kommando Arajs in dem Zeitraum von seiner Gründung bis zur Ghetto-Räumung im November und Dezember 1941 keinesfalls eine Grösse von 1400 bis 2000 Mann hatte, wie der Angeklagte selbst das mit wechselnden Zahlenangaben behauptet hat. Mur. (Blatt 5633) hat von 50 bis 60 Mann für die erste Zeit seiner Mitgliedschaft gesprochen. Ähnlich Eli., der erst zwei bis drei Monate nach der Gründung in das Kommando eingetreten sein will, von 50-80 Mann (Blatt 5710). Jan., der schon im August das Kommando verliess und zur lettischen Konzentrationslagerverwaltung ging, hat sich an 100 erinnert (Blatt 5809). Der Zeuge Ki., der der Stellvertreter Dr. Langes und damit des unmittelbaren deutschen Vorgesetzten des Kommandos Arajs war, hat für das Jahr 1941 von 40-50 Mann gesprochen und gesagt, mehr als 100 Mann seien es keinesfalls gewesen. Für die letzten Monate des Jahres 1941 ist diese Zahl zu niedrig. Ki.s Angabe stützt aber - als eine Grössenordnung verstanden - die Aussagen der genannten Zeugen. Das gilt auch für die Aussage des Zeugen Bre., der von 50 Mann in den ersten Julitagen gesprochen hat (Vernehmung vom 21.November 1975, Blatt 3761). Nur Jur. hat bereits für Mitte Juli 1941 von 300 (Blatt 5783) Mann gesprochen. Diese Zahl ist zu hoch und entspricht der Stärke, die das Kommando im Herbst 1941 erreichte. Jur. Angaben sind auch sonst wenig zuverlässig und er verwechselt hier einen späteren Zustand mit dem der ersten Wochen. Jedenfalls widerlegen die Angaben der genannten Zeugen die Behauptung des Angeklagten, er habe schon am ersten Tag 1400, 1600 oder gar 2000 Mann beisammengehabt. Das sind Behauptungen, mit denen er zu unterstreichen versucht hat, dass er eine gleichsam militärische, in Bataillone gegliederte Kampftruppe aufzustellen gehabt habe. Einen solchen Umfang erreichte das Kommando Arajs aber frühestens im Jahre 1942. Damals nahmen sicherheitspolizeiliche Einsätze an der Front und im Partisanenkampf grösseren Raum ein.

Die Feststellungen über die Herkunft der Männer, aus denen sich das Kommando Arajs zusammensetzte, beruhen auf den im wesentlichen übereinstimmenden Angaben des Angeklagten und der Zeugen Mur. (Blatt 5652), Jan. (Blatt 5822 f.), Bre. (Vernehmung vom 21.November 1975, Blatt 3761), Bra. und Ki. Das Gericht hat nicht feststellen können, ob Angehörige des Perkonkrusts im Kommando Arajs waren. Der Angeklagte mochte das nicht ausschliessen, hat aber keinen genannt. Zwar hat Bes. [73] in seinen verlesenen Aussagen durchweg von "Perkonkrustern" gesprochen, die die Erschiessungen ausgeführt hätten. Er hat das dann aber auf Befragen klar gestellt: Gemeint waren Arajs' Leute (Blatt 13685 der Akte (50) 44/74). Ebenso sprechen die jüdischen Zeugen wie z.B. Frau Me. häufig vom Perkonkrusts, wenn sie das Kommando Arajs meinen (Me.: Blatt 6307, 6311). Daraus ist eine Mitgliedschaft einzelner Männer des Perkonkrusts aber nicht herzuleiten.

Es waren nur Freiwillige im Kommando Arajs. Diese Tatsache hat der Angeklagte selbst immer wieder betont. Sie ist durch seine Einlassung und die mit ihr übereinstimmenden Angaben aller Zeugen, die Angehörige des Kommandos waren und auf deren Aussagen das Gericht Feststellungen über das Kommando stützt, bewiesen. Kein Zeuge hat bekundet, er sei zum Eintritt oder zum Bleiben im Kommando gezwungen worden. Im Gegenteil berichten alle von einem freiwilligen Eintritt. Dass sie das Kommando auch frei wieder verlassen konnten, wenn sie das wollten, ist durch die Aussage des Zeugen Jan. bewiesen (Blatt 5821). Jan. ging im August 1941 zur lettischen Konzentrationslagerverwaltung, weil ihm die Massenerschiessungen nicht zusagten. Er stiess dabei auf keinen Widerstand. Auch Jur., der in der Verwaltung des Kommandos unter anderem Lohnlisten führte, hat bestätigt, dass im Kommando eine grosse Fluktuation herrschte (Blatt 5783). Das stimmt überein mit der Aussage des Zeugen Mur. (Blatt 5640).

Die Feststellung, dass die Sicherheitshilfspolizei des Angeklagten allgemein als "Arajs-Kommando" oder "Kommando Arajs" bezeichnet wurde, hat das Gericht auf die Aussagen der Zeugen Ki., Mur. (Blatt 5644), Ka. (Blatt 5738), Ber. (vom 2.April 1974, Blatt 6385 und vom 3.Dezember 1975, Blatt 3898) und Bre. (vom 21.November 1975, Blatt 3760) gestützt. Der Angeklagte hat das bestätigt, allerdings im Laufe seiner Einlassung behauptet, erst 1942 oder 1943 sei von einem Arajs-Kommando die Rede gewesen. Diese zeitliche Einschränkung seiner Einlassung ist jedoch durch die glaubhaften Angaben der genannten Zeugen widerlegt.

Die offizielle Bezeichnung des Kommandos als Lettische Hilfspolizei bei der Sicherheitspolizei hat das Gericht der Einlassung des Angeklagten entnommen. Es gibt Anhaltspunkte dafür, dass im amtlichen Sprachgebrauch verschiedene Bezeichnungen des Arajs-Kommandos vorkamen. So haben Mur. (Blatt 5640) und Pro. (Blatt 5656) als Aufschriften ihrer Armbinden "Sicherheitsdienst" in Erinnerung behalten. Andere Zeugen haben von "Lettischer Hilfssicherheitspolizei" gesprochen (Jan., Blatt 5809; Bre., Blatt 6391, 6399, 3760 und Ber., Blatt 6384 und 3898). Im Aufruf vom 4.Juli 1941 (Blatt 6434) ist von "Sicherheitskommando" die Rede, während es in dem Artikel in "Tevija" vom 23.Juli 1942 (Blatt 6443) "Lettische Sicherheitspolizei" heisst. In allen diesen Fällen ist das Kommando Arajs gemeint.

<u>B. II. 5.) Grundlagen der Feststellungen zu Ziffer A. III. 3.)</u>

Zu den Ausschreitungen der ersten Julitage in Riga hat der Angeklagte erklärt, es habe sich um eine Art von Blutrache gehandelt, die sich gegen die Kommunisten gerichtet habe. Was

[73] Siehe Lfd.Nr.820.

der Mob angerichtet habe, sei unbeschreiblich gewesen. Er selbst und seine Einheit seien daran aber nicht beteiligt gewesen. Diese Einlassung ist, soweit sie die Beteiligung des Angeklagten und seiner Leute betrifft, widerlegt.

Die Vernichtung der Rigaer Synagogen ist auf Grund des ersten Stahlecker-Berichts (IMT Band XXXVII, Seite 670 ff.) und der verlesenen Ereignismeldung UdSSR Nr.15 vom 7.Juli 1941 (Ordner A) bewiesen.

Die Feststellung, dass Männer des Arajs-Kommandos die Synagoge in der Gogolstrasse anzündeten, beruht auf den insoweit übereinstimmenden Aussagen der Zeugen Mur. (Blatt 5633 ff.) und Jan. (Blatt 5810 ff.). Dass dabei Juden aus dem Keller der Synagoge schrien, hat das Gericht dem Zeugen Mur. geglaubt. Das Gericht ist davon überzeugt, dass diese Juden ums Leben kamen, weil eine Granate in den Keller geworfen wurde und das Gebäude abbrannte.

Die Feststellung, dass auch die Synagoge in der Stabustrasse von Männern des Arajs-Kommandos in Brand gesetzt wurde, hat das Gericht auf die verlesenen Aussagen des Zeugen Bre. gestützt (vom 7.Mai 1971, Blatt 6392/3, vom 12.März 1974, Blatt 6401 und vom 26.November 1975, Blatt 3784/5).

Der Angeklagte hat zu diesen Bekundungen der Zeugen Mur., Jan. und Bre. erklärt, es könne schon sein, dass diese Zeugen dabei gewesen seien, als die Synagogen verbrannt wurden. Nur müsse das vor ihrem Eintritt in sein Kommando gewesen sein. Das Gericht hat aber den Zeugen geglaubt, dass sie damals schon Mitglieder des Arajs-Kommandos waren.

Die Überzeugung, dass der Angeklagte selbst den Befehl zur Inbrandsetzung der Synagoge in der Gogolstrasse gab, hat das Gericht auf die verlesenen Aussagen des Zeugen Jan. (Blatt 5810, 5815) und des Zeugen Mur. (Blatt 5634/5) gestützt. Jan. insbesondere hat sich noch gut an die Worte des Angeklagten erinnert, mit denen dieser das Pogrom begründete. Sie war die einzige derartige Rede, die Jan. selbst von Arajs hörte (Blatt 5810, 5816). Der Zeuge hat von weiteren Reden berichtet, die der Angeklagte vor anderen Mitgliedern des Kommandos Arajs gehalten haben soll. Von diesen Reden hatte er aber nur gehört (Blatt 5810, 5815, 5816 und 5828). Auch Mur. hat glaubhaft bestätigt, dass der Angeklagte vor der Inbrandsetzung der Synagoge gegen die Juden redete und dabei erklärte, sie müssten verprügelt werden (Blatt 5635).

Der Angeklagte selbst hat eingeräumt, Anfang Juli 1941 in Reden Leute aufgerufen zu haben. Dass es dabei nicht nur um den Kampf gegen die Kommunisten ging, wie er selbst es behauptet hat, belegt schon die festgestellte Tätigkeit des Arajs-Kommandos, die sich vor allem gegen Juden richtete.

Das Gericht hat nicht mehr sicher feststellen können, wann Arajs bei der Synagoge in der Gogolstrasse eintraf. Der Zeuge Mur. war auf Vorhalt einer früher gemachten Aussage in diesem Punkt seiner Erinnerung nicht mehr sicher und hat auch über eine besondere Aktivität des Angeklagten bei der Synagoge nichts berichtet (Blatt 5634 ff.). Schon deshalb hat das Gericht nicht feststellen können, ob der Angeklagte selbst bewusst zum Tod der Menschen in dem Gebäude etwas beigetragen hat.

Im Gegensatz zum Zeugen Mur. hat der Zeuge Jan. erklärt, in dem Gebäude seien keine Menschen gewesen (Blatt 5811) und er habe keine Schreie gehört (Blatt 5826). Diese Bekundung hat das Gericht nicht veranlasst, an der Wahrheit der Aussage des Zeugen Mur. über diesen Vorgang zu zweifeln. Es ist möglich, dass Jan. von dem Tod der Juden nichts bemerkt hat, weil er sich von dem Gebäude entfernte, um die Feuerwehr zu holen und erst zurückkehrte, als die anderen Männer des Arajs-Kommandos das Gebäude in Brand gesetzt hatten (Blatt 5810).

Durch Zeugenaussagen und die verlesene Ereignismeldung UdSSR Nr.24 vom 16.Juli 1941 (Ordner A) ist bewiesen, dass es zu Massenverhaftungen in Riga kam. In der Ereignismeldung Nr.24 wird darüber berichtet, dass bereits 2300 Juden erschossen worden und weitere 2000 Juden in Haft genommen seien. Auch die verlesene Aufstellung des Höheren SS- und Polizeiführers Prützmann (des Vorgängers von Jeckeln) vom 21.August 1941 (Ordner A 1) belegt, dass es zu solchen Verhaftungen kam und dass dabei auch die lettischen Schutzmannschaften herangezogen wurden. Auch jüdische Zeugen haben glaubhaft über die Verhaftungen berichtet. So wurde Dol. für kurze Zeit festgenommen und zur Präfektur geschafft. Alexander Lew. konnte mit seinen Eltern im letzten Moment der Festnahme entgehen.

Der Angeklagte hat geleugnet, dass Angehörige seines Kommandos zur Verhaftung von Juden herangezogen worden seien. Er hat dazu erklärt, er habe ja gar nicht gewusst, wo Juden wohnten. Für solche Verhaftungen sei der Präfekt zuständig gewesen, der über die Adressen der Juden verfügt habe. Das ist zur Überzeugung des Gerichts widerlegt durch die insoweit übereinstimmenden Aussagen der Zeugen Mur. (Blatt 5633, 5652 f.), Jan. (Blatt 5809 f.) und Bre. (vom 7.Mai 1971, Blatt 6392, 12.März 1974, Blatt 6400 und vom 26.November 1975, Blatt 3783). Mur. und Bre. sind beide zu Verhaftungen in der Marijasstrasse eingesetzt worden. Dazu brauchten sie keine Adressen: Sie liessen sich die Wohnungen der Juden von den Hausmeistern zeigen. Dieses Vorgehen haben auch jüdische Zeugen glaubhaft bestätigt: Alexander Lew. hat in seiner Vernehmung geschildert, wie ein Nachbar Männern (der Zeuge hat sie als Soldaten bezeichnet), die in den Hof des Hauses kamen, in dem Lew. mit seinen Eltern lebte, die Wohnung der Familie Lew. zeigte. Die Familie konnte gerade noch über den Dachboden entkommen. Der Zeuge Dol. blieb von einer zweiten Verhaftung nur deshalb verschont, weil sein Hausmeister lettischen Schutzleuten die Wohnung der Juden im Haus verschwieg.

Der Zeuge Bre. hat als einziger ehemaliger Angehöriger des Kommandos Arajs davon berichtet, dass er auch bei der Verhaftung ganzer Familien mit Frauen und Kindern eingesetzt worden sei (Blatt 3783). Das ist glaubhaft: Zwar wurden im Sommer 1941 überwiegend Männer verhaftet. Es wurden aber auch ganze Wohnungen geräumt, um der Besatzungsmacht Platz zu schaffen. Im übrigen haben auch die Zeugen Jur. (Blatt 5784) und Ber. (Blatt 6385, Vernehmung vom 2.April 1974) bestätigt, dass das Kommando Arajs zu Massenverhaftungen eingesetzt wurde.

Nicht bewiesen ist, dass der Angeklagte selbst an Verhaftungen teilgenommen hätte. Das hat allerdings der Zeuge Alter Rit. in seiner unbeeidigten Aussage behauptet: In seiner Wohnung sei Arajs mit anderen "Perkonkrustleuten" erschienen und habe seinen Bruder und seine Schwester festgenommen. Der Zeuge hat den Angeklagten auch auf dem vorgelegten Gruppenfoto des Zeugen Eic. identifiziert. Aber seine Erinnerung ist nicht mehr zuverlässig. Auf Vorhalt seiner früheren Aussage wusste er nicht einmal mehr sicher zu sagen, welche seiner Schwestern - Sonja oder Ella - damals festgenommen wurde. Auch sonst wirkte er unsicher und in der Erinnerung verwirrt. Dass er den Angeklagten auf dem Foto erkannt hat, kann eine Folge seines guten <u>optischen</u> Gedächtnisses sein: Der Zeuge ist Kunstmaler von Beruf und hat schon früher Bilder des Angeklagten vorgelegt bekommen. Es ist unter diesen Umständen nicht sicher, dass seine Erinnerung an das Aussehen des Angeklagten aus dem Jahre 1941 stammt.

Die Zeugen Mur. (Blatt 5637/8, 5652), Jan. (Blatt 5810, 5814/5), Pro. (Blatt 5658/9), Lut. (Blatt 5674) und Me. (Blatt 6309 ff.) haben übereinstimmend und glaubhaft davon berichtet, dass auch im Hauptquartier des Angeklagten in der Waldemarstrasse 19 festgenommene Juden eingesperrt wurden.

Die Feststellung, dass diese Juden in der Waldemarstrasse 19 zum Teil misshandelt und vergewaltigt wurden, stützt das Gericht auf die glaubhafte Aussage des Zeugen Pro. (Blatt 5659 f.). Dieser Zeuge hat sichtlich durch seine Erinnerung erschüttert und fast unter Tränen darüber berichtet, dass Männer des Arajs-Kommandos im Juli 1941 einem jungen jüdischen Mann im Hof des Hauses Waldemarstrasse 19 einen langen Strick um den Hals schlangen und ihn daran hin- und herzerrten und würgten. Bei derselben Gelegenheit hoben sie einer jungen Frau den Rock hoch und begossen sie mit Wasser.

Pro. hat auch glaubhaft darüber berichtet, dass ein anderer Mann des Arajs-Kommandos ihm im Keller des Hauses Waldemarstrasse 19 anbot, oben mit Frauen "zu spielen" (Blatt 5658 f.). Das verstand Pro. als Angebot, sie zu vergewaltigen. So war es auch gemeint. Auch durch die Aussagen der Zeugen Lut. (Blatt 5677) und Me. (Blatt 6310 f., 6322) ist bewiesen, dass es im Hauptquartier des Angeklagten zu Vergewaltigungen gekommen ist. Beide Zeugen haben glaubhaft davon berichtet, dass junge Frauen in einem Zustand in den Keller der Waldemarstrasse 19 zurückkehrten, der erkennen liess, dass sie vergewaltigt worden waren.

Die Feststellungen über das Verhalten des Zeugen Pro. bei seiner kommissarischen Vernehmung in Riga hat das Gericht auf die Aussage des als Zeugen gehörten Dolmetschers Prof. Kr. gestützt. Durch die verlesene Aussage des Zeugen Tei. vom 11.November 1975 ist bewiesen, dass Misshandlungen festgenommener Juden auch in den Polizeirevierwachen vorgekommen sind (Blatt 2167). Über Misshandlungen in der Präfektur hat der Zeuge Alexander Lew. glaubhaft berichtet, dessen Verwandte dort inhaftiert waren. Die Zeugen Zes., Lip. und Wul. haben ebenfalls über Misshandlungen in der Präfektur berichtet. Sie haben dabei den Angeklagten als Beteiligten genannt. Eine solche Feststellung kann das Gericht auf ihre Aussagen jedoch nicht stützen.

Der Zeuge Zes. hat ausgesagt, Arajs habe in der Präfektur einen jungen Juden blutig geschlagen. Indessen ist nicht gesichert, dass dieser Zeuge damals wirklich den Angeklagten gesehen hat. Der Zeuge stammt aus Mitau und war im Juli 1941 gerade nach Riga geflüchtet. Der Name Arajs wurde ihm damals von Rigensern genannt. Es ist nicht sicher, dass diese Arajs wirklich kannten. Der Zeuge Lip. hat bekundet, ein Mann, der in der Präfektur auf lettisch mit "Herr Arajs" angeredet worden sei, habe dort Juden geschlagen. Auf dem ihm vorgelegten Gruppenfoto des Zeugen Eic. hat er dann den Zeugen Eic. als diesen Mann bezeichnet. Auf seine Aussage lassen sich schon deshalb keine Feststellungen über das Verhalten des Angeklagten stützen.

Der Zeuge Wul. hat ausgesagt, er habe nach seiner Verhaftung am 1.Juli 1941 Arajs in der Präfektur kommandieren und Juden schlagen sehen. Den Namen Arajs hätten ihm damals andere genannt. Diese Aussage reicht schon deshalb nicht aus, Feststellungen über das Verhalten des Angeklagten zu treffen, weil nicht sicher ist, ob diese anderen Arajs richtig identifiziert haben. Auch hat Wul. bei seiner polizeilichen Vernehmung in Tel Aviv auf vorgelegten Bildern den Angeklagten Arajs nicht erkennen können. Das hat die vernehmende Mitarbeiterin der israelischen Polizei, Frau R., als Zeugin glaubwürdig bekundet. In der Hauptverhandlung hat der Zeuge Wul. dagegen behauptet, er habe damals in Tel Aviv Arajs erkannt.

Das Gericht hat sich auch nicht davon zu überzeugen vermocht, dass der Angeklagte sich an den Vergewaltigungen jüdischer Frauen in seinem Stabsquartier beteiligt hat. Die Zeugin Ha. hat unter Eid ausgesagt, der Angeklagte habe sie aus dem Keller des Hauses geholt und in den oberen Diensträumen vergewaltigt. Dabei habe er selbst seinen Namen genannt. Diese Zeugin hat auf das Gericht einen guten und zunächst auch uneingeschränkt glaubwürdigen Eindruck gemacht. Sie hat aus einer zuverlässigen Erinnerung viele Einzelheiten der Ereignisse in Riga geschildert, die mit dem Bild übereinstimmen, das auch andere Zeugen gezeichnet haben. Vieles, was sie über ihr eigenes Schicksal berichtet hat, ist von ihrem früheren Ehemann Vab. in dessen verlesener Aussage vom 16.Januar 1979 (Blatt 6348 ff.) und von den Zeugen Lid. (Blatt 6528 ff.) und Kra. (Blatt 6662 ff.) in deren verlesenen Aussagen vom 4. und 5.Januar 1979 bestätigt worden. Dass die Zeugin Ha. erklärtermassen zum Beweis der Schuld des Angeklagten beitragen wollte, war für sich genommen dem Gericht kein Anlass, an der Wahrheit ihrer Bekundungen zu zweifeln. Das gilt auch für die erkennbare, aber beherrschte Emotion bei ihrem Bericht über die Vergewaltigung.

Das Gericht hat sich aber nach eingehender Würdigung der Aussagen der Zeugin Ha., des Zeugen Vab. und der Zeugen Lid. und Kra., sowie der verlesenen Briefe der Zeugin Ha. an Lid. und dessen Ehefrau (Blatt 6589 ff.) nicht dazu durchringen können, der Zeugin Ha. zu glauben. Das Verhalten Frau Ha.s gegenüber Kra., vor allem aber gegenüber Lid. ist nur schwer mit den Tatsachen zu vereinbaren, die sie von beiden berichtet hat. Sie hat beide Zeugen als brutale Judenmörder geschildert, die als Mitglieder des Kommandos Arajs auch bei der Erschiessung in Rumbula und damit bei der Ermordung der Eltern der Zeugin Ha. beteiligt gewesen sein sollen. Auf der anderen Seite hat sie mit beiden, vor allem mit Lid., in den Jahren 1975 bis 1977 freundschaftliche, fast familiäre Beziehungen unterhalten und sie auch in Kanada besucht. Dass das nur aus psychologischem Interesse geschehen sei, wie sie gesagt hat, ist angesichts ihrer verlesenen Briefe an das Ehepaar Lid. nicht glaubhaft.

Das Gericht kann nicht ausschliessen, dass diese Zeugin sich bei ihrer Aussage über das Verhalten des Angeklagten von dem erlittenen Unrecht in einer Weise hat beeinflussen lassen, die es verbietet, Feststellungen über das Verhalten des Angeklagten gegenüber Juden darauf zu stützen. Das Gericht sieht sich auch nicht in der Lage, das unzweifelhaft Wahre in der Aussage der Zeugin Ha. von dem möglicherweise beeinflussten Teil zu trennen und hat ihre Aussage deshalb in keinem Punkt dem Urteil zugrundegelegt.

Das Gericht hat auf die verlesenen Aussagen der Zeugen Vab., Lid. und Kra. keine Feststellungen stützen können, die geeignet wären, den Angeklagten zu entlasten. Soweit diese Aussagen dazu dienen könnten, die Glaubwürdigkeit der Zeugin Ha. zu überprüfen, kommt es auf sie nicht mehr an, da das Gericht die Aussage der Zeugin Ha. nicht verwertet hat. Deshalb hat das Gericht auch auf die Aussagen der Zeugen Vab., Lid. und Kra. keine Feststellungen gestützt.

Die Feststellungen zur Zahl der Opfer der Pogrome beruhen auf den verlesenen Ereignismeldungen UdSSR Nr.15 und Nr.24 vom 7. und 16.Juli 1941 (Ordner A). Im ersten Stahlekker-Bericht vom 15.Oktober 1941 ist sogar von 500 Toten die Rede (dort Seite 31). In dieser Zahl sind aber wohl die von einem deutschen Kommando zur Vergeltung erschossenen 100 Juden enthalten, die in der Ereignismeldung Nr.15 erwähnt werden. Sie können den Pogromen lettischer Kräfte nicht zugerechnet werden. Wieviele Opfer der Pogrome dem Arajs--Kommando zuzurechnen sind, ist nicht mehr feststellbar.

Der Ereignismeldung UdSSR Nr.15 vom 7.Juli 1941 hat das Gericht den Hinweis entnommen, dass es in den ersten Julitagen in Riga ein weiteres Sonderkommando für Pogrome gegeben haben soll. Davon hat sonst niemand berichtet. Dieses Kommando ist jedenfalls nach den Pogromen als selbständige Gruppe nicht mehr in Erscheinung getreten.

Die Feststellungen über die im Sommer und Herbst 1941 vom Kommando Arajs vorgenommenen Massenerschiessungen sind eine Zusammenfassung der im wesentlichen übereinstimmenden und einander zum Teil ergänzenden Angaben der früheren Angehörigen des Kommandos Mur., Pro., Bed., Jur., Jan., Ber. und Bre. Die Erschiessungen waren so zahlreich und in ihrem äusseren Ablauf einander so ähnlich, dass Zeugen, die daran oft beteiligt waren, wie zum Beispiel Mur., nach fast 40 Jahren kaum noch in der Lage sind, einzelne Erschiessungsaktionen von anderen zu unterscheiden. Das gilt auch für den Angeklagten selbst, soweit er sich zu den Erschiessungen eingelassen hat. Gerade wegen der Häufigkeit und

Gleichartigkeit der Aktionen waren aber Zeugen wie Mur. und Bre. und, soweit er dazu etwas gesagt hat, auch der Angeklagte selbst, noch in der Lage, ein einigermassen zuverlässiges Bild des üblichen Ablaufs zu schildern. Der Angeklagte hat zu den verlesenen Aussagen der Zeugen erklärt, dass diese Zeugen im Arajs-Kommando und an den Erschiessungen beteiligt gewesen seien, sei auch ihm eindeutig. Die verlesenen Aussagen der Zeugen Ber. und Bre. von 1974 hat er als wahr bezeichnet, soweit sie nicht, wie er eingeschränkt hat, ihn selbst belasten.

Der Angeklagte hatte schon in seiner Vernehmung vor dem Staatsanwalt am 5.August 1975 (Blatt 700 ff.) die Exekutionen im wesentlichen mit den verlesenen Zeugenaussagen übereinstimmend dargestellt. Die Niederschrift dieser staatsanwaltschaftlichen Vernehmung ist ihm in der Hauptverhandlung vorgehalten worden, wenn er, was mehrmals geschehen ist, die Judenerschiessungen leugnete. Der Angeklagte hat dann wiederholt auf Vorhalt bestätigt, dass er in dieser Vernehmung dem Staatsanwalt die Wahrheit gesagt habe und hat seine Aussage selbst als "volles Geständnis" bezeichnet. Zeitweilig hat er dann diese Einlassung erkennbar bereut und behauptet, er habe dem Staatsanwalt nur Vermutungen erzählt, die auf dem beruhten, was nach dem Krieg in den Lagern erzählt worden sei. Das ist aber eine Behauptung, die er nur zu seinem Schutz aufgestellt und selbst nicht durchgehalten hat. Der Angeklagte hat vielmehr in der Hauptverhandlung nach und nach selbst ausdrücklich und glaubhaft eingeräumt,

dass er häufig Kommandos zu Erschiessungen "abgestellt" habe;
dass Juden, Kommunisten, "alles was dem SD nicht passte" - so hat der Angeklagte wörtlich den Personenkreis umrissen - von seinen Leuten erschossen worden seien;
dass seine Leute (zu Erschiessungen) von deutschen Offizieren, darunter Lange, angefordert und von deutschen Offizieren geholt worden seien;
dass das Kommando allein im Juli 1941 wenigstens zehnmal zu Erschiessungen eingesetzt worden sei;
dass eigene Offiziere des Kommandos, darunter Dibietis und Kal., die Feuerbefehle gaben und
dass das Kommando bei den Erschiessungen die Schützen und das absperrende Spalier, durch das die Opfer an die Gruben gingen, stellte.

Der Angeklagte hat auch eingeräumt, dass seine Leute in blauen Bussen in andere Orte Lettlands gefahren seien. Allerdings wisse er nichts von Exekutionen; es habe sich um Partisaneneinsätze gehandelt. Diese Einlassung ist durch die Aussagen der Zeugen Mur., Pro., Bed., Jur., Jan., Ber. und Bre. über die Erschiessungen widerlegt. Die Aussagen dieser Zeugen sind in diesem Zusammenhang glaubhaft: Es gab in Lettland keine Partisaneneinsätze im Jahre 1941, jedenfalls nicht mehr, nachdem die versprengten Soldaten der Roten Armee nach dem deutschen Einmarsch gesammelt worden waren. Das ist durch die in dieser Hinsicht glaubhafte Aussage des Zeugen Ki. bewiesen, die durch die verlesene Aussage des verstorbenen ehemaligen SS- und Polizeiführers von Lettland, Schr., bestätigt worden ist (vom 10.Dezember 1964, Blatt 8816 M.). Ki., der als Abteilungsleiter IV des Einsatzkommandos 2 und Gestapo-Fachmann darüber gut unterrichtet war, hat ausgesagt, dass der erste Partisaneneinsatz des Kommandos Arajs erst im Herbst 1942 stattgefunden habe. Schr. hat in seiner Aussage gemeint, in Lettland habe es noch nicht einmal im Jahre 1942 Partisanen gegeben. Beide Zeugen hätten angesichts ihrer früheren Tätigkeit während der deutschen Besetzung Lettlands Grund gehabt, Partisanenkämpfe eher hervorzuheben, wenn es sie schon früher als 1942 gegeben hätte. Im übrigen belegt auch der erste Stahlecker-Bericht, dass es in Lettland jedenfalls in der Berichtszeit bis zum 15.Oktober 1941 keine Partisanentätigkeit von erwähnenswertem Umfang gab (insbesondere Seite 28 des Stahlecker-Berichts; auch Seite 8, 11 und die Anlage 9). Stahlecker hat gerade auf die Schilderung der Partisanenbekämpfung grossen Wert gelegt und ihr in dem Bericht breiten Raum eingeräumt. Hätte es in Lettland Anlass zur Partisanenbekämpfung gegeben, hätte Stahlecker das nicht verschwiegen.

Die Feststellung, dass in anderen Orten Lettlands ausser dem Kommando Arajs auch örtliche Verbände zur Vernichtung der Juden herangezogen wurden, beruht auf der Einlassung des Angeklagten, die in diesem Punkt von den Zeugen Ki. und Mur. (Blatt 5641) bestätigt worden ist.

Über die Zahl der bei einzelnen Aktionen erschossenen Menschen haben vor allem Mur. (Blatt 5634, 5642 f.) und Bre. (Blatt 6394, 6396; 6403; 3771) Angaben gemacht. Naturgemäss haben sie nach so langer Zeit keine wirklich genaue Erinnerung mehr an Zahlen die für einzelne Aktionen gelten. Ihre Aussagen bieten aber noch einen zu den Angaben des ersten Stahlecker-Berichts passenden, in der Grössenordnung zuverlässigen Anhalt dafür, dass häufig, wenn auch nicht jedesmal, bei den Erschiessungen mehrere hundert Menschen getötet wurden.

Die Zahl der vor dem 16.Juli 1941 erschossenen Rigaer Juden hat das Gericht der Ereignismeldung UdSSR Nr.24 vom 16.Juli 1941 (Ordner A) entnommen. Die Feststellung über die Zahl der bis Mitte Oktober erschossenen Juden, Kommunisten und sonstigen Personen beruht auf dem ersten Stahlecker-Bericht, insbesondere der Anlage 8.

Die Feststellungen zur Teilnahme des Angeklagten an den Massenerschiessungen, die vor der Jeckeln-Aktion stattfanden, hat das Gericht auf die Aussagen der Zeugen Mur., Bre. und Jan. gestützt. Der Angeklagte hat geleugnet, selbst an Massenerschiessungen beteiligt gewesen zu sein. Das sogenannte "Schiesskommando" habe Hauptmann Laukers unterstanden. Er, der Angeklagte, sei nur einmal von Dr. Lange zu einer Erschiessung im Bickernicker Wald mitgenommen worden. Er sei höchstens zehn Minuten dort gewesen und habe nichts zu sagen gehabt.

Diese Einlassung des Angeklagten ist widerlegt, soweit sie seine eigene Beteiligung betrifft. Zwar kann das Gericht nicht ausschliessen, dass auch Hauptmann Laukers 1941 gelegentlich Leute des Arajs-Kommandos bei Erschiessungen leitete. Zeugen haben das allerdings nicht bestätigt. Mur. hat sich in diesem Zusammenhang nicht an Laukers erinnert, obwohl er häufig bei Exekutionen dabei war (Blatt 5639 f.). Nach seiner Erinnerung hatte Laukers mit Wirtschaft zu tun. Der Angeklagte hat denn auch später gesagt, Laukers sei für die Ausrüstung und die Ausbildung zuständig gewesen.

Der Zeuge Mur. hat in seiner verlesenen Aussage glaubhaft berichtet, dass der Angeklagte 1941 bei Massenerschiessungen im Bickernicker Wald und in anderen Orten in Lettland (Kuldiga, Krustpils) als Leiter seiner Leute dabei war und auch selbst gelegentlich schoss, so zum Beispiel bei einer Judenerschiessung in Krustpils (Blatt 5633 f., 5638 ff.). Das Gericht hat der Aussage dieses Zeugen nicht mehr entnehmen können, wie oft der Angeklagte bei solchen Erschiessungen dabei war. Mur. hat 1941 soviele Erschiessungen erlebt, dass er sie nur noch schwer in ihren Einzelheiten voneinander trennen kann. Aber dass der Angeklagte wiederholt als Leiter seiner Leute dabei war und auch selbst gelegentlich schoss, hat das Gericht dem Zeugen geglaubt.

Zahlen der Erschiessungseinsätze hat dagegen der Zeuge Bed. genannt (Blatt 5770, 5772): Er habe Arajs im Jahre 1941 ungefähr fünfzigmal und 1942 ungefähr zwanzigmal zu Massenerschiessungen im Bickernicker Wald gefahren. Arajs habe auch selbst geschossen. Das Gericht hat keinen Zweifel, dass Bed. insbesondere im Jahre 1941, und zwar vor der Jekkeln-Aktion, den Angeklagten zu mehreren Erschiessungen gefahren hat, ohne dass eine genaue Zahl noch feststellbar ist. Insoweit bestätigt seine Aussage diejenige des Zeugen Mur. Das Gericht hat auf Bed. Aussage aber nicht die Feststellung gestützt, dass Arajs auch 1941 schon selbst auf Juden schoss. Dieser Zeuge ist in der zeitlichen Einordnung seiner Erlebnisse nicht sicher, so dass das Gericht nicht ausschliessen kann, dass er Arajs erst 1942 schiessen sah.

Den verlesenen Aussagen der Zeugen Bre. (7.Mai 1971, Blatt 6393; 12.März 1974, Blatt 6402 und 24.November 1975, Blatt 3774 f.) hat das Gericht die Feststellung entnommen, dass der Angeklagte bei einer der ersten Massenerschiessungen im Bickernicker Wald selbst die Schützen zusammenstellte. Bre. hat darüber zuerst in zwei Vernehmungen berichtet, die auf Grund deutscher Rechtshilfeersuchen in Verfahren gegen andere Personen stattfanden. Er hat dann seine Aussage über Arajs' Verhalten 1975 widerspruchsfrei und ohne erkennbare Tendenz zu einer gezielten Belastung des Angeklagten wiederholt. Das Gericht hat dem Zeugen geglaubt.

Auch der Zeuge Jan. hat sich aus der kurzen Zeit, die er dem Kommando Arajs angehörte, noch an eine von Arajs selbst geleitete Massenerschiessung erinnert (Blatt 5829 ff.): Bes. sei als deutscher Offizier dabei gewesen und Kal. habe das Kommando "Feuer!" gegeben. Das Gericht hat dem Zeugen geglaubt. Bes. selbst hat über solche Einsätze berichtet und der Angeklagte hat bestätigt, dass Kal. bei solchen Erschiessungen das Kommando über die Schützen führte. Dass Jan. in einer ihm vorgehaltenen früheren Aussage Arajs im Zusammenhang mit dieser Erschiessung nicht erwähnt hatte, ist kein Anlass, ihm nicht zu glauben. Denn jene Vernehmung fand in einem Verfahren gegen andere Angeschuldigte (Bes. und Trü. [74]) statt und Jan. ist, wie er glaubhaft ausgesagt hat, damals nicht nach Arajs gefragt worden.

Die verlesenen Aussagen der Zeugen Wan. (Blatt 5727 ff.), Eli. (Blatt 5711 ff.) und Pro. (Blatt 5657 f.) hat das Gericht zu den Feststellungen über die Beteiligung des Angeklagten an Massenerschiessungen vor der Ghetto-Räumung nicht herangezogen, weil die von den Zeugen geschilderten Erschiessungen entweder danach stattfanden (so im Falle Wan.) oder die Zeugen in der zeitlichen Einordnung der Erschiessungen, an denen der Angeklagte teilnahm, im Verhältnis zur Jeckeln-Aktion nicht sicher gewesen sind.

Das Gericht hat nicht feststellen können, ob der Angeklagte mit seiner Einheit auch eigenmächtig, das heisst ohne Anweisung der deutschen Sicherheitspolizei, Massenerschiessungen veranstaltete, wie es die Anklage behauptet hat.

B. II. 6.) Grundlagen der Feststellungen zu Ziffer A. III. 4.)

Die Feststellung über Lohses Dienstantritt beruht auf der auszugsweise verlesenen Ereignismeldung UdSSR Nr.53 vom 15.August 1941 (dort Seite 3, Ordner A 1).

Die Feststellung über die von Lohse erlassenen Richtlinien beruht auf den verlesenen Richtlinien vom 13.August 1941 (IMT Band XXVII, Seite 18 ff.).

Die Feststellungen über die Umsiedlung der Juden in das Ghetto von Riga beruhen auf den glaubhaften eidlichen Aussagen der Zeugen Dol. und Alexander Lew., die durch den in Übersetzung verlesenen Artikel der Zeitung "Tevija" vom 23.August 1941 (Blatt 6435 ff.), sowie im auszugsweise verlesenen ersten Stahlecker-Bericht (dort S.30) bestätigt worden sind.

Die Feststellung zur Anordnung des Gebietskommissars Riga-Stadt über die Schliessung des Ghettos beruht auf der verlesenen Anordnung vom 23.Oktober 1941 (Anlage zum Bericht des Reichskommissars vom 20.November 1941, Ordner A).

Die Feststellung der Zahl der vor Beginn der Räumung im Ghetto lebenden Juden beruht auf dem verlesenen Bericht des Reichskommissars für das Ostland vom 20.November 1941 (Ord-

[74] Siehe Lfd.Nr.820.

ner A). Diese Zahl stellt die heute noch feststellbare Mindestzahl dar. Tatsächlich lebten mehr Juden im Ghetto, da viele sich aus Angst vor Verfolgungen nicht hatten registrieren lassen.

B. II. 7.) Grundlagen der Feststellungen zu Ziffer A. IV. 1.)

Das Gericht hat der verlesenen Aussage Jeckelns (Ordner G, Urkunde Nr.15, dort Seite 33, 34) die Tatsache entnommen, dass Himmler in Berlin Jeckeln den Befehl zur Räumung des Rigaer Ghettos erteilte. Von der Aussage Jeckelns hat dem Gericht nur die Kopie einer sprachlich schlechten deutschen Fassung vorgelegen. Das Gericht hat aber keinen Zweifel daran, dass Jeckelns Bekundung über Himmlers Auftrag der Wahrheit entspricht. Sie wird bestätigt durch die Aussage des verstorbenen ehemaligen Reichskommissars für das Ostland Lohse. Lohse hat glaubhaft davon berichtet, dass Jeckeln sich schon in Riga auf einen Befehl Himmlers zur Ghetto-Räumung berief (Vernehmung vom 18.April 1950, Blatt 2247).

Die Anweisung Himmlers stand im Zusammenhang mit den seit Ende November 1941 in Riga eintreffenden Transporten deutscher Juden aus dem Reich. Nachdem die Menschen des ersten Transportes am 30.November 1941 in Rumbula erschossen worden waren (Ereignismeldung UdSSR Nr.151 vom 5.Januar 1942, Ordner A), trafen ab Dezember 1941 ungefähr 20.000 Juden aus dem Reich in Riga ein (2.Stahlecker-Bericht, dort Seite 63 f. IMT Band 30, Seite 71 ff.). Von diesen Menschen wurden ungefähr 15.000 im Grossen Ghetto untergebracht. An diese Zahl hat sich noch Hes. in seiner Aussage vom 29.Oktober 1963 glaubhaft erinnert (Blatt 6541). Um so viele Menschen in Riga unterzubringen, musste das Grosse Ghetto geräumt werden. Das war eine organisatorische Voraussetzung dafür, die Transporte aus dem Reich reibungslos abzuschliessen. Deshalb wurde die Räumung des Grossen Ghettos vorher von den im Reich zuständigen Stellen veranlasst.

Die Feststellungen zur Planung der Ghetto-Räumung durch Jeckeln hat das Gericht auf die Aussage des Angeschuldigten Deg. vor dem Untersuchungsrichter am 23.April 1968 (Blatt 11952 ff. M.) gestützt, die Deg. bei seiner Vernehmung durch den Untersuchungsrichter am 24.März 1969 bestätigt hat (Blatt 12764 ff. D.). Zwar hat sich Deg. in einigen Einzelheiten der Planung geirrt. Er hat zum Beispiel von drei Erschiessungsgruben gesprochen, während Hem., der sie entwerfen und ausheben lassen musste, sich an etwa sechs erinnert hat (Aussage vom 25.Juli 1965, Blatt 9507 M.). Das Gericht hat Hem.s Angabe geglaubt. Aber im Kern sind Deg.s Angaben zur Planung der Aktion glaubhaft. Seine Äusserungen über die Vorbesprechung beim Kommandeur der Schutzpolizei ist von Hes. in seiner verlesenen Aussage vom 25./26.September 1963 bestätigt worden (Blatt 6404 M.).

Die Feststellung zur Planung und Aushebung der Gruben beruht auf den glaubhaften Angaben Hem.s, die dieser noch als Zeuge gehört am 25.Juli 1965 gemacht hat (Blatt 9505 ff. M.). Als Angeschuldigter hat Hem. diese Angaben vor dem Untersuchungsrichter am 11.März 1969 wiederholt (Blatt 12718 ff. D.).

Die Feststellungen zur Einrichtung des Kleinen Ghettos beruhen auf den glaubhaften beeidigten Aussagen der Zeugen Dol. und Alexander Lew. Dol. wurde am Samstag, dem 29.November 1941, in das Kleine Ghetto eingewiesen, als er mit einer Arbeitskolonne in das Ghetto zurückkehrte. Dol. hat in seiner Aussage die Wochentage verwechselt: Er hat gemeint, es sei Sonntag gewesen. Es war aber der Samstag, also Sabbat, als er zur Arbeit ausrückte. Die Angaben dieser beiden Zeugen sind im übrigen vom Zeugen Tuchel [75] und von dessen verstorbenem ehemaligen Vorgesetzten Hes., der bei der Ghetto-Räumung die deutsche Schutz-

[75] Siehe Lfd.Nr.789.

polizei im Ghetto leitete, bestätigt worden. Hes. hat sich in seiner Aussage vom 29.Oktober 1963 (Blatt 6541 M.) allerdings über den Zeitpunkt der Einrichtung geirrt: Das Kleine Ghetto wurde nicht während, sondern vor der Ghetto-Räumung eingerichtet. Allerdings wurden, wie Hes. es bei seiner früheren Vernehmung am 25./26.September 1963 bekundet hat, noch während und zwischen den beiden Räumungstagen einzelne Arbeitskräfte in das Kleine Ghetto eingewiesen (Blatt 6405 M.).

Die Feststellungen zur Auswahl der als Schneiderinnen gesuchten Frauen hat das Gericht auf die Aussagen der Zeuginnen Mi. (Blatt 5918) und Me. (Blatt 6313) gestützt.

B. II. 8.) Grundlagen der Feststellungen zu Ziff. A. IV. 2.)

Die Feststellungen über die Räumung des westlichen Ghetto-Bereichs beruhen auf den Angaben des verstorbenen Leiters der Schutzpolizei im Ghetto, Hes., in den Vernehmungen vom 25./26.September 1963 und 29.Oktober 1963 (Blatt 6404 ff. M., 6537 ff. M.) und auf der Aussage des Zeugen Tuchel. Hes. und Tuchel haben sich zwar beide sehr zurückhaltend über ihre eigene Beteiligung am Geschehen geäussert. Hes. hat seine Angaben in späteren Vernehmungen zum Teil widerrufen (Vernehmung vom 10.September 1964, Blatt 8115 ff. M. und vom 30./31.Mai 1968, Blatt 12139 ff. M.). Das ist aber der Wahrheit zuwider zu seiner eigenen Entlastung geschehen. Hes. und Tuchel haben den äusseren Ablauf des Geschehens im wesentlichen übereinstimmend und insoweit glaubhaft geschildert.

Tuchel hat nach seiner Aussage selbst die Kolonnen zusammengestellt, und zwar 8-10 Kolonnen zu je 1000 Menschen. Dass es jeweils 1000 Menschen waren, hat auch Hes. bestätigt. Demgegenüber ist Deg.s Angabe in der Aussage vom 21.Juni 1961 (Blatt 2246 M.), er habe im Vorbeifahren Kolonnen von etwa (nur) 200 Menschen gesehen, nicht glaubhaft: Deg. war nicht im Ghetto eingesetzt, wo die Kolonnen in bestimmter Grösse zusammengestellt wurden. Ausserdem sind seine Angaben, gerade was Zahlen betrifft, auch sonst wenig zuverlässig.

Die Feststellungen über den Vorgang der Erschiessung der Menschen in Rumbula beruhen auf den insoweit glaubhaften Angaben des Zeugen Tuchel, der nach Beendigung der Räumung im Ghetto nach Rumbula hinausfuhr und dabei die letzten Kolonnen auf dem Marsch sah. Er stand auch selbst an der Grube. Seine Angaben stimmen überein mit den insoweit in ihrem Kern glaubhaften Angaben, die Deg. zu dem Geschehen in Rumbula in seinen verlesenen Aussagen wiederholt gemacht hat.

Dass etwa 1000 Mann im Einsatz waren, hat Deg. ausgesagt (Vernehmung vom 11.November 1963, Blatt 6747 M.). Das Gericht hält diese Zahl für annähernd richtig und ist sich darüber klar, dass nach so vielen Jahren genaue Zahlen in solchen Zusammenhängen nicht zu erwarten sind.

B. II. 9.) Grundlagen der Feststellungen zu Ziffer A. IV. 3.)

Die Feststellungen zu den Ereignissen am zweiten Tag der Räumung beruhen auf der Einlassung des Angeklagten, soweit das Gericht ihr folgen konnte, sowie auf den verlesenen Aussagen Hes.s vom 25./26.September 1963 und der Zeugen Mur., Pro., Mi., Me. und Lut., die in einigen Punkten von weiteren Beweismitteln ergänzt worden sind.

Der Angeklagte hat gesagt, dass seine Leute erst am zweiten Tag der Ghetto-Räumung eingesetzt wurden. Diese Einlassung ist vom Zeugen Mur. glaubhaft bestätigt worden (Blatt 5646). Auch die Aussagen der Zeugen Me. (Blatt 6315 ff.) und Lut. (Blatt 5675 ff.) haben ergeben, dass Männer des Kommandos Arajs am 2.Tag im Rumbula eingesetzt waren. Beide Zeugen haben dort Mitglieder des Kommandos getroffen, die sie kannten. Beide aber kamen erst am zweiten Tag nach Rumbula.

Nach dem Ergebnis der Beweisaufnahme gibt es keinen Anhaltspunkt dafür, dass Männer des Kommandos Arajs am ersten Räumungstag, dem 30.November 1941, im Einsatz gewesen wären. Ehemalige Mitglieder des Arajs-Kommandos haben, soweit sie sich überhaupt zur Mitwirkung bei der Ghetto-Räumung bekannt haben, nur von einem Einsatztag berichtet. Am zweiten Tag der Räumung war auch Pro. dabei. Er hat zwar kein Datum genannt und auch nicht ausdrücklich vom zweiten Tag gesprochen. Aber er war mit dem gesamten Kommando im Einsatz und stand selbst in dem Spalier, das zu den Gruben führte (Blatt 5667 ff.). Das kann nur am zweiten Tag gewesen sein, weil das Kommando des Angeklagten nur an diesem Tag mit allen verfügbaren Männern und zu dieser Aufgabe eingesetzt wurde.

Ebenfalls mit dem ganzen Kommando an einem Tag im Rumbula eingesetzt wurde der Zeuge Jur. (Blatt 5800 ff.). Er hat behauptet, er sei mit Männern der Wirtschaftsabteilung erst gegen 11 Uhr morgens hinausgefahren und an einem Waldweg als Posten eingesetzt worden. Deshalb habe er von den Vorgängen der Erschiessung nichts gesehen. Jur. hat sich von früheren Aussagen distanziert und war nach Überzeugung des Gerichts bemüht, den Angeklagten zu schonen. Auf seine Aussage hat das Gericht deshalb keine Feststellungen über die Ereignisse in Rumbula gestützt.

Der Zeuge Kal. hat (Blatt 5698 ff.) ausgesagt, er habe eine Kolonne aus dem Ghetto nach Rumbula begleitet, wo sie durch eine Sperrkette des Arajs-Kommandos zur Erschiessung getrieben worden sei. Auch er hat nur von einem Tag berichtet. Kal. hat allerdings behauptet, er habe das Entkleiden und die Erschiessung selbst nicht beobachten können. Seine Aussage ist in mehrfacher Hinsicht wenig zuverlässig und von dem erkennbaren Bestreben beeinflusst, den Angeklagten zu schonen. Das Gericht hat auf seine Aussage deshalb keine Feststellungen zur Jeckeln-Aktion gestützt.

Auch der Zeuge Bed. hat die Geschehnisse der Jeckeln-Aktion nicht mehr zuverlässig in Erinnerung gehabt und sie mit denen anderer Erschiessungen vermengt (Blatt 5762, 5773 ff.). Er ordnet sie zeitlich ganz falsch ein und meint, er habe damals als Fahrer Dr. Langes daran teilgenommen. An anderer Stelle hat er dagegen berichtet, dass er noch 1942 im Arajs-Kommando diente und erst danach als Fahrer zur Dienststelle des KdS wechselte. Auch seine Aussage hat das Gericht nicht zu den Feststellungen über die Jeckeln-Aktion herangezogen.

Den Aussagen der Zeugen Me. (Blatt 6314), Mi. (Blatt 5918) und Alexander Lew. hat das Gericht die Tatsache entnommen, dass der zweite Tag der Räumung der 8.Dezember 1941 war. Lut. hat dagegen gemeint, es sei am 9.Dezember 1941 gewesen (Blatt 5676). Das ist ein Irrtum des Zeugen: Am 9.Dezember wurden nur noch einige Juden aus dem Kleinen Ghetto ausgesucht und mit Fahrzeugen weggebracht. An diesem Tag marschierten keine Kolonnen mehr aus dem Grossen Ghetto hinaus nach Rumbula.

Dagegen haben mehrere jüdische Zeugen den 7.Dezember 1941 als Tag der zweiten Aktion genannt. Das ist mit der Einschränkung richtig, dass an diesem Tag mit den Vorbereitungen der Räumung im Ghetto selbst begonnen wurde und in der folgenden Nacht die ersten Kolonnen zusammengestellt wurden. So wurde zum Beispiel der Zeuge Dol., als er am 7.Dezember 1941 seine Schwester im Grossen Ghetto besuchte, in das Kleine Ghetto zurückgeschickt. Das war an einem arbeitsfreien Sonntag. In seiner Erinnerung hat er seitdem diesen Tag als den der Räumung festgehalten, an dem seine Schwester ums Leben kam.

Die Feststellung, dass am zweiten Räumungstag nach dem gleichen Plan Jeckelns vorgegangen wurde wie am 30.November 1941, hat das Gericht auf die in diesem Punkt glaubhafte Aussage des Angeschuldigten Deg. gestützt (Vernehmung vom 26.März 1969, Blatt 12783 D.), der als Ordonnanzoffizier Jeckelns mit der Planung beider Tage vertraut war. Seine Aussage wird in diesem Punkt bestätigt von der des verstorbenen Beschuldigten Hes. (vom

25./26.September 1963, Blatt 6412 M.), dass am zweiten Tag alles so gemacht werden sollte wie am ersten und dass es auch so geschah. Hes. leitete an beiden Räumungstagen die Schutzpolizei im Ghetto.

Der Angeklagte hat glaubhaft und übereinstimmend mit der Aussage des Zeugen Mur. (Blatt 5646) ausgesagt, dass alle verfügbaren Männer seines Kommandos an diesem Tag eingesetzt waren. Er selbst hat sie erst mit 300, später mit 200-300 beziffert. Mur. hat von 300-400 gesprochen.

Die Feststellungen zum Transport der Männer des Arajs-Kommandos auf das Erschiessungsgelände beruhen auf den Aussagen von Mur. (Blatt 5646) und Pro. (Blatt 5668).

Der Angeklagte hat behauptet, seine Leute hätten in Rumbula nicht die Absperrung an den Gruben bilden müssen - also das Spalier, durch das die jüdischen Opfer zur Erschiessung gingen -, sondern zusammen mit lettischen Schutzpolizisten die äussere Absperrung um das Erschiessungsgelände herum gestellt. Diese Einlassung findet scheinbar eine Stütze in der verlesenen Aussage Jeckelns, der auch behauptet hat, das Spalier sei von Deutschen gebildet worden (Ordner G, Dokument 15, Seite 36). Diese Einlassung des Angeklagten ist aber zur Überzeugung des Gerichts durch die Aussagen von Mur. (Blatt 5646 ff.) und Pro. (Blatt 5667 ff.) widerlegt. Beide Zeugen waren mit dem Arajs-Kommando in Rumbula eingesetzt. Pro. hat selbst im Spalier gestanden. Mur. hat bestätigt, dass das Spalier von seinen Kameraden gebildet wurde. Ihren Aussagen hat das Gericht geglaubt. Sie finden eine Stütze in den Aussagen der Zeugen Me., Mi. und des Beschuldigten Zin. Frau Me. wandte sich im Spalier an einen ihr aus der Waldemarstrasse 19 bekannten Angehörigen des Kommandos Arajs (Blatt 6315). Frau Mi., die die Männer des Arajs-Kommandos nicht kannte, passierte eine Absperrung von Deutschen an der Kiste, in die die Wertsachen gelegt werden mussten und traf im Bereich der Erschiessungsgruben nur noch auf Letten (Blatt 5919 ff.). Zin., der an beiden Tagen in der Grube stand und Menschen erschoss, hat berichtet, dass es lettische Polizisten waren, die die Juden führten, entkleideten und (so hat er es in seiner Aussage behauptet) auch erschossen (Blatt 2143, Vernehmung vom 21.April 1961).

Auch Deg. hat in seinen Aussagen vom 15.November 1963 (Blatt 6801), 21.November 1963 (Blatt 6857 ff.) und 6.November 1964 (Blatt 8522) als Angeschuldigter davon berichtet, dass die äussere Absperrung von deutscher Schutzpolizei gebildet wurde, während Letten an der Grube eingesetzt wurden. Dass er dabei von lettischer "Schutzmannschaft" gesprochen hat, ist für das Gericht kein Anlass, am Einsatz des Arajs-Kommandos an dieser Stelle zu zweifeln: Auch andere Deutsche, die damals in Lettland waren, nennen die lettischen Hilfspolizeien undifferenziert "Schutzmannschaften". Deg.s Aussagen sind in manchen Einzelheiten nicht zuverlässig und von dem erkennbaren Bemühen bestimmt, sich und andere zu schützen. Er ist in den Vernehmungen, deren Niederschriften verlesen worden sind, nie gezielt nach dem Einsatz lettischer Einheiten befragt worden. Nicht einmal deutsche Polizeieinheiten konnte oder wollte er im einzelnen unterscheiden. Wenn Jeckelns Aussage über das Spalier in der schlechten deutschen Fassung, die dem Gericht vorgelegen hat, richtig wiedergegeben ist, dann stimmt sie jedenfalls nicht für den zweiten Räumungstag am 8.Dezember 1941.

Die Feststellung, dass das Arajs-Kommando das Spalier bildete, schliesst nicht aus, dass einzelne seiner Angehörigen auch an anderen Stellen des Geschehens eingesetzt worden sind: So zum Beispiel Mur. bei der Kleiderablage (Blatt 5646) und die Fahrer, von denen der Zeuge Lut. berichtet hat (Blatt 5675), zum Transport der abgelegten Kleidung. Auch kann das Gericht nicht ausschliessen, dass Jur. mit anderen Angehörigen der Wirtschaftsabteilung ausserhalb des Spaliers einen Posten am Rand des Geschehens beziehen musste (Blatt 5801).

Die Feststellungen zu den Vorgängen innerhalb des Ghettos hat das Gericht vor allem auf die Aussage des Beschuldigten Hes. vom 25./26.September 1963 gestützt (Blatt 6404 ff. M.). Da

Hes. den Einsatz der deutschen und der ihr unterstellten lettischen Schutzpolizei im Ghetto leitete, hatte er einen besseren Überblick über die Ereignisse dort, als die jüdischen Zeugen, die regelmässig nur einen Ausschnitt des Geschehens erlebten. Hes. hat seine Angaben in späteren Aussagen abgeschwächt und zum Teil widerrufen. Das ist nach der Überzeugung des Gerichts aber geschehen, weil er seine eigene Verstrickung in das Geschehen später leugnen wollte um sich und andere zu schützen. Die Angaben Hes.s in der Vernehmung vom 25./26.September 1963 passen zu dem, was auch die jüdischen Augenzeugen Lut. (Blatt 5675) und Mi. (Blatt 5918 f.) über die Räumung der Häuser berichtet haben. Dass Juden im Ghetto bei der Räumung der Häuser erschossen wurden, hat auch der Zeuge Dol. glaubhaft berichtet. Er, der selbst im Kleinen Ghetto untergebracht war, hörte die Schüsse und wurde am Nachmittag des 8.Dezember 1941 herangezogen, um die Leichen der erschossenen Menschen auf den jüdischen Friedhof im Ghetto zu bringen.

Der Zeugin Me. hat das Gericht geglaubt, dass bereits vor dem 8.Dezember im Ghetto bekannt war, dass die am 30.November 1941 hinausgetriebenen Juden erschossen worden waren (Blatt 6313). Das hat auch der Zeuge Tuchel - in diesem Punkt glaubhaft - bekundet: Noch am 30.November 1941 erschien ein Jude im Ghetto, der über die Erschiessung berichtete. Der Angeklagte selbst hat sich noch daran erinnert, dass nach der Räumung am hellichten Tage ganz Riga von der Aktion sprach und eine Geheimhaltung unmöglich war.

Auf der Aussage der Zeugin Me. beruhen auch die Feststellungen zur Räumung des jüdischen Krankenhauses (Blatt 6314). Allerdings hat sich die Zeugin geirrt, als sie meinte, alle Juden seien mit Kraftfahrzeugen aus dem Ghetto hinaustransportiert worden. Das beruht auf Hörensagen: Sie hat den Abmarsch der Kolonnen nicht selbst gesehen, weil sie im Krankenhaus arbeitete und erst am frühen Nachmittag nach Rumbula gefahren wurde (Blatt 6320). Dort erst erblickte sie die vorrückenden Juden.

Auf die Bekundungen der Zeugen Mi. (Blatt 5919) und Lut. (Blatt 5675) hat das Gericht die Feststellungen zu den Ereignissen beim Marsch der Kolonnen gestützt.

Wie die Menschen in Rumbula empfangen, zum Auskleiden gezwungen und in die Gruben getrieben wurden, hat das Gericht den zum Teil übereinstimmenden, zum Teil einander ergänzenden Aussagen der Zeugen Mi. (Blatt 5919 f.), Me. (Blatt 6314), Lut. (Blatt 5675), Mur. (Blatt 5646 ff.) und Pro. (Blatt 5667 ff.) entnommen. Tuchel und Hem. (Vernehmung vom 25.Juli 1965, Blatt 9509 ff. M.) haben das Geschehen für den ersten Tag, Zin. (Blatt 2143 ff., Vernehmung vom 21.April 1961) und Deg. für beide Tage im Kern übereinstimmend mit diesen Zeugen geschildert. In den Aussagen Deg.s und Zin.s lassen sich allerdings die beiden Tage der Aktion nicht deutlich voneinander unterscheiden. Da an beiden Tagen nach dem gleichen Schema verfahren wurde, bestätigen ihre Äusserungen aber indiziell die Richtigkeit der Aussagen der genannten fünf Zeugen über die Ereignisse des zweiten Tages. Der Angeklagte selbst hat, wenn auch in recht groben Zügen und mit der Wahrheit über die vor seinen Augen begangenen Brutalitäten zurückhaltend, die Darstellung der genannten Zeugen und Beteiligten bestätigt: Er hat von den kilometerlangen Kolonnen auf der Strasse, von der Menschenmenge in Rumbula und von den Kleiderhaufen berichtet, die nach seiner Erinnerung 100 bis 150 Meter von den Gruben auf dem Platz zwischen dem Wäldchen und der Strasse angehäuft wurden. Er hat auch bestätigt, dass ein deutsches Schiesskommando mit Maschinenpistolen die Menschen erschossen habe; er selbst habe die Schüsse gehört.

Es hat nicht festgestellt werden können, ob Männer der Lettischen Sicherheitshilfspolizei des Angeklagten in Rumbula auch als Schützen eingesetzt wurden.

Die Feststellungen zur Rettung der Zeugen Lut., Me. und Mi. beruhen auf den Angaben dieser Zeugen, die das Gericht geglaubt hat (Lut.: Blatt 5675, Me.: Blatt 6316 f., Mi.: Blatt 5920).

B. II. 10.) Grundlagen der Feststellungen zu Ziffer A. IV. 4.)

Die Feststellung, dass das Ghetto am 9.Dezember 1941 noch einmal durchsucht und einige Menschen abtransportiert wurden, beruht auf den glaubwürdigen eidlichen Aussagen, die die Zeugen Dol. und Fes. hierzu gemacht haben.

B. II. 11.) Grundlagen der Feststellungen zu Ziffer A. IV. 5.)

Die Zahl von mindestens 13000 Opfern des zweiten Räumungstages hat das Gericht auf Grund der folgenden Erwägungen festgestellt:

Vor Beginn der Jeckeln-Aktion am 30.November 1941 lebten im Rigaer Ghetto mindestens 29602 Menschen. Diese Zahl hat das Gericht auf Grund des verlesenen Berichtes des Generalkommissars vom 20.November 1941 (Ordner A) festgestellt. Tatsächlich war die Zahl höher, weil es manche Juden gab, die im Ghetto Zuflucht gesucht hatten, sich aber aus Angst vor Verfolgungen nicht registrieren liessen, so dass die offizielle Zählung eine zu niedrige Zahl ergab.

In der Ereignismeldung UdSSR Nr.155 vom 14.Januar 1942 (dort Seite 15, Ordner A) und im zweiten Stahlecker-Bericht (dort Seite 59, IMT Band XXX) wurde die Zahl der Überlebenden mit 2500 angegeben. Das Gericht kann nicht ausschliessen, dass die Zahl der Überlebenden tatsächlich etwas höher war, weil einige Juden während der Jeckeln-Aktion an ihren Arbeitsplätzen in der Stadt zurückgehalten und so gerettet wurden, ohne dass sie als Insassen des Kleinen Ghettos registriert worden waren. Der Zeuge Kar. hat von solchen Fällen berichtet und die Zahl der insgesamt Überlebenden auf 1/8 von 30.000 geschätzt. Hes. hat von 4.000 Überlebenden im Kleinen Ghetto und weiteren 100-200 Frauen gesprochen (Vernehmung vom 29.Oktober 1963, Blatt 6541 M). Der Zeuge Dol. hat von 4000 bis 4.500 Menschen gesprochen, die verschont worden seien. Auch er hat für diese Zahl keine konkreten Anhaltspunkte genannt, sondern die Zahl geschätzt. Das Gericht ist zugunsten des Angeklagten davon ausgegangen, dass 4.500 Menschen die Jeckeln-Aktion überlebten.

Der Räumung sind demnach mindestens 25.100 Menschen zum Opfer gefallen. Diese Zahl hat das Gericht zugunsten des Angeklagten zugrundegelegt, obwohl es nach der Ereignismeldung UdSSR Nr.155 27.000 Tote waren (dort Seite 15) und der zweite Stahlecker-Bericht sogar 27.800 Opfer nennt (dort Seite 59). In der Zahl des zweiten Stahlecker-Berichts sind aber möglicherweise auch die Insassen eines Transportes aus dem Reich erfasst worden, die am 30.November 1941 ebenfalls in Rumbula erschossen wurden (Ereignismeldung Nr.151 vom 5.Januar 1942, dort Seite 14, Ordner A).

Einige Beteiligte der Jeckeln-Aktion haben allerdings niedrigere Zahlen der Opfer für möglich gehalten: Deg. hat in seiner Vernehmung am 28.Februar 1962 von 20.000 Erschossenen gesprochen (Blatt 3470), Jeckeln von nicht weniger als 20.000 bis 25.000 (Ordner G, Dokument 15, Seite 35). Das Gericht hat darin aber keinen Anlass gesehen, von weniger als 25.100 Opfern auszugehen. Deg. hat erklärt, er habe die Zahl nicht prüfen können. Jeckeln hat in seiner Aussage auch andere Zahlen nicht richtig angegeben: Er hat von 20.000 bis 25.000 Insassen des Ghettos gesprochen (Seite 34), eine Zahl, die viel zu niedrig ist, und von 70.000 bis 100.000 Juden, die schon vor der Räumung des Rigaer Ghettos in Lettland vernichtet worden seien (Seite 38). Diese Zahl ist viel zu hoch. Nach den hierin zuverlässigen Angaben des zweiten Stahlecker-Berichts lebten nach dem deutschen Einmarsch insgesamt - also einschliesslich der Rigaer Juden - nur noch 70.000 Juden in Lettland, von denen bis Oktober 30.000 vernichtet worden waren (Seite 58). Jeckelns Zahlen sind nicht zutreffend. Dagegen steht Hem.s Aussage vom 25.Juli 1965, er habe Gruben für 25.000 bis 28.000 Erschossene berechnen müssen (Blatt 9507 M.), im Einklang mit den Zahlen der Ereignismeldung UdSSR Nr.155 und des zweiten Stahlecker-Berichtes.

Das Gericht ist deshalb davon überzeugt, dass mindestens 25.100 Menschen der Jeckeln--Aktion zum Opfer fielen. Im übrigen nennen jüdische Zeugen zum Teil sehr viel höhere Zahlen für die ganze Aktion, die aber auf blossen Gerüchten beruhen und nicht zutreffend sind.

Der Ereignismeldung UdSSR Nr.156 vom 16.Januar 1942 (Ordner A) hat das Gericht entnommen, dass am ersten Räumungstag, dem 30.November 1941, 10.600 Menschen getötet wurden (dort Seite 26). Zugunsten des Angeklagten geht das Gericht dabei davon aus, dass die Insassen des Transportes aus dem Reich in dieser Zahl nicht erfasst sind. Die Zahl 10.600 steht im Einklang mit den Angaben des Zeugen Tuchel, der sich noch daran erinnern konnte, dass 8-10 Kolonnen zu je etwa 1.000 Menschen am 30.November 1941 das Ghetto verliessen. Ausserdem wurden weitere Juden mit Fahrzeugen hinausgefahren.

In der Ereignismeldung UdSSR Nr.151 vom 5.Januar 1941 werden dagegen für den 30.November 1941 nur 4.000 Opfer genannt (dort Seite 14). Das ist ein Schreib- oder Übertragungsfehler. Mindestens 14.500 Menschen haben demnach den ersten Räumungstag im Grossen Ghetto überlebt.

Eine nicht mehr genau feststellbare Zahl von Menschen wurde bei der abschliessenden Durchsuchung des Grossen und des Kleinen Ghettos am 9.Dezember 1941 mit Bussen abtransportiert und, so ist anzunehmen, getötet. Viele waren es jedenfalls nicht: Der Zeuge Kar. hat die Zahl der Abtransportierten auf 100 geschätzt. Um die Zahl der Überlebenden des 8.Dezember 1941, die erst am 9.Dezember 1941 abtransportiert wurden, zu berücksichtigen, hat das Gericht von der festgestellten Zahl von 14.500 Menschen, die zu Beginn der Aktion des 8.Dezember im Grossen Ghetto noch lebten, 1500 abgezogen. In der von Hes. in der Vernehmung am 25./26.September 1963 (Blatt 6413 M.) und von Pro. (Blatt 5668) genannten Zahl von 10.000 Opfern der Aktion hat das Gericht keinen Anlass zu einem höheren Abzug zugunsten des Angeklagten gesehen. Das gilt auch von der Zahl von 10.000 bis 12.000 Erschossenen, von denen der Zeuge Mur. gesprochen hat (Blatt 5647). Hes.s Zahl beruht auf einer fehlgegangenen Schätzung, Pro.s und Mur. Zahlen sind auf nicht zutreffendes Hörensagen gestützt. Das Gericht ist auf Grund der dargelegten Erwägungen davon überzeugt, dass am 8.Dezember 1941 mindestens 13.000 Menschen getötet wurden.

B. II. 12.) Grundlagen der Feststellungen zu Ziffer A. V.

Der Angeklagte hat jede Beteiligung an den Vorbereitungen der Aktion und an der Räumung im Ghetto bestritten. Er hat erklärt, er habe das Ghetto nie betreten und habe mit dem Ghetto nichts zu tun gehabt.

B. II. 12.) a) Vorbereitungen der Jeckeln-Aktion

Es ist nicht bewiesen, dass der Angeklagte oder einzelne seiner Leute an den Vorbereitungen der Aktion beteiligt gewesen wären. Das gilt auch für die Vorbesprechungen, die vor dem 30.November und 8.Dezember 1941 stattfanden. Zwar ist es wahrscheinlich, dass Offiziere jeder eingesetzten Einheit an solchen Vorbesprechungen teilgenommen haben. Für Mitglieder des Kommandos Arajs ist das aber nicht feststellbar.

Im Zusammenhang mit den Vorbereitungen der Räumung im Ghetto ist der Angeklagte von den Zeugen Wul., Rai. und Dol. belastet worden.

Wul. hat ausgesagt, er habe gesehen, dass Arajs vor der Aktion bei der Einrichtung des Kleinen Ghettos geräumte Häuser nach versteckten Menschen durchsucht habe. Wahrscheinlich verwechselt der Zeuge Angehörige der für das Ghetto zuständigen lettischen Schutzpolizei mit Angehörigen des Kommandos Arajs. Ausserdem is die richtige Identifizierung des Angeklagten durch diesen Zeugen nicht gesichert, wie schon ausgeführt worden ist.

Der Zeuge Rai. hat in seiner verlesenen Aussage bekundet, Arajs und Cukurs hätten am Tage vor der ersten Aktion am Tor des Ghettos jüdische Arbeitskräfte für das Kleine Ghetto ausgesucht. Schon die Identifizierung des Angeklagten durch diesen Zeugen ist nicht überzeugend: Er kannte Arajs nicht selbst, sondern erfuhr seinen Namen von anderen Juden. Es ist aber nicht sicher, ob diese Arajs kannten. Gegen eine richtige Einordnung des Angeklagten durch diesen Zeugen spricht, dass er den Angeklagten als Kommandanten der lettischen Ghettowache bezeichnet hat. Die Ghettowache aber wurde von der lettischen Schutzpolizei gestellt. Nach der Aussage des Zeugen Kar. soll ein Offizier dieser lettischen Ghettowache, Danskop, der Mann gewesen sein, der die Selektion der Arbeitskräfte für das Kleine Ghetto am Vortage der Räumung durchführte. Kar. selbst wurde bei dieser Gelegenheit für das Kleine Ghetto ausgewählt. Der Zeuge Dol. hat nur von anderen Juden gehört, dass Arajs vor der Räumung mit hohen Offizieren im Ghetto gewesen sein soll. Darauf lassen sich keine Feststellungen zu Lasten des Angeklagten stützen.

B. II. 12.) b) Die Räumung am 30.November 1941

Von einem Einsatz des Angeklagten oder des Arajs-Kommandos im Ghetto am ersten Tag der Räumung haben die Zeugen Alexander Lew., Rai., Rit., Wul. und Zes. gesprochen. Alexander Lew. hat von einem lettisch sprechenden Mann berichtet, der eine Pistole in der Hand hatte und unter den Letten war, die die Kolonnen zusammenstellten. Diesen Mann habe er vordem häufig in das Gebäude der lettischen Ghettowache gehen sehen. Andere Juden hätten ihm gesagt, das sei Arajs. Das dürfte eine Verwechslung mit einem Offizier der lettischen Schutzpolizei sein. Zwar hat Lew. den Angeklagten auf dem Gruppenbild des Zeugen Eic. richtig bezeichnet. Das ist aber keine Folge eines Wiedererkennens gewesen: Lew. hat den schräg vor ihm sitzenden Angeklagten sorgfältig mit den Gesichtern auf dem Foto verglichen. Ehrlich, wie er auch sonst bei seiner Aussage wirkte, hat er dann auf Frage zu erkennen gegeben, dass er Arajs nicht von damals her, sondern erst durch den Vergleich im Gerichtssaal auf dem Bild erkannt hat.

Der Zeuge Rai. hat in seiner verlesenen Aussage bekundet, er habe gesehen, dass Arajs, Cukurs und Danskop am ersten Tag der Räumung auf der Ludsasstrasse (also im Ghetto) geschossen hätten (Blatt 5910). Auch habe Arajs Kolonnen aus dem Ghetto hinausbegleitet. Die Identifizierung des Angeklagten und auch seines Vertreters Cukurs durch diesen Zeugen ist aber nicht gesichert.

Der Zeuge Rit. hat bekundet, er habe am ersten Tag der Räumung den Mann im Ghetto gesehen, der im Sommer 1941 seine (Rit.s) Schwester abgeholt habe. Es ist aber nicht gesichert, dass dieser Mann Arajs war.

Der Zeuge Wul. hat behauptet, er habe am 30.November 1941 aus einem Dachfenster heraus Cukurs und das Arajs-Kommando im Ghetto gesehen: Die ganze Aktion sei vom Arajs-Kommando durchgeführt worden. Das ist aber nahezu sicher eine Verwechslung mit der zur Räumung der Häuser im Ghetto eingesetzten lettischen Schutzpolizei. Auch der Zeuge Zes. hat das Kommando Arajs mit der Schutzpolizeiwache des Ghettos verwechselt.

Dagegen haben der Zeuge Tuchel und der verstorbene Angeschuldigte Hes. (Vernehmungen vom 25./26.September 1963, Blatt 6406 M. und vom 30./31.Mai 1968, Blatt 12.741 ff. M.) übereinstimmend und insoweit glaubhaft ausgesagt, dass die lettische Schutzpolizei unter Danskop und Osis, geleitet und beaufsichtigt von deutscher Schutzpolizei unter Hes., für die Räumung im Ghetto zuständig war. Während Tuchel geleugnet hat, in Riga überhaupt von Arajs etwas gehört zu haben - was das Gericht ihm nicht geglaubt hat - hat Hes. zugegeben, dass er Arajs und Cukurs kannte. Er habe sie im Ghetto aber nicht gesehen, obwohl er, wie er selbst gesagt hat, sie hätte sehen müssen, wenn sie dort im Einsatz gewesen wären. Das hält das Gericht für glaubhaft.

Auch für einen Einsatz des Arajs-Kommandos am 30.November 1941 in Rumbula hat die Beweisaufnahme keinen Anhaltspunkt erbracht. Deg.s pauschale Vermutung, es seien an beiden Tagen dieselben Einheiten eingesetzt worden (verlesene Aussage vom 26.März 1969, Blatt 12.783 D.), erlaubt nicht die Schlussfolgerung vom festgestellten Einsatz des Arajs--Kommandos am 8.Dezember auf einen Einsatz auch am 30.November 1941. Deg. ist in den verlesenen Aussagen nicht gezielt nach dem Einsatz bestimmter lettischer Einheiten gefragt worden. Seine Aussagen beziehen sich vielmehr regelmässig auf deutsche Einheiten, wobei er nicht einmal diese sicher hat bezeichnen können oder wollen.

B. II. 12.) c) Die Räumung am 8.Dezember 1941

Der Angeklagte hat eingestanden, dass er von Dr. Lange den Befehl erhielt, alle verfügbaren Leute zur Absperrung einzusetzen. Er hat gestanden, dass er seine Leute diesem Befehl folgend einsetzte und selbst mit seinem Vertreter Hauptmann Cukurs und zwei anderen Offizieren nach Rumbula hinausfuhr, weil er für die Absperrung verantwortlich war. Im Laufe der Hauptverhandlung hat der Angeklagte seine Einlassung geändert und behauptet, nicht er, sondern Hauptmann Laukers habe direkt den Befehl erhalten. Er selbst habe gar nicht genug Deutsch gekonnt, um den (telefonisch übermittelten) Befehl entgegenzunehmen. Nacheinander hat der Angeklagte behauptet: Er habe gewusst, dass seine Leute unter Oberst Lobe eingesetzt werden sollten; er habe erst später erfahren, dass sie unter Lobe eingesetzt worden seien. Dann hat er Hauptmann Laukers als den Leiter des Einsatzes bezeichnet. Laukers habe die Absperrung geleitet. Schliesslich hat er erklärt, er wisse nicht, wem seine Leute bei diesem Einsatz unterstellt gewesen seien. Er selbst habe dienstlich nichts damit zu tun gehabt. Aus reinem Interesse, aus Neugier sei er hinausgefahren. Nachdem die Protokolle der Rigaer Aussagen von Lut. und Eli. verlesen worden waren, hat der Angeklagte behauptet, er sei mit Cukurs und Eli. sowie einem weiteren Offizier nach Rumbula hinausgefahren, weil Eli. seinen Mechaniker Lut. habe retten wollen. Der Angeklagte hat vorübergehend auch behauptet, er selbst habe Lut. retten wollen und dazu bemerkt, wenn er jetzt angeklagt sei, so komme ihm das vor, wie wenn man einen Feuerwehrmann anklage, der zum Löschen gefahren sei. Er hat diese Behauptung allerdings nicht durchgehalten und später eingeräumt, dass er nicht hinausgefahren sei, um Lut. zu retten. Auf Vorhalt, dass seine Einlassung nicht zu glauben sei, hat er schliesslich gesagt, er sei vielleicht aus Lust am Autofahren mitgefahren; er wisse es auch nicht mehr.

In Rumbula will der Angeklagte eine erste Absperrung passiert haben, die von Letten gestellt worden sei. Als Zivilist habe er nicht durch die deutsche Absperrung hindurchgehen können, wohl aber Cukurs, der die Uniform der ehemaligen lettischen Wehrmacht getragen habe. Er, der Angeklagte, sei beim Wagen geblieben und höchstens eine viertel- bis eine halbe Stunde draussen in Rumbula gewesen.

Das Gericht ist davon überzeugt, dass die ersten Geständnisse des Angeklagten, er habe den Befehl erhalten, ausgeführt und sei für die Absperrung in Rumbula verantwortlich gewesen, richtig sind, soweit er seine Beteiligung eingeräumt hat. Diese Geständnisse stimmen im wesentlichen überein mit den Aussagen, die der Angeklagte vor dem Staatsanwalt gemacht hat. Diese Aussagen sind ihm in der Hauptverhandlung wiederholt vorgehalten worden und er hat wiederholt betont, dass er dem Staatsanwalt die "volle Wahrheit" gesagt habe.

Der Einsatzbefehl kam von Dr. Lange: Das entsprach dem üblichen Befehlsweg zwischen der deutschen Sicherheitspolizei und dem Kommando Arajs, wie ihn der Angeklagte selbst wiederholt geschildert hat. Der Zeuge Ki., der damals Langes Stellvertreter war, und der

Zeuge Trü. [76], der damals Abteilungsleiter I/2 (Wirtschaft) des Befehlshabers der Sicherheitspolizei bzw. der Einsatzgruppe A war, haben übereinstimmend und glaubhaft bekundet, dass Lange dem Kommando Arajs die Befehle gab. Daran änderte sich nichts, nachdem Lange mit Schnellbrief vom 3.Dezember 1941 (Ordner A) zum Kommandeur der Sicherheitspolizei und des SD ernannt worden war. Das hat nicht nur der Angeklagte bekundet, sondern auch der Zeuge Ki.

Ob der Angeklagte den Befehl am Telefon selbst entgegengenommen hat, ist nicht mehr sicher feststellbar. Der Befehl erreichte ihn jedenfalls und der Angeklagte führte ihn aus.

Der Angeklagte hat in der Hauptverhandlung wiederholt erklärt, dass er seine Leute zu diesem Einsatz in Rumbula bereitgestellt habe. Er gab also innerhalb seiner Einheit selbst den Befehl zum Einsatz. Der Zeuge Pro. hat sich in seiner verlesenen Aussage noch daran erinnert, dass der Angeklagte selbst am Morgen des Einsatztages den Einsatzbefehl gab (Blatt 5669 f.). Das ist glaubhaft und entsprach schon der Stellung des Angeklagten als Chef des Kommandos, das an diesem Tag mit allen verfügbaren Leuten eingesetzt wurde. Auch der Zeuge Mur. hat geglaubt, sich daran zu erinnern, dass der Angeklagte diesen Befehl erteilte. Mur. war sich dessen aber nicht mehr ganz sicher (Blatt 5646). Die Einlassung des Angeklagten, er sei hinausgefahren, weil er für die Absperrung verantwortlich war, hat das Gericht als das Geständnis gewürdigt, dass er den Einsatz seiner Leute in Rumbula geleitet hat, solange er dort draussen war. Zu diesem Zweck ist der Angeklagte mit seinem Vertreter Cukurs und anderen seiner Offiziere hinausgefahren.

Die späteren wechselnden Einlassungen des Angeklagten sind widersprüchlich und unglaubwürdig. Das gilt sowohl für die Behauptung, er sei wegen Lut. hinausgefahren, als auch für seine Bekundungen darüber, wer den Einsatz seiner Leute geleitet habe.

Die ehemaligen Angehörigen des Arajs-Kommandos, die über den Einsatz in Rumbula berichtet haben, haben nichts über eine leitende Tätigkeit des Angeklagten am Erschiessungsort ausgesagt. Das ist damit zu erklären, dass sie von ihren Offizieren in die Aufgaben eingewiesen wurden, wie der Zeuge Mur. glaubhaft berichtet hat (Blatt 5647). Der Angeklagte selbst dagegen erschien erst später auf dem Gelände, nach seiner eigenen unwiderlegten Einlassung erst gegen 10 oder 11 Uhr vormittags.

Die Behauptung des Angeklagten, er sei in Zivil auf dem Erschiessungsgelände gewesen, soll die Aussagen derjenigen Zeugen entkräften, die ihn dort in Uniform an den Gruben sahen. Diese Behauptung ist widerlegt. Tatsächlich trug der Angeklagte die grüne Uniform der ehemaligen bürgerlichen lettischen Wehrmacht. Durch die Aussage des Zeugen Jan. (Blatt 5832) ist bewiesen, dass der Angeklagte bereits im Sommer 1941 Uniform der ehemaligen lettischen Wehrmacht trug. Jan. blieb nur zwei Monate bis Ende August 1941 im Kommando und hat in diesem Punkt eine zuverlässige Erinnerung wiedergegeben. Der Angeklagte selbst hat darüber berichtet, dass er solche Armeeuniform trug, bevor er 1942 oder 1943 deutsche SD-Uniform erhielt. Er trug an dieser Uniform keine Rangabzeichen, weil er selbst bei der Armee nur Korporal gewesen war, als Leiter der lettischen Sicherheitshilfspolizei aber Leute im Offiziersrang kommandierte. Im Gegensatz zur Aussage des Zeugen Jan. sind die Bekundungen der meisten anderen Zeugen hinsichtlich des Zeitpunktes, wann welche Uniform im Kommando Arajs getragen wurde, nicht zuverlässig, weil die Übergänge fliessend waren. Übereinstimmend haben Zeugen, die dem Kommando angehörten, und der Angeklagte geschildert, dass anfangs Zivil neben Aizsargi-, lettischer Wehrmachts- und Polizeiuniform getragen wurde. Dann erhielten die Kommandoangehörigen nach und nach, aber nicht gleich-

[76] Siehe Lfd.Nr.820.

zeitig alle, lettische Wehrmachtsuniform und schliesslich, ab 1942, wiederum nicht gleichzeitig alle, deutsche SD-Uniform. So ist zum Beispiel der Angeklagte selbst auf dem in der Hauptverhandlung in Augenschein genommenen Foto aus der Zeitung "Tevija" vom 23.Juli 1942 (Blatt 4361) noch in lettischer Wehrmachtsuniform zu sehen. Dagegen trugen die bei der gleichen Gelegenheit angetretenen Männer seines Kommandos, wie der Text des Artikels belegt, bereits deutsche Uniformen (Blatt 6445). Der Angeklagte hat seine Uniform auf diesem Bild erläutert, dabei allerdings behauptet, sich nicht zu erkennen. An der Echtheit der Abbildung und der Originaltreue der Kopie zweifelt das Gericht nicht.

Diese lettische Wehrmachtsuniform war die grünliche Uniform, an die Frau Me. sich noch von Rumbula her erinnert hat (Blatt 6319). Der Angeklagte hat eingeräumt, dass seine Leute bei einem solchen Einsatz uniformiert sein mussten. Das Gericht ist überzeugt, dass das auch für den Chef des Kommandos galt.

Dass der Angeklagte mit anderen Offizieren zeitweilig in der Nähe der Erschiessungsgrube stand, hat das Gericht auf die verlesenen Aussagen der Zeugen Mur. (Blatt 5647) und Pro. (Blatt 5668 ff.) gestützt. Es hat dem Zeugen Pro. geglaubt, dass der Angeklagte einen der deutschen Schützen ausdrücklich lobte. Eine Verwechslung des Angeklagten durch diesen Zeugen schliesst das Gericht aus, obwohl er ihn auf dem vorgelegten Gruppenbild des Angeklagten Eic. nach dem Protokoll der Rigaer Vernehmung nicht mehr richtig bezeichnet hat (als "links" statt als "zweiter von links", Blatt 5671). Das Gericht hat keinen Zweifel, dass Pro. den Angeklagten in Rumbula richtig erkannt und sich an die Vorgänge dort noch richtig erinnert hat. Pro. gehörte dem Kommando Arajs damals schon mehrere Monate an und kannte Arajs als seinen Kommandeur, den er wiederholt gesehen hatte.

Die Feststellungen zum Verhalten des Angeklagten gegenüber Frau Me. hat das Gericht auf die Aussage dieser Zeugin gestützt (Blatt 6315 ff.). Das Gericht hat aus der verlesenen Aussage der Zeugin Me. geschlossen, dass diese Zeugin glaubwürdig ist und eine gute, zuverlässige und von sowjetischen Stellen unbeeinflusste eigene Erinnerung an die Ereignisse in Rumbula bekundet hat. Dabei hat das Gericht auch das Verhalten der Zeugin anlässlich der Termine zur kommissarischen Vernehmung in Riga im Juni 1978 und am 15.Januar 1979 berücksichtigt, das Prof.Dr. Kr. als Zeuge geschildert hat. Nachdem Frau Me. sich im Juni 1978 bereiterklärt hatte, in Hamburg auszusagen, war sie zunächst nicht kommissarisch vernommen worden. Auf eine Ladung des Gerichts ist sie jedoch nicht in Hamburg erschienen. Die sowjetischen Behörden haben dem Gericht mitteilen lassen, sie könne aus gesundheitlichen Gründen nicht kommen.

Prof. Kr. hat glaubwürdig ausgesagt, im Sommer 1978 habe Frau Me. sich ohne zu zögern bereiterklärt, nach Deutschland zu reisen. Im Januar 1979 habe sie ein anderes Bild als 1978 geboten: Sie sei unruhig und nervös gewesen. Nach der Erörterung der Frage, warum sie nicht nach Deutschland komme, habe sie am Schluss ihrer Aussage in russischer Sprache hervorgestossen: "Ich habe Angst." Sie habe nicht gesagt, wovor sie Angst hatte. Prof. Kr. hatte den Eindruck, dass sie jedenfalls nicht die Strapazen der Reise fürchtete.

Das Gericht ist davon überzeugt, dass die Angst Frau Me.s nicht durch den Einfluss Dritter auf den Inhalt ihrer Aussage zur Sache hervorgerufen wurde und auch sonst in keinem Zusammenhang mit ihren Bekundungen über die Ereignisse des Jahres 1941 stand. Wäre Frau Me. eine "falsche", zu Lasten des Angeklagten präparierte Zeugin, so hätte sie sich nicht im Juni 1978 ohne Zögern zur Reise bereiterklärt. Die sowjetischen Behörden waren spätestens seit der ersten kommissarischen Vernehmung (des Zeugen Mur.) am 12.Juni 1978 darüber unterrichtet, dass die deutschen Richter die Zeugen fragen würden, ob sie bereit seien, nach Hamburg zu kommen und in der Hauptverhandlung auszusagen. Auf diese Frage hätten sie die Zeugin Me. vorbereiten können, wenn sie es gewollt hätten. Die spontan erklärte Bereitschaft zur Reise hat gezeigt, dass das nicht geschehen war.

Anlass zur Angst bestand für Frau Me. im Januar 1979 vielmehr deshalb, weil ihre freimütig geäusserte Bereitschaft die sowjetischen Behörden in eine peinliche Situation gebracht hatte. Es ist gerichtsbekannt, dass Zeugen in der Sowjetunion regelmässig keine Ausreisegenehmigung erhalten. Das wird aber von sowjetischer Seite nicht offen ausgesprochen, sondern üblicherweise mit der Behauptung kaschiert, der Zeuge könne wegen seines schlechten Gesundheitszustandes nicht reisen. Indem Frau Me. der Ladung nach Hamburg nicht nachkam, in Riga aber zur Vernehmung erschien, war deutlich geworden, dass die Gesundheitsgründe nur vorgeschützt worden waren. Das gilt auch für die zur Reise bereiten, aber nicht in Hamburg erschienenen Zeugen Lut. und Kal.

In den Bekundungen dieser Zeugin zur Sache hat das Gericht keinen Anhaltspunkt für eine Beeinflussung zu Lasten des Angeklagten gefunden. Im Gegenteil: Frau Me. ist nicht in der Lage gewesen, den Angeklagten auf dem Gruppenfoto des Zeugen Eic. zu identifizieren (Blatt 6323). Es wäre leicht gewesen, sie darauf vorzubereiten. Dieses Foto ist bereits bei den kommissarischen Vernehmungen im Juni 1978 den Zeugen in Riga vorgelegt worden. Auch verfügen die sowjetischen Behörden über andere Aufnahmen des Angeklagten, von denen Abzüge in der Hauptverhandlung in Augenschein genommen worden sind. Gegen eine Präparierung dieser Zeugin spricht auch der Umstand, dass sie die Polizei des Angeklagten mit der politischen Organisation des Perkonkrusts gleichgesetzt hat. Bei einer Vorbereitung ihrer Aussage hätte man auf die richtige Bezeichnung geachtet, um dem Einwand vorzubeugen, sie sei in der Identifizierung des Arajs-Kommandos nicht sicher.

Das Gericht hat der Zeugin Me. ihre Schilderung der Ereignisse in Rumbula geglaubt: Was sie über das Geschehen dort ausgesagt hat - wie die Menschen zur Grube vorrückten, wie die Wertsachen abgenommen wurden, die Misshandlungen und das Entkleiden in Schnee und Kälte - stimmt im Kern überein mit dem, was andere Zeugen, Beteiligte und zum Teil auch der Angeklagte selbst berichtet haben. Ihr Bericht über die Verschonung angeblich arischer Frauen (Blatt 6316 f.) findet eine Bestätigung in der Aussage des verstorbenen Angeschuldigten Deg., der in seiner Vernehmung vor dem Untersuchungsrichter am 26.März 1969 die Frau eines Rabbiners erwähnt hat (Blatt 12.783 M.). Auch Frau Me. hat von der Frau eines Judaistik-Studenten gesprochen.

Frau Me.s Äusserung, Cukurs habe davon gesprochen, er müsse Arajs in Rumbula abholen (Blatt 6316), hat in der Einlassung des Angeklagten eine Bestätigung gefunden. Der Angeklagte hat zugegeben, dass Hauptmann Cukurs ihn hin- und zurückgefahren habe. Frau Me.s Aussage widerlegt zugleich die Behauptung des Angeklagten, er sei höchstens eine halbe Stunde in Rumbula gewesen: Als Cukurs am Nachmittag des 8.Dezember Frau Me. nach Riga fuhr, war Arajs noch nicht vom Erschiessungsgelände zurückgefahren.

Wie es nach so langer Zeit nicht anders zu erwarten ist, gibt es in der Aussage Frau Me.s auch einige Unsicherheiten, denen das Gericht aber kein entscheidendes Gewicht beigemessen hat. So ist ihre Erinnerung daran, ob die Frauen im Hause Waldemarstrasse 19 über ihre Vergewaltigung gesprochen haben, oder ob nur ihr Zustand erkennen liess, was geschehen war, nicht mehr zuverlässig (Blatt 6311; Blatt 6322). Auch ist ihr ein anderer Fall von Vergewaltigungen durch Mitglieder des Arajs-Kommandos erst bei ihrer kommissarischen Vernehmung 1979 wieder in Erinnerung gekommen. Von diesem Fall wusste sie nur vom Hörensagen (Blatt 6311). Als Opfer war sie in keinem dieser Fälle betroffen und sie haben sich ihrer Erinnerung nicht in allen Einzelheiten sicher eingeprägt.

Auch hat Frau Me. einmal davon gesprochen, es seien ausser ihr selbst in Rumbula vier Frauen gerettet worden (Blatt 6316, 1.Absatz). Ihre folgende Schilderung lässt allerdings keinen Zweifel daran, dass sie nur drei andere Frauen gemeint hat.

Zuverlässig ist die Schilderung des Zusammentreffens mit Arajs in Rumbula: Die Zeugin Me. war zum Zeitpunkt der Tat eine junge Frau von 28 Jahren. Sie befand sich in einem Alter, in dem die Fähigkeiten, wahrzunehmen und im Gedächtnis zu behalten, regelmässig gut ausgeprägt sind. Der Stoss oder der Schlag, den sie in den Rücken erhielt, mag ihr vorübergehend das Bewusstsein genommen haben. Anhaltend beeinträchtigt hat er ihr Bewusstsein aber nicht. Nachdem sie sich erhoben hatte, erkannte sie einen Letten aus dem Arajs-Kommando und brachte die Tatkraft auf, sich erst an diesen, dann an Arajs, dann wieder an den Letten und schliesslich an einen Deutschen zu wenden und mit der Behauptung, sie sei keine Jüdin, um Schonung zu bitten. Das Gericht schliesst aus der Darstellung der Zeugin, dass sich Frau Me. in dieser aussergewöhnlich eindrucksvollen Situation die barsche Zurückweisung durch den Angeklagten besonders gut eingeprägt hat.

Das Gericht schliesst eine Verwechslung des Angeklagten mit einem anderen durch Frau Me. aus: Sie kannte Arajs seit ihrem Aufenthalt in der Waldemarstrasse 19. Sie hatte ihn dort einige Male gesehen (Blatt 6308) und er war ihr dort von Mitgliedern des Arajs-Kommandos als ihr Vorgesetzter bezeichnet worden (Blatt 6310). Dass diese ihn mit einem anderen verwechselt haben, schliesst das Gericht aus. Dieses Zusammentreffen war für Frau Me. im Dezember 1941 erst wenige Monate her. Frau Me. hat allerdings den Angeklagten auf dem ihr vorgelegten Foto nicht mehr erkannt (Blatt 6323). Das ist nach fast 40 Jahren, in denen Frau Me. den Angeklagten nicht wiedergesehen hat, für sich allein kein Anlass, daran zu zweifeln, dass sie ihn damals in Rumbula richtig erkannte.

B. II. 12.) d) Die Durchsuchung des Ghettos am 9.Dezember 1941

Über eine Beteiligung des Angeklagten an der Durchsuchung des Kleinen Ghettos haben die Zeugen Dol., Wul. und Kar. ausgesagt. Dol. rückte am 9.Dezember 1941 zur Arbeit aus und hörte abends von anderen, dass unter Leitung des Angeklagten Arajs noch Leute abgeholt worden seien. Das reicht nicht aus, eine Mitwirkung des Angeklagten an diesem Tag zu beweisen.

Der Zeuge Wul. hat berichtet, er habe auf der Strasse antreten müssen und dort gesehen, dass Arajs zwei Männer erschoss, die sich weigerten, die Busse zu besteigen. Der Zeuge hat erklärt, er habe bei seiner polizeilichen Vernehmung in Tel Aviv vergessen, dieses Erlebnis zu Protokoll zu geben. Er sei dann noch einmal bei der Polizei gewesen und man habe ihm gesagt, das Protokoll sei schon weg; er solle es in Deutschland ergänzen.

Das Gericht hat dazu die Mitarbeiterin der israelischen Polizei, Frau R., als Zeugin gehört. Frau R. hat sich an die zweite Vernehmung des Zeugen erinnern können. Dass er ihr von der Erschiessung zweier Männer durch Arajs berichtet hätte, hat sie nicht bestätigt. Frau R. hat versichert, dass sie eine Ergänzung des Vernehmungsprotokolls anfertigt, wenn ein Zeuge etwas Wichtiges nachträgt. Das Gericht ist überzeugt, dass sie das auch in diesem Fall getan hätte, wenn die Darstellung des Zeugen richtig wäre. Die Bedeutung einer so wichtigen Aussage hätte Frau R. auf Grund ihrer Erfahrungen nicht verkannt: Sie hat viele Jahre in Polen als Rechtsanwältin und später in Israel als Mitarbeiterin der Untersuchungsstelle für nationalsozialistische Gewaltverbrechen beim Landesstab der Israel-Polizei gearbeitet.

Hinzukommt, dass der Zeuge Wul. den Angeklagten in der Hauptverhandlung zunächst in deutscher Uniform geschildert hatte. Nach der Vernehmung Frau R.s ist er dazu noch einmal befragt worden und hat nunmehr von lettischer Uniform gesprochen. Das war aber erkennbar keine Erinnerung des Zeugen, sondern eine Schlussfolgerung aus der Tatsache, dass "die" im Dezember noch so gekleidet waren. Darüber war er inzwischen wohl unterrichtet worden. Der Zeuge hat den Angeklagten auf dem Foto des Zeugen Eic. erkannt. Das Gericht ist aber nicht sicher, dass er ihn von 1941 her noch in Erinnerung hat. Es hat deshalb keine Feststellungen auf die Aussage des Zeugen Wul. gestützt.

Der Zeuge Kar. blieb am 9.Dezember 1941 im Kleinen Ghetto, um Hausarbeiten zu erledigen. Er hat ausgesagt, dass er gegen Mittag von zwei Letten abgeholt wurde. Die beiden hätten ihm auf der Strasse einen Mann gezeigt und gesagt, Arajs schiesse wieder Juden. Dieser Mann habe dort eine Frau erschossen. Es ist schon ungewiss, ob die beiden Letten den Angeklagten kannten und ihn richtig identifizierten. Auch spricht die Bekundung des Zeugen Kar., gegen 12 Uhr habe er gesehen, dass eine Kolonne der Schutzpolizei das Ghetto verliess, dagegen, dass die Lettische Sicherheitshilfspolizei an diesem Tage eingesetzt war.

Ausserdem hat das Gericht auch bei dem Zeugen Kar. nicht ausschliessen können, dass er den Angeklagten in seiner Aussage in der Hauptverhandlung mehr belastet hat, als es seiner gesicherten Erinnerung noch entsprach. Kar. hat in den Briefen an Lie. vom 29.Juli 1975 (Blatt 720 ff.) und Fie. vom 26.November 1975 (Blatt 2286) ein starkes Interesse an der Verfolgung des Angeklagten Arajs bekundet. Das ist verständlich, denn Kar. glaubt, dass seine eigene Familie durch das Arajs-Kommando in Talsen umgebracht worden sei. Kar. hat in seinen Briefen betont, wie wichtig Augenzeugen seien. Es ist in den Briefen aber nicht zu erkennen, dass er selbst als Augenzeuge einer Tat des Angeklagten in Betracht komme. Diesen Eindruck hatte auch Major Len. vom Landesstab der Israel-Polizei nicht, der über Kar.s Bemühungen unterrichtet war. Das hat das Gericht dem ebenfalls in der Hauptverhandlung verlesenen Schreiben vom 9.September 1975 (Blatt 1948) entnommen. Deshalb hat das Gericht keine Feststellungen über die Beteiligung des Angeklagten am 9.Dezember 1941 auf die Aussage des Zeugen Kar. gestützt.

Nach allem ist eine Beteiligung des Angeklagten an der die Jeckeln-Aktion abschliessenden Durchsuchung des Ghettos nicht bewiesen.

B. II. 12.) e) Grundlagen der Feststellungen zur subjektiven Tatseite

Die Feststellungen zur inneren Einstellung des Angeklagten (subjektive Tatseite) beruhen auf Schlussfolgerungen aus seinem festgestellten Verhalten während der Jeckeln-Aktion und in der Zeit davor seit dem deutschen Einmarsch in Riga.

Der Angeklagte hat über seine Einstellung zu Juden und zur Judenverfolgung gesagt, er habe nie etwas gegen Juden gehabt. Antisemitismus sei ihm kein Begriff gewesen. Über die Judenverfolgung sei er empört gewesen und die Massenerschiessungen habe er verabscheut. Er habe Lut. in seiner Dienststelle versteckt, weil er aus Überzeugung gegen die Judenverfolgung gewesen sei und weil Lut. seinen (Arajs') Wagen so gut pflegte.
1942, nach der Jeckeln-Aktion, habe er als erster einen Protest lettischer Offiziere gegen die Judenverfolgung unterschrieben: Lettland sollte nicht zum "Judenfriedhof" werden. Das sei geschehen, als die deutschen Juden nach Lettland gebracht wurden. Nach der Behandlung der Juden in Litauen, Lettland und Estland sei zu vermuten gewesen, dass auch sie umgebracht werden sollten. Tei. habe ihn wegen des Protestes gewarnt und er habe sich sofort an die Front gemeldet. Damals sei er gerade zum Major ernannt worden. Später hat der Angeklagte dann vorübergehend behauptet, der Protest sei schon vor der Jeckeln-Aktion erfolgt. Befragt, an wen der Protest gerichtet gewesen sei, hat er erst Dr. Lange genannt. Später hat er dann behauptet, Leutnant Liepins, einer seiner Offiziere, habe diesen Protest im Januar oder Februar 1942 an das Hauptquartier der SS in Berlin gerichtet.

Der Angeklagte hat eingeräumt, dass er wusste, um was es ging, als er den Einsatzbefehl zur Jeckeln-Aktion erhielt. Das hat er dann abgeschwächt: Er habe es nur vermutet. Schliesslich hat er behauptet, er habe an die "Verlegung" des Ghettos geglaubt und in Rumbula nach den Baracken gesucht.

Die Beweisaufnahme hat nicht ergeben, dass der Angeklagte sich schon vor dem deutschen Einmarsch gegen Juden geäussert hätte. Behauptungen jüdischer Zeugen, er sei Mitglied des gegen Juden eingenommenen Perkonkrusts gewesen, beruhen auf Gerüchten. Die Mitgliedschaft in einer so radikalen Organisation wäre mit der Stellung des Angeklagten als Polizeibeamter in Lettland damals nicht zu vereinbaren gewesen.

Das Gericht hat auch keine Anhaltspunkte dafür gefunden, dass der Angeklagte bereits vor dem Treffen mit Stahlecker von sich aus Massnahmen gegen die jüdische Bevölkerung ergriffen hätte. Der Inhalt des ersten Stahlecker-Berichts spricht eher gegen eine solche Annahme. Dort wird berichtet, dass die Pogrome in Riga erst nach dem Einmarsch der Deutschen ausgelöst wurden (dort Seite 22, IMT Band XXXVII).

Doch teilte der Angeklagte spätestens seit er sich am 1.Juli 1941 Stahlecker unter anderem zur Verfolgung und Erschiessung der Juden zur Verfügung gestellt hatte, den Hass der nationalsozialistischen Machthaber auf die Juden. Das hat das Gericht aus dem festgestellten Verhalten des Angeklagten seit dem 1.Juli 1941 geschlossen: Als Leiter der Lettischen Sicherheitshilfspolizei wirkte der Angeklagte an auf lettischer Seite führender Stelle freiwillig und tatkräftig mit bei der Verfolgung und Ermordung der lettischen Juden. Er sammelte Freiwillige um sich und hetzte sie gegen die Juden auf. Er sagte ihnen, sie müssten die Synagoge (in der Gogolstrasse) in Brand stecken, damit von der jüdischen Kultur nichts übrig bleibe; die Juden seien Parasiten, sie hätten nie etwas geleistet und nun sei die Zeit gekommen, sie endgültig loszuwerden. Der Hass des Angeklagten auf die Juden zeigte sich ferner darin, dass er ein Sonderkommando aus Freiwilligen um sich sammelte, das von ihm und seinen deutschen Vorgesetzten zu zahlreichen Massenerschiessungen eingesetzt wurde, bei denen vor allem Juden getötet wurden, nur weil sie Juden waren.

Diese Erschiessungen waren zwar jeweils weniger umfangreich als die im Rumbula, aber ihre Opfer wurden unter ähnlich quälenden Umständen in den Tod getrieben. Mit dem wiederholten Einsatz seiner Leute zu solchen Exekutionen zeigte der Angeklagte, dass er diese Methode des Massenmordes billigte. Diese Gesinnung bestätigte er auch an der Erschiessungsgrube in Rumbula mit den einen der Schützen lobenden Worten: "Der schiesst gut." Der Angeklagte offenbarte seine gefühllose, unbarmherzige und von Judenhass geprägte Einstellung in Rumbula auch durch sein Verhalten gegen Frau Me., indem er keinen Versuch unternahm, sie zu retten, sondern sie mit den unbarmherzigen Worten "Hier sind nur Juden. Heute muss jüdisches Blut fliessen" zurückwies.

Lut. und dessen Frau wurden vom Angeklagten in seinem Stabsquartier verschont, weil sie als Arbeitskräfte gebraucht wurden, nicht weil der Angeklagte den Mord an Juden abgelehnt hätte.

Der Angeklagte hat auch weder vor noch nach der Jeckeln-Aktion gegen die Ermordung der Juden protestiert. Schon die Widersprüche seiner Einlassung zu dem angeblichen Protest haben das Gericht davon überzeugt, dass er seine Beteiligung an einem Protest erfunden hat, um seine wahre Einstellung zur Judenvernichtung zu verleugnen. Es hat kein Zeuge von einem solchen Protest des Angeklagten berichtet, auch keiner von denen, die wie Bra., Eic. oder Ken. ihm politisch nahestehen und bei ihrer Aussage erkennbar bemüht waren, ihn zu schonen. Wohl aber hat ein Zeuge von einem Protest gegen die Beteiligung des Angeklagten und seiner Leute an der Judenvernichtung in Lettland berichtet: Der Zeuge Fre., der 1941 Generaldirektor für Wirtschaft der lettischen Selbstverwaltung war, hat in seiner verlesenen Aussage vom 13.Mai 1976 bekundet, er habe (Hauptmann) Cukurs gebeten, Arajs zu sagen, dass das kleine lettische Volk eine solche Verantwortung nicht tragen könne (Blatt 3630).

Der Angeklagte hat eingeräumt, dass er wusste, dass der Einsatz am 8.Dezember 1941 (zur Jeckeln-Aktion) der Massenerschiessung von Juden galt. Seine spätere Einlassung, er habe an eine "Verlegung" geglaubt, ist unwahr. Schon die Art des befohlenen Einsatzes und die Erfahrung, die der Angeklagte seit dem Juli 1941 mit Einsätzen zu Massenerschiessungen gesammelt hatte, schliessen es aus, dass er an eine Verlegung im wirklichen, das heisst örtlichen Sinne glaubte und den wahren Charakter des Einsatzes verkannte. Ausserdem war nach dem 30.November 1941 das Schicksal der an diesem Tag erschossenen Juden in Riga allgemein bekannt. Das hat der Angeklagte selbst glaubhaft berichtet.

Der Angeklagte wusste auch aus seiner Tätigkeit seit dem 1.Juli 1941, dass das Vorgehen gegen die Juden offizielle Politik der deutschen Besatzungsmacht war. Dass dies nicht ohne Befehl höchster deutscher Stellen, also der Führung in Berlin, möglich war, wusste er auch.

C. Rechtsausführungen

C. I. Prozessvoraussetzungen

C. I. 1.) Deutsche Gerichtsbarkeit

Die angeklagte Tat unterliegt der deutschen Gerichtsbarkeit. Die Regelung des Artikels 3 des ersten Teils des Vertrages zur Regelung aus Krieg und Besatzung entstandener Fragen vom 26.Mai 1952 in der Fassung vom 30.März 1955 (Bundesgesetzblatt II Seite 405, 408 f. im folgenden kurz Überleitungsvertrag genannt) steht dem auch dann nicht entgegen, wenn man davon ausgeht, dass die hier angeklagte Tat bereits Gegenstand eines britischen Ermittlungsverfahrens gegen den Angeklagten gewesen ist.

Von den britischen Militärbehörden wurde 1948/49 unter dem Stichwort "Riga Ghetto Case" - Rigaer Ghetto-Fall - gegen Arajs und andere Beschuldigte ermittelt. Untersucht wurde damals auch die Ermordung der lettischen Juden des Rigaer Ghettos im November und Dezember 1941. Auf Grund der auszugsweise in die Hauptverhandlung eingeführten Aktenbestandteile ist das Gericht davon ausgegangen, dass schon damals gegen den Angeklagten Arajs wegen Beteiligung an der sogenannten Jeckeln-Aktion ermittelt worden ist, obwohl das den Akten nicht mehr ausdrücklich zu entnehmen ist. Im Abschlussbericht der untersuchenden Kriegsverbrechengruppe der britischen Rheinarmee vom 9.April 1948 (Blatt 7.411) ist nur von "Verbrechen gegen die Menschlichkeit" die Rede, ohne dass eine bestimmte Tat bezeichnet wird. Das gilt auch für die Unterlagen der Haftanstalt Braunschweig: Entlassungsvermerk vom 1.Februar 1949 (Blatt 364). Immerhin ist der Stellungnahme des Jüdischen Komitees für Rechtshilfe im Ausland vom 10.August 1948 (Blatt 7419 f.) zu entnehmen, dass Arajs sich im Zuge dieser Ermittlungen über eine Massenerschiessung in einem Wald geäussert hat, zu der er den Entwurf einer Absperrung von Dr. Lange erhalten habe. Auch in der Vernehmung durch den Staatsanwalt am 5.August 1975 hat der Angeklagte von einer Absperrung und einem Plan des Geländes, den er gesehen habe, gesprochen (Blatt 706). Damals hat er von der Absperrung während der Jeckeln-Aktion gesprochen. Einen Anhaltspunkt dafür, dass schon im britischen Verfahren wegen der Jeckeln-Aktion gegen Arajs ermittelt worden ist, sieht das Gericht auch in der Tatsache, dass die Staatsanwaltschaft in Hamburg nach Übernahme des Verfahrens durch die deutsche Justiz, gestützt auf die britischen Ermittlungsakten, am 30.September 1949 unter anderem gegen Arajs die Voruntersuchung wegen der Beteiligung an der Ghetto-Räumung beantragt hat (Blatt 12 ff.). Das Gericht geht auf Grund dieser Umstände davon aus, dass schon die britischen Militärbehörden die hier angeklagte Tat zum Gegenstand ihrer Untersuchungen gemacht haben.

Diese Untersuchung ist von den britischen Strafverfolgungsbehörden zu keinem Zeitpunkt ganz oder teilweise endgültig abgeschlossen worden. Das Ermittlungsverfahren ist vielmehr in vollem Umfang an die deutsche Justiz zur weiteren Ermittlung in deutsche Zuständigkeit abgegeben worden. Der Angeklagte hat allerdings wiederholt behauptet, er sei von einem britischen Militärgericht freigesprochen worden. Das ist jedoch durch die erhalten gebliebenen Urkunden widerlegt: Der Angeklagte wurde am 1.Oktober 1948 verhaftet und für das Gericht der Kontrollkommission in Braunschweig in Untersuchungshaft genommen (Blatt

380, 381). Nach mehreren Haftprüfungen vor dem Niedergericht (Blatt 367 ff.) wurde er am 1.Februar 1949 aus der Untersuchungshaft entlassen. Der Bericht über die Entscheidung des Gerichts vom 31.Januar 1949 (Blatt 366) gibt als Entscheidung nur die Entlassung aus der Untersuchungshaft an, aber keine Entscheidung in der Sache. Auch das Entlassungsformular enthält in der Rubrik "Strafentscheidung usw." keine Angaben (Blatt 364).

Tatsächlich war keine Entscheidung in der Sache selbst ergangen. Vielmehr hielten die britischen Behörden weitere Ermittlungen für erforderlich. Das ergibt sich insbesondere aus dem Schreiben der Zonengeschäftsstelle des Rechtsberaters der britischen Rheinarmee vom 17.Juni 1949 (Blatt 7426). Dort heisst es unter Ziff.2:

> "Der Rigaer Ghetto-Fall wird jetzt noch offengehalten bis zum Empfang einer endgültigen Verfahrensentscheidung. Wenn dieser erhalten sein wird, wird der Fall aller Wahrscheinlichkeit nach deutschen Behörden übergeben werden zu weiteren Ermittlungen und Strafverfolgung vor deutschen Gerichten."

Die Briefe des Untersuchungsrichters Voi. vom 22. und 30.November 1949 (Blatt 93 und 109 der Beiakte 3 zum Aktenzeichen 57 7/60) bestätigen ebenfalls, dass es zu keinem Prozess gegen Arajs vor den britischen Gerichten gekommen war.

Die Staatsanwaltschaft hat eine Auskunft der britischen Botschaft vom 12.Mai 1978 eingeholt (Blatt 5347). Danach geht auch die britische Botschaft davon aus, dass der Angeklagte damals freigelassen worden ist, weil keine Anordnung darüber getroffen worden war, ob der Fall vor deutschen oder vor britischen Gerichten verhandelt werden sollte.

Diese Verfahrensentscheidung erging erst im Juli 1949: Mit Schreiben vom 25.Juli 1949 (Blatt 117 M.) übersandte das Land Legal Department in Niedersachsen die Ermittlungsakten mit Zeugenaussagen gegen mehrere Beschuldigte, unter ihnen V. Arajs, dem niedersächsischen Ministerium der Justiz, und zwar ausdrücklich: "Zwecks weiterer Ermittlungen und Aburteilung durch deutsche Gerichte". Zugleich wurde die deutsche ordentliche Gerichtsbarkeit gemäss Ziff.10 Art.VI des Gesetzes Nr.2 der Militärregierung in der Fassung der Verordnung Nr.29 ermächtigt, in dieser Sache in erster und zweiter Instanz Gerichtsbarkeit auszuüben. Das Schreiben vom 25.Juli 1949 ist in der Urschrift der Akte des Verfahrens gegen Ho. u.a., später gegen May. [77] u.a., nur in einer unbeglaubigten Abschrift erhalten geblieben. Das Gericht hat keinen Zweifel, dass diese mit dem Original übereinstimmt. Der Inhalt des Schreibens vom 25.Juli 1949 wird im übrigen bestätigt in einem Bericht des niedersächsischen Ministeriums der Justiz vom 22.September 1949, welches in einer beglaubigten Abschrift in den Ermittlungsakten der Staatsanwaltschaft Itzehoe gegen Rudolf Seck [78] erhalten geblieben ist. (Blatt 71 der Beiakte 36 zum Aktenzeichen 57 7/60).

Damit war bereits vor Inkrafttreten des Überleitungsvertrages vom 26.Mai 1952 die deutsche Gerichtsbarkeit für das gesamte Ermittlungsverfahren gegen Arajs und damit auch wegen der Beteiligung an der sogenannten Jeckeln-Aktion gegeben.

<u>C. I. 2.) Örtliche Zuständigkeit</u>

Das Landgericht Hamburg ist seit Eröffnung der Voruntersuchungen im Jahre 1949 für dieses Verfahren örtlich zuständig, §§3, 13 Abs.1, 12 Abs.1 StPO.

[77] Siehe Lfd.Nr.843.

[78] Siehe Lfd.Nr.307.

Am 30.September 1949 hat die Staatsanwaltschaft beantragt, unter anderem gegen Viktor Arajs, Dr. Rudolf Lange und Gerhard May. die Voruntersuchung zu eröffnen (Blatt 128 ff. M., Blatt 12 ff.). Damit hat sie mehrere Angeschuldigte wegen zusammenhängender Taten an einem der in Betracht kommenden Gerichtsstände angeklagt, §§170 a.F., 3, 13 Abs.1 StPO.

Der Angeschuldigte May. wohnte damals unter dem Namen Gerd Hansen in Hamburg (Auskunft des Einwohnermeldeamtes vom 23.März 1965, Blatt 9019 f. M.). Hamburg war damals für May. Gerichtsstand des Wohnsitzes, §8 Abs.1 StPO. Gegenstand des Verfahrens gegen May. war unter anderem seine Beteiligung an den Vernichtungsaktionen, die unter dem Stichwort "Dünamünde" im Ghetto von Riga und im Lager Jungfernhof bei Riga stattgefunden hatten (Blatt 132 M., Blatt 21).

Die Beteiligung an diesen Taten war auch Gegenstand des Verfahrens gegen Dr. Rudolf Lange (Antrag vom 30.September 1949, Blatt 129 M., Blatt 15). Für Dr. Lange war insoweit in Hamburg der Gerichtsstand des Sachzusammenhangs begründet, §§3, 13 Abs.1 StPO. Gegenstand des Verfahrens gegen Lange war aber auch die sogenannte Jeckeln-Aktion, also dieselbe Tat, die auch dem Angeschuldigten Arajs damals schon vorgeworfen wurde (Blatt 129, 132 M., Blatt 14, 21). Insoweit war Hamburg für Dr. Lange Gerichtsstand des persönlichen Zusammenhangs (§3, 1.Alternative StPO) und für den Angeschuldigten Arajs der des sachlichen Zusammenhangs (§3, 2.Alternative StPO). Die Ermittlungen nach Dr. Lange haben allerdings keinen Erfolg gehabt; wahrscheinlich ist er tot. Das ändert aber nichts daran, dass die Voruntersuchung durch den Beschluss des Untersuchungsrichters vom 6.Oktober 1949 gegen ihn wie gegen die Angeschuldigten Arajs und May. wirksam eröffnet worden ist (Blatt 145 M., Blatt 24a).

Bei der damit begründeten Zuständigkeit Hamburgs für das Verfahren gegen Arajs ist es geblieben. Die bloss vorläufige Einstellung des Verfahrens am 13.August 1955 hat den Gerichtsstand nicht berührt (Blatt 558 M., Blatt 25). Daran ändert auch die Tatsache nichts, dass es dem Angeklagten gelungen ist, sich der Strafverfolgung über mehr als 20 Jahre mit Erfolg zu entziehen. Das gegen Arajs vorläufig eingestellte Verfahren ist auch nicht etwa deshalb als endgültig eingestellt zu behandeln, weil durch das Erste Gesetz zur Reform des Strafverfahrensrechtes vom 13.Dezember 1974 (Bundesgesetzblatt I, Seite 3393 ff.) die Voruntersuchung abgeschafft worden ist und nach Art.9 dieses Gesetzes eine eingestellte Voruntersuchung nicht mehr von neuem hätte eröffnet werden können. Das berührt die bereits eingetretene Rechtshängigkeit des Verfahrens gegen Arajs und deren Auswirkungen auf den Gerichtsstand nicht.

C. I. 3.) Verhandlungsfähigkeit

Der Angeklagte ist während der gesamten Dauer der Hauptverhandlung verhandlungsfähig gewesen. Aus der Durchführung der Hauptverhandlung hat sich für ihn keine unzumutbare Lebensgefährdung ergeben (a.). Er ist auch ohne Einschränkung in der Lage gewesen, der Verhandlung zu folgen (b.). Auf weitere Gesichtspunkte ist es für die Frage der Verhandlungsfähigkeit nicht angekommen (c.).

a.) Der Angeklagte leidet an einer Sklerose der Herzkranzgefässe. Diese hat am 10.Juni 1976 zu einem transmuralen Herzhinterwandinfarkt und zu einem späteren, nicht genau bekannten Zeitpunkt im Sommer 1976 wahrscheinlich zu einem leichten, nicht transmuralen Herzvorderwandinfarkt geführt. Der zweite Infarkt ist ohne klinische Symptome verlaufen. Beide Infarkte waren vor Beginn der Hauptverhandlung verheilt. Über diesen Befund sind sich die Sachverständigen Prof.Dr. Hac., Dr. Vs., Dr. Ben. und Dr. Kir. in der Hauptverhandlung einig gewesen.

Das sklerotische Grundleiden bedeutet für den Angeklagten die ständige Gefahr eines weiteren Herzinfarkts mit möglicherweise tödlichem Ausgang. Dieses Risiko besteht aber, wie die Sachverständigen Prof.Dr. Hac. und Dr. Vs. in der Hauptverhandlung überzeugend ausgeführt haben, unabhängig davon, ob gegen den Angeklagten verhandelt werden würde oder nicht: Die Gefahr eines weiteren spontan eintretenden Herzinfarktes werde durch emotionale Belastungen in der Hauptverhandlung nicht nennenswert erhöht, solange sein Blutdruck und seine Pulsfrequenz nicht in erheblichem Masse anstiegen. Die Infarkte hätten das Herz des Angeklagten nicht entscheidend geschwächt. Bei den Untersuchungen im Allgemeinen Krankenhaus St. Georg sind weder röntgenologische noch klinische Zeichen einer Herzmuskelschwäche festgestellt worden. Prof. Hac. hat den röntgenologischen Befund als gut und die Leistungsreserve des Herzens als sehr gut bezeichnet. Dieser kardiologischen Beurteilung haben sich in der Hauptverhandlung auch Dr. Ben. und Dr. Kir. ausdrücklich angeschlossen.

Blutdruck und Pulsfrequenz des Angeklagten sind während der Hauptverhandlung von regelmässig, wenn auch nicht ununterbrochen, anwesenden Ärzten überwacht und überprüft worden. Zu einer Hochdruckkrise in dem von Prof. Hac. genannten Sinn ist es während der Verhandlung aber nicht gekommen. Die Sitzung am Montag, dem 3.April 1978, hat das Gericht vorsorglich ausfallen lassen, weil der Angeklagte während des davorliegenden Wochenendes eine Hochdruckkrise durchgemacht hatte. Die Hauptverhandlung am 31.Mai 1978 hat das Gericht auf Rat der anwesenden Ärztin abgebrochen, weil der Blutdruck des Angeklagten plötzlich gefallen war. Im übrigen ist es während der Verhandlung nicht zu Kreislaufkomplikationen gekommen.

b.) Weder körperliche noch geistige Gebrechen haben den Angeklagten daran gehindert, der Hauptverhandlung zu folgen und sich sachgerecht in ihr zu verteidigen. Äusserlich hat der Angeklagte allerdings oft, vor allem in den ersten Monaten der Verhandlung, das Bild eines körperlich und geistig abgebauten und hinfälligen Menschen geboten: Im Gerichtsgebäude ist er nicht gegangen, sondern hat sich in einem fahrbaren Krankenstuhl in den Sitzungssaal rollen lassen. Dort hat er mit Armen und Händen gezittert, mit dem Oberkörper hin- und hergewackelt und ist gelegentlich heftig zusammengezuckt. Er hat Grimassen geschnitten und sich mit steif-ausfahrenden Gebärden der Arme in seinem Sitz der Länge nach krampfhaft ausgestreckt. Manchmal hat er auch mit den Augen gerollt. Vor allem zu Beginn der Vernehmung zur Person und zur Sache hat der Angeklagte mit leiser, greisenhaft-brüchiger, oft stockender Stimme gesprochen. Er hat sich unkonzentriert und verständnislos-dumm gestellt. Gelegentlich hat er auch so getan, als sei er schwerhörig. Oft hat er auf Fragen erst mit einer Verzögerung von mehreren Sekunden geantwortet oder erst dann, nachdem er die Frage hatte wiederholen lassen, so als habe er sie nicht gleich verstanden. Im übrigen hat er sich häufig über Kopfschmerzen, Schmerzen in den Armen und Schwindel beklagt.

Dieses Verhalten ist keine unvermeidbare Folge einer organischen Erkrankung gewesen. Vielmehr hat sich der Angeklagte bewusst und gewollt so verhalten, um als verhandlungsunfähig zu erscheinen. Sich durch simulierte Krankheit zu verteidigen, musste dem Angeklagten erfolgversprechend erscheinen, weil ein Psychiater ihn vor Beginn der Hauptverhandlung für verhandlungsunfähig erklärt hatte, wobei dieser Sachverständige sich vor allem auf psychologische Leistungstests gestützt hatte. Solche Tests setzen allerdings voraus, dass der zu Untersuchende bereit ist, in ihnen zu leisten, was er leisten kann. Das war bei dem Angeklagten aber nicht der Fall.

Die gespielte geistige Beeinträchtigung, von Prof. Gra. als Pseudodemenz bezeichnet, hat der Angeklagte am wenigsten durchgehalten. Die neurologischen Sachverständigen Prof.Dr. Se. und Dr. Scho. haben bei ihrer Untersuchung festgestellt, dass der Angeklagte bewusstseinsklar und voll orientiert war. Sie haben eine nur geringe zerebrale Schädigung für wahrscheinlich gehalten. Prof. Gra. hat eine leichte allgemeine Hirnfunktionsstörung angenommen. In der Hauptverhandlung am 5.Mai 1978 hat er dann nach wiederholter stationärer Beobachtung und Untersuchung des Angeklagten erklärt, dass er diesen hirnorganischen Untergrund bis dahin sogar überschätzt habe. Prof. Gra. hat festgestellt, dass die Aufmerksamkeit, die Konzentrationsfähigkeit, die verbale Gewandtheit und die Fähigkeit des Angeklagten, von einem Thema auf das andere überzugehen, seinem Alter entsprechen.

Das Gericht hat die Richtigkeit der Begutachtung Prof. Gra.s in der Verhandlung mit dem Angeklagten immer wieder bestätigt gefunden. Schon bei seiner Vernehmung zum Lebenslauf hat der Angeklagte die gespielte Dummheit, Verständnislosigkeit und Konzentrationsschwäche nicht durchgehalten. Auffallend war von Anfang an in den Äusserungen des Angeklagten zum Lebenslauf und zur Sache die Diskrepanz zwischen dem grotesk-blödsinnigen Verhalten in Mimik, Gebärden und Sprache einerseits und den sachlich orientierten und wohlgeordneten Äusserungen des Angeklagten andererseits. Der Angeklagte hat im Laufe der Verhandlung immer wieder gezeigt, dass er sich inhaltlich klar und in gut formulierten Sätzen äussern kann, die den Punkt treffen, auf den es ankommt. Der Angeklagte war auch fähig, abrupten Themenwechseln ohne Zögern zu folgen. So hat er zum Beispiel nach einer eingehenden Befragung zu den Ereignissen in Rumbula auf eine unvermittelte Frage nach seinem Lebenslauf in der Zeit nach 1949 (ein Thema, das lange nicht erörtert worden war), sofort mit einer klar geordneten Erzählung seines Schicksals in jener Zeit reagiert. Das war kein Einzelfall.

Der Angeklagte hat auch den Verlesungen, wenn er es wollte, aufmerksam zugehört und hat sachgerechte Bemerkungen dazu gemacht. So hat er die Erwähnung lettischer Freiwilliger, die bei der Eroberung Rigas rechts der Düna eingesetzt wurden, aufgegriffen und als seinen Einsatz bezeichnet. Selbst Schreibfehler in Ereignismeldungen hat er bei der Verlesung in der Hauptverhandlung korrigiert: Oberst Neiss hat er richtiggestellt als Oberst Veiss.

Der Angeklagte hat ein gutes Altersgedächtnis, das ihn befähigt hat, zahlreiche Einzelheiten seiner Jugend, der Kriegszeit und der Zeit danach zu erzählen. Auch sein Frischegedächtnis hat sich in der Hauptverhandlung als ausreichend erwiesen, der Verhandlung zu folgen. Der Angeklagte ist häufig auf Ereignisse und Äusserungen in der Hauptverhandlung oder ausserhalb der Hauptverhandlung, so zum Beispiel auf Bemerkungen der Sachverständigen anlässlich der Untersuchungen zurückgekommen.

Zu Themen, die aus der Sicht des Angeklagten unverfänglich waren und die ihn interessierten, wie zum Beispiel Partisanenkämpfe und andere Kriegsereignisse, hat er sich lebhaft geäussert. Das gilt auch für das politische Tagesgeschehen, das der Angeklagte im Fernsehen mit Interesse verfolgt und zu dem er sich gelegentlich in der Hauptverhandlung geäussert hat. So hat er zum Beispiel die Erschiessungen nach dem Machtwechsel im Iran erörtert und sie mit den Ereignissen in Riga im Juli 1941 verglichen.

Die in der Hauptverhandlung von Prof. Se., Dr. Scho. und Prof. Gra. erstatteten Gutachten haben keine Anhaltspunkte dafür erbracht, dass die scheinbare körperliche Hinfälligkeit des Angeklagten ihre Ursache in Erkrankungen hätte. Die Gutachter stimmen vielmehr darin überein, dass die organisch-neurologischen Befunde nur gering sind.

Es sind keine Anhaltspunkte dafür gefunden worden, dass der Angeklagte gelähmt wäre. Er kann gehen und er tut das auch im Zentralkrankenhaus der Untersuchungshaftanstalt. Die in der Hauptverhandlung anwesenden Ärzte haben sich immer wieder im Zentralkrankenhaus nach dem Zustand des Angeklagten erkundigt. Sie haben dabei erfahren und in der Hauptverhandlung darüber berichtet, dass Arajs dort kleinere Wege allein und ohne Stütze geht. Bei einer Lehrveranstaltung der Universitätsklinik Kiel ist der Angeklagte am 26.April 1978 im Hörsaal spontan aus dem Rollstuhl aufgestanden und drei Stufen ohne fremde Hilfe hinaufgegangen. Darüber hat Prof. Gra. am 5.Mai 1978 in der Hauptverhandlung berichtet. Prof. Nae. hat am Zustand der Fusssohlen und der Beinmuskulatur des Angeklagten festgestellt, dass er geht.

Überhaupt konnten die Gutachter keine erhebliche Beeinträchtigung der Muskulatur des Angeklagten feststellen. Prof. Gra. hat das Nicht-Gehen-Können als ein Ausdrucksphänomen gedeutet: Er gehe eben nicht. Ein Ausdrucksphänomen ist auch das Zittern und Wackeln des Angeklagten, für das die Gutachter keine organisch-neurologische Ursache gefunden haben. Der Angeklagte hat es denn auch im Laufe der Hauptverhandlung mehr und mehr unterlassen. Die Grimassen und das groteske ausfahrende Gehabe hat er sogar vollständig aufgegeben. Die Beurteilung Prof. Gra.s, dass dieses Verhalten vom Willen des Angeklagten beherrscht wird, hat das Gericht in der Hauptverhandlung immer wieder bestätigt gefunden.

Auch die scheinbaren sprachlichen Störungen des Angeklagten sind simuliert gewesen. Schon Prof.Dr. Se. und Dr. Scho. hatten keine organische Störung der Sprache und keine Hirnwerkzeugsstörung feststellen können. Tatsächlich kann der Angeklagte mit klarer, fester, deutlicher und lauter Stimme sprechen, wenn er es will. Das hat er vornehmlich dann getan, wenn er glaubte, seine Verteidigung selbst in die Hand nehmen zu müssen. So hat er am 22.Juni 1979 Staatsanwalt Kle. nach dessen Strafantrag mit zornigen Worten laut und energisch zur Rede gestellt: Kle. habe ihm gesagt, es drohe kein "Lebenslang". Besonders lebhaft hat er sich im November 1979 geäussert: Am 26.Oktober 1979 hatte Rechtsanwalt Ste. eine Reihe von Zeugen benannt, deren frühere Äusserungen zu den Beweisthemen das Gericht dann am 30.Oktober 1979 gemäss §251 Abs.3 StPO auszugsweise verlesen hatte. Nachdem Rechtsanwalt Ste. daraufhin den Beweisantrag vollen Umfangs zurückgenommen hatte, hat der Angeklagte am 2.November 1979 das Wort ergriffen und in einer von zorniger Erregung geprägten Rede ungefähr eine Stunde lang zur Beweisaufnahme Stellung genommen. Dabei hat der Angeklagte sich Unterbrechungen und Zwischenfragen, auch des Gerichts, jedenfalls am Anfang seiner Ausführungen energisch verbeten. Auch sein Schlusswort hat der Angeklagte klar und deutlich vorgetragen. Er hat es zeitweilig sehr schnell aus einem vorbereiteten Text vorgelesen und sich immer wieder mit ergänzenden Bemerkungen spontan an das Gericht gewandt.

Gelegentlich, vor allem im Jahre 1978, hat der Angeklagte darüber geklagt, er verstehe höchstens die Hälfte. Seine Verteidiger haben das als Schwerhörigkeit gedeutet und das Gericht hat diesem Hinweis folgend ein ohrenärztliches Gutachten des Allgemeinen Krankenhauses Eilbek eingeholt. Der Sachverständige Dr. Heh. ist darin zu dem Ergebnis gekommen, dass der Angeklagte an einer geringgradigen Schwerhörigkeit leide und ohne Hilfsmittel der Hauptverhandlung akustisch folgen könne, wenn bei normaler Umgangssprache zwischen ihm und dem Sprechenden nicht mehr als 5 Meter Abstand seien. Das Gericht hat sich in der Hauptverhandlung von der Richtigkeit dieser Begutachtung überzeugt.

Allerdings hat der Angeklagte gelegentlich in der Hauptverhandlung so getan, als habe er Fragen akustisch nicht aufgenommen. Er hat sich dann mit etwas verzerrtem Gesicht nach vorne gebeugt und ein Ohr gegen das Gericht gerichtet. Tatsächlich ist er aber immer in der Lage gewesen, selbst leise gesprochene Worte zu verstehen. Prof. Nae. und Frau Dr. Leh. haben das wiederholt erprobt und in der Hauptverhandlung darüber berichtet. Der Angeklagte hat auch während der Verhandlung auf leise Worte seiner Verteidiger reagiert. Die an der Verhandlung beteiligten Personen haben für die Verhandlung bestimmte Äusserungen stets laut und deutlich gemacht. Soweit einzelne Zeugen leise gesprochen haben, hat der Vorsitzende oder ein anderer Richter sie jeweils aufgefordert, lauter und deutlicher zu sprechen. Das ist dann auch geschehen. Der vom Sachverständigen genannte Abstand von 5 Metern ist niemals überschritten worden. Insbesondere Zeugen und Sachverständige haben meist unmittelbar neben dem Angeklagten gesprochen.

Der Angeklagte hat in der Sitzung häufig über Schmerzen in den Armen und auch über Kopfschmerzen geklagt. Die Neurologen haben dafür keine organische Ursache gefunden. Eine mögliche Ursache wäre erhöhter Blutdruck. Während der Verhandlung hat der Angeklagte aber niemals an hohem Blutdruck gelitten. Sein Blutdruck ist vielmehr chronisch niedrig. Während der Angeklagte in der Sitzung gelegentlich erklärt hat, er habe solche Schmerzen, dass er nicht mehr wisse, wie er heisse, haben die Ärzte bei ihren Erkundigungen im Zentralkrankenhaus der Haftanstalt für ein solches Leiden keine Anhaltspunkte gefunden. Vielmehr ist ihnen immer wieder die Auskunft erteilt worden, der Angeklagte habe in den letzten Tagen nicht über Schmerzen geklagt und auch nicht nach Schmerzmitteln verlangt. Tatsächlich hat der Angeklagte auch an Tagen, an denen er seiner Behauptung zufolge unter heftigen Schmerzen litt, ruhig, entspannt und ohne äussere Zeichen von Schmerz in seinem Sitz gesessen. Das Gericht ist überzeugt, dass er zu keinem Zeitpunkt in der Hauptverhandlung so starke Schmerzen hatte, dass seine Aufmerksamkeit darunter gelitten hätte.

Auch die Verteidiger haben gegen Ende der Hauptverhandlung erkennen lassen, dass sie den Angeklagten nicht mehr für verhandlungsunfähig halten. Sie haben dazu allerdings gemeint, sein Zustand habe sich eben gebessert. Zu Beginn der Hauptverhandlung sei er aber verhandlungsunfähig gewesen. Das hat das Gericht jedoch ausschliessen können: Die Annahme der Verteidiger steht im Widerspruch zu den überzeugenden Gutachten der Sachverständigen. Die neurologischen und kardiologischen Sachverständigen haben übereinstimmend betont, dass das sklerotische Grundleiden des Angeklagten fortschreite. Im günstigsten Fall stagniere es. Schon Prof. Se. und Dr. Scho. hatten in ihrem Gutachten die Gefahr angedeutet, dass durch das Fortschreiten des sklerotischen Leidens das pseudodemente Verhalten des Angeklagten fixiert werden könne. Das hat auch Prof. Gra. in seinem Gutachten am 14.November 1977 und bei seiner Anhörung am 17.April 1978 ausgeführt. Das Gericht hat daraufhin den Angeklagten zu einer erneuten stationären Untersuchung nach Kiel geschickt, um prüfen zu lassen, ob der Zustand des Angeklagten sich in Richtung auf eine solche Fixierung geändert habe. Prof. Gra. hat das Ergebnis seiner Untersuchungen am 5.Mai 1978 dahingehend zusammengefasst, dass die Gefahr der Fixierung des psychogenen Überbaus, der gespielten Demenz, noch geringer sei, als er es bisher angenommen habe. Die Fixierung sei noch nicht vorhanden und in der nächsten Zeit sei auch nicht mit ihr zu rechnen. Das könne noch Monate, vielleicht Jahre dauern. Der von ihm so genannte Überbau sei vom Willen des Angeklagten weitgehend, wenn nicht völlig beherrscht. Diese überzeugenden Ausführungen des Sachverständigen sind in der Hauptverhandlung durch das geschilderte Verhalten des Angeklagten, insbesondere gegen Ende der Beweisaufnahme und in seinem Schlussvortrag bestätigt worden. Gerade in den letzten Wochen der Hauptverhandlung hat der Angeklagte deutlich gezeigt, dass er sein pseudodementes Verhalten völlig unterlassen kann, wenn er es nur will. Es ist aber ausgeschlossen, dass der Angeklagte zu Beginn der Hauptverhandlung an einem stärkeren Altersabbau und einer stärkeren Sklerose gelitten hätte als gegen ihr Ende. Für eine vorübergehende geistige Erkrankung anderer Art fehlt jeder Anhaltspunkt.

Um jede Gefährdung der Gesundheit und der Aufmerksamkeit des Angeklagten zu vermeiden, hat das Gericht die Hauptverhandlung jeweils auf etwa 90 Minuten an jeweils zwei bis drei Tagen einer jeden Woche begrenzt. Damit hat es die kürzeste Zeitspanne gewählt, die von einem der Gutachter (Prof. Gra.) empfohlen worden war. Häufig hat es sich als notwendig erwiesen, seltener zu verhandeln oder kürzer, weil kommissarische Vernehmungen abzuwarten waren oder weil Prozessbeteiligte aus den verschiedensten Gründen verhindert waren.

Prof. Gra. hatte es dem Gericht anheimgestellt, die reine Verhandlungszeit ohne Pausen und ohne Wartezeiten vor der Verhandlung auch über 90 Minuten hinaus auszudehnen, wenn der Angeklagte noch ausreichend reagiere. Das Gericht hat von dieser Möglichkeit nur in ganz seltenen Fällen Gebrauch gemacht und das auch nur dann, wenn der Angeklagte ganz offensichtlich noch folgen konnte. Im übrigen hat das Gericht die Verhandlung immer dann abgebrochen, wenn die anwesenden Ärzte Bedenken äusserten, dass der Angeklagte möglicherweise erschöpft sei und nicht mehr folgen könne. Das ist allerdings nur selten der Fall gewesen.

c.) Auf weitere Gesichtspunkte ist es für die Frage der Verhandlungsfähigkeit nicht angekommen: Ein Angeklagter, der durch die Hauptverhandlungen keiner Gefahr für sein Leben und keiner schweren gesundheitlichen Schädigung ausgesetzt wird und der der Verhandlung folgen und sich in ihr verteidigen kann, ist verhandlungsfähig. Eine "gesamtärztliche" oder "gerichtsmedizinische" Begutachtung, wie sie insbesondere von Prof. Nae. befürwortet worden ist, war deshalb nicht geboten. Denn auch ein Gerichtsmediziner hätte von den Ergebnissen ausgehen müssen, die die Kardiologen, die Neurologen und der Psychiater gefunden hatten. Das Gericht hat durch wiederholtes Befragen versucht, von Prof. Nae. eine nachvollziehbare Begründung für seinen Vorschlag zu erhalten, ein gerichtsmedizinisches Gutachten einzuholen. Schliesslich hat Prof. Nae. erkennen lassen, dass er nur auf eine andere Einschätzung des kardiologischen Risikos durch einen Gerichtsmediziner hoffte. Dabei ist er erklärtermassen von der Voraussetzung ausgegangen, dass der Angeklagte sich während der Beweisaufnahme in einer für ihn lebensgefährlichen Weise erregen werde. Das hat er aber niemals getan.

C. II. Deutsches Strafrecht

Auf die Tat des Angeklagten ist deutsches Strafrecht anzuwenden, §§4 Abs.1 a.F., 3 n.F. StGB. Der Angeklagte war zwar zur Zeit der angeklagten Tat Lette und hat selbst in Lettland gehandelt. Er war aber Mittäter Hitlers, Himmlers, Jeckelns und anderer. Die genannten Mittäter des Angeklagten hatten in Deutschland die Vernichtung der Juden im Osten und, Himmler und Jeckeln insbesondere, die Liquidierung der Insassen des Ghettos von Riga beschlossen und angeordnet, Jeckeln hatte sie auch organisiert. Der Tatort der angeklagten Tat lag daher gemäss §§3 Abs.3 a.F., 9 Abs.1 n.F. StGB auch in Deutschland, wo Himmler Jeckeln den Auftrag zur Durchführung der Ghettoräumung gab. Im übrigen ist deutsches Strafrecht auch gemäss §§4 Abs.2 Ziff.3 a.F., 7 Abs.2 Ziff.2 n.F. StGB auf die angeklagte Tat anzuwenden: Der Angeklagte ist als Ausländer in Frankfurt am Main betroffen worden, Mord war und ist auch in Lettland strafbar und der Angeklagte wird nicht ausgeliefert, obwohl seine Auslieferung wegen Mordes an die Sowjetunion zulässig wäre.

C. III. Hilfsanträge

Die Hilfsbeweisanträge, Sachverständigengutachten darüber einzuholen,

> dass es sich bei der lettischen Hilfssicherheitspolizei unter Arajs um eine landeseigene Hilfspolizei handelte;
> dass die lettische Hilfssicherheitspolizei ständig unter Aufsicht des KdS arbeitete, ihre Arbeitsrichtlinien erhielt und über ihre Tätigkeit laufend zu berichten hatte;
> dass die lettischen Polizeikräfte an ihren Dienststellen verblieben, ihren lettischen Polizeichefs unterstanden und ihre Aufgaben in eigener Verantwortung durchführten;
> dass die Besoldung aus Mitteln des lettischen Polizeietats bestritten wurde;
> dass sie, soweit sie zur Unterstützung der deutschen Sicherheitspolizei herangezogen wurde, allenfalls Amtshilfe geleistet hat, jedoch keine hoheitsrechtlichen Aufgaben des deutschen Staates wahrgenommen hat,

sind gegenstandslos. Diese Anträge sind nur für den Fall gestellt worden, dass das Gericht auf die Tat des Angeklagten deutsches Strafrecht deshalb anwenden will, weil er als Träger eines deutschen Amtes gehandelt habe. Das hat der Verteidiger auf die Frage des Gerichts für welchen Fall er diese Hilfsanträge stellen wolle, in seinem Schlussvortrag unter Bezugnahme auf sein im Juni 1979 gehaltenes Plädoyer klargestellt. Die Frage, ob auch nach §5 Ziff.12 StGB deutsches Strafrecht auf die Tat des Angeklagten anzuwenden ist, bedarf hier aber keiner Entscheidung, da deutsches Strafrecht ohnehin als Recht des Tatortes gilt.

Der weitere Hilfsantrag,

> alle lettischen Zeugen noch einmal zu vernehmen und ihnen Fragen unmittelbar, nicht über den Dolmetscher formuliert, zu stellen,

wird abgelehnt. Die Formulierung dieses Antrages könnte vermuten lassen, der Verteidiger wollte erreichen, dass deutsche Prozessbeteiligte lettische Zeugen in fremder Sprache befragen. Dazu wären sie allerdings nicht imstande. So ist der Antrag aber nicht gemeint, wie die Begründung erkennen lässt, die der Verteidiger in seinem Schlussvortrag dazu gegeben hat. Er hat beanstandet, dass einige der Fragen in den verlesenen Protokollen der kommissarischen Vernehmungen in Riga im Juni 1978 und im Januar 1979 in der Weise formuliert sind, dass von dem jeweils befragten Zeugen wie von einer dritten Person die Rede ist. Also zum Beispiel: "Weiss der Zeuge ... ?" statt "Wissen Sie ... ?". Der Verteidiger hat gemeint, aus den Protokollen nicht entnehmen zu können, welche Fragen den Zeugen gestellt worden seien. Das trifft aber nicht zu: Die in deutscher Übersetzung in der Hauptverhandlung verlesenen Protokolle enthalten die an die Zeugen gestellten Fragen. Diese sind jeweils ausdrücklich als "Frage" gekennzeichnet. Desgleichen die Antworten der Zeugen als "Antwort". Dass die Fragen in einigen Fällen in der genannten Weise formuliert sind, ist unschädlich. Es ergibt sich aus der Situation, dass bei Vernehmungen, die durch einen Dolmetscher vermittelt werden, der Fragende unwillkürlich den Dolmetscher anredet und von dem Zeugen nur als einer dritten Person spricht.

Im übrigen ist der Antrag auch deshalb abzulehnen, weil er keine beweisbedürftigen Tatsachen erkennen lässt, die eine erneute Vernehmung irgendeines lettischen Zeugen, nicht nur der in Riga vernommenen, erforderlich machen könnte.

C. IV. Rechtliche Würdigung der Tat des Angeklagten

Die Tötung der Insassen des Rigaer Ghettos war Mord. Sie geschah auf grausame Weise und aus dem niedrigen Beweggrund des Judenhasses, §211 Abs.2 StGB.

Vom Hinaustreiben aus den Wohnungen des Ghettos bis zum Hinlegen in den Gruben von Rumbula wurden die jüdischen Opfer misshandelt, geschlagen, niedergetrampelt, erschossen; ohne Rücksicht auf Alter und Schwäche wurden die von Todesangst erfassten Menschen über vereiste Strassen getrieben. Ihre Angst und Qual erfuhren eine letzte Steigerung inmitten der Männer des Arajs-Kommandos, als auch diejenigen, die die Hoffnung auf Überleben bis dahin noch nicht aufgegeben hatten, die Schüsse hörten, sich zwischen jammernden Menschen entkleiden mussten, schliesslich die Grube sahen und die Gewissheit ihres Todes erkannten. Diese Menschen wurden getötet, weil sie Juden waren.

Der Angeklagte teilte den Beweggrund des Judenhasses mit den Haupttätern Hitler, Himmler, Jeckeln und Lange. Er selbst handelte aus unbarmherziger und gefühlloser Gesinnung. Diese Einstellung offenbarte er, wie schon dargelegt worden ist, durch sein Verhalten vor und während der Jeckeln-Aktion.

Das Gericht hat nicht feststellen können, dass die Tat im Sinne des §211 StGB heimtückisch ausgeführt wurde. Spätestens seit am 30.November 1941 im Ghetto die Nachricht durchsickerte, dass die an diesem Tag aus dem Ghetto getriebenen Menschen erschossen worden waren, waren die Ghettobewohner nicht mehr arglos. Das brutale Vorgehen der lettischen Schutzpolizei bei der Räumung der Häuser am 8.Dezember 1941 musste diesen Argwohn noch verstärken.

Der Angeklagte handelte als Mittäter im Sinne des §47 a.F., 25 Abs.2 n.F. StGB. Er leistete einen wesentlichen Tatbeitrag zur Jeckeln-Aktion und wollte im rechtlichen Sinne an ihr als einer eigenen Tat mitwirken.

Zwar hatte nicht der Angeklagte die Initiative zu dieser Tat ergriffen. Angeordnet wurde sie in Berlin von Himmler, in Riga von Jeckeln, der sie dort auch plante und leitete. Jeckeln spielte schon kraft seiner herrischen Persönlichkeit und seiner fanatischen Einstellung gegen die Juden bei dieser Aktion die beherrschende Rolle in Riga. Aber auch Jeckeln war auf die Bereitschaft anderer angewiesen, bei dieser Aktion mitzuwirken. Um in wenigen Stunden 13.000 Menschen aus dem Ghetto nach Rumbula zu treiben und dort nacheinander einzeln zu erschiessen, bedurfte es einer Arbeitsteilung, in der der Angeklagte und seine Männer eine für den Erfolg des Ganzen entscheidende Stelle einnahmen. Sie wurden dort eingesetzt, wo die jüdischen Opfer ihres unmittelbar bevorstehenden Todes gewahr wurden, wo sie sich entkleiden mussten und die Gefahr einer Panik am grössten war. Hätte das Spalier des Arajs-Kommandos versagt, wäre der Erfolg der ganzen Aktion des 2.Räumungstages in Frage gestellt gewesen. Das vom Angeklagten geschaffene, von ihm ausgebildete und in vielen Massenerschiessungen bereits von ihm erprobte Spezialkommando erfüllte die Erwartungen, die Jeckeln und Dr. Lange in seinen Einsatz setzen konnten. Dieser Tatbeitrag des Angeklagten war für das Gelingen der ganzen Aktion nicht weniger bedeutsam als die planmässige Räumung innerhalb des Ghettos und die Erschiessung in den Gruben.

Der Angeklagte leistete seinen Tatbeitrag zur Jeckeln-Aktion mit dem Willen, diese Tat gemeinschaftlich mit anderen im rechtlichen Sinn als eigene zu begehen. Das hat das Gericht seinem festgestellten Verhalten in Rumbula und in der Zeit davor seit dem 1.Juli 1941 entnommen: Der Angeklagte hatte schon seit dem 1.Juli 1941 der politischen Mordhetze der nationalsozialistischen Besatzungsmacht willig nachgegeben und eine Sicherheitspolizei aufgebaut, ausgebildet und geleitet, die im Sommer und Herbst 1941 Juden in grosser Zahl erschossen hatte. Der Angeklagte hatte selbst schon im Juli 1941 seine Leute gegen die Juden aufgehetzt, die Juden als Parasiten bezeichnet und erklärt, die Zeit sei gekommen, sie endgültig loszuwerden. Mit dieser Einstellung setzte er sich auch in der Jeckeln-Aktion rückhaltlos dafür ein, die am 8.Dezember noch lebenden Juden des Grossen Rigaer Ghettos zu töten, indem er alle verfügbaren Männer seines Kommandos in der festgestellten Weise einsetzte und sie zeitweilig selbst kontrollierte und beaufsichtigte. Seinen eigenen rückhaltlosen Einsatz für den Mord an den Juden des Ghettos offenbarte der Angeklagte in Rumbula ferner, indem er es ablehnte, den Versuch zu unternehmen, Frau Me. zu retten und dazu erklärte, heute müsse jüdisches Blut fliessen.

Die Tat des Angeklagten war rechtswidrig und schuldhaft. Zwar handelte er auf Befehl Dr. Langes und der hinter Lange stehenden deutschen Befehlsgeber. Doch dieser Befehl war verbrecherisch und konnte das Handeln des Angeklagten weder rechtfertigen noch entschuldigen. Die Ermordung von 13.000 Menschen, überwiegend Kindern, Frauen und älteren Menschen unter den festgestellten Umständen ist offensichtlich Unrecht. Das ist damals niemandem verborgen geblieben. Auch der Jurist Viktor Arajs wusste, dass er Unrecht tat.

Der Angeklagte handelte weder in einem Befehlsnotstand, noch nahm er irrig Tatsachen an, die einen Befehlsnotstand hätten begründen können. Er hat vielmehr zu keinem Zeitpunkt erwogen, sich dem Einsatzbefehl zu entziehen, weil er selbst die Tötung der Ghettobewohner wollte und guthiess.

Von dem Entschluss, Dr. Langes Einsatzbefehl zu befolgen, bis zur aufsichtführenden Tätigkeit in Rumbula und einschliesslich der Zurückweisung Frau Me.s ist das Verhalten des Angeklagten als eine Handlung im rechtlichen Sinne zu werten, §§73 Abs.1 a.F., 52 Abs.1 2.Alternative n.F. StGB. Denn der Angeklagte wurde auf Grund eines einzigen Einsatzbefehls zur Erfüllung eines Tatplanes tätig, der die Tötung aller am 8.Dezember 1941 im Grossen Ghetto noch lebenden Menschen innerhalb eines vorher bestimmten Zeitraumes, an einem bestimmten Ort und in einem gleichförmigen Gesamtgeschehen vorsah.

Dem Angeklagten hat ein Tatbeitrag zur Ermordung der 10.600 Opfer des ersten Räumungstages am 30.November 1941 nicht nachgewiesen werden können. Diese Opfer der Jeckeln--Aktion sind ihm deshalb nicht zuzurechnen. Das gleiche gilt für die Opfer der abschliessenden Durchsuchung am 9.Dezember 1941. Gleichwohl ist kein Raum für einen teilweisen Freispruch. Die Anklage hat dem Angeklagten eine einheitliche Beteiligung an der gesamten Jeckeln-Aktion vorgeworfen. Mit Recht hat die Anklage dies als eine natürliche Handlung im rechtlichen Sinn gewertet. Wegen dieser Handlung ist der Angeklagte auch schuldig gesprochen worden, nur hat sich der Umfang seiner Beteiligung und damit die Zahl der ihm zuzurechnenden Opfer als geringer herausgestellt.

« C. V. Strafzumessung und Kostenentscheidung »

Nach §211 Abs.1 StGB war der Angeklagte mit lebenslanger Freiheitsstrafe zu bestrafen.

Die Kostenentscheidung folgt aus §465 Abs.1 S.1 StPO.

Lfd.Nr.857

Tatkomplex
NS-Gewaltverbrechen in Haftstätten,
Kriegsverbrechen

Tatort
KL Ereda, KL Joehvi, KL Kuremea

Tatzeit
43-44

Gerichtsentscheidungen
LG Stade vom 01.02.1980, 9 Ks 1/78

INHALTSVERZEICHNIS

des unter Lfd.Nr.857 veröffentlichten Urteils

LG Stade vom 01.02.1980, 9 Ks 1/78

Lfd.Nr.857

9 Ks 1/78 - 23/78 -

Im Namen des Volkes

In der Strafsache gegen

den Rentner und ehemaligen SS-Unterscharführer Erich Gustav Scharfetter [79], geboren am 27.5.1908 in Danzig, wohnhaft 2110 Buchholz, z.Zt. in dieser Sache in Untersuchungshaft in der JVA Stade,

wegen Mordes,

hat die 1. Schwurgerichtskammer des Landgerichts in Stade aufgrund der Sitzungen vom 13.Dezember 1978 bis 1.Februar 1980 am 1.Februar 1980 für Recht erkannt:

> Der Angeklagte wird wegen Mordes in 18 Fällen zu jeweils lebenslanger Freiheitsstrafe verurteilt; im übrigen wird er freigesprochen.
> Der Angeklagte trägt die Kosten des Verfahrens einschliesslich seiner notwendigen Auslagen, soweit er verurteilt ist;
> im übrigen fallen die Kosten und Auslagen der Landeskasse zur Last.

(§211 StGB).

GRÜNDE

A. Lebenslauf des Angeklagten

Der Angeklagte wurde am 27.5.1908 als Sohn des Maschinenbauers und Seemaschinisten Gustav Scharfetter und dessen Ehefrau, der Hausfrau Ida Scharfetter, geborene Mi., in Danzig geboren. Er wuchs dort zusammen mit seinem inzwischen verstorbenen älteren Bruder Max und seinem jüngeren Bruder Arthur, mit dem er seit Kriegsende keine Verbindung mehr hat, auf. Mit Eltern und Geschwistern verstand er sich gut.

Von 1914 bis 1922 besuchte er die Volksschule und absolvierte anschliessend eine 3-jährige Konditorlehre, die er mit der Gesellenprüfung (Note: "gut") abschloss, obwohl er zu diesem Beruf keine besondere Neigung verspürte. Deshalb gab er diese Tätigkeit dann auch etwa 1 Jahr später wieder auf und arbeitete in den folgenden 3 Jahren im Maschinenbau auf der Schichau-Werft in Danzig. Bis Mitte 1939 war er dann in verschiedenen Stellungen, unter anderem als Kassenbote einer Sparkasse und als Angestellter des Arbeitsamtes sowie des statistischen Landesamtes in Danzig, beschäftigt.

Neben seiner beruflichen Tätigkeit widmete sich der Angeklagte besonders dem Schwimmsport. Er war in der Deutschen Lebensrettungsgesellschaft und legte nach Vollendung seines 21.Lebensjahres die staatliche Bademeisterprüfung ab. Von Teilnehmern des von ihm geleiteten Schwimmunterrichts wurde er schliesslich gedrängt, in die NSDAP einzutreten, was er am 1.Februar 1931 auch tat. Am 1.1.1933 trat er der allgemeinen SS bei, wo er dem Sanitätssturm zugeteilt wurde und im städtischen Krankenhaus in Danzig sich erste Kenntnisse im

[79] Rechtskräftig durch Beschluss des BGH vom 16.12.1980, 5 StR 490/80.

Sanitätswesen aneignete. Der Angeklagte wurde am 20.3.1934 zum SS-Mann und am 22.12.1934 zum SS-Rottenführer befördert.

Am 4.Juli 1939 wurde der Angeklagte zur Waffen-SS einberufen, obwohl er sich noch bemüht hatte, zur Marine zu gelangen. Seine Stammeinheit war anfänglich die Polizeiverstärkung Danzig. Er erhielt zunächst eine militärische Grundausbildung und sodann eine Sanitätsausbildung in der Schule Oranienburg bei Berlin. Nach Beendigung dieser ca. 6-monatigen Ausbildung und zwischenzeitlicher Ernennung zum SS-Unterscharführer war er wieder in Danzig für den Kriegseinsatz stationiert. Bei dem Kampf um die Westerplatte wurde er als Sanitäter eingesetzt und erhielt dafür, dass er viele Verwundete aus dem Kampfgebiet holte, das EK 2. Nach Beendigung des Polenfeldzuges wurde er zur Umwanderungszentrale (UWZ) für Polen in Neufahrwasser abgeordnet, wo er ca. 3 Monate lang Wachmannschaften als Sanitäter betreute.

Am 23.3.1940 heiratete der Angeklagte seine im Laufe dieses Verfahrens verstorbene Ehefrau Frieda geborene Ric. Noch im gleichen Jahr wurde ihnen eine Tochter geboren.

Von 1940 bis 1943 war der Angeklagte als Sanitäter dann unter anderem in einer Polizeikaserne in Danzig, bei der Rekrutenausbildung in Gotenhafen, im SS-Strafgefangenenlager Matzkau bei Danzig, in Berlin-Lichterfelde bei der Musterung für Bewerber der Leibstandarte Adolf Hitler und schliesslich wieder auf der Sanitätsschule in Oranienburg tätig. Hier erhielt er eine Zusatzausbildung in Seuchen- und Epidemiebekämpfung sowie als Desinfektor.

Im Herbst 1943 wurde der Angeklagte, der vergeblich versucht hatte, an die Front versetzt zu werden, als Sanitäter an die der Kommandantur Vaivara unterstellten Konzentrationsarbeitslager in Estland abkommandiert. Dort wurde er in den verschiedenen Lagern, unter anderem in den Lagern Kuremea, Joehvi und Ereda, insbesondere zur Seuchenbekämpfung eingesetzt, wie noch weiter unten näher dargestellt werden wird.

Im Zuge der Räumung Estlands infolge des Heranrückens der russischen Armee gelangte der Angeklagte im Spätsommer, etwa Ende August 1944, per Schiff zusammen mit einem Häftlingstransport von Reval (Tallinn) zurück nach Danzig. Nach kurzfristigem Urlaubsaufenthalt bei seiner Familie in Danzig meldete er sich im Konzentrationslager Stutthof zum Dienst und wurde als Sanitäter dem Aussenlager Troly zugeteilt, dessen Häftlinge auf einer Werft arbeiten mussten. Auf der Werft erlitt er schon wenig später einen Unfall, bei dem er sich eine Beinverletzung zuzog. Ab Herbst 1944 befand er sich im Lazarett, bis er Anfang 1945 beim Näherrücken der russischen Front mit dem Lazarettzug über Zwickau nach Hamburg verbracht wurde. Hamburg war bereits von den Alliierten besetzt, so dass sich der Angeklagte nach seiner Genesung zu seiner Familie, die zwischenzeitlich nach Hamburg nachgekommen war, absetzte. Mit seiner Familie wohnte er zunächst in Sangenstedt bei Winsen/Luhe und später in Nenndorf und Buchholz, wo seine Ehefrau als Bezirkshebamme tätig war. Der Angeklagte selbst war auf verschiedenen jeweils vom Arbeitsamt nachgewiesenen Arbeitsstellen, insbesondere bei der Trümmerbeseitigung in Hamburg beschäftigt.

1948 erwarb er seinen Führerschein der Klasse 2 mit dem Ziel, Kraftfahrer zu werden. Er konnte diesen Berufswunsch aber nicht verwirklichen. Seit 1956 fuhr er auf verschiedenen Schiffen der Hapag-Reederei in Hamburg als Maschinenwärter zur See.

Nachdem sich im November 1960 die Polizei in Buchholz bei der Ehefrau des Angeklagten nach diesem erkundigt und seine Ehefrau ihm dieses schriftlich mitgeteilt hatte, verliess er Anfang des Jahres 1961 in Port Said das Schiff "Hamburg" und bat in Ägypten um Asyl, was ihm auch gewährt wurde. In den folgenden Jahren arbeitete er als Techniker bei einer ägyptischen Staatsfirma. Sein monatlicher Verdienst betrug umgerechnet ca. 600,- DM, zuzüglich einer Wüstenzulage von etwa 200,- DM. Ehefrau und Tochter besuchten ihn mehrfach auch für längere Zeiträume.

Am 17.11.1977 kehrte der Angeklagte in die Bundesrepublik Deutschland zurück und wurde bei seiner Ankunft auf dem Flughafen in München aufgrund des am 20.6.1966 gegen ihn erlassenen Haftbefehls des Amtsgerichts Stade verhaftet. Bis zur Aufhebung des Haftbefehls am 21.3.1978 befand er sich in Untersuchungshaft. Am 7.4.1978 hat das Amtsgericht Stade erneut gegen ihn Haftbefehl erlassen, den Vollzug der Untersuchungshaft aber durch Beschluss vom gleichen Tage ausgesetzt. Nachdem das Landgericht Stade den Haftverschonungsbeschluss mit Beschluss vom 23.6.1978 aufgehoben hat, befindet sich der Angeklagte in dieser Sache seit dem 28.6.1978 erneut in Untersuchungshaft.

Der Angeklagte ist nicht vorbestraft.

B. Feststellungen zur Sache

I. Die Konzentrationsarbeitslager in Estland

1. Am 21.Juni 1943 ordnete der "Reichsführer der SS" Himmler an, im damaligen "Reichskommissariat Ostland", das die Gebiete der früheren Sowjetrepubliken Litauen, Lettland, Estland sowie Weiss-Russland umfasste, die vorhandenen Ghettos aufzulösen und die in den Ghettos lebenden Juden in Konzentrationslagern zusammenzufassen. Ein grösstmöglicher Teil der männlichen Juden sollte in das Konzentrationslager im Ölschiefergebiet zum Ölschieferabbau verbracht werden. Als Termin für die Umorganisation der Konzentrationslager wurde der 1.8.1943 bestimmt. Unter dem 2.Oktober 1943 meldete das Reichssicherheitshauptamt mit Wirkung vom 15.September 1943 die Einrichtung der Konzentrationslager Kauen und Vaivara.

Dem nördlich des Peipussees, unweit von Narwa gelegenen Konzentrationslager Vaivara waren zahlreiche Aussenlager, unter anderem die Lager Narwa, Vivikoni, Ereda, Kiviöli, Kuremea, Joehvi, Ereda, Goldfields und Klooga angegliedert. Das Lager in Vaivara selbst diente zwar auch als Arbeitslager, vor allem aber als Sitz der Kommandantur und als Aufnahme- und Durchgangslager für die ab August/September 1943 insbesondere aus den Ghettos Wilna und Kowno, aber auch aus Deutschland und der Tschechoslowakei eintreffenden zahlreichen Transporte mit jüdischen Häftlingen. Die jüdischen Häftlinge wurden nach ihrer Ankunft in Estland auf die einzelnen Lager verteilt und, soweit sie nicht arbeitsunfähig oder für den inneren Lagerdienst benötigt wurden, überwiegend im Rahmen der Organisation Todt (OT) rücksichtslos zu schweren Aussenarbeiten, etwa zum Holzfällen und Transport, zu Gleis- und Bauarbeiten sowie bei der Ölschiefergewinnung eingesetzt. Dabei kam es zunehmend zu einer Auslese und Vernichtung nicht mehr arbeitsfähiger und missliebiger Häftlinge, wie es den Plänen der damaligen Staatsführung entsprach, die in der sogenannten "Wannseekonferenz" vom 20.1.1942 niedergelegt sind. Danach sollten die Juden "in geeigneter Weise im Osten zum Arbeitseinsatz kommen" so dass "zweifellos ein Grossteil durch natürliche Verminderung ausfallen wird"; der "endlich verbleibende Restbestand" sollte später dann noch "entsprechend behandelt", das heisst getötet werden. Neben der "natürlichen Verminderung" durch den Arbeitseinsatz fanden daher in den einzelnen Arbeitslagern von Zeit zu Zeit auch Selektionen und Exekutionen der arbeitsunfähigen und kranken Juden statt, denen zum grössten Teil auch die anfänglich noch in den Lagern befindlichen Kinder zum Opfer fielen.

Kommandant des Konzentrationslagers Vaivara einschliesslich seiner Nebenlager war der SS-Hauptsturmführer Aumeier, der im Jahre 1948 in Polen hingerichtet wurde. Das gesamte Sanitätswesen unterstand dem ebenfalls verstorbenen 1.Lagerarzt, SS-Obersturmführer Dr.med. Freiherr von Bodman.

Die einzelnen Arbeitslager wurden nur im Anfangsstadium teilweise von der Organisation Todt (OT) mitverwaltet, später wurden sie von Kommandoführern geleitet, die in der Regel SS-Unterführerdienstgrade bekleideten. Von der Lagerführung organisatorisch und personell getrennt war die Bewachungsmannschaft, die aus estnischer SS bestand, mit dem Lagerbetrieb nichts zu tun hatte und die Lager auch nicht betreten durfte. Die wesentlichen Aufgaben des Lagerbetriebes nahmen jüdische Häftlinge wahr, die als Lager- und Blockälteste, Lagerschreiber und Kapos eingesetzt waren. Dadurch war es möglich, die Arbeitslager durch verhältnismässig wenige deutsche SS-Leute zu leiten. Mitunter war der Kommandoführer der einzige deutsche SS-Mann in einem Arbeitslager.

Beim Näherrücken der russischen Front im Winter 1943/44 wurden die östlichen Lager, darunter auch die in diesem Verfahren eine besondere Rolle spielenden Lager Kuremea und Joehvi, nach und nach aufgelöst und die Häftlinge auf die weiter westlich gelegenen Lager verteilt. Auch die Kommandantur verlegte ihren Sitz von Vaivara nach dem weiter westlich gelegenen Saka. Bevor im September 1944 die deutschen Truppen Estland räumten, wurden die jüdischen Häftlinge, soweit sie nicht Vernichtungsaktionen, insbesondere in Klooga und Ereda, zum Opfer fielen, zur Verschiffung nach Reval gebracht, von wo aus sie dann zunächst in das Konzentrationslager Stutthof bei Danzig transportiert wurden.

2. Von den Arbeitslagern in Estland spielen folgende Lager in diesem Verfahren eine besondere Rolle:

a) Kuremea

Das Konzentrationsarbeitslager Kuremea befand sich südlich der Bahnlinie Wesenberg (Rakvere) - Narwa in der Nähe des Städtchens Kuremea. Das Lager war anfänglich mit ca. 500 Häftlingen, später, nachdem weitere Häftlingstransporte eingetroffen und bereits die ersten noch weiter östlich gelegenen Lager aufgelöst worden waren, mit bis zu 1000 Häftlingen belegt. Die männlichen Häftlinge waren zum grössten Teil in dem einzigen festen Gebäude des stacheldrahtumzäunten Lagers untergebracht. Dieses Gebäude hatte früher als Versammlungsort der Gemeinde und als Theater gedient. Weiter waren in dem Lager einige Fertigbaracken mit halbrundem Dach (sogenannte Finnenbaracken) aufgestellt, die unter anderem als Unterkunft für die weiblichen Häftlinge, als Krankenrevier und Werkstatt dienten.
Die Häftlinge wurden hauptsächlich bei Gleisbau- und bei Waldarbeiten eingesetzt. Lagerführer in Kuremea waren der inzwischen verstorbene SS-Scharführer Engst und danach - etwa in den letzten zwei Monaten vor der Lagerauflösung - der SS-Hauptscharführer Pannikke. Als Sanitäter war wenigstens zeitweilig ein Wehrmachtsangehöriger namens Knott tätig. Das Lager Kuremea wurde etwa im März 1944 wegen der näherrückenden Front aufgelöst. Der Grossteil der Häftlinge wurde in das weiter westlich gelegene Lager Goldfields verlegt.

b) Joehvi

Das Lager Joehvi lag einige Kilometer vom gleichnamigen an der Bahnlinie Reval-Wesenberg-Narwa gelegenen Ort entfernt. Es handelte sich um ein relativ kleines Lager, das nur mit rund 150 Häftlingen, ca. 100 Männer und etwa 50 Frauen, belegt war. Zur Unterbringung der Häftlinge war vom ebenfalls dort befindlichen russischen Kriegsgefangenenlager eine Baracke abgeteilt und mit einem Stacheldrahtzaun umgeben worden. Neben der Lagerbaracke befand sich an der einen Seite die Latrine, auf der anderen Seite, schon ausserhalb der Stacheldrahtumzäunung, die Küchenbaracke, in der wiederum ein kleiner Raum abgeteilt worden war, welcher dem Lagerältesten zum Aufenthalt und als Schreibstube diente. Die Lagerbaracke war in 3 oder 4 Stuben mit jeweils eigenen Eingängen aufgeteilt. In der Stube, die der Küche am nächst lag, waren die Frauen untergebracht, in den übrigen Stuben die männlichen Häftlinge.

Die Häftlinge wurden im wesentlichen beim Bau eines Krankenhauses, beim Eisenbahnbau und in einem Sägewerk beschäftigt. Letzteres befand sich unweit des Lagers, etwa 200 m entfernt.
Das Lager hatte keinen eigentlichen Lagerführer, sondern wurde von OT-Leuten in Zusammenarbeit mit dem jüdischen Lagerältesten geführt. Der einzige SS-Mann, der sich dort für einen längeren Zeitraum aufhielt, war der Angeklagte.
Etwa im Dezember 1943 brach im Lager eine Typhusepidemie aus. Ein Teil der erkrankten Häftlinge wurde in mehreren Transporten nach Vaivara ins Krankenhaus gebracht. Etwas später, etwa Mitte Januar 1944, wurde das Lager dann aufgelöst, und die dort noch befindlichen Häftlinge wurden auf weiter westlich gelegene Lager verteilt.

c) Ereda

Das Konzentrationsarbeitslager Ereda lag südlich der Bahnstation Kothla in einem sumpfigen, waldigen Gelände. Anfänglich bestanden die Häftlingsunterkünfte lediglich aus auf Pfählen stehenden halbrunden Baracken aus einer Art Pappstoff, sogenannten Tonnenzelten. Bis Ende 1943 wurde auf einem etwas höher gelegenen weniger sumpfigen Geländeteil ein neues Lager mit mehreren rechteckigen Holzbaracken errichtet. Dieses wurde als "oberes" Lager bezeichnet, während das ursprüngliche Lager nunmehr "unteres" Lager genannt wurde. Zwischen den beiden mit Stacheldraht umzäunten Lagern lag ein ca. 100 bis 200 m breites freies Feld, über das ein Knüppeldamm führte, der die Lager untereinander verband. Im oberen Lager waren ausser den Unterkünften das Krankenrevier, das Lagerbüro und der Appellplatz, während die Lagerküche weiterhin im unteren Lager verblieb. Nachdem das obere Lager bezogen worden war, diente das untere Lager mit seinen wesentlich schlechteren Unterkünften der Aufnahme von kranken und schwachen Häftlingen, die nicht mehr arbeitsfähig waren.
Unmittelbar neben dem Arbeitslager befanden sich Holzbaracken für die Bediensteten der Firma Deilmann, die in Ereda Schächte für den Untertageabbau von Ölschiefer errichteten. Zu diesen Arbeiten wurden der Firma Deilmann auch jüdische Häftlinge zugeteilt. Weiter wurden die Häftlinge unter anderem bei Gleis-, Strassen- und Barackenbauarbeiten eingesetzt. Die Anzahl der Häftlinge im Lager Ereda nahm mit Auflösung der weiter östlich gelegenen Lager immer mehr zu. Zuletzt waren dort weit über 1000 Häftlinge untergebracht.
Lagerführer in Ereda war zunächst der SS-Unterscharführer Heinz Drosihn. Dieser hatte ein Verhältnis zu einer tschechischen Jüdin, mit der er, nachdem die Liebesbeziehung der Kommandantur bekannt geworden war, flüchtete. Dabei kam er am 20. oder 21.Februar 1944 in Aru bei Kiviöli ums Leben. Von Februar 1944 bis zur Auflösung des Lagers Ende Juli 1944 war der SS-Oberscharführer Schn. [80] in Ereda als Lagerführer tätig. Als Sanitäter fungierte in Ereda neben dem Angeklagten wenigstens zeitweilig vor allem der SS-Unterscharführer Kli. [81].

3. Der Angeklagte wurde etwa im Herbst 1943, das genaue Datum liess sich nicht mehr feststellen, an das Konzentrationslager Vaivara abkommandiert. Er wurde entsprechend seiner Ausbildung als Sanitäter und, da in dieser Zeit in den estnischen Lagern die ersten Typhuserkrankungen auftraten, insbesondere zur Seuchen- und Epidemiebekämpfung eingesetzt. Diese Aufgabe brachte es mit sich, dass er meist keinen festen Platz innerhalb des Gefüges eines Lagers einnahm, sondern in verschiedenen Lagern schwerpunktmässig je nach Bedarf tätig wurde. Er hielt sich deswegen in den einzelnen Lagern - im Gegensatz zu den sonst dort abkommandierten SS-Leuten - gewöhnlich immer nur relativ kurze Zeit auf, kam in einige Lager auch nur tageweise oder verschwand aus einem Lager plötzlich, um nach

[80] Siehe Lfd.Nr.625, 717 und 841.

[81] Siehe Lfd.Nr.841.

einiger Zeit wieder aufzutauchen. Es kam aber auch vor, dass der Angeklagte, insbesondere zur Vertretung eines Kommandoführers oder eines Lagersanitäters, auch mehrere Wochen in einem einzigen Lager blieb.

Wegen seines oft nur kurzfristigen Einsatzes liess sich der genaue zeitliche Ablauf der Tätigkeit des Angeklagten in den einzelnen estnischen Lagern nicht mehr genau feststellen, da Urkunden hierüber nicht vorhanden sind, die meisten Zeugen wegen der inzwischen vergangenen Zeit und, weil sie damals keinen Kalender besassen, nur ungefähre Angaben machen können und schliesslich auch der Angeklagte sich angeblich nicht an die einzelnen Lager und die Dauer seiner Aufenthalte erinnern kann. Sicher ist jedoch, dass der Angeklagte noch im Winter 1943, etwa im November 1943 im Konzentrationsarbeitslager Kuremea - wenn auch nur für einen relativ kurzen Zeitraum - auftauchte. Ungefähr im Dezember 1943 und Anfang Januar 1944 hielt er sich wenigstens zeitweilig im Lager Joehvi auf. Von Ende Januar / Anfang Februar 1944, und zwar insbesondere zum Zeitpunkt der bereits oben erwähnten Flucht und des Todes des Lagerführers Drosihn, bis in den März 1944, als der Zeuge Schn. bereits dort Lagerführer war, war der Angeklagte überwiegend im Konzentrationsarbeitslager Ereda tätig und hier auch untergebracht. Danach war der Angeklagte wenigstens vorübergehend als Sanitäter im Lager Goldfields und anschliessend vertretungsweise als Kommandoführer des Lagers Kiviöli II eingesetzt.

Schliesslich zog der Angeklagte Ende Juli / Anfang August 1944 mit den Häftlingen in das unweit von Reval auf freiem Felde bei Lagedi errichtete Notlager, um dort etwa 3-4 Wochen auf den Abtransport der Häftlinge zu warten. Er begleitete dann den Transport per Schiff von Reval nach Stutthof.

II. Die Straftaten des Angeklagten

1. Kuremea (Fall 9 bis 28 der Anklage)

An einem nicht mehr feststellbaren Tag gegen Ende des Jahres 1943, im Winter, wahrscheinlich im November 1943, sonderte der Angeklagte, vermutlich gemeinsam mit dem damaligen Lagerführer Engst, im Arbeitslager Kuremea etwa 20, mindestens aber 15 - überwiegend männliche - alte, kranke, schwache und arbeitsunfähige Häftlinge, deren listenmässige Erfassung der damals in Kuremea tätige, inzwischen verstorbene Zeuge Dr. Dwo. abgelehnt hatte, von den übrigen Häftlingen, die ihrer gewohnten Arbeit nachgingen, aus. Der Angeklagte hatte die Absicht, diese abgesonderten Häftlinge, zu denen auch der aus Wilna stammende Röntgenologe Dr. Iwanter gehörte, weil sie ihm arbeitsunfähig und im Lagerbetrieb nur lästig erschienen, zu töten. Zunächst hatte der Angeklagte, der auch im Setzen von Spritzen aller Art ausgebildet war und darin nach eigener Darstellung über eine gewisse Erfahrung verfügte, vor, seine Opfer jeweils durch Verabfolgung einer Überdosis von Schlaf- und Betäubungsmitteln die in relativ grossen Mengen damals im Lager vorhanden waren, zu töten. Von dieser Tötungsmethode nahm aber dann der Angeklagte aus nicht mehr feststellbaren Gründen Abstand; möglicherweise, weil bei den ersten Einspritzversuchen die Injektionsnadel abbrach oder weil er mit den Dosierungen nicht zurecht kam und sich der von ihm gewünschte Erfolg bei den Häftlingen nicht sogleich einstellte. Die ausgewählten Opfer, unter denen sich mindestens eine junge Frau befand, mussten sich nunmehr in einer Reihe auf dem Appellplatz des Lagers vor einer leer stehenden Baracke in der Nähe des einzigen festen Gebäudes aufstellen. Dabei wurden sie vom Lagerführer Engst beaufsichtigt, während sich der Angeklagte selbst in die Baracke, die schmal und langgestreckt war, jeweils nur vorn und hinten an der Schmalseite Türen besass und nur ein kleines Fenster hatte, begab. Engst schickte die Häftlinge einzeln und nacheinander durch die jeweils vom Angeklagten - ohne dass dieser dabei von aussen sichtbar wurde - von innen geöffnete, dem Appellplatz zugewandte Tür in die Baracke.

In der Baracke schlug der Angeklagte in Tötungsabsicht dem jeweils eintretenden Häftling mit einer Spitzhacke über den Kopf. Den niedergeschlagenen Opfern, die dadurch teilweise bereits tödliche Schädelverletzungen erlitten hatten, schnitt er zusätzlich, um ganz sicher zu gehen, dass sie auch den Tod fanden, mit einem scharfen Messer die Kehle durch. Eine junge Frau unter den abgesonderten Häftlingen versuchte, als die Reihe an sie gekommen war und sie sich bereits in der Baracke befand, schreiend durch die Barackentür nach draussen zu entfliehen. Sie wurde jedoch vom draussen stehenden Lagerführer Engst festgehalten und von diesem in die Baracke zum Angeklagten zurückgestossen, der in diesem Fall - in Abweichung seiner bisherigen Tatausführung - die Frau drinnen mit seiner Pistole erschoss. Die noch nachfolgenden Häftlinge tötete der Angeklagte dann wieder auf die bereits oben beschriebene Weise mit Spitzhacke und Messer.

Nach dieser Tat verliess der Angeklagte mit hochrotem Gesicht und geöffnetem Kragen die Baracke. Er oder Engst gab vier Häftlingen, unter ihnen dem Zeugen Kag., den Befehl, die Opfer aus der Baracke herauszutragen. Die vier Häftlinge trugen mindestens 15 leblose Körper nunmehr durch die hintere Tür ins Freie und legten sie dort neben der Baracke zunächst nieder. Sodann mussten sie die Opfer, deren Unterwäsche teilweise voll Kot war, entkleiden. Dem Zeugen Kag. gab der Angeklagte ausserdem sein bei den Taten benutztes blutbeschmiertes Messer, womit jener die Häftlingsnummern von der Kleidung der Getöteten abzutrennen hatte.

Unterdessen hatte der Angeklagte von ausserhalb des Lagergeländes von einem gerade vorbeifahrenden estnischen Bauern dessen pferdebespannten Wagen oder Schlitten herangeholt. Er befahl nunmehr den vier Häftlingen, die Leichen auf dieses Fahrzeug aufzuladen, wozu er sie unter Stockschlägen antrieb. Unter Begleitung des Angeklagten und möglicherweise auch des Lagerführers Engst wurden die Leichen auf dem Fuhrwerk zu der einige Kilometer vom Lager entfernt in einem Wald gelegenen Verbrennungsstätte gebracht und vom dort tätigen Verbrennungskommando verbrannt. Dabei gab eines der Opfer plötzlich noch Lebenszeichen von sich und redete den ständig zum Leichenverbrennen eingeteilten Häftling, der mit Vornamen Moische hiess, namentlich an. Der Angeklagte, der dieses bemerkt hatte, stiess aber auch dieses Opfer ins Feuer, wo es gleichfalls verbrannte.

Diese Tat des Angeklagten versetzte die Häftlinge des Lagers Kuremea, in dem sich das grausame Geschehen noch am selben Tage wie ein Lauffeuer herumsprach, in grossen Schrecken, und die Kunde davon verbreitete sich schnell auch ausserhalb des Lagers in den anderen Arbeitslagern in Estland. Der Angeklagte wurde fortan von den Häftlingen "Kirkenik" genannt, womit im polnisch-litauischen Dialekt ein Mann bezeichnet wird, der eine "Kirke" (= Spitzhacke) gebraucht.

Der Spitzname "Kirkenik" wurde im übrigen auch dem SS-Unterscharführer und Sanitäter Ernst Run. von Häftlingen gegeben, weil dieser im Konzentrationsarbeitslager Narwa Häftlinge mit der Spitzhacke geschlagen und getötet hatte. Run., der im Januar 1967, nachdem die Staatsanwaltschaft Köln Anklage gegen ihn erhoben hatte, in Untersuchungshaft Selbstmord beging, war in keinem der estnischen Konzentrationslager zusammen mit dem Angeklagten tätig. Run. war insbesondere nicht in den Arbeitslagern Kuremea, Joehvi und Ereda eingesetzt. Bei den Häftlingen hatte er, weil er sie so anredete, den weiteren Spitznamen "Meine Herren".

2. Joehvi (Fall 1 bis 3 der Anklage)

Gegen Ende des Jahres 1943, im November oder Anfang Dezember, erkrankten in dem kleinen Lager Joehvi eine ganze Reihe von Häftlingen an Fleckfieber. Etwa zu diesem Zeitpunkt tauchte auch der Angeklagte erstmals in diesem Lager auf, wahrscheinlich mit dem Auftrag, eine Ausbreitung der Krankheit zu verhindern. Bei seiner Ankunft oder zumindest kurz danach war den Häftlingen des Lagers Joehvi bereits der dem Angeklagten im Lager Kuremea gegebene Spitzname "Kirkenik" und in wesentlichen Zügen auch bekannt geworden, welcher Vorfall dieser Namensgebung zugrunde gelegen hat.

Wohl auf Veranlassung des Angeklagten wurden mindestens 2 mal Transporte mit erkrankten Häftlingen zusammengestellt und mit dem LKW nach Vaivara ins Krankenrevier gebracht. Kurz nachdem ein solcher Transport abgegangen war, führte der Angeklagte bei den verbliebenen Häftlingen, die wegen der ausgebrochenen Krankheit von ihm unter Quarantäne gestellt waren und nicht zur Arbeit gingen, an einem nicht mehr genau feststellbaren Tag gegen Ende Dezember 1943 oder Anfang Januar 1944 - es lag Schnee - eine Entlausung in einer Baracke des angrenzenden russischen Kriegsgefangenenlagers durch und mass bei allen nach Rückkehr ins Lager mit einem Fieberthermometer die Temperatur. Dabei stellte der Angeklagte bei drei Männern Fieber fest. Einer dieser Männer war ein über 50jähriger Mehlhändler aus Wilna namens Melach Suchowski, die Namen der beiden anderen jüngeren Männer konnten nicht festgestellt werden. Um ein erneutes und weiteres Umsichgreifen der Erkrankungen zu verhindern, beschloss der Angeklagte, die drei vom Fieber befallenen Männer zu töten. Die drei Männer mussten aus der Baracke heraustreten, während der Angeklagte den anderen Häftlingen befahl, in ihren Stuben zu bleiben. Er machte die jedenfalls an den Fenstern der Frauenstube aussen angebrachten Fensterläden zu, die jedoch nicht ganz dicht schlossen und zudem Ritzen hatten, die den Blick nach draussen ermöglichten. Die drei erkrankten Männer führte der Angeklagte in Richtung der ca. 3 bis 5 m vom Ende der Lagerbaracke entfernten Latrine. Dort oder in unmittelbarer Nähe der Latrine, möglicherweise auch in einem an die Latrine grenzenden kleinen Schuppen, erschoss er die drei Männer nacheinander mit seiner Pistole und schnitt ihnen anschliessend - wie schon seinen Opfern in Kuremea - um ganz sicher zu gehen, dass sie auch den Tod gefunden hatten, die Kehle durch.

Die drei Leichen lud der Angeklagte auf einen Schlitten, den er selbst - jedenfalls bis zum Eingang des Lagers - auf dem etwa 2 bis 4 m breiten Weg, der von der Latrine an der Lagerbaracke entlang führte, hinter sich her zog. Die Leichen wurden dann entweder vom Angeklagten selbst oder auf dessen Veranlassung zum nahegelegenen Sägewerk gebracht und dort in einem Ofen verbrannt.

C. Angaben und Einlassung des Angeklagten

Der Angeklagte bestreitet generell, in Estland Juden gegenüber irgendwelche Straftaten, insbesondere die ihm vorgeworfenen Verbrechen begangen zu haben. Bezüglich seines Aufenthalts in Estland gibt er an, er sei dorthin etwa Anfang des Jahres 1944, möglicherweise auch etwas früher, abkommandiert worden und insgesamt ca. 9 bis 10 Monate verblieben. Die Namen der Lager, in denen er sich aufgehalten habe, kenne er nicht; sie hätten damals wegen der Möglichkeit des Abfangens von Schriftstücken durch Partisanen im Schriftverkehr auch nicht genannt werden dürfen. Sein Standort sei das Lager gewesen, in dem sich während der Zeit seines Aufenthalts der Vorfall mit dem Lagerführer Drosihn ereignet habe, der nach Aufdeckung seines Verhältnisses mit einer Jüdin auf der Flucht den Tod gefunden habe. Bei dem Lager müsse es sich wohl um das in der Anklage genannte Lager Ereda gehandelt haben. Von diesem Lager aus habe er die anderen Lager, zu denen er sich mangels Orts- und Namenskenntnis jeweils erst habe durchfragen müssen, besucht, um seiner Aufgabe der Seuchenbekämpfung nachzugehen. Er sei aber immer wieder zum Lager Ereda zurückgekehrt.

In Estland habe er keine unmittelbaren Vorgesetzten gehabt, er kenne daher auch nicht den Namen des Kommandanten des Konzentrationslagers Vaivara (Aumeier) und des für das Sanitätswesen verantwortlichen 1.Lagerarztes (Dr. von Bodman). Seine vorgesetzte Dienststelle habe sich weiterhin in Berlin befunden. Lediglich mit dem Stabsarzt des Hygieneinstituts in Kothla habe er dienstlich zu tun gehabt, indem er diesem die in den einzelnen Lagern den Häftlingen abgenommenen Blut-, Urin- und Stuhlproben habe zur Untersuchung bringen müssen und von diesem gegebenenfalls Medikamente erhalten habe, die er aber nicht selbst verabreicht, sondern lediglich in den jeweiligen Lagern dem zuständigen Pflegepersonal zur weiteren Veranlassung übergeben habe.

Der Angeklagte behauptet, die in den estnischen Lagern inhaftierten Juden immer korrekt behandelt zu haben, wenn er sich auch weiter keine Gedanken gemacht hätte, weswegen sich diese ebendort befunden hätten. Von der nationalsozialistischen Einstellung zu den Juden sowie den damaligen Plänen zur sogenannten "Endlösung der Judenfrage" habe er nichts gewusst. Er sei ja auch nur ganz zufällig über seinen Schwimmsport zur Partei und zur SS gestossen und ansonsten ein Mensch, der sich vorwiegend allein gehalten und seine Nase nicht in anderer Leute Sachen gesteckt habe. Er selbst sei den Juden nicht feindlich gesonnen gewesen, wie er als Sanitäter überhaupt gegenüber allen Menschen eine gute Einstellung habe. Im Konzentrationslager Stutthof habe er sich gegenüber Häftlingen sogar ausserordentlich grosszügig verhalten und zwei entflohenen und wieder aufgegriffenen Häftlingen, indem er sich für sie verwandt habe, das Leben gerettet. Einem polnischen Hauptmann habe er ausserdem geholfen, als dieser sich mit seiner inhaftierten jüdischen Freundin habe treffen wollen.

Die Juden in den estnischen Lagern hätten teilweise wohl etwas schmal, im grossen und ganzen aber zufrieden und ausreichend genährt ausgesehen. Er habe sich Häftlingen gegenüber niemals namentlich vorgestellt. Soweit ehemalige Häftlinge später als Zeugen seinen Namen erwähnt hätten, hätten sie diesen nur aus dem Konzentrationslager Stutthof wissen können. Dort habe er einmal erlebt, dass ihn ein Häftling, der ihn aus Danzig gekannt habe, gegrüsst hätte. Daraufhin seien andere Häftlinge auf den Mann zugegangen und hätten diesen über ihn ausgefragt. Dort in Stutthof seien dann alle jetzt gegen ihn erhobenen Vorwürfe unter den Häftlingen abgesprochen und auf seine Person konzentriert worden.

D. Beweiswürdigung

I. Kuremea (Fall 9-28 der Anklage)

1. Der Angeklagte ist nach der Beweisaufnahme überführt, die ihm im Arbeitslager Kuremea mit der Anklage vorgeworfenen und von ihm bestrittenen Taten begangen zu haben, wenn ihm auch im Gegensatz zur Anklage, die ihm die Tötung von 20 Häftlingen zur Last legt, mit hinreichender Sicherheit lediglich die Tötung von 15 jüdischen Häftlingen nachzuweisen war. Die Kammer ist insbesondere aufgrund der im wesentlichen übereinstimmenden Aussagen der Zeugen Kag., Z. und Dr. Dwo. davon überzeugt, dass der Angeklagte mindestens 15 Häftlinge in einer Baracke des Lagers Kuremea nacheinander tötete, indem er ihnen - mit Ausnahme einer jungen Frau, die er mit seiner Pistole niederschoss - mittels einer Spitzhacke den Schädel einschlug, ihnen mit einem Messer die Kehle durchschnitt und sie anschliessend im Wald verbrennen liess.

2. Bei ihren Feststellungen ist die Kammer vor allem der Aussage des Zeugen Kag. gefolgt, der bei seinen Vernehmungen durch seine intelligente, ruhige und sachliche Art sowie durch seine noch lebendige und sichere Erinnerung einen besonders verlässlichen und glaubwürdigen Eindruck gemacht hat.

a) Der Zeuge Harry Hirsch Kag. hat u.a. bekundet, er sei etwa im September/Oktober 1943 ins Lager Kuremea gelangt. Eines Tages im Winter 1943/1944, wohl noch vor Ende des Jahres 1943, möglicherweise auch schon im November 1943, sei zu ihm, als er sich gerade im Hauptgebäude des Lagers aufgehalten habe, schreckensbleich der Lagerfriseur Bendel gekommen und hätte ihm bedeutet, dass im Lager etwas Furchtbares passiere. Da er sich damals als Holzschuhmacher im Lager frei hätte bewegen können, sei er hinausgegangen und habe vor einer leer stehenden Baracke, die sich vom Appellplatz gesehen rechts vom festen Hauptgebäude befunden habe, eine Anzahl von Häftlingen in einer Reihe aufgestellt gesehen. Bei den Häftlingen habe der Lagerführer Engst gestanden. Die Häftlinge seien überwiegend Männer gewesen, es habe sich aber mindestens eine junge Frau unter ihnen befunden. Er sei dann zunächst in seine Werkstatt gegangen und habe einen Holzklotz und ein Beil geholt, um während seiner Beobachtungen vorgeben zu können, dass er arbeite. Er meine, während des Vorfalls sogar mehrfach in seine Werkstatt und zu seinem Beobachtungsplatz auf dem Appellplatz zurückgegangen zu sein, wenn er auch nicht mehr genau sagen könne, wie oft dies geschehen sei. Jedenfalls habe er aus ca. 15 m Entfernung gesehen, dass der Lagerführer Engst einen Häftling nach dem anderen in die Baracke geführt habe. Dabei sei zunächst alles ganz ruhig abgelaufen, bis die Reihe an eine junge Frau gekommen sei. Diese sei schreiend aus der Baracke wieder herausgekommen, von Engst jedoch ergriffen und mit dem Knie in die Baracke zurückgestossen worden. Kurz darauf sei - wie er deutlich gehört habe - im Innern der Baracke ein einzelner Schuss gefallen. Nachdem alle Häftlinge in der Baracke verschwunden gewesen wären, sei plötzlich der Angeklagte, den er zu diesem Zeitpunkt zum ersten Mal gesehen und dessen Namen er damals noch nicht gekannt und erst später im Lager erfahren habe, mit rotem Gesicht und geöffnetem Kragen aus der Baracke herausgestürzt. Der Angeklagte - möglicherweise aber auch Engst oder beide zusammen - hätten sich vier Häftlinge, darunter auch ihn, gegriffen und sie durch den hinteren Eingang in die Baracke geführt. Dort habe sich ihnen ein schreckliches Bild geboten. Im vorderen Teil der Baracke hätten die von Engst zuvor in die Baracke getriebenen Häftlinge tot auf dem Fussboden gelegen. Alles sei voll Blut gewesen. Später hätten sie in der Baracke auch eine blutverschmierte Spitzhacke bemerkt. Der Angeklagte habe ihnen befohlen, die Toten herauszutragen. Jeweils zwei von ihnen hätten einen Leichnam gepackt und zunächst draussen neben der Baracke hingelegt. Dabei hätte er auch gesehen, dass den Opfern seitlich die Kehle durchschnitten worden war. Der Angeklagte habe ihm selbst ein scharfes Messer gegeben, das voll Blut und ganz klebrig gewesen wäre und mit dem er den Toten die Häftlingsnummern hätte abtrennen müssen. Dann hätten sie die Toten noch entkleiden und auf ein vom Angeklagten inzwischen von ausserhalb des Lagers herangeholtes Pferdefuhrwerk eines estnischen Bauern aufladen müssen, wobei der Angeklagte sie mit Stockschlägen angetrieben habe. Scharfetter selbst sei mit dem Fuhrwerk - möglicherweise in Begleitung von Engst -, während sie im Lager zurückgeblieben wären, zur ausserhalb des Lagers gelegenen Verbrennungsstelle gefahren. Wie ihm sein dort im Verbrennungskommando tätiger Freund Moische erzählt habe, soll eines der Opfer an der Verbrennungsstelle noch Lebenszeichen von sich gegeben, aber gleichwohl von dem Angeklagten ins Feuer gestossen worden sein. Zur Zahl der Opfer sagte der Zeuge Kag. weiter aus, er habe diese nicht selbst gezählt; nach eigener Beobachtung seien es ungefähr 22 gewesen, es könnten aber auch weniger als 20 gewesen sein; ganz bestimmt hätte es sich aber um wenigstens 15 Leichen gehandelt, unter denen sich auch Dr. Iwanter, ein bekannter Röntgenologe aus Wilna, befunden habe. Der ganze Vorfall habe sich ca. zwischen 11.00 und 12.00 Uhr mittags abgespielt. Seither habe der Angeklagte den Spitznamen "Kirkenik getragen.

b) Diese in sich widerspruchsfreien und glaubwürdigen Bekundungen des Zeugen Kag. stimmen im Kern mit seinen früheren Aussagen, die ihm in den hier wesentlichen Abschnitten durch Verlesen vorgehalten worden sind, insbesondere mit seiner Aussage vom 25.8.1965 vor der Kriminalpolizei in Hechingen und mit seiner Aussage vom 9.12.1965 vor dem Generalkonsulat in Los Angeles überein. Erwähnenswerte Unterschiede zu seinen jetzigen Angaben lassen sich dabei allenfalls hinsichtlich der Tatzeit, der Form der Aufstellung der ausgesuchten Häftlinge vor der Baracke und der Person, die dem Zeugen nach der Tat den Befehl gab, die Leichen aus der Baracke herauszutragen, feststellen.

Früher hatte der Zeuge Kag. die Tatzeit auch mit etwa Ende Februar oder Anfang März 1944 (Aussage vom 25.8.1965) und möglicherweise November 1943 (Aussage vom

9.12.1965) angegeben. Im Hinblick auf die genaue Tatzeit hat der Zeuge aber jetzt immer wieder und überzeugend betont, er könne dazu keine exakten Angaben machen, weil sie - die Häftlinge - im Lager keinen Kalender gehabt hätten, ganz sicher sei er nur, dass der Vorfall im Winter 1943/1944 geschehen wäre.

Auf Vorhalt, dass er früher den Lagerführer Engst als die Person bezeichnet habe, die ihn zum Heraustragen der Leichen befohlen habe, hat der Zeuge einleuchtend dargelegt, dass ihm die Einzelheiten, insbesondere nicht so wichtige Nebenumstände des grauenhaften Geschehens zuweilen entfielen und dass ihm diese erst wieder ins Gedächtnis zurückkämen, wenn er erneut und eingehend mit dem Vorfall befasst sei und darüber nachdenke. So sei auch die Frage, wer ihm den Befehl zum Heraustragen der Leichen gegeben habe, für ihn ein solcher Nebenumstand, der hinter dem eigentlichen Tatgeschehen zurücktrete und sich seinem Gedächtnis nicht so klar eingeprägt habe. Er meine im Augenblick zwar sich zu entsinnen, dass der Angeklagte selbst ihm diesen Befehl gegeben habe, könne aber auch nicht ganz ausschliessen, dass tatsächlich der Lagerführer Engst dies befohlen habe.

Während er in einer seiner früheren Aussagen erklärt hatte, die ausgesonderten Häftlinge hätten in Zweier-Reihe vor der Baracke warten müssen (Aussage vom 9.10.1965), ist der Zeuge nunmehr auch auf Vorhalt dabeigeblieben, dass nach seiner jetzigen Erinnerung die Häftlinge in einer Reihe gestanden hätten.

Solche, auch durch den Zeitablauf erklärliche, für das eigentliche Tatgeschehen relativ unbedeutende Ungenauigkeiten und Erinnerungslücken vermögen die Glaubwürdigkeit dieses Zeugen insgesamt nicht in Frage zu stellen; ebensowenig wie der Umstand, dass der Zeuge Kag. nicht mehr genau angeben konnte, wie oft und wie lange er seinen Beobachtungsplatz in der Nähe der Baracke, in der sich das Verbrechen abspielte, zwischenzeitlich verliess, um in seine Werkstatt zu gehen. Der Zeuge Kag. hat in diesem Zusammenhang auch überzeugend hervorgehoben, dass seine Beobachtungen keine Geschichte darstellten, wie sie etwa in einem Buch festgeschrieben sei, sondern er seine Erlebnisse immer so erzähle, wie sie gerade in seiner Erinnerung wiederkehrten, wobei geringe Abweichungen in den Einzelheiten durchaus möglich seien. So sei ihm während der Vernehmung zum Beispiel plötzlich ins Gedächtnis zurückgekehrt, dass die Unterwäsche der Getöteten, wie er beim Entkleiden festgestellt habe, teilweise voll Kot gewesen wäre, ein Umstand, an den er sich bei früheren Vernehmungen bisher nicht erinnert habe. Weiter gibt auch das Protokoll eines vom verstorbenen Zeugen Dr. Dwo. auf Tonträger aufgezeichneten Gesprächs vom 30.4.1965 mit dem Zeugen Kag. und dessen Ehefrau keinen Anlass, an der Glaubwürdigkeit des Zeugen Kag. zu zweifeln.

In diesem Tonbandprotokoll, das dem Zeugen Kag. in seiner erneuten Vernehmung vom 24.10.1979 durch Verlesen vorgehalten wurde, wird dieser von Dr. Dwo. nach den hier angeklagten Vorfällen in Kuremea befragt. Der Zeuge Kag. berichtete damals zunächst - wie auch jetzt in der Hauptverhandlung -, dass er vom Friseur Bendel auf etwas Aussergewöhnliches, das im Lager vor sich ginge, aufmerksam gemacht worden, dass er aus dem Hauptgebäude herausgetreten sei und eine Gruppe von älteren Häftlingen, unter ihnen auch eine junge Frau, sowie den Lagerführer Engst vor einer Baracke bemerkt habe. Auf die Zwischenfrage von Dr. Dwo. nach Dr. Iwanter bestätigte dann der Zeuge Kag. dessen Anwesenheit in der Gruppe, um fortzufahren, er habe kehrtgemacht, denn er habe gefühlt, dass er hier nicht mehr sein dürfe. An dieser Stelle endet das von dem verstorbenen Dr. Dwo. seinerzeit aufgezeichnete Gespräch.

Aus dem Ende dieser Aufzeichnung lässt sich jedoch nicht zwingend - wie die Verteidigung meint - nur der Schluss ziehen, dass der Zeuge Kag. entgegen seiner jetzigen Darstellung den weiteren Ablauf des Geschehens gar nicht weiter beobachtet hat. Der Abbruch der Aufzeichnung ist nach Überzeugung der Kammer vielmehr entweder darauf zurückzuführen, dass das Tonband gerade an dieser Stelle abgelaufen war oder dass die Aufnahme an dieser Stelle aus nicht mehr sicher feststellbaren Gründen von dem verstorbenen Dr. Dwo. unterbrochen wurde.

Der Zeuge Kag. hat zu der Aufzeichnung seines Gesprächs mit Dr. Dwo. bekundet, er könne sich an die Einzelheiten des Gespräches nicht mehr erinnern und wisse auch nicht, weswegen die Aufzeichnung hier abbreche, er erinnere sich aber noch, dass im Verlaufe ihrer Unterhaltung plötzlich ein Ehepaar aus Übersee eingetroffen sei, mit dem sie sich dann über mehr persönliche Dinge unterhalten hätten, möglicherweise ende die Aufzeichnung hier deshalb so abrupt. Jedenfalls bleibe er bei seiner der Kammer bereits gegebenen Darstellung des Geschehens. Er sei im Anschluss an die im Tonbandprotokoll gegebene Schilderung - wie bereits dargestellt - nur in seine Werkstatt gegangen, um seine Arbeitsutensilien zu holen und damit vorgeben zu können, dass er arbeite, und sei dann an den Ort des Geschehens zurückgekehrt.

Diese Erklärung des Zeugen Kag. ist glaubhaft und plausibel. Die Kammer ist davon überzeugt, dass der Zeuge Kag. an der Stelle, wo die Tonbandaufzeichnung abbricht, mit seinem Bericht über den Ablauf des Tatgeschehens noch nicht zu Ende war. Dafür spricht auch der Wortlaut des Tonbandprotokolls. Obwohl nämlich Dr. Dwo. den Zeugen Kag. ausdrücklich gefragt hatte, ob dieser sich erinnern könne, "wie Scharfetter ... (undeutliche Stelle) töte" (Bl.5 des Protokolls) und der Zeuge Kag. dieses mit dem Bemerken, er sei Zeuge gewesen, bejaht hatte, endet das Tonband dann abrupt an einer Stelle des Berichts, wo bisher weder der Angeklagte in Erscheinung getreten noch überhaupt von Tötungen die Rede ist. Der Bericht des Zeugen Kag. war danach - auch wenn die Aufzeichnung hier endet - damals noch keineswegs abgeschlossen. Auch die letzte Bemerkung des Zeugen auf dem Tonband, er habe kehrtgemacht, denn er habe gefühlt, dass er hier nicht mehr sein dürfe, lässt sich ihrem Wortlaut nach nicht nur so deuten, dass der Zeuge damit endgültig den Ort des Geschehens verliess, sondern die Kammer ist vielmehr davon überzeugt, dass der Zeuge damit nur ausdrücken wollte, dass er Angst hatte, dort ohne Beschäftigung nur als Beobachter herumzustehen, und dass er deshalb - wie vom Zeugen Kag. auch bei seiner Vernehmung geschildert - zunächst aus seiner Werkstatt Arbeitsutensilien holte, um vorgeben zu können, dass er arbeitete.

Das Tonbandprotokoll gibt somit für die Kammer keinen Anlass zur Annahme, der Zeuge Kag. könnte das von ihm geschilderte Tatgeschehen nicht selbst erlebt haben und belaste den Angeklagten zu Unrecht. Es besteht auch kein Anlass, dem mangels bestimmter Tatsachenbehauptung bezüglich des Zeugen Kag. ohnehin nur als Anregung aufzufassenden "Hilfsbeweisantrag" der Verteidigung vom 5.12.1979 (zu III., 2) auf nochmalige Vernehmung des Zeugen Kag. Folge zu leisten. Dieser Antrag schliesst sich an die Behauptung der Verteidigung und den damit verbundenen, zuvor gestellten Hilfsbeweisantrag an, wonach sich aus 4 (im einzelnen bezeichneten) von Dr. Dwo. aufgenommenen Tonbändern, ergeben werde, dass der verstorbene Zeuge Dr. Dwo. darauf erklärt, Kag. habe ihm gegenüber geäussert, über seine auf dem Tonband vom 30.4.1965 wiedergegebenen Erlebnisse zu den Fällen 9-28 der Anklage hinaus keine weiteren Beobachtungen oder Erzählungen Dritter bekunden zu können.

Drei der genannten Tonbänder konnten nicht aufgefunden werden, das weitere Tonband, über das auch ein Tonbandprotokoll vorhanden ist und das ein am 18.1.1965 geführtes Gespräch Dr. Dwo.s mit überlebenden Häftlingen aus Estland enthält, ist, soweit es zusammenhängende Schilderungen Dr. Dwo.s enthält, nach Übertragung und Übersetzung beweiseshalber - worauf weiter unten noch näher eingegangen werden wird - im übrigen aber informatorisch verlesen worden. Die von der Verteidigung damit unter Beweis gestellten Behauptungen haben sich nicht erwiesen. Dr. Dwo. erwähnt den Zeugen Kag. in dem Gespräch vom 18.1.1965 nicht einmal.

Insofern erübrigt es sich auch, den Zeugen Kag. erneut unter Vorhalt des Inhalts der von Dr. Dwo. in dem Gespräche gemachten Äusserungen zu vernehmen.

3. Die Aussage des Zeugen Kag. findet für die wesentlichen Teile des Tatgeschehens ihre Bestätigung in den verlesenen Bekundungen des kommissarisch vernommenen Zeugen Iser Z. aus Israel, der wegen seines Gesundheitszustandes nicht zur Hauptverhandlung kommen wollte.

a) Dieser Zeuge hat bei seinen richterlichen Vernehmungen vor dem Amtsgericht in Tel Aviv am 30.4.1979 und 1.5.1979 sowie am 12.10.1979 (wobei er auf seine polizeilichen Vernehmungen vom 13., 14. und 18.6.1979 Bezug nahm) zusammengefasst unter anderem folgendes ausgesagt:

Er habe - wohl noch vor Neujahr 1944 - kurz nach seiner Ankunft im Lager Kuremea eines Tages, als er gerade von draussen kommend das Lagergelände betreten habe - es könnte 11.00 Uhr vormittags gewesen sein - vom Appellplatz beobachtet, dass der Angeklagte Scharfetter, den er zu diesem Zeitpunkt das erste Mal gesehen habe, vor einer leer stehenden Baracke, die sich aus seiner Sicht links vom grösseren festen Lagergebäude befunden habe, etwa 18 bis 19 kranke und arbeitsunfähige männliche Häftlinge in einer Reihe aufstellte. Auch der Lagerführer Engst und der Lagerälteste Oster sowie mindestens 3 Angehörige der jüdischen Lagerpolizei, mit denen er ein Streitgespräch begonnen habe, seien zugegen gewesen. Der Angeklagte sei dann allein in die Baracke gegangen, und Engst habe den ersten Häftling in die Baracke geschickt. Nach einer Weile sei die Tür des einzigen Eingangs zur Baracke geöffnet worden, und der Angeklagte habe von innen etwas gerufen, worauf Engst den nächsten Häftling in die Baracke geschickt habe. Nach und nach seien alle angetretenen Häftlinge in die Baracke hineingegangen beziehungsweise von Engst hineingeschubst worden. Er, der Zeuge, habe während dieses Vorganges auch während seines Streitgespräches mit den jüdischen Lagerpolizisten, die wohl auf die angetretenen Häftlinge hätten aufpassen sollen und von denen sich bald zwei entfernt hätten, die Baracke ständig im Auge gehabt. In dieser Zeit habe er aus der Baracke weder Schreie noch Schüsse gehört. Nach geraumer Zeit sei Scharfetter aus der Baracke gekommen und habe mit dem draussen noch wartenden Lagerführer Engst gesprochen. Zusammen mit diesem sowie dem Lagerältesten und den drei jüdischen Lagerpolizisten sei er dann wieder in die Baracke zurückgegangen, nach einer Zeit aber seien alle wieder herausgetreten. Der Angeklagte und Engst hätten sich entfernt, während der Lagerälteste und die drei jüdischen Polizisten vor der Baracke stehen geblieben wären. Dann sei ein Bauer mit einem von einem Pferd gezogenen Schlitten, an dem wie in Estland üblich auch vier Räder befestigt gewesen seien, vorgefahren, und es sei auch Moische, der Leichenverbrenner, hinzugekommen. Die Lagerpolizisten und Moische hätten die blutigen Leichen der Häftlinge dann jeweils einzeln auf der Schulter aus der Baracke getragen und - seiner Erinnerung nach mit Bekleidung, auf der sie damals eine Häftlingsnummer getragen hätten - auf den Bauernwagen aufgeladen. Der von dem Bauern geführte Wagen sei dann in Begleitung Scharfetters, des Lagerführers Engst und des Leichenverbrenners Moische aus dem Lagertor gefahren. Der Moische habe ihm später erzählt, dass die Leichen, die meist Kopfverletzungen gehabt hätten, an der Verbrennungsstelle verbrannt worden seien, wobei eines der Opfer noch Lebenszeichen von sich gegeben und Moische angesprochen habe, dass er noch lebe, aber von Scharfetter ins Feuer gestossen worden sei.

Der Zeuge Z. hat weiter ausgesagt, er sei nach dem Vorfall mit anderen Häftlingen in die Baracke gegangen und habe in Türnähe eine Spitzhacke (Kirke) voller Blut gesehen. In der Nähe der Tür sei viel geronnenes Blut gewesen, ausserdem auch zwei blutige Brecheisen.

b) Diese Aussage des Zeugen Iser Z. stimmt in den wesentlichen Punkten mit der vom Zeugen Kag. gegebenen Tatschilderung überein, nämlich, dass sich eines Tages kurz vor Mittag im Winter 1943/1944 etwa 20 vorwiegend männliche Häftlinge vor einer leer stehenden Baracke des Lagers Kuremea in einer Reihe aufstellen mussten, dass diese vom Lagerführer Engst einzeln, einer nach dem anderen in die Baracke geschickt wurden, dass allein Scharfetter, nachdem alle Häftlinge in der Baracke verschwunden waren, aus dieser herauskam, dass andere Häftlinge die Leichen derer, die vorher nacheinander in die Baracke geschickt worden waren, heraustragen und auf einen herbeigeholten pferdebespannten Schlitten oder Wagen eines estnischen Bauern aufladen mussten, dass die Leichen zur Verbrennungsstelle gebracht und dort verbrannt wurden, wobei eines der Opfer noch lebte und schliesslich, dass in der leer stehenden Baracke nach der Tat eine blutverschmierte Spitzhacke gefunden wurde. Demgegenüber erscheinen einzelnen Abweichungen und Widersprüche in den Aussagen beider Zeugen von untergeordneter Bedeutung oder zumindest durch die verschiedenen Beobachtungsstandorte der Zeugen und aufgrund ihres unterschiedlichen Erinnerungsvermögens nach so langer Zeit erklärlich.

c) Bemerkenswerte Unterschiede in den Aussagen der Zeugen Kag. und Z. ergeben sich vor allem hinsichtlich des vom Zeugen Kag. geschilderten Vorfalls mit der jungen Frau und hinsichtlich des Abtransports der Leichen.

Während der Zeuge Kag. bekundet hat, unter den ausgesonderten Häftlingen habe sich auch eine junge Frau befunden, die noch schreiend versucht habe, aus der Baracke zu entfliehen, aber von Engst in die Baracke zurückgestossen worden wäre, wonach ein Schuss gefallen sei, hat der Zeuge Z. von einem solchen Vorfall nichts bemerkt und will auch weder Schreie noch Schüsse gehört haben. Der Zeuge Z. konnte sich auch an eine Frau unter den Opfern nicht erinnern, wenn er sich auch nicht ganz sicher war, dass unter diesen nur Männer waren.

Dennoch ist die Kammer in diesem Punkt von der Richtigkeit der Darstellung des Zeugen Kag. überzeugt. Der Zeuge Kag. hat - wie auch bereits in früheren Vernehmungen - diesen Vorfall, der sich offenbar besonders in sein Gedächtnis eingeprägt hat, glaubhaft und eindringlich geschildert. Es erscheint demgegenüber nicht ausgeschlossen, dass der Zeuge Z., obwohl er meinte, die ausgesuchten Häftlinge von dem Zeitpunkt, als diese sich in einer Reihe vor der Baracke aufstellen mussten, bis zu ihrem Verschwinden in der Baracke die ganze Zeit im Auge gehabt zu haben, dennoch diese Besonderheit im Tatablauf nicht mitbekam; möglicherweise deswegen nicht oder jedenfalls nur am Rande und nicht so intensiv, dass er sich nach der inzwischen verstrichenen Zeit noch darauf entsinnen kann, weil er gerade zu diesem Zeitpunkt sich mit den jüdischen Lagerpolizisten - mit denen er nach seinen Angaben während der Tatzeit zeitweilig ein Streitgespräch führte - unterhielt und dadurch abgelenkt war. Möglicherweise ist dieser Teil des Tatgeschehens aber auch infolge Zeitablaufs gänzlich aus der Erinnerung des Zeugen Z. verschwunden. Überhaupt erscheint das Erinnerungsbild des nunmehr 77-jährigen Zeugen Z. verschwommener und nicht so lebendig und so präzise wie das des etwa 10 Jahre jüngeren Zeugen Kag. Das zeigt sich besonders deutlich bei der von beiden Zeugen gegebenen allgemeinen Beschreibung des Lagers Kuremea, insbesondere an den von ihnen verfertigten Skizzen. Während der Zeuge Kag. hier ziemlich genaue und verlässliche Angaben machte und eine klare Skizze über das Lager vorlegte, war der Zeuge Z. hinsichtlich der Lage der Örtlichkeiten und einzelnen Baracken recht unsicher und konnte auch selbst keine Skizze verfertigen. Die schliesslich nach den Angaben des Zeugen Z. angefertigten beiden Lagerskizzen weisen deutliche Abweichungen hinsichtlich der Lage und der Zuordnung der einzelnen Gebäude zueinander auf und stehen auch insofern teilweise in Widerspruch zu seinen Bekundungen, als er von seinen auf den Skizzen bezeichneten Standpunkten das Tatgeschehen nach der von ihm angegebenen Lage der leerstehenden Baracke nur schwerlich beobachtet haben kann. Die Kammer ist deshalb im übrigen auch davon überzeugt, dass die Lage der Baracke, in der die Taten verübt wurden, nach der vom Zeugen Kag. gegebenen Beschreibung zu bestimmen ist und diese Baracke sich nicht - wie vom Zeugen Z. angegeben - auf der, vom Appellplatz gesehen, linken Seite des Hauptgebäudes befunden hat. Die Kammer ist weiter davon überzeugt, dass diese Baracke die vom Zeugen Kag. beschriebenen zwei Eingänge und nicht nur den vom Zeugen Z. erinnerten Eingang in Richtung zum Appellplatz hatte.

Gleichwohl zweifelt die Kammer aber nicht daran, dass der Zeuge Z. die von ihm bekundeten Beobachtungen im wesentlichen auch tatsächlich gemacht hat, nur ist seine Erinnerung bezüglich der Einzelheiten und Nebenumstände des Tatgeschehens in Kuremea nicht mehr so lebendig und nicht mehr so verlässlich, wie es insbesondere beim Zeugen Kag. der Fall ist. Das mag auf das fortgeschrittene Alter und die bereits einsetzende körperliche Hinfälligkeit des Zeugen Z., der bei der kommissarischen Vernehmung vom 1.5.1979 immerhin eine Herzattacke erlitt, aber auch darauf zurückzuführen sein, dass dieser Zeuge zu seinen Erlebnissen in den Konzentrationslagern in Estland erstmals im März 1978 eingehend als Zeuge vernommen worden ist, während eine Vielzahl von Zeugen, darunter auch der Zeuge Kag., dazu bereits seit 1965 mehrfach und ins einzelne gehend polizeilich oder gerichtlich befragt worden sind, was möglicherweise zu einer Auffrischung des Gedächtnisses dieser Zeugen beigetragen hat, indem sie sich bereits relativ frühzeitig und immer wieder mit ihren Erlebnissen auseinandersetzen mussten. Zwar verkennt die Kammer nicht, dass darin auch eine Gefahr liegt, nämlich dass Zeugen nicht mehr zwischen Selbsterlebtem und Umständen, die ihnen bei den wiederholten Befragungen von anderer Seite, etwa durch Vorhalte weiterer Zeugenaussagen, bekannt geworden sind, zu unterscheiden vermögen. Dieser Gefahr ist nach Auffassung der Kammer der Zeuge Kag. jedenfalls nicht erlegen.

Auch hinsichtlich der Einzelheiten des Abtransportes der Leichen gibt die Kammer der überzeugenden Schilderung des Zeugen Kag. den Vorzug gegenüber den Angaben des Zeugen Z.

Der Zeuge Z. hat geschildert, dass nach der Tat die Leichen von drei jüdischen Lagerpolizisten, zu denen der Zeuge Kag. nicht gehört habe, und dem Leichenverbrenner Moische wohl durch die Vordertür aus der Baracke getragen und - seiner Erinnerung nach - mit Bekleidung auf das Pferdefuhrwerk aufgeladen worden seien, wobei sie jeweils eine Leiche auf der Schulter getragen hätten. Demgegenüber hat der Zeuge Kag. bekundet, er selbst sowie drei weitere Häftlinge - er meine, darunter seien ein Tischler und ein Schneider gewesen, er könne auch nicht ausschliessen, dass der Lagerfriseur Bendel oder der Leichenverbrenner Moische dabei gewesen wären - hätten jeweils zu zweien ein Opfer gepackt und die Leichen nacheinander durch die hintere Tür herausgetragen und zunächst draussen neben der Baracke hingelegt, wo sie diese hätten entkleiden müssen und er selbst vom Angeklagten das Messer zum Abtrennen der Häftlingsnummern bekommen hätte. Der Zeuge Kag. hat auf Vorhalt der Darstellung des Zeugen Z. weiter ausgesagt, im Lager Kuremea habe es keine jüdische Lagerpolizei oder so etwas ähnliches gegeben; auch habe er selbst auch nicht inoffiziell dort irgendwelche Aufsichtsfunktionen ausgeübt.

Anders als der Zeuge Z. war der Zeuge Kag. für diesen Tatabschnitt unmittelbarer und näher mit dem Tatgeschehen befasst. Gerade weil er nach seiner glaubhaften Darstellung selbst beim Abtransport der Leichen beteiligt war, haben sich nach der Überzeugung der Kammer die darauf bezogenen Einzelheiten, verstärkt vor allem durch die von ihm eindrucksvoll geschilderte Grauenhaftigkeit dieses Vorganges besonders ins Gedächtnis des Zeugen Kag. eingeprägt, so dass seiner Schilderung zu folgen ist. Demgegenüber meint die Kammer, dass der Zeuge Z., dessen Erinnerung ohnehin schlechter ist, die Einzelheiten des Abtransportes nicht so genau beobachtet hat und sich - nach so langer Zeit verständlich - auch insbesondere hinsichtlich der daran beteiligten Häftlinge irrt, möglicherweise weil er diese Häftlinge fälschlicherweise als jüdische Lagerpolizisten in Erinnerung hat oder weil er sich - wie er angegeben hat - während der Tat mit Häftlingen, die er für Lagerpolizisten hielt, unterhalten hatte und diese nunmehr mit den Häftlingen, die den Abtransport der Leichen zu besorgen hatten, verwechselt. In dieser Hinsicht hat sich das Erinnerungsbild des Zeugen Z. möglicherweise im Laufe der Jahre verschoben.

In den wesentlichen Teilen des Tatgeschehens stimmen aber die insoweit auch glaubhaften Angaben der Zeugen Kag. und Z. - wie bereits oben dargelegt - überein. Die Abweichungen hinsichtlich von Nebenumständen der Tat entwerten nicht die Aussagen insgesamt, sondern sind angesichts des Zeitablaufes erklärlich und verständlich. Auch der Umstand, dass beide Zeugen aussagten, sie hätten nicht bemerkt, dass noch ein anderer Häftling das Tatgeschehen beobachtet hätte, und jeder von sich meinte, er sei der einzige Augenzeuge, wenngleich der Zeuge Kag. immerhin die Möglichkeit von weiteren Beobachtern einräumte, gibt keinen Anlass, an dem Wahrheitsgehalt ihrer Angaben zu zweifeln. Zwar hätten die Zeugen einander normalerweise von ihren jeweiligen Standorten auf dem Appellplatz gewahr werden können und müssen. Es liegt aber auf der Hand, dass die Zeugen von den ungewöhnlichen und schreckenerregenden Vorgängen, die sich im Lager Kuremea damals vor ihren Augen abspielten, so gefesselt waren, dass sie irgendwelche unbedeutenden Randereignisse oder Erscheinungen - wozu auch weitere Beobachter der Szene gehörten - nicht bemerkten, geschweige solche nach über 35 Jahren noch erinnern können.

d) Bereits aus diesen Gründen erschien die von der Verteidigung am 5.12.1979 hilfsweise (unter III., 3) beantragte Gegenüberstellung und erneute Vernehmung der Zeugen Kag. und Z. mit der Behauptung, die Aussage beider Zeugen ständen in einem unaufklärbaren Widerspruch, und jeder nehme für sich in Anspruch, alleiniger Augenzeuge der Anklagefälle 9-28 gewesen zu sein, nicht erforderlich. Bei diesem "Hilfsantrag" handelt es sich im übrigen auch nicht um einen Beweisantrag im Sinne des §219 (Abs.1 StPO, da in ihm bestimmte Tatsachen, über die Beweis erhoben werden soll, nicht bezeichnet werden, sondern um eine Anregung, bereits benutzte Beweismittel weiter auszuschöpfen. Dieser Anregung Folge zu leisten, bestand aber auch deswegen kein Anlass, weil sowohl dem Zeugen Kag., insbesondere bei seiner letzten Vernehmung vom 24.10.1978, als auch dem nach den ersten Vernehmungen des Zeugen Kag. kommissarisch vernommenen Zeugen Z., jeweils die abweichenden Einzelheiten der Vernehmung des anderen eingehend vorgehalten worden sind und diese dazu Stellung genommen hatten. Eine weitere Sachaufklärung wäre von einer solchen erneuten Vernehmung beider Zeugen demnach nicht zu erwarten gewesen.

4. Die im Kern übereinstimmenden Bekundungen der Zeugen Kag. und Z. werden durch die Angaben des am 15.3.1975 verstorbenen Zeugen Dr. Dwo. noch erhärtet und ergänzt.

a) Der Zeuge Dr. Dwo. hat in seiner verlesenen Aussage vom 19.1.1966 vor der Israel Polizei hinsichtlich seiner Erlebnisse im Konzentrationsarbeitslager Kuremea unter anderem folgendes bekundet: Er sei von Mitte Oktober 1943 bis Mitte März 1944 als Revierarzt im Lager Kuremea gewesen. Eines Tages sei der Sanitäter Scharfetter im Lager eingetroffen. Dieser habe zunächst stundenlang im Krankenrevier gesessen und die Arbeiten der Ärzte beobachtet. Dann habe Scharfetter eines Tages eine Liste der Schwachen, Alten und Arbeitsunfähigen verlangt, diese aber von ihm in der Ahnung, dass Scharfetter böse Absichten verfolgte, nicht bekommen. Daraufhin habe Scharfetter selbst im Lager schwache Menschen ausgesucht und diesen, vorwiegend älteren Leuten, befohlen, in eine leere Baracke zu gehen. Scharfetter habe, bevor er selbst in diese Baracke ging, eine Packung Ampullen des Schlafmittels "Evipan", das damals im Gegensatz zur sonstigen unzureichenden medikamentösen Ausstattung merkwürdigerweise im Lager in grossen Mengen vorhanden gewesen sei, sowie eine Spritze mit Nadel aus dem Revier geholt. Das habe er mit einer Gruppe von Häftlingen, die alle vom Grauen gepackt gewesen seien, draussen vor dem Revier stehend beobachtet. Ein älterer Mann namens Golab habe, bevor dieser in die Baracke ging, ihm das Diplom seiner Tochter mit der Bitte, es für diese aufzubewahren, zugeworfen. Scharfetter habe ausserdem den Rechtsanwalt Powirsker aus Wilna vor der Baracke aufgestellt, um weiter niemanden an die Baracke heranzulassen. Nach einiger Zeit - vielleicht nach 20 bis 30 Minuten - hätten sie aus der Baracke fürchterliche Schreie gehört, und der bereits erwähnte Golab sei mit blutendem Kopf aus der Baracke herausgesprungen. Scharfetter sei hinterher gekommen, habe den Widerstand leistenden Golab am Halse gefasst, schliesslich überwältigt und in die Baracke zurückgezogen. Das sei so grauenvoll gewesen, dass die Herumstehenden - einschliesslich seiner Person - alle geflüchtet seien und jeder sich, wo er nur konnte, verborgen hätte. Was dann geschah, habe er nicht mehr gesehen. Es sei aber erzählt worden, dass Scharfetter später das Leichenkommando gerufen habe, das 22 Leichen aus der Baracke geholt und im Wald verbrannt habe. Die Leichen hätten alle einen blutbedeckten Kopf und am Hinterkopf zerschmetterte Schädel gehabt. In der Baracke seien auch eine blutige Kirke und geöffnete Evipan-Ampullen gefunden worden. Es sei weiter berichtet worden, dass unter den Opfern, als diese mit dem Wagen zur Verbrennungsstätte gebracht worden wären, eines noch Lebenszeichen von sich gegeben, von Scharfetter jedoch im Wald den Todesstoss erhalten hätte und gleichfalls verbrannt worden sei. Im Lager sei später auch erzählt worden, dass Scharfetter, weil er anscheinend die Dosis nicht genau gekannt habe, allen Evipan in ungenügender Menge eingespritzt und sie dann mit der Kirke getötet habe. Er sei seitdem der "Kirkenik" genannt worden. Nach der Tat, noch am gleichen Tag oder einen Tag später hätte Scharfetter von ihm die Ausstellung von Totenscheinen für die Ermordeten verlangt, was er jedoch mit dem Bemerken, dass er die Todesursache nicht kenne, abgelehnt habe.

Dr. Dwo. ist zudem Autor mehrerer verschiedensprachiger historischer Bücher über die Konzentrationslager in Estland, u.a. auch des Buches mit dem ins Deutsche übersetzten Titel "Judenlager in Estland 1942 bis 1944", das in französischer Sprache unter dem Titel "Histoire des Camps Nazis en Estonie" - 1941 bis 1944 -" (Tel Aviv 1967), in jiddischer Sprache unter dem ins Deutsche übersetzten Titel "Schwarzer Tag und weisse Nacht" und in hebräischer Sprache auch unter dem englischen Titel "Jewish Camps in Estonia" (Jerusalem 1970) erschienen ist. In diesem Buch, das auszugsweise in deutscher Übersetzung verlesen worden ist, erwähnt Dr. Dwo. nebenbei auch, dass der Sanitäter Erich Scharfetter im Lager Kuremea eigenhändig 22 alte und schwache Häftlinge mit seiner Keilhacke ermordet habe, seither "Kirkenik" genannt worden und durch seine grauenhafte Tat in allen Lagern Estlands bekannt gewesen sei. An einer anderen Stelle des Buches bemerkt Dr. Dwo., dass die Mordtat in einer der Hütten im Lager geschehen sei, nachdem es Scharfetter misslungen sei, die Häftlinge durch Evipan-Natriumspritzen umzubringen.

Zum Zwecke der Materialsammlung für seine historischen Bücher zeichnete der verstorbene Zeuge Dr. Dwo. auch Angaben von überlebenden Häftlingen auf Tonträger auf. Er hat zum Tatgeschehen in Kuremea weiter auch in einem nach der Übersetzung ins Deutsche verlesenen Tonbandprotokoll über ein am 18.1.1965 in Israel mit überlebenden Häftlingen aus Estland geführtes Gespräch Bemerkungen gemacht. Hierbei gibt der Zeuge unter anderem an, "Kirkenik" habe die Häftlinge in eine besondere Baracke geführt, um sie auf eine humane Art durch Einspritzung von "Arifu-Natrium" zu töten. Das sei ihm nicht gelungen. Daraufhin habe er versucht, den Häftlingen Karbol ins Herz zu spritzen, wodurch einige getötet wurden, was ihm jedoch bei anderen ebenfalls nicht geglückt sei. Dann habe "Kirkenik" begonnen, mit der Spitzhacke auf die Leute einzuhauen. Sie hätten Geschrei gehört. Ihm sei noch erinnerlich, dass ein alter Jude namens Golub, der am Kopf verletzt gewesen wäre, aus der Baracke geflüchtet, von Kirkenik gejagt und nach einem Kampf mit der Spitzhacke überwältigt und auf der Stelle getötet worden sei.

b) Die Angaben des verstorbenen Zeugen Dr. Dwo. zu dem Geschehen in Kuremea unterscheiden sich insofern wesentlich von den Bekundungen der Zeugen Kag. und Z., als nach den Beobachtungen des Dr. Dwo. der Angeklagte die ausgesuchten Häftlinge offensichtlich alle in die leerstehende Baracke führte, während diese sich nach den Bekundungen der Zeugen Kag. und Z. in einer Reihe vor der Baracke aufstellen und dann einzeln nacheinander hineingehen mussten. Auch wird der von Dr. Dwo. geschilderte Vorfall mit dem Häftling Golab oder Golub von den anderen beiden Zeugen nicht erwähnt. Dennoch stehen die Bekundungen des verstorbenen Zeugen Dr. Dwo. nicht im Widerspruch zu den Aussagen der Zeugen Kag. und Z.

Die Kammer ist vielmehr davon überzeugt, dass der verstorbene Zeuge Dr. Dwo. nur den ersten Teil des Tatgeschehens gesehen hat, während die Zeugen Kag. und Z. den sich daran anschliessenden weiteren Tatablauf beobachtet haben.

Das ergibt sich einmal daraus, dass die Zeugen Kag. und Z. nichts davon bemerkt haben, dass der Angeklagte noch aus dem Revier eine Spritze und eine Packung Ampullen eines Schlafmittels holte, bevor er in die Baracke ging. Überhaupt kam der Zeuge Kag. erst zu einem Zeitpunkt an den Tatort, als sich der Angeklagte bereits in der Baracke befand und mit den Tötungen wohl schon begonnen hatte, während die ausgesuchten Opfer in einer Reihe vor der Baracke standen. Der Zeuge Z. traf etwas eher am Tatort ein, als der Angeklagte noch im Begriff war, die Häftlinge in einer Reihe vor der Baracke aufzustellen. Dieses geschah aber nach den Gesamtumständen erst als Reaktion auf die vorangegangenen missglückten Tötungsversuche. Dass dem Aufstellen der Häftlinge bereits ein Tatabschnitt vorangegangen sein muss, ergibt sich gerade aus der Aussage des Zeugen Kag. Dieser hat glaubhaft bekundet, dass er erst durch den Lagerfriseur Bendel auf die Tat aufmerksam gemacht worden sei, der schreckensbleich ins Hauptgebäude gekommen wäre und mitgeteilt habe, dass im Lager etwas Furchtbares passiere. Daraus folgt, dass andere Häftlinge schon Beobachtungen gemacht haben müssen, die die Durchführung der vom Angeklagten geplanten Taten betreffen. Möglicherweise gehörte der Friseur Bendel sogar zu den Häftlingen, die mit Dr. Dwo. draussen gestanden und gesehen hatten, dass der mit Spritze und Ampullen ausgerüstete Angeklagte die ausgesuchten Opfer in die Baracke führte, und weiter beobachtet hatten, wie der von Dr. Dwo. geschilderte Vorfall mit dem alten Golab passierte, und die dann nach dem Bekunden von Dr. Dwo. mit diesem flüchteten und sich verbargen. Wenn sich dieses im einzelnen auch nicht mehr sicher klären liess, so steht nach der Beweisaufnahme jedenfalls zur Überzeugung der Kammer fest, dass der Zeuge Dr. Dwo. einerseits und die Zeugen Kag. und Z. andererseits jeweils verschiedene Abschnitte der vom Angeklagten geplanten und ausgeführten Tat beobachtet und beschrieben haben, so dass sich die unterschiedlichen Darstellungen nicht ausschliessen, sondern ergänzen.

Deshalb erscheint es auch möglich, dass der Angeklagte, solange er die Absicht hatte, die kranken und schwachen Häftlinge mit Hilfe einer Einspritzung zu töten, diese zunächst - wie aus den Berichten des verstorbenen Dr. Dwo. hervorgeht - alle in der Tatbaracke sich versammeln liess, da er sie dabei über Art und Wirkung der Spritzen zu täuschen vermochte. Erst als dieser Plan scheiterte und er bei der dann von ihm beabsichtigten Tötungsmethode - wie der noch vom Zeugen Dr. Dwo. geschilderte Vorfall mit dem Häftling Golab zeigt - nicht mehr mit einem Stillhalten seiner Opfer rechnen konnte, liess offenbar der Angeklagte die ausgesuchten Häftlinge mit Hilfe des Lagerführers Engst vor der Baracke in einer Reihe Aufstellung nehmen, um sie einzeln und nacheinander zu töten.

c) Im übrigen hält die Kammer auch die Angaben des Zeugen Dr. Dwo. in seiner polizeilichen Vernehmung vom 19.1.1966 für glaubhaft, selbst wenn sich in einigen Punkten Unsicherheiten und Widersprüchlichkeiten ergeben, die nach dem Tode des Zeugen nicht mehr geklärt werden können.

Dieses betrifft vor allem den Vorfall mit dem Häftling Golab, den der Zeuge Dr. Dwo. in seiner polizeilichen Vernehmung so schildert, als wenn der bereits am Kopf verletzte Golab vom Angeklagten überwältigt, aber noch lebend in die Baracke zurückgezogen worden ist, während die Äusserungen des Zeugen in dem auf Tonträger aufgezeichneten Gespräch vom 18.1.1965 so zu verstehen sind, dass Golab vom Angeklagten vor der Baracke überwältigt und noch dort mit der Spitzhacke getötet wurde. Möglicherweise beruhen diese unterschiedlichen Angaben aber auch nur auf Ungenauigkeiten bei der Formulierung. Das gilt insbesondere für das Tonbandprotokoll, das nicht mit einer förmlichen Vernehmung vergleichbar ist, sondern nur gesprächsweise Bemerkungen mit anderen Personen wiedergibt, die möglicherweise ohne längeres Sichbesinnen und ohne auf eine genaue sprachliche Formulierung zu achten, gemacht wurden. Deshalb konnte die Kammer, wenn dadurch auch die Glaubwürdigkeit des Zeugen Dr. Dwo. insgesamt nicht in Frage gestellt wurde, immerhin hinsichtlich des Vorfalles mit dem Häftling Golab, da auch weitere Augenzeugen nicht vorhanden waren, keine sicheren Feststellungen mehr treffen.

Zur Überzeugung der Kammer steht aufgrund der Angaben des verstorbenen Zeugen Dr. Dwo. jedoch fest, dass der Angeklagte vergebens von diesem eine Liste der alten, kranken und arbeitsunfähigen Häftlinge verlangte, dass er sich schliesslich selbst solche Häftlinge im Lager heraussuchte und zunächst versuchte, diese mittels Einspritzung einer Überdosis von Schlaf- oder Betäubungsmitteln zu töten, was aus nicht mehr aufklärbaren Gründen misslang.

Diese Angaben des Zeugen Dr. Dwo., die auf eigenen Beobachtungen beruhen, hält die Kammer für glaubhaft. Der verstorbene Zeuge hat bei seiner polizeilichen Vernehmung vom 19.1.1966, wie sich aus deren Wortlaut ergibt, genau zwischen eigenen Wahrnehmungen und Erzählungen anderer sowie aus beiden gezogenen Schlussfolgerungen differenziert. Zudem hat die Zeugin Maria R., die den Zeugen Dr. Dwo. damals vernommen hat, glaubwürdig versichert, dass sie bei der Vernehmung auf solche Unterscheidungen besonders geachtet und den verstorbenen Dr. Dwo. darauf auch hingewiesen habe, gerade weil sie bei ihm als Historiker die Gefahr gesehen habe, dass er in seiner Aussage etwas davon mit einfliessen lassen könnte, was er aus anderen Quellen erfahren oder in seinen Büchern niedergeschrieben habe.

An eine solche genaue Differenzierung hat sich der Zeuge Dr. Dwo. zwar in seinem auf Tonträger aufgezeichneten Gespräch vom 18.1.1965 nicht gehalten, etwa wenn er dort schildert, dass der "Kirkenik" auch versuchte, seinen Opfern Karbol direkt ins Herz einzuspritzen, obwohl er auch nach seiner Darstellung das, was innerhalb der Baracke geschah, nicht gesehen haben kann und er hierbei auf mehr oder weniger vage Vermutungen oder Schlussfolgerungen angewiesen war. Aber auch dieser Umstand entwertet nicht gleichfalls seine Aussage vom 19.1.1966 vor der Israel-Polizei, da es bei den mehr beiläufig gemachten Bemerkungen während des Gespräches, das auch nicht etwa zum Zwecke der Strafverfolgung aufgezeichnet wurde, nach Überzeugung der Kammer auf eine genaue Angabe der Erkenntnisquellen nicht ankam.

Zweifel an der Zuverlässigkeit der Angaben des Zeugen Dr. Dwo. ergeben sich nach Auffassung der Kammer auch nicht aus seinen meist recht knappen Bemerkungen über das Geschehen in Kuremea in seinem Buch "Judenlager in Estland". Diese entsprechen im wesentlichen seinen in der Vernehmung vom 19.1.1966 gemachten Angaben.

Unter Anmerkung 81 zu dem Kapitel "Die Terrormethoden in den Lagern" führt Dr. Dwo. dann in seinem Buch noch aus, nach Erzählung des Nem. habe Scharfetter, nachdem er 22 Häftlinge mit der Keilhacke umgebracht habe, der jüdischen Lageradministration den Befehl gegeben, die nackten Leichen in den Wald an einem Dorf vorbeizutragen; Scharfetter sei hinterhermarschiert und habe, als sie keinen Gleichschritt hielten, mit einer Keilhacke auf sie eingeschlagen.

Die von der Verteidigung dazu mit Antrag vom 17.8.1979 unter das Zeugnis des Irving New., früher Nem., gestellte Entlastungsbehauptung, New. habe eine derartige Schilderung weder schriftlich noch mündlich gegenüber Dr. Dwo. oder anderen Personen abgegeben, hat die Kammer als wahr unterstellt. Es ist ohnehin nicht aufklärbar, auf welche Quellen sich Dr. Dwo., der darüber nicht mehr befragt werden kann, bei diesem, dem Zeugen Nem. alias New. zugeschriebenen Bericht gestützt hat. Aus der als wahr zu behandelnden Tatsache, dass der Zeuge New. derartiges niemals geschildert hat, lässt sich aber nicht zwingend der die Glaubwürdigkeit des Zeugen Dr. Dwo. möglicherweise erschütternde Schluss ziehen, dieser habe einen solchen Bericht frei erfunden. Es erscheint nicht ausgeschlossen, dass dem Zeugen Dr. Dwo., der jede Information über die Konzentrationslager in Estland sammelte, von irgendeiner anderen Seite dieser Bericht als Schilderung des Nem. zugetragen wurde, obwohl dieser nicht der wahre Urheber war. Immerhin lässt der Umstand, dass der Zeuge Dr. Dwo. diese Schilderung nur in einer Anmerkung abhandelt, eine gewisse Distanz des Autors erkennen, die möglicherweise auch auf Zweifeln an der Zuverlässigkeit seiner Quelle beruhte. Die Kammer sieht jedenfalls auch aufgrund der Wahrunterstellung keinen Anlass, an der Glaubwürdigkeit der von dem Zeugen Dr. Dwo. gemachten Angaben zu zweifeln. Im übrigen bestätigen auch die weiteren, wenn auch nur auf Erzählungen anderer Häftlinge beruhenden Bekundungen des verstorbenen Zeugen Dr. Dwo. bezüglich des Abtransports und des Verbleibs der Leichen im wesentlichen die Angaben der Zeugen Kag. und Z.

5. Die Aussagen der Tatzeugen Kag., Z. und Dr. Dwo. werden weiter durch die Bekundungen zahlreicher Zeugen gestützt, die damals noch als jüdische Häftlinge in den estnischen Lagern vom grausamen Tatgeschehen im Lager Kuremea gehört hatten, wenn auch die näheren Einzelheiten darüber, sei es durch das schwindende Erinnerungsvermögen oder durch Fehler bei der Nachrichtenübermittlung, teilweise nicht oder nur vage und manchmal auch unzutreffend von den Zeugen angegeben werden konnten.

a) Als Häftlinge haben sich zur Tatzeit oder etwas später die Zeugen New., Gre., Gor., Kre. und Har. im Lager Kuremea aufgehalten.

Der in den USA wohnhafte Zeuge New., der aus gesundheitlichen Gründen nicht zur Hauptverhandlung kommen mochte, hat in seiner kommissarischen Vernehmung vom 20.3.1979 vor dem Generalkonsul von Boston, die verlesen worden ist, unter anderem ausgesagt, er habe noch am Abend des Tattages, der in der Winterzeit gelegen habe, von anderen Häftlingen gehört, dass Scharfetter, den er meinte, bereits vor dem Vorfall gesehen zu haben, eine Gruppe von älteren Häftlingen in eine Baracke habe bringen lassen und sie dann dort mit einer Kirke (Spitzhacke) getötet habe. Scharfetter habe andere Häftlinge gezwungen, die - wie er meine - etwa 23 Opfer zur ausserhalb des Lagers gelegenen Verbrennungsstätte zu bringen, dort habe eines der Opfer den Leichenverbrenner Meischke - wie er von diesem selbst gehört habe - zugerufen, dass es noch lebe. Scharfetter, der nach dem Vorfall Kirkenik genannt worden sei, habe auch diesen Häftling mit einem Spaten totgeschlagen.

Der verstorbene Zeuge Gre. hat in seiner verlesenen Aussage vom 4.1.1966 vor dem Generalkonsulat in Chicago u.a. angegeben, eines Tages sei im Lager Kuremea ein Unterscharführer und wohl gleichzeitig Arzt namens Sarwetter erschienen. Der Lagerführer Hings habe 21 Mann, die sich zur Arbeit nicht eigneten, in einer Reihe aufgestellt und einzeln in eine vor ihnen gelegene Baracke geschickt. Wie er später von Häftlingen, die mit dem Abtransport der Leichen beauftragt waren, erfahren hätte, habe Sarwetter in der Baracke jeden einzelnen mit einem Pickel auf den Kopf geschlagen und mit einem Messer den Hals aufgeschnitten.

Die glaubhaften Aussagen der Zeugen New. und Gre. geben den wesentlichen Ablauf des Tatgeschehens zwar knapp, aber im Kern in Übereinstimmung mit den Zeugen Kag., Z. und Dr. Dwo. wieder. Die Angaben des Zeugen Gre. bestätigen insbesondere auch die Darstellung des Zeugen Kag., wonach der Angeklagte seinen Opfern zusätzlich jeweils noch die Kehle aufgeschnitten hat, eine Einzelheit, die auch dem Zeugen Z., der die Leichen nicht aus so unmittelbarer Nähe gesehen hat wie der Zeuge Kag., möglicherweise entgangen oder nicht mehr erinnerlich ist und die auch in den auf Hörensagen beruhenden Bekundungen der weiteren Zeugen nicht enthalten ist, was jedoch der Kammer keinen Anlass gibt, an dem Wahrheitsgehalt der Angaben der Zeugen Kag. und Gre. in diesem Punkt zu zweifeln. Nach den Berichten der Häftlinge rief unter diesen gerade das Töten der Alten und Arbeitsunfähigen mit der Spitzhacke besonderes Entsetzen hervor, was sich schliesslich auch in dem dem Angeklagten nach der Tat gegebenen Spitznamen ausdrückt. Auf dieser Tatausführung dürfte daher auch das Schwergewicht ihrer Erzählungen untereinander gelegen haben, während das

Aufschneiden der Kehle bei den Opfern bei der mündlichen Weitergabe des Geschehens als Nebenumstand entweder nach und nach verloren ging oder nach so langer Zeit den meisten Zeugen nicht mehr im Gedächtnis haften geblieben ist. Die Kammer zweifelt im übrigen auch nicht, dass es sich bei dem vom Zeugen Gre. genannten Unterscharführer Sarwetter und dem Lagerführer Hings um den Angeklagten Scharfetter sowie um den damaligen Lagerführer Engst handelt.

Der Zeuge Gor. hat u.a. ausgesagt, er habe den Angeklagten zwar im Lager Kuremea nicht gesehen, ihm sei aber, als er dort eines Tages im Sommer 1944 von der Arbeit zurückgekommen sei, berichtet worden, an diesem Tag wäre ein Inspektor der Sanitäter ins Lager gekommen, der von Dr. Dwo. vergeblich eine Liste der Alten, Kranken und Schwachen verlangt habe, diese - deren genaue Anzahl er nicht mehr angeben könne - dann selbst ausgesucht und versucht habe, die Häftlinge mit einer Spritze zu töten. Als das gescheitert sei, habe der Mann die Alten und Kranken, die später verbrannt worden seien, mit einer Kirke getötet. Die Leichen seien von einem Leichenkommando in den Wald gebracht und dort verbrannt worden. Der Sanitäter habe seit diesem Tage den Spitznamen Kirkenik erhalten. Noch im Lager Kuremea habe er von Mithäftlingen erfahren, dass der richtige Name des Sanitäters Scharfetter gewesen sei. Diesem selbst sei er erst später im Lager Goldfields begegnet, wo Scharfetter sich ihm namentlich vorgestellt habe.

Die Angaben des Zeugen Gor. entsprechen im wesentlichen seiner bereits am 3.10.1944 vor dem "Volkskommissariat für Staatssicherheit der estnischen sozialistischen Sowjetrepublik" gemachten Aussage, die dem Zeugen auszugsweise durch Verlesen vorgehalten worden ist, wenn er auch hier als Tatzeit die ersten Februartage des Jahres 1944 und die Zahl der Opfer mit 21 angibt.

Auch der Zeuge Kre. ist bereits 1944, nämlich am 4.10.1944, von den sowjetischen Behörden vernommen worden. In seiner damaligen Aussage hat der Zeuge Kre. berichtet, dass im Lager Kuremea nicht lange vor seiner Ankunft im Februar 1944 der SS-Gefreite Scharfater erschienen sein soll. Dieser habe 21 alte Juden, die er selbst ausgesucht habe, mit einer Spritze töten wollen. Die Spritze sei zerbrochen und Scharfater habe alle 21 mit einem Spaten erschlagen und die Erschlagenen selbst auf einen Wagen aufgeladen. Dabei habe einer noch gelebt und um Hilfe geschrien, sei aber von Scharfater erschossen worden. Die Leichen seien im Wald verbrannt worden.

Der Zeuge Kre. hat nunmehr bekundet, er meine, schon bei seiner Ankunft im Lager Kuremea im Winter 1943/44 von Mithäftlingen vor dem Sanitäter Kirkenik, der ihm auch mit dem richtigen Namen Scharfetter bezeichnet worden wäre, gewarnt worden zu sein. Es habe geheissen, dieser sei ganz gefährlich, schlage Mithäftlinge mit der Hacke zusammen und habe bereits 20 oder 21 Häftlinge mit einer Spritze umgebracht. Nachdem ihm seine Aussage aus dem Jahre 1944 vor den sowjetischen Behörden, deren Inhalt dem Zeugen nicht mehr bekannt war, durch verlesen vorgehalten wurde, erklärte der Zeuge Kre., seine damaligen Angaben seien richtig, jetzt stünde ihm der Vorfall wieder genauso vor Augen, wie er ihn damals geschildert habe.

Auch die Angaben der Zeugen Gor. und Kre. bestätigen den von den Tatzeugen berichteten Tatablauf im wesentlichen, selbst wenn diese Angaben, da sie nur auf Hörensagen beruhen, kleine Ungenauigkeiten und Abweichungen enthalten, die aber den Kern des grausamen Geschehens nicht berühren. Besondere Bedeutung kommen den Bekundungen der Zeugen Gor. und Kre. im übrigen deswegen zu, weil sie zum Tatgeschehen auch bereits im Jahre 1944 ausgesagt hatten, als ihre Erinnerung, wie sie beide jetzt erklärten, noch relativ frisch war.

Der Zeuge Har. hat bekundet, er sei um die Jahreswende 1943/44 zu Fuss nach Kuremea gelangt. Als er sich habe ins Revier begeben wollen, sei er davor von Mithäftlingen des Lagers gewarnt worden mit dem Bemerken, dort befinde sich der Sanitäter Kirkenik, der bei jeder Gelegenheit Leute mit der Kirke umbringe. In diesem Zusammenhang sei auch der Name Scharfetter genannt worden. Auch wenn dieser Zeuge zum konkreten Tatgeschehen keine Angaben machen konnte, enthält seine Aussage Hinweise auf den Vorfall und bestätigt wiederum die Bekundung des Zeugen Kre., der danach ebenfalls bei seiner Ankunft vor dem Angeklagten gewarnt worden ist.

b) Im übrigen konnten auch weitere Zeugen, die zwar nicht im Lager Kuremea, wohl aber in anderen estnischen Lagern als Häftlinge waren, zu den Taten des Angeklagten in Kuremea vom Hörensagen noch einigermassen konkrete Angaben machen. Die Zeugin Mau. sowie die Zeugen Bar., Tub. und Per. haben ausgesagt, sie hätten gehört, dass der Angeklagte Scharfetter in anderen Lagern Leute mit der Kirke über den Kopf geschlagen und getötet habe, worauf ihm der Spitzname "Kirkenik" gegeben worden sei. Diese Angaben machten auch die in Israel, beziehungsweise USA kommissarisch vernommenen Zeugen Gop., Gol. und Dr. Kon. sowie mit Einschränkungen die Zeugen Kau. (bei dem die Kammer zu Gunsten des Angeklagten jedoch als wahr unterstellt hat, dass ihm der Spitzname Kirkenik nicht bekannt war), und Mia. (dem wiederum nur der Spitzname des Täters, nicht sein richtiger Name bekannt war). Die kommissarisch vernommene Zeugin Basia Che. hat in ihrer verlesenen Aussage vom 15.3.1979 unter anderem glaubhaft bekundet, sie hätte im Lager Joehvi von Häftlingen aus Kuremea erfahren, dass der Angeklagte dort 22 Leute in eine Scheune getrieben, mit der Spitzhacke getötet und deshalb den Spitznamen "Kirkenik" bekommen habe.

Wenn auch die Erinnerung dieser Zeugen vom Hörensagen durch den Zeitablauf und, weil der Vorfall in Kuremea nicht auf einem in der Regel viel einprägsameren eigenen Erleben beruhte, präzise Angaben und Einzelheiten nicht hergibt, so sind ihre Aussagen insgesamt immerhin geeignet, die Richtigkeit der Bekundungen der Zeugen Kag., Z. und Dr. Dwo. zu bekräftigen und zu belegen, dass die Kunde von den schon damals dem Angeklagten zugeschriebenen Taten wegen ihrer Grausamkeit in den estnischen Arbeitslagern unter den jüdischen Häftlingen weit verbreitet war.

6. Die Kammer ist weiter davon überzeugt, dass der Angeklagte auch der Täter der ihm im Lager Kuremea vorgeworfenen Taten ist und dass er insbesondere nicht etwa trotz der Zuverlässigkeit der sonstigen Angaben der Zeugen aufgrund einer Personenverwechselung von den Zeugen fälschlicherweise als Täter bezeichnet worden ist.

a) In dieser Überzeugung fühlt sich die Kammer einmal dadurch bestärkt, dass die meisten Zeugen den Angeklagten nicht nur unter seinem Spitznamen "Kirkenik", sondern schon zu der damaligen Zeit unter seinem richtigen Namen kannten.

Der Angeklagte hat sich entgegen seiner jetzigen Einlassung zumindest einem Teil der Häftlinge in den einzelnen Lagern in Estland selbst namentlich vorgestellt. Das haben die Zeugen Kag., Gor. und die Zeugin Che. für verschiedenartige Anlässe glaubhaft bekundet. Der Zeuge Gol. hat darüber hinaus angegeben, der Angeklagte sei bei einem Appell im Lager Joehvi von dem Lagerältesten namentlich vorgestellt worden. Die Zeugen Dr. Kon., Kre., Har., Bar. und Per. sowie die Zeugin Red. haben ausgesagt, der Name des Angeklagten sei ihnen in den verschiedenen estnischen Lagern von Mithäftlingen genannt worden. Auch die Zeugen Wil., C., Gop., Z. und New. sowie die Zeuginnen Ver., Mau., Ro. und Wei. kannten den Angeklagten schon in den Lagern unter seinem richtigen Namen, wenn sie auch nicht mehr sagen konnten, wie oder von wem sie diesen Namen erfahren hatten.

b) Der Angeklagte ist aber auch von einer ganzen Reihe von Zeugen nicht nur im Gerichtssaal, sondern auch auf Bildern aus der damaligen Zeit erkannt worden. Die Zeugen konnten darüber hinaus seine Gestalt, insbesondere markante, auch heute noch vorhandene Züge seines Gesichtes, etwa die stark ausgeprägten Backenknochen und die schmalen zusammengepressten Lippen eindrucksvoll und zutreffend beschreiben.

Besondere Bedeutung kommt auch hier wegen des Tatkomplexes Kuremea den Angaben des Zeugen Kag. zu. Bei einer Wahlgegenüberstellung, in die auch die Zeugen, der ehemalige SS-Oberscharführer Schn. [82] und der frühere Sanitäter und SS-Unterscharführer Kli. [83] einbezogen waren, erkannte der Zeuge Kag. ohne zu zögern den Angeklagten als den ihm aus den estnischen Lagern bekannten Sanitäter Scharfetter wieder. Der Zeuge Kag. erkannte den Angeklagten auch auf Bildern, die sich unter Fotos anderer Personen in zwei vorgelegten Lichtbildmappen befanden. Darunter befanden sich ein Führerscheinbild des Angeklagten aus dem Jahre 1948 sowie Vergrösserungen von Lichtbildern, die aus einem Fragebogen stammen, den der Angeklagte Anfang 1940 zur Erlangung seiner Heiratsgenehmigung beim damaligen Rasse- und Siedlungshauptamt eingereicht hat, und auf denen er in SS-Uniform abgebildet ist.

Zwar hat der Angeklagte anfänglich bestritten, die auf den Fragebogenbildern abgebildete Person zu sein. Auch seine inzwischen verstorbene Ehefrau hat als Zeugin bekundet, diese Bilder stellten ihren Mann nicht dar. Die Kammer ist jedoch auch aufgrund einer im Rahmen der Hauptverhandlung durchgeführten kommissarischen Inaugenscheinnahme des Fragebogens mit den Lichtbildern im Document-Center der U.S. Mission in Berlin davon überzeugt, dass es sich bei den auf dem Fragebogen befindlichen und in diesem Verfahren benutzten Fotos, die die markanten Gesichtszüge des Angeklagten erkennen lassen, um solche des Angeklagten handelt. Der Angeklagte hat auch im weiteren Verlauf der Verhandlung nicht mehr ernsthaft in Abrede gestellt, die abgebildete Person auf diesen Lichtbildern zu sein; er hat anlässlich der Verlesung der Aussage einer Zeugin, die ihn auf diesen Bildern zu erkennen glaubte, dazu lediglich noch geltend gemacht, bei der auf den Bildern zu sehenden Uniform handele es sich um eine Übungsuniform für das Gelände, die er in Estland nicht getragen habe. Dieser Umstand hindert jedoch nicht die Identifizierung des Angeklagten durch die Zeugen; es spricht im Gegenteil eher für das Identifizierungsvermögen der Zeugen, wenn sie den Angeklagten auch in einer anderen als der von ihm damals in Estland getragenen Uniform wiedererkennen können.

Auch wenn der Zeuge Kag. im Besitz des in jiddischer Sprache abgefassten Buches "Schwarzer Tag und weisse Nacht" von Dr. Dwo. ist, in dem sich u.a. auch ein Lichtbild befindet, das einem der in den vorgelegten Lichtbildmappen enthaltenen Foto des Angeklagten entspricht und die Textunterschrift trägt "Erich Scharfetter (der Kirkenik)", hält die Kammer seine Bekundung, er erkenne den Angeklagten als Täter des Massakers in Kuremea wieder, für glaubhaft. Der Zeuge Kag. hat von sich aus auf den auch der Kammer bis dahin nicht bekannten Umstand des Vorhandenseins von Fotos von SS-Leuten in dem Buch Dr. Dwo.s aufmerksam gemacht. Die Kammer glaubt der Versicherung des Zeugen Kag., der auch sonst durch seine offene und ehrliche Art beeindruckte, er erkenne den Angeklagten nicht etwa aufgrund eines Lichtbildes in einem Buch Dr. Dwo.s wieder, sondern nach seiner Erinnerung, in die sich wegen der Grauenhaftigkeit des Geschehens das Bild und die Person des Angeklagten unauslöschlich eingeprägt hätten. Der Zeuge Kag. hat überzeugend dargelegt, dass er den Angeklagten auch deswegen namentlich gut kenne, weil dieser später im Lager Goldfields zu ihm gekommen sei und ihm den Auftrag gegeben habe, seinen - des Angeklagten - vollständigen Namen Erich Scharfetter, den er bei dieser Gelegenheit genannt habe, in einen Stock zu schnitzen.

[82] Siehe Lfd.Nr.625, 717 und 841.

[83] Siehe Lfd.Nr.841.

Zwar konnte demgegenüber als weiterer Augenzeuge des Vorfalls in Kuremea der Zeuge Z., dem bei seiner kommissarischen Vernehmung nur die Lichtbilder vorgelegt werden konnten, den Angeklagten nicht einwandfrei identifizieren. Zweifel an der Täterschaft des Angeklagten kommen dadurch jedoch nicht auf. Wie bereits oben dargestellt, erscheint ohnehin das Erinnerungsvermögen des Zeugen Z. nach der inzwischen verstrichenen Zeit und wegen seines fortgeschrittenen Alters in einzelnen Punkten unsicher. Zudem erfordert es auch bei ansonsten gutem Erinnerungsvermögen besondere Fähigkeiten, um sich auch an das Erscheinungsbild der an einem Geschehen beteiligten Personen über einen langen Zeitraum hinweg noch so zu erinnern, um eine bestimmte Person auf Lichtbildern nicht besonders guter Qualität, die noch dazu nicht zu derselben Zeit verfertigt wurden, als die Zeugen dem Angeklagten begegneten, wiederzuerkennen. Immerhin hat aber auch der Zeuge Z. aus der Lichtbildmappe unter den drei Blättern, auf denen er die Person des Angeklagten zu erkennen glaubte, auch das Blatt mit herausgesucht, das drei Abbildungen des Angeklagten, die sich auf dem Fragebogen zu seinem Antrag auf Heiratsgenehmigung vom Jahre 1940 befanden, zeigt. Da weiter der Zeuge Z. den Angeklagten auch namentlich kannte und deutlich von anderen SS-Leuten zu unterscheiden wusste, besteht auch aufgrund der Aussagen des Zeugen Z. an der Identifizierung des Angeklagten als Täter des Vorfalls in Kuremea kein Zweifel.

Das gilt ebenfalls hinsichtlich des verstorbenen Zeugen Dr. Dwo., der bei seiner Vernehmung vor der Israel-Polizei vom 19.1.1966 den Angeklagten auf einem vorgelegten Lichtbild nicht zu erkennen vermochte. Auch dem Zeugen Dr. Dwo. als Arzt war der Angeklagte aufgrund dessen Tätigkeit als Sanitäter persönlich und namentlich bekannt, so dass eine Verwechselung ausgeschlossen erscheint.

Von den Zeugen, die während ihrer Häftlingszeit in Kuremea waren, erkannten auch die Zeugen Har., Kre., Gor. und New. den Angeklagten wieder. Die Zeugen Kre. und Gor. erkannten den Angeklagten im Gerichtssaal und auf den gezeigten Lichtbildern wieder. Der Zeuge Gor. hat allerdings bekundet, er habe den Angeklagten im Lager Kuremea selbst nicht gesehen, sondern nur von ihm gehört und sei ihm erst später im Lager Goldfields persönlich begegnet. Der Zeuge Har., der den Angeklagten im Lager Kuremea nur von weitem gesehen hat, erkannte ihn auf vorgelegten Lichtbildern nicht wieder. Der kommissarisch vernommene Zeuge New. suchte aus der vorgelegten Lichtbildmappe mehrere Bilder heraus, auf denen er den Angeklagten zu erkennen glaubte, darunter auch solche, auf denen dieser nicht abgebildet ist. Er bezeichnete aber gerade die Lichtbilder, die den Angeklagten darstellten, als die Bilder, die dem Angeklagten am ähnlichsten kämen.

Im übrigen haben sich auch keinerlei Anhaltspunkte dafür ergeben, dass eine Verwechselung des Angeklagten mit dem nach Darstellung einiger Zeugen, wie etwa des Zeugen Kag., zeitweilig in Kuremea tätigen Sanitäter Knott vorliegt. Der Name des Sanitäters Knott ist im Zusammenhang mit den hier angeklagten Tötungsfällen in Kuremea nie gefallen.

c) Zweifel an einer Täterschaft des Angeklagten ergeben sich auch nicht aufgrund des zeitlichen Ablaufes seiner dienstlichen Verwendung in Estland und der festgestellten Tatzeit.

Zwar war eine genaue Festlegung des Tattages nicht mehr möglich, da die massgeblichen Zeugen, die in Kuremea waren, insofern nur mit einigermassen Sicherheit angeben konnten, dass die Taten in Kuremea im Winter des Jahres 1943/1944 geschehen sind. Die Kammer ist jedoch davon überzeugt, dass der Vorfall in Kuremea sich jedenfalls noch vor Ende des Jahres 1943, wahrscheinlich sogar im November 1943 abgespielt hat. Das folgt insbesondere aus den Bekundungen der Zeugen Per., Mia., Gol. und Che., die den Angeklagten - worauf weiter unten noch näher eingegangen werden wird - im Lager Joehvi kennenlernten. Aus den insoweit übereinstimmenden und glaubhaften Aussagen dieser Zeugen ergibt sich, dass der Angeklagte noch vor Ende des Jahres 1943 im Lager Joehvi auftauchte und dass schon vor, zumindest aber bei seinem Eintreffen der Spitzname und das dieser Namensgebung zugrundeliegende Ereignis in den wesentlichen Zügen den Häftlingen im Lager Joehvi bekannt war, dieses mithin auch noch vor Ende des Jahres 1943 stattgefunden haben muss.

Dieser Tatzeitpunkt steht auch nicht im Widerspruch mit den Daten der dienstlichen Verwendung des Angeklagten. Unterlagen beziehungsweise Urkunden, die Beginn, Stationen und Dauer seines Einsatzes in den estnischen Konzentrationslagern genau belegen könnten, sind, wohl wegen der kriegsbedingt überstürzten Räumung dieses Gebietes, nicht vorhanden. Der Angeklagte selbst meint zwar, er sei erst Anfang des Jahres 1944 nach Estland abkommandiert worden, schliesst aber selbst nicht aus, dass dieses bereits zu einem früheren Zeitpunkt erfolgte. Der Angeklagte konnte auch nicht angeben, wo er das Weihnachtsfest 1943 verbracht hatte, während seine inzwischen verstorbene Ehefrau als Zeugin bekundete, ihr Mann sei Weihnachten 1943 jedenfalls nicht zu Hause gewesen. Auch nach diesen Angaben ist es nicht ausgeschlossen, dass sich der Angeklagte zum festgestellten Tatzeitpunkt in Kuremea aufhielt. Die Kammer ist aufgrund der vorerwähnten Zeugenaussagen davon überzeugt, dass der Angeklagte zur Tatzeit in Kuremea war.

d) Aufgrund der sicheren Identifizierung des Angeklagten durch die Zeugen ist es auch ausgeschlossen, dass als Täter für die Verbrechen in Kuremea etwa auch der SS-Unterscharführer und Sanitäter Ernst Run. in Betracht kommt, der ebenfalls in den estnischen Konzentrationslagern tätig war und gleichfalls von den Häftlingen den Beinamen "Kirkenik" bekommen hatte.

Aus den verlesenen Vernehmungen des Zeugen Run., der am 2.2.1967, nachdem die Staatsanwaltschaft Köln gegen ihn wegen verschiedener Verbrechen in den Lagern Narwa und Kiviöli Anklage wegen Mordes in 105 Fällen erhoben hatte, in Untersuchungshaft Selbstmord beging, geht - insbesondere aus seinen richterlichen Vernehmungen vom 5.5.1965 vor dem Amtsgericht Duisburg-Ruhrort sowie vom 13.7.1965 und 8.11.1965 vor dem Schwurgericht Hechingen - hervor, dass der Zeuge Run. in den estnischen Konzentrationslagern vorwiegend als Sanitätsdienstgrad in den nördlich von Kuremea gelegenen Lagern Narwa, Auwere und Kiviöli eingesetzt war und in keinem der Lager, insbesondere nicht in Kuremea, mit dem Angeklagten zusammengewesen ist.

Dementsprechend haben auch die Zeugen Cha., Kow., Lew., Mie., Ros. und S. ausgesagt, ihnen sei ein Sanitäter mit Spitznamen "Kirkenik" nur aus dem Lager Narwa bekannt und der Name Scharfetter sage ihnen nichts. Bis auf den Zeugen Cha. nannten diese Zeugen übereinstimmend als richtigen Namen des "Kirkenik" auch den Familiennamen Run. und gaben an, dieser habe auch den weiteren Beinamen "Meine Herren" gehabt, weil er die Häftlinge bei Appellen so anzureden pflegte.

Auch nach diesen Zeugenaussagen ist es ausgeschlossen, dass hier bezüglich der Vorfälle im Lager Kuremea eine Personenverwechselung des Angeklagten mit dem Sanitäter Run. aufgrund des ihnen beiden von den Häftlingen in den estnischen Lagern gegebenen Spitznamens "Kirkenik" vorliegt. Run. hat sich im Lager Kuremea niemals aufgehalten.

Hinzu kommt, dass gerade der Zeuge Iser Z., der den Angeklagten Scharfetter als Täter des Vorfalls in Kuremea bezeichnete, Run. und den Angeklagten Scharfetter als verschiedene Personen auseinander zu halten vermochte, indem er bei seiner kommissarischen Vernehmung vom 12.10.1979 glaubhaft versicherte, er sei auch dem Sanitäter Run. begegnet und zwar im Lager Kiviöli I; dieser habe den Spitznamen "Meine Herren" gehabt.

Im übrigen hat der Angeklagte selbst eingeräumt, er sei dem Sanitäter Run., der ihm aus seiner Jugendzeit in Danzig bekannt sei, in den estnischen Lagern nicht begegnet.

7. Die Kammer hat darüber hinaus auch keinerlei Zweifel, dass es der Angeklagte selbst war, der die von ihm ausgesonderten Häftlinge im Lager Kuremea mit der Spitzhacke oder dem Messer tötete, auch wenn der eigentliche Tötungsvorgang innerhalb der Baracke von keinem der Zeugen beobachtet werden konnte.

Nach den Aussagen insbesondere der Zeugen Kag., Z. und Dr. Dwo. kommt dafür nur der Angeklagte in Betracht.

Der Zeuge Z. hat den Angeklagten allein in die leerstehende Baracke hineingehen sehen. Die Zeugen Z. und Kag. haben übereinstimmend angegeben, der Lagerführer Engst habe vor der Baracke bei der Reihe der wartenden Häftlinge gestanden, und beide Zeugen haben auch allein den Angeklagten, nachdem alle Opfer in der Baracke verschwunden waren, aus der Baracke herauskommen sehen. Zwar soll nach der Bekundung des Zeugen Z. anschliessend der Angeklagte zusammen mit Engst, dem Lagerältesten und drei jüdischen Lagerpolizisten die Baracke erneut betreten haben. Da waren die Tötungen jedoch nach Überzeugung der Kammer bereits begangen. Irgendwelche Anhaltspunkte, dass sich zur Tatzeit bereits vor dem Angeklagten andere Personen in der leeren Baracke aufhielten, die die Tat ebenfalls verübt oder sich an ihr beteiligt haben könnten, sind nicht vorhanden. Solche Personen hätten von den Zeugen Z. und Kag. auch nach der Tat bemerkt werden müssen, insbesondere von letzterem, als er die Leichen aus der Baracke mit heraustragen musste. Dem steht auch nicht entgegen, dass der Zeuge Z. nach der Tat in der Baracke neben der blutverschmierten Spitzhacke noch zwei blutige Brecheisen gesehen haben will. Diese Brecheisen könnten einmal vom Angeklagten zusätzlich neben der Spitzhacke bei der Tatausführung benutzt worden sein, wahrscheinlicher ist es jedoch, dass die Brecheisen bereits in der Baracke, in der nach Bekunden des Zeugen Z. nur Arbeitsgeräte aufbewahrt wurden, gelegen haben und bei der Tat vom Blut der Opfer, von dem nach den übereinstimmenden Aussagen der Zeugen Kag. und Z. im Bereich der Tür grosse Lachen vorhanden waren, bespritzt worden sind.

Im übrigen ergeben sich der festgestellte eigentliche Tötungsvorgang, bei dem der Angeklagte mit seinen Opfern jeweils allein war, sowie die Motive, die ihn dazu veranlassten, aus den Gesamtumständen, insbesondere aus den von den Zeugen am Tatort vorgefundenen Werkzeugen, den von ihnen bei den Opfern bemerkten Verletzungen, und aus seinem insbesondere vom Zeugen Dr. Dwo. vor der Tat beobachteten Verhalten.

8. Die Kammer hat schliesslich nicht den geringsten Anhaltspunkt dafür finden können, dass etwa Zeugen - so wie der Angeklagte in seiner Einlassung behauptet hat - schon im Lager Stutthof die gegen ihn erhobenen Vorwürfe, insbesondere das Geschehen in Kuremea, untereinander abgesprochen und nicht den Tatsachen entsprechend auf seine Person konzentriert haben.

a) Gegen eine solche Absprache spricht allein schon der Umstand, dass die Zeugen Gor. und Kre., die vor der Evakuierung der estnischen Konzentrationslager aus dem Lager Ereda geflüchtet waren und gar nicht ins Konzentrationslager Stutthof bei Danzig gelangten, schon im Oktober 1944 - wie bereits oben näher dargestellt - vor sowjetischen Untersuchungsbehörden das Tatgeschehen in Kuremea im wesentlichen bekundeten und als Täter den Angeklagten bezeichneten.

Die Kammer hat darüber hinaus den Eindruck gewonnen, dass die von ihr befragten, aber auch die kommissarisch vernommenen Zeugen unbeeinflusst und wahrheitsgemäss ihre, den Angeklagten belastenden Angaben gemacht und - soweit diese nicht auf eigenen Wahrnehmungen beruhten - angemerkt haben, wenn sie Erzählungen anderer Häftlinge oder blosse Gerüchte wiedergegeben haben. Das gilt auch für diejenigen wenigen Zeugen, wie etwa die Zeugen Kre. und Per. oder die Zeugin Ver., die aus ihren Hassgefühlen gegen den Angeklagten keinen Hehl machten, die dennoch aber sichtlich bemüht waren, nur das wiederzugeben, was ihnen aus ihrer Erinnerung nach so langer Zeit noch bekannt war.

b) Es bestand demgemäss auch kein Grund zur Annahme, dass Zeugen bei Zusammenkünften nach ihrer Befreiung ihre Aussagen untereinander abgesprochen haben oder etwa durch die Lektüre der erörterten Schriften des verstorbenen Zeugen Dr. Dwo. beeinflusst sein und möglicherweise dort geschilderte Vorfälle als eigenes Erleben wiedergegeben haben könnten. Das gilt gerade auch für die hier besonders bedeutsamen Aussagen der Zeugen Kag. und Z., die beide erklärt haben, sie hätten das Buch "Schwarzer Tag und weisse Nacht" von Dr. Dwo. gelesen. Die Einzelheiten des von diesen Zeugen bekundeten Ablaufs des Tatgeschehens sind aber in dem Buch von Dr. Dwo. gar nicht enthalten. Es erscheint auch ausgeschlossen, dass die Zeugen Kag. und Z. diese Einzelheiten etwa bei einer späteren Begegnung mit Dr. Dwo. in Israel erfahren haben könnten, da Dr. Dwo. - wie sich aus seiner verlesenen Aussagen vom 19.1.1966 und dem gleichfalls verlesenen Tonbandprotokoll vom 18.1.1965 ergibt, die von den Zeugen Kag. und Z. bekundeten Beobachtungen selbst gar nicht gemacht hat und das Schwergewicht seiner Tatschilderung auf die offenbar vergeblichen Tötungsversuche mit Hilfe der Spritzen legte, wovon wiederum die Zeugen Kag. und Z. - wie bereits oben erörtert - nichts bemerkt haben.

Auch bei den übrigen Zeugen ist keine auffallende Übereinstimmung mit der in den Büchern Dr. Dwo.s gegebenen Tatschilderung festzustellen. Die oben dargestellten Angaben dieser Zeugen vom Hörensagen enthalten durchweg Einzelheiten oder Besonderheiten, die erkennen lassen, dass sie auf eigener Erinnerung beruhen und nicht etwa angelesen sind. Zudem haben - ausser den bereits genannten Zeugen Gor. und Kre. - auch andere Zeugen, wie etwa der verstorbene Zeuge Gre. in seiner Aussage vom 4.1.1966 vor dem Generalkonsul in Chicago oder der Zeuge Bar. in der ihm durch Verlesen vorgehaltenen Aussage vor der Israel-Polizei vom 24.11.1965, den wesentlichen Ablauf des Tatgeschehens bereits zu einem Zeitpunkt geschildert, zu dem sie die Bücher Dr. Dwo.s, von denen das erste 1967 in Tel Aviv erschienen ist, noch nicht gekannt haben können.

c) Gegen die Täterschaft des Angeklagten und für die von ihm behauptete Verschwörung der Zeugen gegen ihn spricht auch nicht etwa der Umstand, dass der Angeklagte vor und nach dem Kriege offenbar ein unauffälliges und geordnetes Leben geführt und insbesondere durch Gewalttätigkeiten nicht in Erscheinung getreten ist oder dass er in einzelnen Fällen - wie er unwiderlegbar behauptet - sich auch einmal jüdischen Häftlingen gegenüber in den Lagern grosszügig verhalten hat. Gerade in der nationalsozialistischen Zeit sind Verbrechen oft von Personen begangen worden, die in geordneten Verhältnissen lebten, nie straffällig oder sonst auffällig gewesen sind. Insbesondere aufgrund des von ihm in der Hauptverhandlung gewonnenen Eindrucks hält die Kammer den Angeklagten für einen Menschen, der sich einer vom Staat gegebenen Ordnung selbstverständlich und weitgehend kritiklos unterordnet und sich innerhalb dieser Ordnung diszipliniert verhält. Hetzt nun dieser Staat selbst zur Gewalttat gegen einzelne Gruppen auf, so sind auch solche, geistig nicht sehr beweglichen Menschen, wie der Angeklagte, dazu fähig - noch dazu unter den besonderen Verhältnissen des Konzentrationslagers -, ihnen verliehene Macht willkürlich zu missbrauchen und sich als Herren über Leben und Tod aufzuspielen, wozu es auch gehört, dass in einzelnen Fällen Häftlinge auch einmal grosszügig behandelt werden.

Im übrigen war der Angeklagte damals aber auch - wie die Beweisaufnahme gezeigt hat - keineswegs der den jüdischen Häftlingen durchaus wohlgesonnene Mensch, als der er sich jetzt darzustellen versuchte. Sogar die deutschen Angestellten der unmittelbar neben dem Arbeitslager in Ereda mit der Errichtung von Schächten für den Abbau von Ölschiefer beauftragten Firma Deilmann, denen als Nichtbetroffene Hass- oder Rachegefühle gegen den Angeklagten wohl kaum nachgesagt werden können, nämlich der Zeuge Sev. sowie die verstorbenen Zeugen Ma. und Lei., deren frühere Aussagen verlesen wurden, haben glaubwürdig bekundet, dass gerade der Angeklagte sich den jüdischen Häftlingen gegenüber besonders brutal verhielt, indem er etwa einige von ihnen in roher Weise mit einem Rohrstock verprügelte, und deshalb unter den Häftlingen Angst und Schrecken verbreitete. Es erscheint somit auch unter Berücksichtigung seiner Persönlichkeit und der sonstigen Lebensführung des Angeklagten keineswegs ausgeschlossen, dass der Angeklagte die ihm vorgeworfenen Taten, insbesondere die Tötungen der alten und arbeitsunfähigen Häftlinge im Lager Kuremea verübt hat. Dass er dieses auch tatsächlich getan hat, steht nach dem Ergebnis der Beweisaufnahme fest.

9. Mit hinreichender Sicherheit war dem Angeklagten aber lediglich die Tötung von 15 jüdischen Häftlingen des Lagers Kuremea nachzuweisen.

Die Angaben der Zeugen über die Zahl der Opfer schwanken, meistens handelt es sich auch nur um Schätzungen. Überwiegend wird von 20 bis 23 Leichen gesprochen. Von den hier besonders wichtigen Tatzeugen nennt der Zeuge Z. die Zahl von 18 bis 19 Toten, während der verstorbene Dr. Dwo. deren Zahl mit 22 angibt und der Zeuge Kag. meint, es hätte sich um ungefähr 22 Leichen gehandelt. Der Zeuge Kag., der, weil er beim Abtransport der Leichen mithelfen musste, auch in der Lage sein müsste, am genauesten die Zahl der Opfer zu beziffern, hat jedoch erklärt, er habe die Leichen bei der für ihn furchtbaren Aufgabe nicht gezählt und könne deren Anzahl nur schätzen; es könnten mehr oder weniger als 20 gewesen sein, ganz sicher sei er nur, dass es sich um wenigstens 15 Leichen gehandelt habe. Da auch die Angaben der weiteren Zeugen offenbar nur auf Schätzungen oder auf Erzählungen anderer Häftlinge beruhen, folgt die Kammer der sorgsamen und vorsichtigen Schätzung des Zeugen Kag., so dass sich nur die Tötung von 15 jüdischen Häftlingen sicher feststellen liess und der Angeklagte im übrigen freizusprechen war, da die Anklage ihm für das Lager Kuremea die Tötung von 20 Häftlingen zur Last gelegt hat.

II. Joehvi (Fall 1 bis 3 der Anklage)

1. Nach der Beweisaufnahme ist der Angeklagte weiter überführt, Ende 1943 / Anfang 1944 im Lager Joehvi drei vermutlich an Fleckfieber erkrankte jüdische Häftlinge in der Nähe der innerhalb des Lagergeländes gelegenen Latrine getötet zu haben. Der Angeklagte, der auch diese Taten bestreitet und meinte, zum Tatzeitpunkt sich nicht im Lager Joehvi aufgehalten zu haben, liess, obwohl er sich - ausgenommen vom Lager Ereda - angeblich nicht mehr an die einzelnen Lager und deren Namen, in denen er in Estland dienstlich tätig gewesen ist, erinnern kann, immerhin durchblicken, dass er überhaupt im Lager Joehvi gewesen ist, indem er anlässlich der Erörterung einer Skizze des Lagers Joehvi bemerkte, dass dort Holzbaracken gestanden hätten.

Die Kammer ist, insbesondere aufgrund der Aussage der Zeugin Basia Che., auch davon überzeugt, dass der Angeklagte die ihm für das Lager Joehvi zur Last gelegten Taten begangen hat.

2. Diese Taten sind von der Zeugin Basia Che., die nicht zur Hauptverhandlung kommen wollte, bei ihrer kommissarischen Vernehmung vor dem Generalkonsulat in New York am 15.3.1979 in Gegenwart der Kammer im wesentlichen so geschildert worden, wie sie auch festgestellt worden sind. Die Zeugin hat in ihrer Aussage, die verlesen wurde, unter anderem bekundet, der Angeklagte habe nach Ausbruch des Fleckfiebers unter den Häftlingen etwa im Dezember 1943 oder Januar 1944 im Anschluss an eine Entlausung bei allen Häftlingen die Temperatur gemessen und bei drei Häftlingen, unter denen sich der ihr aus Wilna bekannte Mehlhändler Melach Suchowski befunden habe, Fieber festgestellt. Der Angeklagte, der sich ihnen bereits früher selbst namentlich vorgestellt hätte, sei zu der Frauenbaracke gekommen, habe die aussen angebrachten Fensterläden geschlossen und ihnen mit der Androhung, sie andernfalls zu töten, verboten, nach draussen zu gehen. Durch Spalten und Ritzen in und

zwischen den zweiflügeligen Fensterläden habe sie gesehen, dass zwei Häftlinge draussen gestanden hätten und der Angeklagte kurz darauf mit einem weiteren erschienen sei. Der Angeklagte habe den drei Häftlingen Zeichen gegeben mitzukommen und sei mit diesen in Richtung eines neben der Latrine gelegenen kleinen Schuppens gegangen und dann aus ihrem Blickfeld verschwunden. Kurz darauf habe sie aus Richtung des Schuppens drei Schüsse gehört, und sie habe wenig später wiederum durch Spalten der nicht dicht schliessenden Fensterläden beobachtet, dass der Angeklagte die drei Männer, die auf einem Schlitten lagen und durchgeschnittene Kehlen hatten, aus Richtung der Latrine kommend unter ihrem Fenster ziemlich langsam vorbeigezogen habe, da wenig Schnee gelegen habe und der Schlitten schwer gewesen sei. Im Lager sei ihr dann erzählt worden, die Männer seien zur Sägemühle gebracht und verbrannt worden.

3. Die verlesene Aussage der Zeugin Che. erweist, dass diese Zeugin trotz der inzwischen verstrichenen Zeit, was das Wesentliche des damaligen Geschehens betrifft, noch eine lebendige und zuverlässige Erinnerung besitzt. Die Zeugin hat den Vorfall anschaulich und glaubwürdig berichtet. Sie differenziert in ihrer Aussage sorgfältig zwischen Umständen, die ihr noch klar im Bewusstsein sind, und solchen, bei denen ihre Erinnerung schwach oder unsicher ist. Die Zeugin unterscheidet auch genau zwischen eigenen Wahrnehmungen, Schlussfolgerungen und bloss Gehörtem. Ihre in sich geschlossene Schilderung lässt keine erheblichen Widersprüche oder Unsicherheiten erkennen, die zu Zweifeln an der Verlässlichkeit ihrer Angaben zum Tatablauf Anlass geben könnten.

Auch vermögen ihre Angaben zu Nebenumständen der Tat und zu den allgemeinen Verhältnissen im Lager Joehvi, selbst wenn hier vereinzelt Unsicherheiten und Widersprüche zu Aussagen anderer Zeugen aufgetreten sind, die Glaubwürdigkeit der Zeugin nicht in Frage zu stellen. Die Zeugin konnte sich in Anbetracht der inzwischen verstrichenen Zeit noch relativ gut an die Lagerverhältnisse in Joehvi erinnern. Sie hat u.a. die Grösse des Lagers, die Zahl der Häftlinge und deren Beschäftigung sowie die Örtlichkeiten im grossen und ganzen in Übereinstimmung mit den Aussagen der übrigen Zeugen, die in diesem Lager waren, und den von der Kammer hierzu getroffenen Feststellungen geschildert.

Geirrt hat sich die Zeugin Che. lediglich hinsichtlich der Anzahl der Lagerbaracken, die sie mit drei angibt, während aufgrund der Bekundungen der Zeugen Gol., Gop., Kau., Mia. und Per. feststeht, dass als Unterkunft für die jüdischen Häftlinge nur eine einzige Lagerbaracke diente, die in drei oder vier Stuben aufgeteilt war. Nach den übereinstimmenden Angaben dieser Zeugen lag die Lagerbaracke längsseits des zur Latrine führenden Lagerweges, zu dem jede Stube einen separaten Eingang hatte und wohin auch die Fenster gerichtet waren. Demgegenüber beschreibt die Zeugin Che. in ihrer Aussage und auf der von ihr gefertigten Skizze die Unterkünfte als drei kleine nebeneinander liegende Baracken mit jeweils zum Lagerweg blickenden Fenstern und Eingängen. Anzahl, Richtung sowie Lage der Fenster und Eingänge stimmen demnach aber mit den tatsächlichen Gegebenheiten überein; das Erinnerungsbild der Zeugin Che. hat sich nur insofern etwas verschoben, als sie sich der einzelnen nebeneinanderliegenden Stuben der einzigen Lagerbaracke nunmehr als nebeneinanderliegender einzelner Baracken entsinnt. Der Irrtum der Zeugin in diesem Punkt ist in Anbetracht der seither verstrichenen Zeit und unter Berücksichtigung dessen, dass sie in Estland in verschiedenen unterkunftsmässig ähnlichen Lagern war, nicht schwerwiegend und entwertet insbesondere nicht ihre ansonsten noch lebhafte Erinnerung an den Ablauf des furchtbaren und daher auch viel einprägsameren Tatgeschehens. Hinzu kommt, dass die Zeugin bei ihrer früheren Vernehmung vor dem Generalkonsulat in New York im Februar 1966, wo ihr Gedächtnis möglicherweise noch besser war als heute, immerhin auch nur von einer einzigen Lagerbaracke in Bezug auf das Lager Joehvi gesprochen hat, auch wenn sie nunmehr auf Vorhalt ihrer damaligen Aussage meinte, dass dieser Punkt seinerzeit möglicherweise nicht richtig aufgenommen worden sei.

Zweifel an der Verlässlichkeit ihrer Erinnerung ergeben sich daneben nur noch hinsichtlich des von der Zeugin Che. als mutmasslichen Tatort bezeichneten kleinen Schuppens unmittelbar neben der Latrine, der zur Aufbewahrung für Reinigungsmaterial gedient haben soll. An einen solchen Schuppen konnte sich keiner der übrigen Zeugen, die in Joehvi waren, erinnern, wenngleich der Zeuge Ham. immerhin die Möglichkeit der Existenz eines solchen Gebäudes einräumte. Der Zeuge Per. hat aber bekundet, er habe nach Ausbruch der Fleckfieberepidemie mitgeholfen, aus Brettern einen Waschraum zu bauen, der ca. 1 bis 1½ m von der Latrine entfernt gewesen sei. Es ist nicht ausgeschlossen, dass die Zeugin Che., die wiederum in ihrer Aussage das Vorhandensein eines Waschraumes verneinte, dennoch das auch von dem Zeugen Per. bezeichnete Brettergebäude meinte. Letztlich berührt aber dieser Punkt, selbst wenn die Zeugin sich hinsichtlich des Schuppens geirrt haben sollte, nicht ihre Glaubwürdigkeit insgesamt sowie die Verlässlichkeit ihrer Darstellung des Tatgeschehens. Die Zeugin hat angegeben, dass sie den Ort und den eigentlichen Vorgang der Tötung selbst nicht optisch wahrgenommen hat, sondern den Tatort aus der vom Angeklagten eingeschlagenen Richtung und dem Knall der nachfolgenden Schüsse mehr oder weniger bei dem von ihr erinnerten kleinen Schuppen vermutet hat. Fest steht nach der glaubwürdigen Darstellung der Zeugin Che. demnach auch nur, dass die Tötungen im näheren Bereich der Latrine des Lagers Joehvi stattgefunden haben. Ob tatsächlich neben der Latrine ein kleiner Schuppen vorhanden war, ist für den eigentlichen Tatablauf nicht entscheidend. Selbst wenn sich die Zeugin Che. hinsichtlich dieses Schuppens irren sollte, ist das wegen der seit dem Vorfall vergangenen Zeit verständlich und für die Kammer kein Anlass, an der Zuverlässigkeit der Angaben der Zeugin Che. über den wesentlichen Ablauf des damaligen Tötungsvorganges zu zweifeln.

Auch die von der Zeugin Che. beschriebenen Fensterläden, durch deren Ritzen sie einen Teil des Tatablaufes beobachtet hat, stehen zwar im Widerspruch zu den Angaben einiger Zeugen, die wie der Zeuge Per. das Vorhandensein solcher Fensterläden verneinten oder wie der Zeuge Ham. meinten, solche nicht gesehen zu haben oder nur, wie die Zeugen Gol., Gop. und Kau., sich an solche nicht erinnern konnten. Gleichwohl steht es für die Kammer aufgrund der Aussage der Zeugin Che. fest, dass jedenfalls vor den Fenstern der Frauenstube solche Fensterläden oder Klappen angebracht waren. Für die übrigen nur männlichen Zeugen, die sämtlich in anderen Stuben untergebracht waren, mögen die Fensterläden der Lagerbaracke Joehvi von untergeordnetem Interesse gewesen und in ihrer Erinnerung hinter den sonstigen schweren Erlebnissen ihrer Lagerzeit zurückgetreten sein, so dass sie darüber keine sicheren Angaben mehr zu treffen vermögen; für die Zeugin Che. hatten die Fensterläden jedoch aufgrund der von ihr gemachten schrecklichen Beobachtungen eine ganz andere Bedeutung und blieben ihr, davon ist die Kammer jedenfalls überzeugt, im Zusammenhang mit dem Vorfall schon deswegen dauernd im Gedächtnis, weil der Angeklagte vorher die Läden, um möglichst zu verhindern, dass die Frauen den Vorfall beobachteten, verschlossen hatte. Immerhin meinte aber auch der Zeuge Mia. sich an aussen vor den Fenstern der Baracke angebrachte Klappen erinnern zu können. Die Kammer ist im übrigen davon überzeugt - auch wenn sich über die Grösse und Länge der Ritzen in und zwischen den Fensterläden keine sicheren Feststellungen mehr treffen liessen -, dass diese jedenfalls so beschaffen waren, dass die Zeugin Che. die von ihr bekundeten Beobachtungen machen konnte, was auch technisch keinesfalls ausgeschlossen ist.

Zwar konnten sich weiter die Zeugen Gol., Gop., Kau., Mia. und Ham. auch nicht an eine Temperaturmessaktion des Angeklagten im Anschluss an eine Entlausung im Lager Joehvi erinnern, die nach der Darstellung der Zeugin Che. der von ihr geschilderten Tat vorangegangen sein soll. Gleichwohl wird auch hierdurch die Glaubwürdigkeit der Zeugin Che. nicht erschüttert. Es ist nicht ausgeschlossen, dass die genannten Zeugen insofern ihre Erinnerung im Stich lässt. Diese Zeugen sind nach ihrer Aussage auch sämtlich im Lager Joehvi an Fleckfieber erkrankt und - bis auf den Zeugen Ham. - auch noch vor der Auflösung des Lagers nach Vaivara ins Krankenrevier abtransportiert worden. Es spricht daher auch vieles dafür, dass diese Zeugen die Temperaturmessaktion des Angeklagten deshalb nicht miterlebten, weil sie sich - abgesehen vom Zeugen Ham., dessen Erinnerung an das Lager Joehvi und die dortigen Verhältnisse ohnehin recht unsicher ist - zum Tatzeitpunkt bereits nicht mehr im Lager befanden. Hinzu kommt, dass gerade der Zeuge Per., der - wie die Zeugin Che. - bis zur Lagerauflösung in Joehvi blieb, ebenfalls von Temperaturmessaktionen berichtete.

Weiter hat der Zeuge Gol. bekundet, er habe im Lager Joehvi keinen Schlitten gesehen, während nach Aussage der Zeugin Che. die Leichen der vom Angeklagten Getöteten von diesem mit einem Schlitten weggeschafft wurden. Da der Zeuge Gol. aber zu den Erkrankten gehörte, die später nach Vaivara gebracht wurden und er zudem weiter ausgesagt hat, zu seiner Zeit habe er in Joehvi keinen Schnee erlebt, steht auch diese Aussage des Zeugen Gol. nicht in einem unauflösbaren Widerspruch zu der Aussage der Zeugin Che., sondern die scheinbar entgegenstehende Bekundung des Zeugen Gol. wird auch hier durch dessen wahrscheinliche Nichtanwesenheit zum Tatzeitpunkt erklärlich. Zudem besagt der Umstand, dass der Zeuge Gol. den Schlitten nicht gesehen hat, nicht unbedingt, dass tatsächlich kein Schlitten vorhanden war.

Zwar hat weiter der Zeuge Per. bekundet, die Toten hätten aus dem Lager in der Regel von anderen Häftlingen herausgeschleppt werden müssen, weil sowohl der Weg zwischen Baracke und Lagerzaun als auch der Eingang für Wagen oder Schlitten zu schmal gewesen wären. Dennoch zweifelt die Kammer nicht daran, dass der Angeklagte - wie von der Zeugin Che. geschildert - auf einem Schlitten die Leichen der Getöteten selbst aus dem Lager herausgezogen hat. Der Weg zwischen Baracke und Zaun, der nach Angaben der Zeugin Che. 3 bis 4 m, nach Schätzung des Zeugen Gol. 3-5 m und selbst nach der Aussage des Zeugen Per. noch immerhin 2 m breit gewesen ist, war somit jedenfalls geräumig genug, um dem vom Angeklagten gezogenen Schlitten, dessen genaue Ausmasse sich nicht mehr feststellen liessen, Platz zu lassen. Ob der Schlitten dann auch durch das Lagertor gezogen wurde, hat die Zeugin Che. nicht mehr beobachten können und konnte gleichfalls nicht mehr geklärt werden.

Auch der Umstand, dass der Angeklagte nach der Aussage der Zeugin Che. selbst die Leichen jedenfalls aus dem unmittelbaren Bereich des Tatortes abtransportierte, macht ihre Aussage nicht unglaubwürdig. Zwar haben - wie die Beweisaufnahme insgesamt ergeben hat - auch in Tötungsfällen in der Regel feste oder schnell aus Häftlingen zusammengestellte Leichenkommandos die Leichen fortschaffen und beseitigen müssen. Das schliesst aber nicht aus, dass der Angeklagte in Einzelfällen und soweit er es für erforderlich erachtete, - so wie teilweise bereits auch bei seinen Verbrechen im Lager Kuremea festgestellt - selbst beim Leichenabtransport mit Hand anlegte. In diesem Fall wollte der Angeklagte offenbar, dass die übrigen Häftlinge von den Tötungen der erkrankten Häftlinge so wenig wie möglich bemerkten. Das zeigt sich bereits darin, dass er den übrigen Häftlingen befahl, in den Stuben zu bleiben, und jedenfalls die an den Fenstern der Frauenunterkunft angebrachten Fensterläden verschloss. Danach scheint es durchaus folgerichtig, wenn er auch selbst für das Wegschaffen der Leichen vom unmittelbaren Tatort sorgte.

Zusammenfassend ist demnach festzustellen, dass die Angaben der Zeugin Che. trotz einzelner Unsicherheiten und Widersprüche mit den Angaben anderer Zeugen zu Nebenumständen der Tat sich als insgesamt zuverlässig erwiesen haben und insbesondere keinen Anlass geben, an dem Wahrheitsgehalt des von ihr beschriebenen Tötungsvorganges zu zweifeln.

4. Diese Aussage wird auch nicht etwa dadurch in Frage gestellt, dass die Tötung der drei Fleckfiebererkrankten durch den Angeklagten nur von der Zeugin Che. eingehend beschrieben wird. Es ist nicht ausgeschlossen, dass sich die übrigen Joehvi-Zeugen, die während ihrer Lagerzeit viele schwere und bittere Erfahrungen durchmachen mussten und die selbst der ständigen Gefahr der Vernichtung ausgesetzt waren, so dass sie im allgemeinen zuerst

versuchten, ihre eigene Haut zu retten, an diesen Vorfall nicht mehr erinnern können, zumal auch Tötungen von Mithäftlingen durch SS-Leute in den estnischen Lagern - wie die Beweisaufnahme insgesamt ergeben hat - nicht eben selten vorkamen. Deshalb besagt es in diesem Zusammenhang auch nichts, dass sich ausser dem Zeugen Per. kein anderer Zeuge bezüglich des Lagers Joehvi an den Häftling Melach Suchowski zu erinnern vermochte, obwohl dieser nach der sichere Erinnerung der Zeugin Che. dort den Tod gefunden haben soll. Eben weil dieser der Zeugin Che. gut bekannte Häftling unter den Opfern war, erscheint es begreiflich, dass sich bei der Zeugin gerade dieser Vorfall besonders im Gedächtnis eingeprägt hat.

Im übrigen spricht - wie bereits oben dargelegt - viel dafür, dass jedenfalls die Zeugen Gop., Kau., Mia. sowie Gol. zum Tatzeitpunkt wegen ihrer Erkrankung schon ins Krankenrevier nach Vaivara abtransportiert waren.

Der Zeuge Ham., der - wie er selbst bekundet hat - wegen seiner Funktion als Schneider offenbar eine Sonderstellung im Lager innehatte und trotz zeitweiliger Fleckfiebererkrankung nicht mit den übrigen Kranken nach Vaivara abtransportiert worden, sondern wie die Zeugin Che. bis zur Lagerauflösung in Joehvi verblieben ist, konnte zwar zu dem von der Zeugin Che. geschilderten Tatgeschehen auch keine Angaben machen. Das Erinnerungsvermögen dieses Zeugen an die Verhältnisse des Lagers Joehvi ist aber - wie sich aus dem Protokoll seiner kommissarischen Vernehmung ergibt - ohnehin recht unsicher und stark eingeschränkt, so dass daraus, dass er die Tatschilderung der Zeugin Che. nicht zu bestätigen vermochte, nach Auffassung der Kammer die Glaubwürdigkeit dieser Zeugin einschränkende Schlüsse nicht gezogen werden können. Immerhin erinnerte sich auch der Zeuge Ham., dass im Lager Joehvi oft von Tötungsfällen, auch mittels Pistolenschüssen, berichtet wurde, wenn er auch konkrete Angaben über Tatort und Täter nicht machen konnte. Im übrigen spricht auch der Umstand, dass der im Lager erkrankte Zeuge Ham. nicht gleichfalls der Tötungsaktion des Angeklagten zum Opfer fiel, nicht gegen die Darstellung der Zeugin Che. Dieses mag einerseits an der vorerwähnten Sonderstellung des Zeugen Ham. im Lager beruht haben, andererseits konnte der Zeuge jedenfalls zum Tatzeitpunkt auch schon bereits seine zeitlich nicht mehr genau festzulegende Erkrankung überstanden haben und wieder fieberfrei gewesen sein.

Demgegenüber hat der Zeuge Per., der ebenfalls die ganze Zeit bis zur Lagerauflösung in Joehvi verblieben ist, von einer Vielzahl von Tötungen seitens des Angeklagten berichtet. Insbesondere hat der Zeuge Per. ausgesagt, er habe selbst gesehen, wie Kirkenik auch mehrmals am Tage Männer, die ihm nicht gepasst hätten, in den von ihm neben der Latrine miterrichteten Waschraum geführt habe. Anschliessend hätten sie Schüsse gehört, und er selbst habe in einigen Fällen auch Leichen mit Kopfwunden im Waschraum liegen sehen und anschliessend aus dem Gebäude herausgetragen.

Es ist aufgrund dieser Bekundung wahrscheinlich, dass der Zeuge Per. auch den von der Zeugin Che. beschriebenen Tötungsvorgang bemerkt hat, sichere Feststellungen darüber liessen sich aber, weil der Zeuge Per. sich an Einzelheiten der Vorfälle nicht erinnern und die einzelnen Tötungen nicht genauer konkretisieren konnte, nicht treffen. Immerhin bestätigt die Aussage des Zeugen Per. nach Überzeugung der Kammer aber, dass der Angeklagte im Lager Joehvi Häftlinge in der von der Zeugin Che. beschriebenen Weise getötet hat, auch wenn es sich dabei möglicherweise um weitere Verbrechen des Angeklagten handelt, die nicht Gegenstand dieses Verfahrens sind.

Als nicht die mit der Anklage verfolgten und von der Zeugin Che. beschriebenen Tötungsfälle sind auch die von den Zeugen Gol. und Kau. bekundeten Tötungen zweier an Flecktyphus erkrankter Häftlinge in der Latrine des Lager Joehvi anzusehen.

Der Zeuge Gol. hat hierzu bekundet, ihm sei schon im Krankenrevier in Vaivara von Neuankömmlingen erzählt worden, dass der Angeklagte zwei Kranke, die sich nicht gemeldet hatten und deshalb nicht mit ins Krankenrevier nach Vaivara abtransportiert worden waren, mit der Pistole in der Hand zur Latrine geführt und dort erschossen habe. Die Leichen hätten ausser Schusswunden auch eine durchschnittene Kehle gehabt. Der Zeuge Kau. hat gleichfalls bei seiner kommissarischen Vernehmung von einem solchen Vorfall berichtet, wenn auch aufgrund der Wahrunterstellung der Kammer auf den Beweisantrag der Verteidigung vom 27.9.1979 zu Gunsten des Angeklagten davon ausgegangen wird, dass die Schilderung des Zeugen Kau. nicht auf eigenen Wahrnehmungen beruht und dieser auch den Namen des Angeklagten oder seinen Spitznamen "Kirkenik" mit dem Lager Joehvi nicht in Verbindung bringt.

Die Kammer ist davon überzeugt, dass der von den Zeugen Gol. und Kau. beschriebene Vorfall nicht mit den angeklagten, von der Zeugin Che. geschilderten Tötungsfällen identisch ist. Nach der Darstellung des Zeugen Kau. soll sich der Vorfall zu einem Zeitpunkt abgespielt haben, als jedenfalls innerhalb des Lagers noch kein Schnee lag, während die Zeugin Che. zum Zeitpunkt des von ihr berichteten Vorfalls Schnee auch innerhalb des Lagers erinnert. Während die Zeugin Che. angegeben hat, die Tötungen seien im Anschluss an eine Entlausungs- und Temperaturmessaktion geschehen, sprechen die Zeugen Kau. und Gol. nur davon, dass sich die Opfer nicht krank gemeldet hätten, eine Entlausungs- oder Temperaturmessaktion erinnern sie nicht. Der entscheidende Unterschied besteht aber in der Anzahl der Opfer, die die Zeugen Kau. und Gol. mit zwei angeben, während die Zeugin Che. sicher und überzeugend die Tötung von drei Häftlingen durch den Angeklagten im Lager Joehvi geschildert hat. Trotz Parallelen bei den Umständen der Tat (Tatort, Art der Tötung, Tötungsanlass) steht es demnach für die Kammer fest, dass es sich bei dem von den Zeugen Kau. und Gol. berichteten Geschehen und dem von der Zeugin Che. geschilderten Vorfall um verschiedene Vorgänge handelt.

Diese dem Angeklagten in diesem Verfahren nicht zur Last gelegten Tötungen könnten demnach hier nur noch insofern von Bedeutung sein, indem sie zeigen könnten, dass das von der Zeugin Che. geschilderte Geschehen kein Einzelfall im Lager Joehvi war und deshalb geeignet wäre, die Aussage der Zeugin Che. zu bekräftigen. Die Kammer ist aber auch ohne solche Umstände aufgrund ihrer bereits dargestellten Erwägungen von der Glaubwürdigkeit und Zuverlässigkeit der Angaben der Zeugin Che. überzeugt. Im übrigen hat die Kammer ohnehin Grund zur Annahme, dass der Angeklagte über die angeklagten Taten hinaus noch weitere Tötungen im Lager Joehvi vorgenommen hat. So hat etwa der Zeuge Gol. aus eigenem Erleben glaubhaft bekundet, dass der Angeklagte bald nach seiner Ankunft im Lager Joehvi in dem der Lagerküche angrenzenden Raum zwei erkrankte Häftlinge mittels einer Injektion getötet hat. Dieses Tatgeschehen sowie dessen Umständen sind durch den Zeugen Kau., der ebenfalls teilweise Augenzeuge war, bestätigt worden, selbst wenn die Kammer auch hier hinsichtlich des Zeugen Kau. aufgrund des Beweisantrages der Verteidigung vom 27.9.1979 die Behauptung, dieser Zeuge habe weder den Namen des Angeklagten noch dessen Rufnamen "Kirkenik" gekannt und in Verbindung mit dem Lager Joehvi gebracht, als wahr unterstellt hat, so dass jedenfalls nach der Aussage des Zeugen Kau. diese Tat nicht dem Angeklagten zugeschrieben werden kann. Von der Tötung eines Häftlings durch den Angeklagten im Lager Joehvi mittels einer Injektion hat weiter auch der Zeuge Per. in seiner Aussage vor der Kammer berichtet. Ein näheres Eingehen auf diese sogenannten "Abspritzungsfälle" erübrigt sich aber, da diese nicht angeklagt und somit nicht unmittelbar Gegenstand dieses Verfahrens sind.

5. Die Kammer hält es weiter für ausgeschlossen, dass die Zeugin Che. trotz der Zuverlässigkeit ihrer Angaben hinsichtlich der Tat bezüglich der Person des Täters einer Verwechselung erlegen ist.

Zwar konnte die Zeugin den Angeklagten bei ihrer kommissarischen Vernehmung in New York auf den vorgelegten Lichtbildern nicht sicher identifizieren. Dem kommt aber angesichts der seit dem Tatzeitpunkt verstrichenen Zeit und angesichts der nicht eben guten Qualität der aus der damaligen Zeit vorhandenen Fotos keine entscheidende Bedeutung zu. Entscheidend ist, dass die Zeugin Che. den Angeklagten als Täter namentlich, sogar mit seinem richtigen Vornamen Erich, als auch mit seinem Spitznamen "Kirkenik" bezeichnen konnte. Auch ihre Schilderung seiner Funktion im Lager sowie der äusseren Erscheinung, die in groben Zügen zutreffend ist, zeigt, dass sie von der Person des Angeklagten noch eine konkrete Vorstellung hat und diesen nicht etwa mit einem anderen SS-Mann aus ihrer Lagerzeit verwechselt. Hinzu kommt noch, dass der Angeklagte nach den übereinstimmenden Aussagen der Zeugen, die in Joehvi waren, und soweit diese sich überhaupt an SS-Leute erinnern konnten, der einzige deutsche SS-Mann war, der im dortigen Lager zumindest für einen etwas längeren Zeitraum eine Funktion ausübte.

Dass der Angeklagte in Joehvi war, hat er selbst eingeräumt, indem er sich im Verlauf der Verhandlung immerhin an die im Lager vorhandenen Holzbaracken erinnerte. Seine weitere Einlassung, er könne zur Tatzeit noch nicht in Joehvi gewesen sein, wird durch die glaubwürdigen Aussagen der Zeugen Che., Gol., Mia. und Per. widerlegt, die ihm sämtlich bereits gegen Ende des Jahres 1943 im Lager Joehvi begegnet sind. Demgegenüber konnte der Angeklagte auch nicht konkret angeben, wo er sich zu dieser Zeit aufgehalten hat.

6. Die Kammer hat schliesslich aufgrund der Schilderung der Zeugin Che. auch keine Zweifel, dass der Angeklagte selbst die drei Häftlinge, die er in Richtung Latrine führte, getötet hat, auch wenn die Zeugin Che. den eigentlichen Tötungsvorgang selbst nicht mit eigenen Augen gesehen hat. Aus den von der Zeugin berichteten Tatumständen, dem Wegführen der drei erkrankten Häftlinge, nachdem der Angeklagte zuvor dafür Sorge getragen hatte, dass sich die übrigen Lagerinsassen in ihren Baracken befanden, den anschliessend von der Zeugin aus der Richtung der Latrine gehörten Schüssen, sowie dem kurz darauf von der Zeugin beobachteten Abtransport der drei leblosen Körper durch den Angeklagten selbst, ergibt sich für die Kammer zweifelsfrei, dass der Angeklagte selbst auch die drei Männer getötet hat, und zwar deshalb, weil er ein von ihm für möglich gehaltenes weiteres Ausbreiten der Seuche verhindern wollte. Die Kammer ist weiter davon überzeugt, dass diese drei Männer auch tatsächlich dabei den Tod gefunden haben. Zwar konnte die Zeugin, als der Angeklagte die leblosen Körper auf dem Schlitten an ihr vorbeizog, selbst den Tod nicht sicher feststellen, sondern nur ihren Eindruck wiedergeben, dass die Männer auf dem Schlitten tot gewesen wären. Da der Angeklagte sich aber nicht nur darauf beschränkt hatte, auf die kranken Häftlinge zu schiessen, sondern ihnen - wie auch bei seinen Verbrechen im Lager Kuremea - auch noch die Kehle durchgeschnitten hatte, hat die Kammer keinen Zweifel daran, dass die drei Männer schon tot oder zumindest tödlich verletzt waren, als der Angeklagte sie auf dem Schlitten abtransportiert hat. Im übrigen wäre, selbst wenn einer der Männer zu diesem Zeitpunkt noch gelebt hätte, der Tod spätestens bei der auf Veranlassung des Angeklagten erfolgten Verbrennung der Opfer in dem Ofen der Sägemühle eingetreten.

III. Nicht nachgewiesene Vorwürfe

Nachdem das Verfahren in den Fällen 7) und 8) der Anklage nach §154 Abs.2 StPO eingestellt worden ist, hatte die Kammer noch über die unter Ziffer 4, 5 und 6 der Anklageschrift dem Angeklagten im Arbeitslager Ereda zur Last gelegten Straftaten zu befinden. Insoweit war der Angeklagte aber mangels sicheren Schuldnachweises freizusprechen.

1. Erschiessung einer estnischen Jüdin (Fall 4 der Anklage)

Dem Angeklagten wird im Fall 4 der Anklage vorgeworfen, Anfang 1944 ausserhalb des Konzentrationsarbeitslagers Ereda eine estnische Jüdin, der er tags zuvor 25 Schläge mit einer Nagaika auf den blossen Rücken versetzt hatte, erschossen und sich dadurch eines Mordes nach §211 StGB schuldig gemacht zu haben.

Diese Straftat konnte dem Angeklagten, der sie bestreitet, nicht sicher nachgewiesen werden.

a) In diesem Fall wird der Angeklagte vor allem durch die Zeugin Bella Mau. belastet.

Die Zeugin Mau. hat ausgesagt, sie sei von November/Dezember 1943 bis zur Lagerauflösung im Spätsommer 1944 in Ereda inhaftiert gewesen. Eines Tages, sie könne diesen Vorfall zeitlich nicht mehr einordnen, habe sie vom Lagerführer Schn. [84] wegen ein paar Kartoffeln, die sie von einem Deutschen geschenkt erhalten hatte, fünf Schläge mit einem Gummiknüppel erhalten. Wegen des gleichen Vorfalls sei sie etwas später nochmals vom Angeklagten in die Schreibstube befohlen worden, und zwar zusammen mit einer deutschen Jüdin mit dem Vornamen Erna und einer etwa Mitte 30-jährigen zierlichen Estin. Sie hätten sich alle drei vor dem Angeklagten und in Anwesenheit eines weiteren unbekannten SS-Mannes ausziehen und nacheinander nackend über eine Bank oder einen Hocker legen müssen. Jede von ihnen habe der Angeklagte mit einem Gummiknüppel, an dem eine Art Spiralfeder befestigt gewesen sei, 25 Schläge, die sie hätten mitzählen müssen, auf den Rücken versetzt. Der Angeklagte habe unmenschlich und mit ganzer Kraft zugeschlagen. Der Angeklagte sei dann mit der estnischen Jüdin aus der Schreibstube herausgegangen. Sie selbst habe beide durch das Fenster der Schreibstube noch ein Stück verfolgen können. Kurz darauf habe sie einen Schuss gehört, der Angeklagte sei bald danach allein zurückgekommen und habe ihr und der deutschen Jüdin befohlen, in ihre Unterkunft zu gehen. Die estnische Jüdin habe sie nach diesem Vorfall nicht wiedergesehen.

Abweichend von ihrer jetzigen Aussage hatte die Zeugin Mau. bei ihrer Vernehmung vor dem Generalkonsulat in New York am 24.9.1965 angegeben, der Angeklagte sei erst ein oder zwei Tage nachdem er ihnen die 25 Schläge versetzt hätte und nachdem er sie alle drei erneut zu sich befohlen hätte, um sich von der Wirkung seiner Schläge zu überzeugen, mit der estnischen Jüdin allein aus der Schreibstube und ausserhalb des Lagers gegangen. Den Schuss hätten sie und die deutsche Jüdin dann gehört, als sie selbst die Schreibstube verlassen hätten. Auf Vorhalt ihrer damaligen Aussage meinte die Zeugin Mau., sie glaube zwar, dass ihre jetzige Schilderung richtig sei, ihr Erinnerungsvermögen sei im Detail aber nicht mehr so genau, so dass es auch so gewesen sein könne, wie sie es früher geschildert habe.

Angaben, die mit dem dem Angeklagten zur Last gelegten Vorfall im Zusammenhang stehen könnten, haben nur noch die Zeugen Ma. und Bar. sowie die Zeuginnen Wei. und Ver. gemacht.

Die Zeugin Hilde Wei. hat bei ihrer kommissarischen Vernehmung vor dem Generalkonsulat in New York am 14.3.1979 ausgesagt, eines Tages sei ein estnischer Jude mit seiner Tochter in Ereda aufgetaucht. Die Tochter habe im Verdacht gestanden, eine Spionin zu sein. Nachdem sie eines Tages verschwunden gewesen sei, sei im Lager erzählt worden, der Angeklagte habe sie aus dem Lager genommen und erschossen. Ob die Estin vorher von dem Angeklagten noch geschlagen worden sei, entziehe sich ihrer Erinnerung.

Der verstorbene Zeuge Anton Ma., der Angestellter der in Ereda mit dem Bau von Schächten für den Ölschieferabbau beschäftigten Firma Deilmann war, hat nach dem Protokoll des Schwurgerichts Hechingen, das verlesen wurde, in der damaligen Hauptverhandlung vom 25.11.1965 bekundet, in seinem Büro habe der SS-Mann Scharfetter drei Mädchen mit dem Gummiknüppel im Beisein des Lagerführers Schn. je 25 Schläge auf das blanke Hinterteil versetzt, weil diese sich mit deutschen Arbeitern eingelassen hätten. Unter den Frauen sei

[84] Siehe Lfd.Nr.625, 717 und 841.

auch eine estnische Jüdin gewesen, der Scharfetter ein oder zwei Hiebe direkt auf die Brust versetzt habe.

Der Zeuge Schlomo Bar., der bei seiner Vernehmung vor dem Landeskriminalamt am 19.8.1965 angegeben hatte, er sei einmal zugegen gewesen, als der Angeklagte den Lagerschreiber Brozki in Ereda angewiesen habe, einen Totenschein auf den Namen einer 30-35--jährigen estnischen Jüdin auszufertigen mit dem Zusatz: "Auf der Flucht erschossen", und der damals weiter bekundet hatte, ihm sei erzählt worden, der Angeklagte habe diese estnische Jüdin, die Gerüchten zufolge für die Gestapo tätig gewesen sein soll, aus dem Lager hinausgenommen und in unmittelbarer Lagernähe erschossen, konnte sich in der jetzigen Hauptverhandlung auch auf Vorhalt seiner früheren Aussage nicht mehr an diese Vorgänge erinnern. Der Zeuge hat bekundet, dass seiner Erinnerung nach Schn. einmal den Lagerschreiber Brozki zur Ausstellung eines Totenscheines mit dem Zusatz: "Auf der Flucht erschossen" aufforderte. Scharfetter habe mit der Schreibstube auch nichts zutun gehabt. Er müsse in seiner früheren Aussage den Angeklagten mit dem Lagerführer Schn. verwechselt haben.

Die Zeugin Ver. schliesslich hat auf Vorhalt der dem Angeklagten zur Last gelegten Tötung einer estnischen Jüdin ausgesagt, sie glaube, einen solchen Vorfall im Lager gehört zu haben.

b) Zwar sieht es die Kammer aufgrund der Bekundungen der Zeugin Bella Mau. als erwiesen an, dass der Angeklagte dieser und zwei weiteren Frauen, darunter einer estnischen Jüdin, in der Schreibstube des Lagers Ereda jeweils mindestens 25 Schläge mit einem Gummiknüppel versetzt hat und dass der Angeklagte kurz darauf oder einen oder zwei Tage später anlässlich einer Nachschau mit der estnischen Jüdin die Baracke verlassen hat. Insoweit hält die Kammer die im Detail zwar unterschiedlichen, im Kerngeschehen jedoch übereinstimmenden Angaben der Zeugin Mau. für glaubhaft, auch wenn ihre Darstellung von der Wucht der Schläge und der Schwere der dadurch erlittenen Verletzungen nach dem Eindruck der Kammer etwas übertrieben sein mag, da die Zeugin andererseits nicht anzugeben vermochte, ob sie von den Schlägen Narben zurückbehalten hätte. Die Kammer hat auch keinen Zweifel, dass die Zeugin zutreffend den Angeklagten als Täter identifiziert hat, auch wenn sie ihn jetzt nicht mehr auf Lichtbildern erkennen konnte. Sie vermochte den Angeklagten aber deutlich von anderen SS-Leuten des Lagers Ereda wie Schn. [85], Drosihn und Kli. [86] zu unterscheiden, so dass eine Verwechslung ausgeschlossen erscheint.

Jedoch konnte die Kammer sich nicht mit der erforderlichen Sicherheit davon überzeugen, dass die estnische Jüdin vom Angeklagten erschossen worden ist.

Schon der Tod der estnischen Jüdin lässt sich nicht zweifelsfrei feststellen. Zwar deuten das Herausführen der Frau aus der Baracke und der anschliessend von der Zeugin Mau. gehörte Schuss auf eine Tötung hin. Es bleiben aber Zweifel, ob der Schuss überhaupt die Estin getroffen hat und ob er ihr überhaupt gegolten hat. Es könnte sich insofern auch um ein blosses zufälliges Zusammentreffen eines im Lager Ereda aus ganz anderem Anlass abgefeuerten Schusses mit dem von der Zeugin Mau. beobachteten Herausführen der Estin handeln. Auch der Umstand, dass die Zeugin Mau. die Estin nach dem Vorfall nicht mehr gesehen hat, ist für deren Tötung kein sicheres Indiz, da die Zeugin nicht einmal wusste, in welcher Baracke die Estin untergebracht war und wo sie arbeitete. Es kam in den estnischen Konzentrationslagern - wie die Beweisaufnahme im übrigen gezeigt hat - immer wieder vor, das Häftlinge

[85] Siehe Lfd.Nr.625, 717 und 841.

[86] Siehe Lfd.Nr.841.

von einem Tag auf den anderen plötzlich in ein anderes Lager verlegt wurden. Auch diese Möglichkeit ist hier nicht mit Sicherheit auszuschliessen und könnte das Verschwinden der estnischen Jüdin erklären. Schliesslich steht nicht einmal mit letzter Sicherheit fest, dass der von der Zeugin Mau. gehörte Schuss auch vom Angeklagten selbst oder wenigstens auf dessen Veranlassung abgegeben wurde.

Auch durch die Einbeziehung der weiteren Zeugenaussagen ergibt sich nicht zweifelsfrei, dass die estnische Jüdin vom Angeklagten getötet wurde. Zunächst ist schon nicht hinreichend sicher, dass die von den anderen Zeugen genannte estnische Jüdin mit der von der Zeugin Mau. gemeinten identisch ist, selbst wenn Jüdinnen aus Estland im Lager Ereda nicht gerade häufig gewesen sein dürften.

Die Zeuginnen Wei. und Ver. konnten zudem von einer Tötung der estnischen Jüdin nur vom Hörensagen berichten, die Zeugin Ver. nicht einmal dieses mit Bestimmtheit. Gerüchte entstanden in den estnischen Lagern schnell unter den Häftlingen, die von der Aussenwelt weitgehend abgeschnitten waren und im wesentlichen keine anderen Informationsquellen besassen, als die von Mund zu Mund gegangenen Berichte ihrer Leidensgenossen. Solche Gerüchte allein können nicht Grundlage einer Verurteilung sein. In diesem Fall können sie aber auch nicht als unterstützendes Indiz zur Feststellung einer Tötungshandlung des Angeklagten dienen, weil die Zeuginnen dazu keine konkreten Einzelheiten, die nachprüfbar wären, berichten konnten. Die Zeugin Ver. brachte die Erschiessung der estnischen Jüdin zudem nicht einmal in Zusammenhang mit dem Auspeitschen ihrer Freundin, der Zeugin Mau.

Auch bei der jetzigen Aussage des Zeugen Bar. ist es nicht gänzlich auszuschliessen, dass der Zeuge sich bei seiner früheren Vernehmung tatsächlich hinsichtlich der Person des SS--Mannes in der Schreibstube, der die Anweisung zur Ausstellung des Totenscheines gab, geirrt hat. Endlich sind in dem vom Zeugen Ma. berichteten Vorfall - abgesehen davon, dass es zweifelhaft ist, ob dieser Vorfall mit dem von der Zeugin Mau. geschilderten identisch ist - keine Angaben darüber enthalten, dass eine der vom Angeklagten geschlagenen Frauen anschliessend von diesem getötet worden ist.

Nach alledem war der Angeklagte im Fall 4 der Anklage vom Vorwurf des Mordes freizusprechen.

<u>2. Notdurftfall - Dr. Kon. - (Fall 5 der Anklage)</u>

Aufgrund der früheren Aussagen des Zeugen Dr. Kon. wirft die Anklage dem Angeklagten einen weiteren Mord gemäss §211 StGB vor, indem dieser im Lager Ereda einen Häftling, der seine Notdurft im Freien verrichtete, weil er infolge Flecktyphuserkrankung zu schwach war, zur Latrine zu gehen, erschossen haben soll.

Der Angeklagte bestreitet, eine solche Straftat begangen zu haben. Die Tat konnte ihm nicht nachgewiesen werden.

a) Der Zeuge Dr. Kon., der nicht bereit war, zur Hauptverhandlung nach Deutschland zu kommen, hat bei seiner kommissarischen Vernehmung vor dem Deutschen Generalkonsulat in New York am 16.3.1979, die verlesen wurde, ausgesagt, er sei etwa Anfang Januar 1944 nach Ereda gekommen und habe dort als Häftlingsarzt gearbeitet. Schon bald nach seiner Ankunft, etwa im Januar/Februar 1944 habe er im unteren Lager einen ca. 16-jährigen jüdischen Häftling namens Rubinstein angetroffen, der einen Halsdurchschuss gehabt hätte. Ihm sei erzählt worden, dass der Angeklagte den Jungen angeschossen habe, weil dieser seine Notdurft im Freien verrichtete, da er infolge Durchfalls die Latrine nicht mehr erreichen konnte. Noch bevor er mit dem Verletzten habe sprechen können, sei der Angeklagte in die Baracke getreten und habe dem Jungen befohlen, mitzukommen, was dieser auch getan habe.

Ihm - dem Zeugen - sei dann noch am selben Tage erzählt worden, der Angeklagte habe Rubinstein mit einem Pistolenschuss in die Schläfe getötet.

Auf Vorhalt seiner früheren Aussage vom 8.2.1966 vor dem Generalkonsulat in New York und seinen Angaben vor der deutschen Kriminalpolizei am 28.4.1969 in Ulm, wonach der von ihm mit einem Halsdurchschuss gefundene Häftling Rubinstein ihm noch selbst erzählt haben soll, dass Scharfetter auf ihn - Rubinstein - geschossen habe, bevor der Angeklagte dann den verletzten Jungen aus der Baracke getrieben habe, und wonach der Zeuge selbst die Leiche des Jungen am nächsten Morgen mit einer weiteren Schusswunde an der Verbrennungsstelle gesehen haben will, hat der Zeuge Dr. Kon. nunmehr erklärt, er könne sich an diese Einzelheiten nicht mehr erinnern; er meine, dass seine Erinnerung damals noch besser gewesen sei.

b) Nach diesen Bekundungen des Zeugen Dr. Kon. ist die Kammer nicht hinreichend davon überzeugt, dass der Angeklagte den Häftling Rubinstein getötet hat.

Aufgrund der jetzigen Aussage des Zeugen Dr. Kon. ist nicht einmal sicher, dass der Angeklagte es war, der den Häftling Rubinstein durch den Hals schoss, da der Zeuge von dieser Tat jetzt nur von unbekannter Seite gehört haben will, wobei unklar bleibt, ob derjenige, der ihm den Sachverhalt übermittelte, selbst Augenzeuge war oder seinerseits davon nur vom Hörensagen wusste. Es erscheint auch möglich, dass der Zeuge Dr. Kon. sich damals irrte, als er in seinen früheren Aussagen im Jahre 1966 und 1969 angab, der verletzte Junge selbst habe ihm den Namen des Angeklagten als Täter genannt. Zwar spricht nach der Lebenserfahrung eine gewisse Vermutung dafür, dass das Gedächtnis des Zeugen Dr. Kon. an die Vorgänge im Lager Ereda bei seinen früheren Vernehmungen noch besser und seine Angaben daher zuverlässiger waren, der Zeuge selbst war sich dessen aber auch nicht ganz gewiss. Es ist aber denkbar, dass der Zeuge Dr. Kon. sich damals irrte und früher auch nur meinte - ohne sich dessen hinreichend sicher zu sein - der Täter wäre ihm vom Opfer selbst genannt worden. Weitere Zeugen, die berichten könnten, dass der Angeklagte einen Häftling namens Rubinstein beim Verrichten der Notdurft durch den Hals schoss, sind nicht vorhanden. Mit hinreichender Sicherheit konnte auch nicht geklärt werden, dass es sich bei dem Häftling Rubinstein um denselben jungen Häftling handelt, der nach den Bekundungen des Zeugen Bar. im Winter des Jahres 1944 im unteren Teil des Lagers Ereda beim Verrichten seiner Notdurft zwischen den Tonnenzelten vom Angeklagten mit der Pistole niedergeschossen wurde. Es konnte insbesondere nicht festgestellt werden, wo der Schuss den vom Zeugen Bar. beobachteten Häftling traf und ob dieser dabei den Tod gefunden hat, so dass trotz gewisser Parallelen dieser Vorfall (der den gem. §154 Abs.2 StPO eingestellten Fall 7 der Anklage bildete) nicht unbedingt in Zusammenhang mit dem vom Zeugen Dr. Kon. berichteten Geschehen stehen muss.

Feststeht nach den insoweit glaubhaften Aussage des Zeugen Dr. Kon. nur, dass, als der Zeuge etwa im Februar 1944 im unteren Teil des Lagers Ereda einen jungen Häftling namens Rubinstein mit einem Halsdurchschuss vorgefunden hatte und eben im Begriff war, diesen zu untersuchen, der Angeklagte in der Baracke erschien und den jungen Rubinstein wieder aus der Baracke hinausführte. Insoweit hält die Kammer es für ausgeschlossen, dass der Zeuge Dr. Kon., der als Häftlingsarzt ständig mit dem Angeklagten zu tun hatte und diesen mit Bestimmtheit von anderen SS-Leuten des Lagers zu unterscheiden vermochte, bezüglich der Person des Angeklagten einer Personenverwechselung erlegen ist. Die sorgfältig abgewogenen Bekundungen des Zeugen lassen es auch ausgeschlossen erscheinen, dass der Zeuge etwa den Angeklagten zu Unrecht belasten wollte.

Gleichwohl konnte sich die Kammer keine sichere Überzeugung darüber bilden, dass der Häftling Rubinstein anschliessend vom Angeklagten erschossen worden ist. Zwar spricht der Umstand, dass der Angeklagte eine Untersuchung und Behandlung des verletzten Häftlings unterband und diesen herausführte, dafür, dass er den Häftling töten wollte, letzte Zweifel an seiner Tötungsabsicht und der Ausführung dieser Tat lassen sich aber nicht ausräumen.

Zunächst hat der Zeuge Dr. Kon. den weiteren Verlauf des Geschehens nicht selbst gesehen. Von der Tötung eines jungen Häftlings mit Halsdurchschuss in der geöffneten Tür der sogenannten "Totenbaracke" im unteren Teil des Lagers Ereda hat allerdings früher die jetzt nicht vernehmungsfähige Zeugin Hön. in ihrer polizeilichen Vernehmung vom 15.8.1965 und in ihrer richterlichen Vernehmung vom 7.12.1965, die verlesen wurden, berichtet. Ob dieser Fall, der den Fall 6 der Anklage bildet, mit dem vom Zeugen Dr. Kon. berichteten Vorfall jedoch in Zusammenhang steht, lässt sich trotz einiger dafür sprechender Anhaltspunkte nicht mit Gewissheit sagen. Der Zeuge Dr. Kon. selbst, dem die Aussagen der Zeugin Hön. zu diesem Punkt vorgehalten wurden, konnte diese jedenfalls nicht mit dem von ihm erlebten Geschehen in Zusammenhang bringen; er meinte, einen Fall wie ihn die Zeugin Hön. berichte, weder selbst gesehen noch davon gehört zu haben.

Von der Tötung des Häftlings Rubinstein durch den Angeklagten mittels eines Pistolenschusses in die Schläfe meint der Zeuge Dr. Kon. von einem Leichenverbrenner wiederum nur gehört zu haben. Auch in diesem Fall bleibt offen, ob der Übermittler der Nachricht selbst Augenzeuge der Tat gewesen ist. Möglicherweise handelte es sich aber auch nur um ein blosses, der sicheren Grundlage entbehrendes Gerücht. Gänzlich ausgeschlossen erscheint es nicht, dass auch kranke und verletzte Häftlinge auf einen ohne besondere Vorankündigung zusammengestellten Transport in ein anderes Lager, sogar mit einer Krankenstation gebracht wurden - wie es die Beweisaufnahme zum Beispiel bezüglich des Lagers Joehvi ergeben hat. Auch die Zeugin Mau. hat bekundet, gerüchteweise davon gehört zu haben, dass Leute, die ihre Notdurft im Freien verrichteten, erschossen worden seien, in diesem Zusammenhang sei auch der Name des Angeklagten gefallen. Auf Vorhalt musste die Zeugin jedoch einräumen, dass sie sich nicht erinnern könne, dass in irgendeinem konkreten Fall der Angeklagte Scharfetter als Täter genannt worden wäre.

Zweifel daran, dass der Angeklagte hier tatsächlich den von ihm aus der Baracke geführten Häftling getötet hat, ergeben sich auch daraus, dass der Zeuge Dr. Kon. jetzt meint, von der Tat gehört zu haben, sich aber nicht erinnern kann, die Leiche des Jungen gesehen zu haben, während er nach seiner früheren Aussage zwar später den Rubinstein mit einer weiteren Schusswunde in der Schläfe tot gesehen haben will, damals aber nicht bekundet hat, dass ihm von anderer Seite berichtet worden ist, der Junge wäre vom Angeklagten mit der Pistole erschossen worden.

Hinsichtlich der Tötung des durch einen Halsschuss verletzten Häftlings Rubinstein erweist sich demnach die Erinnerung des Zeugen Dr. Kon. auch unter Berücksichtigung der Aussage der Zeugin Hön. als zu schwach, um darauf hinreichend sichere Feststellungen bezüglich der dem Angeklagten in diesem Fall vorgeworfenen Tötung treffen zu können. Es lässt sich nicht einmal mit der erforderlichen Sicherheit feststellen, dass der Angeklagte versucht hat, den Häftling Rubinstein zu töten.

Der Angeklagte war daher in diesem Fall vom Vorwurf des Mordes freizusprechen.

3. Notdurftfall - Hön. - (Fall 6 der Anklage)

Dem Angeklagten wird, gestutzt auf die Schilderungen der Zeugin Hön., ein weiterer Mord gemäss §211 StGB zur Last gelegt, indem er in einem weiteren Fall im Lager Ereda einen jungen jüdischen Häftling, der zu schwach war, um die Latrine zu erreichen, und seine Notdurft zwischen den Baracken verrichtete, erschossen haben soll.

Diese Straftat konnte dem Angeklagten, der sie leugnet, ebenfalls nicht nachgewiesen werden.

a) Die Zeugin Ruth Ursula Hön., die in Israel lebt, nicht gewillt ist, nach Deutschland zur Hauptverhandlung zu kommen und nach den Feststellungen des zuständigen israelischen Gerichts auch nicht vernehmungsfähig ist, hat zu der Straftat in zwei Vernehmungsprotokollen, die verlesen wurden, Angaben gemacht.

Bei ihrer Vernehmung am 15.8.1965 vor der Polizei in Israel hat die Zeugin Hön. bekundet, sie sei als Häftling im Dezember 1943 nach Ereda gekommen und habe im dortigen Lager als Krankenschwester gearbeitet. Im Winter 1944 sei sie, als sie in einer Baracke Kranke betreut habe, durch Schreie aufmerksam geworden; sie sei hinausgegangen und habe einen ihr namentlich nicht bekannten Jungen mit einem Durchschuss von einer Halsseite zur anderen gefunden. Neben dem Jungen, der noch gelebt habe, habe Scharfetter gestanden und dem Jungen befohlen, in die sogenannte "Totenbaracke" zu gehen. In der geöffneten Tür der Baracke habe Scharfetter den Jungen durch einen Genickschuss aus seiner Pistole getötet. Das habe sie aus 3-4 m Entfernung gesehen. Sie habe gehört, dass die Leiche dann verbrannt worden sei. Dieser Vorfall stehe im Zusammenhang mit dem von Scharfetter herausgegebenen Befehl, die Latrinen zu benutzen. Der erschossene junge Jude sei zu schwach und krank gewesen, diesem Befehl Folge zu leisten.
Scharfetter sei ein in Danzig gebürtiger, damals etwa 30 bis 40 Jahre alter Sanitätsunterscharführer gewesen. Er hätte ihr selbst erzählt, dass er in Danzig Hafenarbeiter gewesen wäre. Scharfetter sei mittelgross, kräftig gewesen und habe - wie sie glaube - braunes Haar gehabt. Er sei sehr gewalttätig und gefürchtet gewesen.

In ihrer Vernehmung vor dem Amtsgericht in Haifa am 7.12.1965 in einem anderen Verfahren hat die Zeugin Hön. zu dem hier zu behandelnden Vorfall beiläufig ausgesagt, in ihrer Gegenwart habe Scharfetter im Lager Ereda einen ungefähr 15 Jahre alten Jungen, dessen Namen ihr nicht mehr erinnerlich sei, erschossen. Damals sei Schn. [87] Lagerkommandant gewesen. Dieser hätte die Erschiessung verhindern können. Sie könne sich nicht mehr erinnern, ob Schn. in der Nähe gewesen wäre, als Scharfetter geschossen habe. Schn. habe den Befehl erteilt, dass derjenige, der die Latrine nicht erreichte, erschossen werden müsste. Auf Vorhalt räumte die Zeugin in dieser Vernehmung dann ein, es könne auch sein, dass der Befehl bezüglich des Latrinenbesuchs von Scharfetter gegeben worden sei.

b) Diese Angaben der Zeugin Hön. reichen nicht aus, um die Kammer von der Täterschaft des Angeklagten zu überzeugen.

Zwar besteht kein Anlass daran zu zweifeln, dass die Zeugin Hön. tatsächlich erlebt hat, wie ein junger Häftling mit einem Halsdurchschuss von einem SS-Mann durch einen weiteren Pistolenschuss niedergestreckt worden ist. Letzte Zweifel bestehen aber, ob diese Tat wirklich dem Angeklagten zuzuordnen ist. Die Zeugin Hön. konnte nach den Vernehmungsprotokollen auf den ihr vorgelegten Lichtbildern von den damaligen SS-Leuten niemanden einwandfrei identifizieren, wenngleich fraglich ist, ob sich unter den damals gezeigten Lichtbildern überhaupt eines des Angeklagten befand.

Die Zeugin hat bei der Beschreibung des Angeklagten ebenso wie bei der des damaligen Lagerführer Schn. nur ziemlich allgemeine Körpermerkmale angegeben, die auf eine Vielzahl von Personen zutreffen. Zudem fehlen bei ihrer Schilderung der Tat, die sie allerdings auch nur mehr beiläufig während ihrer Vernehmung in gegen andere Täter gerichteten Strafver-

[87] Siehe Lfd.Nr.625, 717 und 841.

fahren abgegeben hat, konkrete Aussagen darüber, zu welcher Tageszeit der Vorfall geschah und ob und ggfls. woran sie den Angeklagten einwandfrei als Täter identifizieren konnte. Es ist daher auch nach den vorliegenden Vernehmungsprotokollen nicht mit hinreichender Sicherheit auszuschliessen, dass die Zeugin hinsichtlich des Täters einer Namens- oder Personenverwechselung unterlegen ist. Immerhin ordnet die Zeugin auch die Erteilung des Befehls, dass jeder, der seine Notdurft im Freien verrichten würde, erschossen werde, einmal dem Angeklagten, ein anderes Mal wiederum dem Lagerführer Schn. zu. Gerade aber auch der Zeuge Schn. soll nach den verlesenen Aussagen der verstorbenen Zeugin Bri. vom 7.10. und 16.11.1965 vor dem Generalkonsul in New York in Ereda einen Häftling, der seine Notdurft im Freien verrichtete, erschossen haben.

Eine Ausräumung der letzten Zweifel an der sicheren Identifizierung des Angeklagten als Täter durch eine eingehendere Befragung der Zeugin ist wegen ihrer Weigerung, nach Deutschland zu kommen, und der vom israelischen Richter festgestellten Vernehmungsunfähigkeit der Zeugin nicht möglich.

Auch durch die Heranziehung weiterer Zeugenaussagen lässt sich die dem Angeklagten hier zur Last gelegte Tötung nicht nachweisen. Zwar könnte die von der Zeugin Hön. geschilderte Tat mit den von den Zeugen Dr. Kon. und Bar. beobachteten und beschriebenen Geschehnissen in Zusammenhang stehen, mit hinreichender Sicherheit lässt sich - wie bereits oben erörtert - jedoch nicht feststellen, dass die Tatschilderungen dieser Zeugen und der von der Zeugin Hön. berichtete Vorfall einen zusammenhängenden Tötungsfall betreffen. Auch dazu hätte es einer näheren, aber nicht mehr möglichen Befragung der Zeugin Hön. nach Tatumständen und Einzelheiten bedurft, aus denen sich gegebenenfalls ein räumlicher und zeitlicher Zusammenhang zwischen den in diesen Zeugenaussagen bekundeten Taten hätte herleiten können. So aber ist auch angesichts der Tatsache, dass es besonders im sogenannten "unteren" Lager in Ereda nicht eben selten zu Übergriffen des SS-Personals und zu Tötungen von Häftlingen kam, nicht ausgeschlossen, dass die Zeugen nicht zusammenhängende Vorgänge beschrieben haben, auch wenn diese Vorfälle etwa durch das Merkmal des Halsdurchschusses bei einem jungen Häftling markante Gemeinsamkeiten aufweisen.

Von einem Häftling mit Halsdurchschuss und Schädelverletzung, den er zur Verbrennungsstelle im Lager Ereda gebracht hat, wusste immerhin auch der Zeuge Ham. zu berichten, ohne dass sich feststellen liess, ob diese Aussage mit einem der hier angeklagten Vorfälle im Zusammenhang steht, zumal der Zeuge Ham. sich zu erinnern meinte, dass der Häftling mit diesen Verletzungen von der Arbeitsstelle ins Lager gebracht worden sei.

Demnach war der Angeklagte im Fall 6 der Anklage vom Vorwurf des Mordes freizusprechen.

E. Rechtliche Würdigung und Strafe

« I. Tatbestand und Täterschaft »

1. Der Angeklagte hat sich im Arbeitslager Kuremea der Verbrechen des Mordes nach §211 StGB in 15 Fällen schuldig gemacht. Er hat vorsätzlich aus niedrigen Beweggründen nacheinander 15 Menschen getötet.

Der Angeklagte tötete seine jüdischen Opfer, weil sie alt, krank oder schwach waren, deshalb als Arbeitskräfte nicht mehr in Betracht kamen und für den Lagerbetrieb nur eine Belastung darstellten. Das sind Motive, die nach allgemeiner Anschauung - auch aus damaliger Sicht - auf tiefster sittlicher Stufe stehen und als gemein und verabscheuungswürdig bezeichnet werden. Dem steht nicht entgegen, dass diese Tötungen möglicherweise den Zielen der damaligen Staatsführung entsprachen, wie sie etwa in der eingangs erwähnten, sogenannten

"Wannseekonferenz" vom 20.1.1942 niedergelegt sind, aus deren Protokoll sich ergibt, dass die nach Osten evakuierten Juden lediglich noch als Arbeitsmaterial ausgenutzt, ansonsten aber nach und nach vernichtet werden sollten. Massgeblich sind in diesem Zusammenhang jedoch nicht die Wertvorstellungen der nationalsozialistischen Gewalthaber, die selbst ihre wahren Absichten, soweit es ging, zu verbergen suchten, sondern die Anforderungen, die die allgemein anerkannten sittlichen Grundsätze an jeden einzelnen Menschen stellen. Nach diesen Grundsätzen war auch damals die Tötung von Menschen, nur weil sie als Arbeitskräfte nicht mehr verwendet werden konnten, als besonders verwerflich anzusehen. Dessen war sich der Angeklagte nach Überzeugung der Kammer durchaus bewusst. Selbst wenn der Angeklagte die arbeitsunfähigen Häftlinge - was sich jedoch nicht sicher feststellen liess - daneben vor allem auch wegen ihrer Angehörigkeit zur jüdischen Rasse töten wollte, wäre auch ein solches weiteres Tötungsmotiv selbst nach den damaligen allgemein gültigen Vorstellungen sittlich verachtenswert.

Im übrigen konnte nicht festgestellt werden, dass der Angeklagte - wie ihm die Anklage weiter vorwirft - auch aus Mordlust und grausam gehandelt hat. Sichere Anhaltspunkte insbesondere dafür, dass er seinen Opfern auch schwere Leiden körperlicher und seelischer Art zufügen wollte, liegen nicht vor.

Der Angeklagte hat auch nicht etwa auf Anweisung oder auf Druck vorgesetzter Dienststellen, sondern aus eigenem Antrieb gehandelt, als er sich zur Tötung der arbeitsunfähigen Häftlinge entschloss. Zwar ist nach den Feststellungen der Kammer davon auszugehen, dass er dabei gemeinschaftlich, im bewussten und gewollten Zusammenwirken mit dem Lagerführer SS-Scharführer Engst, der ihm dienstlich jedoch nicht etwa vorgesetzt war, handelte. Das vermag an der Täterschaft oder Schuld des Angeklagten, der die ihm von Engst in die Baracke geschickten Häftlinge eigenhändig tötete, jedoch nichts zu ändern.

2. Der Angeklagte hat sich auch in den drei ihm im Arbeitslager Joehvi nachgewiesenen Tötungsfällen jeweils eines Mordes nach §211 StGB strafbar gemacht. Auch die drei jüdischen Häftlinge, bei denen er Fieber festgestellt hatte, hat der Angeklagte jeweils vorsätzlich aus niedrigen Beweggründen getötet.

Die Tötung von kranken Menschen, nur um ein mögliches erneutes Umsichgreifen von Seuchen zu verhindern, ist, worüber sich der Angeklagte nach Überzeugung der Kammer im klaren war, gleichfalls selbst nach der damaligen sittlichen Anschauung, verachtenswert und steht auf niedrigster sittlicher Stufe, zumal es dem Angeklagten möglich gewesen wäre, auch diese Häftlinge wie die zuvor erkrankten Häftlinge in das Krankenrevier nach Vaivara transportieren zu lassen.

« II. Keine Rechtfertigungs- oder Entschuldigungsgründe »

Rechtfertigungs- oder Entschuldigungsgründe liegen nicht vor. Auch wenn der Angeklagte unter den damaligen Verhältnissen sicher sein konnte, für seine Taten nicht zur Verantwortung gezogen zu werden, wurde sein Bewusstsein, strafwürdiges Unrecht zu tun, dadurch nicht aufgehoben.
Die Schuldfähigkeit des Angeklagten zum Zeitpunkt der Begehung der Taten war auch nicht nach §§20, 21 StGB ausgeschlossen oder erheblich vermindert.

« III. Strafzumessung und Kostenentscheidung »

Gegen den Angeklagten war wegen Mordes in allen 18 Fällen gemäss §211 Abs.1 StGB jeweils eine lebenslange Freiheitsstrafe zu verhängen.

Die Kostenentscheidung folgt aus §§465, 467 StPO.

Lfd.Nr.858

Tatkomplex
Schreibtischverbrechen

Tatort
Paris, Bordeaux

Tatzeit
41-44

Gerichtsentscheidungen
LG Köln vom 11.02.1980, 59-44/78

INHALTSVERZEICHNIS

des unter Lfd.Nr.858 veröffentlichten Urteils

LG Köln vom 11.02.1980, 59-44/78

59 - 44/78

Im Namen des Volkes

In der Strafsache gegen [88]

1. den Rentner Kurt Lis., geboren am 16.8.1909 in Breslau, wohnhaft: 5 Köln 80, Deutscher, verheiratet,
2. den Geschäftsführer Herbert Martin Hag., geboren am 20.9.1913 in Neumünster, wohnhaft: 4788 Warstein, Deutscher, verheiratet,
3. den Rechtsanwalt Ernst Hei., geboren am 13.5.1920 in Berlin-Hermsdorf, wohnhaft: 8761 Bürgstadt, Deutscher, verwitwet,

wegen Beihilfe zum Mord.

Die 15. grosse Strafkammer des Landgerichts Köln als Schwurgericht hat in den Sitzungen vom 23., 25., 29. und 31.Oktober 1979, 2., 6., 8., 14., 16., 20., 26., 28. und 30.November 1979, 4., 6., 12., 14., 20. und 28.Dezember 1979, 7., 9., 11., 17., 23., 25., 29. und 31.Januar 1980, 4., 6. und 11.Februar 1980 am 11.Februar 1980 für Recht erkannt:

I. Die Angeklagten sind der Beihilfe zum Mord schuldig.
II. Es werden verurteilt:
1. der Angeklagte Lis. zu einer Freiheitsstrafe von 10 Jahren,
2. der Angeklagte Hag. zu einer Freiheitsstrafe von 12 Jahren,
3. der Angeklagte Hei. zu einer Freiheitsstrafe von 6 Jahren.
III. Auf die erkannten Freiheitsstrafen wird bei allen Angeklagten die Internierungshaft angerechnet, beim Angeklagten Lis. jedoch mit Ausnahme der Zeit, in der er in der Tschechoslowakei interniert war.
IV. Die Kosten des Verfahrens werden den Angeklagten auferlegt einschliesslich der den Nebenklägern, soweit sie für die einzelnen Angeklagten zugelassen sind, erwachsenen notwendigen Auslagen mit Ausnahme der den Nebenklägern Grü., Cza., Dou., Ba. und Esther B. erwachsenen notwendigen Auslagen. Entgegen der Zulassung sind die dem Nebenkläger Gin. erwachsenen notwendigen Auslagen von dem Angeklagten Hei. nicht zu erstatten.

(§§211, 27, 52 StGB)

GRÜNDE

I. Die tatsächlichen Feststellungen

A. Lebenslauf der Angeklagten

1. Der Angeklagte Lis.

Der jetzt 70 Jahre alte Angeklagte Kurt Lis. wurde am 16.8.1909 in Breslau geboren. Sein Vater war Bankbeamter. Er ging in Breslau zur Schule und legte dort 1927 sein Abitur ab.

[88] Dieses Urteil ist hins. aller Angeklagten rechtskräftig durch Beschluss des BGH vom 26.6.1981, 2 StR 123/81.

Danach studierte er in Breslau und Berlin Rechts- und Staatswissenschaften. Das Referendarexamen legte Lis. im Oktober 1930 ab, das Assessorexamen im April 1934. Als Gerichtsassessor war er bei verschiedenen Amtsgerichten des Oberlandesgerichtsbezirk Breslau vertretungsweise tätig. Verschiedentlich wurde er mit Anwalts- und Notarvertretungen betraut.

Zum 1.9.1935 wurde Lis. zum Geheimen Staatspolizeiamt einberufen und im August 1936 unter gleichzeitigem Ausscheiden aus dem Gerichtsdienst als Regierungsassessor übernommen. Im Geheimen Staatspolizeiamt war der Angeklagte als Referent mit Kirchenangelegenheiten beschäftigt und übernahm Anfang 1938 die Leitung des Referates IV B (Judenangelegenheiten). Ende 1938 übernahm er die Leitung der Reichszentrale für die jüdische Auswanderung in Berlin. Im Januar 1940 wurde Lis. Leiter der Stapostelle Köln, wo er bis zu seiner Versetzung nach Paris im November 1940 blieb.

Bei der Dienststelle des Beauftragten des Chefs der Sicherheitspolizei und des SD für Frankreich und Belgien in Paris, später des Befehlshabers der Sicherheitspolizei und des SD im Bereich des Militärbefehlshabers Frankreich (BdS) wurde er der Stellvertreter des Leiters dieser Dienststelle Dr. Kno. Gleichzeitig übernahm er die Leitung der Abteilung II. Neben dieser Tätigkeit beim BdS wurde Lis. am 15.1.1943 mit Einrichtung der Dienststelle zugleich auch Kommandeur der Sicherheitspolizei und des SD von Paris (KdS).

Mit Wirkung vom 10.9.1943 wurde Lis. von Paris abberufen und nach Berlin zum Reichssicherheitshauptamt zurückbeordert. Seine Abberufung stand im Zusammenhang mit der Einleitung eines Strafverfahrens gegen ihn wegen einfacher passiver Bestechung. Ausweislich eines Schreibens des Untersuchungsführers beim Chef der Sicherheitspolizei und des SD - Staatspolizeistelle Potsdam - vom 4.2.1944 an den Reichsführer-SS soll die Pariser Dienststelle Lis.s sich in ein Steuerstrafverfahren, das gegen einen französischen Staatsangehörigen bei den französischen Behörden lief, eingeschaltet und die dort beschlagnahmten goldenen Uhren selber übernommen haben; diese Uhren sollen nach Genehmigung des Kommandeurs der Sicherheitspolizei in Paris Lis. an Angehörige der Dienststelle verkauft worden sein, und aus dem Verkaufserlös soll die Steuerstrafe der französischen Staatsangehörigen bezahlt worden sein. In der am 27.6.1944 vor dem SS- und Polizeigericht XXI in Paris durchgeführten Hauptverhandlung wurde Lis. freigesprochen.

Nach seiner Zurückberufung nach Berlin erhielt Lis. zunächst kein festes Amt zugewiesen, sondern wurde je nach Bedarf bei verschiedenen Abteilungen eingesetzt. Im Frühjahr 1944 wurde Lis. Leiter des Referats "Protektorat Böhmen/Mähren". Nebenbei wirkte er in der Sonderkommission mit, die anlässlich der Ereignisse des 20.7.1944 eingerichtet worden war, in der er mit der Durchführung von Vernehmungen befasst war.

Im April 1945 erfolgte eine Evakuierung der Dienststelle Lis.s nach Schleswig-Holstein. Am 3.5.1945 wurde die Gruppe Nord aufgelöst, und die Angehörigen der Dienststelle erhielten den Befehl, sich nach einem Ort ihrer Wahl durchzuschlagen. Lis. blieb in St. Peter in Holstein, wo er als Landarbeiter arbeitete. Am 10.12.1945 wurde er festgenommen und kam in englische Internierung, später in französische. Am 2.5.1947 wurde Lis. an die Tschechoslowakei ausgeliefert und dort interniert. Am 22.8.1950 wurde Lis. in die Bundesrepublik entlassen, ohne dass gegen ihn in der Tschechoslowakei ein Verfahren eingeleitet worden war. Gegenstand der dortigen Untersuchung war seine Protektoratstätigkeit gewesen.

Ab 1950 arbeitete der Angeklagte Lis. in Köln als kaufmännischer Angestellter in einer Samengrosshandlung. Ende der 50-er Jahre wurde er Prokurist dieser Firma. Aus der Firma schied er 1975 aus und lebt seitdem als Rentner.

Der Angeklagte ist verheiratet. Aus der Ehe sind keine Kinder hervorgegangen.

Der Angeklagte war am 1.6.1933 in die SS eingetreten. Befördert wurde er am 9.11.1934 zum SS-Sturmmann, am 13.9.1936 zum SS-Rottenführer, am 20.4.1937 zum SS-Unterscharführer, am 9.11.1937 zum SS-Hauptscharführer, am 30.1.1938 zum SS-Untersturmführer, am 20.4.1938 zum SS-Obersturmführer, am 11.9.1938 zum SS-Sturmbannführer und am 20.4.1942 zum SS-Obersturmbannführer. Sein Eintritt in die NSDAP erfolgte 1937.

Der Angeklagte Lis. wurde am 18.9.1950 von dem Ständigen Militärgericht Paris in Abwesenheit zu lebenslanger Zwangsarbeit verurteilt. Das Gericht befand ihn für schuldig, wissentlich den Tätern geholfen oder bei Handlungen assistiert zu haben, die der Vorbereitung, Erleichterung oder Ausführung der Verhaftung, Freiheitsberaubung und Deportation französischer Staatsangehöriger dienten, wobei die Freiheitsberaubungen mehr als einen Monat angedauert haben. Das Gericht fand ihn ebenfalls der Zugehörigkeit zu einer kriminellen Vereinigung schuldig. Gegenstand des Abwesenheitsurteils wie auch eines zuvor am 28.6.1950 ergangenen Einstellungsbeschlusses war die Mitwirkung des Angeklagten Lis. bei Geiselnahmen in seiner Eigenschaft als KdS von Paris gewesen. In dem erwähnten Einstellungsbeschluss hatte der militärische Untersuchungsrichter beim Ständigen Militärgericht Paris befunden, dass das Verfahren gegen Lis. wegen Verdachts der Beihilfe zu vorsätzlichen Tötungen einzustellen sei, weil es insoweit keine genügenden Beweise gegen ihn gäbe, dass aber dem Verfahren wegen der oben genannten Vorwürfe der Freiheitsberaubung, der Körperverletzung und der Zugehörigkeit zu einer kriminellen Vereinigung Fortgang zu geben sei. Dies hatte zu der erwähnten Verurteilung in Abwesenheit geführt.

2. Der Angeklagte Hag.

Der jetzt 66 Jahre alte Angeklagte Herbert Hag. wurde am 20.9.1913 in Neumünster geboren. Sein Vater war aktiver Soldat, der im ersten Weltkrieg in französische Gefangenschaft geriet und 1920 aus der Gefangenschaft zurückkehrte; danach trat er in den Zolldienst ein. Versetzungen des Vaters bedingten einen häufigen Schulwechsel des Angeklagten Hag. Sein Abitur machte er 1932 an der Oberrealschule II in Kiel.

Weil ihm ein Studium aus finanziellen Gründen nicht möglich war und ihm der Eintritt in die Offizierslaufbahn nicht gelang, begann der Angeklagte Hag. nach dem Abitur mit einer kaufmännischen Lehre bei einer Firma in Kiel. Diese Lehre brach er jedoch 1934 ab. Grund hierfür war, dass Hag., der am 1.11.1933 in die SS eingetreten war, die Möglichkeit erhielt, in den SD übernommen zu werden. Seit Mai 1934 gehörte Hag. dem SD an, wo er zunächst in dem Referat "Presse" im SD-Hauptamt in München beschäftigt war. 1936 wurde das SD-Hauptamt nach Berlin verlegt, wo Hag. im gleichen Jahr anfing, Zeitungswissenschaften zu studieren. Später erstreckte sich sein Studium auch auf Auslandswissenschaften.

Im SD-Hauptamt wurde Hag. 1937 Leiter des Referates II 112 (Judenreferat). Sein Vorgesetzter war Professor Dr. Six, bei dem Hag. auch studierte und bei dem er 1940 im Fach Zeitungswissenschaft seine Diplomarbeit über das Judentum in England schrieb. 1939 wurden bei Gründung des Reichssicherheitshauptamtes die Abteilungen des SD-Hauptamtes in dieses eingegliedert. Hag. wurde nach Rückkehr von einer Wehrausbildung, an der er von Juni bis Dezember 1939 teilgenommen hatte, in der Abteilung VI (Auslandsnachrichtendienst) Referent für die Türkei und den vorderasiatischen Staatenblock (Abt. VI D 5) und für Judentum und Antisemitismus (Abt. VI H 2).

Im Juni 1940 nach dem Waffenstillstand mit Frankreich wurde Hag. nach Paris mit anderen SD-Leuten unter der Leitung von Dr. Kno., der in der Abteilung VI H im Reichssicherheitshauptamt sein Gruppenleiter gewesen war, abgeordnet. Aufgabe dieser Gruppe war es, Arbeitsmöglichkeiten für die Sicherheitspolizei und den SD in Frankreich aufzubauen. Nach etwa einmonatiger Tätigkeit in Paris wurde Hag. als Aussendienststellenleiter in Bordeaux eingesetzt. Im Mai 1942 wurde Hag. persönlicher Referent des Höheren SS- und Polizeiführers (HSSPF) in Frankreich, des SS-Brigadeführers und späteren SS-Gruppenführers Oberg, in Paris. Oberg und Hag. kannten sich von ihrer gemeinsamen Tätigkeit beim SD--Hauptamt in München her. Gleichzeitig wurde Hag. Leiter der Abteilung VI (Auslandsnachrichtendienst) beim Befehlshaber der Sicherheitspolizei und des SD in Paris. Diese Tätigkeit endete Mitte 1943, die des persönlichen Referenten des HSSPF in Paris im August 1944. Von Oktober 1944 bis März 1945 war Hag. beim Höheren SS- und Polizeiführer Alpenland eingesetzt, danach im Verbindungsstab der Heeresgruppe Süd.

Am 13.5.1945 geriet Hag. in englische Gefangenschaft und kam in verschiedene Lager. Im Oktober 1946 wurde er von den Engländern an die französische Abwehr ausgeliefert, von der er vernommen wurde. Im Dezember 1947 erfolgte seine Rücküberstellung an die Engländer. Am 4.3.1948 wurde Hag. aus der Internierung entlassen.

Der Angeklagte heiratete am 9.7.1943 in Paris Maria Anna Bir., die im Referat IV J beim BdS als Schreibkraft arbeitete. Aus der Ehe sind vier Kinder hervorgegangen, von denen noch drei leben.

Nach dem Kriege arbeitete der Angeklagte Hag. eine Zeit lang bei einer englischen Firma, die mit der Demontage deutscher Werke befasst war. Seit 1964 ist er Geschäftsführer einer Apparatebaufirma in Warstein.

Nach seinem Eintritt in die SS war Hag. befördert worden am 1.1.1934 zum SS-Mann, am 4.7.1934 zum SS-Sturmmann, am 20.4.1935 zum SS-Rottenführer, am 9.11.1935 zum SS--Unterscharführer, am 1.7.1936 zum SS-Scharführer, am 30.1.1937 zum SS-Oberscharführer, am 30.1.1938 zum SS-Untersturmführer, am 11.9.1939 zum SS-Obersturmführer, am 30.1.1939 zum SS-Hauptsturmführer und am 9.11.1941 zum SS-Sturmbannführer. Sein Eintritt in die NSDAP war 1937 erfolgt.

Durch Entscheidung des Spruchgerichts Stade vom 5.5.1948 wurde der Angeklagte wegen Zugehörigkeit zur SS und zum SD zu einem Jahr und sechs Monaten Gefängnis verurteilt; die Strafe galt durch die erlittene Internierung als verbüsst. Durch Urteil des französischen Militärgerichts Paris vom 18.3.1955 wurde Hag. in Abwesenheit zu lebenslanger Zwangsarbeit verurteilt. Das Gericht befand ihn für schuldig, wissentlich einer kriminellen Vereinigung angehört zu haben, die systematisch zu dem Zweck der Begehung von Verbrechen errichtet worden war und die französische Staatsangehörige oder Schutzbefohlene aus dem französischen Gebiet deportierte oder deportieren liess, wobei die Freiheitsberaubungen länger als einen Monat andauerten. Die Schuldvorwürfe gegen Hag. wurden aus der Funktion des Angeklagten als persönlicher Referent des HSSPF Oberg hergeleitet. Zuvor war am 3.5.1950 ein Einstellungsbeschluss des ständigen Militärgerichts in Paris gegen den Angeklagten Hag. ergangen, dem die Tätigkeit Hag.s als Leiter der Abteilung VI des BdS Paris und die Anklagepunkte der Beihilfe zur vorsätzlichen Tötung, zur Körperverletzung und zur Freiheitsberaubung im Rahmen dieser Tätigkeit zugrunde gelegen hatten. Nach seiner Verurteilung in Abwesenheit hatte der Angeklagte Hag. noch mehrere Reisen nach Frankreich unternommen, ohne festgenommen zu werden.

3. Der Angeklagte Hei.

Der jetzt 59 Jahre alte Angeklagte Ernst Hei. wurde am 13.5.1920 in Berlin-Hermsdorf geboren. Sein Vater war Lehrer. Hei. besuchte in Berlin die Volksschule und im Anschluss hieran ein Gymnasium. 1939 legte er die Reifeprüfung ab. Am 1.4.1939 wurde Hei. zum Arbeitsdienst verpflichtet und nahm ab 1.9.1939 am Polenfeldzug teil. Aufgrund einer Knieerkrankung wurde er als wehruntauglich entlassen.

Er begann daraufhin 1940 in Berlin, Rechtswissenschaften zu studieren. In den Semesterferien wurde er zum Reichssicherheitshauptamt notdienstverpflichtet, wo er im Judenreferat für bibliothekarische Arbeiten eingesetzt wurde. Er wurde sodann zur Dienststelle des Beauftragten des Chefs der Sicherheitspolizei und des SD in Paris abgeordnet, wo er seinen Dienst im Oktober 1940 antrat. Er erhielt den Angleichungsdienstgrad "Staffelunterscharführer". Auf dieser Dienststelle war Hei. bis Mitte November 1942 in der Abteilung IV J, dem Judenreferat, tätig. Danach kam er für kurze Zeit nach Südfrankreich. Nach seiner Rückkehr nach Paris war er Anfang 1943 im Vorzimmer des Kommandeurs der Sicherheitspolizei eingesetzt; dies war seinerzeit der Angeklagte Lis. Danach kam der Angeklagte Hei. zurück zum BdS Paris in die Abteilung IV E, wo er im Referat "Widerstand, Spezialgebiet für englische Waffenabwürfe und Absprung von Sabotagetrupps" arbeitete; er wurde ebenfalls zur Bandenbekämpfung eingesetzt.

1944 wurde Hei. von Paris nach Berlin zurückkommandiert und im Reichssicherheitshauptamt eingesetzt. In den letzten Wochen des Krieges schloss sich der Angeklagte der Waffen--SS Einheit "Prinz Eugen" in den Alpen an, nachdem er die Einheit, zu der er eigentlich abkommandiert worden war, nicht mehr erreicht hatte. Bei dieser Einheit verblieb Hei. bis zum 10.5.1945, weil in der Einheit erst zu diesem Datum bekannt wurde, dass der Krieg beendet war.

Hei. schlug sich nach Bürgstadt durch, wo seine spätere Ehefrau, die er im Dezember 1946 heiratete und die er in Paris kennengelernt hatte, lebte. In Bürgstadt wurde er Anfang Juni 1945 von den Amerikanern verhaftet und kam nach Hammelburg in die Internierung. Im Dezember 1946 wurde er aus der Internierungshaft entlassen. Im Entnazifizierungsverfahren wurde er als Mitläufer (Gruppe IV) eingestuft. Hei. nahm wieder das Studium der Rechtswissenschaften auf und legte 1953 die erste und 1956 die zweite juristische Staatsprüfung ab. 1958 liess er sich in Miltenberg als Rechtsanwalt nieder; dieser Tätigkeit geht er nach heute nach. In Bürgstadt wurde Hei. in den Gemeinderat und 1952 zum zweiten Bürgermeister gewählt. Seit 1960 ist er erster Bürgermeister von Bürgstadt.

Die Ehe des Angeklagten, die am 24.12.1946 geschlossen wurde, blieb kinderlos. Die Ehefrau Hei. ist im Jahre 1975 gestorben.

Gegen Hei. erging am 22.3.1949 ein Einstellungsbeschluss des ständigen Militärgerichts in Paris, dem seine Tätigkeit bei der Abteilung IV E des BdS Paris zugrunde gelegen hatte.

B. Die Judenpolitik des "Dritten Reiches" und die Befassung der Angeklagten Hag. und Lis. hiermit

Der Antisemitismus nahm eine zentrale Stellung im Programm der "NSDAP" ein. Die Judenpolitik im "Dritten Reich" war jedoch keineswegs von einer einheitlichen Linie gekennzeichnet und auch nicht von Anbeginn auf eine Ausrottung der Juden hin ausgerichtet, auch wenn die sich von Stufe zu Stufe verschärfenden Massnahmen, die gegen die Juden ergriffen wurden, auf eine derartige Linie hinzudeuten scheinen. Innerhalb der verschiedenen Gruppen der Partei und der SS gab es vielmehr verschiedene Auffassungen, auf welche Weise die "Judenfrage" zu lösen wäre.

Nach den Ausschreitungen, die gegen Juden gleich nach der Machtergreifung im Jahre 1933 begannen, und den ersten Ansätzen, durch eine Vielzahl von Gesetzen und Verordnungen die Juden aus der Wirtschaft und der Öffentlichkeit zu verdrängen, trat nach den Nürnberger Rassengesetzen von 1935 eine Zeitspanne relativer Beruhigung ein. Während die Staatsbehörden noch immer daran dachten, die "Judenfrage" durch Gesetze zu lösen, war das Judenreferat des SD, das zu diesem Zeitpunkt von dem SS-Untersturmführer Leopold von Mildenstein geleitet wurde, zu der Überzeugung gelangt, dass das Problem allein durch eine Auswanderung aller Juden zu lösen wäre, wobei eine Zeitlang an eine gezielte Auswanderung nach Palästina gedacht wurde. Dieses Konzept des SD setzte sich mit der Zeit auch an höchster Stelle durch.

Leiter des Judenreferats des SD, der Abteilung II 112, und Nachfolger von Mildenstein wurde 1937 der Angeklagte Hag. Wie Hag. in einem Bericht über den "Umbau der Abteilung bei II 1" festhielt, hatte "die eigentliche Bearbeitung des Gegners Judentum durch die Abteilung II 112" etwa Ende 1935 begonnen, wobei die Arbeit zunächst in einer organisatorischen Erfassung der Juden in Deutschland bestand. In dem Bericht Hag.s heisst es weiter:

> "Nach dem Wechsel in der Leitung der Zentralabteilung II 1 und der Leitung der Abteilung II 112 wurde sofort von der theoretischen Bearbeitung des Judentums abgegangen und die praktische Arbeit aufgenommen. Dabei wurde insbesondere Wert darauf gelegt, nicht nur über das zuständige Referat im Geheimen Staatspolizeiamt über die Lage im Judentum unterrichtet zu werden, sondern es wurde direkte Fühlung mit den leitenden Funktionären auf dem Wege von Vorladungen im Gestapa aufgenommen. Ausserdem beschränkte sich die Arbeit nicht nur auf das in Deutschland ansässige Judentum, sondern wurde vielmehr auch auf die Erfassung und Bearbeitung des Judentums im Ausland ausgedehnt.
> ...
> Durch regelmässige Vorladungen der leitenden Funktionäre der jüdischen Organisationen wird versucht, die gesamte Judenpolitik so auszurichten, dass die Auswanderung besonders unbemittelter Juden laufend gefördert und verstärkt wird.
> ...
> Darüber hinaus wurde angefangen, durch die Verbindungsaufnahme mit den zuständigen Stellen im Innenministerium und dem Auswärtigen Amt, direkten Einfluss auf die praktische Durchführung der Auswanderung zu bekommen. Das Endziel, wie das noch näher in einem in Arbeit befindlichen Bericht an C (Anm.: Heydrich) dargelegt werden soll, ist die Zentralisierung der gesamten Bearbeitung der Judenfrage in Deutschland bei SD und Gestapa."

Mitarbeiter Hag.s in der Abteilung II 112 waren u.a. der damalige SS-Scharführer Adolf Eichmann, der SS-Oberscharführer Theodor Dannecker, der später Judenreferent der Dienststelle des Beauftragten des Chefs der Sicherheitspolizei und des SD bzw. des BdS in Paris wurde, und der SS-Hauptscharführer Doberschütz, späterer Judensachbearbeiter der Aussenstelle Bordeaux.

Im September und Oktober 1937 unternahm der Angeklagte Hag. zusammen mit Eichmann eine Reise nach Palästina, nachdem ein Kontakt mit Polkes, der an leitender Stelle der zionistischen Organisation "Hagana" tätig war, zustande gekommen war. Die Verbindungsaufnahme mit Polkes sollte gemäss einem Bericht Hag.s vom 17.6.1937 Material über die Pläne des Weltjudentums bringen sowie Aufklärung über die Hintermänner einiger Attentate, für die Juden verantwortlich gemacht worden waren. Ziel der Palästina-Reise sollte es weiterhin sein, die dortige jüdische Kolonisationsarbeit eingehend zu studieren. Hag. schrieb hierzu in dem genannten Bericht:

> "Die Kenntnis von diesen Arbeiten erscheint insbesondere deshalb wichtig, als nach Proklamation eines Judenstaates oder eines jüdisch verwalteten Palästinas Deutschland ein neuer aussenpolitischer Gegner erwachsen würde, der die politische Linie des vorderen Orients entscheidend beeinflussen könnte. Zudem würde durch die staatliche Konstituierung für die in Deutschland ansässigen Juden die Minderheitenfrage akut werden."

Hag.s Haltung gegenüber einem Judenstaat zeigte auch die Schrift "Das Weltjudentum", die 1939 aus der Abteilung II 112 hervorging und unter dem Pseudonym Dieter Schwarz, das für Schriften des SD benutzt wurde, erschien und an der der Angeklagte Hag. zumindest mitgearbeitet hat, wenn er nicht sogar ihr alleiniger Verfasser gewesen war. In dem Schlussabschnitt "Um den Judenstaat" wird zunächst herausgestellt, dass das Judenproblem durch die Errichtung eines Judenstaates unlösbar wäre, weil das Land von den 17 Mio. in der ganzen Welt lebenden Juden mosaischen Bekenntnisses im Höchstfalle 1 Mio. aufnehmen könne, so dass weiterhin mindestens 16 Mio. Juden in ihren Gastländern verbleiben würden. Zudem würde der geplante Palästinastaat zu einem "Aktionszentrum der jüdischen Internationale" werden. In der darauffolgenden Schlussbetrachtung heisst es:

> "Deutschland hat aus dem Verhalten des Weltjudentums durch den endgültigen Ausschluss aller Juden aus seinem Gemeinschaftsleben die Konsequenz gezogen. Verschiedene Staaten sind dabei, diesem Beispiel zu folgen. Die Demokratien aber haben sich in den Dienst des Weltjudentums gestellt. Ihre Kultur, Wirtschaft und Politik sind stark vom Judentum durchsetzt oder sogar beherrscht, indem deren führende Männer zum Teil die gleichen sind, die in den grossen jüdischen Organisationen aller Länder sitzen.
> Besonders die Verantwortung Englands, aus dessen in der Balfour-Erklärung abgegebenen Garantie das internationale Judentum seinen Anspruch auf Errichtung eines Judenstaates ableitet, ist im Hinblick auf die in London tagende Palästina-Konferenz ausserordentlich gross. Lässt sie doch einen Schluss zu, ob die Völker der Welt sich auch in der Zukunft dem Willen des Weltjudentums unterwerfen oder ihre eigenen ihnen selbst dienenden Wege gehen wollen.
> Wie auch immer die Entscheidung in London ausfallen wird, Deutschland wird von dem einmal beschrittenen Wege zur endgültigen Lösung der Judenfrage nicht abgehen."

Wie in dem Bericht Hag.s über den Umbau der Abteilungen bei II 1 erwähnt, unterhielt das Judenreferat des SD enge Beziehungen zu dem korrespondierenden Sachreferat beim Geheimen Staatspolizeiamt, dem Referat II B 4, das der Angeklagte Lis. ab 1938 leitete. Die Beziehungen zu diesem Referat bezeichnete Hag. in seinem Tätigkeitsbericht der Abteilung II 112 für die Zeit vom 1.7. bis 31.12.1938 als "sehr gut". Aufgrund dieser Zusammenarbeit der beiden Abteilungen kam es zu Stapo-Aktionen, die überwiegend auf Anregungen der Abteilung II 112 beruhten und an denen die Abteilung selbst aktiv teilnahm, so die "laufende Durchsuchung der Büros der jüdischen Organisationen" und "Führung der mit den Leitern der jüdischen Organisationen durchgeführten Vernehmungen".

Zu den Tätigkeiten Hag.s in dieser Zeit gehörte auch die weltanschauliche Schulung der verschiedensten Gruppen in der Form von Vorträgen über "Judentum", "Organisation des Judentums in Deutschland und die praktische Behandlung der Judenfrage" oder "Stand der Judenfrage und Sofortmassnahmen". Derartige Vorträge hielt Hag. in den Jahren 1937 und 1938 unter anderem vor dem Volksgerichtshof, der Kriegsakademie, den Gauinspekteuren der NSDAP, vor Offizieren des Marine-Oberkommandos Kiel, dem pressepolitischen Amt der NSDAP, in Polizeischulen und auf Sturmbannführer-Kursen. Zwei Vorträge Hag.s im August 1938 hielt nach seinem Manuskript Dr. Kno.

Auf den Vorstellungen des Judenreferates des SD basierend wurde nach dem Anschluss Österreichs in Wien unter der Leitung Eichmanns die "Zentralstelle für jüdische Auswanderung" errichtet. Auch der Angeklagte Hag. war zur Zeit des Anschlusses vom 10.3. bis 11.4.1938 "zur Teilnahme an den Aktionen in Österreich" nach Wien abkommandiert.

Die Geschehnisse in der Nacht vom 9. auf den 10.11.1938, der sogenannten "Reichskristallnacht", die Hag. zusammen mit seinem Vorgesetzten Dr. Six für einen Bericht Heydrichs noch während der Vorgänge selbst zusammenzustellen und auszuwerten begann, waren auslösendes Moment für eine weitere Verschärfung der Massnahmen gegen die Juden im Reichsgebiet. Nach dem Wiener Vorbild wurde zur Förderung der Auswanderung in Berlin eine "Reichszentrale für die jüdische Auswanderung" geschaffen, deren Leiter bis Ende 1939 der Angeklagte Lis. war. In seinem Tätigkeitsbericht für die Zeit vom 1.7. bis zum 31.12.1938 für die Abteilung II 112 hob der Angeklagte Hag. hervor, dass aufgrund der Vorarbeiten der Abteilung II 112 im Anschluss an die November-Aktion gegen die Judenschaft der Vorschlag zur Vereinigung sämtlicher jüdischer Organisationen sowie die Errichtung von Zentralstellen jüdischer Auswanderung gemacht und von Göring und allen beteiligten Ministerien ohne Änderung angenommen worden sei. An der ersten Arbeitsbesprechung des Ausschusses der Reichszentrale für die jüdische Auswanderung am 11.2.1939 im Geheimen Staatspolizeiamt unter der Leitung von Heydrich nahmen u.a. die Angeklagten Lis. und Hag. teil. Den Auswanderungsplänen stand freilich entgegen, dass für Palästina England die Einwanderungsquote begrenzte und dass auch das übrige Ausland Einwanderer nicht unbegrenzt aufnahm. Mit Kriegsausbruch kamen die Auswanderungsbestrebungen fast völlig zum Erliegen. Auf eine Anfrage des Internationalen Roten Kreuzes hin teilte der Angeklagte Lis. mit Schreiben vom 14.10.1939 dem Auswärtigen Amt in Berlin mit:

> "Betr.: Auswanderung von Juden.
> Vorgang: Schreiben vom 3.10.39 - 83 - 24.27/9
>
> Auf die Anfrage des Internationalen Roten Kreuzes vom 26.9.39 teile ich mit, dass auswanderungswillige Juden in Deutschland keineswegs zurückgehalten werden, sondern im Gegenteil nach wie vor die Auswanderung von Juden, soweit z.Zt. überhaupt noch Möglichkeiten gegeben sind, erwünscht ist.
> Im übrigen ist allerdings bisher Versuchen der Reichsvereinigung der Juden in Deutschland, sich mit dem Roten Kreuz in Verbindung zu setzen, entgegengetreten worden, um nicht durch Befassung des Roten Kreuzes mit Judenauswanderungsangelegenheiten dessen eigene Aufgaben herabzuwürdigen.
>
> Im Auftrage:
> Lis.".

Pläne, die Juden im eroberten Osten oder auf der Insel Madagaskar anzusiedeln, waren nur kurzlebiger Natur und scheiterten von vornherein an der technischen Durchführbarkeit. Im Laufe des Jahres 1941 beschloss Hitler, die in seinem Machtbereich lebenden Juden auszurotten. Himmler, der mit der ihm unterstellten Polizei und der SS das notwendige Instrument hierfür in der Hand hatte, wurde mit der Durchführung der physischen Vernichtung der Juden beauftragt. Nachdem in der ersten Phase der Massentötungen in den besetzten Ostgebieten hinter der Front zunächst Einsatzgruppen im grossen Umfang Massenerschiessungen von Juden vorgenommen hatten und auch bereits Gaswagen zur Tötung von Juden eingesetzt worden waren, wurden die Konzentrationslager im Osten als Vernichtungslager ausersehen. Vor allem beim Konzentrationslager Auschwitz sollte das Schwergewicht der Aktion liegen.

Auf der sogenannten "Wannsee-Konferenz" vom 20.1.1942 wurden unter dem Vorsitz von Heydrich mit Angehörigen der anderen an der "Endlösung der Judenfrage" beteiligten Behörden die Grundlagen für die organisatorische Durchführung der Massnahme besprochen. In der Folgezeit trafen sodann bis Herbst 1944 fast ununterbrochen grössere Transporte mit Juden aus allen besetzten Ländern Europas in Auschwitz ein, wo der überwiegende Teil der Deportierten sogleich nach der Ankunft der Züge dem qualvollen Tod in den Gaskammern zugeführt wurde. Die Transporte waren in der Regel unter der Tarnbezeichnung "Arbeitseinsatz im Osten" nach Auschwitz geschickt worden.

C. Die Endlösung der Judenfrage in Frankreich

1. Einleitung

Alsbald nach der Besetzung von Frankreich verfolgten die deutschen Besatzungsbehörden auch hier eine antisemitische Politik, die ganz der im Reichsgebiet entsprach, allerdings mit dem Unterschied, dass die systematische Entrechtung der jüdischen Bevölkerung innerhalb des Zeitraums von September 1940 bis Mitte 1942 bereits zum Abschluss gebracht werden konnte, was im Reichsgebiet mehrere Jahre in Anspruch genommen hatte.

Die Deportationen von Juden aus Frankreich in die Konzentrationslager im Osten begannen, abgesehen von einem Einzeltransport im März 1942, im Juni 1942 und dauerten bis nach der Invasion in der Normandie am 6.6.1944 in den Sommer 1944 an. Insgesamt wurden in mindestens 71 Transporten, von denen bis auf 7 alle nach Auschwitz gingen, aus Frankreich über 70.000 jüdische Menschen deportiert, von denen etwa 40.000 sogleich nach der Ankunft der Züge den Tod in den Gaskammern fanden.

2.) Die mit der Judenpolitik in Frankreich befassten Behörden

a) Der Militärbefehlshaber in Frankreich

Nach der Besetzung von Frankreich wurden Frankreich und Belgien im Gegensatz etwa zu den besetzten Niederlanden nicht unter eine Zivilverwaltung, sondern eine Militärverwaltung gestellt. Nach der Führeranweisung vom 9.5.1940 sollte der Inhaber der vollziehenden Gewalt in Frankreich der Oberbefehlshaber des Heeres sein. Nachdem dieser Frankreich verlassen hatte, wurde am 25.10.1940 ein Militärbefehlshaber in Frankreich ernannt, der die Besatzungsgewalt inne hatte. Erster Militärbefehlshaber in Frankreich war General Otto von Stülpnagel, der seinen Rücktritt im Februar 1942 einreichte. Sein Nachfolger wurde sein Vetter, General Karl-Heinrich von Stülpnagel.

Der Stab des Militärbefehlshabers gliederte sich in den Kommandostab und den Verwaltungsstab: Der Kommandostab war die Befehlsstelle für die ihm unterstellten Verbände und alle damit verbundenen Aufgaben einschliesslich der militärischen Abwehr. Dem Verwaltungsstab oblag die Aufsicht und Leitung der gesamten zivilen Verwaltungsaufgaben; er war hierzu in die Abteilung Wirtschaft und die Abteilung Verwaltung mit jeweils zahlreichen Unterabteilungen aufgegliedert. Ab April 1943 wurde für den Kommandostab die Bezeichnung "Generalstab des Militärbefehlshabers" und für den Verwaltungsstab die Bezeichnung "Chef der Militärverwaltung" eingeführt.

Zu den Aufgaben der Abteilung Wirtschaft im Verwaltungsstab gehörte die "Entjudung der französischen Wirtschaft". In die Zuständigkeit der Abteilung Verwaltung fiel die allgemeine Aufsicht über die französischen Behörden, insbesondere die Zusammenarbeit mit der französischen Polizei und deren Kontrolle, sowie die Abfassung aller deutschen Verordnungen und die Überprüfung der französischen Gesetzesentwürfe.

Die Zuständigkeit des Militärbefehlshabers für die Aufsicht über die französische Polizei und die Befehlsgewalt über die polizeiliche Exekutive ging bei Einsetzung eines Höheren SS- und Polizeiführers im Mai 1942 auf diesen über.

b) Sicherheitspolizei und SD

Nach dem Waffenstillstand am 22.6.1940 war zunächst nur eine kleine Gruppe von SS-Leuten nach Frankreich als Einsatzkommando z.b.V. entsandt worden, weil die polizeiliche Exekutivgewalt beim Militär lag. Heydrich hatte als persönlichen Vertreter den SS-Brigadeführer Dr. Max Thomas nach Brüssel entsandt, während in Paris unter der Leitung des späteren SS-Standartenführers Dr. Kno. eine Gruppe von vornehmlich Angehörigen des SD--Ausland ihre Arbeit aufnahm. Unter ihnen befand sich der Angeklagte Hag., der zusammen mit Kno. im Juni 1940 nach Paris kam. Zu der Gruppe gehörten auch Vertreter der Geheimen Staatspolizei unter der Leitung des SS-Sturmbannführers Boemelburg.

Ende August 1940 wurde eine Dienststelle des Beauftragten des Chefs der Sicherheitspolizei und des SD in Frankreich und Belgien unter der Leitung von Dr. Thomas mit Dienstsitz in Paris eingerichtet. Die Thomas unterstellten Dienststellen in Paris und Brüssel - die Dienststelle in Paris wurde von Dr. Kno. geleitet - waren an das Funk- und Fernsprechnetz des Reichssicherheitshauptamtes angeschlossen. Aussendienststellen wurden in Bordeaux, Rouen und Dijon eingerichtet, wobei Dijon Aussenkommandos in Nancy, Besançon und Orléans erhielt. Leiter der Aussendienststelle Bordeaux wurde der Angeklagte Hag. Stellvertreter Kno.s war ab November 1940 der Angeklagte Lis.

Aufgrund einer grundlegenden Vereinbarung zwischen dem Oberbefehlshaber des Heeres und dem Reichsführer-SS über den Einsatz der Sicherheitspolizei und des SD in den besetzten Westgebieten wurden diesen als Aufgaben zugeteilt die Erfassung und Überwachung von gegen das Reich gerichteten Bestrebungen der Juden, Emigranten, Logen, Kommunisten und Kirchen sowie die Durchführung und Sicherung von für Deutschland wertvollem Schrifttum in den Staatsbibliotheken und von gegen Deutschland gerichteten politischen Vorgängen in den Kanzleien der hohen Kirchenbehörden und Logen. Da diese Dienststelle keine Exekutivbefugnisse hatte, musste sie bei Aktionen auf die Einheiten der Geheimen Feldpolizei zurückgreifen.

Ein Erlass des Oberkommandos des Heeres vom 2.1.1941 verdeutlichte, dass der Beauftragte des Chefs der Sicherheitspolizei und des SD für Frankreich und Belgien für die ihm zufallenden Sonderaufgaben Referent des Militärbefehlshabers war. Seine Befugnisse wurden jedoch stetig ausgeweitet. Gemäss den Richtlinien für die Zusammenarbeit zwischen dem Militärbefehlshaber und dem Beauftragten des Chefs der Sicherheitspolizei und des SD vom 25.3.1941, herausgegeben vom Militärbefehlshaber, wurde den Einsatzkommandos der Sicherheitspolizei eingeräumt, in dringenden Fällen auch selbständig Verhaftungen, Haussuchungen und Beschlagnahmen durchzuführen. Den Dienststellen der Sicherheitspolizei und des SD wurden unmittelbare Verhandlungen mit der französischen Polizei gestattet sowie genehmigt, die erforderlichen Einzelanweisungen "im Auftrage des Militärbefehlshabers" zu erteilen. Verhandlungen grundsätzlicher Art mit französischen Dienststellen hatte im Rahmen ihres Aufgabenbereiches die Dienststelle Paris unter Beteiligung des Verwaltungsstabes des Militärbefehlshabers zu führen.

Im Herbst 1941 kam es zu einem Konflikt zwischen dem Militärbefehlshaber und dem Chef der Sicherheitspolizei und des SD, aufgrund dessen Stülpnagel die Abberufung von Thomas und Kno. forderte. Während Thomas zur Einsatzgruppe C nach Sowjetrussland versetzt wurde, blieb die Stellung von Dr. Kno. zunächst ungewiss, so dass eine Zeitlang sein Stellvertreter, der Angeklagte Lis., als sein Nachfolger als Behördenleiter angesehen wurde. Heydrich bestand jedoch auf dem Verbleib Kno.s in Paris. Der Konflikt erledigte sich schliesslich durch den Rücktritt Stülpnagels im Februar 1942.

Mit dem Wechsel in der Person des Militärbefehlshabers wurde zugleich die Position der Sicherheitspolizei und des SD in Frankreich auf eine festere Grundlage gestellt. Durch Führerbefehl vom 9.3.1942 wurde im Bereich des Militärbefehlshabers Frankreich ein Höherer SS- und Polizeiführer (HSSPF) eingesetzt. In dem Befehl heisst es u.a.:

"...
2.) Der Höhere SS- und Polizeiführer ist dem Militärbefehlshaber persönlich und unmittelbar unterstellt. Die Polizeidienststellen des Höheren SS- und Polizeiführers sind dem Militärbefehlshaber lediglich territorial unterstellt.
3.) Der Höhere SS- und Polizeiführer ist im Dienstbereich des Militärbefehlshabers für alle Aufgaben zuständig, die dem Reichsführer-SS und Chef der Deutschen Polizei im Reichsministerium des Innern (gemäss Geschäftsverteilungsplan RMdI), sowie als Reichskommissar für die Festigung deutschen Volkstums obliegen.
In diesen Aufgabengebieten hat er gegenüber den französischen Behörden und Polizeikräften Weisungs- und Aufsichtsrecht. Er verfügt über den Einsatz der französischen Polizeikräfte des besetzten Gebietes.
Die Rechtsetzung sowie grundsätzliche Bestimmungen für die Organisation und die Rechtsvorschriften der französischen Behörden einschliesslich ihrer Verkündung sind Sache des Militärbefehlshabers. Soweit es sich dabei um Erlasse auf Gebieten gemäss Absatz 1 handelt, ist der Höhere SS- und Polizeiführer die bearbeitende Dienststelle des Militärbefehlshabers.
4.) Der Höhere SS- und Polizeiführer erhält seine Weisungen:
a) für die militärische Sicherung des Landes und für alle militärischen Operationen durch den Militärbefehlshaber,
b) für die polizeiliche Tätigkeit und die Behandlung der ihm obliegenden Volkstumsfragen durch den Reichsführer-SS und Chef der Deutschen Polizei.
Sollten die militärischen und polizeilichen Weisungen Widersprüche aufweisen, so ist dem Chef des Oberkommandos der Wehrmacht und dem Reichsführer-SS und Chef der Deutschen Polizei zu berichten, die meine Entscheidung herbeiführen. Bei Gefahr im Verzuge kann der Militärbefehlshaber einstweilige bindende Anordnungen treffen. Zu den polizeilichen Massnahmen gehören auch Sühnemassnahmen gegen Verbrecher, Juden und Kommunisten anlässlich ungeklärter Anschläge gegen das Deutsche Reich oder deutsche Reichsangehörige.
...
7.) Der Höhere SS- und Polizeiführer unterrichtet den Militärbefehlshaber über alle grundsätzlichen und wichtigen Massnahmen bzw. Absichten; er hält enge Verbindung mit dem Militärverwaltungschef."

Amtsinhaber wurde der SS-Brigadeführer Carl Oberg, den Heydrich Anfang Mai 1942 in Paris in sein Amt einführte und der offiziell sein Amt am 1.6.1942 antrat. Durch Erlass Heydrichs vom 20.5.1942 wurde Dr. Kno. zum Befehlshaber der Sicherheitspolizei und des SD (BdS) für das besetzte Frankreich ernannt:

"Prag, den 20.Mai 1942.

Erlass

Betr.: Einsetzung des Befehlshabers der Sicherheitspolizei und des SD für das besetzte Frankreich.

1.) Für den Bereich des Militärbefehlshabers in Frankreich ernenne ich beim Höheren SS- und Polizeiführer den Befehlshaber der Sicherheitspolizei und des SD.
Der Befehlshaber der Sicherheitspolizei und des SD im Bereich des Militärbefehlshabers in Frankreich ist Hauptmitarbeiter des Höheren SS- und Polizeiführers. Er bearbeitet die in die Zuständigkeit des Chefs der Sicherheitspolizei und des SD fallenden Aufgaben. Er hat seinen Dienstsitz in Paris.

2.) Als nachgeordnete Dienststellen des Befehlshabers der Sicherheitspolizei und des SD werden im besetzten Frankreich Sicherheitspolizei-(SD)-Kommandos eingerichtet, die ihren Sitz jeweils am Ort der französischen Regional-Präfekturen haben, d.h. in: Dijon - Nancy - Chalon s.M. - St. Quentin - Rouen - Rennes - Orléans - Angers - Poitiers - Bordeaux -.
Diese nachgeordneten Dienststellen erhalten ihre Weisungen vom Befehlshaber der Sicherheitspolizei und des SD.
3.) Für die Durchführung aller Aufgaben errichten die Sicherheitspolizei-(SD)-Kommandos in ihren Bereichen Aussenkommandos, die den Sicherheitspolizei-(SD)-Kommandos unmittelbar unterstehen. Die Leiter der Sicherheitspolizei-(SD)-Kommandos führen die Bezeichnung Kommandeur.

gez. Heydrich."

Zum Befehlshaber der Ordnungspolizei wurde der Oberstleutnant der Schutzpolizei von Schweinichen ernannt. Zur personellen Verstärkung wurde mit Wirkung vom 1.6.1942 der grösste Teil der Geheimen Feldpolizei in die Sicherheitspolizei und den SD überführt.

Der HSSPF war der Vertreter Himmlers für alle Aufgaben, die dem Reichsführer-SS übertragen waren. Er war sein Repräsentant in Frankreich und Chef der in Frankreich eingesetzten Polizeidienststellen. Für Verhandlungen mit den Spitzen der französischen Verwaltung war er der führende Sprecher. Bei auftauchenden Schwierigkeiten wurde er vom BdS und seinen Dienststellen eingeschaltet und von diesen über alle anstehenden Fragen unterrichtet. Auch wenn der BdS und die Abteilungen seiner Dienststelle Befehle direkt vom Reichssicherheitshauptamt erhielten, wurde der HSSPF eingeschaltet, wenn es bei der Ausführung dieser Befehle Schwierigkeiten gab.

Die Dienststelle des HSSPF war klein. Oberg hatte lediglich einen persönlichen Referenten, den Angeklagten Hag., den Oberg von der gemeinsamen Tätigkeit für den SD aus München her kannte, und einen Adjutanten, den Zeugen Jün., der von der Schutzpolizei abkommandiert worden war. Im übrigen war er auf den BdS, der zugleich sein Stellvertreter war, und dessen Personal angewiesen.

Die Dienststelle des BdS war dagegen in beträchtlichem Umfang ausgebaut. Nach dem Muster des Reichssicherheitshauptamts war sie in sieben Abteilungen mit zahlreichen Untergliederungen aufgeteilt. Es handelte sich hierbei im einzelnen um die Abteilung I (Verwaltung der Behörde), die Abteilung II (Polizei- und Rechtsangelegenheiten) - diese Abteilung wurde von dem Angeklagten Lis., der zugleich Vertreter des BdS war, bis zu seiner Abberufung von Paris im September 1943 geleitet -, die Abteilung III (Wirtschaft), die Abteilung IV (Gestapo) unter der Leitung von SS-Sturmbannführer Boemelburg, die Abteilung V (Kripo), die Abteilung VI (Nachrichtendienst) - die Leitung dieser Abteilung hatte der Angeklagte Hag. zugleich neben seinem Amt beim HSSPF bis Sommer 1943 inne - und die Abteilung VII (Erziehung und Schulwesen).

Das Referat IV J - ab Anfang 1943 umgenannt in IV B - war das Judenreferat und unterstand nicht dem Abteilungsleiter der Abteilung IV, sondern arbeitete dem BdS unmittelbar zu. Diesem Referat oblag gemäss Geschäftsverteilungsplan die "sicherheitspolizeiliche Vorbereitung der Endlösung der Judenfrage in Europa". Leiter des Judenreferates war bis August 1942 der SS-Hauptsturmführer Theodor Dannecker, einer der Mitarbeiter Hag.s aus Berlin. Sein Nachfolger als Referatsleiter wurde der SS-Obersturmführer Röthke. Dem Judenreferat gehörte weiter an der SS-Untersturmführer Ahnert. Der Angeklagte Hei. war in diesem Judenreferat von 1940 bis Mitte November 1942 eingesetzt.

Die örtlichen Aufgaben der Sicherheitspolizei in Paris wurden zunächst von der Dienststelle des BdS wahrgenommen. Erst nach der Besetzung Süd-Frankreichs im November 1942 wurde auch in Paris ein Sicherheitspolizei-(SD)-Kommando eingerichtet, und zwar durch Erlass des BdS vom 15.1.1943 mit Wirkung vom selben Tage. Zum Kommandeur des Sicherheitspolizei-(SD)-Kommandos Paris wurde von Dr. Kno. der Angeklagte Lis. unter Beibehaltung seiner Stellung als ständiger Vertreter des BdS bestellt.

c) Die Deutsche Botschaft in Paris

Notwendiger Gesprächspartner des HSSPF und des BdS bzw. des Beauftragten des Chefs der Sicherheitspolizei und des SD in Fragen, die die Einbeziehung von Juden ausländischer Staatsangehörigkeit in die Deportationsmassnahmen betrafen, waren das Auswärtige Amt bzw. dessen Vertretung in Paris, die Deutsche Botschaft Paris. Botschafter war Otto Abetz. Zu seinen Mitarbeitern gehörten der Gesandtschaftsrat Dr. Ernst Achenbach und der Legationsrat Carl Theo Zeitschel.

d) Die französische Verwaltung

Da die deutschen Besatzungsbehörden infolge der Kriegssituation unter ständiger Personalknappheit litten, andererseits aber auch aufgrund der projektierten zukünftigen Zusammenarbeit mit Frankreich nach aussen hin möglichst wenig in Erscheinung treten wollten, waren sie notwendig auf die Zusammenarbeit mit den französischen Behörden angewiesen. Dies galt auch im besonderen Masse für die Massnahmen zur "Endlösung der Judenfrage" in Frankreich.

Die Regierung des besiegten und geteilten Frankreichs mit Sitz in Vichy hatte an den Sitz der deutschen Besatzungsbehörden in Paris für die einzelnen Ministerien Delegierte entsandt, die in direktem Kontakt zu den deutschen Behörden standen und die die eigene Verwaltung des besetzten Gebietes kontrollierten. An der Spitze dieser Vertreter stand der Generaldelegierte, Botschafter de Brinon. Der für die Zusammenarbeit zwischen der französischen Polizei und der Sicherheitspolizei bedeutende französische Polizeiminister Bousquet, der selbst häufig zu Verhandlungen mit den deutschen Stellen in Paris weilte, wurde durch seinen ständigen Repräsentanten Leguay vertreten.

Entsprechend dem Gewicht, das von den deutschen Besatzungsbehörden allen jüdischen Angelegenheiten beigemessen wurde, wurde auf deutsche Veranlassung hin von französischer Seite ein Generalkommissariat für Judenfragen eingerichtet, dessen erster Leiter Xavier Vallat war. Nachdem die deutsche Seite auf dessen Abberufung gedrängt hatte, wurde im März 1942 vom französischen Regierungschef Laval als sein Nachfolger Darquier de Pellepoix ernannt. Die Aufgaben des Generalkommissariats für Judenfragen, die sich auch auf den unbesetzten Teil Frankreichs erstreckten, umfassten im wesentlichen die Berufseinschränkung, die Durchführung und Überwachung der Arisierung, die Überwachung jüdischer Organisationen, antijüdischer Propaganda und die Zusammenarbeit mit der Sicherheitspolizei und dem SD in Fragen der Verhaftung und Deportation der Juden. Vom Generalkommissariat für Judenfragen überwacht wurde die Tätigkeit der "Union Général des Israélits de France" (U.G.I.F.), einer zentralen jüdischen Organisation, deren Gründung die Sicherheitspolizei im November 1941 durchsetzte. Ihr waren ähnliche Aufgaben wie der "Reichsvereinigung der Juden" in Deutschland und den Judenräten in Osteuropa zugedacht. Der U.G.I.F. gelang es jedoch, sich im wesentlichen auf Wohlfahrtsarbeit und Betreuung der jüdischen Bevölkerung zu konzentrieren.

Das Lager Drancy bei Paris, Abgangsort der meisten Judentransporte aus Frankreich in den Osten, stand ebenfalls zunächst unter französischer Verwaltung. Die französischen Lagerkommandanten wurden von dem Polizeipräfekten von Paris eingesetzt. Erst ab Juli 1943 kam das Lager unter deutsche Verwaltung.

3.) Die Vorbereitung der Endlösung in Frankreich

a) Gesetzgeberische Massnahmen

Wie im Reichsgebiet standen auch in Frankreich am Anfang gesetzgeberische Massnahmen, aufgrund derer die jüdische Bevölkerung entrechtet, um ihren Besitz gebracht und in die Isolation getrieben wurde.

Unter der Militärverwaltung in Paris kam am 27.9.1940 die 1.Verordnung über Massnahmen gegen Juden heraus, in der ein Rückkehrverbot für geflüchtete Juden ausgesprochen sowie die Eintragung der jüdischen Bevölkerung in ein Judenregister und die Kennzeichnung jüdischer Geschäfte angeordnet wurde. Ergänzt wurden die Bestimmungen durch die 2.Verordnung über Massnahmen gegen Juden vom 18.10.1940, die eine Anmeldepflicht bis 31.10.1940 für alle jüdischen Geschäfte und Unternehmen, Aktien, Grundstücke usw. vorsahen. Ausserdem konnten nach dieser Verordnung für jüdische wirtschaftliche Unternehmen kommissarische Verwalter bestellt werden. Nach der Bekanntmachung des Militärbefehlshabers vom 10.12.1940 wurden die Präfekten ermächtigt, kommissarische Verwalter für jüdische offene Ladengeschäfte zu bestellen.

Nach der 3.Verordnung über Massnahmen gegen Juden vom 26.4.1941 wurden für Juden Berufsverbote im Gross- und Kleinhandel, im Hotelgewerbe, im Versicherungswesen, in Transportunternehmen usw. angeordnet. Für jüdische Gesellschaftsanteile konnten kommissarische Verwalter bestellt werden. Die 4.Verordnung über Massnahmen gegen Juden vom 28.5.1941 beinhaltete ein Verfügungs- und Veränderungsverbot für Waren und Effekten. Durch Verordnung vom 13.8.1941 über die Einziehung von Rundfunkgeräten der Juden wurde die Ablieferung und das Besitzverbot von Rundfunkgeräten durch Juden angeordnet. Die 5.Verordnung über Massnahmen gegen Juden vom 28.9.1941 regelte die Verwaltung der Arisierungsgewinne. Durch die 6.Verordnung über Massnahmen gegen Juden vom 7.2.1942 wurde den Juden der Ausgang für die Zeit von 20.00 Uhr bis 6.00 Uhr verboten. Die Verordnung beinhaltete ebenfalls das Umzugsverbot und drohte bei Zuwiderhandlung die Einweisung in ein Judenlager an. Die 7.Verordnung über Massnahmen gegen Juden vom 24.3.1942 regelte die Gültigkeit des Judenbegriffs ab 25.6.1940. Durch die 8.Verordnung über Massnahmen gegen Juden wurde in Frankreich der Judenstern eingeführt. Die vorliegenden Dokumente zeigen, welche führende Rolle im Gesetzgebungsverfahren auf diesem Gebiet inzwischen die Dienststelle des Beauftragten des Chefs der Sicherheitspolizei und des SD in Paris inne hatte.

An eine Kennzeichnung der Juden ging man von deutscher Seite mit einiger Vorsicht heran, weil man sich der Reaktion der französischen Bevölkerung hierauf unsicher war. Diese Haltung geht auch aus dem Inhalt eines Vermerks hervor, den der Angeklagte Hag. am 4.3.1942 als Leiter der Aussenstelle Bordeaux gefertigt hatte:

> "Betr.: Kennzeichnung von Juden in Frankreich.
>
> Anlässlich seines Aufenthaltes auf der hiesigen Dienststelle hatte SS-Obersturmbannführer Dr. Kno. in meinem Beisein eine Besprechung mit Bx. 122. Dabei wurde die Frage einer Kennzeichnung der Juden in Frankreich angeschnitten. Bx. 122 wies darauf hin, dass seines Erachtens eine solche Kennzeichnung durchaus möglich sei, nachdem der Franzose in der Provinz einschliesslich des unbesetzten Gebietes eine ausgeprägte anti-jüdische Einstellung einnehme.

Bezeichnend hierfür sei u.a. die vielen, sehr derben, etwa in Bordeaux umlaufenden anti-jüdischen Witze.

Diese anti-jüdische Einstellung werde im unbesetzten Gebiet, z.B. in Pau besonders dadurch verstärkt, dass Pau und Umgebung vollständig von Juden überschwemmt seien. Diese Juden, die über hohe flüssige Vermögen verfügen, kaufen zu allen Preisen auf dem Schwarzmarkt und nehmen dadurch der einfachen Bevölkerung die Möglichkeit, Waren zur Befriedigung ihrer tatsächlichen Bedürfnisse einzukaufen. Das selbe sei im gesamten Süden Frankreichs der Fall, wo sämtliche Preise durch den verheerenden Schwarzhandel der Juden verdorben werden, so dass dadurch ausserordentliche Ernährungsschwierigkeiten entstünden.

Eine Kennzeichnung des Juden würde zu der notwendigen Distanzierung und insbesondere der Verhinderung des Schwarzhandels und der Erschwerung der Ernährungsfrage führen.

gez. Hag.,
SS-Sturmbannführer".

Mit Fernschreiben vom 26.2.1942, vorverfügt von Dannecker, regte der Angeklagte Lis., der zu diesem Zeitpunkt Dr. Kno. als Behördenleiter vertrat, gegenüber der Dienststelle Brüssel an, eine Kennzeichnung der Juden auch im dortigen Dienstbereich einzuführen:

"IV J SA 221 b 3 Paris, den 26.2.1942
Dan./Ge.

An die
Dienststelle Brüssel
Brüssel

Betrifft: Bevorstehende Kennzeichnung der Juden im besetzten Frankreich.
Vorgang: Ohne.

Die Vorbereitungen für eine Kennzeichnung der im Bereich des Militärbefehlshaber in Frankreich vorhandenen Juden stehen vor dem Abschluss. Die Verordnung wird sich auf Juden französischer Staatsangehörigkeit und staatenlose Juden beschränken. Eine besondere Behandlung in Mischehen lebender Juden ist nicht beabsichtigt.
Es ist daran gedacht, den im Reich üblichen gelben Davidstern mit Aufdruck "Juif" zu verwenden. Im Interesse der einheitlichen Handhabung in den besetzten Westgebieten wäre es erwünscht, wenn auch im dortigen Dienstbereich eine Judenkennzeichnung stattfände.
Ich rege deshalb an, mit dem Militärbefehlshaber in Belgien und Nordfrankreich einschlägig zu verhandeln und bitte, mir das Ergebnis baldmöglichst durch FS mitzuteilen.

i.V. Lis."

Nachdem im März 1942 eine entsprechende Vereinbarung zwischen Dannecker und dem Judenreferenten der Dienststelle Brüssel, SS-Obersturmführer Asc. [89], getroffen worden war, unterrichtete Lis. die Aussenstelle Amsterdam hiervon:

"IV J SA 221 b 3 Paris, den 16.3.1942
Dan./Bir.

An die
Aussenstelle Amsterdam
z.Hd. SS-Sturmbannführer Lages
Amsterdam

Betr.: Kennzeichnung der Juden.
Vorg.: Dortiges FS Nr.1341 vom 12.3.1941.

Am 14./15.1942 war der Judenreferent der Dienststelle Brüssel, SS-Obersturmführer Asc. in Paris. SS-Hauptsturmführer Dannecker hat mit ihm folgende grundsätzliche Punkte vereinbart:
a) Die herauszugebende Verordnung soll lediglich von "Juden" sprechen. Ausnahmen nach Staatsangehörigkeit bzw. bei Mischehen werden nicht gemacht. Dazu kann ich auch mitteilen, dass die Deutsche Botschaft Paris mit dieser Regelung einverstanden ist. Selbstverständlich werden sich Zugeständnisse an einige Staaten nicht vermeiden lassen. Nach aussen hin braucht aber hierüber nicht gesprochen zu werden.
b) Einheitliche Verwendung des in Deutschland verwandten Judensternes mit der Inschrift "Jude" in der betr. Landessprache. (In Belgien zweisprachig.)
c) Strafbezeichnungen:
Gefängnis und Geldstrafen androhen, sowie Möglichkeit der KZ-Einweisung festlegen.
Handhabung: Deutsche Gerichte werden nicht mit der Ahndung von Verstössen befasst. Es erfolgt in jedem Falle KZ-Einweisung durch Verwaltungsmassnahme.
d) Eine besondere Begründung für die Kennzeichnung nach aussen hin erscheint nicht erforderlich. Deutschen Dienststellen gegenüber muss dieser Schritt als eine auf dem Wege der Gesamtlösung der Judenfrage erforderliche Zwischenstation gekennzeichnet werden.
Als vorläufiger Termin wurde der 15.4.1942 festgelegt.
Ich bitte die dortige Stellungnahme sowie etwa auftretende Schwierigkeiten bzw. neue Gesichtspunkte gleichzeitig auch der Dienststelle Brüssel bekannt zu geben.

i.V. Lis."

Der Höhere SS- und Polizeiführer der Niederlande Rauter unterrichtete die Dienststelle Paris mit Fernschreiben vom 27.4.1942 davon, dass in den Niederlanden noch in der gleichen Woche die Einführung des Judensterns erfolgen werde, und erinnerte daran, dass nach den Vorstellungen des Reichssicherheitshauptamtes der Judenstern in den besetzten Westgebieten gleichzeitig eingeführt werden sollte. Der Angeklagte Lis. paraphierte dieses Fernschreiben neben dem Eingangsstempel.

[89] Siehe Lfd.Nr.870.

Der Grund dafür, dass im besetzten Frankreich die Verordnung trotz der dafür weitgehend getroffenen Vorbereitungen erst später erlassen worden ist, ergibt sich aus dem Fernschreiben des Angeklagten Lis. vom 9.5.1942:

"IV J SA 221 b 3 Paris, den 9.5.1942
Dan./Bir.

1.) An das
Reichssicherheitshauptamt
IV B 4 u. VI B
Berlin
2.) An den Inspekteur der Sicherheitspolizei und des SD
Düsseldorf
3.) An die Aussenstellen
Angers Dijon Rouen

Betr.: Bevorstehende Kennzeichnung der Juden.
Vorg.: Ohne. (Beim RSHA IV B 4: hiesiges FS Nr.4821 vom 20.3.1942.)

Die Tatsache, dass bei verschiedenen Attentaten auf Wehrmachtsangehörige, die sich in letzter Zeit ereigneten, immer wieder Juden mit in Erscheinung traten, hat nunmehr die bisher bestehenden Bedenken der Deutschen Botschaft Paris zerstreut. Botschafter Abetz hat mitgeteilt, er wünsche so rasch als möglich die Durchführung der Kennzeichnung der Juden.
Da die rein technische Frage der Beschaffung der Judensterne ziemliche Schwierigkeiten bereitete, konnte die Verordnung nicht sofort herausgebracht werden. Dies steht jedoch im Laufe der kommenden Woche bevor.
Wegen der Abfassung der Verordnung wurde mit der Deutschen Botschaft folgendes vereinbart:
a) Es wird lediglich davon gesprochen, dass "Juden" den Stern zu tragen haben. Intern ist dabei vorgesehen - ähnlich wie das auch bei der Arisierung gehandhabt wurde - nach besonderer Absprache mit dem betreffenden Konsulat, jüdische Angehörige gewisser Staaten auszunehmen.
b) Wegen der Mischehenfrage ist festgelegt, dass der jüdische Teil, sofern nicht als Juden geltende Kinder aus der Ehe hervorgegangen sind, den Stern nicht zu tragen braucht.

Zusatz für RSHA - IV B 4 -
Ich habe in Anlehnung an die für Holland erlassene Verordnung von weiteren Ausnahmen abgesehen. Dies liegt auch im Interesse der reibungslosen Durchführung im besetzten französischen Gebiet, da sonst Komplikationen und unnötige Mehrarbeit eintreten würden.

i.V. Lis.".

Die Verordnung, die schliesslich am 29.5.1942 erlassen wurde, lautete wie folgt:

"§1 Kennzeichnung der Juden.
(1) Juden, die das 6.Lebensjahr vollendet haben, ist es verboten, sich in der Öffentlichkeit ohne einen Judenstern zu zeigen.
(2) Der Judenstern besteht aus einem handtellergrossen, schwarz aufgezogenen Sechsstern aus gelbem Stoff mit der schwarzen Aufschrift "Juif". Er ist sichtbar auf der linken Brustseite des Kleidungsstückes fest aufgenäht zu tragen.

§2 Strafvorschriften.
Wer den Bestimmungen dieser Verordnung zuwiderhandelt, wird mit Gefängnis und Geldstrafe oder einer dieser Strafen bestraft. Neben oder an Stelle dieser Strafen können polizeiliche Massnahmen, insbesondere die Einweisung in ein Judenlager, angeordnet werden.

§3 Inkrafttreten.
Diese Verordnung tritt am 7.Juni 1942 in Kraft."

Nach Abstimmung mit dem Auswärtigen Amt und der Deutschen Botschaft Paris unterlagen gemäss einer internen Anweisung von den ausländischen Juden nur diejenigen der Kennzeichnung, deren Heimatländer bereits ähnliche Massnahmen durchgeführt hatten. Es handelte sich hierbei im einzelnen um die Niederlande, das Generalgouvernement, die besetzten Ostgebiete, die Slowakei, Kroatien und Rumänien. Ebenso fielen belgische, jugoslawische und staatenlose Juden unter die Kennzeichnungspflicht. Hierüber hatte der HSSPF den BdS mit Schreiben vom 23.5.1942 unterrichtet; dieses Schreiben ist nach Eingang beim BdS vom Angeklagten Lis. und von Dannecker paraphiert.

Über die Reaktionen in Frankreich auf die Einführung des Judensterns berichtete Dr. Kno., vorverfügt von Röthke, mit Fernschreiben vom 16.6.1942 an das Reichssicherheitshauptamt. In dem Fernschreiben heisst es u.a.:

> "Die Kennzeichnung der Juden hat bei der Bevölkerung verschiedene Reaktionen gezeigt. Weite Kreise der Bevölkerung haben wenig oder gar kein Verständnis für die Kennzeichnung aufgebracht. Immer wieder werden die "armen Juden", insbesondere Judenkinder, bedauert. Weithin sieht man in der Judenfrage kein Rassenproblem, sondern eine religiöse Frage. ... Gegnerische Kreise weisen auf den Unterschied in der Behandlung von Juden nach ihren Staatsangehörigkeiten hin und schlachten dies propagandistisch aus: Die Deutschen wollten durch die Kennzeichnung in erster Linie die französischen Juden, somit aber auch wieder das französische Volk treffen.
> Eine Ausdehnung der Kennzeichnungspflicht auf Juden aller Staatsangehörigkeiten wäre aus diesem Grunde dringend erwünscht.
> Der Judenstern ist in antisemitischen Kreisen, namentlich aber bei vielen kleinen Gewerbetreibenden und Arbeitern, die von dem grossen wirtschaftlichen Einfluss der Juden am meisten betroffen waren, begrüsst worden. Durch die Kennzeichnung treten viele als Juden in Erscheinung, die ihre Abstammung bisher unter dem Deckmantel ihrer fremden Staatsangehörigkeit verborgen hatten. Die Pariser Bevölkerung macht aus ihrem Erstaunen über die grosse Anzahl der tatsächlich vorhandenen Juden keinen Hehl.
> Zu grösseren judenfeindlichen Kundgebungen ist es bisher nicht gekommen, jedoch haben antisemitische Kreise weitere Beschränkungen für die Juden vorgeschlagen. ...
> Juden, die der Kennzeichnungspflicht nicht nachgekommen waren, den Stern verdeckt trugen, mehrere Sterne oder Zusätze zu den Sternen über ihre Staatsangehörigkeit oder Frontkämpfereigenschaft angelegt hatten, wurden in Judenlager überstellt. Desgleichen wurden haftfähige Nichtjuden, die den Stern trugen, bis auf weiteres Judenlagern zugeführt.
> Eine weitere Judenverordnung ist in Vorbereitung. Darin soll Juden der Besuch von Gaststätten aller Art, Theatern, Konzerten, Variétés und anderen Vergnügungsstätten, sowie der Besuch sonstiger, der Allgemeinheit zugänglicher Einrichtungen und Veranstaltungen untersagt werden. Ferner sollen Juden nur noch in der Zeit zwischen 15.00 und 16.00 Uhr Warenhäuser, Einzelhandels- und

Gewerbebetriebe aufsuchen oder durch andere in solchen Betrieben einkaufen dürfen."

Die von Kno. in seinem Bericht erwähnte weitere Verordnung war vom Judenreferat entworfen worden. Der Entwurf war von Dannecker am 4.6.1942 dem Angeklagten Lis. zum Vortrag beim Militärbefehlshaber vorgelegt worden. Lis. hatte auf der Verfügung Danneckers handschriftlich weiter verfügt: "Ich bitte die V.O. bis zur Unterschrift durch Mil.Bef. vorzubereiten." Der Angeklagte Hag. teilte der Abteilung IV J des BdS mit Schreiben vom 20.6.1942 das Einverständnis des HSSPF mit dem Vorschlag des BdS mit.

Zu der Verordnung, die am 8.7.1942 erlassen wurde und die den HSSPF dazu ermächtigte, Juden den Besuch von öffentlichen Veranstaltungen zu verbieten und ihren Einkauf auf die Zeit zwischen 15.00 und 16.00 Uhr zu beschränken, hielt Röthke in einem Vermerk vom 18.6.1942, der vom Angeklagten Lis. paraphiert wurde, u.a. fest:

"...
Nach der Kennzeichnung der Juden, die durch die 8.Verordnung über Massnahmen gegen Juden vom 29.Mai 1942 vorgeschrieben worden ist, sollte zunächst gleich darauf eine weitere Zurückdrängung der Juden aus dem öffentlichen Leben durch den Erlass einer 9.Verordnung stattfinden. Es ist dann aber für zweckmässiger gehalten worden, zunächst Erfahrungen über die Durchführung der 8.Verordnung zu sammeln und zwischen die 8. und 9.Verordnung eine kleine Zeitspanne treten zu lassen.
Von der Abt.II Ju sind inzwischen Besprechungen mit der zuständigen Abteilung des Verwaltungsstabes beim Militärbefehlshaber über den Erlass der 9.Verordnung geführt worden, die zu einem vollen Einverständnis über den Inhalt und Erlass geführt haben. ...

Zu §1
Es ist davon abgesehen worden, in §1 die Veranstaltungen und Einrichtungen im einzelnen aufzuzählen, die für Juden zukünftig verboten werden sollen. In einer Aufzählung läge die Gefahr, dass die Juden sich sofort in erheblicher Anzahl den noch nicht genannten Stätten zuwenden würden, §1 der VO bildet eine Rahmenbestimmung, die durch nähere Anordnungen des Höheren SS- und Polizeiführers nach den jeweils auftretenden, örtlich oft verschiedenen Notwendigkeiten ausgefüllt werden kann. Die ersten Bestimmungen in Durchführung zu §1 sollen gleichzeitig mit der Verkündung der Verordnung in Kraft treten. Es sollen zunächst folgende öffentliche Einrichtungen und Veranstaltungen für Juden verboten werden:
1.) Gaststätten aller Art,
2.) Cafés,
3.) Theater,
4.) Lichtspielhäuser,
5.) Konzerte,
6.) Variétés und andere Vergnügungsstätten,
7.) Öffentliche Fernsprecheinrichtungen,
8.) Wochen- und Jahrmärkte,
9.) Hallen-, Fluss-, Strand- und Familienbäder,
10.) Museen,
11.) Bibliotheken,
12.) Öffentliche Ausstellungen,
13.) Burgen, Schlösser sowie andere historische Bauten und Baudenkmäler,
14.) Sportliche Wettkämpfe (gleichgültig ob als Teilnehmer oder Zuschauer),
15.) Rennplätze und Wettbüros,

16.) Zeltplätze,
17.) Parkanlagen.

Zu §2
§2 verbietet den Juden das Aufsuchen von Warenhäusern, Einzelhandels- und Gewerbebetrieben sowie den Einkauf in diesen Betrieben während der Haupteinkaufszeiten. Juden sollen künftig nur noch an einer Stunde am Tage, und zwar zwischen 15. und 16.00 Uhr in diesen Betrieben einkaufen dürfen oder durch andere Personen für sich einkaufen lassen. Durch diese Bestimmung soll bezweckt werden, dass in den Haupteinkaufszeiten Juden mit Nichtjuden in Geschäften nicht zusammentreffen.

Zu §3
Als Ausnahme von den Vorschriften der §§1 und 2 ist der Besuch rein jüdischer, besonders gekennzeichneter Unternehmen zugelassen. Da rein jüdische Unternehmen nach der Durchführung der Arisierung nur noch in verhältnismässig geringer Anzahl vorhanden sind, dürften die Verbotsbestimmungen der §§1 und 2 das Judentum im besetzten Gebiet Frankreichs empfindlich treffen. Die Zulassung von weiteren rein jüdischen Einrichtungen und Veranstaltungen nur für Juden ist durch die Vorschriften der Verordnung nicht ausgeschlossen. Da die 9.Verordnung eine weitere Zurückdrängung der Juden aus dem öffentlichen Leben bedeutet und somit an die 6. und 7.VO. über Massnahmen gegen Juden anknüpft, gilt sie für denselben Personenkreis, der von der 6. und 7.Verordnung betroffen wird. Die Überwachung der Durchführung der 9.VO. nebst den Durchführungsbestimmungen ist nach der Kennzeichnung der Juden (8.VO) erheblich erleichtert.
...

Zu §§4 und 5 der Verordnung
Die französische Polizei ist angewiesen, bei der Feststellung von Zuwiderhandlungen die sofortige Überführung des Juden in das nächstliegende franz. Judenlager zu veranlassen und hiervon dem für den Wohnort zuständigen Sicherheitspolizei-(SD)-Kommando in Paris dem Befehlshaber der Sicherheitspolizei und des SD - unter Angabe der genauen Personalien des Juden Mitteilung zu machen. Der Kommandeur - in Paris der Befehlshaber der Sicherheitspolizei und des SD - setzt die dem Einzelfall entsprechende Dauer der Judenhaft fest und gibt der zuständigen franz. Polizeidienststelle hiervon Kenntnis.
Werden die Zuwiderhandlungen durch deutsche Polizei festgestellt, so ist entsprechend zu verfahren. Der Jude ist in der Regel der franz. Polizei zur Durchführung der Judenhaft in einem franz. Lager zu überstellen.
Sofern die Voraussetzungen von Abschn.II Abs.1 des Erlasses vom 10.2.1942 - V pol 290/41 - betr. Behandlung jüdischer Häftlinge im Polizeihaftlager Compiègne vorliegen, kann eine Einweisung in das Polizeihaftlager Compiègne - Abt. Judenlager - erfolgen. In diesem Falle ist das für die Einweisung in das Polizeihaftlager Compiègne vorgesehene Formblatt in 3-facher Ausfertigung mit der Rotstiftaufschrift "Zwangsarbeitsjude" zu versehen.
Auch bei Frauen und strafmündigen Jugendlichen hat grundsätzlich Festnahme und Einweisung in ein Judenlager zu erfolgen.
..."

b) Der erste Transport vom 27.3.1942

Hand in Hand mit der Gesetzgebung, durch die die Juden in Frankreich in wirtschaftliche Not und die Isolierung getrieben wurden, ging die Verhaftung und Einweisung von Juden in Konzentrationslager.

Bereits mit Schreiben vom 28.1.1941 an den Chef der Militärverwaltung Frankreich drängte Dr. Kno. auf die Errichtung von Judenkonzentrationslagern:

"An den
Chef der Militärverwaltung Frankreich
- Verwaltungsstab (Abt. Verwaltung) -
Paris
Hotel Majestic.

Betr.: Errichtung von Konzentrationslagern für fremdstaatige Juden
Vorg.: Mein Schreiben IV E/301 vom 25.1.41

Die Judenschaft Frankreichs besteht nahezu zur Hälfte aus Fremdstaatigen. Die antijüdische Entwicklung der vergangenen Monate hat eindeutig gezeigt, dass sich die Judengegnerschaft der Franzosen hauptsächlich gegen die fremden Elemente richtet. Diesem Umstand wurde seitens der französischen Regierung insofern Rechnung getragen, als am 4.X.40 ein Gesetz über die Fremden jüdischer Rasse herauskam, das die Unterbringung jüdischer Ausländer in besonderen Konzentrationslagern sowie auch die Zuweisung eines Zwangswohnsitzes ermöglicht.
Der Reichsführer SS, Chef der Sicherheitspolizei und des SD hat mit Erlass IV D 6 - 229/40 vom 30.X.40 die Errichtung besonderer Konzentrationslager zur Unterbringung der in den besetzten Gebieten lebenden Juden angeordnet, die deutsche oder bisher österreichische, tschechoslowakische oder polnische Staatsangehörigkeit besitzen oder besassen. Diese Massnahme wird deshalb erforderlich, weil auf alle Fälle ein Zurückströmen jener Juden in das Reichsgebiet verhindert werden muss.
Nachdem derzeit im besetzten Gebiet deutscherseits keine weiteren einschneidenden Massnahmen gegen Juden geplant sind und ausserdem die Berichte aus dem unbesetzten Gebiet erkennen lassen, dass es der französischen Regierung nicht sonderlich ernst ist mit der restlosen Ausschaltung des Judentums gemäss ihrem eigenen Judenstatut vom 4.X.40 erscheint gerade im jetzigen Augenblick die Errichtung von Judenkonzentrationslagern als gegeben. Dabei sind zwei Punkte vor allen Dingen ausschlaggebend:
1. Hauptträger der pro-englischen und de Gaulle-Propaganda dürften fremdstaatige Juden sein.
2. Es hat sich gezeigt, dass die Züchtung einer Judengegnerschaft bei den Franzosen auf ideeller Basis kaum möglich ist, während im Fall des Sichbietens wirtschaftlicher Vorteile eine Billigung des antijüdischen Kampfes eher erfolgen wird. (Die KZ-Inhaftierung der rund 100.000 in Paris lebenden fremdstaatigen Juden würde hier aber zahlreichen Franzosen Gelegenheit bieten, sich aus den unteren Schichten zum Mittelstand herauszuheben).
Aus all diesen Gründen schlage ich vor, baldigst eine Besprechung der beteiligten Stellen herbeizuführen, damit raschestens eine Lösung dieses Problems als Teilstück auf dem Wege zur endgültigen Bereinigung der Judenfrage erfolgen

kann, die im Sinne der sowohl vom Führer als auch vom Reichsmarschall gewünschten Endlösung liegt.

(gez.) Dr. Kno.
SS-Sturmbannführer."

Auf Drängen des Leiters der Abteilung Verwaltung im Verwaltungsstab des Militärbefehlshabers wurden im Mai 1941 3.733 zumeist frühere polnische Juden festgenommen und in die Lager Pithiviers und Beaune-la-Rolande gebracht, die ebenso wie das Lager Drancy unter französischer Leitung standen. Am 20.8.1941 wurden in Paris 3.477 männliche Juden zwischen 18 und 50 Jahren ohne Rücksicht auf ihre Staatsangehörigkeit, mit Ausnahme von USA-Bürgern, verhaftet und im Lager Drancy interniert. Am 21.8.1941 folgte die gezielte Verhaftung von 52 Rechtsanwälten, die ebenfalls nach Drancy gebracht wurden.

Als es Ende November und Anfang Dezember 1941 aufgrund der sich verstärkenden Widerstandsbewegung gegen die deutsche Besatzung zu einer Attentatshäufung in Paris kam, nahm dies der Militärbefehlshaber zum Anlass, schwere Gegenmassnahmen zu verhängen: Am 5.12.1941 kündigte er dem Oberkommando des Heeres an, dass er nach Eingang der Genehmigung die Erschiessung von 100 Geiseln und die Internierung und Deportierung von 1.000 Juden und 500 Jungkommunisten nach dem Osten anordnen sowie den Juden in Paris eine Geldstrafe von 1 Mia. frs. auferlegen werde. Um das Verhältnis zwischen der Besatzungsmacht und der französischen Bevölkerung nicht zu belasten, war man von deutscher Seite aus bemüht, Juden und Kommunisten als die Schuldigen abzustempeln und auch in den Fällen, in denen eine französische Täterschaft nachgewiesen werden konnte, diese Feststellung nicht gross herauszustellen.

Nachdem am 12.12.1941 die Genehmigung durch Hitler erteilt worden war, gab der Militärbefehlshaber am 14.12.1941 die folgende Bekanntmachung heraus:

> "In den letzten Wochen sind von neuem Sprengstoff- und Revolverattentate gegen Mitglieder der Deutschen Armee begangen worden. Diese Attentate haben zum Urheber solche Elemente, zuweilen selbst Jugendliche, die im Solde der Angelsachsen, der Juden und der Bolschewiken stehen und nach deren schändlichen Parolen tätig sind.
> Deutsche Soldaten sind meuchlings ermordet und verletzt worden. Nicht in jedem Fall haben die Meuchelmörder verhaftet werden können. Um die wirklichen Urheber dieser feigen Attentate zu treffen, habe ich die sofortige Ausführung folgender Massnahmen angeordnet:
> 1.) Eine Geldbusse von einer Milliarde francs wird den Juden des besetzten französischen Gebiets auferlegt;
> 2.) Eine grosse Anzahl krimineller, jüdisch-bolschewistischer Elemente wird zur Zwangsarbeit nach dem Osten deportiert werden;
> 3.) Einhundert Juden, Kommunisten und Anarchisten, die irgendeine Verbindung zu den Urhebern der Attentate haben, werden erschossen werden.
> Diese Massnahmen richten sich nicht gegen das französische Volk, sondern einzig und allein gegen diejenigen Individuen, die - im Solde der Feinde Deutschlands - Frankreich ins Unglück stürzen wollen und die zum Ziel haben, die Versöhnung zwischen Deutschland und Frankreich zu hintertreiben."

Bei der Verhaftungsaktion am 12.12.1941, die sich vor allem gegen einflussreiche und intellektuelle Juden richtete und deren verantwortliche Gesamtvorbereitung sowie Durchführung der Kommandant von Gross-Paris der Dienststelle des Beauftragten des Chefs der Sicherheitspolizei und des SD in Paris übertragen hatte, wurden in Gross-Paris 743 Juden festgenommen. Um die befohlene Zahl von 1000 Juden zu erreichen, wurden weitere 300 Juden im

KZ Drancy ausgewählt. Die 1.043 Juden wurden mit einem Transportzug in der Nacht vom 12. auf den 13.12.1941 nach Compiègne gebracht. Die verhängten Exekutionen fanden am 15.12.1941 statt. Zu der beabsichtigten Deportation der in Compiègne einsitzenden Juden kam es jedoch infolge von Transportschwierigkeiten zunächst noch nicht. Der Angeklagte Lis. teilte dem Reichssicherheitshauptamt mit Fernschreiben vom 13.1.1942, vorverfügt von Dannecker, mit:

"Geheim!
IV J Paris, den 13.1.1942
Dan./Ber.

An das
Reichssicherheitshauptamt
- IV B 4 -
Berlin

Betr.: Abschub von Juden und Jungkommunisten nach dem Osten
Vorg.: Dort. Geh.-FS Nr.209829 vom 24.12.1941.

Mit der Dienststelle des Militärbefehlshabers in Frankreich wurde abgesprochen, die 1000 Juden vorläufig im Lager Compiègne zu belassen. Compiègne ist gleichzeitig der Abgangsbahnhof für den später durchzuführenden Transport. Bezüglich der Jungkommunisten, die sich grösstenteils in französischen Haftlagern befinden ist beabsichtigt, diese erst dann in deutsche Haft zu übernehmen, wenn der Abtransport nach dem Reich endgültig festgelegt ist.

i.V. Lis."

Mit Schreiben vom gleichen Tage, ebenfalls vorverfügt von Dannecker, teilte Lis. dem Militärbefehlshaber in Frankreich - Verwaltungsstab Abt. Verwaltung - sein Einverständnis mit der Regelung mit.

In Auslegung der im Dezember 1941 verkündeten Massnahmen befahl der Militärbefehlshaber in Frankreich durch Erlass vom 22.1.1942, die zur Deportation bestimmten Juden, die älter als 55 oder jünger als 18 Jahre waren oder die aufgrund der im Lager erfolgten ärztlichen Untersuchung als arbeitsunfähig bezeichnet wurden, aus dem Lager Compiègne zu entlassen, sofern nicht wegen besonderer Bedenken im Einzelfalle eine Überführung nach Drancy erforderlich erschiene. Mit Schreiben vom 13.2.1942 an die Dienststelle der Sicherheitspolizei in Paris bat der Kommandant von Gross-Paris unter Beifügung von Listen der vom Lagerarzt als arbeitsunfähig befundenen Juden um Mitteilung, bei welchen der für eine Entlassung infrage kommenden Juden die Rückführung nach Drancy wegen besonderer Bedenken durchgeführt werden müsse und welche Juden zur Entlassung kommen könnten.

In seinem Antwortschreiben vom 16.2.1942, vorverfügt von Dannecker, wandte sich der Angeklagte Lis. gegen jede Entlassung:

"An den
Kommandanten von Gross-Paris
- Verwaltungsstab, V pol -
Paris

Betrifft: Deportation jüdisch-bolschewistischer Elemente zu Zwangsarbeiten nach dem Osten.
Vorgang: Dort. Schreiben V pol 3 vom 13.2.1942.

Anlagen: - 4 -

Gegen die endgültige Entlassung derzeit in Compiègne sitzender Juden habe ich grundsätzlich sicherheitspolizeiliche Bedenken.
Die als arbeitsunfähig bezeichneten Juden können aus denselben Gründen nicht zur Entlassung kommen, sondern müssen gleichfalls nach Drancy rücküberstellt werden. Ihre Unterbringung in Drancy ist möglich, da die dort einsitzenden Juden vorläufig nicht zur Arbeit herangezogen werden.
Meine Bedenken bestehen vor allem deshalb, weil es sich bei den gemäss Erl. des Militärbefehlshabers vom 22.1.1942 V pol 250/882/41 zu entlassenden über 55 Jahre alten Juden vorwiegend um Intellektuelle oder wirtschaftlich gutgestellte Juden handelt. Diese werden aber nach der in Compiègne bisher erlittenen 2-monatigen Haft ohne Zweifel im Falle einer Freilassung stark anti-deutsche Propaganda treiben, abgesehen davon, dass sich die meisten dieser Juden unmittelbar nach Haftentlassung in das unbesetzte Gebiet begeben würden.
Ich bitte um Bekanntgabe der dortigen Entschliessung.

i.V. Lis."

Gegenüber dem Reichssicherheitshauptamt drängte Lis. mit Fernschreiben vom 26.2.1942, wieder vorverfügt von Dannecker, auf einen möglichst schnellen Abschub der verhafteten Juden:

"Geheim.

An das
Reichssicherheitshauptamt
- Amt IV B 4 -
Berlin

Betrifft: Abschub von Juden und Jungkommunisten nach dem Osten.
Vorgang: Dort. Geh.FS DR Nr.207899 v. 24.12.41.

Im Interesse der Stärkung der deutschen Autorität im besetzten Gebiet ist ein möglichst schneller Abschub der im Zuge der Aktion vom 12.12.41 verhafteten 1000 Juden dringend erforderlich. Abgesehen davon, dass die hiesige Dienststelle und der Kommandant von Gross-Paris durch unzählige Eingaben für die Befreiung dieser Juden belästigt werden, ist festzustellen, dass französischerseits der bisher noch nicht erfolgte Abschub als deutsche Schwäche ausgelegt wird.
Ich bitte daher in diesem Einzelfall eine Sonderregelung zu treffen.
Um FS-Entscheid wird gebeten.

i.V. Lis."

Bei einer Tagung der Judenreferenten im Reichssicherheitshauptamt in Berlin am 4.3.1942 wurden Dannecker von Eichmann die Bestimmungen für den bevorstehenden Abschub der 1000 Juden bekanntgegeben. Bei der darauf folgenden sogenannten "Dienstagsbesprechung" vom 10.3.1942 - derartige Besprechungen wurden zur Koordinierung der Massnahmen mit den übrigen deutschen Besatzungsbehörden regelmässig im Judenreferat abgehalten - vereinbarte daraufhin Dannecker mit dem Zeugen Näh. vom Militärbefehlshaber, Gruppe Polizei, und einem Angehörigen der Dienststelle des Kommandanten von Gross-Paris, am 12.3.1942 gemeinsam nach dem Lager Compiègne zu fahren, um den Kreis der zur Deportierung Gelangenden endgültig festzulegen. Die zur Auffüllung des Transports benötigten Juden sollten einige Tage später aus dem Lager Drancy ausgewählt werden. Wie Dannecker festhielt, hatte der Angeklagte Lis. von diesen Massnahmen Kenntnis.

Mit Fernschreiben vom 12.3.1942 teilte Eichmann der Dienststelle Paris die Deportationsrichtlinien schriftlich mit. Der Angeklagte Lis. zeichnete das Fernschreiben neben dem Eingangsstempel mit seiner Paraphe ab:

"Berlin Nu 41 872 12.3.42 11 45 - HKL -

Geheim -

An den B D. CH. d. Sipo u. d. SD für Belgien und Frankreich
- Dienststelle Paris -
- z.Hd. v. SS Oberstubaf. Dr. Kno. OViA -

Betr.: Deportierung von Juden -
Bezug: Besprechung am 6.3.42 mit SS Hptstf. Dannecker

Es besteht die Aussicht, ausser den 1.000 Juden aus Compiègne, die vorbehaltlich des noch nicht vorliegenden Einverständnisses des Auswärtigen Amtes voraussichtlich am 23.3.42 abgeschoben werden, in Zeitkürze weitere 5.000 Juden aus Frankreich und zwar zunächst vorwiegend Männer (Höchstens 5 Prozt. Frauen) in das Konzentrationslager Auschwitz zu verbringen.
Für die Abschiebung dieser 5.000 Juden gelten dieselben Bestimmungen wie sie SS Hptstf. Dannecker hinsichtlich der 1.000 Juden aus Compiègne mitgeteilt wurden und zwar:
1.) Zu erfassen sind nur Juden deutscher und französischer St.Angeh. bezw. staatenlos oder Juden mit ehemaliger polnischer und luxemburgischer St.Angeh. -
2.) In Mischehe lebende Juden sind zunächst nicht abzuschieben -
3.) Pro Person ist mitzunehmen: Verpflegung für 14 Tage - 1 Koffer oder Rucksack mit Ausrüstungsstücken (Decke, Essgeschirr mit Löffel, vollständige Bekleidung mit ordentlichem Schuhwerk)
4.) Für entsprechende Sicherheitsmassnahmen (Begleitkdos. in Stärke von mindestens 1 Führer und 15 Mann) bis zum Zielbhf. ist Sorge zu tragen -
Der Transportführer muss eine für das KL. Auschwitz bestimmte Transportliste in zweifacher Ausfertigung mitführen -
Eine Ausfertigung dieser Liste ist jeweils dem RSHA IV B 4 vorzulegen -
5.) Die Abfahrt jedes Transportzuges ist sofort mit dringendem FS
A.) dem RSHA IV B 4
B.) dem SS Führungshauptamt Insp. der KL. Lager SS Brigf. Gluecks in Oranienburg und
C.) dem KL. Lager Auschwitz unter namentlicher Angabe des Transportführers und der Transportstärke bekanntzugeben -
Zur Erstellung des Fahrplanes bezw. Bestellung der Sonderzüge für je 1.000 Personen beim Reichsverkehrsministerium bitte ich umgehend die Abfahrtsbhf. sowie die genaue Bezeichnung und Anschrift der Dienststelle, die für die Transportkosten aufzukommen hat, mitzuteilen -

RSHA IV B 4 Klein A - 32 33/42 - Klein G - 1085

IA. GEZ. EICHMANN SS OBERSTUBF -"

Das Einverständnis des Auswärtigen Amtes bzw. der Deutschen Botschaft Paris teilte der Angeklagte Lis. dem Reichssicherheitshauptamt mit Fernschreiben vom 17.3.1942 mit:

"IV J SA 24 Paris, den 17.3.1942
Dan./Bir.

Geheim!
Dringend! Sofort vorlegen!!

An das
Reichssicherheitshauptamt
- IV B 4 -
Berlin

Betr.: Deportierung von Juden.
Vorg.: Dortiges Geheim-FS Nr.41878 vom 12.3.42.

Wie mir die Deutsche Botschaft Paris mitteilt, hat das Auswärtige Amt mit Geheim-FS am 11.3.1942 angefragt, ob Bedenken gegen die beabsichtigte Abschiebung der 1000 Juden nach Auschwitz bestehen. Die Deutsche Botschaft Paris hat am 13.3.1942 geantwortet, dass ihrerseits gegen den sofortigen Abschub keine Einwendungen gemacht werden.
Der im dortigen Geheim-FS vom 12.3.1942 gemachte Vorbehalt dürfte demnach inzwischen weggefallen sein.

i.V. Lis."

Der Transport ging schliesslich am 27.3.1942 mit 1112 Personen ab und erreichte am 30.3.1942 das Lager Auschwitz.

4.) Die Massendeportationen im Jahre 1942

a) Die Juni-Deportationen

Bei der erwähnten Tagung der Judenreferenten im Reichssicherheitshauptamt Berlin am 4.3.1942 war zwischen Eichmann und Dannecker über die Modalitäten des Abschubs der am 12.12.1941 festgenommenen Juden hinaus auch über den Abtransport weiterer Juden gesprochen worden. Dannecker legte hierüber einen Vermerk nieder, den er Kno. und Lis. zuleitete und der von beiden abgezeichnet wurde:

"IV J SA 225 a Paris, den 10.3.1942
Dan./Bir.

Betr.: Abschub von 5000 Juden aus Frankreich (Quote 1942).

1.) Vermerk:
Bei der Tagung der Judenreferenten im RSHA - IV B 4 - am 4.3.1942 in Berlin habe ich in ganz knapper Form Lage und Schwierigkeiten unserer Einschaltung in Frankreich dargestellt. Dabei ging ich auch auf die Notwendigkeit ein, der französischen Regierung einmal etwas wirklich Positives, wie etwa den Abschub mehrerer tausend Juden vorzuschlagen.
SS-Obersturmbannführer Eichmann hat unter Zurückstellung des unmittelbar im Anschluss an meine Bitte vorgebrachten Antrages des Brüsseler Judenreferenten folgendes festgelegt: Vorbehaltlich der endgültigen Entscheidung des CdS und

des SD kann jetzt schon in Vorverhandlung mit französischen Regierungsstellen eingetreten werden wegen des Abschubs von rd. 5000 Juden nach dem Osten. Dabei habe es sich zunächst um männliche, arbeitsfähige Juden, nicht über 55 Jahren, zu handeln. Juden französischer Staatsangehörigkeit müssen vor dem Abschub oder spätestens am Tage der Deportierung ihre Staatsangehörigkeit verlieren.
Die Vermögensabwicklung muss gleichfalls erledigt sein.
Der Abschub grösserer Judenmassen aus der Slowakei steht unmittelbar bevor. Nach einem aus dem Verhältnis der Anzahl der Juden zum jüdischen Gesamtvermögen errechneten Satz bezahlt die slowakische Regierung für jeden abgenommenen Juden 500,- RM und trägt ihrerseits noch die Transportkosten. Da ein ähnliches Verfahren mit den dem französischen Staat abzunehmenden Juden beabsichtigt ist, muss auch hier eine Vermögensfeststellung der Judenschaft beider Zonen vorausgehen.
Nähere Einzelheiten werden in den nächsten Monaten festgelegt.

2. SS-Obersturmbannführer Dr. Kno.
mit der Bitte um Kenntnisnahme vorgelegt.
3.) SS-Sturmbannführer Lis.
mit der Bitte um Kenntnisnahme vorgelegt.
4.) Zurück an IV J

Dannecker
SS-Hauptsturmführer"

In dem bereits wiedergegebenen Fernschreiben Eichmanns vom 12.3.1942 hatte dieser in Aussicht gestellt, dass bereits in Kürze weitere 5000 Juden aus Frankreich nach Auschwitz abgeschoben würden. Hierüber berichtete der Angeklagte Lis. dem Militärbefehlshaber in Frankreich mit Schreiben vom 17.3.1942, vorverfügt von Dannecker, wobei er herausstellte, dass die angekündigten Massnahmen auf dem Vorschlag seiner Dienststelle beruhten:

"An den
Militärbefehlshaber in Frankreich
- Chef des Kommandostabes -
Herrn Oberst i.G. Dr. Speidel
Paris

Betr.: Weitere Deportation von Juden.
Vorg.: Ohne

Gemäss hiesigem Vorschlag hat sich das Reichssicherheitshauptamt bereit erklärt, in Kürze über die Abnahme der 1000 Juden aus Compiègne hinaus weitere 5000 Juden aus Frankreich abzunehmen. Darunter können sich bis zu 5% Jüdinnen befinden. Für den Abschub kommen in Frage, Juden ehemals deutscher, österreichischer, polnischer oder luxemburgischer Staatsangehörigkeit, sowie französische Staatsangehörige und Staatenlose.
Da auch im Reichsgebiet die Behandlung in Mischehe lebender Juden noch nicht endgültig geklärt ist, wird zunächst von dem Aufschub [90] unter diese Kategorie fallender Juden abgesehen.

[90] Sic!

Die Frage der Transportbegleitung wäre durch den Herrn Militärbefehlshaber zu regeln.
Da umgehend mit der Fahrplanerstellung begonnen werden soll, ist jetzt schon die Nennung der Abfahrtsbahnhöfe erforderlich.
Ein grosser Teil der abzuschiebenden Juden könnte aus dem Lager Drancy bzw. den bei Orléans gelegenen Lagern Pithiviers und Beaune-la-Rolande genommen werden. Allerdings muss bei diesem ersten Grossabschub darauf gesehen werden, möglichst arbeitsfähige Juden zu erfassen.
Die in Frage kommenden Jüdinnen sind zweckmässigerweise Ehefrauen für den Abtransport bestimmter Juden.
Auf diese Weise wäre es möglich, eine Auswechslung der KZ-Belegschaften zu erzielen und zwecks weiterer Auflockerung der Pariser Judenschaft erneute Judenrazzien durchzuführen.
Ich bitte um Übermittlung des dortigen Einverständnisses und Entscheidung über die Bezahlung der Transportkosten.

i.V. Lis."

Wegen der notwendigen Transportzüge gelang es Dannecker im Mai 1942, Kontakt zu dem Chef der Eisenbahntransportabteilung, Generalleutnant Kohl, aufzunehmen. Über sein Gespräch mit Kohl fertigte Dannecker einen Vermerk, den er Kno. und Lis. vorlegte:

"IV 225 a Paris, den 13.5.1942
Dan./Bir.

Betr.: Abstellung von rollendem Material für Judentransporte

1.) Vermerk:
Major Weber, der Verbindungsoffizier der Eisenbahntransportabteilung zur Luftwaffe, sprach vor einiger Zeit hier vor. Dabei kam das Gespräch auch auf die Abstellung rollenden Materials für die Judentransportierung. Wie Major Weber damals sagte, interessiert sich der Chef der Eisenbahntransportabteilung Generalleutnant Kohl selbst stark für das Judenproblem. Ich erklärte mich deshalb bereit, falls der General es wünschte, ihm über Judenfragen in Frankreich vorzutragen.
Generalleutnant Kohl liess daraufhin fernmündlich mitteilen, er würde es begrüssen, wenn ich am 13.5.42, 11.00 Uhr, bei ihm vorspräche.
In der 1 1/4 Stunde dauernden Unterredung habe ich dem General einen Überblick über Judenfragen und Judenpolitik in Frankreich gegeben. Dabei konnte ich feststellen, dass er ein kompromissloser Judengegner ist und einer Endlösung der Judenfrage mit dem Ziel restloser Vernichtung des Gegners 100%ig zustimmt. Er zeigte sich auch als Gegner der politischen Kirchen.
Generalleutnant Kohl hat mir in Anwesenheit des Major Weber anschliessend wörtlich erklärt:
"Ich freue mich, dass wir uns getroffen und damit die Verbindung zueinander geschaffen haben. Künftige Transporte können Sie mit meinem ständigen Referenten besprechen. Wenn Sie mir sagen, ich will 10.000 oder 20.000 Juden aus Frankreich nach dem Osten abtransportieren, so können Sie in jedem Fall damit rechnen, dass ich das nötige rollende Material und die Lokomotiven zur Verfügung stelle."
Weiter erklärte der General, er betrachte die baldige Lösung der Judenfrage im besetzten Frankreich als eine Lebensnotwendigkeit der Besatzungstruppe, weshalb er auch auf die Gefahr hin, von gewissen Leuten als roh angesehen zu

werden, immer einen radikalen Standpunkt einnehme und dessen Durchführung unterstütze.

2.) SS-Standartenführer Dr. Kno.
mit der Bitte um Kenntnisnahme vorgelegt.
3.) SS-Obersturmbannführer Lis.
mit der Bitte um Kenntnisnahme vorgelegt.
4.) Zurück an IV J.

Dannecker
SS-Hauptsturmführer"

Vom Ergebnis dieser Besprechung unterrichtete der Angeklagte Lis. das Reichssicherheitshauptamt mit Fernschreiben vom 15.5.1942, befördert am 18.5.1942, wobei er auf die Notwendigkeit verwies, die Lager erst räumen zu müssen, um neue Verhaftungen durchführen zu können:

"IV J - SA 225a   Paris, den 15.5.1942
Dan./Ge.

An das
Reichssicherheitshauptamt
- IV B 4 -
Berlin.

Betrifft: Abstellung von rollendem Material für Judentransporte.
Vorgang: Ohne.

Es ist gelungen, zu dem Chef der Eisenbahntransportabteilung ETRA, Generalleutnant Kohl, Paris, eine gute Verbindung herzustellen. Generalleutnant Kohl, der absoluter Judengegner ist, hat zugesichert alles für den Abtransport der Juden erforderliche Eisenbahnmaterial sowie Lokomotiven zur Verfügung zu stellen. Demnach könnten schon in nächster Zeit aus Frankreich mindestens 10 Züge rollen.
Ich bitte unter Bezugnahme auf die verschiedenen Besprechungen des SS-Hauptsturmführers Dannecker bei der dortigen Dienststelle um Mitteilung, ob und in welchem Zeitraum eine grössere Anzahl von Juden abgenommen werden kann und welches Lager für deren Aufnahme in Frage kommt.
Da weitere Judenrazzien erforderlich sind, jedoch nur eine beschränkte Anzahl von Lagern zur Verfügung steht, wäre ich zunächst für umgehende Abnahme von 5000 Juden dankbar.

i.V. Lis."

Das Reichssicherheitshauptamt hatte inzwischen von sich aus für einen Abtransport von weiteren 1000 Juden aus Frankreich einen Sonderzug bestellt und teilte dies der Dienststelle Paris nebst den Transportrichtlinien mit. Das Fernschreiben wurde vom Angeklagten Lis. neben dem Eingangsstempel paraphiert.

"+ Berlin Nue. 83 610 16/5/42 1320 - Lz. -

An Dienststelle Paris. - z.Hd. SS-Staf. Dr. Kno. O.V.I.A.
- Geheim -

Betr.: Evakuierung von Juden aus Frankreich. -
Bezug: Dort. FS. Nr.8032 vom 6.5.42. -

Für die Abbeförderung von weiteren 1000 Juden von Compiègne nach Auschwitz wurde beim Reichsverkehrsministerium der erforderliche Sonderzug inzwischen bestellt. Sobald der Fahrplan erstellt ist, werde ich den Verkehrstag mitteilen. Bei der Durchführung des Transportes bitte ich folgende Richtlinien genau zu beachten:
1.) Zu erfassen sind nur arbeitsfähige Juden (vorwiegend Männer, höchstens 5 Prozent Frauen, keine Kinder) deutscher und französischer Staatsangehörigkeit bzw. Staatenlose und Juden mit ehem. polnischer und luxemburgischer Staatsangehörigkeit. -
2.) In Mischehe lebende Juden sind zunächst nicht abzuschieben. -
3.) Pro Person ist mitzunehmen: Verpflegung für 14 Tage, 1 Paar derbe Arbeitsstiefel, 2 Paar Socken, 2 Hemden, 2 Unterhosen, 1 Arbeitsanzug, 2 Wolldecken, 2 Garnituren Bettzeug (Bezüge und Laken), 1 Essnapf, 1 Trinkbecher, 1 Löffel und 1 Pullover. - Die Mitnahme von weiteren Bekleidungsstücken und sonstigen Gegenständen ist nicht erwünscht, da diese im Lager Auschwitz überflüssig sind. -
4.) Das Begleitkommando in Stärke von mindestens 1 Führer und 15 Mann ist bis zur Reichsgrenze von dort zu stellen. Der Transportführer muss eine für das KL. Auschwitz bestimmte Transportliste in zweifacher Ausfertigung mitführen. Eine Ausfertigung dieser Liste, die neben den Personaldaten nach Möglichkeit auch Angaben über den früheren Aufenthaltsort und Beruf enthalten muss, bitte ich dem RSHA, röm. 4 B 4, vorzulegen. -
5.) Die Abfahrt des Transportzuges bitte ich mit dringendem FS
A) dem RSHA, röm. 4 B 4, -
B) dem Insp.d.KL., Oranienburg, -
C) dem KL. Auschwitz, unter namentlicher Angabe des Transportführers und der Transportstärke bekanntzugeben. -
Die mit hies. FS. Nr.41872 vom 11.3.42 herausgegebenen Richtlinien sind damit als überholt anzusehen. -

RSHA - röm. 4 V 4 A - 3233/41 G (1085) -

i.A. Gez. Günther, SS-Stubaf. +"

Dieser Transport ging schliesslich am 5.6.1942 mit mindestens 1000 Häftlingen aus Compiègne ab. Mit weiteren Transporten vom 22., 25. und 28.6.1942 wurden die Lager Drancy, Pithiviers und Beaune-la-Rolande weitgehend geräumt, um Platz für die bevorstehenden Judenverhaftungen zu gewinnen. Für diese Transporte fertigte der SS-Untersturmführer Ahnert die von Berlin vorgeschriebenen Transportmeldungen, die stets nach dem gleichen Schema abgefasst wurden, an. Die Transportmeldung vom 25.6.1942 lautete:

"Dringend! Sofort vorlegen!

1.) An das
Reichssicherheitshauptamt
- IV B 4 -
Berlin
2.) An den
Inspekteur der Konzentrationslager
Oranienburg

3.) An die
Kommandantur des Konzentrationslagers
Auschwitz

Betrifft: 4.Judentransport aus Frankreich
Vorgang: Laufend

Der Transportzug 813 hat am 25.6.1942 um 6.15 Uhr Pithiviers verlassen.
Transportstärke: 1000 Juden
Transportführer bis Neuburg/Mosel: Leutnant Kleinschmidt

i.A. Dannecker
SS-Hauptsturmführer"

b) Die Vorbereitung der Sommer-Deportationen 1942

Den Transporten im Juni 1942 waren im wesentlichen diejenigen Juden zum Opfer gefallen, die teilweise bereits seit längerem in den Lagern inhaftiert gewesen waren, sei es aufgrund von sogenannten "Sühneverhaftungen", aufgrund der erwähnten Verhaftungswellen im Jahre 1941 oder aufgrund von Festnahmen wegen der Verletzung der von den deutschen Behörden erlassenen Vorschriften. Für den Sommer 1942 wurde jedoch nunmehr der Abtransport von weiteren 100.000 Juden aus Frankreich in den Osten projektiert, was neue Verhaftungen voraussetze, um diese Zahl auch nur annähernd erreichen zu können.

Diese Zahl war zwischen Eichmann und Dannecker bei einer Besprechung der Judenreferenten im Reichssicherheitshauptamt in Berlin am 11.6.1942 vereinbart worden. Die Bitte, Dannecker zu dieser Besprechung, zu der auch die Judenreferenten aus Brüssel und Den Haag geladen waren, abzustellen, hatte Eichmann dem BdS mit Fernschreiben vom 4.6.1942 übermittelt; der Angeklagte Lis. hatte das Fernschreiben neben dem Eingangsstempel paraphiert.

Über die Besprechung im Reichssicherheitshauptamt fertigte Dannecker den folgenden Vermerk vom 15.6.1942 an, den er Kno. und Lis. zuleitete:

"IV J - SA - 24 Paris, den 15.6.1942
Dan./Ge.

Betrifft: Weitere Judentransporte aus Frankreich

1.) Vermerk
Am 11.6.1942 fand im Reichssicherheitshauptamt - IV B 4 - eine Besprechung statt, an der neben dem Unterzeichneten (SS-Hauptsturmführer Dannecker) auch die Judenreferenten aus Brüssel und Den Haag teilnahmen.
a) Gegenstand
Aus militärischen Gründen kann während des Sommers ein Abschub von Juden aus Deutschland in das östliche Operationsgebiet nicht mehr erfolgen.
RF-SS hat daher angeordnet, dass entweder aus dem Südosten (Rumänien) oder aus den besetzten Westgebieten grössere Judenmengen dem KZ Auschwitz zwecks Arbeitsleistung überstellt werden.
Grundbedingung ist, dass die Juden (beiderlei Geschlechts) zwischen 16 und 40 Jahren sind; 10% nicht arbeitsfähige Juden können mitgeschickt werden.

b) Vereinbarung
Es wurde vereinbart, dass aus den Niederlanden 15.000, aus Belgien 10.000 und aus Frankreich einschl. unbesetztes Gebiet insgesamt 100.000 Juden abgeschoben werden.
Auf Vorschlag des Unterzeichneten wurde neben der Altersgrenze festgelegt, dass der Kreis der Abzuschiebenden nur jene Juden umfasst, die zum Tragen des Judensterns verpflichtet sind, sofern sie nicht in Mischehen leben.
c) Technische Durchführung
I. Wegen der Gestellung des Transportmaterials soll auf Anweisung des RSHA durch den Unterzeichneten mit ETRA, Paris (Generalleutnant Kohl) Verbindung aufgenommen werden. Dabei soll auch die Frage der für Belgien erforderlichen 10 Transportzüge geklärt werden. Ab 13.7.1942 sollen die Transporte - wöchentlich ca. 3 - abrollen.

II. Mit der französischen Regierung muss auf dem direkten oder indirekten Verhandlungswege erreicht werden, dass ein Gesetz herauskommt, wonach ähnlich der II.Verordnung zum Reichsbürgergesetz alle ausserhalb der französischen Staatsgrenze wohnenden bzw. später auswandernden Juden Staatsangehörigkeit und Heimatberechtigung verlieren.
Transportkosten sowie Kopfgeld (ca. 700,- RM pro Jude) müssen vom französischen Staat getragen werden. Dasselbe gilt für die Ausrüstung der Juden und ihre Verpflegung für einen Zeitraum von 14 Tagen vom Abschubtag an gerechnet.

Referat IV B 4 des RSHA - SS-Obersturmbannführer Eichmann - hat angeordnet, dass sich die beteiligten Referenten am 2.7.1942 erneut in Berlin zur Schlussbesprechung zu melden haben. (FS-Anforderung wird erfolgen).

2.) SS-Standartenführer Dr. Kno. mit der Bitte um Kenntnisnahme vorgelegt.
3.) SS-Obersturmbannführer Lis. mit der Bitte um Kenntnisnahme vorgelegt.
4.) Zurück an IV J.

Dannecker
SS-Hauptsturmführer"

Dannecker legte Kno. am gleichen Tag befehlsgemäss seine Vorstellungen über die technische Durchführung der Judentransporte schriftlich vor. Hiernach beabsichtigte er, in den folgenden 3 Monaten pro Woche je 3 Züge mit je 1000 Juden zusammenzustellen und in den Osten zu schicken. Er schlug zugleich als Version für die Juden und für die Aussenstehenden vor, von "jüdischer Umsiedlung" zu sprechen.

"IV J - SA 2 — Paris, den 15.6.1942
Dan./Ge.

Betrifft: Technische Durchführung weiterer Judentransporte aus Frankreich.

1.) Vermerk:
a) Um jeder Kollision mit der z.Zt. laufenden Aktion "Französische Arbeiter für Deutschland" vorzubeugen, wird lediglich von jüdischer Umsiedlung gesprochen. Dieser Version kommt zugute, dass die Transporte geschlossene Familien enthalten können, wobei in Aussicht gestellt wird, die zurückgelassenen Kinder unter 16 Jahren später nachholen zu können.

b) Provinz
In der Provinz des besetzten Gebietes befinden sich ca. 26.000 Juden. Ich beabsichtige, im Interesse der Räumung der Küstenzone von Juden sowie wegen der Zentralisierung des Hauptjudenproblems in Paris zunächst die Juden aus der Provinz abzufahren.
Sowie mit der ETRA (Eisenbahntransportabteilung) eine Vereinbarung wegen der Fahrplangestaltung usw. getroffen ist, müsste jeweils ein Vertreter der einzelnen Sicherheitspolizei-(SD)-Kommandos zwecks einheitlicher Ausrichtung (Entgegennahme der Richtlinien) nach Paris kommen.
Auf diese Weise könnten bei der geringen Zahl der im Bereich des Sicherheitspolizei-(SD)-Kommandos vorhandenen Juden in wenigen Wochen 15 Transporte zu je 1000 Juden zusammengestellt werden.
c) Gross-Paris
Inzwischen wäre es möglich, in Gross-Paris selbst weitere 15000 Juden zu konzentrieren und die gesamte Aktion zum Rollen zu bringen.
d) Unbesetztes Gebiet
Wie die Besprechung mit dem französischen Judenkommissar am 15.6.1942 zeigt, ist auch mit der Bereitstellung mehrerer 1000 Juden aus dem unbesetzten Gebiet für den Abtransport zu rechnen.

Legt man jede Woche 3 Züge zugrunde, so bedarf die Abwicklung des bisher vorgemerkten Programms mindestens 1/4 Jahr.
Die Juden können aus ihrem eigenen Besitz ausgerüstet werden, da sie nur wenige Kleidungsstücke und Decken mitbringen dürfen.
Die Frage der Verpflegung und der Bereitstellung von Lebensmitteln für die ersten 14 Tage (vom Abschubtage gerechnet) kann auch keine Schwierigkeiten bedeuten, da die Juden ihre Lebensmittelkarten abgeben müssen und danach endgültig aus dem französischen Verpflegungssektor ausscheiden.
Was die Gestellung des rollenden Materials betrifft, so wäre zu sagen, dass grosszügig gerechnet 6 Zuggarnituren ausreichen. Diese müssen sich wie folgt zusammensetzen:
1 Lokomotive,
3 Personenwagen für die Wachmannschaft,
20 Güterwagen.
Die Frage der Bewachungsmannschaft wird mit dem Stabsoffizier der Feldgendarmerie beim Militärbefehlshaber noch geklärt werden.

2.) SS-Standartenführer Dr. Kno. befehlsmässig vorgelegt.

gez. Dannecker
SS-Hauptsturmführer"

Kno. ordnete handschriftlich auf dem Vermerk an:

"Nach Abschluss des wichtigsten Besprechungspunktes - Verkehrsfrage - mir kurzen Bericht z. Infor. an Höh SS Pol. vorlegen."

Entsprechend dem Plan, zunächst die Juden aus den besetzten Provinzen abzutransportieren, wurden die Sachbearbeiter für Judenfragen der Sicherheitspolizei-(SD)-Kommandos am 30.6.1942 ins Judenreferat nach Paris geladen, wo mit ihnen die Einzelheiten der Aktionen besprochen wurden. Über diese Besprechung fertigte Röthke einen Vermerk, den Dannecker dann Kno. und Lis. vorlegte.

"IV J - SA 2610
Rö./Ge. Paris, den 1.Juli 1942

Betrifft: Besprechung mit den Sachbearbeitern für Judenfragen der Sicherheitspolizei-(SD)-Kommandos bei Ref. IV J am 30.6.1942

1.) Vermerk:
Zum 30.6.1942 waren die Sachbearbeiter für Judenfragen der Sicherheitspolizei-(SD)-Kommandos zum Zwecke einer einheitlichen Ausrichtung für die praktische Wahrnehmung ihrer Aufgaben und zur Entgegennahme von grundlegenden Weisungen geladen.
An der Besprechung nahmen Sachbearbeiter von 8 Kommandos teil. Der Referent von Poitiers konnte erst am Nachmittag des 30.6.1942 erscheinen. Das nicht vertretene Kommando Nancy wird durch das Kommando Chalons s. Marne über den Inhalt der Besprechung unterrichtet werden.

Bei der Besprechung sind folgende Punkte eingehend erörtert worden:
1.) Allgemeiner Stand des Judenproblems im besetzten und unbesetzten Gebiet,
2.) abwartende, oft ablehnende Haltung der französischen Regierungsvertreter und Behörden bei der Lösung der Judenfrage; deshalb kompromissloses Handeln aus eigener Initiative notwendig.
3.) Fernziel: absolute Reinigung der Provinz von Juden, später nur noch Juden in Paris, von dort schliesslich Abtransport des Restes.
4.) Übersicht über die massgeblichen Judengesetze. Judenbegriff nach der 7.VO. über Massnahmen gegen Juden vom 24.3.1942 und nach dem französischen Statut vom 2.6.1941; Abweichungen der beiden Definitionen und Folgerung: Weil der französische Begriff weiter geht, ist er in Zweifelsfällen zugrunde zu legen.
5.) Judensternverordnung:
Rücksichtsloses Durchgreifen bei Zuwiderhandlungen.
6.) In Vorbereitung befindliche 9.VO. über Massnahmen gegen Juden nebst Durchführungsbestimmungen des Höheren SS- und Polizeiführers.
7.) Abschub der Juden aus dem besetzten Gebiet nach Auschwitz. Sofortige Inangriffnahme der Transportvorbereitungen (s. Sondervermerk über Transporte).
8.) Bericht bis zum 6.7.1942 über Durchführung der Transportvorbereitungen.
9.) Besprechungen von Einzelfragen und aufgetretene Probleme.

Den Sachbearbeitern der Kommandos sind bei der Besprechung Übersichtstafeln über den Stand der z.Zt. in Frankreich geltenden deutschen und französischen Judengesetze und -verordnungen sowie Merkblätter über den Abtransport von Juden nach Auschwitz ausgehändigt worden.

2.) SS-Standartenführer Dr. Kno. mit der Bitte um Kenntnisnahme.
3.) SS-O'Stubaf. Lis. m.d.B. um Ks. vorgelegt
4.) Wv. bei IV J

Dannecker
SS-Hauptsturmführer"

Inzwischen verhandelten die deutschen Dienststellen mit den Repräsentanten der französischen Regierung, weil die Festnahme der Juden von französischer Seite aus durchgeführt werden sollte und weil auch Juden aus dem unbesetzten Gebiet erfasst werden sollten. Hierbei traten zum ersten Mal Widerstände von französischer Seite zutage, die mit dazu beitrugen, dass das von der deutschen Besatzung ins Auge gefasste Abschubprogramm nur zum Teil erfüllt werden konnte. Die französische Regierung wandte sich nämlich nunmehr gegen die Einbeziehung französischer Staatsangehöriger in die Verhaftungsaktion und wollte zudem die Festnahmen selbst im besetzten Gebiet nicht von der französischen Polizei durchführen lassen. Aufgrund des deutschen Drucks erklärte sich Bousquet schliesslich bereit, im gesamten Frankreich in einer einheitlich durchgeführten Aktion Juden ausländischer Staatsangehörigkeit in der von den Deutschen gewünschten Höhe festnehmen zu lassen. Die Haltung der französischen Regierung gibt ein Vermerk Hag.s über eine Besprechung vom 2.7.1942 beim HSSPF mit Bousquet wieder. An dieser Besprechung nahmen teil Oberg und Hag. vom HSSPF, Kno. nebst seinem persönlichen Referenten, dem SS-Obersturmführer Dr. Schmidt, sowie Lis. vom BdS, von Schweinichen und Major Runkowski vom BdO von deutscher Seite und von französischer Seite Bousquet in Begleitung des Dolmetschers Wilhelms. Gegenstand der Besprechung waren neben der Judenfrage u.a. auch Polizeischulen, französische Reserveeinheiten, das Feuerwehrregiment Paris, die Freimaurerfrage und die Bekämpfung des Schwarzhandels.

Zur Judenfrage heisst es in dem Vermerk Hag.s u.a.:

> "Die Nachfrage über den Stand des Abtransportes von Juden aus dem unbesetzten Gebiet auf Grund der am 16.6. getroffenen Absprache ergab folgendes: Bousquet teilt mit, dass SS-Hauptstuf. Dannecker Bousquets Sekretär in Paris, Leguay, zu sich gerufen habe und von ihm die sofortige Festnahme von 10.000 Juden im unbesetzten und 20.000 im besetzten Gebiet verlangt habe, und zwar auf Grund des Übereinkommens, das zwischen Laval und dem BdS einerseits und dem Höheren SS- und Polizeiführer und Bousquet andererseits getroffen worden sei. Er habe den Vorschlag auf Grund der Vorlage von Leguay vorgelegt, der seinerseits erklärt habe, bezüglich dieser Frage nicht auf dem laufenden zu sein.
>
> Auf Grund einer Intervention des Marschalls hat Laval vorgeschlagen, dass die französische Polizei die Festnahme in dem besetzten Gebiet nicht durchführt. Vielmehr möchte er die Durchführung dieser Festnahmen der Besatzungstruppe überlassen. Für das unbesetzte Gebiet hat Laval auf Grund der Intervention des Marschalls vorgeschlagen, dass zunächst einmal nur die Juden ausländischer Staatsangehörigkeit festgenommen und überstellt werden.
>
> Auf Grund dieser Stellungnahme erklärte der BdS, dass man feststellen müsse, dass man französischerseits zwar die Anbringung des Judensterns im besetzten Gebiet anerkannt habe, dass man aber offensichtlich die Judenfrage noch nicht soweit verstanden habe, dass man die Festnahmen von Juden ohne weiteres durchführt. Der BdS betonte, dass daraus zu folgern sei, dass man in Vichy das Problem noch nicht verstehe. Bousquet erklärte daraufhin, dass man französischerseits nicht gegen die Festnahmen an sich sei, nur die Vornahme der Festnahmen durch die französische Polizei sei in Paris "gênant". Dies sei der besondere Wunsch des Marschalls.
>
> Der BdS erklärte seinerseits daraufhin, dass der Führer in allen seinen letzten Reden nichts deutlicher betont habe als die unbedingte Notwendigkeit einer definitiven Lösung der Judenfrage. Aus diesem Grunde werde nur diese Einstellung für unsere Massnahmen Geltung haben, nicht aber die der französischen Regierung. Sollte die französische Regierung sich der Durchführung der Festnahme widersetzen, so werde der Führer sicherlich hierfür kein Verständnis finden.

Aus diesem Grunde wurde folgende Regelung getroffen: Da auf Grund der Intervention des Marschalls in Frankreich vorläufig keine Juden französischer Nationalität festgenommen werden sollen, erklärt sich Bousquet bereit, im gesamten Frankreich in einer einheitlich durchgeführten Aktion Juden ausländischer Staatsangehörigkeit in der von uns gewünschten Höhe festnehmen zu lassen. Bousquet betont, dass dies eine erstmalige Handlungsweise der französischen Regierung sei, wobei man sich der hieraus entstehenden Schwierigkeiten bewusst sei.

In diesem Zusammenhang wies Bousquet auf die schwierige Behandlung der Judenfrage in Afrika hin. Man gehe zwar gegen Juden französischer Staatsangehörigkeit vor, jedoch sei es verboten, gegen Juden italienischer Staatsangehörigkeit vorzugehen.
...
Zur Durchführung des Übereinkommens zur Festnahme der Juden wurde für Sonnabend, den 4.6., eine Besprechung mit Laval in Aussicht gestellt. Dabei wurde vom BdS als Grund für die Weigerung unsererseits, die Festnahme der Juden durchzuführen, ins Feld geführt, dass wir möglichst dahin kommen wollten, nicht von der Besatzungsmacht Gebrauch zu machen. Auf Grund dieser Äusserung erklärte Bousquet, dass der tatsächliche Grund des Einspruches des Marschalls die Frage der Juden elsässischer Staatsangehörigkeit sei. Der Marschall habe soviele Verbindungen zum Elsass, dass er gegen diese nicht vorgehen wolle."

Über die getroffene Vereinbarung unterrichtete Kno. den Militärbefehlshaber, den Kommandanten von Gross-Paris und die Deutsche Botschaft Paris mit Schreiben vom 7.7.1942, vorverfügt von Dannecker:

"Betr.: Durchführung weiterer Judentransporte aus Frankreich.

Vorg.: Ohne.

Der Reichsführer-SS hat zugestimmt, dass im Hinblick auf eine baldige Endlösung der Judenfrage in Westeuropa auch aus Frankreich eine grössere Anzahl von Juden abgeschoben wird. Verhandlungen mit Minister-Präsident Laval, dem Staatssekretär für die Polizei Bousquet und dem Judenkommissar Darquier de Pellepoix hatten folgendes Ergebnis:
Es werden alle staatenlosen Juden beiderlei Geschlechts im Alter von 16-45 Jahren aus der besetzten und unbesetzten Zone erfasst, sofern sie nicht in Mischehe leben. Im besetzten Gebiet wird sich etwa eine Zahl von 22000 ergeben. Wieviel Juden im unbesetzten Gebiet in Frage kommen, ist noch nicht zu übersehen.
Vorstehender Regelung hat auch Staatschef Marschall Pétain und der französische Ministerrat zugestimmt.
Die Abstellung der erforderlichen Anzahl von Transportzügen hat das Reichsverkehrsministerium zugesagt.
Die Bewachung der Transporte innerhalb des besetzten Gebietes wird durch französische Gendarmerie erfolgen, wobei allerdings erforderlich ist, dass eine Gruppe deutscher Feldgendarmerie zu jedem Transport abgestellt wird.
Über den Fortgang der Angelegenheit werde ich zu gegebener Zeit berichten."

c) Die Pariser Grossaktion vom 16./17.Juli 1942

Die Haltung der französischen Regierung hatte zur Folge, dass entgegen der ursprünglichen Planung mit den Verhaftungen angesichts der grossen Zahl in Paris lebender staatenloser und fremdstaatlicher Juden dort begonnen werden sollte.

Dannecker hatte die Rahmengrundsätze für die "Pariser Grossaktion", wie er sie nannte, am 4.7.1942 ausgearbeitet:

"IV J Paris, den 4.7.1942
Dan./Bir.

Rahmengrundsätze für die Pariser Grossaktion gegen Juden.

1.) Die praktische Durchführung muss - unter absoluter Steuerung durch IV J - bei der französischen Polizei liegen.
2.) Die vorläufig zu erfassenden 22000 Juden bedeuten 1/3 der in Paris in Frage kommenden Juden.
3.) Diese Zahl wird prozentual auf die in den einzelnen Arrondissements vorhandene Zahl der Juden umgelegt, so dass für jedes Arrondissement die Zahl der festzunehmenden Juden von vornherein ermittelt werden kann.
4.) Die Hauptkommissare (Chefs der Polizei eines Arrondissement) werden sodann durch Unterschrift verpflichtet, die erforderliche Zahl von Juden am Stichtage aus ihrem Arrondissement herauszuziehen und zu konzentrieren. Bei diesem Verfahren erscheint eine reibungslose Durchführung gewährleistet.
5.) Die Möglichkeit des Abtransportes der verhafteten Juden und Jüdinnen in die vorgesehenen Lager (mittels Eisenbahn) wird der Unterzeichnete mit der WVD Paris regeln.
6.) Mit dem Direktor der französischen Judenpolizei ist vereinbart, dass er seine Beamten - gewissermassen als Überwachung - während der Aktion zu den einzelnen Polizeikommissariaten abstellt.

Dannecker
SS-Hauptsturmführer"

Am 8.7.1942 fand die "Erste Sitzung des Aktionsausschusses" statt, in der die Einzelheiten der Verhaftungsaktion, die zu diesem Zeitpunkt noch für den 13.7.1942 geplant war, durchgesprochen wurden. Von deutscher Seite nahm an dieser Besprechung neben Dannecker der Angeklagte Hei. teil. Den Vermerk über diese Besprechung leitete Dannecker Kno. und Lis. zu; einen Durchschlag bestimmte er für den HSSPF:

"IV J SA 24 Paris, den 8.7.1942

Betr." Weitere Judentransporte aus Frankreich - Erste Sitzung des Aktionsausschusses.

1.) Vermerk:

Besprechungsteilnehmer:
A) SS-Hauptsturmführer Dannecker,
SS-Unterscharführer Hei.
B) Darquier de Pellepoix,
Herr Leguay, Vertreter des Polizeichefs,
Direktor Francois, Chef der Haftlager,

Direktor Hennequin, Chef der Strassenpolizei,
Direktor Tulard, Chef der Judenkartei der Präfektur Paris,
Direktor Garnier, Vertreter des Präfekten Seine,
Direktor Schweblin, Antijüdische Polizei,
Herr Gallien, Kabinettschef bei Darquier,
Herr Guidot, Stabsoffizier der Strassenpolizei.

In einleitenden Worten wies Darquier darauf hin, dass die Besatzungsbehörde sich bereit erklärt habe, dem französischen Staat die Juden abzunehmen und dass man zusammengekommen sei, um über die technische Durchführung des Abschubes zu sprechen.
Daraufhin begann die eigentliche Besprechung und SS-Hauptsturmführer Dannecker stellte fest:

1.) Ob alle anwesenden Herren bevollmächtigte Vertreter ihrer Dienststellen wären, so dass die heute gefassten Beschlüsse bindend seien und irgendwelche Rückfragen und Änderungen nicht mehr in Betracht kämen. Sämtliche Herren erklärten daraufhin, mit den nötigen Vollmachten ausgestattet zu sein.

Im Laufe der weiteren Besprechung wurde
2.) über die in Betracht kommende Zahl der Juden in Gross-Paris gesprochen.
Danach sind in Paris rund 28000 Juden nach den besonderen Richtlinien (staatenlose u.s.w.) zu verhaften. Hinzu kommen russische Juden (weiss und rot), so dass man nach Abzug der kranken, transportunfähigen und zu alten Juden mit einer Zahl von 22000 Juden für Paris rechnen kann.

Anschliessend wurde als Punkt
3.) die eigentliche Haftmassnahme durchgesprochen.
Danach werden durch Inspektoren der Präfektur, der antijüdischen Polizei und weibliche Hilfskräfte die in Betracht kommenden Karteikarten herausgezogen und arrondissementweise sortiert. Dann erhält Direktor Hennequin (Police Municipale) diese Karten und verteilt sie weiter an die Polizeikommissare der Arrondissements. Diese haben nach den Karten die Verhaftungen vorzunehmen und für die nicht angetroffenen Juden die Karten zurückzugeben. Bis Freitag, 10.7.42, ist die Kartensortierung beendet und am Montag früh (13.7.42) kann die Aktion in allen Arrondissements gleichzeitig stattfinden.
Die Juden werden dann in den einzelnen Bürgermeistereien gesammelt und anschliessend zum Hauptsammelplatz (Vel d'hiver) abtransportiert. Den Abtransport in die einzelnen Lager übernehmen die Franzosen selbst. Es wurde die Altersgrenze "16-50 Jahre" festgesetzt. Zurückbleibende Kinder werden gleichfalls an einem gemeinsamen Platz gesammelt und anschliessend von der Union der Juden in Frankreich übernommen und in Kinderheime überführt.
Es werden sämtliche Juden in den entsprechenden Altersgrenzen verhaftet, die transportfähig sind. (Nicht in Mischehe lebende!)
In den Départements Seine et Oise und Seine et Marne wird die Aktion im Anschluss an die Pariser unter Mitwirkung der Pariser Polizei durchgeführt.

In diesem Zusammenhang wurde
4.) über die Aufnahmefähigkeit der einzelnen Haftlager gesprochen.
Dabei wurden durch Hauptsturmführer Dannecker folgende Zahlen festgelegt.

Drancy:	6000 Juden (Frauen und Männer)
Compiègne:	6000 " " " "
Pithiviers:	5000 " " " "
Beaune-la-Rolande:	5000 " " " "

5.) Eigentlicher Abtransport der Juden nach dem Osten.
Es wurde festgelegt, dass aus jedem Lager pro Woche ein Transport gestartet wird. Man ist zu dieser Lösung gekommen, weil jeder Transport doch einer gründlichen Vorbereitung bedarf (Durchsuchung der Juden, Verpflegung, Listen usw.)
Somit werden jede Woche vier Züge mit je 1000 Juden das besetzte Gebiet in Richtung Osten verlassen.
Die Bewachung der Züge wird durch französische Gendarmerie gestellt, die durch ein deutsches Feldgendarmeriekommando von einem Leutnant und acht Mann überwacht werden.

6.) Verpflegung und Ausrüstung der Juden.
Jeder Jude ist wie folgt auszurüsten.
a) 1 Paar derbe Arbeitsstiefel, 2 Paar Socken, 2 Hemden, 2 Unterhosen, 1 Arbeitsanzug, 2 Wolldecken, 2 Garnituren, Bettzeug (Bezüge und Laken), 1 Essnapf, 1 Trinkbecher, 1 Feldflasche, 1 Löffel und 1 Pullover, ferner die notwendigsten Toilettengegenstände.
b) Jeder Jude hat für drei Tage Marschverpflegung bei sich zu führen.
Insgesamt darf nur ein Gepäckstück (1 Koffer oder Rucksack) mitgenommen werden.
c) Ferner ist dem Transport Verpflegung für insgesamt 14 Tage mitzugeben. (Brot, Mehl, Kartoffeln, Bohnen usw. in Säcken) in einem gesonderten Güterwagen mitzugeben.
Der Vertreter der Präfektur de la Seine sah hierfür keine Schwierigkeiten.

2.) B.d.S.
mit der Bitte um Kenntnisnahme vorgelegt.
3.) SS-Obersturmbannführer Lis.
mit der Bitte um Kenntnisnahme vorgelegt.
4.) Durchschlag für Höheren SS- und Polizeiführer.

Dannecker
SS-Hauptsturmführer"

Nachdem die Aktion mit Rücksicht auf den französischen Nationalfeiertag am 14.7. auf den 16.7.1942 verschoben worden war, fand eine erneute Vorbesprechung am 10.7.1942 statt, an der von deutscher Seite aus neben Dannecker und Röthke wieder der Angeklagte Hei. teilnahm. Hatte Kno. in dem wiedergegebenen Schreiben vom 7.7.1942 noch von einer Altersgrenze der zu Verhaftenden von 16 bis 45 Jahren gesprochen und war diese Altersgrenze in der Besprechung vom 8.7.1942 auf 50 Jahre heraufgesetzt worden, so wurde nunmehr die Altersgrenze für Frauen auf 55 Jahre und bei Männern bis zu 60 Jahren heraufgesetzt. Kinder ab 2 Jahre sollten nun ebenfalls festgenommen werden. Der Vermerk Röthke über diese Besprechung wurde Kno. und Lis. vorgelegt; ein Durchschlag ging an den HSSPF.

"IV J SA 255 a
Rö./Bir.

Paris, den 11.7.1942

Betr.: Abtransport staatenloser Juden.

1.) Vermerk.

Am Freitag, den 10.7.1942, fand um 16 Uhr eine Besprechung bei dem Generalkommissariat für Judenfragen statt.

An der Besprechung haben teilgenommen:
1.) SS-Hauptsturmführer Dannecker,
2.) SS-Unterscharführer Hei.,
3.) Der Unterzeichnete,
4.) Direktor Galien [91],
5.) Generalsekretär Leguay,
6.) Dolmetscher Wilhelms,
7.) weitere Herren von der französischen Polizei, ein Vertreter der SNCF, 3 Vertreter der öffentlichen Fürsorge.

Bei der Besprechung ist nochmals herausgestellt worden, dass die Durchführung im einzelnen der französischen Polizei überlassen sein soll. Folgende Punkte sind im einzelnen erörtert worden:

1.) Die Verhaftungsaktion soll am Donnerstag, den 16.7.1942, 4 Uhr früh einsetzen.
2.) Die Verhafteten sollen zum Vélodrome d'hiver geschafft werden. Direktor Tulard rechnet mit ca. 24-25000 Festzunehmenden.
3.) Die Altersgrenzen können für Frauen bis zu 55 Jahren, für Männer bis 60 Jahren heraufgesetzt werden.
4.) Jüdische Mütter mit Kindern bis zu 2 Jahren sollen nicht festgenommen werden.
5.) Bei Mischehen sollen nur die staatenlosen Ehepartner erfasst werden.
6.) Die Kinder sollen zunächst ebenfalls zum Vélodrome d'hiver geschafft werden, wo sich ihrer zunächst die "Assistence Public" annehmen wird. Sobald die Verhaftungsaktion durchgeführt ist, soll sich um die Kinder die Union kümmern.
7.) Falls die Judenlager zur Aufnahme der Festgenommenen nicht ausreichen, kann nur als Notbehelf das Lager Compiègne zur Verfügung gestellt werden. In Compiègne können alsdann jedoch bis zu 6000 Juden unterbracht werden.
8.) Am 21., spätestens 22.7. soll der erste Transport abgehen. Die Verhaftungskommission soll rechtzeitig vorher der Dienststelle IV J melden, dass der Transport bereitsteht.
Weitere Transporte sollen in Abständen von 2 Tagen rollen, so dass wöchentlich 3 Transporte insgesamt gestartet werden.
9.) Wegen der Kübel soll sich die Kommission zunächst an die Union wenden, die genau nachweisen kann, bei welcher Stelle Kübel erhältlich sind. Die Kübel sollen zunächst blockiert, sodann für die Transporte freigegeben werden. Notfalls wird das Referat IV J Anordnungen über die Gestellung der Kübel erteilen. Pro Zug ist an 40 Kübel gedacht, so dass insgesamt etwa 800 Kübel notwendig sein werden.
10.) Falls eine staatenlose Jüdin in Mischehe lebt und Kinder hat, die nicht als Juden gelten, soll die Jüdin nicht mitabgeschoben werden.

2.) SS-Standartenführer Dr. Kno.
mit der Bitte um Kenntnisnahme.
3.) SS-Obersturmbannführer Lis.
mit der Bitte um Kenntnisnahme.
4.) Durchschlag für Höheren SS- u. Polizei-Führer.

[91] Stellenweise auch Gallien geschrieben.

Röthke
SS-Obersturmbannführer [92]"

Bei der Festnahmeaktion, die am 16.7.1942 am frühen Morgen begann und bei der mehrere 1000 französische Polizisten eingesetzt waren, wurden am 1.Tag etwa 9800 Personen und am 2.Tag rd. 3000 Personen festgenommen. Unter den Festgenommenen befanden sich über 4000 Kinder. Die festgenommenen jüdischen Menschen wurden zunächst in die Winterrennbahn (Vélodrome d'hiver) gebracht. 6000 unverheiratete Männer und Frauen bzw. kinderlose Ehepaare wurden noch während der Aktion in das Lager Drancy überstellt.

Über das Ergebnis der Aktion fertigte Röthke einen Vermerk vom 18.7.1942, den er Lis., Kno. und Oberg zuleitete. Über die wichtigsten Ergebnisse der Aktion, die in diesem Vermerk festgehalten worden waren, unterrichtete der Angeklagte Lis. mit Schreiben vom 18.7.1942, vorverfügt von Röthke, den Militärbefehlshaber und den Kommandanten von Gross-Paris:

"An den
Militärbefehlshaber in Frankreich
- Kommandostab I c -
Paris

Nachrichtlich
an den
Kommandanten von Gross-Paris
- Kommandostab I c -
Paris.

Betrifft: Festnahme von staatenlosen Juden durch die französische Polizei.
Vorgang: Mein Schreiben vom 15.7.1942.

Die Festnahmeaktion ist von der französischen Polizei am 16. und 17.7.1942 durchgeführt worden. Bei der Festnahmeaktion sind insgesamt 12884 Personen verhaftet worden, die sich wie folgt aufteilen:
a) Männer 3031
b) Frauen 5802
c) Kinder 4051.
6000 unverheiratete oder kinderlose Männer und Frauen sind sofort in das Judenlager Drancy überstellt worden, von wo ihr Abtransport zum Zwecke des Arbeitseinsatzes im Reich in Zügen zu je 1000 Personen innerhalb der nächsten 14 Tage veranlasst wird.
Der Rest der festgenommenen Juden, insbesondere Frauen sowie Kinder, ist im Vélodrome d'hiver untergebracht. Dieser Personenkreis wird in den nächsten Tagen zunächst in die Judenlager Pithiviers und Beaune-la-Rolande überstellt. Eine Entscheidung über die Möglichkeit des Abtransportes der Kinder in das Reich ist noch nicht getroffen. Die Versorgung und Betreuung der festgenommenen Juden liegt in den Händen der französischen Behörden.

i.V.
Lis.
SS-Obersturmbannführer"

[92] Richtig: SS-Obersturmführer.

Wegen der grossen Anzahl der festgenommenen Judenkinder fand bereits am 17.7.1942 vormittags im Referat IV J eine Besprechung statt, an der von deutscher Seite der Angeklagte Hag. und Röthke teilnahmen. Entgegen der ursprünglichen Absicht, die Kinder der französischen Union der Juden zu überlassen, wurde nunmehr die Möglichkeit erörtert, die Kinder ebenfalls zu deportieren. Die Niederschrift Röthkes über diese Besprechung war ebenfalls Gegenstand seines bereits erwähnten Vermerks vom 18.7.1942. In diesem heisst es über die Besprechung:

"Am 17.7.1942 hat vormittags bei dem Ref. IV J eine Besprechung über die Frage der Unterbringung der festgenommenen Judenkinder stattgefunden.

An der Besprechung haben teilgenommen:
1.) SS-Sturmbannführer Hag.,
2.) der Unterzeichnete,
3.) der Generaldelegierte für die Polizei, Leguay,
4.) der Polizeidirektor der Polizei-Präfektur, Francois,
5.) Direktor Tulard,
6.) Darquier de Pellepoix und
7.) dessen Generalsekretär Gallien.

Das mit der Leitung der Festnahmeaktion beauftragte Generalkommissariat für Judenfragen hatte zunächst in Aussicht genommen, die Judenkinder in Häusern in Gross-Paris selbst sowie in Vororten von Paris unterzubringen. Nach der Mitteilung des Generalkommissariats wären diese Möglichkeiten gegeben. Bei der Besprechung ist jedoch folgender Vorschlag für besser befunden worden: Die Judenkinder werden zunächst nicht von ihren Eltern getrennt, sondern zusammen mit diesen in die Lager Pithiviers und Beaune-la-Rolande transportiert. Den Abtransport übernimmt die SNCF., die Durchführung hat die französische Polizei. Im Lager Drancy befinden sich hingegen jetzt schon 6000 Juden und Jüdinnen, die entweder unverheiratet sind oder in kinderloser Ehe leben. Diese Juden stehen zunächst zum Abtransport bereit. Es soll zunächst abgewartet werden, welche Entscheidung höheren Ortes (Reichssicherheitshauptamt) über die Möglichkeit des Abtransportes der Judenkinder getroffen wird. Die Vertreter der französischen Polizei brachten wiederholt den Wunsch zum Ausdruck, dass auch die Kinder mit ins Reich abtransportiert werden möchten. Sollte dies vorerst nicht möglich sein, so werden aus den Lagern Pithiviers und Beaune-la-Rolande je nach der hiesigen Anforderung die erwachsenen Juden in Zügen zu je 1000 Personen nach Drancy geschafft. Falls die Möglichkeit der Abnahme der Judenkinder gegeben werden sollte, so sollen die Eltern mit den Kindern zusammen abgeschoben werden. Die Zuführung der Juden von Pithiviers und Beaune-la-Rolande nach Drancy übernimmt die französische Polizei.

Die Verpflegung der Juden hat gleichfalls die französische Polizei im Einvernehmen mit dem Judenkommissariat übernommen. Die Juden geben, wie schon bei früheren Zusammenfassungen in Judenlagern, die Lebensmittelkarten ab und erhalten eine Massenverpflegung.

Für die ärztliche Betreuung hat die "Union" zu sorgen.

Die Transporte von Drancy bis zur Reichsgrenze werden von einem französischen Gendarmerieoffizier und 30 Mann begleitet. Jedem Kommando werden ein Feldgendarmerieoffizier und 8 Feldgendarmeriebeamte zur Aufsicht beigegeben.

Die Verteilung der z.Zt. noch in Vélodrome d'hiver untergebrachten Juden erfolgt in der Zeit vom 19.7.1942 ab und soll schnellstens, d.h. in wenigen Tagen, durchgeführt werden."

Im übrigen besetzten Gebiet wurden während der Aktion rd. 1200 staatenlose Juden festgenommen. Währenddessen begann am 17.7.1942 eine dichte Folge von Judentransporten nach Auschwitz, die erst Ende September 1942 vorübergehend abreissen sollte. Im Monat Juli 1942 wurden mit 8 Transporten etwa 7700 Menschen nach Auschwitz gebracht.

d) Transporte aus dem unbesetzten Gebiet

Im Zusammenhang mit der Abgabe von Juden aus dem unbesetzten Gebiet an die deutschen Behörden war von Bousquet die Zustimmung erlangt worden, dass ein Vertreter der BdS in die unbesetzte Zone reisen würde, um über die in den dortigen Lagern befindlichen Juden genaue Feststellungen zu erhalten. Während in Paris die von ihm vorbereitete Grossaktion anlief, befand sich Dannecker in Begleitung des Angeklagten Hei. und des Direktors der französischen Judenpolizei im besetzten Gebiet Schweblin auf der Fahrt durch das unbesetzte Gebiet, die vom 11. bis zum 19.7.1942 dauerte. Während der Fahrt erfolgte die Besichtigung der Lager Fort Barraux bei Grenoble, Les Milles bei Aix-en-Provence, Rivesaltes bei Perpignan und Gurs bei Pau. Über seine Feststellungen auf der Fahrt fertigte Dannecker nach seiner Rückkehr am 20.7.1942 einen Bericht, indem er u.a. die Zahl der in den Lagern inhaftierten Juden festhielt. Den Bericht legte Dannecker dem BdS, Lis. und dem HSSPF vor. Lis. und Oberg paraphierten den Bericht. In dem Bericht heisst es u.a.:

> "...
> IV.) Jüdische Auswanderung:
> Zu dieser Frage gab der Leiter des Lagers Les Milles interessante Hinweise. Er stellte fest, dass die jüdische Auswanderungsorganisation "Hicem" bei vorhandenen Schiffspassagen jede Summe bezahlt, um Juden die Auswanderung zu ermöglichen. Dies ist ein Beweis dafür, dass das Weltjudentum sich darüber klar ist, dass die im deutschen Machtbereich befindlichen Juden ihrer restlosen Vernichtung entgegen gehen.
> Wie der Lagerleiter ferner erklärte, sind im Jahre 1941 rd. 10000 Juden aus Frankreich nach Übersee ausgewandert. Auch heute noch sei die Auswanderung möglich, jedoch dadurch erschwert, dass man nicht mehr über Lissabon gehen könne, sondern den Weg über Casa-Blanca [93] wählen müsse.
> ..."

Am 21.7.1942 verfasste Dannecker den folgenden Vermerk für den BdS, in dem er Folgerungen aus den Feststellungen, die er auf seiner Fahrt getroffen hatte, festhielt:

> "IV J Paris, den 21.7.1942
> Dan./Bir.
>
> Betr.: Besprechungspunkte für die Unterredung mit dem französischen Staatssekretär für die Polizei, BOUSQUET.

[93] Sic!

1.) Vermerk:

Unter Bezugnahme auf meine Niederschrift vom 20.7.1942 über die Dienstreise im unbesetzten Gebiet gebe ich nachstehend einige wichtige Besprechungspunkte:

a) Besetztes Gebiet:
Die kürzlich in Paris durchgeführte Festnahmeaktion staatenloser Juden hat lediglich die Zahl von rd. 8000 Erwachsenen und ca. 4000 Kindern erbracht. Seitens des Reichsverkehrsministeriums sind aber Züge für den Abtransport von vorläufig 40000 Juden bereitgestellt. Da ein Abtransport der Kinder vorläufig nicht erfolgen kann, ist die Zahl der für den Abschub bereitstehenden Juden völlig unzureichend.
Deshalb muss sofort eine weitere Judenaktion gestartet werden. Hierfür kommen neben den bisher als staatenlos erfassten Juden ehemals deutscher, österreichischer, tschechoslowakischer, polnischer und russischer Staatsangehörigkeit auch Juden belgischer und holländischer Nationalität in Frage. Es ist aber zu erwarten, dass diese Kategorie zahlenmässig nicht ausreicht, weshalb den Franzosen nichts anderes übrig bleibt, als jene Juden mit heranzuziehen, die nach 1927 bezw. auch schon nach 1919 in Frankreich naturalisiert wurden.

b) Unbesetztes Gebiet:
Dem Vertreter des Bousquet, LEGUAY, gegenüber war durch den Unterzeichneten mehrfach erklärt worden, dass man unsererseits fest damit rechnet, vorläufig 10.000 Juden aus dem unbesetzten Gebiet ab 1.8.1942 abzutransportieren.
Wie die kürzliche Reise im unbesetzten Gebiet ergab, sind die Polizeiintendanten (auch nicht die der Côte d'Azur) bis heute noch nicht über eine beabsichtigte Aktion unterrichtet. Bousquet muss deshalb betont darauf hingewiesen werden, dass schnellstes Handeln erforderlich ist, um die uns gegenüber gemachte Zusage einhalten zu können.
Dabei kann damit operiert werden, dass ja das Gesetz vom 4.10.1940 die Internierung aller Ausländer jüdischer Rasse in besonderen Lagern ermöglicht, die Durchführung einer derartigen Massnahme also überhaupt keines Beschlusses des französischen Ministerrates mehr bedarf.

2.) BdS und des SD oder Vertreter
mit der Bitte um Kenntnisnahme und Berücksichtigung anlässlich der für den 23.7.1942 mit Bousquet vorgesehenen Besprechung.

Dannecker
SS-Hauptsturmführer"

Am 27.7.1942 suchte Leguay Röthke auf und teilte ihm mit, dass die französische Regierung 3000 bis 4000 Juden aus den Judenlagern des unbesetzten Gebietes für den Abtransport nach Deutschland zur Verfügung stellen werde; alsbald werde die französische Regierung weitere staatenlose Juden im unbesetzten Gebiet internieren und sie überstellen. Am 28.7.1942 erschien Leguay erneut bei Röthke und kündigte die Ankunft der Züge mit den Juden aus dem unbesetzten Gebiet, die auf deutschen Wunsch zunächst nach Drancy überstellt werden sollten, für den 7., 9., 11 und 13.8.1942 an.

Unter Hinweis auf den mit dem Reichssicherheitshauptamt abgestimmten Transportplan, der je 13 Züge für August und September vorsah, wies Röthke Leguay darauf hin, dass "die Zurverfügungstellung dieser Juden lediglich als eine erste kleine Rate aufgefasst werden könnte". Röthke verwies dabei auf die Kenntnisse über die Lagerstärken im unbesetzten Gebiet, die die Dienststelle durch Dannecker erhalten hatte. Er drängte Leguay zugleich auf einen raschen Beginn der Internierung sämtlicher im unbesetzten Gebiet verbliebenen staatenlosen Juden.

Über seine Besprechungen mit Leguay fertigte Röthke einen Vermerk vom 28.7.1942, den er Kno., Lis. und dem HSSPF zuleitete. Am Ende dieses Vermerkes machte er seinen Vorgesetzten die folgenden Vorschläge zur vollen Erfüllung des August- und September-Abschubprogramms:

> "...
> Bleiben auszufüllen die Züge am 28.8. und 31.8.1942, für die unbedingt rechtzeitig genug eine hinreichende Anzahl von Juden gestellt werden muss. Diese Juden lassen sich mit Leichtigkeit von der französischen Polizei des unbesetzten Gebietes im unbesetzten Gebiet aufbringen. Leguay schätzt die Zahl der noch in der freien Zone vorhandenen staatenlosen Juden auf 12000. Diese Zahl dürfte jedoch höchstens 1/3 der tatsächlich sich dort aufhaltenden Juden ausmachen.
> Da für die Abschubaktion aber auch für den Monat September schon jetzt 13 Züge bereitstehen, eine Anzahl, die wahrscheinlich noch gesteigert werden wird, muss die französische Regierung schon jetzt alle Schritte ergreifen, um wirklich die höchstmögliche Anzahl abzuschiebender Elemente zu erfassen.
>
> Das Ref. IV J bittet daher, bei der Besprechung mit Bousquet am 29.7.1942 zu fordern:
>
> 1.) Alle staatenlosen Juden des unbesetzten Gebietes sind auf schnellstem Wege zu internieren und auf Abruf seitens des Befehlshabers der Sicherheitspolizei und des SD zu überstellen.
> 2.) Die Internierungsaktion ist auszudehnen auf holländische und belgische Juden, die nach eigenen Angaben französischer Polizeidienststellen im unbesetzten Gebiet zu Tausenden vorhanden sind.
> 3.) Das französische Gesetz über die Aberkennung der Staatsangehörigkeit für französische Juden, die nach einem bestimmten Stichtag die französische Staatsangehörigkeit erworben haben, müsste baldigst, d.h. am besten noch vor Mitte August, erlassen werden, damit auch diese Kategorie von Juden erfasst und schon im Septemberprogramm mitabgeschoben werden kann. Als Stichtag wäre möglichst ein Termin aus dem Jahre 1918 oder 1919 zu wählen, auf keinen Fall jedoch ein Termin, der später als 1927 liegt, da durch ein französisches Gesetz aus dem Jahre 1927 den Juden die Erlangung der französischen Staatsangehörigkeit in erheblichem Masse erleichtert worden ist (Angabe Leguays und des Generalkommissariats für Judenfragen)."

Entsprechend dem Vorschlag des Judenreferates verhandelte Kno., jeweils in Begleitung des Angeklagten Hag., der über die Besprechungen Vermerke anfertigte, mit Bousquet am 29.7.1942 und mit Laval und Bousquet am 3.8.1942. Bei beiden Gesprächen wurde von französischer Seite bekräftigt, dass bis Mitte August alle diejenigen Juden überstellt werden würden, die bereits in den Konzentrationslagern im unbesetzten Gebiet untergebracht wären, und dass darüber hinaus weitere Juden ausländischer Staatsangehörigkeit festgenommen werden würden. Entgegen der Vorstellung seines Sachbearbeiters schlug Kno. bezüglich des Ausbürgerungsgesetzes als Zeitpunkt 1933 vor, womit sich die französischen Besprechungspartner grundsätzlich einverstanden erklärten.

Wie abgesprochen trafen zwischen dem 7. und dem 13.8.1942 vier Transporte mit Juden aus dem unbesetzten Gebiet ein und gelangten nach Drancy, von wo jeweils der weitere Abschub nach Auschwitz erfolgte.

Am 13.8.1942 fand im Judenreferat erneut eine Besprechung über die Überstellung von Juden aus dem unbesetzten Gebiet statt, an der auf deutscher Seite Dannecker und Röthke und auf französischer Seite Leguay und dessen Sachbearbeiter, Kommandant Sauts, teilnahmen. Sauts kündigte dabei für den August drei weitere Züge mit je 1000 Juden aus dem unbesetzten Gebiet an. Von den deutschen Besprechungsteilnehmern wurde Leguay dabei unter wiederholtem Hinweis darauf, dass zur Erfüllung des Abschubprogramms rechtzeitig eine hinreichende Anzahl von Juden aus dem unbesetzten Gebiet überstellt werden müsse, gesagt, dass auch, nachdem das Reichssicherheitshauptamt den Abschub von Judenkindern freigegeben hätte, Judenkinder aus dem unbesetzten Gebiet ausgeliefert werden könnten. Darüber hinaus könnte mit der Internierung und Auslieferung von Juden belgischer oder holländischer Staatsangehörigkeit begonnen werden. Seinen Vermerk über die Besprechung leitete Röthke Kno., Lis. und Hag. zu, diesem mit der Bitte, ggfls. den HSSPF zu unterrichten.

Am 17.8.1942 bestellte Röthke Leguay erneut zu sich und sprach mit ihm das September--Abschubprogramm durch. In dem Vermerk Röthkes heisst es über die Unterredung:

> "Am 17.8.1942 habe ich den Generalsekretär für das französische Polizeiwesen im besetzten Gebiet, Leguay, rufen lassen und mit ihm über das Abschubprogramm für den Monat September gesprochen. Leguay hat angegeben, dass die französische Regierung beabsichtige, am 29.8.1942 im unbesetzten Gebiet eine grosse Judenrazzia durchzuführen. Man wolle zunächst denselben Personenkreis internieren, der im besetzten Gebiet am 16. und 17.8.1942 erfasst worden ist. Man rechne mit etwa 15000 festzunehmenden Juden.
> Ich habe Leguay gesagt, dass man bei der Aktion auch Juden holländischer und belgischer Nationalität festnehmen solle, gleichfalls alle Juden, die auf unerlaubtem Wege aus dem besetzten Gebiet Frankreichs in das unbesetzte Gebiet zugereist seien. Ferner beständen keine Bedenken dagegen, dass auch Juden aus Strafanstalten zum Zwecke des Abtransportes zur Verfügung gestellt würden.
> Leguay brachte vor, dass er seinerseits der französischen Regierung vorgeschlagen hätte, die Juden für das Septemberprogramm schon Ende August bezw. in den ersten Septembertagen in ihrer Gesamtheit zur Verfügung zu stellen, da das besetzte Gebiet genügend Platz in seinen Judenlagern habe, um die zu internierenden Juden in ihrer Gesamtheit aufzunehmen. Er habe diesen Vorschlag deshalb gemacht, damit die Besetzung einzelner Transportzüge schon zu Beginn des Monats September gesichert sei und nicht für die späteren Züge im Monat September ein Suchen nach einer hinreichend starken Anzahl von Juden einsetzen müsse.
> Ich habe Leguay gesagt, dass sein Vorschlag, der im übrigen angeblich von Bousquet - nach den Angaben Leguays - volle Unterstützung findet, sich vollkommen mit unserer Auffassung decke. Auf jeden Fall würde das Septemberprogramm so oder so erfüllt werden müssen und erfüllt werden.
> Leguay will alsbald den genauen Transportplan für die Züge aus dem unbesetzten Gebiet einreichen."

Den Vermerk leitete Röthke Lis. und Hag. zu.

In einer aufwendigen Razzia im unbesetzten Gebiet vom 26.-28.8.1942 wurden über 7000 Juden festgenommen und im September der Sicherheitspolizei zum Abtransport nach Auschwitz überstellt.

e) Die Kindertransporte aus dem Lager Drancy im August 1942

Wie bereits erwähnt worden ist, wurde bei der Besprechung am 17.7.1942 über die Frage der Unterbringung der am 16. und 17.7.1942 festgenommenen Judenkinder bereits die Möglichkeit ihres Abtransports besprochen, nachdem zunächst geplant gewesen war, die Kinder der französischen Union der Juden zu übergeben und in Kinderheimen unterzubringen. Während in dem Vermerk Röthkes vom 18.7.1942 über die Besprechung am 17.7.1942 festgehalten ist, dass zunächst abgewartet werden soll, welche Entscheidung vom Reichssicherheitshauptamt über die Möglichkeit des Abtransportes der Judenkinder getroffen werde, vermerkte Kno. handschriftlich am Rande des Vermerks an dieser Stelle:

Können doch m.W. nach Entscheidung RSHA abtransportiert werden."

Nach seiner Rückkehr von der Fahrt durch das unbesetzte Gebiet schnitt Dannecker diese Frage in einem Telefonat mit Eichmann am 20.7.1942 an. Er fertigte hierüber am 21.7.1942 einen Vermerk, in dem es über den Kinderabschub heisst:

"Am 20.7.1942 riefen SS-Obersturmbannführer EICHMANN und SS-Obersturmführer NOWAK vom RSHA IV B 4 hier an.
Mit SS-Obersturmbannführer Eichmann wurde die Frage des Kinderabschubes besprochen. Er entschied, dass, sobald der Abtransport in das Generalgouvernement wieder möglich ist, Kindertransporte rollen können. SS-Obersturmführer Nowak sicherte zu, Ende August / Anfang September etwa 6 Transporte nach dem Generalgouvernement zu ermöglichen, die Juden aller Art (auch arbeitsunfähige und alte Juden) enthalten können."

Den Vermerk brachte Dannecker Röthke und dem Angeklagten Hei., der nach der Rückkehr von der Reise mit Dannecker die Sachbearbeitung bezüglich der technischen Durchführung der Transporte übernommen hatte, zur Kenntnis.

Die bei der Pariser Grossaktion verhafteten Kinder waren in der Zwischenzeit von Paris mit ihren Eltern bzw. Müttern auf die Lager Pithiviers und Beaune-la-Rolande verteilt worden. Hiervon hatte Röthke das Sicherheitspolizei-(SD)-Kommando Orléans, in dessen Bereich sich die beiden Lager befanden, benachrichtigt:

"IV J SA 225 a Paris, den 18.7.1942
Ah./Bir.

Dringend, sofort vorlegen!

An das
Sicherheitspolizei-(SD)-Kommando
Orléans

Betr.: Einlieferung von Juden in die Lager Pithiviers und Beaune-la-Rolande.

Vorg.: Ohne.

Die in den letzten Tagen hier festgenommenen Juden und Jüdinnen müssen z.T. in den Lagern Pithiviers und Beaune-la-Rolande untergebracht werden. Das Lager Drancy ist z.Zt. mit 6000 Juden voll belegt. Es handelt sich um etwa 6800 noch unterzubringenden Juden. Der Transport der Juden nach den Lagern Pithiviers und Beaune-la-Rolande erfolgt laufend ab 19.7.1942.
Es sind überwiegend Frauen und Kinder. Diese Juden werden dann im Laufe der nächsten Wochen wieder nach Drancy zwecks Abtransport zurückgeführt.
Ich bitte die Lagerverwaltungen hiervon in Kenntnis zu setzen.

i.A. (i.V.)
Röthke
SS-O'stuf."

Entsprechend der Absprache mit Eichmann, dass Kinder erst Ende August und Anfang September in den Osten geschickt werden sollten, wurden den Transporten, die Ende Juli und Anfang August abgingen, keine Kinder beigegeben. Für die Transporte vom 31.7., 3. und 5.8.1942, die aus technischen Gründen von den Lagern Pithiviers und Beaune-la-Rolande abgingen, gab Hei. dem Sicherheitspolizei-(SD)-Kommando Orléans, das für die Zusammenstellung dieser Transporte verantwortlich war, diesbezügliche Anweisungen.

Im Fernschreiben vom 27.7.1942, unterzeichnet von Röthke, teilte Hei. mit, dass Kinder vorläufig nicht mitzuschicken sind. In dem von Hei. verfügter Fernschreiben vom 30.7.1942 wies er deutlich darauf hin, dass bei den derzeitigen Abtransporten auf eine etwaige Familienzusammengehörigkeit keine Rücksicht zu nehmen wäre, sondern dass vielmehr ggfls. die Eltern von den Kindern zu trennen seien:

"IV J - 225a
He./Ge.

Paris, den 30.7.1942

Dringend ! Sofort vorlegen !

An das
Sicherheitspolizei-(SD)-Kommando
Orleans.

Betrifft: Judenabtransport aus dem Lager Pithiviers bezw. Beaune-la-Rolande
Vorgang: Telef. Rücksprache zwischen dem dort. Ref. IV J und SS-U'Scharf. Hei.

Die Transportzüge am Freitag, den 31.7.1942, und Montag, den 3.8.1942, verlassen Absprache gemäss 6.15 Uhr den Bahnhof Pithiviers. Der Zug am Mittwoch, den 5.8.1942, geht vom Bahnhof Beaune-la-Rolande früh 5.20 Uhr. Kinder sind diesen Transporten noch nicht beizugeben. Sie werden zu einem späteren Zeitpunkt gesondert abtransportiert. Etwaige erforderliche Trennung zwischen Eltern und Kindern im Zuge des Abtransportes der Erwachsenen sind jetzt durchzuführen.

i.A. (i.V.)
Röthke
SS-Obersturmführer"

Auch soweit im Haftlager bei Bordeaux Eltern zusammen mit ihren Kindern inhaftiert waren, wurden sie dort voneinander getrennt, und die Kinder wurden mit den im Lager Pithiviers inhaftierten Kindern zusammengebracht. Dies stimmte der Angeklagte Hei. mit den Sicherheitspolizei-(SD)-Kommandos in Orléans und Bordeaux am 6.8.1942 ab:

"IV J SA 225 a
He./Bir.

Paris, den 6.8.1942

An das
Sicherheitspolizei-(SD)-Kommando
- Referat IV J -
Orléans

Lfd.Nr.858

Betr.: Einweisung von Judenkindern in das Haftlager Pithiviers bei Orléans.
Vorg.: Ohne.

Infolge Überbelegung des Judenlagers bei Bordeaux müssen die dort einsitzenden Kinder in das Haftlager Pithiviers bis zum Abgang des Kinderzuges eingewiesen werden. Das Sicherheitspolizei-(SD)-Kommando Bordeaux setzt sich zwecks Übernahme des von Bordeaux kommenden Transportes direkt mit dem Sicherheitspolizei-(SD)-Kommando Orléans in Verbindung.

i.A. (i.V.)
Ahnert
SS-Untersturmführer"

"IV J SA 225 a   Paris, den 6.8.1942
He./Bir.

An das
Sicherheitspolizei-(SD)-Kommando
z.Hd. v. SS-Untersturmführer DOBERSCHÜTZ
Bordeaux

Betr.: Einweisung von Judenkindern in das Haftlager Pithiviers bei Orleans.
Vorg.: Telefonische Rücksprache zwischen SS-Untersturmführer Doberschütz und SS-Unterscharführer Hei. am 6.8.1942.

Wie schon telefonisch vereinbart sind die Kinder der verhafteten Juden von den Eltern zu trennen und in das Haftlager Pithiviers bei Orleans einzuweisen. Vor Abgang des Transportes bitte ich, sich direkt mit dem Sicherheitspolizei-(SD)--Kommando Orleans zwecks Übernahme des Transportes in Verbindung zu setzen.

i.A. (i.V.)
Ahnert
SS-Untersturmführer"

Röthke hatte sich in seinem Vermerk vom 28.7.1942 über das August-Abschubprogramm aufgrund der ihm vorliegenden Zahlen bereits ausgerechnet, dass zur Erfüllung des Programms die Kinder mit den Transporten vom 19., 21., 24. und 26.8. abgehen müssten, während ihm für den 28. und 31.8.1942 Juden zum Abtransport überhaupt noch ganz fehlten.

Die Kinder, die von ihren Eltern getrennt und deren Angehörige meist bereits nach Auschwitz transportiert worden waren, wurden im Laufe des Monats August nach und nach in geschlossenen Transporten von den Lagern Pithiviers und Beaune-la-Rolande ins Lager Drancy gebracht, insgesamt etwa 4000 an der Zahl. Im Lager Drancy, das für die Aufnahme derartiger Menschenmassen, wie sie nach der Pariser Grossaktion im Juli in das Lager gekommen waren, ohnehin nicht gerüstet gewesen war, konnten diese Kinder nur unzureichend aufgenommen und versorgt werden.

Der Zeuge Wel., der im Lager Drancy bereits im April 1942 inhaftiert gewesen und nunmehr nach einem Aufenthalt im Lager Compiègne am 23.6.1942 wieder in das Lager Drancy verlegt worden war, war als Häftling von der Lagerverwaltung mit der Hygiene im Lager beauftragt worden, wobei ihm Häftlingstrupps halfen. Wel. bildete bei Ankunft der Kinder 4

Gruppen aus weiblichen Häftlingen, die sich um die Kinder kümmern sollten. Diese erhielten eine Armbinde mit der Aufschrift "Service Social" und eine Bescheinigung, die sie dazu berechtigten, sich in dem Bereich des Lagers, in dem die Kinder untergebracht wurden, frei zu bewegen. Zu diesen weiblichen Häftlingen, die sich um die Kinder kümmerten, gehörten die Zeuginnen Dal.-B. und Hus., die beide im August 1942 verhaftet worden waren und die beide später freigelassen wurden, weil sie als Jüdinnen mit einem Nichtjuden verheiratet bzw. im Fall der Zeugin Dal.-B. mit einem Nichtjuden, der seine Bekanntschaft mit Röthke zu ihrer Freilassung ausnutzte, verlobt waren.

Die Kinder, die zwischen 2 und 12 Jahre alt waren, trafen zum grossen Teil bereits in einem erbärmlichen Zustand in Drancy ein. Viele waren schlecht ernährt und zudem krank, von Ausschlägen und von Insekten befallen. Weil das Lager überbelegt war, wurden die Kinder in den sogenannten "Escaliers de départs" (Abfahrtstreppen) untergebracht. Sie mussten in grossen Räumen zu je etwa 100 Kindern auf Matratzen und auf Stroh schlafen, die auf dem Boden ausgebreitet worden waren. Da viele Kinder an der Ruhr litten, waren die Schlaflager entsprechend verschmutzt. Es gab keine Toiletten für die Kinder; für sie standen auf den einzelnen Treppenabsätzen Kübel bereit, was zu einer weiteren Verschmutzung der Treppenhäuser beitrug. Zu ihrer Ernährung standen nur Kohlsuppe und Sauerkrautsaft zur Verfügung, wie überhaupt die Verpflegung der Häftlinge im Lager völlig unzureichend war.

Bei den Kindern handelte es sich zu einem grossen Teil um in Frankreich geborene Kinder polnischer Eltern. Kleinere Kinder wussten ihre Namen nicht oder konnten nur ihren Vornamen angeben. Soweit sie über grössere Geschwister oder Freunde von den Häftlingen, die sich um sie sorgten, identifiziert werden konnten, fertigten diese Pappschilder mit den Namen, die sie den Kindern um den Hals hingen. Teilweise verloren oder vertauschten die Kinder die Schilder jedoch beim Spiel wieder, teilweise waren die Aufschriften auch verwaschen. Ein Teil der Kinder konnte auch überhaupt nicht identifiziert werden.
Am Morgen ihres Abtransportes in den Osten wurden sie zwar aufgerufen, weil ihre Namen aufgrund des Umstandes, dass sie mit ihren Eltern zusammen verhaftet worden waren, erfasst waren. Wenn sich jedoch niemand auf den Aufruf hin meldete, wurde dem jedoch keine besondere Bedeutung beigemessen, sondern zu dem nächsten Namen auf der Liste übergegangen. Es kam jedoch auch der Fall vor, wie in der Abschubliste Nr.23 des BdS für den Transport vom 24.8.1942, dass in der Liste statt eines Namens "Kind ohne Identität" stand.

Zu dem Abtransport der Kinder nach Auschwitz kam es entgegen der ursprünglichen Planung bereits ab 14.8.1942. Ahnert hatte am 11.8.1942 beim Reichssicherheitshauptamt angefragt, ob nunmehr der Abtransport der Kinder erfolgen könne:

"IV J   Paris, den 11.8.1942
Ah./Bir.

Dringend, sofort vorlegen !

An das
Reichssicherheitshauptamt [94]
- IV B 4 -
Berlin

Betr.: Abtransport von Juden nach Auschwitz; hier Abschub der Judenkinder.
Vorg.: Ohne.

[94] Im Urteil: Reichssicherungshauptamt.

Da in der Festnahme von Juden vorübergehend eine Stockung eintritt, beabsichtige ich, ab 17.8.1942 die z.Zt. in den Lagern Pithiviers und Beaune-la-Rolande untergebrachten Kinder zum Abtransport zu bringen. Ich bitte um dringende Mitteilung, ob und in welcher Weise der Abtransport der Kinder erfolgen kann.

i.A. (i.V.)
Ahnert
SS-Untersturmführer"

Darauf hatte das Reichssicherheitshauptamt am 13.8.1942 wie folgt geantwortet:

"Berlin Nue 145 577 13.8.42 1617 - MA -

An den BdS. der Sipo und des SD in Bereich des Militärbefehlshabers in Frankreich, Paris. -

GEHEIM - Dringend. -

Betr.: Abtransport von Juden nach Auschwitz, Dort Abschub der Judenkinder. -

Bezug: Dort. FS.-Bericht v. 11.8.42 Roem. 4 J. -

Die in den Lagern Pithiviers und Beaune-la-Rolande untergebrachten jüdischen Kinder können nach und nach auf die vorgesehenen Transporte nach Auschwitz aufgeteilt werden. Geschlossene Kindertransporte sind jedoch keinesfalls (unterstr.) auf den Weg zu bringen.

- RSHA. rom. 4 B 4 kl. A 3233/41 kl. G (1085)
i.A. Gez. Günther SS-Stubaf."

Diese Antwort schrieb Röthke noch am gleichen Tage Hei. zu. Daraufhin wurden bereits dem Transport am nächsten Tag, dem 14.8.1942, Kinder beigegeben. In seiner von Röthke unterzeichneten Transportmeldung vom 14.8.1942 an das Reichssicherheitshauptamt, den Inspekteur der Konzentrationslager in Oranienburg und das Konzentrationslager Auschwitz hob Hei. hervor, dass sich unter den 1000 Juden im Transportzug erstmalig Kinder befinden würden.

Die Kinder wurden in der Folgezeit zu je etwa 500 den Transporten beigegeben. An den Tagen des Abgangs der Kindertransporte erschien der Angeklagte Hei. im Lager Drancy, um den Abtransport zu überwachen, wie es überhaupt zu seinen Aufgaben zählte, dort anstehende Fragen zu klären, weshalb er sich häufiger im Lager aufhielt. Teilweise kam mit ihm zusammen auch Röthke ins Lager.

Die Kinder wurden vor ihrer Abreise kahlgeschoren. Kleinere Kinder mussten von Häftlingen auf dem Arm zu den Bussen getragen werden, mit denen die jüdischen Menschen regelmässig zu dem in der Nähe des Lagers befindlichen Bahnhof gebracht wurden. Kranke Kinder versuchten die behandelnden Lagerärzte vergeblich, länger im Lager zu behalten. Aufgrund des Zustands, in dem sich die Kinder befanden, gewannen diejenigen, die dem Abtransport der Kinder beiwohnten, die Überzeugung, dass ein grosser Teil von ihnen bereits im Zug auf der mehrtägigen Reise sterben würden. Darüber, ob und wieviele Kinder tatsächlich bereits während des Transportes nach Auschwitz gestorben sind, konnten angesichts fehlender sicherer Beweismittel keine Feststellungen getroffen werden.

f) Das Scheitern des geplanten Transportprogramms

Die Verhaftungsaktionen, die im unbesetzten Gebiet Frankreichs Ende August 1942 stattfanden, des weiteren der Umstand, dass nach den Festnahmen Kinder von ihren Eltern getrennt worden waren, blieben in der französischen Öffentlichkeit sowie auch im Ausland nicht unbemerkt. Zusätzlich verstärkte sich der Widerstand der Kirchen gegen die Festnahmeaktionen, so dass sich die Situation der Vichy-Regierung zunehmend erschwerte und sie immer weniger bereit war, den deutschen Wünschen nach weiteren Festnahmen und Auslieferung von Juden nachzugeben.

Obwohl die Verhandlungen mit den Franzosen über die Auslieferung von Juden aus dem unbesetzten Gebiet Ende August / Anfang September 1942 intensiviert und auf den verschiedensten Ebenen fortgeführt wurden, konnten die deutschen Besatzungsbehörden keine wesentlichen Fortschritte mehr erzielen. Obwohl Anfang September vom Judenreferat sogar geplant worden war, die Transporte ab Mitte September bis Ende Oktober 1942 so zu verdichten, dass ein Zug in den Osten täglich abgehen sollte, kamen die Transporte Ende September bis auf 4 Transporte im November für 1942 ganz zum Erliegen.

Am 25.8.1942 hatte Hag. mit Bousquet eine Besprechung, in der dieser zum ersten Mal vom Widerstand der Kirchen gegen die Judenfestnahmen berichtete. Am 27.8.1942 besprach der Angeklagte Hei., allerdings offensichtlich unter Überschreitung seiner Kompetenzen, mit Leguay und Sauts das September-Abschubprogramm, das noch mit drei Transporten je Woche ablaufen sollte. Währenddessen weilte Ahnert in Vertretung von Röthke in Berlin, wo am 28.8.1942 im Reichssicherheitshauptamt eine Tagung über Judenfragen stattfand. Bei dieser Besprechung gab Eichmann bekannt, dass der Abschub der staatenlosen Juden bis Ende 1942 beendet sein solle und dass der Abschub in den nächsten Monaten verstärkt werden müsse, weil die Reichsbahn voraussichtlich von November bis Januar keine Transporte werde zur Verfügung stellen können. Im Anschluss an die Tagung besprach Ahnert noch im Reichssicherheitshauptamt die Möglichkeit, von der Reichsbahn ab Mitte September täglich einen Transportzug zu erhalten; dies wurde ihm in Aussicht gestellt. Seinen Vermerk vom 1.9.1942 über die Tagung leitete Ahnert Kno., Lis. und Hag. zu.

Aufgrund der veränderten Sachlage verhandelte Röthke am 1.9.1942 erneut mit Sauts über das September- und Oktober-Programm. In seinem Vermerk über diese Besprechung, den er Kno., Lis. und Hag. zuleitete, rechnete er am Rande handschriftlich aus, dass für September und Oktober insgesamt 52.000 Juden zur Erfüllung des Programmes benötigt würden, und er appellierte an die Adressaten des Vermerkes, die Forderung des Referates IV J vollinhaltlich und mit allen zur Verfügung stehenden Mitteln zu unterstützen:

"IV J SA 225 a — Paris, den 1.9.1942
Rö./Bir.

Betr.: Abschub von Juden aus dem unbesetzten Gebiet.

1.) Vermerk:

Am 1.9.1942 hat mit Kommandant SAUTS, Kabinettschef des Generalsekretärs LEGUAY, eine Besprechung stattgefunden mit dem Ziel, endlich die Ankunftszeiten der Transportzüge zu erfahren. Sauts hat angegeben, dass bei den ersten Razzien bisher insgesamt 7100 Juden interniert worden waren. Diese Anzahl sei bei weitem niedriger als die von Bousquet angenommene. Man hat bei den Razzien nicht nur Polizei, sondern auch Militär eingesetzt. Offenbar hätten viele Juden aber von den gegen sie geplanten Massnahmen Kenntnis bekommen und sich deshalb in Sicherheit gebracht. Die Razzien würden fortgesetzt werden. Bousquet wird übrigens noch heute abend in Paris eintreffen und dabei sicher auch Laval, der sich z.Zt. gerade in Paris aufhalte, sehen. Sauts ist mit aller Deutlichkeit gesagt worden, dass das von uns gestellte Transportprogramm auf jeden Fall erfüllt werden müsste.

Dieses Programm hat auf Anweisung von Berlin folgende Änderung erfahren:
a) Bis zum 14.9. einschliesslich sind wöchentlich jeweils 3 Züge mit 1000 Juden ab Drancy in Marsch zu setzen.
b) Vom 15.9. ab bis Ende September sind täglich je 1000 Juden ab Drancy abzutransportieren.
c) Vom 1.10.-31.10. sind ebenfalls an jedem Tage 1000 Juden abzuschieben.

Wir wüssten genau, dass im unbesetzten Gebiet sich noch Zehntausende von staatenlosen Juden sowie belgischen und holländischen Juden, die ebenfalls mit abgeschoben werden dürften, aufhalten. Die für den Abtransport erforderliche Anzahl Juden könne auf jeden Fall aus dem unbesetzten Gebiet zur Verfügung gestellt werden. Im übrigen handele es sich nach wie vor um die Endlösung der Judenfrage in Europa, die vom Führer und Reichskanzler unbedingt erreicht werden würde. SS-Brigadeführer Oberg und SS-Standartenführer Dr. Kno. würden wegen dieser Frage auch noch mit den zuständigen französischen Regierungsvertretern sprechen.

Sauts will noch heute abend Bousquet unterrichten. Er glaubt, dass Bousquet wirklich interessiert ist an der Lösung der Judenfrage in Frankreich und alles tun wird, um das Transportprogramm zu erfüllen.

Sauts wurde weiter befragt, ob die französische Regierung schon das von Laval versprochene Gesetz erlassen hätte, wonach den nach 1933 naturalisierten Juden die französische Staatsangehörigkeit aberkannt werden soll. Sauts hat dies verneint. Die Gründe über das bisherige Nichterscheinen des Gesetzes wären ihm jedoch unbekannt.

Da für den Winter, d.h. spätestens ab 15.11., möglicherweise jedoch bereits ab 1.11., bis Ende Januar 1943 infolge Mangel an Transportmaterial keine Judentransporte mehr in Marsch gesetzt werden können, wird gebeten, die Forderung des Referates IV J vollinhaltlich und mit allen zur Verfügung stehenden Mitteln zu unterstützen.

Nach den s.Zt. von SS-Hauptsturmführer Dannecker im unbesetzten Gebiet getroffenen Feststellungen kann das Programm erfüllt werden, wenn die französische Regierung mit dem nötigen Druck sich der Dinge annimmt. Da bereits ab Mitte September an jedem Tage 1000 Juden ab Drancy nach dem Osten abtransportiert werden sollen, wird gebeten, mit den französischen Regierungsvertretern die notwendigen Vorverhandlungen aufzunehmen und an diese die obigen Forderungen zu richten.

Im übrigen ist gelegentlich der am 28.8.1942 in Berlin stattgefundenen Tagung festgestellt worden, dass die meisten europäischen Länder der Endlösung der Judenfrage weitaus näher gekommen sind, als Frankreich. (Allerdings haben diese Länder auch früher angefangen.) Es gilt also bis zum 31.10.1942 noch viel aufzuholen.

2.) <u>SS-Standartenführer Dr. Kno.</u>
mit der Bitte um Kenntnisnahme vorgelegt.

3.) SS-Obersturmbannführer Lis.
nach Rückkehr mit der Bitte um Kenntnisnahme vorgelegt.
4.) Durchschlag für SS-Sturmbannführer Hag.

i.A.
Röthke
SS-Obersturmführer"

Ahnert fertigte am 3.9.1942 einen ähnlichen Vermerk, der speziell für den "HSSPF" bestimmt war. In diesem Vermerk heisst es u.a.:

"Betrifft: Evakuierung von Juden.

a) Vermerk:
1.) Bis einschliesslich 2.9.1942 wurden aus dem besetzten Gebiet 18069 Juden,

Übertrag:	18069
aus dem unbesetzten Gebiet	9000 Juden,
insgesamt	27.069 Juden abgeschoben.

2.) ...
Das verstärkte Transportprogramm ist davon abhängig, dass die französische Regierung die erforderliche Zahl Juden aus dem unbesetzten Gebiet zur Verfügung stellt. Voraussetzung ist auch, dass das von der französischen Regierung zugesagte Gesetz, wonach den nach 1933 naturalisierten Juden die französische Staatsangehörigkeit aberkannt wird, recht bald erlassen wird.
3.) Die Zahl der im besetzten und unbesetzten Gebiet Frankreichs befindlichen Juden wird auf ungefähr 270000 bis 280000 geschätzt. Eine genaue Zahl konnte bis heute nicht festgestellt werden. Desgleichen lässt sich die Zahl der in den Konzentrationslagern im unbesetzten Gebiet befindlichen Juden nicht ermitteln, da es keine reinen Judenlager gibt. Die Juden sind vielmehr mit politischen Häftlingen, Emigranten usw. gemeinsam interniert. In den Judenlagern im besetzten Gebiet sind zur Zeit insgesamt ca. 7-8000 Juden untergebracht. Da sich diese Lager infolge der Abschubmassnahmen zu Durchgangslagern entwikkelt haben, verändert sich die Zahl der inhaftierten Juden ständig.

b) SS-Sturmbannführer Hag.
mit der Bitte um Vorlage an SS-Brigadeführer Oberg.

i.A. (i.V.)
Ahnert
SS-Untersturmführer."

Oberg hatte inzwischen in Gegenwart Hag.s am 2.9.1942 eine Unterredung mit Ministerpräsident Laval gehabt, in der dieser darum gebeten hatte, im Hinblick auf die Opposition der Kirche derzeit keine neuen Forderungen auf dem Gebiet der Judenfrage zu stellen und im Hinblick auf die entstandenen Schwierigkeiten keinen besonderen Druck in dieser Angelegenheit auszuüben. Bei Gelegenheit dieser Besprechung wurde zwischen Oberg, Laval und Hag. eine Version darüber vereinbart, was Laval bei Anfragen ausländischer Diplomaten nach dem Schicksal der Judentransporte diesen angeben solle. Der Aktenvermerk Hag.s hierüber vom 4.9.1942 lautet:

Lfd.Nr.858

"Der Höhere SS- und Polizeiführer
im Bereich des Militärbefehlshabers in Frankreich
Hg./Lg.

Paris, den 4.September 1942.

I. Aktenvermerk:

Betr.: Sprachregelung zum Abtransport der Juden aus dem unbesetzten Gebiet nach dem Osten.

Bei der am 2.9. zwischen dem Höheren SS- und Polizeiführer und Laval stattgefundenen Besprechung wies der Präsident (was als Ergänzung der Aktennotiz vom 3.9. beizufügen ist) darauf hin, dass er wiederholt von ausländischen Diplomaten befragt werde, wohin die aus dem unbesetzten Gebiet an die Besatzungsbehörden übergebenen Judentransporte geleitet würden. Er habe grundsätzlich darauf hingewiesen, dass sie nach Südpolen gebracht würden. Er bäte nunmehr um eine Sprachregelung, um nicht eine Differenz mit den von uns erteilten Auskünften heraufzubeschwören.
Es wurde vereinbart, dass Präsident Laval zukünftig auf derartige Anfragen mitteilt, dass die aus dem unbesetzten Gebiet an die Besatzungsbehörde übergebenen Juden zum Arbeitseinsatz in das Generalgouvernement abtransportiert werden.

i.A. Hag.
SS-Sturmbannführer.

II. SS-Brif. Oberg vorgelegt und zdA
III. BdS mit der Bitte um Kenntnisnahme.
IV. Durchschrift an IV J
V. VI B zur Kenntnisnahme."

Am 3.9.1942 fand eine Besprechung zwischen Oberg, Kno., Hag. und Bousquet statt, in der Bousquet in Anknüpfung an die Unterredung mit Laval vom Vortage die deutschen Besprechungspartner bat, ihm keine Zahlen aufzugeben. Er kündigte an, dass aufgrund der Ende August vorgenommenen Festnahmen sowie der nunmehr erfolgenden Festnahmen von Juden holländischer und belgischer Staatsangehörigkeit die bis 14.9. laufenden Forderungen der Sicherheitspolizei erfüllt werden könnten; es werde jedoch wahrscheinlich nicht möglich sein, in der zweiten September-Hälfte jeden Tag einen Zug mit 1000 Juden besetzen zu können. Wie Hag. in seinem Vermerk vom 4.9.1942 festhielt, betonten sowohl Oberg als auch Kno., dass für diesen Standpunkt absolutes Verständnis bestünde und eine entsprechende Regelung getroffen werden würde.

Röthke, dem gegenüber dem Reichssicherheitshauptamt an der Einhaltung des mit diesem abgesprochenen Abschubprogramms gelegen war, brachte dies in einer Unterredung mit Leguay am 8.9.1942 zum Ausdruck und drohte an, dass notfalls auch die Juden französischer Staatsangehörigkeit, die sich in den Lagern des besetzten Gebietes aufhielten, abgeschoben und neue Razzien im besetzten Gebiet durchgeführt würden. Auf die Anfrage Leguays, ob er in Paris sofort alle litauischen, estischen, lettländischen, jugoslawischen und bulgarischen Juden festnehmen dürfe, bejahte dies Röthke und bat um sofortige Internierung dieser Juden. An Kno., Lis. und Hag., denen er den Vermerk vom 9.9.1942 über die Unterredung zuleitete, appellierte Röthke wie folgt:

"...
Es besteht nach allem der Eindruck, dass die französische Regierung neuerdings glaubt, an der Endlösung der Judenfrage in Europa nicht mehr intensiv mitarbeiten zu brauchen. Wenn im unbesetzten Gebiet insgesamt nur 7000 staatenlose Juden verhaftet worden sind, so stellt dies nur einen Bruchteil der dort vorhandenen Juden dar. Ich halte es daher für angebracht, dass der französischen Regierung auf drastische Art und Weise gezeigt wird, dass das Judenproblem auf jeden Fall zu lösen ist.
Nach dem vom Reichsführer SS vertraulich bekanntgegebenen Plan sollen die von Deutschland besetzten Gebiete bereits bis zur Mitte des Jahres 1943 judenfrei sein. Die für den Monat September vom Reichsverkehrsministerium zum Abtransport bereitgestellten 13 Züge müssen daher m.E. auf jeden Fall ausgenutzt werden, da die Zurverfügungstellung nur s.Zt. bereits auf lange Sicht erfolgt ist und dem Reichsverkehrsministerium auch erhebliche Schwierigkeiten bereitet hat. Hinzu kommt, dass in den Monaten November, Dezember und Januar keine Transporte wegen der Knappheit des Transportmaterials in Marsch gesetzt werden können. Es gilt daher, die vorhandenen Möglichkeiten tatsächlich in jeder Weise auszunutzen.
Ich schlage daher vor, dass der französischen Regierung nahegelegt wird, sofort alle nach 1933 naturalisierten Juden zur Verfügung zu stellen, widrigenfalls im besetzten Gebiet Grossrazzien nach Sternträgern veranstaltet und diese nach der Internierung ohne Rücksicht auf ihre etwaige französische Staatsangehörigkeit abtransportiert werden würden.

2.) SS-Standartenführer Dr. Kno. mit der Bitte um Kenntnisnahme vorgelegt.
3.) SS-Obersturmbannführer Lis. mit der Bitte um Kenntnisnahme vorgelegt.
4.) Durchschlag für SS-Sturmbannführer Hag. mit der Bitte um Kenntnisnahme.
5.) Wv. bei IV J.

i.A. Röthke
SS-Obersturmführer"

Am 12.9.1942 fertigte Röthke erneut einen Vermerk, den er wieder Kno., Lis. und Hag. zuleitete. In diesem Vermerk beschwerte er sich über das in seinen Augen widersprüchliche Verhalten der französischen Regierung und stellte am Schluss zur Rettung des September- und Oktoberabschubprogramms die folgenden Feststellungen und Forderungen auf:

"...
Für die für den Monat September vorgesehenen Züge konnten erfüllt werden die Züge vom 2.9.-14.9. einschliesslich, mithin 6 Züge zu je 1000 Juden. Es bleiben auszufüllen 7 Züge mit insgesamt 7000 Juden.

Zusammenfassend darf festgestellt werden:
1.) Von der französischen Regierung sind anstatt 14-15000 staatenlose Juden lediglich für Ende August und den Monat September 7000 Juden geliefert worden.
2.) Die französische Regierung hat holländische und belgische Juden noch nicht überstellt und offenbar auch noch gar nicht interniert.
3.) Das von den französischen Regierungsvertretern mehrfach versprochene Gesetz über die Aberkennung der französischen Staatsangehörigkeit ist bis heute noch nicht erlassen worden. Nach einer kürzlichen Auskunft von LEGUAY ist der Zeitpunkt des Erlasses noch unbekannt, ausserdem würden die

Verwaltungsmassnahmen von der Internierung der durch das Gesetz betroffenen Juden noch längere Zeit in Anspruch nehmen.
4.) Über die Hälfte der festzunehmenden staatenlosen Juden haben sich nach eigenen Erklärungen LEGUAYs wegen der vorherigen Warnung namentlich in Gebirgsdörfer begeben und sind nicht gefasst worden.
5.) Die tatsächlich in den Judenlagern des unbesetzten Gebietes noch vorhandenen Juden werden möglicherweise von der französischen Regierung verschwiegen.
6.) Das September-Programm ist gefährdet, wenn nicht von der französischen Regierung schleunigst, d.h. bereits schon für die Züge ab 16.9. bis zum 30.9. mindestens 7000 Juden zur Verfügung gestellt werden.
7.) Nach den bisherigen Feststellungen befinden sich in den Judenlagern Drancy, Pithiviers und Beaune-la-Rolande über 4000 Juden französischer Staatsangehörigkeit, die zum Abtransport gebracht werden können.
8.) Nach Abschub dieser 4000 Juden französischer Staatsangehörigkeit müssen noch 3000 weitere Juden für den Monat September aufgebracht werden.
9.) Da für den Monat Oktober ebenfalls mindestens 13 Züge vom Reichssicherheitshauptamt gefordert werden dürften, ist sicherzustellen, dass bereits vor Ende September weitere 13000 Juden interniert werden, so dass die Züge lediglich noch plangemäss in Marsch gesetzt zu werden brauchen."

Tatsächlich wurde Röthke entsprechend seinem Vorschlag freie Bahn zur Vorbereitung einer erneuten umfangreichen Verhaftungsaktion im besetzten Gebiet ohne Rücksicht auf etwaige französische Staatsangehörigkeiten gegeben, die am 22.9.1942 durchgeführt werden sollte. Seinen Plan vom 21.9.1942 für diese Aktion legte Röthke Kno. und Lis. vor. Diese Aktion wurde jedoch kurzfristig mit Rücksicht auf die politische Lage in Frankreich gestoppt, wobei sich Oberg beim Reichsführer-SS die Rückversicherung holte, dass zunächst keine Juden französischer Staatsangehörigkeit festgenommen werden sollten. Stattdessen kam es ab 24.9. zur Festnahme der rumänischen Juden, nachdem die Deutsche Botschaft der Sicherheitspolizei mitgeteilt hatte, dass rumänische Juden nunmehr inhaftiert und deportiert werden könnten.

Am 25.9.1942 schickte Kno. an das Reichssicherheitshauptamt ein Fernschreiben, dessen Text er selbst aufgesetzt hatte und in dem er das Scheitern des weiteren Abschubprogramms einräumte:

"B. d. S. — Paris, den 25.September 1942.
Dr. Kno./Wo.

Fernschreiben.

An
das Reichssicherheitshauptamt
IV B 4
Berlin.

Betrifft: Abtransport von Juden aus Frankreich.

Nach Abschluss der Festnahmen von Juden im besetzten und unbesetzten Gebiet wurde versucht, auch die Festnahme von Juden französischer Staatsangehörigkeit zu erreichen. Die politische Lage und die Stellung des Präsidenten Laval lassen einen Zugriff ohne Berücksichtigung von Folgeerscheinungen nicht zu. Es wurde eine Rücksprache mit dem französischen Polizeichef Bousquet von mir geführt. Aufgrund des Besprechungsergebnisses und der Stellungnahme von

Laval und unter Betrachtung der augenblicklichen Lage richtete der Höhere SS- und Polizeiführer ein Fernschreiben an den Reichsführer-SS mit dem Hinweis, dass bei der Einstellung Petains eine Aktion schwerste Folgen haben würde.
Der Reichs-SS [95] schloss sich der dargelegten Auffassung an und verfügte, dass zunächst keine Juden französischer Staatsangehörigkeit festgenommen würden. Ein Abtransport von erheblichen jüdischen Kontingenten ist daher nicht möglich.
Es werden festgenommen im Augenblick alle rumänischen Juden (die Botschaft, dass rumänische Juden festgenommen werden können, ging von der hiesigen Botschaft ein). Es ist mit allen Mitteln in Verbindung mit dem Auswärtigen Amt zu versuchen, die Genehmigung für weitere ausländische Juden zu erhalten. (Nach Mitteilung der Botschaft sind die Verhandlungen energisch für Italiener und Ungarn aufgenommen.)
Der Abtransport rumänischer Juden erfolgt unmittelbar, wird aber die Zahl von 3.000 nicht übersteigen können.

Kno.
SS-Standartenführer"

Die Durchschrift dieses Schreibens wurde dem Angeklagten Lis. zugeleitet und von diesem abgezeichnet.

Da sich in der Gewalt der Sicherheitspolizei nur noch eine beschränkte Zahl jüdischer Menschen befand, die deportiert werden konnte, umfasste der Transport vom 30.6.1942 statt der üblichen Zahl von 1000 nur noch etwas mehr als 200 Juden. Der Transport wurde aber dennoch aus "politischen und aus Prestige-Gründen" nach Auschwitz abgeschickt.

Die Festnahmen gingen jedoch auch hiernach noch weiter. Am 5.10.1942 unterbreitete Röthke einen Plan, den er Kno. und Lis. zuleitete. In diesem Plan schlug er vor, in den besetzten Départements mit Ausnahme des Seine-Départements, in dem die entsprechenden Verhaftungen bereits vorgenommen worden waren, die Juden belgischer, holländischer, rumänischer, bulgarischer und ehem. jugoslawischer Staatsangehörigkeit sowie nach dem inzwischen erfolgten Fortfall jeder Altersgrenze auch die staatenlosen Juden über 65 Jahre festzunehmen.

Bereits am 6.10.1942 wurde von Kno. ein Fernschreiben an alle Sicherheitspolizei-(SD)--Kommandos geschickt mit der folgenden Anweisung:

"IV J SA 225 a — Paris, den 5.10.1942
Rö./Bir.

An alle
Sicherheitspolizei-(SD)-Kommandos

Betr.: Festnahme von Juden.

Vorg.: Ohne.

I.) Im Rahmen der Endlösung der Judenfrage sind unter Zuhilfenahme der französischen Polizei Juden folgender Staatsangehörigkeiten festzunehmen und im Bereiche eines jeden Kommandos einstweilen Sammelpunkten zuzuführen,

[95] Sic!

von wo aus sie nach vorherigem Benehmen mit meinem Referat IV J in Sammeltransporten nach Drancy zu überstellen sind:
a) Juden belgischer Staatsangehörigkeit
b) " holländischer "
c) " rumänischer "
d) " bulgarischer "
e) " ehem. jugoslawischer "

II.) Ausserdem sind alle bisher noch nicht festgenommenen staatenlosen Juden gleichzeitig festzunehmen und an dieselben Sammelpunkte zu verbringen.
Als staatenlose (apatride oder nationalité indéterminée) gelten Juden, die entweder ausdrücklich als solche in den Karteien oder auf ihren Personalausweisen bezeichnet sind. Ausserdem sind nach der 11.Verordnung des Reichsbürgergesetzes vom 25.11.1941 hierunter zu rechnen alle Juden, die früher die deutsche Staatsangehörigkeit besessen haben.
Unter der Gruppe der staatenlosen Juden sind ferner zu verhaften, alle Juden, die früher einmal folgende Staatsangehörigkeiten besessen haben und in ihren Ausweisen auch jetzt noch als Angehörige dieser Staaten ausgewiesen sind:
a) Angehörige der früheren Tschechoslowakei,
b) Angehörige des ehem. polnischen Staates,
c) Juden mit der sowj. russischen Staatsangehörigkeit oder als Weissrussen (réfugiés russes) geführte Juden,
d) Juden, die im Besitz der litauischen, estischen, lettländischen Staatsangehörigkeit waren oder noch sind.
e) Juden mit der früheren saarländischen, Danziger oder Luxemburger Staatsangehörigkeit.

III.) Für die Verhaftungen sind zugrunde zu legen, die bei den Präfekturen, Souspräfekturen und Polizeikommissariaten geführten Judenkarteien. Es ist sicherzustellen, dass durch die Heranziehung dieses Materials eine vorherige Inkenntnissetzung der Juden nicht möglich ist. Soweit die Kommandos und Aussenkommandos über eigenes Karteimaterial verfügen, sind die französischen Karteien nicht heranzuziehen.

IV.) Die Festnahmeaktion erstreckt sich auf Männer, Frauen und Kinder, ohne Rücksicht auf das Alter. Bettlägerige Personen sind den jüdischen Wohlfahrtseinrichtungen - soweit vorhanden - zu überliefern. Soweit Einrichtungen dieser Art nicht vorhanden sind, müssen diese Juden von Juden französischer Staatsangehörigkeit vorläufig aufgenommen und gepflegt werden.

V.) Mit der Vorbereitung der Aktion ist sofort zu beginnen. Für die Durchführung der Festnahmen werden der 9. und 10.Oktober 1942 bestimmt. Da erfahrungsgemäss schlagartige Aktionen die besten Erfolge gezeigt haben, ist bereits am 9.10.1942 ein möglichst grosser Teil zu internieren.

VI.) Bei der Festnahme ist darauf zu achten, dass jeder Jude ausser den notwendigsten Toiletten- und Essgegenständen möglichst 2 Decken und 2 Paar Schuhe mitführt.

Dr. Kno.
SS-Standartenführer"

Aufgrund der von den Sicherheitspolizei-(SD)-Kommandos durchgeführten Razzien wurden insgesamt 1965 Juden festgenommen, die nach Drancy überstellt wurden. Da sich im Lager

Drancy inzwischen 600 weitere "den Abschubbedingungen entsprechende Juden" befanden und da zudem Ende Oktober nach Mitteilung der Deutschen Botschaft Paris nunmehr auch die Juden griechischer Staatsangehörigkeit zum Abtransport freigegeben wurden, bat Röthke in seinem Vermerk vom 30.10.1942, den er Kno. und Lis. zuleitete, um die Zustimmung, in den ersten 10 Tagen des Monats November 3 Transporte zu je 800 bis 1000 Köpfen nach Auschwitz in Marsch setzen zu können.
Mit Fernschreiben vom 31.10.1942 meldete Hei. diese drei Transporte beim Reichssicherheitshauptamt an.

Als im Referat IV J des BdS das Ergebnis der Festnahmeaktion von Juden griechischer Staatsangehörigkeit am 5.11.1942 bekannt wurde, bei der insgesamt 1060 Juden verhaftet worden waren, meldete Hei. mit Fernschreiben vom gleichen Tag beim Reichssicherheitshauptamt noch einen vierten Transport für den 11.11.1942 nach Auschwitz an, der dann allerdings, wie sich zeigte, nicht mehr auf 1000 Juden aufgefüllt werden konnte.

Nach Beendigung der Transporte im Jahre 1942, die erst im Februar 1943 wieder aufgenommen werden sollten, waren in insgesamt 42 Transporten etwa 40000 Juden aus Frankreich nach Auschwitz gebracht worden.

5.) Tarnung der Transporte als "Arbeitseinsätze im Osten"

Wie im Reichsgebiet und dem übrigen besetzten West-Europa liefen auch die Judentransporte aus Frankreich unter der Tarnbezeichnung "Arbeitseinsatz im Osten". Handelte es sich zwar bei der "Endlösung der Judenfrage" in diesem Stadium um eine Aktion der höchsten Geheimhaltung, wobei allerdings in der Öffentlichkeit die Tatsache der Verhaftung und des Abtransports von Juden zwangsläufig nicht geheimgehalten werden konnte, so war doch den für die Ausführung der Aktion unmittelbar Verantwortlichen, wozu auch die Angeklagten Lis., Hag. und Hei. zählten, völlig klar, dass die deportierten Juden in ihrer weit überwiegenden Zahl überhaupt nicht zum Arbeitseinsatz kommen sollten und dass es auch für die übrigen keine Rückkehr geben sollte.

Bei den ersten Transporten aus Frankreich wurde allerdings tatsächlich darauf geachtet, dass in der Mehrzahl arbeitsfähige Juden deportiert wurden. Diese ersten Transporte sollten die Juden davon überzeugen, dass es sich tatsächlich um "Arbeitseinsätze" handelte. In Verfolgung dieser Täuschungsabsicht gegenüber den Juden hatte der Angeklagte Lis. in dem bereits wiedergegebenen Schreiben vom 17.3.1942 an den Militärbefehlshaber in Frankreich darauf hingewiesen, dass "bei diesem ersten Grossabschub darauf gesehen werden (müsse), möglichst arbeitsfähige Juden zu erfassen". Hinzu kam allerdings bei diesen ersten Transporten auch, dass zu deren Zeitpunkt tatsächlich noch eine Vielzahl von Arbeitskräften für Arbeiten im Konzentrationslager Auschwitz, das sich noch im Aufbau befand, benötigt wurden. Den mit den Deportationen in Paris befassten Personen war jedoch spätestens Mitte Mai 1942 bekannt, dass eine Rückführung sogar eines entgegen den Richtlinien nach Auschwitz Deportierten nicht möglich war.

Mit Schreiben vom 14.5.1942 hatte der Militärbefehlshaber in Frankreich - Verwaltungsstab - einen Vorgang übersandt. Neben dem Eingangsstempel des BdS vom 16.5.1942 auf dem Begleitschreiben hatte der Angeklagte Lis. mit seiner Paraphe gezeichnet. Das Begleitschreiben lautete:

"An den
Beauftragten des Chefs der Sicherheitspolizei und des SD
- Dienststelle Paris -
Paris

Betrifft: Deportation von Juden; hier: Deportation des Juden Armand TAUB.
Anlagen: 3

Der beiliegende Vorgang wird zuständigkeitshalber mit der Bitte um weitere Veranlassung übersandt. TAUB wurde am 28.3.42 in das Lager Auschwitz überführt.
Er soll angeblich mit einer Arierin verheiratet sein.

Für den Militärbefehlshaber
Der Chef des Verwaltungsstabes
im Auftrage:
Näh."

Dannecker, dem der Vorgang zugeschrieben wurde, vermerkte handschriftlich am 20.5.1942 auf dem Anschreiben: "Prüfung des Falles erscheint unangebracht, da eine Rückführung aus dem KZ nicht infrage kommen kann." Er verfügte den Vorgang sodann "Z.d.A.".

Bereits die Abschubliste Nr.3 des BdS für den Transport vom 22.6.1942 war aufgeteilt in "weibliche Juden unter 42 Jahren", "Liste der arbeitsfähigen Internierten", "Liste der zeitlich Arbeitsunfähigen" und "Arbeitsunfähige". Jedoch auch noch später, als alle Altersgrenzen weggefallen waren und die Transporte auch Kinder und Greise umfassten, wurde am Begriff "Arbeitseinsatz im Osten" festgehalten. So wurde, wie der Angeklagte Hag. in seiner bereits wiedergegebenen Aktennotiz vom 4.9.1942 festgehalten hat, am 2.9.1942 mit Laval vereinbart, dass er gegenüber ausländischen Diplomaten angeben solle, die Juden würden zum Arbeitseinsatz in das Generalgouvernement transportiert.

Der SS-Hauptsturmführer Brunner, der 1943 weiterer Mitarbeiter des Judenreferates wurde und der nach der Übernahme der Lagerverwaltung Drancy durch ihn für die Abfassung der Transportlisten verantwortlich war, liess sogar auf die Deckblätter der Listen "Ostarbeitertransport" oder "1000 Arbeitsjuden" setzen, obwohl die Listen die Namen von über 77-jährigen, von Schülern und auch von Kleinkindern unter 2 Jahren enthielten.

Um jede Störung der Aktion zu verhindern, die dadurch hätte auftreten können, dass die deportierten Juden vorzeitig von dem ihnen zugedachten Schicksal erfahren hätten, sollte den Juden ihre Bestimmung bis zuletzt verheimlicht werden. In diese Richtung zielte auch ein Fernschreiben des Reichssicherheitshauptamtes vom 29.4.1943, das an den BdS Paris ging:

"++ Berlin Nue 79089 29.4.43 1237 ? - Li -

An den Befehlshaber der Sipo u. d. SD für die besetzten niederländischen Gebiete z.Hd. -Stubaf. Zoe. [96] O.V.I.A. Den Haag,
B) An den Befehlshaber der Sipo u. d. SD z.Hd. -Standartenf. Dr. Kno. O.V.I.A. Paris.
C) An den Beauftragten des Chefs der SIPO u. d. SD. z.Hd. -Stubaf. Ehlers O.V.I.A. Brüssel.

[96] Siehe Lfd.Nr.645.

Nachrichtlich an den Befehlshaber der Sipo. u. d. SD. METZ. -

Betr.: Evakuierung von Juden.
Bezug: Laufend.

Das Lager Auschwitz hat aus naheliegenden Gründen erneut darum gebeten, den zu evakuierenden Juden vor dem Abtransport in keiner Weise irgend welche beunruhigenden Eröffnungen über den Ort und die Art ihrer bevorstehenden Verwendung zu machen -
Ich bitte um Kenntnisnahme und Beachtung.
Insbesondere bitte ich durch laufende Belehrungen der Begleitkommandos bemüht zu sein, dass auch während der Fahrt den Juden gegenüber nicht irgend welche besonderen Widerstand auslösende Andeutungen gemacht bzw. Vermutungen über die Art ihrer Unterbringung usw. ausgesprochen werden. - Auschwitz muss mit Rücksicht auf die Durchführung dringendster Arbeitsvorhaben darauf Wert legen, die Übernahme der Transporte und ihrer weitere Einteilung möglichst reibungslos durchführen zu können.

RSHA. röm. 4 B 4 - 2093/42 (391) i.A. gez. Günther -Stubaf. +"

6.) Die weiteren Deportationen der Jahre 1942 und 1944

a) Einleitung

Obwohl das Vorhaben der deutschen Besatzungsbehörden, auch Juden französischer Staatsangehörigkeit zu deportieren, an der Haltung der französischen Regierung im Jahre 1943 endgültig scheiterte und obwohl die Haltung der Italiener zur Judenfrage Festnahmen in der italienisch besetzten Zone Frankreichs nahezu unmöglich machte, kamen dennoch im Jahre 1943 siebzehn Transporte und im Jahre 1944 bis zum 31.7.1944 zwölf Transporte zustande, mit denen noch über 30000 Juden in den Osten geschafft wurden.

b) Das französische Ausbürgerungsgesetz

Ungeachtet des Scheiterns des Transportprogramms zu Ende September 1942 setzten die deutschen Behörden ihren Druck auf die französische Regierung fort, um sie doch noch zum Eingehen auf die deutschen Wünsche nach einer vollständigen Freimachung Frankreichs von Juden zu bewegen.

Am 18.11.1942 hatte der Angeklagte Hag. Bousquet in Vichy aufgesucht. In ihrem gemeinsamen Gespräch wies Hag. Bousquet darauf hin, welche kapitale Bedeutung der Führer in seinen letzten Reden der Lösung der Judenfrage beigemessen hätte. Der Aktenvermerk Hag.s über diese Unterredung vom 19.11.1942 lautet:

"Ltr. VI Paris, den 19.November 1942.

I. Aktenvermerk:

Auszug aus der Niederschrift über die Besprechung zwischen SS-Sturmbannführer Hag. und Generalsekretär für die französische Polizei, Bousquet am 18.11.42 in Vichy.

Judenfrage:
Im Hinblick auf die Agitation des Judentums für die Amerikaner in Nordafrika habe ich Bousquet auf die Notwendigkeit der Herbeiführung einer sofortigen

Lösung der Judenfrage hingewiesen. Es sei als fest anzunehmen, dass die gesamte Judenschaft in Nordafrika wie im unbesetzten und besetzten Gebiet mit verstärkter Intensität notwendigerweise für Amerika Propaganda machen würde, um die Stellung der deutschen Wehrmacht und der französischen Regierung zu untergraben.
Obwohl Bousquet zustimmte, dass es ein ausserordentlicher Fehler sei, wenn die Amerikaner, wie sie im Begriff wären, es zu tun, sich für die Aufhebung der Judengesetze in Afrika einsetzen, bemerkte er, dass die Durchführung dieser Forderung nur im Zusammenhang mit dem "allgemeinen politischen Plan" erfolgen könne. Er wurde von mir darauf hingewiesen, dass unbedingt eine Lösungsform gefunden werden müsse, da der Führer ja nun oft genug auf die kapitale Bedeutung dieses Problems in seinen letzten Reden hingewiesen habe und sicherlich wieder bei den Verhandlungen der Lösung dieser Frage eine ausserordentliche Bedeutung beigemessen werde.

Hag.
SS-Sturmbannführer

II. IV J z.Kts."

Die Haltung der Franzosen änderte sich jedoch zunächst nicht. Als auf Weisung Kno.s am 23. und am 25.3.1943 2000 Juden aus dem Lager Drancy, die zwischenzeitlich festgenommen worden waren, wobei sich unter ihnen 1500 Juden französischer Staatsangehörigkeit befanden, abtransportiert werden sollten, sprach am 22.3.1943 im Auftrag Bousquet Leguay beim Angeklagten Hag. vor und teilte ihm mit, dass die französische Polizei mit Rücksicht darauf, dass es sich bei den zu Deportierenden überwiegend um französische Staatsangehörige handele, bei dem Abtransport nicht mitwirken wolle. Hag. hielt Leguay vor, dass diese Haltung verwunderlich sei, da es sich doch um Juden handele und verwies darauf, dass der Führer in seinen Reden betont auf die Notwendigkeit einer radikalen Lösung der Judenfrage hingewiesen habe; dennoch seien alle in der französischen Regierung geführten Besprechungen über die Entnationalisierung der Juden ohne Resonanz geblieben. Auf Vortrag Hag.s entschied dann Oberg, dass die Transporte unter ausschliesslicher Mitwirkung deutscher Polizeikräfte durchgeführt wurden. Seinen Vermerk vom 25.3.1943 leitete Hag. dem BdS zur Kenntnisnahme zu:

"Der Höhere SS- und Polizeiführer
im Bereich des Militärbefehlshabers in Frankreich

Paris, den 25.März 1943.

Betr.: Weigerung der französischen Polizei, beim Abtransport von Juden französischer Staatsangehörigkeit aus dem Lager Drancy nach Deutschland mitzuwirken.

I. Im Auftrage des Generalsekretärs der französischen Polizei BOUSQUET sprach am 22.3. sein Vertreter LEGUAY auf der Dienststelle des Höheren SS- und Polizeiführers vor und teilte folgendes mit:

1.) Auf Weisung des Befehlshabers der Sicherheitspolizei werden am 23.3. bezw. 25.3.2000 Juden, davon 1500 französischer Staatsangehörigkeit, aus dem Lager Drancy nach Deutschland abtransportiert. Er habe den Auftrag von Bousquet erhalten, mitzuteilen, dass die französische Polizei bitte, in diesem Falle auf ihre Mitwirkung zu verzichten. Es handele sich hierbei zum überwiegenden Teil um französische Staatsangehörige, und es würde somit bei der

Mitwirkung der französischen Polizei eine Belastung der französischen Regierung eintreten, so dass Laval auf Vortrag von Bousquet die vorgetragene Entscheidung getroffen habe.

2.) Auf mein Vorhalten, dass diese Haltung verwunderlich sei, da es sich doch um Juden handele, erklärte Leguay, dass sowohl der Marschall als auch Laval, ohne damit eine Judenfreundlichkeit zum Ausdruck bringen zu wollen, aus humanitären Gründen die Massnahme der Überführung von Juden ins Reich nicht verantworten wollten.
Er wurde von mir persönlich darauf aufmerksam gemacht, dass diese Haltung umso verwunderlicher erscheine, als der Führer nunmehr in allen seinen Reden der letzten Jahre, insbesondere auch in seiner zum Heldengedenktag gehaltenen betont auf die Notwendigkeit einer radikalen Lösung der Judenfrage hingewiesen habe. Trotzdem seien alle in der französischen Regierung geführten Besprechungen über die Entnationalisierung der seit 1933 bezw. 1927 eingebürgerten Juden ohne Resonanz geblieben.
Ich habe ihm abschliessend zugesagt, SS-Brigadeführer Oberg von dieser Entscheidung Lavals bezw. Bousquets in Kenntnis zu setzen und ihn über das Ergebnis unverzüglich unterrichten zu wollen.

II. SS-Brigadeführer Oberg hat auf Vortrag entschieden, dass die Transporte unter ausschliesslicher Mitwirkung deutscher Polizeikräfte durchzuführen sind. Die Entscheidung wurde Leguay in seinem Auftrage sinngemäss folgendermassen mitgeteilt: SS-Brigadeführer Oberg habe die Mitteilung Bousquets zur Kenntnis genommen. Er müsse sein grösstes Erstaunen zum Ausdruck bringen, dass die französische Regierung immer noch nicht trotz der neuerlichen Erklärung des Führers zur Judenfrage ihren "sentimentalen" Standpunkt aufgegeben habe. Er sehe sich deshalb veranlasst, die Transporte allein durchzuführen.

i.A. Hag.
SS-Sturmbannführer.

II. SS-Brif. Oberg vorgelegt. / zdA.
III. BdS durchschriftlich m.d.B. um Kenntnisnahme."

Nachdem die französische Regierung bereits seit Mitte 1942 zum Erlass eines Gesetzes zur Entnationalisierung eingebürgerter Juden wiederholt gedrängt worden war, überreichte schliesslich am 12.4.1943 Bousquet dem Angeklagten Hag. den Entwurf eines Gesetzes über die Entnationalisierung der seit dem 1.1.1932 eingebürgerten Juden französischer Staatsangehörigkeit. Da Oberg sich zu dieser Zeit nicht in Paris aufhielt, leitete Hag. den Entwurf an Kno. weiter mit der Bitte um Prüfung und Mitteilung der Entscheidung, ob vorläufig unter Akzeptierung dieses Vorschlages von der Forderung der Entnationalisierung aller seit dem Jahre 1927 eingebürgerten Juden abgesehen werden sollte.

Die Abteilung II pol des BdS, die den Gesetzesentwurf bearbeitete, rechnete sich jedoch aus, dass die Zahl der von 1927 bis 1932 in Frankreich eingebürgerten Juden, die sie auf 50000 schätzte, um mehr als das Doppelte höher wäre als die Zahl der von dem Entwurf Bousquets betroffenen Juden. Eine entsprechende Stellungnahme schickte Kno. deshalb dem HSSPF am 21.5.1943:

"Der Befehlshaber
der Sicherheitspolizei und des SD
im Bereich des Militärbefehlshabers
in Frankreich
B.Nr. II pol 5 - 832 Paris, den 21.Mai 1943

Abteilungsleiter: SS-Stubaf. Dr. La.
Berichterstatter: SS-HStuf. Dr. Peters mit SS-O'Stuf. Röthke

Dem Höheren SS- und Polizeiführer
im Bereich des Militärbefehlshabers in Frankreich

mit der nachfolgenden Stellungnahme wieder vorgelegt.

Der französ. Gesetzentwurf über Aufhebung der Einbürgerungen naturalisierter Juden beschränkt sich auf die Einbürgerung vom 1.Jan. 1932. Schätzungsweise werden hierdurch nur 20.000 Juden erfasst. Die Zahl der hiervon betroffenen ehem. deutschen Juden ist besonders gering, da die nach der Machtergreifung ausgewanderten deutschen Juden Frankreich zu einem erheblichen Teil nur als Durchgangsland benutzt haben und nach Spanien bzw. Südamerika und anderen überseeischen Ländern weiter gewandert sind. Die Mehrzahl der deutschen Juden haben das Deutsche Reich auch nicht schon im Jahre 1933 sondern erst 1935 (nach Erlass der Nürnberger Gesetze) bzw. 1938 (nach den Volkskundgebungen anlässlich der Ermordung des Botschaftsrats von Rath) verlassen. Da das französ. Staatsangehörigkeitsgesetz für den Normalfall einen 3-jährigen Aufenthalt in Frankreich für die Naturalisierung verlangt und die schwebenden Einbürgerungsverfahren mit Kriegsausbruch unterbrochen wurden, sind diese Juden fast sämtlich noch nicht eingebürgert, mithin staatenlos. Es ist bei den 1935 ausgewanderten Juden zu berücksichtigen, dass die französ. Verwaltung verhältnismässig langsam arbeitet, so dass auch ihre Anträge nicht erledigt wurden, obwohl sie bei Kriegsausbruch bereits über 3 Jahre in Frankreich ansässig waren.

Auf die Miterfassung der Einbürgerungen seit dem 1.1.1927 muss deshalb besonders Wert gelegt werden, weil das französ. Staatsangehörigkeitsgesetz vom 10.8.1927 hinsichtlich des geforderten Aufenthalts in Frankreich besondere Erleichterungen gebracht hatte. Während nämlich vorher Einbürgerungen erst nach 10jährigem Aufenthalt erfolgen konnte, wurde die Aufenthaltsdauer in diesem Gesetz auf 3 Jahre herabgesetzt. Infolge dieser Erleichterung ist es unmittelbar nach Inkrafttreten dieses Gesetzes zu Masseneinbürgerungen von Juden gekommen, die in den Jahren vor 1927 eingewandert waren und die Voraussetzung des 10-jährigen Aufenthalts noch nicht erfüllt hatten, unter diesen Juden befinden sich auch zahlreiche ehem. deutsche Juden, aber auch eine grosse Anzahl von Ostjuden. Die Zahl der von 1927 bis 1932 eingebürgerten Juden wird auf 50.000 geschätzt. Ihre Zahl ist um mehr als das doppelte höher als die Zahl der von dem Entwurf Bousquet betroffenen Juden.

Die Artikel 2 und 4 des Verordnungsentwurfes sehen Ausnahmen zu Gunsten der nach den französ. Judengesetzen bevorrechtigten Juden (Frontkämpfer, Kriegswaisen usw.) sowie der kriegsgefangenen Juden vor. Derartige Ausnahmen entsprechen an sich nicht den deutschen Interessen, da sie jedoch zahlenmässig bedeutungslos sind, kann auf einen Widerspruch gegen diese Bestimmungen Abstand genommen werden.

Die Strafen für Zuwiderhandlungen gegen den Verordnungsentwurf sind äusserst gering. Die Strafbestimmung ist jedoch insofern ohne Bedeutung, als die Entziehung der Staatsangehörigkeit die Grundlage für eine deutsche Internierung und Deportierung bilden soll, so dass die Strafbestimmung in den wenigsten Fällen praktisch werden kann.

Dr. Kno.
SS-Standartenführer und Oberst der Polizei"

Oberg vermerkte handschriftlich am Rande des Schreibens, dass er mit 1927 einverstanden sei, während der Angeklagte Hag. nach der Informierung Bousquets hiervon am Rande notierte: "Bousquet auf 1927 festgelegt. Für diesen Fall wurde Bousquet Zustimmung für das Gesetz bereits erteilt."

Bei seinem Besuch in Paris am 8.6.1943 befahl Himmler gegenüber Oberg, wie der Angeklagte Hag. in seiner Niederschrift über die Besprechung festhielt, beim französischen Regierungschef mit allem Nachdruck auf die sofortige Veröffentlichung des Gesetzes zu drängen; nach seinen Vorstellungen sollten alle von diesem Gesetz betroffenen Juden bereits bis zum 15.7.1943 abtransportiert sein. Die Sicherheitspolizei entwickelte daraufhin eine entsprechende Aktivität.

Am 12.6.1943 fand beim Angeklagten Hag. eine Besprechung statt, an der der SS-Sturmbannführer Dr. La. von der Abteilung II pol des BdS sowie Röthke und Brunner teilnahmen. Bei dieser Besprechung wurden die Grundlagen für einen exakten Einsatzplan ausgearbeitet zur Erfassung von ca. 20000 Juden im Pariser Raum und von ca. 6000 Juden in der Provinz des altbesetzten Gebietes, die von dem Ausbürgerungsgesetz betroffen worden wären. Da die Teilnehmer dieser Besprechung keine andere Möglichkeit zur Erfassung der von dem Gesetz betroffenen Juden sahen, sollten in Paris sofort nach Veröffentlichung des Gesetzes von den dort lebenden ca. 70000 Juden die Haushaltsvorstände zu den Polizeikommissariaten einzeln vorgeführt und die Personalpapiere überprüft werden. Soweit hierdurch vom Gesetz betroffene Juden festgestellt wurden, sollten sie von Polizeibeamten zu ihren Wohnungen zurückgeführt werden, wo sie pro Person 2 Decken, 2 Paar Schuhe, Essbesteck und Toilettenartikel zusammenzupacken hätten; anschliessend sollten sie mit ihren Familienangehörigen den Arrondissements-Sammelplätzen zugeführt werden, von wo aus sie mit Bussen nach Drancy überstellt würden. Die Besprechungsteilnehmer rechneten sich aus, dass diese Aktion in Paris 2 Tage und mindestens 1500 französische Polizeibeamte in Anspruch nehmen würde.

In der Provinz des altbesetzten Gebietes sollte ähnlich wie in Paris vorgegangen werden. Wie aus dem Vermerk Röthkes über diese Besprechung hervorgeht, war den Ausarbeitern des Planes klar, dass im neubesetzten Gebiet die Erfassungsaktion mit der Verlässlichkeit der französischen Polizei stehen und fallen würde und dass in der italienischen Einflusszone angesichts der Haltung der Italiener zur Judenfrage nichts unternommen werden könne. Der Beginn der Aktion wurde auf die frühen Morgenstunden des 24.6.1943 angesetzt; an diesem Tage sollte auch erst die Veröffentlichung des Gesetzes erfolgen, damit die Juden nicht vorzeitig gewarnt würden.

Dieser Termin verstrich jedoch ebenso wie ein weiterer für den 23. und 24.7.1943 festgesetzter Termin, für den der Angeklagte Lis. als KdS bereits dem Polizei-Präfekten von Paris die erforderlichen Anweisungen zur Festnahme der vom Gesetz betroffenen Juden gegeben hatte.

Obwohl Laval das Gesetz inzwischen unterzeichnet hatte, hielt die französische Regierung, nachdem ihr das Vorhaben der Sicherheitspolizei, unmittelbar nach Veröffentlichung des

Gesetzes alle hiervon betroffenen Juden zu verhaften, bekannt geworden war, die deutschen Dienststellen hin.

Der Angeklagte Hag. stellte deshalb am 5.8.1943 Leguay zur Rede und vermerkte über die Unterredung am 6.8.1943:

"Der Höh. SS- und Pol.Fhr.
i.Ber. des Mil.Bef.i.Frkr. Paris, den 6.8.43
Hg./Ss.

I. Aktenvermerk.
Betr.: Gesetz zur Entnationalisierung der seit 27 eingebürgerten Juden.

Anlässlich einer am 5.8. mit Präfekt LEGUAY gehabten Besprechung habe ich ihm mitgeteilt, dass nach den uns vorliegenden Informationen entgegen den ursprünglich gemachten Zusagen beabsichtigt sei, die Veröffentlichung des Gesetzes über die Entnationalisierung der seit 27 eingebürgerten Juden zu unterlassen. Sollte dies zutreffen, so erschiene uns eine solche Massnahme unverständlich.
Unter dem Hinzufügen, dass er über die Vorgänge nicht genau unterrichtet sei, erklärte LEGUAY, dass seines Wissens zwei Gesetze vorlägen. Angeblich habe Gruppenführer OBERG die Veröffentlichung des ersten, das von BOUSQUET entworfen wurde, verlangt. Das zweite von Darquier de PELLEPOIX vorgelegte enthalte Bestimmungen, die in seit [97] weitgehendem Masse auch Anwendung finden sollten auf Eheleute französischer Herkunft, die mit den unter die Bestimmungen des Gesetzes fallenden Juden verheiratet sind. Dieses Gesetz erscheine ihm nicht annehmbar.
Seines Wissens seien gegen die Veröffentlichung des ersten Gesetzes Einwände nicht erhoben worden. Es sei jedoch festgestellt worden, dass SS-Obersturmbannführer Lis. dem Polizeipräfekten Paris Anweisung erteilt habe, die dahin zielten, die unter das Gesetz fallenden Juden sofort nach Erlass festzunehmen und nach Deutschland zu deportieren. Mit einer solchen Regelung habe sich der Präsident LAVAL, da man annehmen müsste, dass diese Massnahmen generell durchgeführt werden sollen, nicht einverstanden erklären können und habe deshalb dem Polizeipräfekten Weisung erteilt, die von ihm getroffenen Vorbereitungen nicht eher durchzuführen, bis der Präsident LAVAL Gelegenheit gefunden habe, entweder mit Gruppenführer OBERG oder Standartenführer Dr. Kno. zu sprechen.

Hag.
SS-Sturmbannführer."

Bei der Unterredung mit Laval am 7.8.1943, die Kno. und Hag. mit ihm wegen des Gesetzes führten, erklärte Laval, dass er sich dem Vorwurf nicht aussetzen könne, dass er Gesetze erlasse, um ihnen Juden zuzutreiben. Er müsse deshalb noch einmal mit Marschall Pétain Rücksprache nehmen.

Röthke, der am 14.8.1943 in Vichy Bousquet und danach Laval aufsuchte, wurde von Laval angegeben, dass Pétain sehr aufgebracht darüber gewesen sei, dass nach dem Gesetz auch Frauen und Kinder der betroffenen Juden entnaturalisiert werden sollten; er, Laval, müsse

[97] Sic!

das Gesetz noch vor dem Ministerrat, der am 17.8.1943 zusammenträte, erörtern. Im übrigen könne das Gesetz angesichts seiner Tragweite nur vom Marschall selbst unterzeichnet werden. Laval fügte in Erkenntnis des Umstandes, dass die Sicherheitspolizei die geplanten Verhaftungen ohne die Mitwirkung der französischen Polizei nicht durchführen konnte, hinzu, dass er auch im altbesetzten Gebiet für eine Verhaftung der Juden die französische Polizei nicht zur Verfügung stellen werde. Trotz weiterer Verhandlungen - u.a. am 23.8.1943 zwischen Kno., Hag. und de Brinon, am 26.8.1943 zwischen Hag. und de Brinon und am 6.9.1943 zwischen Kno., Hag. und de Brinon - änderte sich die Haltung der französischen Regierung nicht, und der Plan der Sicherheitspolizei für einen weiteren Grossabschub von Juden aus Frankreich war gescheitert.

c) Die Haltung der Italiener zur Judenfrage

Zu den Gründen, die Laval am 15.8.1943 gegenüber Röthke für seine Haltung zum Ausbürgerungsgesetz vorbrachte, zählte er auch die Haltung der Italiener zur Judenfrage. Das Beispiel des einzig grösseren Bündnispartners Deutschlands, für den es kein Judenproblem gab, der vielmehr auch noch angesichts der Grossaktionen, die von deutscher Seite gegen Juden durchgeführt wurden, eine projüdische Haltung zeigte, stärkte die französische Regierung in ihrem Bemühen, Juden französischer Staatsangehörigkeit nicht an die deutschen Dienststellen auszuliefern. Zudem nutzte sie in den Verhandlungen mit den deutschen Vertretern wiederholt die besondere Situation, die darin bestand, dass ein Teil Südfrankreichs von Italiener besetzt war, aus, indem sie auf die ungleiche Behandlung der Juden in der deutsch besetzten und der italienisch besetzten Zone verwies.

Aus diesen Gründen zählte es auch zu den Bestrebungen der Sicherheitspolizei in Frankreich, die Italiener zu einer Aufgabe ihrer judenfreundlichen Haltung zu bewegen. Diese Bemühungen blieben aber erfolglos.

Ahnert hatte sich bereits am 28.8.1942 auf der Tagung beim Reichssicherheitshauptamt in Berlin darüber beschwert, dass sich u.a. auch das italienische Konsulat "sehr aufdringlich" für seine Juden einsetzte. Der diesen Punkt behandelnde Abschnitt des Vermerks Ahnerts vom 1.9.1942 gibt zugleich deutlich zu erkennen, dass das Reichssicherheitshauptamt Juden, soweit sie sich in seinem Machtbereich befanden, auch dann nicht aus diesem Bereich entlassen wollte, wenn die Heimatstaaten dieser Juden bereit waren, sie zurückzuholen:

> "...
> Dem RSHA wurden die Schwierigkeiten, die sich insbesondere durch die Ausnahme ausländischer Juden vom Tragen des Judensternes ergeben, vorgetragen. Insbesondere wurde darauf hingewiesen, dass sich verschiedene ausländische Konsulate (italienisches, portugiesisches, spanisches und schweizer Konsulat) sehr aufdringlich für ihre Juden einsetzten. Es wurde u.a. angefragt, ob auch ausländische Juden, sofern sie in irgendeiner Weise gegen die bestehende Ordnung verstossen oder bereits gerichtlich bestraft sind, mit abgeschoben werden können. Vom RSHA wurde erklärt, dass zunächst nur staatenlose Juden abgeschoben werden dürfen, wegen der übrigen ausländischen Juden sind noch Verhandlungen mit dem Auswärtigen Amt im Gange und bis jetzt noch nicht abgeschlossen. Eine Rückführung ausländischer Juden in ihre Länder ist keinesfalls erwünscht. Dem Antrag des schweizer Konsulates, eine Reihe jüdischer Familien schweizer Nationalität in die Schweiz abzuschieben, kann nicht stattgegeben werden."

Am 10.9.1942 legte Legationsrat Zeitschel dem Angeklagten Hag. ein Schreiben des Auswärtigen Amtes vor, in dem mitgeteilt wurde, dass die italienische Regierung gegen die

Anwendung der von den französischen Behörden angeordneten antijüdischen Massnahmen auf Juden italienischer Staatsangehörigkeit in Tunis Einspruch erhoben hatte.

Am 4.2.1943 hielt Hag. in einem Vermerk fest, dass aus einem streng vertraulichen Bericht, der ihm als Abteilungsleiter VI (Auslandsnachrichten) zugekommen war, hervorginge, dass am 13.1.1943 ein italienischer Delegierter beim Präfekten des Départements Alpes-Maritime eine heftige Demarche unternommen habe, weil die italienische Regierung nicht wünschte, dass alle Juden ausländischer Staatsangehörigkeit Massnahmen unterworfen seien, die bei Juden französischer Staatsangehörigkeit angewandt würden.

Als im Februar 1943 auf den Befehl Lis.s hin, der zu diesem Zeitpunkt Kno. vertrat, als Sühnemassnahme 2000 Juden ausländischer Staatsangehörigkeit verhaftet werden sollten, bereiteten wiederum die Italiener der französischen Polizei Schwierigkeiten. Lis. informierte hierüber Kno. in einem Vermerk vom 22.2.1943:

"Kdr./Wo. Paris, den 22.Februar 1943.

1.) Vermerk.

Betrifft: Einstellung der Italiener zur Judenfrage.

Aus Anlass der als Sühnemassnahme von der französischen Polizei geforderten Festnahme von 2.000 Juden sind von der französischen Polizei auch Juden ausländischer Staatsangehörigkeit (keine Italiener) in dem von Italien besetzten Teil Südfrankreichs östlich der Rhonelinie festgenommen worden. Der Präfekt Leguay teilte in diesem Zusammenhang mit, dass von italienischer Seite erhebliche Schwierigkeiten gegen jegliche Festnahme von Juden gemacht würden. Als markantestes Beispiel führte er an, dass in Annecy einige ausländische Juden von der Gendarmerie festgenommen und in die Gendarmeriekaserne verbracht worden sind. Italienisches Militär hätte daraufhin die sofortige Freilassung der Juden gefordert, die jedoch abgelehnt worden wäre. Daraufhin wäre die ganze Kaserne von bewaffneten italienischen Soldaten umstellt worden. Leguay berichtete, dass in dieser Weise von Italien gegen jede Festnahme von Juden Schwierigkeiten gemacht würden und in Kenntnis dieser Tatsache sich grosse Teile von Juden in das von den Italienern besetzte Gebiet zurückgezogen hätten.

2.) An B.d.S. zur Ktsn.

Lis.
SS-Obersturmbannführer."

Diesen Vermerk teilte der persönliche Referent von Dr. Kno. diesem mit Fernschreiben mit.

In Grenoble verweigerten die Italiener die Auslieferung von 100 von der französischen Polizei im Rahmen der erwähnten Aktion festgenommenen Juden mit der Begründung, sie gälten als "blockiert". Nachdem Röthke hiervon den Angeklagten Lis. durch einen Vermerk unterrichtet hatte, wandte sich dieser an das Reichssicherheitshauptamt und drängte auf eine Einflussnahme auf die Italiener:

Lfd.Nr.858

"IV B - BdS - SA 225a
Rö./Ne. Paris, den 24.Februar 1943
Dringend ! Sofort vorlegen !

Sachbearbeiter und Berichterstatter: SS-O'Stuf. Röthke.

An das
Reichssicherheitshauptamt
Amt IV
z.Hdn. von SS-Gruppenführer Müller
Berlin.

Betr.: Endlösung der Judenfrage in Frankreich;
hier: Stellung der Italiener zur Judenfrage.

Vorg.: Meine Berichte vom 12.2. und 17.2.1943
Meine FS vom 3.2. und 22.2.1943.

Die französische Polizei hat in Durchführung einer von mir angeordneten Sühnemassnahme die Festnahme von 2000 Juden im Alter von 16 bis 65 Jahren im alt- und neubesetzten Gebiet veranlasst. Es sollten arbeitsfähige Juden im Alter von 16 bis 65 Jahren festgenommen werden, die den Abschubbedingungen entsprechen.
Im Bereich Grenoble sind von der französischen Polizei 100 dieser Juden festgenommen und zum Zwecke der Überstellung an uns interniert worden. Die Italiener haben daraufhin Einspruch eingelegt und die Auslieferung dieser Juden mit der Begründung abgelehnt, dass die festgenommenen Juden als "blockiert" gälten. Der Kabinettschef des Delegierten der französischen Polizei im altbesetzten Gebiet hat mir zum Ausdruck gebracht, dass der französischen Polizei die Haltung der Italiener zur Judenfrage unverständlich sei, da Juden italienischer Staatsangehörigkeit nicht festgenommen worden sind. Weitere Judenmassnahmen im neubesetzten Gebiet könnten zukünftig nur dann wirksam durchgeführt werden, wenn die italienischen zivilen und militärischen Behörden im neubesetzten Gebiet zu einer grundsätzlichen Änderung ihrer Haltung bestimmt werden könnten.
Über weitere Schritte der Italiener im neubesetzten Gebiet hinsichtlich der Judenfrage werde ich laufend berichten.

i.V.
Lis.
SS-Obersturmbannführer."

Durch Schreiben vom 2.3.1943 teilte das Einsatzkommando der Sipo (SD) Limoges dem BdS mit, dass die Juden in grosser Zahl aus der dortigen Region nach solchen Départements verziehen würden, die von den Italienern besetzt seien, weil allgemein bekannt sei, dass die Italiener nichts gegen die Juden unternähmen und dass selbst die französische Regierung in diesen Gebieten Massnahmen gegen die Juden nicht durchführen könne.

Der Angeklagte Lis. berichtete in der Folgezeit wiederholt dem Reichssicherheitshauptamt über die Behandlung der Juden in dem von Italien besetzten Gebiet, so mit Fernschreiben vom 9. und vom 13.3.1943. Am 15.3.1943 schickte Lis. schliesslich einen zusammenfassenden Bericht an das Reichssicherheitshauptamt, vorverfügt von Röthke, in dem es u.a. heisst:

"An das
Reichssicherheitshauptamt
IV B 4 a
Berlin.

Betr.: Behandlung der Judenfrage im neubesetzten Gebiet;
hier: Haltung der Italiener zur Judenfrage.
Bezug: Meine früheren Berichte.

Beigeschlossen überreiche ich die Übersetzung in doppelter Ausfertigung eines am 2.3.1943 von dem Verbindungsgeneral des italienischen Oberkommandos an den Admiral Platon, Staatssekretär beim französischen Regierungschef, gerichteten Schreibens mit der Bitte um Kenntnisnahme.

Wie aus dem Schreiben hervorgeht, verbieten die italienischen Besatzungsbehörden in dem von Italien besetzten Gebiet Frankreichs jede Massnahme gegen Juden ohne Rücksicht auf die Staatsangehörigkeit der Juden. Die italienischen Behörden stellen sich somit selbst schützend nicht nur vor Juden italienischer Staatsangehörigkeit, sondern auch vor Juden französischer Staatsangehörigkeit und alle anderen ausländischen Juden.
Dieses Verhalten der Italiener hat dazu geführt, dass Juden in zunehmendem Masse aus dem von Deutschland neubesetzten Gebiet Frankreichs in die von den Italienern besetzten französischen Gebiete fliehen, weil sie sich dort vollkommen sicher fühlen und sogar beste Beziehungen zum italienischen Militär unterhalten. Dieses Verhalten der italienischen militärischen und zivilen Behörden ist bereits nicht nur dem Judentum in Frankreich, sondern der gesamten französischen Öffentlichkeit bekannt geworden.
Es wäre verständlich, wenn die italienischen Behörden selbst die Judenfrage in dem von ihnen besetzten Gebiet zu regeln beabsichtigten, bisher haben die Italiener jedoch nicht nur nichts gegen das Judentum unternommen, das besonders stark in dem von ihnen besetzten Gebiet zusammengeballt ist, vielmehr treten sie für die Juden ein, wo immer sie nur können. So ist insbesondere die Côte d'Azur zu einem Asyl für das Judentum geworden, wie es bisher wohl kaum ein Landstrich in Frankreich gewesen ist. Die Juden fühlen sich dort in völliger Sicherheit und gehen ihren schmutzigen Geschäften, insbesondere dem Schwarzhandel völlig ungehindert nach. Da es sich in der Hauptsache um reiche Juden handelt, hat das Judentum einen grossen Einfluss nicht nur auf französische Kreise, die von dem jüdischen Geld leben, sondern auch auf italienische Soldaten entwickelt.
...
Solange die italienischen Behörden ihre bisherige Haltung zur Judenfrage beibehalten, kann eine Lösung des Judenproblems im neubesetzten Gebiet Frankreichs nicht oder nur unvollkommen herbeigeführt werden, zumal die französische Regierung bisher gegen die Juden nur dann eingeschritten ist, wenn sie von uns dazu gedrängt wurde. Die französische Regierung wird in ihrer Einstellung zur Judenfrage nunmehr durch die Italiener geradezu bestärkt. Hinzu aber kommt, dass das Verhalten der Italiener in der Judenfrage von den Juden selbst und weiten Kreisen der französischen Bevölkerung schon jetzt in erheblichem Masse in der Propaganda ausgeschlachtet wird, um das deutsch-italienische Verhältnis in abfälliger Form zu kritisieren.

Es ist daher unbedingt notwendig, dass die italienischen militärischen und zivilen Behörden im neubesetzten Gebiet Frankreichs schnellstens zu einer grundsätzlichen Änderung in ihrer Haltung zur Judenfrage gezwungen werden.

i.V.:
Lis.
SS-Obersturmbannführer".

Doch die Verhandlungen auf den verschiedenen Ebenen führten zu keinem Erfolg. Noch kurz vor der Besetzung der italienischen Zone durch deutsche Truppen, die Anfang September 1943 erfolgte, empfing nach Rücksprache mit Kno. am 18.8.1943 der Angeklagte Hag. den Oberleutnant Malfatti, der zur Berichterstattung zum italienischen Oberkommando befohlen war, und machte ihn auf die ungünstigen Auswirkungen der verschiedenen Stellungnahmen von deutscher und italienischer Seite zur Judenfrage in Frankreich aufmerksam. Hag. bat Malfatti deshalb, in Rom darauf hinzuwirken, dass der deutsche Standpunkt auch auf italienischer Seite strikt durchgeführt würde.

Nachdem die Besetzung der italienischen Zone erfolgt war, arbeitete Röthke am 4.9.1943 einen umfangreichen Plan zur Durchführung der Massnahmen gegen die Juden im italienisch besetzten Gebiet aus, den er dem Angeklagten Hag. zur Kenntnisnahme zuleitete. Die Masse der in diesem Gebiet befindlichen Juden war jedoch mit den italienischen Truppen nach Italien gegangen oder hielt sich verborgen, so dass das Ergebnis der Aktion zahlenmässig nicht den Erwartungen der Sicherheitspolizei entsprach.

d) Weitere Verhaftungsaktionen

Da die französischen Behörden jede Mitarbeit bei der Erfassung französischer Juden zum Zwecke des Abtransports verweigerten, die italienischen Besatzungsbehörden alle Juden in ihrem Machtbereich offen schützten und die Sicherheitspolizei aufgrund der infolge der Kriegssituation angespannten personellen Situation keinerlei auch nur vorübergehende Verstärkungen zum Zwecke der Verhaftung französischer Juden erlangen konnte, beschränkten sich die Transporte im wesentlichen auf sogenannte staatenlose Juden und Juden mit fremder Staatsangehörigkeit. Eine Ausnahme bildeten französische Juden nur insoweit, als sie in Einzelfällen in die Hände der Sicherheitspolizei gefallen waren, sei es wegen wirklicher oder vermeintlicher Verletzung von Vorschriften, sei es im Zusammenhang mit Widerstandshandlungen, sei es aufgrund einzelner Willkürmassnahmen der Sicherheitspolizei.

Die Sicherheitspolizeikommandos versuchten mit nur allen möglichen Anstrengungen, soviele Juden, wie aufgrund der bestehenden Verhältnisse nur irgend möglich und zulässig, zu fangen, um die Transporte zu füllen. Altersbegrenzungen waren längst weggefallen, auch die Insassen von Altersheimen, Waisenhäusern und Kinderheimen wurden zu Opfern dieser Bemühungen.

Daneben gab es jedoch noch einzelne grössere Verhaftungsaktionen, die vor allem im Zusammenhang mit Attentaten auf Angehörige der deutschen Besatzung als sogenannte "Sühnemassnahmen" durchgeführt wurden, die sich jedoch auch dann auf Juden erstreckten, wenn die Mitwirkung von Juden bei den Attentaten überhaupt nicht feststand.

Als am 13.2.1943 in Paris zwei Luftwaffenoffiziere angeschossen wurden und kurz darauf im Lazarett verstarben, ordnete der Angeklagte Lis., der zu diesem Zeitpunkt den von Paris abwesenden Kno. als BdS vertrat, am 14.2.1943 zur Durchführung von Sühnemassnahmen die Festnahme von 2000 männlichen Juden im Alter von 16 bis 65 Jahren und ihre Überführung nach Drancy an. Wie bereits erwähnt worden ist, widersetzten sich die italienischen Behörden den im Rahmen dieser Aktion in ihrer Zone durchgeführten Festnahmen.

Verhaftungen in einem Gebiet Nordfrankreichs, das zu der Zuständigkeit des BdS Brüssel gehörte, führten zu einer Anfrage aus Brüssel. Daraufhin bat der Angeklagte Lis. mit Fernschreiben vom 23.2.1943 den BdS Brüssel um Duldung dieser Massnahmen:

"IV B - BdS - SA 225 a
Rö./Ne.

Paris, den 23.Februar 1943

An den
Befehlshaber der
Sicherheitspolizei und
des SD
Brüssel

Dringend.
Sofort vorlegen.

Betr.: Festnahme von Juden ausländischer Staatsangehörigkeiten durch die französische Polizei.
Vorg.: Dort. FS Nr.2412 vom 20.2.1943

Der Polizeipräfekt in Paris ist von mir am 14.2.1943 ersucht worden, zur Durchführung von Sühnemassnahmen schnellstens 2000 männliche Juden im Alter von 16 bis 65 Jahren festnehmen und in das Judenlager Drancy bei Paris überführen zu lassen. Die Festnahme sämtlicher Juden mit fremder Staatsangehörigkeit im Bereich Nordfrankreich ist von der französischen Regierung nicht gefordert worden.
Da die französische Regierung für die Gestellung der 2000 Juden keine französischen Staatsangehörigen nehmen wollte, ist anzunehmen, dass die französische Regierung neben anderen Polizeidienststellen auch der Polizei in Lille den Auftrag erteilt hat, alle Juden fremder Staatsangehörigkeit festzunehmen.
Es wird gebeten, die Durchführung der von der französischen Regierung gegen die Juden angeordneten Massnahmen nicht zu verhindern, soweit dadurch nicht in Mischehe lebende Juden oder Jüdinnen mit der Staatsangehörigkeit von Feindstaaten, verbündeten, befreundeten oder neutralen Staaten betroffen werden.

i.V.
Lis.
SS-Obersturmbannführer."

Kommandant Sauts von der französischen Polizei konnte Röthke am 23.2.1943 mitteilen, dass bereits über 1500 arbeitsfähige Juden im Alter von 16 bis 65 Jahren in beiden Zonen interniert wären. Dies hielt Röthke in einem Vermerk vom 24.2.1943 fest, den er dem Angeklagten Lis. zur Kenntnisnahme vorlegte.
Der vom Reichssicherheitshauptamt offensichtlich zur Verstärkung der Deportationsbemühungen im Sommer 1943 nach Paris geschickte SS-Hauptsturmführer Brunner, der zum engsten Mitarbeiter Eichmanns gehörte, führte zwar mit einem Kommando Einzelaktionen vor allem in Süd-Frankreich durch und übernahm das Lager Drancy in eigene Verwaltung, vermochte aber an den Gegebenheiten in Frankreich, die dem gewünschten Grossabschub entgegenstanden, nichts zu ändern.

Im Rahmen dieser Gegebenheiten kam es freilich immer wieder zu neuen Verhaftungsaktionen und zu neuen Transporten von Juden in den Osten, wie auch aus dem nachfolgenden "Erfolgstelegramm" hervorgeht, das - vom Angeklagten Hag. formuliert - von Oberg aus Anlass eines Besuchs von Himmler in Frankreich an diesem am 4.12.1943 geschickt wurde:

"Höh. SS- u. Pol.Fhr.
Tgb.Nr. 1057/43
Hg./Be.

Paris, den 4.Dezember 43.

An
Reichsführer-SS
Feldkommandostelle.

Vorgang: Hies. FS Nr.846 v. 23.11.43 (BdO)

Reichsführer!

Im Nachgang zu meinem FS vom 23.11.43 melde ich, dass in Fortsetzung der laufenden Aktion gegen Juden in Frankreich in der Zeit vom 24.11. bis 4.12.43 festgenommen wurden:
1.) 1417 Juden, davon im Gebiet Südfrankreich 905, Juden ausländischer Staatsangehörigkeit und Staatenlose 524.
2.) Ein Transport mit 1000 Juden wird am 7.12.43 nach dem Osten abgehen.
Die Aktion wird weiter fortgeführt.

Heil Hitler!

Ihr gehorsamst ergebener
Oberg."

7.) Das Schicksal der Juden im Osten und Zahlenfeststellungen

Bei den Transporten von Frankreich, die überwiegend von Drancy abgingen, waren die Menschen in Güterwagen zusammengepfercht. Die Waggons waren auch bei Transporten in kalten Jahreszeiten ungeheizt. Für die Notdurft befanden sich Kübel in den Waggons; soweit diese fehlten, musste die Notdurft in einer Ecke im Wagen erledigt werden, weil die Deportierten während der Fahrt, die in der Regel bis Auschwitz 3 Tage dauerte, keine Möglichkeit hatten, die Wagen zu verlassen.

Die Verpflegung sowie die Versorgung mit Wasser während der Fahrt war unzureichend. Die den Transporten mitgegebene Verpflegung, die von französischer Seite gestellt werden musste, war nicht für die Deportierten bestimmt. In den Transportmeldungen, die Brunner ab Juli 1943 fertigte, setzte er teilweise abweichend von der bisherigen Übung die Aufstellung der in einem gesonderten Güterwaggon mitgegebenen Verpflegung hinzu. Zum Abschluss dieser Aufstellung vermerkte er:

> "Ich bitte, die hochwertigen Lebensmittel nicht für die KZ-Verpflegung zu verwenden."

In Auschwitz-Birkenau wurden die Züge auf eine eigens hierfür gebaute Rampe geleitet. In einer gewissen Entfernung von der Rampe wurde um diese ein dichter geschlossener Ring von Wachtposten gebildet, um Fluchtversuche der angekommenen Menschen nach dem Aussteigen aus dem Zug zu verhindern und Unbefugten den Zutritt zur Rampe zu verwehren. Die Waggons wurden sodann geöffnet, und die in den Wagen eingepferchten Menschen mussten auf die Rampe aussteigen, während die Wagen auf unterwegs Gestorbene untersucht wurden. Die ausgestiegenen Menschen mussten antreten und wurden in der Regel von SS-Ärzten und SS-Führern auf ihre Arbeitsfähigkeit hin geprüft, was nach oberflächlicher Betrachtung in der Weise geschah, dass der Selektierende mit einer kurzen Handbewegung die Menschen entweder nach rechts oder nach links schickte. In der Regel war der Prozentsatz der für einen tatsächlichen "Arbeitseinsatz" vorgesehenen Juden nicht höher als 20%, bei vielen Transporten lag der Prozentsatz noch niedriger.

Während der Aktion, die sich längere Zeit hinzog, achtete das Wachpersonal darauf, dass sich die angekommenen Menschen nicht untereinander unterhielten und auch keinen Kontakt zu Lagerinsassen oder dem Lagerpersonal erhielten. Dieses Sprechverbot sollte verhindern, dass die Deportierten, die von ihrem bevorstehenden Tod nichts ahnten, vorzeitig von dem ihnen zugedachten Schicksal erführen.

Während die als arbeitsfähig Ausgesuchten in das Lager geführt wurden, wo sie karteimässig erfasst wurden und Nummern erhielten, wurden die übrigen zu Baracken geführt, die sich bei zwei zu Gaskammern umgebauten Bauernhäusern befanden. In diesen Baracken hatten sich die zum Tode bestimmten Menschen auszukleiden. Schilder mit der Aufschrift "zum Baderaum" und "zur Desinfektion", die angebracht waren, sollten den Menschen vorspiegeln, dass sie gebadet und desinfiziert würden.

Ahnungslos gingen die Menschen in die Gaskammern hinein. Wenn diese dicht gefüllt waren, wurden die Türen von aussen verriegelt. Durch Öffnungen in der Decke, teils auch durch ein kleines Seitenfenster wurde vom Vergasungskommando das Giftgas "Zyklon B" in körniger Pulverform eingeschüttet. Sobald die Körner des Zyklon B durch die Öffnungen in den Vergasungsraum einrieselten und mit Luft in Berührung kamen, entwickelten sich Blausäuredämpfe, an denen die in der Gaskammer befindlichen Menschen in einigen Minuten qualvoll erstickten. Dabei spielten sich unter den Menschen in ihrer Todesqual fürchterliche Szenen ab. Ein SS-Arzt beobachtete durch ein Guckloch den Todeskampf der eingeschlossenen Menschen. Waren nach seiner Meinung alle tot, gab er das Zeichen zum Öffnen der Gaskammer. Die Leichen wurden nun von einem Kommando herausgezerrt, auf Goldzähne und Schmuckstücke untersucht und sodann verbrannt.

Von den zum "Arbeitseinsatz" selektierten Menschen starb in der Folgezeit aufgrund der Ernährungslage und der hygienischen Bedingungen im Lager ein grosser Teil. Ein weiterer Teil fiel Einzelmassnahmen zum Opfer, eine Reihe von Häftlingen suchte den Freitod.

Von den aus Frankreich Deportierten hat nur ein geringer Prozentsatz die Befreiung erlebt. Die genaue Zahl der aus Frankreich deportierten Juden, der in Auschwitz nach Ankunft der Züge in den Gaskammern Getöteten und der Überlebenden lässt sich angesichts des Fehlens sicherer Beweisunterlagen nicht feststellen. Nachstehende Übersicht über die Transporte, die von Frankreich abgingen, die jeweilige Zahl der Deportierten, die Zahl der bei den einzelnen Transporten Selektierten und die Zahl der unmittelbar nach Ankunft der Züge in den Gaskammern Getöteten beruht auf verschiedenen Quellen. Bei der Zahl der Deportierten und der in den Gaskammern Getöteten wurde jeweils von den niedrigsten Werten ausgegangen, so dass es sich nur um Mindestzahlen handelt.

Tag des Abtransportes	Personenzahl	Zahl der Selektierten	Zahl der Getöteten
27.3.42	1.112	-----	-----
5.6.42	1.000	1.000	-----
22.6.42	999	999	-----
25.6.42	1.000	1.000	-----
28.6.42	1.038	1.038	-----
17.7.42	928	928	-----
19.7.42	996	625	371
20.7.42	824	801	23
22.7.42	1.001	1.001	-----

Tag des Abtransportes	Personenzahl	Zahl der Selektierten	Zahl der Getöteten
24.7.42	1.000	1.000	-----
27.7.42	990	990	-----
29.7.42	1.000	784	216
31.7.42	1.062	1.062	-----
3.8.42	1.005	564	441
5.8.42	1.014	310	704
7.8.42	1.068	274	794
10.8.42	1.000	240	760
12.8.42	1.000	295	705
14.8.42	998	115	883
17.8.42	996	100	896
19.8.42	995	183	812
21.8.42	985	108	877
24.8.42	996	92	904
26.8.42	991	63	928
28.8.42	1.000	71	929
2.9.42	1.000	123	877
4.9.42	1.000	54	946
7.9.42	1.000	111	889
9.9.42	1.000	91	909
11.9.42	1.000	80	920
14.9.42	1.000	105	895
16.9.42	992	147	845
18.9.42	831	31	800
21.9.42	1.000	209	791
23.9.42	1.000	525	475
25.9.42	1.000	131	869
27.9.42	893	171	722
30.9.42	206	56	150
4.11.42	1.000	361	639
6.11.42	990	227	763
9.11.42	1.000	100	900
11.11.42	738	146	592
9.2.43	998	168	830
11.2.43	994	196	798
13.2.43	993	311	682
2.3.43	993	119	874
4.3.43	1.000	-----	-----
6.3.43	1.000	-----	-----
23.3.43	997	-----	-----
25.3.43	1.000	-----	-----
23.6.43	1.002	600	402
18.7.43	1.000	660	440
31.7.43	1.000	273	727
2.9.43	1.000	338	662
7.10.43	1.000	509	491
28.10.43	1.000	387	613
20.11.43	1.200	286	914
7.12.43	1.000	339	661
17.12.43	849	345	504
20.1.44	1.153	291	862

Tag des Abtransportes	Personenzahl	Zahl der Selektierten	Zahl der Getöteten
3.2.44	1.200	215	985
10.2.44	1.500	271	1.229
7.3.44	1.500	-----	-----
27.3.44	1.000	-----	-----
13.4.44	1.500	165	1.335
29.4.44	1.000	48	952
15.5.44	878	-----	-----
20.5.44	1.200	188	1.012
30.5.44	997	373	624
30.6.44	1.000	-----	-----
31.7.44	1.300	-----	-----

Die Transporte vom 4., 6., 23. und 25.3.1943 gingen wahrscheinlich nach Majdanek und Sobibor, der Transport vom 15.5.1944 ging vermutlich nach Reval, bezüglich der Transporte vom 17.3., 27.3., 30.6. und 31.7.1944, die nach Auschwitz gingen, fehlen Unterlagen. Das Schicksal der Deportierten dieser Transporte konnte zahlenmässig nicht geklärt werden.

8.) Die Tätigkeit der Angeklagten im einzelnen

a) Die Tätigkeit des Angeklagten Lis.

Der Angeklagte Lis. war seit November 1940 Stellvertreter des Beauftragten des Chefs der Sicherheitspolizei und des SD für Belgien und Frankreich - Dienststelle Paris - bzw. später des Befehlshabers der Sicherheitspolizei und des SD im Bereich des Militärbefehlshabers in Frankreich. Zusätzlich wurde Lis. am 15.1.1943 Kommandeur der Sicherheitspolizei von Paris. Seine Zeit in Paris endete am 10.9.1943.

Über längere Zeiträume, in denen Dr. Kno. von Paris abwesend war, hat Lis. die Vertretung in der Behördenleitung wahrgenommen und befasste sich in dieser Zeit mit einer Fülle von Vorgängen, die das Judenreferat, das ja dem Behördenleiter direkt unterstellt und diesem unmittelbar zuarbeitete, betrafen. Aber auch in Zeiten, in denen Dr. Kno. in Paris anwesend war, wurde Lis. als stellvertretender Behördenleiter von allen wesentlichen Angelegenheiten des Judenreferates unterrichtet.

Über die bisherigen Feststellungen hinaus, ist der Angeklagte Lis. noch wie folgt tätig geworden:

Bei der Besprechung vom 30.1.1941 beim Militärbefehlshaber in Frankreich, bei der es um die weitere Behandlung der Judenfrage in Frankreich ging, nahm von Seiten der Sicherheitspolizei und des SD neben Dannecker der Angeklagte Lis. teil. Der Angeklagte Lis. war es, der bei dieser Besprechung zur Lösung des Judenproblems in Europa die Schaffung eines zentralen Judenamtes für Frankreich vorschlug, dessen Aufgaben sein sollten, die Behandlung aller polizeilichen Judenangelegenheiten (Judenerfassung, Judenregister, Judenüberwachung), der wirtschaftliche Kontrolldienst (Ausschaltung der Juden aus dem Wirtschaftsleben, Mitwirkung bei der Rückführung jüdischer Betriebe in arische Hände) sowie die Unterhaltung einer Propaganda-Abteilung (antijüdische Propaganda im jüdischen Volk) und eines antijüdischen Forschungsinstitutes.

Von Ende Oktober 1941 bis Anfang Juni 1942 leitete Lis. in Vertretung von Kno. die Dienststelle. Worauf dieser ungewöhnlich lange Zeitraum der Abwesenheit Kno.s von der Dienststelle beruhte, konnte nicht festgestellt werden. In diesen Zeitraum fällt allerdings die

Ablösung von Dr. Thomas und der Konflikt um Kno., dessen Abberufung der Militärbefehlshaber forderte.

In Vertretung unterzeichnete Lis. das folgende Fernschreiben vom 28.10.1941 an das Reichssicherheitshauptamt, das am 31.10.1941 befördert wurde:

"IV J 28.10.1941.

An das
RSHA IV B 4,
Berlin.

Betr.: Überwachung der Entscheidungen des franz. Judenkommissariats über Nichtzugehörigkeit zur jüdischen Rasse.
Vorg.: Ohne.

In verschiedenen Fällen mussten schon Bescheinigungen des Judenkommissariats über die "Nichtzugehörigkeit zur jüdischen Rasse" beanstandet werden, da sie nicht genügend erhärtet waren.
Besonders im Rahmen der Arisierung macht sich nun aber immer mehr der Mangel des Fehlens einer zentralen Stelle bemerkbar, die endgültige Entscheidungen fällt. Bisher geschah dies durch den Direktor des "Personenstatuts" beim Judenkommissar. Es erscheint aber künftig nicht tragbar, dass diese Stelle allein entscheidet. Deshalb habe ich angeregt, im Judenkommissariat einen Ausschuss zu bilden, dem neben einem Juristen auch ein Rassenkundler und ein Ahnenforscher angehören müssen. Um aber die Franzosen in die wünschenswerte Richtung zu lenken, wird es notwendig, zu diesem Ausschuss einen "Deutschen Beauftragten" abzuordnen.
Ich bitte nun, zunächst vorsorglich, um Mitteilung, ob die Reichsstelle für Sippenforschung im Falle einer Anforderung seitens des Mil.Bef. in Frankreich, in der Lage wäre, einen Beauftragten für den besprochenen Zweck abzustellen.

i.V.
Lis.".

Mit Schreiben vom 12.11.1941, vorverfügt von Dannecker, bemängelte Lis. gegenüber dem Generalkommissariat für Judenfragen, dass im Salon Automne noch Juden ihre Bilder ausstellen konnten:

"Der Beauftragte des Chefs
der Sicherheitspolizei und des S.D.
für Belgien und Frankreich
Dienststelle Paris Paris, den 12.11.1941

An das
Generalkommissariat für Judenfragen,
z.Hd. Herrn Generalkommissar Vallat,
Paris,
1, Place des petits Pages.

Betr.: Juden als Aussteller im Salon d'Automne (Palais de Tokio).
Vorg.: Ohne.
Anlg.: 1

Aus anliegender Liste geht hervor, dass auch Juden im Salon d'Automne heute noch ausstellen können. Die mit einem Fragezeichen versehenen Personen sind nicht eindeutig als Juden erkannt.
Ich bitte um umgehende Stellungnahme ob und ggfls. was zur Abstellung dieses unmöglichen Zustandes seitens des Judenkommissariats beabsichtigt ist.

i.V. Lis.
SS-Sturmbannführer".

Im November bzw. Dezember 1941 zeichnete Lis. für die Bekanntgabe des Erlasses des Reichssicherheitshauptamtes vom 23.10.1941, wonach die Auswanderung von Juden mit sofortiger Wirkung zu verhindern war, an alle deutschen Dienststellen in Frankreich verantwortlich:

"Der Beauftragte des Chefs
der Sicherheitspolizei und des SD
für Belgien und Frankreich -
- Dienststelle Paris - Paris, 9.Dezember 1941

IV J - SA 225 a
Dan./Str.

Geheim!

Betr.: Auswanderung von Juden.

Nachstehend gebe ich einen Erlass des Reichssicherheitshauptamtes vom 23.10.41 bekannt:

"Reichsführer-SS und Chef der Deutschen Polizei hat angeordnet, dass die Auswanderung von Juden mit sofortiger Wirkung zu verhindern ist. Lediglich in ganz besonders gelagerten Einzelfällen z.B. bei Vorliegen eines positiven Reichsinteresses kann nach vorheriger Herbeiführung der Entscheidung des Reichssicherheitshauptamtes der Auswanderung einzelner Juden stattgegeben werden."

Ich bitte, alle nachgeordneten Dienststellen sinngemäss zu unterrichten, damit die Durchführung dieses grundsätzlichen Erlasses allseitig gewährleistet ist. Anträge für Ausnahmebewilligung bitte ich über meine Dienststelle leiten zu wollen.

gez. Lis.
SS-Sturmbannführer."

Wie oben bereits ausgeführt worden ist, hatte der Angeklagte Lis. am Zustandekommen des ersten Transportes vom 27.3.1942 wesentlichen Anteil, als er u.a. gegenüber dem Reichssicherheitshauptamt mit Fernschreiben vom 26.2.1942 auf einen möglichst schnellen Abschub der am 12.12.1941 verhafteten Juden drängte.

Den Militärbefehlshaber in Frankreich schrieb er wiederholt wegen der Zustimmung zu der Verhaftung und Überführung von Juden in das Lager Drancy an:

Lfd.Nr.858

"IV J SA 24 Paris, den 14.1.1942
Dan./Bir.

An den
Militärbefehlshaber in Frankreich
- Verwaltungsstab, Abt. Verwaltung -
Z.Hd. von Herrn KVR Dr. Küb.
Paris

Betr.: Konzentrierung von Juden aus den Départements Landes und Basses--Pyrénées.
Vorg.: Dienstagbesprechung vom 13.1.1942 und fernmündliche Unterredung Herrn KVR Dr. Küb. und SS-Obersturmführer Dannecker vom 14.1.1942.

Im Nachgang zu der Unterredung vom 14.1.1942 bestätige ich, dass eine Konzentrierung der in den Départements Landes und Basses-Pyrénées noch sitzenden Juden notwendig erscheint. Hierfür sind neben rein sicherheitspolitischen auch militärische Abwehrgründe ausschlaggebend.
Dem Erlass des Reichsführers SS, Chef der Sicherheitspolizei und des SD Nr. IV D 6 - 229/40 vom 30.10.40 zufolge, müssen vor allem alle Juden ehemals deutscher, österreichischer, tschechoslowakischer oder polnischer Staatsangehörigkeit in Konzentrationslagern zusammengezogen werden.
Unter diesen Begriff fallen in den beiden Départements rd. 300 männliche Juden. Ich schlage vor, diese Juden durch die französische Polizei im Einvernehmen mit meiner Aussendienststelle Bordeaux festnehmen zu lassen und sie in das Juden-KZ Drancy bei Paris zu überführen.
Für eilige Behandlung und baldige Stellungnahme wäre ich dankbar.

i.V.
Lis.".

"IV J SA: 24 Paris, den 4.2.1942
Dan./Ge.

An den
Militärbefehlshaber in Frankreich
- Verwaltungsstab - Gruppe Polizei -
Paris

Betrifft: Beabsichtigte Judenaktion im Gebiet meiner Aussendienststelle Rouen
Vorgang: Ohne.

Ich bitte um formelle Zustimmung zur Festnahme von etwa 60 sogenannten wichtigen Juden aus dem Bereich meiner Aussendienststelle Rouen und deren Einweisung in das Lager Drancy.
Für die Inhaftierung sind sicherheitspolizeiliche Gründe massgebend.

i.V.
Lis."

Mit Schreiben vom 9.2.1942 wies Lis. den Militärbefehlshaber darauf hin, dass die Auswanderung reichsdeutscher Juden in das besetzte Gebiet Frankreich verhindert werden müsse:

"IV J SA: 225 a Paris, den 9.2.1942
Dan./Ge.

An den
Militärbefehlshaber in Frankreich
- Verwaltungsstab, Abt. Verwaltung -
Paris

Betrifft: Auswanderung reichsdeutscher Juden aus dem Reich in das besetzte Gebiet Frankreichs.
Vorgang: dort. Schreiben an das Reichssicherheitshauptamt Az. V pol. 261/981/41 vom 3.1.1942
Anlagen: - eins -

In Beantwortung des dortigen am 3.1.1942 an das Reichssicherheitshauptamt gerichteten Schreibens teile ich mit, dass aufgrund der im Rahmen der Endlösung der Judenfrage vorgesehenen Massnahmen und besonders auch wegen der bereits laufenden Evakuierung von Juden aus Deutschland nach dem Osten eine Übersiedlung von Juden in das besetzte Gebiet verhindert werden muss.
Ich verweise in diesem Zusammenhang auf mein Schreiben vom 19.1.1942, die Auswanderung von Juden betreffend, von dem ich Abschrift beifüge.

i.V.
Lis.".

Am 26.2.1942 unterrichtete der Angeklagte Lis. das Reichssicherheitshauptamt wie folgt:

"IV J 221 c Paris, den 26.2.1942
Dan./Bir.

An das
Reichssicherheitshauptamt
- IV B 4 u. VI E 2 -
Berlin

Betr.: Festlegung des Judenbegriffes im unbesetzten französischen Gebiet auf den Rassenstandpunkt.
Vorg.: Ohne

Pressenotizen aus Vichy vom 24.2.1942 sprechen von einer bevorstehenden Abänderung des französischen Judenbegriffes, wobei in der Zukunft nicht mehr die israelitische Konfession ausschlaggebend sein werde, sondern einzig und allein die Rassenzugehörigkeit entscheidend sei. Ein Gesetzesvorschlag werde demnächst dem Ministerrat unterbreitet.
Über den Fortgang der Angelegenheit werde ich berichten.

i.V. Lis.".

Mit Schreiben vom 16.3.1942 an den Militärbefehlshaber in Frankreich - Verwaltungsstab - schloss sich der Angeklagte Lis. dem vom Militärbefehlshaber gemachten Vorschlag, bis zur Absetzung des französischen Generalkommissars für Judenfragen Vallat jeden Verkehr mit dem französischen Judenkommissariat abzulehnen, "voll und ganz" an.

Unter dem 3.4.1942 lehnte der Angeklagte Lis. gegenüber der Deutschen Botschaft Paris die Freilassung eines inhaftierten Juden, für den sich bei der Botschaft ein Franzose eingesetzt hatte, wie folgt ab:

"Der Beauftragte
des Chefs der Sicherheitspolizei und des SD
im Bereich des Militärbefehlshabers in Frankreich
Paris

IV J - SA 213 Paris, den 3.April 1942
Dan./Ge.

An die
Deutsche Botschaft
z.Hd. v. SS-Sturmbannführer, Legationsrat Dr. Zeitschel
Paris

Betrifft: Antrag auf Freilassung des im Lager Drancy einsitzenden Juden Roger Compel, geb. 19.9.1885 Paris, wohnhaft Paris, 20, Bld. Suchet.
Vorgang: Dort. Schreiben v. 31.3.1942,
Anlagen: - 3 -

Zum Fall des Juden Compel möchte ich seiner Grundsätzlichkeit halber besondere Stellung nehmen.

Durch den Judenreferenten der hiesigen Dienststelle war in den verschiedensten Besprechungen stets darauf hingewiesen worden, dass aus allgemeinen Gründen der Judenbehandlung die Freilassung bereits in einem Lager befindlicher Juden auf Grund irgendwelcher Verdienste kaum vertretbar ist. Bei künftigen Aktionen könnte selbstverständlich ohne dies nach aussen in Erscheinung treten zu lassen, z.B. bei jüdischen Frontkämpfern, vorläufig von der Verhaftung abgesehen werden.
Bisher wurde französischen Dienststellen und der französischen Öffentlichkeit gegenüber weder durch bevorzugte Entlassung jüdischer Kriegsteilnehmer noch durch irgendeine Ausnahmeregelung in den Judenanordnungen des Militärbefehlshabers zugegeben, dass Ausnahmen dieser Art gemacht werden.
Ich muss deshalb im Falle Compel die Freilassung ablehnen. Meines Erachtens kann es auch nicht ausschlaggebend sein, wenn ein deutschfreundlicher Franzose wie das bei Herrn Cognacq zweifellos der Fall ist, sich für einen solchen Juden interessiert. Ein Nachgeben deutscherseits würde von den Franzosen nur als Schwäche und, wie oft erwähnt, dahin ausgelegt werden, dass es mit Ausnahme des Führers unter den Deutschen überhaupt keine Judengegner gibt.

i.V. Lis.
SS-Sturmbannführer"

In der Zeit, in der er den Behördenleiter vertrat, liess sich der Angeklagte Lis. die eingehende Post - zumindest aus dem Judenreferat - vorlegen und paraphierte sie neben dem Eingangsstempel (so z.B. die Fernschreiben vom 12.3., 27.4., 16.5. und 4.6.1942).

Es ist auch bereits ausgeführt worden, dass unter Mitwirkung des Angeklagten Lis. die 8. und die 9.Verordnung über Massnahmen gegen Juden erlassen worden sind. Diese gesetzgeberischen Massnahmen fielen in die Zeit, in der Lis. die Behörde leitete. Ebenfalls ist bereits erwähnt worden der Anteil des Angeklagten Lis., den dieser am Zustandekommen der Deportationen ab Sommer 1942 hatte.

Ab Mitte Juni 1942 war Dr. Kno. wieder in Paris anwesend und nahm bis auf kürzere Zeiten der Vertretung durch den Angeklagten Lis. die Behördenleitung wahr. Jedoch auch in dieser Zeit erhielt Lis. alle das Judenreferat betreffenden wesentlichen Vorgänge zur Kenntnisnahme vorgelegt und wurde über die weitere Entwicklung jeweils informiert.

Auch die Durchschriften von Schreiben Kno.s an andere deutsche Dienststellen in Frankreich wurden Lis. zur Kenntnisnahme vorgelegt.

Im August 1942 vertrat der Angeklagte Lis. erneut vorübergehend Kno. während dessen Abwesenheit in der Leitung der Behörde. In dieser Zeit wurden dem Angeklagten Lis. allein mehrere Vermerke des Judenreferates zugeleitet, so der Vermerk Hei.s vom 5.8.1942 ("Ankunft der Juden aus dem unbesetzten Gebiet") und der Vermerk Röthkes vom 18.8.1942 ("Abschub von Juden aus dem unbesetzten Gebiet").

Als Ahnert durch einen Anruf des Majors Ratibor vom Kommandostab des Kommandanten von Gross-Paris erfuhr, dass von Seiten der Feldgendarmerie beabsichtigt war, nicht länger die Bewachungsmannschaften für die Transportzüge zu stellen, trug er dieses Problem dem Angeklagten Lis. vor:

> "IV J SA 225 a   Paris, den 10.8.1942
> Ah./Bir.
>
> Betr.: Bewachungsmannschaften für die Transportzüge der Juden.
>
> 1.) Vermerk:
>
> Anruf durch den Kommandant von Gross-Paris, Kommandostab, Major Prinz RATIBOR.
> Die Bewachungsmannschaften für die Transportzüge der Juden können in Zukunft nicht mehr durch die Feldgendarmerie gestellt werden, da die Feldgendarmerie ausserordentlich überlastet ist. Major Prinz Ratibor ist der Meinung, dass dem BdS genügend Ordnungspolizei zur Verfügung stehe, die die Überwachung der Transporte übernehmen könne. Er bittet deshalb, Mannschaften der Ordnungspolizei zur Überwachung der Züge heranzuziehen. Ich habe gebeten, die Bewachungsmannschaften vorläufig bis auf weiteres noch durch die Feldgendarmerie zu stellen. Major Prinz Ratibor sagte dies zu.
>
> 2.) Vorlage an SS-Obersturmbannführer Lis. mit der Bitte um Prüfung, ob Mannschaften der Ordnungspolizei zu diesem Zweck herangezogen werden können.
> 3.) Zur. bei IV J
>
> Ahnert
> SS-Untersturmführer."

Der Angeklagte Lis. gab handschriftlich am Rand dieses Vermerks die Anweisung: "Mit BdO besprechen". Wie sich aus dem Vermerk Röthkes vom 20.8.1942 über seine Unterredung vom 15.8. mit dem BdO (Befehlshaber der Ordnungspolizei) von Schweinichen und Major Niemann vom BdO über diesen Punkt ergibt, hatte der Angeklagte Lis. den Standpunkt vertreten, dass nach der grundsätzlichen Anordnung über die Einrichtung der Dienststelle des HSSPF die Feldgendarmerie für solche Aufgaben herangezogen werden könne. Dieser Standpunkt wurde auch vom BdO geteilt.

Gegenüber dem Generaldelegierten der französischen Regierung, dem Botschafter de Brinon wies der Angeklagte Lis. mit Schreiben vom 20.8.1942, vorverfügt von Röthke, darauf hin, als es um die Ausreisegenehmigung für 642 Juden nach USA und Mexiko ging, dass jede Auswanderung von Juden nach Übersee grundsätzlich unerwünscht sei. Er bat de Brinon darum, die Ausreisegenehmigung nicht zu erteilen, sondern vielmehr auch diese Juden für den Abtransport zum Zwecke des Arbeitseinsatzes zur Verfügung zu stellen. Eine Durchschrift dieses Schreibens leitete Lis. der Deutschen Botschaft Paris zu.

Auch in der Folgezeit, als Kno. wieder in Paris anwesend war, erhielt der Angeklagte Lis. Kenntnis von allen wesentlichen Vorgängen, die das Judenreferat betrafen. Sogar Vermerke, die in der Zeit gefertigt wurden, während der der Angeklagte Lis. von Paris ortsabwesend war, wurden ihm "nach Rückkehr mit der Bitte um Kenntnisnahme vorgelegt" zugeschrieben, so die Vermerke von Ahnert vom 1.9.1942 ("Tagung beim Reichssicherheitshauptamt am 28.8.1942 über Judenfragen") und von Röthke vom gleichen Tage ("Abschub von Juden aus dem unbesetzten Gebiet").

Von Mitte Februar bis Mitte März 1943 nahm der Angeklagte Lis. erneut die Vertretung Dr. Kno.s als Behördenleiter wahr. Wie bereits oben ausgeführt worden ist, fiel in diese Zeit die Anordnung Lis.s vom 14.2.1943 zur Verhaftung von 2000 Juden als "Sühnemassnahme" und die wiederholte Berichterstattung durch ihn an das Reichssicherheitshauptamt über die Haltung der Italiener zur Judenfrage.

Der Angeklagte Lis. rechnete aufgrund seines Kenntnisstandes von den Plänen der NS-Führung von der "Endlösung der Judenfrage" und aufgrund der ihm bekannten Umstände der Verhaftungen und Deportationen der Juden nach Auschwitz jedenfalls seit mindestens Februar 1942 ernsthaft mit der Tötung zumindest eines Teils der deportierten Juden, wobei sich nach seinen Vorstellungen die Tötung auf eine heimtückische und grausame Weise ereignete. Dennoch wirkte er an den Deportationsmassnahmen einverständlich mit, weil es ihm darum ging, die ihm innerhalb der Massnahmen zugeteilte Rolle, die sich aus seiner Dienststellung ergab, nach besten Kräften auszufüllen. Dabei nahm er die Tötung zumindest eines Teils der deportierten Juden billigend in Kauf.

In der Zeit, in der der Angeklagte Lis. Stellvertreter des Beauftragten des Chefs der Sicherheitspolizei und des SD für Belgien und Frankreich - Dienststelle Paris - bzw. des BdS Paris war, gingen insgesamt 54 Transporte mit etwa 52000 jüdischen Menschen in die Konzentrationslager im Osten, von denen mindestens 25000 in den Gaskammern getötet wurden.

b) Die Tätigkeit des Angeklagten Hag.

Der Angeklagte Hag. befasste sich bereits als Leiter der Aussenstelle Bordeaux mit der Judenfrage in Frankreich.

Mit Fernschreiben vom 23.6.1941, das Bezug nimmt auf frühere Fernschreiben der Aussenstelle Bordeaux, die der Kammer nicht vorgelegen haben, bat Hag. die Dienststelle Paris um eine generelle Entscheidung darüber, wie mit den in dem Bereich seiner Aussenstelle aufhältlichen Juden zu verfahren sei bzw. ob die Anordnung, dass diese Juden in Sammellagern zusammengefasst würden, genehmigt werde:

"+ Bordeaux FS Nr.3275 23.6.41 1210 - HKL -
GEHEIM -

An die Dienststelle Paris -
Dringend sofort vorlegen -
Betr.: Aus den Küstengebieten evakuierte und in anderen Dep. überwiesene Juden -
Vorg: Hies. FS Nr.1794 vom 4.12.40 AZ 27 A (GRS)
Hies. Ereignisbericht FS Nr.3206 vom 18.6.41 A HG. BR. -

Mit hiesigem FS Nr.1794 vom 4.12.40 wurde um Mitteilung gebeten, ob aus den Küstengebieten abgeschobene Juden in Sammellagern zusammengefasst werden sollten oder wie sonst mit ihnen zu verfahren sei -
Im Ereignisbericht vom 18.6.41 wurde berichtet, dass ein grosser Teil der in das Dep. Vienne abgeschobenen Juden illegal die Dema. Linie überschritten hat. Nach Meldung der Feldktr. 677 Poitiers sind in den letzten Tagen wiederum 8 Juden flüchtig gegangen -
Da es sich bei den meisten der aus den Küstengebieten ausgewiesenen Juden, um solche ehemaliger deutscher oder sonstiger ausländischer, also nicht französischer Nationalität handelt, wurde mit der Feldktr. 677 vereinbart, dieselben in einem Sammellager unterzubringen. Nur hierdurch ist die Gewähr gegeben, die Juden unter ständiger Kontrolle zu halten. Es wird um generelle Entscheidung gebeten, wie mit aus den Küstengebieten ausgewiesenen Juden zu verfahren ist -

Aussenstelle Bordeaux Hag. SS Hptst - +"

Die Dienststelle Paris antwortete daraufhin mit Fernschreiben vom 26.6.1941, unterzeichnet vom Angeklagten Lis.:

"IV J (neu) SA 241.
Dan./Wa.

An die
Aussenstelle Bordeaux,
Bordeaux

Betr.: Aus den Küstengebieten evakuierte und in andere Departements überwiesene Juden.
Vorg.: Dort. FS Nr.3275 vom 23.6.41.

In Zusammenwirken mit den zuständigen militärischen Dienststellen ist von den französischen Behörden die Errichtung eines Konzentrationslagers für fremdstaatige Juden gemäss Vichy-Gesetz vom 4.10.40 zu fordern. Nachdem es sich bei den in Frage stehenden Juden hauptsächlich um fremdstaatige handelt, dürfte auf diese Weise eine fast abschliessende Regelung der schwebenden Fragen erreicht werden.
Wegen der Juden französischer Staatsangehörigkeit halte ich es zunächst für angebracht, diesen durch die französischen Behörden einen Zwangsaufenthalt in einem kleineren Orte des Departements Vienne anweisen zu lassen.

i.V.
Lis."

Mit Fernschreiben vom 19.11.1941 protestierte der Angeklagte Hag. gegen das Eintreffen von Juden aus dem Reichsgebiet in dem Bereich seiner Dienststelle:

"Bordeaux Nr.5132 19.11.41 12.35 - BLA -
- Blitz -
- Betrifft: Eintreffen von Juden aus dem Reichsgebiet in St.-Jean-de-Luz. -

- In St-Jean-de-Luz trafen mehrere Juden aus dem Reichsgebiet ein, denen nach ihrer Behauptung dort die Wahl gelassen wird, sich für einen Abtransport nach dem Osten, oder aber eine sofortige Abreise nach Übersee zu entscheiden. Diese Juden treffen nunmehr mit den deutschen Ausreisepapieren ausgestattet, an der französisch-spanischen Grenze ein, sind aber nicht im Besitz der erforderlichen überseeischen Einreisevisen, deren Besitz erst eine Durchreise durch Spanien und Portugal ermöglicht, und fallen an der franz.-spanischen Grenze den Grenzstellen und der hies. Dienststelle zur Last, ohne dass ihre Auswanderung ermöglicht werden kann. Aus wiederholt vorgebrachten abwehrmässigen Gründen und im Hinblick auf den "Küstenerlass" ist ein Verbleiben dieser Juden im Grenzgebiet völlig ausgeschlossen. Ausserdem wird durch derartige unkontrollierte und hier bekannte Massnahmen das Ansehen der Sicherheitspolizei und des SD geschädigt (siehe Transport aus Luxemburg).
Es wird daher gebeten, für Unterbringung dieser Zuwanderung in Berlin Sorge zu tragen und umgehend durch FS mitzuteilen, ob unter den gegebenen Umständen eine Internierung der bereits eingetroffenen Juden vorgenommen werden soll. -

Aussenstelle Bordeaux II B 2 AZ 31
GEZ. Hag. SS-H'Stuf."

Der Angeklagte Lis. berichtete daraufhin mit Fernschreiben vom 19.11.1941 von diesem Vorkommnis an das Reichssicherheitshauptamt, wobei er bat, in Zukunft solche Transporte zu unterbinden, da sie den getroffenen Anordnungen widersprechen würden. Er teilte zugleich mit, dass er die Internierung dieser Juden angeordnet hätte. Mit Schreiben vom 8.12.1941 setzte sich der Angeklagte Hag., anknüpfend an eine mündliche Rücksprache mit Dannecker, erneut gegenüber der Dienststelle Paris für eine Internierung der in seinem Dienststellenbereich ansässigen Juden ein:

"Der Beauftragte des Chefs
der Sicherheitspolizei und des SD
für Belgien und Frankreich.
Dienststelle Bordeaux

II B 2 /AZ. 31
Dob.

Geheim

An die
Dienststelle Paris - IV J
Paris.

Betr.: Internierung der im hiesigen Dienststellenbereich ansässigen Juden.
Vorg.: mdl. Rücksprache SS-Stubaf. Hag. - O'Stuf. Dannecker

Im Bereich der hiesigen Dienststelle halten sich nach vorliegenden Listen ca. 3000 Juden auf, von denen 250-300 nach dem Erlass des Chefs der Sicherheitspolizei und des SD vom 30.10.40 und des "Küstenerlasses" ihrer jetzigen oder früheren Staatsangehörigkeit wegen und infolge Aufenthaltes im französisch--spanischen Grenzgebiet vordringlich zu internieren sind.

Um eine reibungslose Abwicklung der beabsichtigten Aktion zu gewährleisten, wären folgende Fragen vorher zu klären:
1.) Die erstellte Judenkartei müsste einer nochmaligen Überprüfung seitens der französischen Polizei unterzogen werden.
2.) Unter Hinweis auf den "Küstenerlass" müssen alle Juden ohne Rücksicht auf Alter interniert werden. Gegebenenfalls könnten jüdische Kinder bis zu 10 Jahren in Kinderheimen untergebracht werden (Rotschild-Stiftung [98] usw.), falls die "Jüdische Zwangsvereinigung" dafür aufkommen will.
3.) Errichtung von Internierungslagern bezw. Vergrösserung der bereits vorhandenen unter Berücksichtigung der sich zweifellos ergebenden Schwierigkeiten wie Freigabe des erforderlichen Baumaterials (Baracken, Umzäunung, Stacheldraht usw.) durch die zuständigen Stellen beim Militärbefehlshaber, Transportmöglichkeiten, Benzin- oder Waggonbeschaffung usw.
4.) Errichtung von besonderen Krankenbaracken, damit eine Unterbringung erkrankter Juden in öffentlichen Krankenhäusern entfällt. In Todesfällen ist für Beerdigung die "Jüdische Zwangsvereinigung" heranzuziehen. Für Ärzte und Pflegepersonal haben die Juden ebenfalls selbst zu sorgen.
5.) Finanzierung der Lager. Die Vermögen der zu Internierenden werden eingezogen und als "Lagerfonds" bei der Zwangsvereinigung unter Einsetzen von Treuhändern verwaltet.
6.) Die Lebensmittelversorgung wäre gleichfalls aus dem allgemeinen "Lagerfonds" sicherzustellen. Das gleiche gilt für die Beschaffung des Heizmaterials und die Bestreitung sonstiger Ausgaben.
7.) Lagerbewachung. Die Bewachungsmannschaften mit entsprechender Bewaffnung wären von der französischen Polizei zu stellen. Für die Lager selbst sind jeweils jüdische Lagerkommandanten einzusetzen, die über die zuständigen Aussenkommando-Leiter der hiesigen Dienststelle wöchentlich Gelegenheit haben, sich in Lagerfragen an die zuständigen Feldkommandanturen zu wenden. Damit ist erstens das für die zentrale Lenkung erforderliche Einschalten der Dienststellen des Beauftragten des Chefs der Sicherheitspolizei und des SD für Belgien und Frankreich erreicht, und zweitens liegt die Verantwortung und Erledigung technischer Lagerfragen bei den Feldkommandanturen.

Die Durchführung der Aktion selbst liegt am besten in den Händen der französischen Polizei, zumal dadurch ein stärkeres Hervortreten der deutschen Dienststellen vermieden wird und stimmungsmässig gesehen sich die Aktion nicht gegen sie auswirken kann.

Vor dem Start der Aktion läge eine Fühlungnahme mit dem Militärbefehlshaber in Frankreich in dem Zuständigkeitsbereich der Dienststelle Paris, um die Herausgabe eines bis ins Einzelne gehenden Erlasses an die Militärverwaltungsbezirke im dargelegten Sinne zu erwirken, da der Erlass vom 30.10.40 unbekannt und im übrigen nur die grundsätzliche Weisung enthielt, Juden mit deut-

[98] Sic!

scher oder ehemals österreichischer, tschechischer oder polnischer Staatsangehörigkeit zu internieren.

Zur Illustrierung und dortigen Unterrichtung über die Zustände ohne diese Regelung in diesem Zusammenhang wird anliegend Doppel eines Berichtes des Aussenkommandos Poitiers über das Lager Limoges bei Poitiers übersandt.

Hag.
SS-Hauptsturmführer"

Über die Inhaftierung von Juden in Konzentrationslagern und die Weitertreibung der antijüdischen Massnahmen besprach sich der Angeklagte Hag. erneut mit Dannecker am 12.1.1942. Dannecker fertigte über diese Unterredung sowie die von ihm aufgrund dieser Unterredung unternommenen Massnahmen einen Vermerk vom 13.1.1942, den er dem Angeklagten Lis. zuleitete:

"IV J SA 241
Dan./Bir. Paris, den 13.1.1942

Betr.: Errichtung eines Juden-KZ im Bereich der Aussendienststelle Bordeaux.

1.) Vermerk:

a) SS-Sturmbannführer Hag. unterrichtete mich am 12.1.1942 davon, dass aus militärischen Abwehrgründen, sowie zur Weitertreibung der antijüdischen Massnahmen die KZ-Inhaftierung verschiedener Juden der Départements Landes und Basses Pyrénées notwendig wäre. Ich habe mit SS-Sturmbannführer Hag. vereinbart, dass ich mit den zuständigen Stellen des Militärbefehlshabers zunächst wegen der Festsetzung von rd. 300 Juden ehemals deutscher, österreichischer, polnischer und tschechoslowakischer Staatsangehörigkeit verhandeln werde. (Unter Zugrundelegung des Erlasses des CdS und des SD IV D 6 - 229/40 vom 30.10.40.)
b) Am 13.1.1942 sprach ich Assessor Bruns (Militärbefehlshaber, Verwaltungsstab, Abt. Verwaltung) in der Sache an. Er teilte mit, man sei dabei, gerade für die Départements Landes und Basses Pyrénées in Nichtanwendung des Küstenerlasses vom 14.8.1942 [99] zu verfügen, dass gegen die dortigen Juden vor Durchführung einer endgültigen Lösung im besetzten Gebiet nichts unternommen werden soll. Anlässlich der Dienstagbesprechung von heute schilderte ich die Notwendigkeit der Inhaftierung jener Judengruppen, die im Erlass vom 30.10.40 genannt sind. KVR Jenig (?), der in Vertretung des KVA Neh. [100] (Gruppe Polizei) erschienen war, sagte zu, diese Sonderfrage sofort zu klären und baldmöglichst Nachricht zu geben.

2.) SS-Sturmbannführer Lis.
mit der Bitte um Kenntnisnahme vorgelegt.
3.) Zurück an IV J.

Dannecker
SS-Obersturmführer"

[99] Gemeint ist wohl: 14.8.1941.

[100] Gemeint ist wohl: Näh.

Der Angeklagte Lis. bat daraufhin den Militärbefehlshaber in dem bereits wiedergegebenen Schreiben vom 14.1.1942, der Verhaftung von 300 männlichen Juden in den betreffenden Départements zuzustimmen. Dass dieser Vorstoss beim Militärbefehlshaber Erfolg hatte, wird aus dem Fernschreiben Danneckers an die Aussendienststelle Bordeaux vom 28.1.1942 deutlich:

"IV J SA 24 — Paris, den 28.1.1942
Dan./Bir.

An die
Aussendienststelle
Bordeaux

Betr.: Erfassung der unter dem Erlass des CdS und des SD IV D 6 - 229/40 vom 30.10.1940 fallenden Juden.
Vorg.: Hiesiges FS Nr.800 vom 14.1.1942

In der heutigen Dienstagbesprechung hat sich der Vertreter der Gruppe Polizei beim Milbef. grundsätzlich mit dem hiesigen Vorschlag einverstanden erklärt, Juden in das KZ Drancy zu überführen.
Um eine endgültige Bereinigung zu erzielen habe ich vereinbart, dass aus den zur dortigen Dienststelle gehörenden Küsten-Départements alle für die Inhaftierung in Frage kommenden männlichen Juden zwischen 18 und 65 Jahren zu gegebener Zeit festgesetzt und nach Drancy überführt werden sollen.
Ich bitte, mir umgehend die Anzahl der unter dem erweiterten Begriff fallenden Juden bekannt zu geben. Bezüglich der Unterbringung der zurückbleibenden Jüdinnen usw. sind jetzt schon von dort aus entsprechende Vorbereitungen zu treffen.

i.A.
Dannecker
SS-Obersturmführer"

Nach der Einrichtung der Dienststelle des HSSPF wurde Hag. als persönlicher Referent Obergs aufgrund seiner vergangenen Tätigkeit als Leiter des Judenreferates des SD zugleich Sachbearbeiter für Judenfragen beim HSSPF. In dieser Funktion nahm Hag. an allen wichtigen Besprechungen teil, die von Oberg bzw. in dessen Vertretung von Kno. mit Repräsentanten der Vichy-Regierung in der Judenfrage geführt wurden. Im Anschluss an diese Besprechungen fertigte Hag. Vermerke hierüber und verschickte die Vermerke bzw. die Auszüge aus den Vermerken an die entsprechenden Abteilungen zur Kenntnisnahme und zur weiteren Veranlassung. Es ist bereits ausgeführt worden, an welchen Besprechungen im einzelnen der Angeklagte Hag. teilgenommen hat.

In Verhinderung Obergs und Dr. Kno.s führte der Angeklagte Hag. jedoch derartige Besprechungen auch allein durch. So hatte er derartige Unterredungen am 18.11.1942 mit Bousquet (Vermerk vom 19.11.1942), am 22.3.1943 mit Leguay (Vermerk vom 25.3.1943), am 12.4.1943 mit Bousquet (Vermerk vom 12.4.1943), am 5.8.1943 mit Leguay (Vermerk vom 6.8.1943), am 18.8.1943 mit Malfatti (Vermerk vom 18.8.1943) und am 26.8.1943 mit Botschafter de Brinon (Vermerk vom 26.8.1943).

Hielt der Angeklagte einerseits das Judenreferat des BdS über alle politischen Entwicklungen, die sich aufgrund der Besprechungen mit den Repräsentanten der Vichy-Regierung ergaben, auf dem Laufenden, so wurde er andererseits vom Judenreferat über alle wesentlichen Vorgänge informiert, indem auch ihm die Vermerke dieser Abteilung zugeschrieben wurden.

Waren diese Vermerke anfänglich an den HSSPF adressiert gewesen, so wurden nach einiger Zeit die Vermerke Hag. selbst zugeschrieben. Ihm blieb es vorbehalten, ob und in welcher Weise er die Vermerke dem HSSPF zur Kenntnis brachte. Seine Aufgabe war es, auf diesem Sachgebiet bei anstehenden Problemen dem HSSPF vorzutragen und die zu treffenden Entscheidungen vorzubereiten.

Der Angeklagte Hag. wurde sogar verschiedentlich zu Besprechungen herangezogen, die an sich die Ebene der Abteilung IV J des BdS betrafen. So nahm er, wie bereits erwähnt, an der Besprechung vom 17.7.1942 im Judenreferat des BdS teil, in der es um die Frage der Unterbringung der bei der Pariser Grossaktion am 16./17.7.1942 festgenommenen Judenkinder ging. Die Besprechung am 12.6.1943, bei der der Plan für die Erfassung der Juden, die von dem französischen Ausbürgerungsgesetz betroffen gewesen wären, ausgearbeitet wurde, fand beim Angeklagten Hag. selbst statt. Einen geringen Raum bei der Tätigkeit Hag.s nahm das Aufsetzen von Schreiben für Oberg ein, weil aufgrund der Natur der Aufgaben des HSSPF das Schwergewicht auf dem Gebiet der "Endlösung der Judenfrage" in Frankreich im mündlichen Kontakt mit den Repräsentanten der Vichy-Regierung lag.

Der Angeklagte Hag. rechnete aufgrund seines Kenntnisstandes von den Plänen der NS--Führung zur "Endlösung der Judenfrage" sowie aufgrund der ihm bekannten Umstände der Verhaftungen und Deportationen der Juden nach Auschwitz jedenfalls mindestens seit Aufnahme seiner Tätigkeit als persönlicher Referent des HSSPF ernsthaft mit der Tötung zumindest eines Teils der deportierten Juden, wobei nach seinen Vorstellungen die Tötung auf eine heimtückische und grausame Weise geschah. Er wirkte an den Deportationsmassnahmen einverständlich mit, weil er sich den antijüdischen Rassenhass der NS-Führung zu eigen gemacht hatte und ihn teilte. Überdies war er bestrebt, die ihm innerhalb der Massnahmen zugeteilte Rolle, die sich aus seiner Dienststellung ergab, nach besten Kräften auszufüllen. Aus diesen Gründen nahm er die Tötung zumindest eines Teils der jüdischen Menschen billigend in Kauf.

In der Zeit, in der er als persönlicher Referent des HSSPF der Sachbearbeiter der Judenfragen dieser Dienststelle war, gingen 70 Transporte mit 70790 jüdischen Menschen in die Konzentrationslager im Osten, von denen mindestens 35000 in den Gaskammern getötet wurden.

c) Die Tätigkeit des Angeklagten Hei.

Der Angeklagte Hei. war kriegsdienstverpflichteter Angestellter der Sicherheitspolizei. 1940 zunächst in den Semesterferien zum Reichssicherheitshauptamt in Berlin verpflichtet, war er dort damit befasst, für die Judenabteilung in Bibliotheken Zitate über Juden zusammenzustellen. Im Oktober 1940 nach Paris zur Dienststelle des Beauftragten des Chefs der Sicherheitspolizei und des SD für Belgien und Frankreich abkommandiert, wurde er dort wegen seines jüdisch klingenden Namens, aber auch wegen seiner vorangegangenen Tätigkeit für das Judenreferat in Berlin der Abt.IV J zugeteilt, wo er für Büroarbeiten herangezogen wurde.

Nachdem ab Frühsommer 1942 der Grossabschub der Juden aus Frankreich projektiert worden war, wurde der Angeklagte Hei. dazu ausersehen, die Sachbearbeitung der technischen Durchführung der Abtransporte zu übernehmen. Zur Vorbereitung seiner Tätigkeit wurde Hei. von Dannecker zu Besprechungen herangezogen und zu Besichtigungen des Lagers Drancy mitgenommen.

Bei dem ersten Abtransport ab Drancy im Sommer 1942 am 22.6.1942 suchte Dannecker, in Begleitung von Hei., das Lager Drancy auf, um diesem Abtransport beizuwohnen. Wie der Abtransport vonstatten ging, berichtete der französische Kommandant des Internierungslagers

Drancy in einem Brief vom gleichen Tage an den Stellvertretenden Direktor als Verantwortlichen für die Leitung der Ausländer und Judenangelegenheiten bei der französischen Polizei.

> "Ich habe die Ehre, Ihnen mitzuteilen, dass die Massnahmen für den Abtransport der 934 jüdischen Internierten aus dem Lager Drancy, deren alphabetische Namensliste beiliegt, von heute morgen 6.00 Uhr bis 8.15 Uhr normal verlaufen sind.
> Ab 6.00 Uhr waren alle für den Abtransport bestimmten Internierten innerhalb der Stacheldrahtumzäunung versammelt im Innenhof des Lagers, mit ihrem Gepäck versehen und bereit zur Abfahrt. Die Besatzungsbehörden waren durch den Hauptmann Dannecker und seinen Stellvertreter Stabsfeldwebel Hei. in Begleitung einiger Inspektoren von der Polizei für Judenfragen vertreten, diese Letzteren hatten beim Ordnungsdienst mitgeholfen.
> Die Nahrungsreserven für 14 Tage, die ein Gewicht von 12344,52 kg darstellten, wurden zunächst in zwei Autobussen verladen. Sodann bestiegen die Internierten die anderen 6 Fahrzeuge, die während 2 Stunden des Morgens einen Pendelverkehr zwischen dem Lager und dem Bahnhof Bourget-Drancy durchführten. Ein schwerer Zwischenfall fand nicht statt: Zwei oder vier Internierte, die krank erschienen oder deren Gesundheitszustand zu wünschen übrig liess, konnten sich nicht bis zum Autobus schleppen und mussten beim Besteigen Hilfe in Anspruch nehmen, insbesondere einer auf einer Tragbahre. Dies geschah nach medizinischer Untersuchung und auf den Befehl des Hauptmann Dannecker, sie gleichwohl mitzunehmen.
>
> Der Kommandant des Internierungslagers Drancy
> gez. Unterschrift"

Wie bereits erwähnt worden ist, nahm Hei. zusammen mit Dannecker an der "Ersten Sitzung des Aktionsausschusses" vom 8.7.1942 und an der Besprechung vom 10.7.1942 bei dem Generalkommissariat für Judenfragen teil, bei denen Einzelheiten der bevorstehenden Verhaftungsaktion und des Abschubes besprochen wurden. In Begleitung von Hei. machte Dannekker auch seine Reise vom 11. bis zum 19.7.1942 in die unbesetzte Zone, auf der verschiedene Judenlager besichtigt wurden.

Nach der Rückkehr von dieser Reise begann Hei. mit seiner eigentlichen Tätigkeit als Transportsachbearbeiter, indem er erstmals unter dem Datum vom 21.7.1942 die Transportmeldung für den Transport vom 20.7.1942 an das Reichssicherheitshauptamt, an den Inspekteur der Konzentrationslager in Oranienburg und an das Konzentrationslager Auschwitz fertigte, wie sie zuvor SS-Untersturmführer Ahnert für die Transporte bis einschliesslich 19.7.1942 gefertigt hatte. Die Transportmeldungen in der Folgezeit bis einschliesslich zum Transport vom 11.11.1942 wurden stets vom Angeklagten Hei. gefertigt.

Seinen Vermerk vom 21.7.1942 über die Telefonate mit Eichmann und Nowak, in denen über die Frage des Kinderabschubes gesprochen wurde, schrieb Dannecker Hei. "zur Kenntnis und zu den Unterlagen" zu; Hei. paraphierte den Vermerk am Rand.

Im Rahmen seines Verantwortungsbereiches hatte Hei. dafür zu sorgen, dass von der Feldgendarmerie zu den jeweiligen Transporten die Bewachungsmannschaft gestellt wurde und dass im Lager Drancy jeweils die zum Abtransport erforderliche Anzahl von Juden bereitgestellt wurde, damit das von seinen Vorgesetzten mit Berlin abgestimmte Abschubprogramm erfüllt werden konnte. Dementsprechend unterrichtete Hei. den Kommandostab als für die Feldgendarmerie verantwortliche Dienststelle und die Polizei-Präfektur Paris als für das Lager Drancy verantwortliche französische Behörde von den nächsten Abtransporten in den Osten.

So setzte Hei. am 22.7.1942 das folgende Schreiben an den Kommandostab auf, das Röthke unterschrieb:

"IV J SA 225 a Paris, den 22.7.1942
He./Bir.

An den
Kommandostab, Abteilung I a,
Stabsoffizier der Feldgendarmerie,
Paris
2, Place de l'Opéra

Betr.: Judentransport aus Frankreich.
Vorg.: Laufend.

Die nächsten Züge mit denen für den Einsatz im Osten bestimmten Juden fahren am:
24.7., 27.7., 29.7., 31.7., 3.8., 5.8.1942, jeweils 8.45 Uhr vom Bahnhof Le Bourget-Drancy.
Ich bitte wie bisher um die Gestellung einer Bewachungsmannschaft in der Stärke 1 : 8.
Antrittszeit der Bewachungsmannschaft: 6.00 Uhr früh.
Ort: Haftlager Drancy.

i.A. (i.V.)
Röthke
SS-Obersturmführer"

Für die Polizei-Präfektur Paris setzte Hei. am 23.7.1942 das folgende Schreiben auf:

"IV J - SA 225 Paris, den 23.7.1942
He./Ge.

An die
Polizei - Präfektur
Paris.

Betrifft: Abtransport von Juden.
Vorgang: Hies. Schreiben vom 20.7.1942.

Die nächsten Transporte fahren am 27.7., 29.7., 31.7., 3.8. und 5.8.1942, 8.55 Uhr ab Le Bourget-Drancy. Für jeden dieser Transporte sind aus dem Lager Drancy 1000 Juden und Jüdinnen bereitzustellen, damit der Transport reibungslos und pünktlich den Bahnhof Le Bourget-Drancy verlassen kann. Ich mache nochmals darauf aufmerksam, dass für jeden Wagen ein Jude zu bestimmen ist, der für die Aufrechterhaltung der Ordnung während der Fahrt und die Reinigung des Wagens nach der Fahrt verantwortlich ist. Dieser Jude hat Sanitätsmaterial bei sich zu führen. Die übrigen Punkte sind aus dem Schreiben vom 20.7.1942 zu ersehen.

i.A. (i.V.)
Röthke
SS-Obersturmführer"

Soweit sich Änderungen im Abschubprogramm ergaben, unterrichtete Hei. die davon betroffenen Stellen hiervon. Nachdem am 31.7. und Anfang August 1942 entgegen der ursprünglichen Planung zunächst die bei der Aktion am 16./17.7.1942 in Paris verhafteten und in den Lagern Pithiviers und Beaune-la-Rolande untergebrachten Juden abgeschoben werden sollten, leitete dies Hei. in die Wege. Am 27.7.1942 schickte Hei. ein Fernschreiben, unterzeichnet von Röthke, an das Sicherheitspolizei-(SD)-Kommando Orléans, das für das Lager Pithiviers zuständig war:

"IV J SA 225 a Paris, den 27.7.1942
He./Bir.

Dringend, sofort vorlegen!

An das
Sicherheitspolizei-(SD)-Kommando
Orléans

Betr.: Abtransport von Juden.
Vorg.: Laufend.

Aus technischen Gründen muss der nächste Judentransport am Freitag, den 31.7.1942, früh 6.15 Uhr vom Bahnhof PITHIVIERS abgehen. Ich ersuche aus dem Lager Pithiviers sofort 1000 Juden und Jüdinnen für diesen Transport nach den bekannten Richtlinien zusammen zu stellen, damit der Transport reibungslos und pünktlich am 31.7.1942, 6.15 Uhr den Bahnhof Pithiviers verlassen kann. Für die Sicherung des Transportes bitte ich sich mit der dortigen französischen Polizei in Verbindung zu setzen. Mit der dortigen Feldgendarmerie bitte ich auszumachen, dass ein Kommando von 1 : 8 gestellt wird. Verpflegung für 14 Tage pro Jude ist mitzugeben. Kinder sind vorläufig nicht mitzuschicken.

i.A. (i.V.)
Röthke
SS-Obersturmführer"

Die Feldgendarmerie und die Polizei-Präfektur Paris unterrichtete er von diesen Änderungen. Zu dem Tätigkeitsbereich des Angeklagten Hei. gehörte es auch, für die Verlegung von Juden aus einem Lager in das andere zur Vorbereitung der Abtransporte nach dem Osten zu sorgen. Am 30.7.1942 übermittelte er das folgende Fernschreiben an das Sicherheitspolizei-(-SD)-Kommando Poitiers:

"IV J - SA 225 a Paris, den 30.7.1942
He./Ge.

Dringend! Sofort vorlegen!

An das
Sicherheitspolizei-(SD)-Kommando
Poitiers.

Betrifft: Flucht von Juden über die Dema-Linie.
Vorgang: Dort. FS Nr.24 vom 29.7.1942.

Die im Lager Poitiers einsitzenden Juden bitte ich durch Feldgendarmerie oder französische Gendarmerie nach Paris in das Lager Drancy zu überführen. Ich bitte um FS-Nachricht mit Ankunftstag, Ankunftsbahnhof, Ankunftszeit. Dem Transportführer ist eine namentliche Liste in zweifacher Ausfertigung der überstellten Juden mitzugeben.

i.A. (i.V.)
Röthke
SS-Obersturmführer"

Am 27.8.1942 schickte der Angeklagte Hei. das folgende Fernschreiben an das Sicherheitspolizei-(SD)-Kommando Angers:

"IV J - SA 225 a
He./Ge. Paris, den 27.8.1942

1.) Schr.

An das
Sicherheitspolizei-(SD)-Kommando
Angers.

Betrifft: Abtransport von Juden aus dem Sammellager Tours.
Vorgang: Dort. FS Nr.18505 vom 26.8.1942.

Für die Überstellung der Juden aus dem Sammellager Tours bitte ich, sich mit der französischen Polizei in Verbindung zu setzen, die die Sicherung und Begleitung des Transportes zu übernehmen hat. Zielbahnhof ist Le Bourget-Drancy/b. Paris. Die Übernahme der Juden in Le Bourget-Drancy erfolgt durch die Polizei-Präfektur Paris, die für den Abtransport der Juden in das Lager Drancy Sorge trägt. Es ist daher erforderlich, die genaue Ankunftszeit des Zuges nach hier durchzugeben. In dem FS heisst es, dass über 500 Juden im Sammellager Tours interniert sind. Da nach dem dortigen Bericht das Lager Tours überfüllt ist, besteht durchaus die Möglichkeit, sämtliche Juden nach hier zu überstellen. Ich bitte das Erforderliche zu veranlassen.

i.A.
Röthke
SS-Obersturmführer"

Seine Vorgesetzten unterrichteten den Angeklagten Hei. über Besprechungen mit Vertretern der Vichy-Regierung, in denen von diesen die Bereitschaft erlangt worden war, die in Lagern des unbesetzten Gebietes inhaftierten staatenlosen Juden in das besetzte Gebiet zu überführen. So legte Ahnert den Vermerk Hag.s vom 4.8.1942 über die Besprechung mit Laval vom 3.8.1942 Hei. mit der Bitte um Kenntnisnahme am 6.8.1942 vor. Hei. selbst führte mit Sauts am 3.8.1942 ein Telefonat, in dem dieser die Ankunftszeiten der Züge aus dem unbesetzten Gebiet durchgab, und fertigte hierüber den folgenden Vermerk vom 5.8.1942 in zweifacher Ausfertigung für Lis. und für Ahnert, den er selbst unterzeichnete:

Lfd.Nr.858

"IV J SA 225 a
He./Bir.

Paris, den 5.8.1942

Betr.: Ankunft der Juden aus dem unbesetzten Gebiet.

1.) Vermerk:

Am 3.8.1942 rief Kommandant SAUTS hier an und teilte den Fahrplan der aus dem unbesetzten Gebiet ankommenden Judentransporte mit.
Am 7.8.1942, 6.32 Uhr Ankunft in Chalons s. Saone, Weiterfahrt um 7.42 Uhr, Ankunft in Drancy am 7.8., 17.13 Uhr.
Am 9.8. Ankunft in Chalons s.S. 7.02 Uhr, Abfahrt in Chalons 7.52 Uhr, Ankunft in Drancy 17.23 Uhr.
Am 11.8., Ankunft in Chalons s.S. 21.21 Uhr, Abfahrt in Chalons 22.16 Uhr, Ankunft in Drancy am 12.8., 8.13 Uhr.
Am 13.8.1942 Ankunft in Chalons s.S. 17.51 Uhr, Abfahrt in Chalons 18.41 Uhr, Ankunft in Drancy am 14.8. 4.23 Uhr.
Die Züge werden bis Chalons s.S. von einem Gendarmeriekommando aus dem unbesetzten Gebiet begleitet. In Chalons s.S. werden die Züge von einem Gendarmeriekommando aus dem besetzten Gebiet übernommen, an die auch die Transportlisten übergeben werden. Ab Chalons s.S. begleitet ein Überwachungskommando der Feldgendarmerie die Transporte.
Die Gestellung der französischen Begleitmannschaft wird von französischer Seite übernommen. Die Gestellung des deutschen Feldgendarmeriekommandos wird von SS-Hauptsturmführer DANNECKER von Dijon aus geregelt. Von hier aus zu regeln verbleibt die Übernahme der Transporte in Drancy.

SS-Obersturmbannführer Lis.
mit der Bitte um Kenntnisnahme vorgelegt.

i.A. (i.V.)
Hei.
SS-Unterscharführer"

Hei. selbst hatte zuvor dafür gesorgt, dass die Übernahme des angekündigten Transportes in Drancy geregelt war, was er dadurch bekundete, dass er handschriftlich "bereits geregelt" an den Rand schrieb.

Mit Fernschreiben vom 6.8.1942 bemängelte das Reichssicherheitshauptamt, dass den Transporten der vorangegangenen Woche aus Frankreich die in den Richtlinien vorgeschriebene Ausrüstung fehlte:

"+ Berlin Nue 139165 6.8.42 1718 - Sch -

An den BdS. im Bereich des Militärbefehlshabers in Frankreich -
z.Hd. SS-Staf. Dr. Kno., OviA - Paris. -
Geheim. -

Betr.: Judentransporte aus Frankreich. -
Bezug: Ohne. -

Die Amtsgruppe D des SS-Wirtschafts- und Verwaltungsamtes teilte inzwischen mit, dass sämtliche Judentransporte der letzten Woche aus Frankreich ohne die

vorgeschriebene Ausrüstung, speziell ohne die für jeden Juden vorgeschriebenen zwei Decken eingetroffen sind. -
Ich weise nochmals besonders darauf hin, dass die in den Richtlinien zur technischen Durchführung der Evakuierung nach dem Osten (Pkt. III) vorgeschriebenen Ausrüstungsgegenstände sowie die Verpflegung unter allen Umständen mit den jeweiligen Transporten mitzugeben ist. -
Die den bisherigen Transporten nicht mitgegebenen Sachen bitte ich an das Kl. Auschwitz nachzuliefern. -

RSHA - röm. 4 B 4 kl. Kl. A - 3233/41 kl. G (1085)
i.A. gez. Günther SS-Stubaf. +"

Da die Ausrüstung der Züge in die Zuständigkeit des Angeklagten Hei. fiel, verfügte Röthke handschriftlich auf das Fernschreiben:
"H. Hei. Bitte Rückspr. Eilt!"

Am 27.8.1942 führte Hei. selbst mit Leguay und Sauts eine Besprechung, in der es im wesentlichen um Einzelheiten des September-Abschubprogramms ging. Bei dieser Besprechung zeigte sich Hei. über Angelegenheiten, die das Judenreferat betrafen, auch soweit sie über die technische Durchführung der Transporte hinausgingen, gut informiert und war in der Lage, den französischen Besprechungspartnern auch insoweit Rede und Antwort zu stehen. Von sich aus schnitt er allerdings im wesentlichen nur die Punkte an, die seine Tätigkeit betrafen wie die Ankunftszeit der Züge mit Juden aus dem unbesetzten Gebiet, die Ausrüstung der Juden und die Ausstattung vergangener Transporte. Über diese Besprechung fertigte Hei. den folgenden Vermerk, den er selbst unterzeichnete und Dr. Kno. zuleitete:

"IV J SA 225 a Paris, den 27.8.1942
He./Bir.

Betr.: Besprechung zwischen Herrn LEGUAY und Kommandant SAUTS mit SS-Unterscharführer Hei. am 27.8.1942.

1.) Vermerk:

Als erster Punkt wurde das September-Programm besprochen. Danach kommen folgende Züge in den ersten Septembertagen an: Am 1., 2., 3. und 4.September je ein Zug mit 1000 Juden.

Über die Anlieferung der Gesamtjudenzahl des Septemberprogramms konnte Herr Leguay im Augenblick noch nichts Bestimmtes sagen, da die Festnahmeaktion in der Nacht vom 26. zum 27. und am 27. und 28.August im unbesetzten Gebiet läuft. Diese Aktionen werden im grössten Massstabe durchgeführt, da Herr Bousquet auf dem Standpunkt steht, dass es besser ist in einer Grossaktion sämtliche Juden, die in Betracht kommen, festzunehmen, als einige Einzelaktionen zu starten, die den Juden wiederum die Möglichkeit geben würden, sich zu verstecken oder in angrenzende neutrale Staaten zu fliehen. Die jetzt laufende Aktion wird unter Einsatz von Polizei, Gendarmerie und Wehrmacht durchgeführt. Die genauen Zahlen werden nicht vor Morgen oder Übermorgen hier vorliegen. Erst nach Bekanntgabe dieser Zahl kann Herr L. uns über die weitere Anlieferung unterrichten.

Herr L. wird dafür sorgen, dass in Zukunft die angegebenen Ankunftszeiten der Züge unbedingt eingehalten werden. Der Grund der Verspätung des letzten Transportes lag darin, dass im unbesetzten Gebiet noch keine Razzia stattgefunden hat und die zum Abtransport kommenden Juden aus sämtlichen Lagern des unbesetzten Gebietes zusammengezogen werden mussten.

Herr L. sicherte zu, dass er nochmals in Vichy vorstellig werden wird, dass die Juden nur mit den notwendigsten und erforderlichen Gepäckstücken ausgerüstet werden, wenn sie zum Abtransport kommen. Über die Ausstattung der bis jetzt aus Drancy abgegangenen Transporte wird Herr L. von sich aus mit dem Generalkommissariat für Judenfragen sprechen, da allein das Generalkommissariat für diese Frage zuständig ist.

Für das Oktober-Programm bat Herr L. um eine vorherige eingehende Unterredung mit SS-Obersturmführer Röthke bezw. hielt er es noch für besser, dass SS-Standartenführer Dr. Kno. und der Staatssekretär für die Polizei, Herr Bousquet darüber eine Besprechung abhalten.
Über das bevorstehende Gesetz der Ausbürgerung der nach 1933 naturalisierten Juden war Herr L. nicht im Bilde. Er wird auch darüber Erkundigungen einziehen und zu gegebener Zeit Mitteilung nach hier geben.

Herr L. brachte von sich aus das Gespräch auf die Frage des Abtransportes französischer, straffälliger Juden. Der Unterzeichnete erklärte ihm daraufhin, dass bis jetzt noch keine Deportierung französischer Staatsangehöriger erfolgt sei. Herr L. erklärte, dass darüber wohl noch eine neuerliche Besprechung zwischen SS-Standartenführer Dr. Kno. und Herrn Bousquet stattfinden würde.

Herr L. fragte dann, ob die in der Pariser Presse erschienenen Artikel über Festnahmeaktionen im unbesetzten Gebiet von uns aus erfolgt sind. Der Unterzeichnete erklärte ihm, dass dies nicht der Fall sei und dass unseres Wissens nach diese Informierung der Pariser Presse durch das Generalkommissariat für Judenfragen erfolgt sei. Herr L. drückte darüber sein höchstes Erstaunen aus und stellte fest, dass durch derartige Pressemeldungen die Arbeit der Polizei, und auch die Pläne Staatssekretärs Bousquets erheblich erschwert würden.

Als weiteren Punkt teilte Herr L. mit, dass der Präfekt des Dep. Oise (Sicherheitspolizei-(SD)-Kommando St. Quentin) mitgeteilt hat, dass er durch die Deutsche Polizei aufgefordert sei, mit französischen Polizeikräften von sämtlichen in den dortigen Dep. ansässigen Juden die Pelze einzusammeln. Der Unterzeichnete erklärt Herrn L., dass diese Frage bereits von hier aus geregelt sei und nur eine Erfassung der bei der letzten Aktion verhafteten staatenlosen Juden in Betracht kommt.

Die genauen Ankunftszeiten der Transportzüge für den Monat September wird Kommandant Sauts im Auftrage von Herrn L. in einigen Tagen bekanntgeben.

Am Freitag, den 28.8.1942 ist der 25000.Jude abgeschoben worden.

2.) SS-Standartenführer Dr. Kno. mit der Bitte um Kenntnisnahme vorgelegt.
3.) Zurück an IV J.

i.A. (i.V.)
Hei.
SS-Unterscharführer"

Allerdings hatte der Angeklagte Hei., als er diese Besprechung führte, seine Kompetenzen überschritten, denn Kno. vermerkte handschriftlich an den Rand dieses Vermerkes:

"Wer verhandelt eigentlich noch. Es ist zu warten u. mir vorher K. zu geben, wenn solche bindenden Sachen abgesprochen werden."

Auch die Transportmeldungen in diesem Zeitraum, nämlich die vom 28. und 31.8.1942, unterzeichnete der Angeklagte Hei. selbst, wobei allerdings bei der Transportmeldung vom 28.8. noch von ihm vorgesehen gewesen war, dass Röthke unterzeichnete; denn das unter der Urschrift mit der Maschine geschriebene "SS-Obersturmführer" ist erst nachträglich von Hei. handschriftlich in "Unterscharführer" berichtigt worden. Weshalb Hei., der zuvor lediglich eine Anforderung von Arrondissements-Plänen von der Präfektur de la Seine am 11.8.1942 selbst "i.A. (i.V.)" unterzeichnet hatte, entgegen der sonstigen Übung selbst durch Unterschriftsleistung auch nach aussen hin als zuständiger Sachbearbeiter auftrat, konnte nicht geklärt werden. Möglicherweise waren Röthke und Ahnert zu diesem Zeitpunkt von Paris abwesend. Gegen die Abwesenheit Röthkes spricht allerdings, dass dieser am 29.8.1942 Kno. über einen Anruf Hag.s vom 26.8.1942 unterrichtete.

Auch das Fernschreiben vom 31.8.1942 an das Sicherheitspolizei-(SD)-Kommando Orléans, in dem Hei. diesem die Ankunftszeiten von weiteren Transporten aus dem unbesetzten Gebiet mitteilte, unterzeichnete der Angeklagte Hei. selbst. Danach trat er durch Unterschriftsleistung jedoch nicht mehr in Erscheinung.

Im Zusammenhang mit seiner Tätigkeit verwaltete Hei. den Vorgang "Abtransporte". So wurden ihm alle Schriftstücke, die damit in Zusammenhang standen, zuverfügt durch "H. Hei. zum Vorgang Abtransport nehmen" oder "zum Vorgang 'Abtransport von Juden' bei Hei.". Ebenso gingen die Abschublisten, von denen der BdS in Paris eine Durchschrift erhielt, durch seine Hände. Zu seiner Tätigkeit gehörte es jedoch nicht, diese Vorgänge selbst abzulegen und abzuheften. Diese Tätigkeit führte vielmehr das Büropersonal, das im Judenreferat eingesetzt war, aus. Deshalb konnte Hei., als Röthke ihm am 27.7.1942 die Transportliste Nr.6 zum Transport vom 17.7.1942 nebst dem Begleitschreiben des Sicherheitspolizei-(-SD)-Kommandos Orléans vom 18.7.1942 mit "H. Hei. zu den übrigen Listen nehmen" zuverfügte, selbst weiter verfügen: "Z.d.A. Abschublisten". Die gleiche Verfügung traf Hei. auch auf dem der Transportliste Nr.9 beigefügten Begleitschreiben vom 25.7.1942.

Nachdem sich Mitte September 1942 herausstellte, dass das weitere September-Programm und das Oktober-Programm gefährdet war und die gegenüber dem Reichssicherheitshauptamt zugesagten Zahlen nicht einzuhalten waren, gehörte es zum Zweck der Rettung des Programms zu den Aufgaben von Hei., für die Überstellung von Juden, die bei den Aussenkommandos des BdS bereits inhaftiert waren, nach Drancy zu sorgen, damit mit diesen die Transportzüge aufgefüllt werden konnten. Der Angeklagte Hei. schickte deshalb am 19.9.1942 das folgende Fernschreiben, unterzeichnet von Ahnert, an alle Sicherheitspolizei-(-SD)-Aussenkommandos des BdS:

"IV J - SA 225 a
He./No. Dringend. Sofort vorlegen.

An
alle Sicherheitspolizei (SD)
Aussenkommandos des Befehlshabers
der Sicherheitspolizei und des SD
im Bereich des Militärbefehlshabers in Frankreich

Betr.: Überstellung von inhaftierten Juden in das Haftlager Drancy.
Vorg.: ohne.

Ich bitte zu veranlassen, dass bis Montagabend, den 21.9.1942 sämtliche im dortigen Bereich in Lagern inhaftierte Juden nach Drancy bei Paris (Zielbahnhof Le Bourget-Drancy) überstellt werden. Bis Montag früh bitte ich um FS-- Nachricht, wieviel Juden zur Überstellung kommen.

i.A. (i.V.)
Ahnert
SS-Untersturmführer"

Das Aussenkommando Angers antwortete daraufhin mit Fernschreiben vom 21.9.1942:

"Angers 549 21/9 1128 - RP -

- An den BdS. Paris, röm. 4 J. -
- Betr.: Überstellung von inhaftierten Juden in das Haftlager Drancy. -
Vorg.: FS v. 19.9.42 Nr.21 492. -

Aus dem Sammellager in Tours werden heute insgesamt 17 Männer und 128 Frauen und Kinder nach Drancy abtransportiert. Damit wird das Sammellager Tours vorübergehend restlos geräumt. -

Sipo (SD) Kdo, Angers, röm. 4 J - 2973/42 -
Der Kommandeur, i.V. gez. Busch, SS-H'Stuf. +"

Hei. vergewisserte sich von der Ankunft dieser Juden in Drancy und notierte auf dem Fernschreiben: "Angekommen 22.9.1942. He."

Mit Fernschreiben vom 4.11.1942 an alle Sicherheitspolizei-(SD)-Kommandos forderte der Angeklagte Hei. diese auf, bei Festnahmen von Juden die Kinder nicht von den Eltern zu trennen und der Union der Juden zu übergeben, sondern mit diesen nach Drancy zu schikken:

"IV J - SA 225 a
He./Ne. Paris, den 4.11.1942

An alle
Sicherheitspolizei-(SD)-Kommandos

Betr.: Festnahme von Juden
Vorg.: ohne.

Bei der letzten Festnahmeaktion gegen Juden wurde festgestellt, dass grösstenteils die Kinder von den Eltern getrennt und der Union der Juden in Frankreich zwecks Einweisung in ein Kinderheim überstellt wurden. In Zukunft bitte ich, die Familien geschlossen nach Drancy einzuliefern.

i.A.:
Röthke
SS-Obersturmführer"

Als das Sicherheitspolizei-Kommando Orléans mit Fernschreiben vom 19.10.1942 dem BdS meldete, dass am 20.10.1942 von der französischen Gendarmerie 7 jüdische Kommunisten aus dem Lager Voves nach Drancy überführt würden und darum gebeten werde, deren baldige Verschickung anzuordnen, wurde diese Meldung von einer Person, deren Identität nicht geklärt werden konnte, dem Angeklagten Hei. am 20.10. "zum Vollzug" zugeschrieben. Allerdings war es Röthke, der am 29.10.1942 daneben handschriftlich vermerkte: "Schon veranlasst". Es konnte nicht geklärt werden, ob es in diesem Fall der Angeklagte Hei. war, der die Anordnung der Verschickung der 7 jüdischen Kommunisten gegeben hatte.

Einen Agentenbericht der Abt.VI vom 9.10.1942, der Zahlenangaben über im Judenlager Gurs inhaftierte Juden enthielt, leitete Röthke dem Angeklagten Hei. zur Kenntnisnahme zu:

> "Betr.: Judenlager GURS
>
> AG. 324 hörte bei seiner letzten Reise nach Toulouse im September d.J. von PUNIOUS, 13 rue Peyras, Toulouse, dass in der Umgebung von Toulouse 15000 Juden interniert waren. Nach und nach wurden sie auf Befehl von Vichy freigelassen, so dass jetzt nur noch 1400 Juden im Lager sind, davon 150 Frauen, unter denen sich einige Rotspanierinnen befinden."

Hei., der sich an die Zahlenangaben über das Lager Gurs in dem Reisebericht Danneckers vom 20.7.1942 erinnerte, kommentierte diesen Bericht, indem er handschriftlich am Rande ein Fragezeichen machte und dazu schrieb: "Vergleiche Bericht SS H'Stuf. Dannecker. He. 29.10.42."

Zu den Aufgaben Hei. gehörte es, wie sich aus dem oben wiedergegebenen Schreiben vom 29.7.1942 an die Polizei-Präfektur Paris ergibt, im Lager Drancy Stichproben zu machen, ob dort tatsächlich auch alle der für den Abtransport infrage kommenden Juden zum Abtransport bereitgestellt wurden, und in Zweifelsfällen zu entscheiden, ob jemand zu deportieren war oder nicht. So hatte Hei. am 25.8.1942 die Anordnung gegeben, dass mehrere kranke und über 60 Jahre alte Internierte sowie mehrere über 70 Jahre alte Internierte von Drancy in ein Altersheim gebracht wurden. Darunter war die älteste Internierte 89 Jahre alt.

Andererseits wurden auf seine Anweisung hin am 6.11.1942 mehrere greise Juden und Jüdinnen im Alter zwischen 55 und 82 Jahren aus dem Altersheim "Hospice de Rothschild" in Paris geholt und mit dem Transport vom 11.11.1942 nach Auschwitz geschickt. Unter diesen Greisen befanden sich einige jüdische Menschen, die Hei. selbst im August 42 hatte in das Altersheim bringen lassen. Der Angeklagte Hei. liess sie jetzt nach Drancy schaffen, um den letzten Transport des Jahres 1942, für den nicht mehr die von Berlin geforderte Zahl von 1000 erreicht werden konnte, aufzufüllen.

Wie bereits oben erwähnt, hatte Hei. am 31.10.1942 dem Reichssicherheitshauptamt 3 November-Transporte angekündigt und um Weisung gebeten, ob die Transporte in Marsch gesetzt werden könnten. Am 5.11.1942 hatte er wegen der an dem gleichen Tage erfolgten Verhaftung von 1100 Juden griechischer Staatsangehörigkeit in Paris einen 4.Transport für den 11.11.1942 angemeldet. Dieser war vom Reichssicherheitshauptamt mit Fernschreiben vom 7.11.1942 genehmigt worden. Entgegen den gegenüber Berlin angegebenen Zahlen hatte dieser 4.Transport jedoch nicht mehr die volle Stärke von 1000 Juden, so dass zur Auffüllung dieses Transportes auf die in einem Altersheim eingewiesenen Juden zurückgegriffen werden musste.

Nach dem Abgang des letzten Transportes im Jahre 1942 endete die Tätigkeit Hei.s im Judenreferat, weil für ihn dort kein Bedarf mehr war, er andererseits angesichts der Personalknappheit der deutschen Besatzungsbehörden, die sich durch die Besetzung von Süd-Frankreich im November 1942 noch verstärkte, an anderer Stelle dringend benötigt wurde. Einen Nachfolger für seinen Tätigkeitsbereich im Judenreferat gab es nicht mehr bei Wiederaufnahme der Transporte im Februar und März 1943. Vielmehr übten die Tätigkeit Hei.s später die SS-Offiziere Röthke und Brunner selbst mit aus.

Der Angeklagte Hei. rechnete aufgrund seiner Informationen über die Pläne zur "Endlösung der Judenfrage" sowie aufgrund der ihm bekannten Umstände der Verhaftungen und Deportationen der Juden nach Auschwitz jedenfalls seit Beginn seiner Tätigkeit als Transportsachbearbeiter im Judenreferat am 20.7.1942 ernsthaft mit der Tötung zumindest eines Teils der deportierten Juden, wobei nach seinen Vorstellungen die Tötung auf eine heimtückische und grausame Weise geschah. Er wirkte dennoch an den Deportationsmassnahmen einverständlich mit, weil es ihm darum ging, die ihm übertragenen Aufgaben gewissenhaft zu erfüllen. Dabei nahm er auch den gewaltsamen Tod eines Teils der deportierten jüdischen Menschen billigend in Kauf.

In der Zeit, in der der Angeklagte Hei. Transportsachbearbeiter im Judenreferat im BdS Paris war, gingen 35 Transporte mit insgesamt 33575 jüdischen Menschen in das Konzentrationslager Auschwitz, von denen mindestens 20000 in den Gaskammern von Auschwitz getötet wurden.

II. Beweiswürdigung

A. Die Beweisgrundlagen

1.) Allgemeinkundige Tatsachen

Die Handlungen der Angeklagten sind Teilakte der gegen die Juden gerichteten Politik des "Dritten Reiches". Diese Politik ist Gegenstand der Geschichtsforschung im In- und Ausland gewesen. Teilakte dieser Politik sind in zahlreichen Gerichtsverfahren aufgeklärt worden. In vielen Veröffentlichungen hat dies seinen Niederschlag gefunden. Aufgrund dessen ist die Kenntnis von der Entwicklung der Judenfrage im "Dritten Reich", der Judenverfolgung als politischer Zielsetzung, der schrittweise vorangetriebenen Entrechtung der jüdischen Bevölkerung, der inszenierten Pogrome, der Ausweitung der Verfolgung der Juden in den besetzten Gebieten, der Planung der Ausrottung der Juden, der Errichtung von Anlagen zur Massentötung und dem Ablauf der Vernichtungsaktion selbst das Gemeingut weiter Kreise. Diese allgemeinkundigen Tatsachen bedürfen deshalb keines Beweises mehr (§244 Abs.3 S.2 StPO).

Diese Tatsachen sind im übrigen auch von den Angeklagten, soweit sie sich zur Sache eingelassen haben, nicht in Zweifel gezogen worden. Bezüglich der Vernichtung der Juden in Auschwitz hat die Kammer zudem Teile des Urteils des Landgerichts Frankfurt/Main vom 19. und 20.8.1965 - 4 Ks 2/63 - ("Auschwitz-Urteil" [101]) durch Verlesung in die Hauptverhandlung eingeführt.

2.) Die Einlassung der Angeklagten

a) Allgemeines zur Einlassung der Angeklagten

Die Feststellungen zum Lebenslauf der Angeklagten beruhen auf ihren Angaben sowie den in diesem Zusammenhang eingeführten Urkunden aus den entsprechenden Personalakten.

Zu seiner Tätigkeit in Frankreich hat der Angeklagte Lis. keine Angaben gemacht, während sich die Angeklagten Hag. und Hei. zur Sache eingelassen haben.

[101] Siehe Lfd.Nr.595.

Die Angeklagten Hag. und Hei. haben eingeräumt, dass in der Zeit ihrer Tätigkeit beim HSSPF und beim BdS in Paris unter Mitwirkung der Sicherheitspolizei in Frankreich die Juden verhaftet, in Lager gebracht und nach Konzentrationslagern im Osten deportiert wurden. Von den getroffenen Feststellungen weichen ihre Einlassungen im wesentlichen nur insoweit ab, als die Feststellungen die Tätigkeit der Angeklagten Hag. und Hei. im Zusammenhang mit den Massnahmen zur "Endlösung der Judenfrage" in Frankreich betreffen sowie ihre Kenntnis von dem Zweck der Massnahmen und dem Schicksal, dass die deportierten Juden in den Konzentrationslagern im Osten erwarteten.

b) Die Einlassung des Angeklagten Hag.

Der Angeklagte Hag. hat sich insoweit wie folgt eingelassen:

Seine Aufgabe als persönlicher Referent Obergs wäre es gewesen, die für Oberg bestimmten Dinge aufzubereiten und vorzutragen. Da Oberg die französische Sprache nur wenig beherrscht hätte, sei er wegen seiner eigenen französischen Sprachkenntnisse bei den Gesprächen mit den Vertretern der französischen Dienststellen zugegen gewesen. Seine Aufgabe bei diesen Besprechungen sei allein gewesen, Dolmetscherdienste zu leisten sowie Notizen über den Besprechungsinhalt zu machen. Wenn er gegenüber einem französischen Verhandlungspartner allein aufgetreten wäre, dann hätte dies allein der Übermittlung oder Entgegennahme von Nachrichten gedient. Dies hätte er auch immer nur im Auftrage getan. Er wäre Zuarbeiter ohne jede Entscheidungsbefugnis gewesen. Die Bearbeitung der Judenangelegenheiten hätte bei der Abteilung IV J beim BdS gelegen. Diese Abteilung hätte ein gewisses Eigenleben geführt. Der HSSPF wäre von der Abteilung nicht immer informiert worden. Nach seinem Eindruck wären die Dinge auch am BdS selbst häufig vorbeigelaufen. Zwischen der Abteilung IV J in Paris und dem Judenreferat im Reichssicherheitshauptamt in Berlin habe ein direkter Draht bestanden.

Aus den Protokollen, die ihm zugeleitet worden wären, habe er ersehen, dass Juden deportiert wurden. Er habe sich aber nicht gefragt, was mit ihnen geschehen würde. Er sei davon ausgegangen, dass die Juden zur späteren Umsiedlung in einen Judenstaat in ein Lager gekommen wären. Es habe zwar während seiner Tätigkeit als Leiter der Abteilung II 112 eine Zeit gegeben, zu der offiziell ein Judenstaat nicht erwünscht gewesen sei. Aus dem Umstand, dass später die Auswanderung von Juden nach Palästina ermöglicht worden sei, habe er geschlossen, dass sich die Meinung bezüglich eines Judenstaates geändert hatte.

Er habe erst nach seinem Weggang von Paris erfahren, was in Auschwitz mit den Juden geschehen sei. Hätte er früher erfahren, was tatsächlich mit den Juden geschah, hätte er sich weggemeldet. Soweit er als Leiter der Abteilung VI ausländische Zeitungsartikel zu sehen bekommen hätte, in denen berichtet worden sei, dass die Juden vernichtet würden, hätte er dies nicht geglaubt.

Er könne sich nicht mehr daran erinnern, ob das Judenproblem von Oberg oder von Kno., zu denen er ein gutes Verhältnis gehabt hätte, ihm gegenüber angesprochen worden sei. Sie hätten ihm jedenfalls nichts von einer Vernichtung der Juden berichtet. Er hätte auch den Eindruck, dass sie selbst nichts davon gewusst hätten.

Es sei sein Eindruck gewesen, dass die Juden zur Entlastung der Kriegswirtschaft zum Arbeitseinsatz in den Osten gebracht werden sollten, wo von ihnen auch die anderen Juden mitunterhalten würden. Von wo sie allerdings von Auschwitz aus zum Arbeitseinsatz kommen sollten, habe er nicht gewusst. Soweit in seinen Vermerken der Begriff "Lösung der Judenfrage" auftauche, habe dies für ihn bedeutet, dass alle Juden aus Frankreich entfernt werden sollten.

Sein Vermerk vom 4.9.1942 ("Sprachregelung") gebe das Gespräch so wieder, wie es stattgefunden habe. Das Wort "Sprachregelung" habe er auf Weisung benutzt. Es wäre aber keine Sprachregelung gewesen, um etwas zu vertuschen. Dass die Juden zum Arbeitseinsatz kommen sollten, wäre allgemein bekannt gewesen.

Soweit er selbst auf die nach den Reden des Führers "kapitale Bedeutung des Problems" hingewiesen habe, so habe er darunter eine Konzentration der Juden zur Vorbereitung der Gründung eines Judenstaates sowie für einen Arbeitseinsatz verstanden. Er sei fixiert gewesen auf die Frage des Judenstaates. Es könne deshalb sein, dass er anderes nicht habe wahrnehmen wollen.

c) Die Einlassung des Angeklagten Hei.

Zu seiner Tätigkeit im Judenreferat hat sich der Angeklagte Hei. wie folgt eingelassen:

Er sei als Büroangestellter "Mädchen für Alles" gewesen. Da er etwas französisch gesprochen habe, sei er zu den verschiedensten Aufgaben herangezogen worden. Er habe Schreibmaschine geschrieben und auch ab und zu den Fernschreiber bedient. Manchmal sei er auch zum Servieren im Offizierskasino herangezogen worden. Auf die Reise nach Süd-Frankreich habe ihn Dannecker wegen seiner französischen Sprachkenntnisse mitgenommen. Im übrigen habe Dannecker auch immer jemanden gebraucht, der ihm seine Sachen getragen und die Wagentür geöffnet hätte.

Er habe gewusst, dass Juden deportiert wurden. Er sei verschiedentlich im Lager Drancy gewesen, dass von dem französischen Lagerpersonal schlecht organisiert gewesen sei. Die Verpflegung hätten die Franzosen für sich selbst verwendet. Wenn er ins Lager gefahren sei, habe er sich dafür eingesetzt, dass die Verpflegungsrationen auch tatsächlich den Lagerinsassen zugeteilt worden wären. Er habe auch gesehen, in welcher Art und Weise Juden in den Güterzügen transportiert worden seien. Er selbst sei aber auch während seines Einsatzes in Polen in Güterzügen befördert worden. Er sei davon überzeugt gewesen, dass die in den Wagen zusammengepferchten Menschen zum Arbeitseinsatz in den Osten kämen. Auf seine Frage nach dem Ziel der Züge sei ihm dies auch angegeben worden. Weil er noch sehr jung gewesen sei, habe er sich weiter keine Gedanken gemacht. Er habe erst nach Kriegsende erfahren, was mit den Juden tatsächlich geschehen sei.

Kinder habe er nicht viele in Drancy gesehen. Er könne sich nicht daran erinnern, dass es noch zu seiner Zeit gewesen wäre, dass die Kindertransporte geschehen seien. Im übrigen habe Dannecker ihm auf seine Frage hierzu erklärt, dass es sich um Familienzusammenführung handeln würde.

Er habe weder alte Juden von Drancy aus in ein Altersheim eingewiesen noch zum Abtransport in einem Altersheim ausgesucht. Soweit in den Listen sein Name auftauche, müsse eine Verwechslung vorliegen. Wahrscheinlich sei er mit Ahnert verwechselt worden, der ebenfalls häufig im Lager Drancy gewesen sei. Allerdings habe Ahnert anders ausgesehen als er selbst. Er habe aber gar nicht das Recht gehabt, selbst irgendwelche Anordnungen zu treffen.

Soweit Schreiben des Judenreferates sein Diktatzeichen "He" trügen, habe er diese Schreiben auf Anweisung seiner Vorgesetzten aufgesetzt; der Inhalt der Schreiben sei ihm hierzu angegeben worden, oder er habe Vorstücke gehabt. Er habe die gesamte Registratur der Abteilung unter sich gehabt; beim Abheften hätten ihm allerdings Schreibdamen geholfen. Weil er so viel zu tun gehabt hätte, habe er nicht die Zeit gehabt, alle Vorgänge, die durch seine Hände gegangen seien, zu lesen.

Er könne sich nicht mehr daran erinnern, dass er die namentlichen Transportlisten in der Abteilung überhaupt gesehen habe.

Nach der Rückkehr von der Fahrt mit Dannecker in das unbesetzte Gebiet sei er anschliessend sogleich nach Berlin nach Hause für einige Tage gefahren. Er habe dort mit seinem Vater über seine Tätigkeit gesprochen. Seinem Vater habe diese Tätigkeit nicht gefallen. Insbesondere habe seinem Vater missfallen, dass Menschen weggeschafft wurden. Sie hätten deshalb überlegt, was er tun solle. Da für ihn nicht in Frage gekommen sei, zu desertieren, hätte er sich entschlossen, sich wegzumelden. Da er Angst vor Dannecker, der unberechenbar und jähzornig gewesen sei, gehabt hätte, habe er sich wegen seines Wegkommens von der Abteilung an Röthke gewendet, nachdem dieser die Abteilung übernommen hätte. Er sei dann auch tatsächlich auf seinen Wunsch im November von der Abteilung weggekommen.

3.) Urkunden

Die Tätigkeit der Angeklagten hat weitgehend in behördlichen Schreiben und Vermerken ihren Niederschlag gefunden. Dem erhaltenen Schriftmaterial kommt in diesem Verfahren als Beweismittel eine besondere Bedeutung zu, weil der Tatbeitrag der Angeklagten zur "Endlösung der Judenfrage" in Frankreich in der Regel in "Schreibtischarbeit" bestand.

Die in der Hauptverhandlung verlesenen und erörterten Urkunden waren Ablichtungen bzw. in wenigen Fällen Abschriften der überwiegend in Instituten des Auslands aufbewahrten Originale. Zweifel an der Übereinstimmung dieser Ablichtungen mit dem Inhalt der Originale bestehen nicht und sind auch von den Angeklagten und ihren Verteidigern während der Hauptverhandlung nicht geäussert worden. Soweit Verteidiger der Angeklagten die Beiziehung der Originale von Dokumenten beantragt haben, geschah dies nach ihrer ausdrücklichen Erklärung nur deshalb, weil handschriftliche Zusätze oder Stempel des Dokumentes auf den Ablichtungen nicht gut lesbar waren. Auch der Verteidiger des Angeklagten Lis. hat während der Hauptverhandlung ausdrücklich erklärt, dass, soweit er keine Einwendungen gegen die Unterlagen erhebe, die Echtheit der Urkunden, insbesondere die Unterschrift und Paraphe des Angeklagten Lis., nicht angezweifelt werde. Die Angeklagten Hag. und Hei. haben darüber hinaus die ihnen vorgehaltenen Dokumente, soweit sie sie betreffen, anerkannt.

Bis auf wenige Ausnahmen sind die Originalurkunden, soweit deren Beiziehung von den Verteidigern während der Hauptverhandlung beantragt worden war, auch Gegenstand der Hauptverhandlung gewesen. Die Originale haben ergeben, dass die Fotokopien, die der Kammer von diesen Dokumenten vorgelegen hatten, voll mit diesen überein stimmten. Soweit wenige von den Verteidigern gewünschte Originalurkunden nicht vorgelegen haben, hat die Kammer ihren Feststellungen die Ablichtungen der Urkunden nur insoweit zugrunde gelegt, als diese lesbar waren.

Lediglich bezüglich dreier Dokumente sind erstmals in den Schlussplädoyers der Verteidiger des Angeklagten Lis. und des Angeklagten Hei. Zweifel an deren Echtheit angemeldet worden. Im einzelnen wird hierauf noch einzugehen sein.

Der Inhalt der Urkunden, die Gegenstand der Hauptverhandlung waren, deckt sich mit dem allgemeinbekannten Geschichtsbild dieser Epoche ohne Widersprüche, so dass die Kammer keine Zweifel an der Zuverlässigkeit der gemäss der Sitzungsniederschrift in die Hauptverhandlung eingeführten Urkunden als Beweismittel hat.

Die Urkunden, die der Kammer vorgelegen haben, stellen nur einen Teil des zur Tatzeit geführten Schriftverkehrs dar. Dies hat seinen Grund darin, dass überhaupt nur ein Teil der Akten der Dienststellen, die mit der "Endlösung der Judenfrage" in Frankreich befasst waren, erhalten geblieben ist, weil bei der Räumung von Paris und Frankreich durch Zufall

Aktenteile in französische Hände gefallen sind. Grosse Teile des Aktenbestandes sind dagegen durch Kriegseinwirkung oder Vernichtung verloren gegangen. Obwohl die erhaltenen Dokumente nicht die gesamte Tatzeit voll abdecken - die Mehrzahl der erhaltenen Dokumente stammt aus dem Sommer 1942 -, so hat die Kammer dennoch keinen Zweifel daran, dass diese Dokumente ein zuverlässiges Bild von der Tätigkeit der Angeklagten vermitteln. Es besteht kein Anhaltspunkt dafür, dass die Urkunden, die Gegenstand der Hauptverhandlung waren, eine zufällige und - zu Lasten der Angeklagten - einseitige Darstellung der Vorgänge geben könnten. Auch wenn nicht die gesamten Akten des BdS und des HSSPF aus der Zeit von Anfang 1942 bis Mitte 1944 erhalten sind, so gibt es dennoch Dokumente unterschiedlichster Natur und aus verschiedenen Phasen, wenn eben auch nicht in allen Phasen in so grosser Zahl wie aus der Zeit des Sommers 1942. In ihrer Gesamtheit betrachtet lassen die Dokumente deshalb auch Rückschlüsse auf die Zeiten zu, die dokumentarisch nicht belegt sind.

Schliesslich deckt sich der Inhalt der Dokumente voll mit den Ermittlungsergebnissen des Sachverständigen Dr. Sch., der sich als Historiker seit langem speziell mit dem Gebiet der "Endlösung der Judenfrage" beschäftigt hat und der noch über eine Vielzahl weiterer Quellen verfügte. Die eingehende Befragung des Sachverständigen durch die Verteidigung hat ergeben, dass Zweifel an seiner Sachkunde und an der Zuverlässigkeit seiner Ermittlungen nicht bestehen können. Die Kammer konnte deshalb ohne Bedenken die Feststellungen zum zeitlichen Rahmen und zum Ablauf der Massnahmen zur "Endlösung der Judenfrage" auf die Forschungsergebnisse dieses Sachverständigen stützen. Soweit in den Feststellungen aus dem schriftlichen Gutachten des Sachverständigen Dokumente zugrundegelegt worden sind, waren diese Gegenstand des mündlichen Vortrags des Sachverständigen in der Hauptverhandlung.

4.) Zeugen

Bezüglich der Situation im Lager Drancy, insbesondere anlässlich der Kindertransporte im August 1942, beruhen die Feststellungen auf den Aussagen der Zeugen Dal.-B., Hus. und Wel. sowie, soweit die allgemeine Situation in dem Lager betroffen ist, auf der Aussage des Zeugen Söl.

Zur Organisation und Arbeitsweise der Dienststelle des BdS liessen die Aussagen der Zeugen Har. und Zoe. [102], BdS und Judenreferent des BdS in den Niederlanden, Rückschlüsse auf die Pariser Dienststelle zu. Teilweise konnte die Kammer ihre Feststellungen insoweit auch auf die Aussagen der Zeugen Näh., Hen. und Wi. [103] stützen. Zur Dienststelle des HSSPF ist der Zeuge Jün. vernommen worden.

Die weiteren geladenen Zeugen aus dem Mitarbeiterkreis der Angeklagten aus dem BdS Paris, soweit sie aus gesundheitlichen Gründen überhaupt vernommen werden konnten, nämlich die Zeugen Dr. Küb., Dr. Ill. und der kommissarisch vernommene Zeuge Mor. haben alle zur "Endlösung der Judenfrage" von ihrem Auskunftsverweigerungsrecht gem. §55 StPO Gebrauch gemacht; dies gilt insoweit auch für den Zeugen Hen.

[102] Zu Har. und Zoe. siehe Lfd.Nr.645.

[103] Wi. wurde 1950 u.a. wegen seiner Tätigkeit in Frankreich in einem ostdeutschen "Waldheimverfahren" zu einer lebenslänglichen Zuchthausstrafe verurteilt; siehe DJuNSV Bd.XIV Lfd.Nr.2013.

B. Die Beweiswürdigung

1.) Die Zahlenfeststellungen

Bezüglich der Zahl der aus Frankreich deportierten Juden und der Zahl der in den Gaskammern von Auschwitz Getöteten hat sich die Kammer mangels sicherer Beweismittel darauf beschränkt, Mindestzahlen festzustellen. Ihr standen hierzu verschiedene Grundlagen zur Verfügung.

Für 37 Transporte existieren die Transportmeldungen des Judenreferates, die an das Reichssicherheitshauptamt in Berlin und an das Konzentrationslager in Auschwitz gingen. In diesen Transportmeldungen ist regelmässig die Zahl der mit dem betreffenden Transport deportierten Juden angegeben. Die Transportlisten selbst, die ebenfalls in die Hauptverhandlung eingeführt worden sind, verschaffen zumeist keine sichere Grundlage über die genaue Zahl der Deportierten. Sie sind häufig aus verschiedenen Listen zusammengesetzt und enthalten Zusätze oder Streichungen. Erst die Listen für die Transporte ab 7.10.1943 sind systematisch abgefasst und sind zur Feststellung der Zahl der Deportierten herangezogen worden.

Die vielen Listen vorgeheftete handschriftliche Statistik ist in keinem Fall verwertet worden, weil nicht ersichtlich ist, zu welchem Zeitpunkt diese Aufstellungen erstellt worden sind. Die Gesamtzahlen, die sie enthalten, weichen regelmässig von den Zahlen ab, die in den Transportmeldungen angegeben sind, vielfach liegen sie höher.

Als weitere Grundlagen sind herangezogen worden die Angaben des Museums Auschwitz und die Feststellungen des Sachverständigen Dr. Sch., insbesondere dann, wenn diese Angaben eine geringere Zahl ergaben als die Transportmeldungen.

Bei einigen Transporten ist von der Zahl der Selektierten ausgegangen worden. Diese Zahlen sind über die Liste des Museums Auschwitz in die Verhandlung eingeführt worden, die insoweit auf den Angaben in den sogenannten "Auschwitz-Heften" (Kalendarium der Ereignisse im KL Auschwitz-Birkenau) basiert. Im einzelnen ist die Kammer bei den Transporten vom 25.6., 28.6., 17.7., 20.7., 29.7., 5.8., 10.8., 12.8., 28.8., 4.9., 7.9., 9.9., 11.9., 14.9., 23.9., 25.9. und 9.11.1942, 18.7. und 31.7.1943 von den Zahlen in den Transportmeldungen ausgegangen. Bei den Transporten vom 7.10.1943 bis einschliesslich 30.5.1944 hat die Kammer der Zahl der Deportierten die Angaben in den Listen zugrunde gelegt. Bei den Transporten vom 5.6., 19.7., 3.8., 7.8., 14.8., 17.8., 19.8., 21.8., 24.8., 26.8., 16.9., 18.9., 21.9., 27.9., 30.9., 6.11. und 11.11.1942, 9.2., 11.2., 13.2., 2.3. und 2.9.1943 liegen die Angaben des Museums Auschwitz zugrunde. Bei den Transporten vom 27.3., 2.9. und 4.11.1942, 4.3., 6.3., 23.3., 25.3. und 23.6.1943, 30.6. und 31.7.1944 ist die Kammer den Angaben des Sachverständigen gefolgt. Bei den Transporten vom 22.6., 22.7., 24.7., 27.7. und 31.7.1942 ist die Kammer von der Zahl der jeweils Selektierten ausgegangen.

2.) Die Stellung des Judenreferates des BdS

Der Angeklagte Hag. hat sich in seiner Einlassung darauf berufen, dass das Judenreferat des BdS in Paris eine selbständige Stellung unter teilweiser Ausschaltung der direkten Vorgesetzten gehabt hätte. Auch einem Hilfsbeweisantrag des Angeklagten Lis. liegt eine derartige Behauptung zugrunde. Aufgrund der durchgeführten Beweisaufnahme steht jedoch fest, dass in alle wesentlichen Vorgänge, die das Judenreferat betrafen, der Dienststellenleiter eingeschaltet war.

Zwar hat sich auch Oberg in seinen Vernehmungen vom 26. und 28.9.1949 vor dem Ständigen Militärgericht Paris, die durch Verlesung in die Hauptverhandlung eingeführt worden sind, als Befehlsempfänger und Boten von Eichmann und Dannecker hinzustellen versucht.

Er hat sich nämlich dahingehend eingelassen, dass er selbst und Kno. sozusagen "die Erlaubnis" gehabt hätten, der französischen Regierung vorzulegen, was Eichmann und Dannecker beschlossen hätten. Angesichts der erhaltenen Dokumente kann diese Einlassung Obergs nur als Schutzbehauptung, die aufgrund seiner seinerzeitigen Stellung als Angeklagter verständlich wird, gewertet werden.

Der vorliegende Schriftverkehr zwischen dem Reichssicherheitshauptamt und dem BdS in Paris in den Angelegenheiten, die die "Endlösung der Judenfrage" in Frankreich betreffen, ist regelmässig über den Leiter der Dienststelle Kno. bzw. seinen Vertreter, den Angeklagten Lis., gelaufen. Vom Reichssicherheitshauptamt eingehende Fernschreiben waren an den Dienststellenleiter adressiert und sind diesem auch zunächst vorgelegt worden, wie die Paraphe des Angeklagten Lis. neben dem Eingangsstempel auf den Vorgängen, die zur Zeit der Leitung der Dienststelle durch ihn eingegangen waren, zeigt. Erst nachdem der Behördenleiter die Fernschreiben gesehen hatte, gingen sie weiter an das zu ihrer Bearbeitung zuständige Judenreferat.

Andererseits wurden Schreiben und Fernschreiben, die an die Abteilung IV B des Reichssicherheitshauptamtes in Berlin gerichtet waren, zwar von dem betreffenden Sachbearbeiter des Judenreferates des BdS vorverfügt, zur Unterzeichnung jedoch regelmässig Kno. oder Lis. vorgelegt. Ausgenommen hiervon waren zu der Zeit, als die Transporte bereits angelaufen waren, die Routine-Meldungen, die auf einer unteren Ebene abgewickelt wurden, wie etwa die jeweiligen Transportmeldungen, die von Röthke, Ahnert und sogar vom Angeklagten Hei. unterzeichnet werden konnten.

Aber auch das Fernschreiben des Reichssicherheitshauptamtes vom 6.8.1942, in dem lediglich bemängelt wurde, dass bei den letzten Judentransporten die für jeden Juden vorgeschriebenen 2 Decken gefehlt hätten, war an "Dr. Kno. o.V.i.A." adressiert. Soweit Ahnert mit Fernschreiben vom 11.8.1942 dem Reichssicherheitshauptamt - Abt.IV B 4 - direkt ohne Einschaltung seiner Vorgesetzten die Absicht mitgeteilt hatte, dass ab 17.8.1942 die inhaftierten Judenkinder zum Abtransport gebracht würden, handelte es sich hierbei um eine Frage, die bereits insoweit grundsätzlich geklärt war, als dass die Kinder abtransportiert werden sollten. Aber auch das Antwortschreiben des Reichssicherheitshauptamtes vom 13.8.1942 ist nicht direkt an die Abteilung IV J des BdS gerichtet, sondern "an den BdS".

Sogar, wenn es darum ging, dass Dannecker zu einer der Besprechungen im Judenreferat des Reichssicherheitshauptamtes nach Berlin eingeladen wurde, wandte sich Eichmann an den Vorgesetzten Danneckers in Paris und bat darum, Dannecker zu der Besprechung abzustellen. Dies beweist das Fernschreiben des Reichssicherheitshauptamtes vom 4.6.1942, das zunächst über den Schreibtisch des Angeklagten Lis. gegangen ist.

Über das, was die Judensachbearbeiter bei derartigen Besprechungen in Berlin in Erfahrung gebracht hatten, fertigten sie jeweils ausführliche Vermerke an, die sie ihren Vorgesetzten, in der Regel Dr. Kno. <u>und</u> dem Angeklagten Lis., zuleiteten. Diese Vermerke pflegte Kno. teilweise handschriftlich am Rand zu kommentieren. Wenn Dannecker ausnahmsweise seinen Vermerk vom 21.7.1942 über seine Telefonate mit Eichmann und Nowak vom 20.7.1942 seinen Vorgesetzten nicht vorgelegt hat, so mag dies auf dem speziellen Inhalt dieses Vermerks beruhen. Aus dem Vermerk geht nämlich deutlich hervor, dass Dannecker gegenüber Eichmann die Schuld dafür, dass ein Transport ausgefallen war, Kno. zugeschoben hatte.

Auch der Schriftverkehr mit anderen Dienststellen in Frankreich lief in den Angelegenheiten, die Juden betrafen, in der Regel über Kno. und Lis. als Dienststellenleiter, so dass sie auch in diesen Fällen eingeschaltet waren. Berichte an den Militärbefehlshaber in Frankreich oder Bitten um die Zustimmung zur Verhaftung von Juden, die an diesen gerichtet waren, sind ausnahmslos von dem Angeklagten Lis. oder von Kno. unterzeichnet.

Soweit es sich während der laufenden Transporte allerdings um die Durchgabe von Abgangs- oder Ankunftszeiten von Zügen, um die Verlegung von inhaftierten Juden aus einem Lager in ein anderes oder um die Stellung von Bewachungspersonal für die Transportzüge handelte, wurden diese Vorgänge vom Judenreferenten bzw. dessen Stellvertreter unterzeichnet. Hierbei handelte es sich jedoch um Details der technischen Durchführung der Transporte, für die die Dienststellenleitung nicht eingeschaltet zu werden brauchte. Andererseits legte der Angeklagte Hei. aber auch einen Vermerk, in dem er nicht viel mehr niedergelegt hatte als die Ankunftszeiten der Judentransporte aus dem unbesetzten Gebiet (Vermerk vom 5.8.1942) dem Angeklagten Lis. zur Kenntnisnahme vor. Und als im August 1942 das Problem auftauchte, ob die Bewachung der Transportzüge von der Ordnungspolizei oder weiterhin von der Feldgendarmerie zu stellen wäre, wurde auch hier der Angeklagte Lis. eingeschaltet. Aus zahlreichen Vermerken Danneckers, Röthkes und Ahnerts, die für den BdS oder seinen Vertreter oder für den Angeklagten Hag. bestimmt waren und die Vorschläge für die Verhandlungen mit den Repräsentanten der Vichy-Regierung enthalten, ergibt sich, dass in grundsätzlichen Fragen der "Endlösung" die Verhandlungen nicht von den Judenreferenten des BdS geführt werden konnten.

Dass Kno., Lis., Oberg und Hag. nicht nur willfährige Befehlsempfänger von Dannecker, Röthke und Brunner waren, sondern Einfluss auf die Deportationsmassnahmen ausüben konnten und auch ausgeübt haben, ergibt sich schliesslich daraus, dass sie gegenüber den Vertretern der Vichy-Regierung in Verhandlungen, wenn es politisch opportun erschien, durchaus nicht den Vorschlägen des Judenreferates folgten, sondern einen von diesen Vorschlägen abweichenden Weg beschritten. So hatten sich entgegen der Vorstellung Danneckers Oberg, Kno., Lis. und Hag. in der Besprechung vom 2.7.1942 mit Bousquet auf dessen Erklärung, dass sich die französische Polizei an den beabsichtigten Festnahmen von Juden im besetzten Gebiet nicht beteiligen könne, mit der Regelung begnügt, dass vorläufig keine Juden französischer Nationalität festgenommen werden sollten. Und so gingen auch Kno. und Hag. zunächst nicht auf den Vorschlag Röthkes, bei einem französischen Gesetz über die Aberkennung der Staatsangehörigkeit französischer Juden auf keinen Fall einen späteren Termin als 1927 zu nehmen (Vermerk vom 28.7.1942), ein; in der Verhandlung mit Bousquet am 29.7.1942 baten sie vielmehr darum, als Zeitpunkt für ein derartiges Gesetz das Jahr 1933 zu nehmen (Vermerk Hag.s vom 1.8.1942).

Aus den Dokumenten ergibt sich, dass das Judenreferat in Paris ebenso wie das Judenreferat beim BdS in Den Haag dem BdS direkt unterstellt war und diesem direkt zuarbeitete. Für die Dienststelle des BdS in Den Haag ergibt sich dies unzweifelhaft aus den Aussagen der Zeugen Dr. Har. und Zoe. Dr. Har. war als SS-Brigadeführer Befehlshaber der Sicherheitspolizei und des SD in den Niederlanden, und Zoe. war als SS-Sturmbannführer sein Judenreferent. Beide Zeugen sind durch rechtskräftiges Urteil des Schwurgerichts München II vom 24.2.1967 - 12 Ks 1/66 - wegen Beihilfe zum Mord zu 15 und 9 Jahren Freiheitsstrafe verurteilt worden [104] und haben diese Strafen inzwischen verbüsst. Es ist somit kein Grund ersichtlich, weshalb diese Zeugen in diesem Punkt die Unwahrheit gesagt haben sollen.

Es gibt auch beim BdS Paris kein Dokument, das dem Leiter der Abteilung IV (Gestapo) Boemelburg vorgelegt oder von diesem abgezeichnet worden wäre. Diese unmittelbare Zuordnung des Referates zu dem Dienststellenleiter entsprach auch ganz der besonderen Bedeutung, die der "Endlösung der Judenfrage" in politischer Hinsicht beigemessen wurde. Zu dem gleichen Ergebnis, nämlich zu der direkten Zuordnung des Judenreferates zu dem BdS in Paris, gelangt auch der historische Sachverständige Prof.Dr. Sch.

[104] Siehe Lfd.Nr.645.

3.) Die Tätigkeit der Angeklagten

a) Die Tätigkeit des Angeklagten Lis.

Aus den Ausführungen im vorangegangenen Abschnitt folgt bereits, dass der Leiter der Dienststelle des BdS bzw. des Beauftragten des Chefs der Sicherheitspolizei und des SD in Paris in alle wesentlichen, die Judenfrage betreffenden Vorgänge eingeschaltet war und an ihnen mitgewirkt hat. Dies gilt nicht nur für Kno., sondern auch für den Angeklagten Lis., der zwar lediglich stellvertretender Leiter der Dienststelle war, aber über längere Zeiträume die Dienststelle geführt hat.

Seine Position als Stellvertreter war jedoch auch in den Zeiten, in denen Dr. Kno. in Paris anwesend war, eine viel stärkere als etwa die des Stellvertreters des BdS in Den Haag. Dies wird aus verschiedenen Umständen deutlich. Denn auch während dieser Zeiten wurden ihm neben Kno. vom Judenreferat alle wichtigen Vorgänge zur Kenntnisnahme zugeleitet. Sogar Durchschriften von Schreiben, die von Kno. zu unterzeichnen waren, und sogar Schreiben, die Kno. selbst aufgesetzt hatte (das Fernschreiben an das Reichssicherheitshauptamt vom 25.9.1942, auf dem Kno. die Vorlage an seinen Vertreter selbst verfügt hat), wurden dem Angeklagten Lis. vorgelegt.

Dies war bei der Dienststelle des BdS in Den Haag völlig unüblich, wo - wie der Zeuge Dr. Har. bekundet hat - sein Stellvertreter Kenntnis von Dingen, die das dortige Judenreferat betrafen, lediglich erhielt, wenn Dr. Har. abwesend war. Auch der Zeuge Hen., der im November 1943 Nachfolger Lis.s als Stellvertreter des BdS wurde, hat bekundet, dass er Vorgänge des Judenreferates nicht zu sehen bekommen hätte, sondern dass diese nur an Kno. gegangen seien.

Die Ausgestaltung der Stellung als Stellvertreter hängt entscheidend von der Persönlichkeit des jeweiligen Stellvertreters ab; und insoweit war der Angeklagte Lis. ein "gestandener Mann". Im Geheimen Staatspolizeiamt unter Heydrich war Lis. bereits 1936 Referent für Judenfragen gewesen und hatte 1938 die Leitung des Referats IV B für Judenangelegenheiten übernommen. Im gleichen Jahr war er Leiter der Reichszentrale für die jüdische Auswanderung geworden. 1940 war er Leiter der Stapostelle Köln, ehe er nach Paris kam. Dort tat er sich bereits Anfang 1941 als Experte in Judenfragen hervor, als er am 30.1.1941 bei der Besprechung über die weitere Behandlung der Judenfrage in Frankreich beim Militärbefehlshaber die Bedeutung der Einrichtung eines zentralen Judenamtes vortrug (Dokument vom 3.2.1941).

Während Dr. Kno. von SD herkam, war Lis. ein Gestapo-Mann. Bereits der Angeklagte Hag. hatte in seiner Einlassung darauf hingewiesen, dass immer eine Rivalität zwischen SD und Gestapo bestand. Auch der Zeuge Hen., der ebenfalls von der Gestapo her kam, meinte, dass Grund seiner Abordnung nach Paris gewesen sei, dass dem SD-Mann Kno. wiederum ein Gestapo-Mann als Stellvertreter zur Seite gegeben werden sollte. Der Zeuge Hen. war auch verantwortlich dafür, dass ein Grossteil der Kommandeure der Sicherheitspolizei in Frankreich, die aus dem SD hervorgegangen waren oder vom Militärbefehlshaber stammten, gegen Leute von der Sicherheitspolizei ausgewechselt wurden, weil sie im Hinblick auf die bevorstehende Invasion nicht hart genug erschienen.

Für den Gegensatz zwischen SD und Gestapo spricht auch der Umstand, dass - wie aus einem Hilfsbeweisantrag, der den Angeklagten Lis. betrifft, hervorgeht - er als Leiter der Reichszentrale für jüdische Auswanderung auf Betreiben des SD-Mannes Dr. Six abgelöst wurde. Auf eine Rivalität zwischen Lis. und Kno. weist schliesslich auch ganz entscheidend die Tatsache hin, dass Lis., als der Militärbefehlshaber die Ablösung von Kno. forderte, sich bereits als Nachfolger von Kno. fühlen konnte.

Die Bedeutung der Stellung des Angeklagten Lis. in Paris geht schliesslich auch daraus hervor, dass er Leiter der wichtigen Abteilung II (Rechtswesen und Polizei) war und ab 15.1.1943 zusätzlich Kommandeur der Sicherheitspolizei und des SD von Paris wurde (KdS).

Diese aufgeführten Umstände, die Persönlichkeit des Angeklagten Lis., seine Rivalität zu Kno., lassen die Behauptung des Verteidigers des Angeklagten Lis., er habe auch in den Zeiten, in denen er die Vertretung wahrgenommen hätte, ohne inhaltliche Prüfung der ihm vorgelegten Vorgänge lediglich seine Unterschrift geleistet und habe aufgrund der Vielzahl der ihm zur Kenntnisnahme zugeleiteten Vorgänge auch von den Angelegenheiten, die das Judenreferat betrafen, überhaupt nicht oder nur flüchtig Kenntnis genommen, als völlig abwegig erscheinen. Angesichts dessen, dass ein Stellvertreter während der Abwesenheit des Behördenleiters mit Übernahme der Leitung der Behörde auch die Verantwortung übernimmt und trägt, ist es nicht vorstellbar, dass eine Persönlichkeit, wie sie der Angeklagte Lis. darstellte, sich um derart wichtige Vorgänge, wie sie die Judenangelegenheiten aufgrund der erheblichen politischen Bedeutung, die ihnen beigemessen wurde, darstellten, nicht gekümmert haben soll.

Darüber, dass es sich tatsächlich anders verhielt, geben auch einige Dokumente Aufschluss, wenn dabei allerdings zu bemerken ist, dass der Angeklagte Lis. von handschriftlichen Bemerkungen auf den ihm vorgelegten Schriftstücken im Gegensatz zu Kno. nur wenig Gebrauch gemacht hat. Die ihm im November 1941 von Dannecker vorgelegte Ausfertigung für die Bekanntgabe des Erlasses des Reichssicherheitshauptamtes vom 23.10.1941 an die deutschen Dienststellen in Frankreich schickte der Angeklagte Lis. am 20.11. an Dannecker zurück mit der Verfügung:

> "Z.R.spr. sofort mit Vorgängen betr. Auswanderung von Juden aus Frankreich."

Den ihm zum Vortrag beim Militärbefehlshaber von Dannecker vorgelegten Entwurf der 9.Verordnung schickte Lis. an die Abteilung IV J zurück mit der Bemerkung: "Ich bitte die V.O. bis zur Unterschrift durch Mil.bef. vorzubereiten."

Als ihm Ahnert im August 1942 das Problem unterbreitete das wegen der Bewachung der Transportzüge durch die Feldgendarmerie aufgetaucht war, wies Lis. Ahnert handschriftlich auf dem Vermerk vom 10.8.1942 an: "Mit BdO besprechen". Dass er sich aber eine eigene Meinung gebildet und hierüber mit dem Judenreferat gesprochen hatte, geht aus dem Vermerk Röthkes vom 20.8.1942 hervor, in dem Bezug auf den Standpunkt, den Lis. in dieser Angelegenheit vertrat, genommen wird.

Die Bedeutung, die der Angeklagte Lis. den Vorgängen im Judenreferat beimass, geht schliesslich auch daraus hervor, dass ihm sogar Vermerke, die während seiner Abwesenheit von Paris von der Abteilung IV J gefertigt und Kno. zugeleitet worden waren, noch nach seiner Rückkehr vorgelegt wurden (Vermerke vom 1.9.1942).

Dass der Angeklagte Lis. zu den Zeiten, zu denen er die Dienststelle leitete, sich regelmässig jedenfalls die Eingänge, die das Judenreferat betrafen, vorlegen liess, beweist seine Paraphe, die sich auf einer Vielzahl von Schriftstücken neben dem Eingangsstempel befindet. Eine derartige Paraphe von Kno. gibt es auf keinem der vorliegenden Dokumente. Auch dies beweist, dass der Angeklagte Lis. zu den Zeiten der Leitung der Dienststelle durch ihn zumindest die Judenangelegenheiten fest im Griff haben wollte und auch hatte.

Dafür, dass dem Angeklagten Lis. das Judenreferat unabhängig von einer An- oder Abwesenheit von Kno. unterstand, gibt es allerdings keine Anhaltspunkte.

Rückschlüsse auf die Zeiten, in denen Lis. die Dienststelle geleitet hat, lassen sich aus den vorliegenden Dokumenten ziehen, und zwar insoweit, als die Schreiben entweder von Lis. "i.V." oder von Kno. unterzeichnet oder Vermerke allein dem Angeklagten Lis. zugeleitet worden sind. Aus den vorhandenen Dokumenten ergibt sich, dass Lis. Kno. vertreten hat zumindest im Juni 1941, vom 28.10.1941 bis mindestens 4.6.1942 - aus dieser Zeit, aus der für jeden Monat mehrere Vorgänge vorliegen, existiert kein Schriftstück, das von Kno. unterzeichnet worden wäre -, für einige Tage um den 18.7.1942 herum, mindestens vom 5.-20.8.1942 und von Mitte Februar bis Mitte März 1943.

b) Die Tätigkeit des Angeklagten Hag.

Soweit der Angeklagte Hag. sich lediglich als Dolmetscher und Protokollführer des HSSPF hinstellt, sieht die Kammer hierin den Versuch, die Bedeutung seiner Rolle, die er als persönlicher Referent des HSSPF in der Judenfrage in Frankreich inne gehabt hat, herunterzuspielen. In Anbetracht dessen, dass der Angeklagte Hag. bereits mit 23 Jahren Leiter des Judenreferates des SD geworden war und als solcher die Judenpolitik des "Dritten Reiches" mitgeprägt und -gestaltet hatte - die Einrichtung der Reichszentrale für die jüdische Auswanderung beruhte immerhin auf den Vorarbeiten und den Vorschlägen seiner Abteilung, die Anklang auch an höchster Stelle gefunden hatten -; in Anbetracht dessen, dass er einer der ersten von der Sicherheitspolizei und des SD war, die nach dem Waffenstillstand nach Frankreich gelangten; in Anbetracht dessen, dass er die aufgrund ihrer Lage zur spanischen Grenze und zur Küste nicht unbedeutende Aussenstelle Bordeaux aufgebaut und geleitet hatte, erscheint eine derartige Rückstufung, wie sie der Angeklagte vorgibt, völlig unwahrscheinlich. Eine derart untergeordnete und unselbständige Tätigkeit hätte auch im vollen Widerspruch zu seiner Persönlichkeit gestanden.

Angesichts der bedeutungsvollen Aufgabe, die der HSSPF auf dem Gebiet der "Endlösung der Judenfrage" in Frankreich übernommen hatte - er war der führende Sprecher für die Verhandlungen mit den Spitzen der französischen Verwaltung, auf deren Mitwirkung die Sicherheitspolizei bei der Durchführung der Massnahmen angewiesen war -, ist davon auszugehen, dass Oberg sich gerade deshalb als persönlichen Referenten einen in der Judenpolitik erfahrenen und in Verhandlungen bewährten Mann wie Hag. holte.

Im übrigen hatte der HSSPF daneben ja noch weitere Aufgaben zu erfüllen; ihm standen als Zuarbeiter aber nur ein persönlicher Referent und ein Adjutant zur Verfügung. Die Tätigkeit des Adjutanten beschränkte sich jedoch, wie der Zeuge Jün. geschildert hat, auf Botendienste, auf die Entgegennahme und Weitergabe von Nachrichten und auf Aufgaben wie die Absprache des Küchenzettels mit dem Personal des HSSPF. Es ist deshalb völlig unwahrscheinlich, dass Oberg die Arbeitskraft eines Experten, wie es der Angeklagte Hag. war, ungenutzt liess und lediglich für Dolmetscher- und Protokollführerdienste heranzog. Der Zeuge Jün. hat zudem glaubhaft bekundet, dass er als Adjutant Obergs mit Judenangelegenheiten nicht befasst war, diese vielmehr ausschliesslich über Hag. gelaufen seien. Dies bestätigen die Dokumente.

Aus den Dokumenten lässt sich im übrigen ersehen, dass dem Angeklagten Hag. eine weit bedeutendere Rolle zukam. Er war es, an den sich das Judenreferat bei auftretenden Problemen wandte. Ihm wurden nach einer kurzen Übergangszeit neben dem BdS und dessen Vertreter jeweils die Vermerke der Abteilung zugeschrieben. Er war bei allen bedeutungsvollen Verhandlungen mit den Vertretern der französischen Regierung zugegen, gleich ob diese von Oberg oder in dessen Vertretung von Kno. geführt wurden. Er führte sogar Alleinbesprechungen mit Bousquet oder de Brinon, wobei er gegenüber seinen Gesprächspartnern bei diesen Gelegenheiten, wie sich aus seinen eigenen Vermerken leicht herauslesen lässt, besonders energisch die Notwendigkeit der Lösung der Judenfrage unter Berufung auf die Reden Hitlers zu betonen pflegte. Er fertigte von diesen Besprechungen Vermerke, die er dem von den Besprechungsergebnissen betroffenen Judenreferat zur Kenntnisnahme zukommen liess. Der Angeklagte Hag. nahm an Besprechungen innerhalb der Dienststelle des BdS teil, deren Gegenstand weitere Massnahmen zur Verhaftung bzw. zur Deportation von Juden war. So war er bei der Besprechung am 17.7.1942, bei der die Möglichkeit des Abtransportes der verhafteten Judenkinder erörtert wurde, der ranghöchste Besprechungsteilnehmer auf deutscher Seite. Die Besprechung am 12.6.1943 mit Dr. La., Brunner und Röthke, in der ein detaillierter Einsatzplan für den erwarteten Fall der Verkündung des Gesetzes über die Ausbürgerung französischer Juden ausgearbeitet wurde, fand sogar bei dem Angeklagten Hag. selbst statt. Die Teilnahme an diesen Besprechungen lässt sich nicht damit erklären, dass der Angeklagte Hag. Dolmetscher- oder Protokollführerdienste dabei leisten sollte.

Der Angeklagte Hag. war auch der Verbindungsmann zur Deutschen Botschaft in Paris, wie aus einem Vorgang aus dem August 1942 zu erkennen ist. Als sich das Auswärtige Amt bei dem Zustandekommen des Abtransportes staatenloser Juden offensichtlich übergangen fühlte, teilte Achenbach von der Deutschen Botschaft in Paris dem Angeklagten Hag. mit, dass das Auswärtige Amt um Auskunft gebeten hätte, wie der gesamte Abtransport der staatenlosen Juden zustande gekommen sei. Der Angeklagte Hag. wiederum gab diese Mitteilung an das Judenreferat telefonisch weiter. Nach Rücksprache mit Kno. fertigte Ahnert am 5.9.1942 einen Vermerk, den er dem Angeklagten Hag. "mit der Bitte um Kenntnisnahme und Bekanntgabe an die Deutsche Botschaft" vorlegte.

Dem Angeklagten Hag. blieb es vorbehalten, was er Oberg zur Kenntnis brachte oder nicht, wie u.a. aus einem Aktenvermerk Röthkes vom 13.8.1942 hervorgeht. Einen Durchschlag dieses Aktenvermerks sandte Röthke dem Angeklagten Hag. mit dem ausdrücklichen Bemerken "mit der Bitte gegebenenfalls den Höheren SS- u. Polizeiführer zu unterrichten."

Der Angeklagte Hag. hatte zwar letztlich keine Entscheidungsbefugnis, er vermochte aber aufgrund seines Vortrages und seiner Vorschläge die Entscheidung Obergs zu beeinflussen. Die Aktivität des Angeklagten Hag. in Bezug auf die Behandlung der Judenfrage durch die Italiener und in Bezug auf das französische Gesetz zur Ausbürgerung französischer Juden, die in mehreren der erhaltenen Dokumente ihren Niederschlag gefunden hat, ist zwar ohne Erfolg für die deutschen Bemühungen, den Abtransport von Juden voranzutreiben, geblieben. Aber auch aus diesen Aktivitäten lassen sich Rückschlüsse darauf ziehen, welche bedeutende Stellung der Angeklagte Hag. innerhalb der deutschen Dienststellen, die den Abtransport der Juden nach Auschwitz und in andere Konzentrationslager im Osten betrieben, inne hatte.

c) Die Tätigkeit des Angeklagten Hei.

Widerlegt ist die Einlassung des Angeklagten Hei., er sei lediglich mit der Ablage befasst gewesen, habe Dannecker nur die Aktentasche getragen und die Wagentür geöffnet und habe von seinen Vorgesetzten aufgesetzte Schreiben ausformuliert.

Die Dokumente, die aus der Zeit der Tätigkeit des Angeklagten Hei. im Judenreferat im Sommer 1942 besonders zahlreich vorliegen und die sein Diktatzeichen oder für ihn bestimmte Verfügungen tragen, lassen in ihrer Gesamtschau nur den Schluss zu, dass Hei. eigenverantwortlich ab 20.7.1942 ein festumrissenes Aufgabengebiet zu bearbeiten hatte.

Soweit Schreiben sein Diktatzeichen tragen, haben sie alle einen ganz bestimmten Inhalt. Sie beschäftigen sich nämlich - mit der einen Ausnahme des Schreibens vom 11.8.1942, mit dem Hei. von der Präfektur de la Seine Arrondissements-Pläne anforderte - ausschliesslich mit der technischen Durchführung der Transporte. Andere Schreiben aus dieser Zeit, etwa Berichte an den Militärbefehlshaber oder auch nur ein so kurzes Schreiben wie das vom Angeklagten Lis. unterzeichnete Schreiben vom 20.8.1942, in dem zur Frage der Ausreise von Juden nach USA und Mexico ablehnend Stellung genommen wurde, sind dagegen von Röthke aufgesetzt worden.

Es widerspricht jedem internen Arbeitsablauf in einem Büro, wenn der Angeklagte Hei. behaupten will, er habe seinerseits Schreiben diktiert, die ihm von seinen Vorgesetzten vorgegeben worden wären. Denn angesichts des regelmässig nur geringen Umfangs dieser Schreiben hätten Röthke und Ahnert bei gleichem Arbeitsaufwand diese Schreiben selbst diktieren können. Es ist aber kein einziges Schreiben aus der Zeit vom 20.7 bis zum 11.11.1942 vorhanden, das von einem anderen als von Hei. aufgesetzt worden wäre und das sich mit Details der technischen Durchführung der Transporte beschäftigt. Andererseits tragen alle Schreiben mit dem Diktatzeichen Hei. auch das Zeichen einer Schreibkraft, was im Widerspruch zu der Behauptung des Angeklagten Hei. steht, dass er selbst nur einfacher Büroangestellter gewesen sein will, der hin und wieder auch zu Schreibmaschinenarbeiten herangezogen worden sei.

Soweit der Angeklagte Hei. sich eingelassen hat, dass er die Ablage des Referates unter sich gehabt hätte, trifft es zwar zu, dass auf einer Vielzahl von Dokumenten sich die handschriftliche Verfügung befindet "H. Hei. zum Vorgang Abtransport nehmen" (so häufig Röthke) oder "zum Vorgang Abtransport der Juden bei Hei." (so mehrfach Ahnert). Der Name des Angeklagten Hei. taucht bei derartigen Ablageverfügungen aber ausschliesslich in Verbindung mit dem Vorgang "Abtransport der Juden" auf. So hat Röthke am 29.7.1942 sowohl den Vermerk vom 8.7.1942 über die "erste Sitzung des Aktionsausschusses" als auch seinen eigenen Vermerk vom 18.7.1942 über den "Abtransport staatenloser Juden" zur Ablage verfügt. Während er auf dem ersten jedoch nur "Zum Vorgang 16. u. 17.7.42" vermerkte, verfügte er auf dem zweiten "H. Hei. Zum Vorgang Abtransport nehmen."

Hieraus kann nur gefolgert werden, dass dem Angeklagten Hei. ausschliesslich die Vorgänge zur Ablage zugeleitet wurden, die den "Abtransport" betrafen, nämlich den Vorgang, für den er auch als Sachbearbeiter eingesetzt war. Allerdings gehörte zu seiner Tätigkeit als Sachbearbeiter nicht die Ablage selbst. Spricht hiergegen bereits die Formulierung, die Ahnert mehrfach gebrauchte ("Zum Vorgang bei Hei."), so erscheint die handschriftliche Verfügung des Angeklagten Hei., die er selbst auf zwei Transportlisten begleitende Schreiben setzte, nachdem diese ihm zugeschrieben worden waren, nämlich "Z.d.A. Abschublisten", nur dann sinnvoll, wenn ein anderer mit der Ablagearbeit befasst war. Denn er selbst brauchte sich die Ablage nicht zu verfügen. Gegen eine Bürotätigkeit, die lediglich das Ablegen von Schriftstücken und das Aufsetzen von vorgegebenen Schreiben umfasste, spricht schliesslich entscheidend, dass dem Angeklagten Hei. mehrfach Vorgänge "zur Kenntnis" oder "zur Rücksprache" zugeschrieben wurden. So leitete Dannecker seinen Vermerk vom 21.7.1942, in dem er nach dem Telefonat mit Eichmann und Nowak niedergelegt hatte, dass Ende August / Anfang September die Kindertransporte rollen können, dem Angeklagten Hei. "zur Kenntnis und zu den Unterlagen" zu. Als das Reichssicherheitshauptamt mit Fernschreiben vom 6.8.1942 bemängelte, dass den letzten Transporten die vorgeschriebenen Decken gefehlt hätten, forderte Röthke, weil dies eben in die Zuständigkeit des Angeklagten Hei. fiel, Hei. zur Rücksprache auf.

Schliesslich würde es der von Hei. behaupteten "niedrigen" Bürotätigkeit völlig widersprechen, wenn eine derartige Bürokraft kommentierende Vermerke auf Schriftstücke setzen würde, die sie zur Ablage erhielte. Einen solchen Kommentar setzte der Angeklagte Hei. aber auf den Agentenbericht vom 9.10.1942, als er auf die in dem Reisebericht Danneckers enthaltenen Zahlen über das Lager Gurs verwies.

Abgesehen von dem vorliegenden Schriftverkehr lässt auch der Vermerk Hei.s vom 27.8.1942 über seine Besprechung mit Leguay und Sauts deutliche Rückschlüsse auf sein Aufgabengebiet zu. Dabei kann dahingestellt bleiben, wie es zu dieser Besprechung, die Hei.

unter Überschreitung seiner Kompetenzen geführt hatte, gekommen ist, ob Röthke nun, wie Hei. behauptet, ihn vorgeschickt hat, um die Franzosen zu brüskieren, oder ob Röthke zu diesem Zeitpunkt gerade nicht da war oder ob Hei. schliesslich sich inzwischen in sein Aufgabengebiet nach mehr als einem Monat hinreichend eingearbeitet gefühlt hatte, dass er sich die Besprechung selbst zutraute.

Aus dem Vermerk geht deutlich hervor, dass Hei. über Angelegenheiten, die das Judenreferat betrafen, sich gut informiert zeigte. Vor allem lässt sich aber aus dem Vermerk herauslesen, auf welche Punkte der Angeklagte Hei. selbst das Gespräch gebracht hat, weil diese Punkte seine eigene Tätigkeit betrafen, nämlich die Zahl der angelieferten Juden, die Einhaltung der Ankunftszeiten der Züge, die Ausrüstung der Juden nur mit den "notwendigsten und erforderlichen Gepäckstücken" sowie die Ausstattung der vorangegangenen Transporte, die ja das Reichssicherheitshauptamt erst kurz zuvor gerügt hatte.

Zu dem Aufgabengebiet des Angeklagten Hei. gehörte es ebenfalls, mit der französischen Verwaltung des Lagers Drancy Kontakt zu halten und dort zeitweilig nach dem Rechten zu sehen und die Abtransporte zu überwachen.

Der Angeklagte Hei. selbst hat eingeräumt, dass er mehrfach im Lager Drancy gewesen sei. Er will dort deshalb wiederholt "Krach geschlagen" haben, weil die Franzosen die für die Häftlinge vorgesehene Verpflegung für sich selbst verbraucht hätten. Seine wiederholte Anwesenheit im Lager ist aber auch von den Zeugen Dal.-B., Hus. und Wel. glaubhaft bekundet worden. Diese drei Zeugen haben ausgesagt, dass sie Hei. mehrfach im Lager, insbesondere bei Abgang der Kindertransporte, gesehen hätten.

Die Kammer hat keine Zweifel an der Glaubwürdigkeit dieser Zeugen. Sie hält es auch für ausgeschlossen, dass die Zeugen einer Verwechslung in Bezug auf die Person des Angeklagten Hei. erlegen sein könnten. Alle drei Zeugen haben das Aussehen der Person, mit der sie den Namen Hei. verbanden, in etwa so geschildert, wie es die von dem Angeklagten aus dieser Zeit erhaltenen Fotografien in der Personalakte des Angeklagten zeigen. Allen drei Zeugen wurde eine Vielzahl von Fotografien vorgelegt, die aus der damaligen Zeit stammen und die Angehörige der deutschen Besatzung in Frankreich zeigen. Zugang zu den Namen der auf den Fotos Abgebildeten hatten die Zeugen dabei nicht. Die Zeugin Dal.-B. wählte die Fotografien von drei verschiedenen Personen aus, von denen sie meinte, dass ihre Erinnerung an Hei. diesen Fotos am ehesten entsprechen würde. Unter den von ihr ausgewählten Fotos befanden sich auch die Abbildungen des Angeklagten Hei.; die beiden übrigen Abgebildeten, die sie in ihre Auswahl einbezogen hatte, hatten zweifelsfrei weder mit dem Lager Drancy noch mit dem Judenreferat etwas zu tun. Die Zeugin Hus. ging im Ausscheidungsverfahren vor und erklärte, dass ihr nach diesem Verfahren ein einziges Foto bliebe, dass ihrer Erinnerung an Hei. entsprechen würde. Bei diesem einen Foto handelte es sich um eine Aufnahme des Angeklagten Hei. Der Zeuge Wel. vermochte dagegen Hei. aus den Fotografien nicht herauszufinden. Von seinem Aussehen her war Hei. weder mit Dannecker, noch mit Röthke oder Ahnert zu verwechseln, wie es der Angeklagte Hei. selbst angegeben hat.

Soweit gegenüber diesen Zeugenaussagen aufgrund des langen Zeitraumes Bedenken in Bezug auf die Erinnerung der Zeugen an den Namen Hei. geltend gemacht werden könnten, steht dem entgegen, dass die Zeugin Dal.-B. bereits nach ihrer Entlassung aus dem Lager Drancy im Jahre 1943 Aufzeichnungen über ihre Erlebnisse im Lager gefertigt hatte, in denen sie auch den Namen Hei. niedergeschrieben hatte. Auch der Zeuge Wel. hatte bereits 1945 sein Buch "De Drancy à Auschwitz" geschrieben, in dem der Name Hei., allerdings nicht im Zusammenhang mit den in dem Buch geschilderten Kindertransporten, vorkommt. Es ist deshalb auszuschliessen, dass die Zeugen erst jetzt, nachdem das Ermittlungs- und Strafverfahren gegen die drei Angeklagten auch in Frankreich bekannt wurde, ihre Erinnerung an die Person, die sie in Drancy gesehen hatten, mit dem Namen des Angeklagten Hei.

verknüpften. Bei ihrer jetzigen Aussage waren die Zeugen allerdings erkennbar darum bemüht, nur das zu sagen, was sie jetzt noch in ihrer Erinnerung hatten, ohne sich auf ihre Aufzeichnungen oder ihr Buch zu stützen.

Dass den Zeugen gerade die Kindertransporte noch so plastisch in Erinnerung waren, liegt in der Natur gerade dieser Geschehnisse begründet. Gerade die aussergewöhnlichen Umstände dieser Transporte, die auch im Lager Drancy eine einmalige Situation schufen und alle, die sich damit befassen mussten, in starkem Masse seelisch belasteten liefern auch den Grund dafür, dass der Angeklagte Hei. bei jedem dieser Abtransporte zugegen war, wie es die Zeuginnen geschildert haben. Der Gegensatz zwischen dem - nach den Bekundungen der Zeugen - "sehr jungen, blonden, eleganten" Hei. und dem erbärmlichen Zustand, in dem sich die Kinder befanden, erklärt schliesslich, weshalb die Zeuginnen Dal.-B. und Hus. gerade den Angeklagten Hei. noch im Zusammenhang mit diesen Geschehnissen in Erinnerung haben.

Auf die verlesene Aussage der Zeugin Schn. (Hauptakten, Bd.XXXVI, S.7754 ff.) vermochte die Kammer dagegen ihre Überzeugung nicht zu stützen. Insoweit fehlte der unmittelbare Eindruck von der Zeugin, der angesichts des langen zeitlichen Abstandes zu den geschilderten Geschehnissen so wesentlich ist. Diese Aussage hat die Kammer nicht berücksichtigt.

Im Rahmen seines Tätigkeitsbereiches, insbesondere aufgrund seiner Stellung als Kontaktmann zu der französischen Lagerverwaltung von Drancy, hatte der Angeklagte Hei. gewisse Einflussmöglichkeiten auf die Entscheidung, ob bestimmte Personen deportiert wurden oder nicht. Dass er zu diesem Zeitpunkt erst 22 Jahre alt war, steht hierzu nicht in Widerspruch, berücksichtigt man die Jugend mancher Offiziere und z.B. auch den Umstand, dass auch der Angeklagte Hag. 1937 bereits mit 23 Jahren Leiter des Judenreferates des SD geworden war.

Die Lagerverwaltung Drancy, in deren Händen es grundsätzlich lag, die Transporte zusammenzustellen und die Listen zu fertigen, benötigte angesichts der wiederholten Änderungen der Transportrichtlinien in Zweifelsfällen einen Gesprächspartner auf deutscher Seite, der die Entscheidung traf, ob bestimmte Fälle unter die Richtlinien fielen oder nicht. Dieser Gesprächspartner war aufgrund seiner wiederholten Besuche im Lager Drancy der Angeklagte Hei.

Die Kammer hat deshalb keinen Zweifel, dass es tatsächlich der Angeklagte Hei. war, der am 25.8.1942 angeordnet hat, dass vier schwer erkrankte und über 60 Jahre alte Juden und 45 Juden im Alter zwischen 70 und 89 Jahren in das Altersheim "Hospice de Rothschild" gebracht wurden. Auf den Begleitlisten für diese jüdischen Menschen ist von der französischen Lagerverwaltung Drancy als Rückversicherung vermerkt worden: "Sur ordre de M. Hei. (Autoritiés [105] Allemandes)". Dass es sich hierbei nicht um einen einmaligen Vorgang gehandelt hat, zeigt eine entsprechende Liste vom 30.9.1942, in der auf eine Anordnung von Röthke Bezug genommen wird.

Ebenso sieht es die Kammer als erwiesen an, dass auf Anordnung von Hei. vom 6.11.1942 35 jüdische Menschen zwischen 55 und 82 Jahren vom "Hospice de Rothschild" in das Lager Drancy gebracht wurden, von wo sie mit dem Transport vom 11.11.1942 nach Auschwitz deportiert wurden. Auch hier bezieht sich die namentliche Aufstellung dieser Juden ausdrücklich auf "Monsieur Hei.". Ein Grund für diese Handlungsweise Hei.s mag sein, dass er es gewesen war, der am 5.11.1942 dem Reichssicherheitshauptamt einen vierten Transport für

[105] Sic!

den 11.11.1942 angemeldet hatte, dass für diesen Transport aber tatsächlich nicht mehr die vom Reichssicherheitshauptamt geforderten 1000 Juden zur Verfügung standen.

Für die Überzeugungsbildung der Kammer von diesem Geschehen hat der Bericht des Zeugen Salomon, des verstorbenen Direktors des "Hospice de Rothschild", der aus französischen Militärgerichtsakten stammt, keine Rolle gespielt. Denn auch insoweit fehlt es an einem persönlichen Eindruck von diesem Zeugen, wie die Kammer bereits bei der Zeugin Schn. ausgeführt hat. Soweit sich der Verteidiger des Angeklagten Hei. zu dessen Entlastung auf diesen Bericht beruft, weil Salomon von einem "Leutnant Erickson, Stellvertreter von Röthke" berichtet und der Verteidiger eine Verwechslung des Namens Hei. mit Erickson für ausgeschlossen hält, ist dem allerdings entgegenzuhalten, dass es alle Prozessbeteiligten bei der Vernehmung der Zeugin Dal.-B. selbst miterlebt haben, wie sehr der Name Hei. bei französischer Aussprache dem Namen Erickson ähnelt.

Ihre Überzeugung stützt die Kammer jedoch ausschliesslich auf die namentliche Angabe Hei.s auf der betreffenden Liste. Der Originaldurchschlag dieser Liste nebst dem Originaldurchschlag der Abschubliste vom 11.11.42, der an die Dienststelle des BdS gegangen war, haben der Kammer auf Antrag der Verteidigung des Angeklagten Hei. vorgelegen. Eine Verwechslung oder einen Missbrauch des Namens Hei. seitens der für diese Listen verantwortlichen Franzosen hält die Kammer für ausgeschlossen. Einerseits war die Person des Angeklagten Hei. im Lager Drancy gut bekannt, wie er selbst bestätigt hat, andererseits gelangte die Aufstellung der Juden aus dem "Hospice de Rothschild" als Bestandteil der Abschubliste vom 11.11.1942 zur Kenntnis des Judenreferats des BdS, so dass eine missbräuchliche Benutzung des Namens eines der dort Tätigen von französischer Seite kaum gewagt worden sein dürfte.

Dass der Angeklagte Hei. zu diesem Zeitpunkt am 11.11.1942 noch im Judenreferat tätig war, beweist die von ihm diktierte Transportmeldung vom selben Tage. Noch am 13.11.1942 schrieb Röthke, der als unmittelbarer Vorgesetzter Hei.s hätte als erster darüber informiert werden müssen, wenn Hei. nicht mehr im Referat tätig war, ihm diese Transportmeldung zum übrigen Vorgang zu.

Andererseits hat die Kammer keine Anhaltspunkte dafür, dass Hei. schon vor dem 20.7.1942 aktiv in die Deportationsmassnahmen eingeschaltet war. In den Dokumenten, die vorgelegen haben, wird er erstmals im Schreiben des Kommandanten von Drancy vom 22.6.1942 namentlich als Begleiter Danneckers bei der Abfertigung des Transports von diesem Tage erwähnt. Danach nahm Hei. neben Dannecker an den beiden Besprechungen vom 8. und 10.7.1942, in denen es um technische Einzelheiten des weiteren Abtransports ging, teil und begleitete Dannecker auf der Fahrt ins unbesetzte Gebiet. Vor seiner Rückkehr von dieser Fahrt (am 19.7.42) ist ihm auch kein Vorgang namentlich zugeschrieben worden. Hieraus zieht die Kammer den Rückschluss, dass Dannecker den Angeklagten Hei., den er ja bereits längere Zeit aus der Abteilung kannte, erst zu diesem Zeitpunkt, als die Transporte in dichter Folge abgehen sollten und sich der Arbeitsaufwand entsprechend erhöhte, zum Sachbearbeiter für die technische Durchführung der Transporte ausgewählt und Hei. diese Tätigkeit nach einer kurzen Zeit der Einarbeitung aufgenommen hat.

Die Bedeutung der Tätigkeit des Angeklagten Hei. zeigt der Umstand, dass etwa die Transportmeldungen an das Reichssicherheitshauptamt, den Leiter der Konzentrationslager und das Konzentrationslager Auschwitz, die Hei. jeweils fertigte, vorher und später von den SS-Offizieren des Referats, nämlich von Röthke, Ahnert oder Brunner erstellt wurden.

Als Schutzbehauptung wertet die Kammer die Einlassung des Angeklagten Hei., ihm sei die Tätigkeit im Judenreferat zuwider gewesen und er habe sich deshalb von der Abteilung weggemeldet. Insoweit ist bereits seine Einlassung widersprüchlich. Obwohl er einerseits die

Kindertransporte nicht erlebt und sich auch angesichts der Umstände, unter denen die Juden abtransportiert wurden, keine Gedanken gemacht haben will, im übrigen aber auch keinerlei verantwortungsvolle Tätigkeit im Judenreferat ausgeübt haben will, sei ihm diese Tätigkeit andererseits jedoch so zuwider gewesen, dass er sogar daran gedacht habe, zu desertieren, was für ihn jedoch nicht in Frage gekommen sei, so dass er sich schliesslich weggemeldet habe.

Soweit der Angeklagte Hei. behauptet hat, er habe mit seinem Vater auf einem Heimaturlaub unmittelbar im Anschluss an die Fahrt mit Dannecker in das unbesetzte Gebiet über seine Tätigkeit gesprochen, wobei dieser ihm geraten habe, sich wegzumelden, ist diese Einlassung bereits aufgrund der Dokumente, die ab 20.7. bis 25.9.1942 lückenlos eine Tätigkeit des Angeklagten Hei. im Judenreferat ausweisen, widerlegt. In dem bezeichneten Zeitabschnitt fehlen allenfalls für Zeiträume von 2 Tagen Dokumente, die auf eine Anwesenheit Hei.s hinweisen. Für eine Reise nach Berlin und zurück unter den damaligen Umständen dürften derartige Zeiträume jedoch nicht ausgereicht haben.

Abgesehen von diesen Umständen sieht die Kammer seine Einlassung aber vor allem aufgrund des Einsatzes, den der Angeklagte Hei. gerade in der letzten Phase seiner Tätigkeit im Judenreferat gezeigt hat, so wie er in den Dokumenten belegt ist, als Schutzbehauptung an. Denn zu der behaupteten Abneigung gegen die Tätigkeit, aufgrund derer Leute verschleppt wurden, steht die Tatsache, dass auf seine Anordnung hin greise Juden aus einem Altersheim zum Abtransport in den Osten gebracht wurden, in erheblichem Widerspruch.

Schliesslich kann auch dem Umstand, dass er im November 1942 tatsächlich im Judenreferat aufgehört hat, keine entscheidende Bedeutung beigemessen werden. Am 11.11.1942 erfolgte nämlich der letzte Abtransport des Jahres 1942, und die deutschen Truppen besetzten zur gleichen Zeit den bislang unbesetzten Teil Frankreichs. Deshalb wurde der Angeklagte Hei. nach seiner eigenen Einlassung auch für den Rest des Jahres 1942 in Südfrankreich eingesetzt.

4.) Der subjektive Tatbestand

a) Allgemeines zum subjektiven Tatbestand

Aufgrund des Ergebnisses der Beweisaufnahme steht fest, dass alle drei Angeklagten mit der Tötung jedenfalls eines grossen Teils der Deportierten zumindest ernsthaft gerechnet und trotzdem einverständlich an den Massnahmen mitgewirkt haben und somit dies billigend in Kauf genommen haben.

Die Einlassung der Angeklagten Hag. und Hei., sie hätten an einen Arbeitseinsatz der Juden im Osten geglaubt, wie es ja auch immer geheissen hätte, wird zwar dadurch gestützt, dass in mehreren Dokumenten tatsächlich von einem derartigen "Arbeitseinsatz" die Rede ist. Zu berücksichtigen ist hierbei jedoch, dass sich die Dienststellen der Sicherheitspolizei auch im dienstlichen Schriftverkehr einer Sprache der Tarnung bedienten. Diese Tarnsprache wird jedoch in einigen Schriftstücken durchbrochen und es wird bereits aus den Schreiben oder Vermerken ersichtlich, dass hinter den Deportationsmassnahmen ein ganz anderer Zweck steckte als der, dass die Juden zum Arbeitseinsatz in den Osten kommen sollten oder dass - wie sich der Angeklagte Hag. zusätzlich eingelassen hat - Frankreich lediglich judenfrei gemacht werden sollte.

Wenn es tatsächlich nur das Ziel gewesen wäre, Frankreich bzw. das unter deutschem Einfluss stehende Europa judenfrei zu machen, dann wäre ein Erlass wie der des Reichssicherheitshauptamtes vom 23.10.1941, aufgrund dessen die Auswanderung von Juden mit sofortiger Wirkung zu verhindern war, völlig unsinnig gewesen; er stand ja ganz offensichtlich im

Gegensatz zu der zuvor betriebenen Auswanderungspolitik. Diese Abwendung von der bisherigen Linie, die den Angeklagten Lis. und Hag. als "Experten" der bislang betriebenen Auswanderungspolitik ganz besonders deutlich geworden sein musste, konnte doch nur bedeuten, dass kein Jude, der sich im Einflussbereich der Sicherheitspolizei befand, mehr ihrem Zugriff entkommen sollte. Tatsächlich war auch bereits zu diesem Zeitpunkt die Entscheidung für eine physische Ausrottung der Juden gefallen und liefen die Vorbereitungen im Reichssicherheitshauptamt für die Vorbereitung dieser Massnahme. In die gleiche Richtung geht auch das Schreiben des Angeklagten Lis. vom 20.8.1942 an Botschafter de Brinon, in dem er der Auswanderung von 642 Juden nach USA und Mexico widerspricht, obwohl dies die deutschen Behörden doch dem Ziel, Frankreich judenfrei zu machen, ohne eigenes Dazutun ein Stück näher gebracht hätte. Und auch die ablehnende Haltung des Reichssicherheitshauptamtes gegenüber einer Rückführung ausländischer Juden in deren Heimatländer, wie sie aus dem Vermerk Ahnerts vom 1.9.1942, der sowohl Lis. als auch Hag. zugeleitet wurde, hervorgeht, stand völlig im Gegensatz zu einem derartigen Ziel.

Aber auch soweit als Ziel ein "Arbeitseinsatz im Osten" angegeben wurde - so bat auch der Angeklagte Lis. in dem erwähnten Schreiben vom 20.8.1942, die 642 ausreisewilligen Juden "für den Abtransport zum Zwecke des Arbeitseinsatzes zur Verfügung zu stellen" -, handelte es sich hierbei für die mit den Massnahmen unmittelbar Befassten um eine fadenscheinige Tarnung. Denn zu welcher Arbeit sollten Säuglinge, Kinder und Greise eingesetzt werden!

Bereits zu Beginn der Transporte hiess es ausdrücklich, dass 10% Arbeitsunfähige mitgeschickt werden könnten, wie aus dem Vermerk Danneckers vom 15.6.1942 über die Besprechung im Reichssicherheitshauptamt vom 11.6.1942 hervorgeht. Die Altersgrenzen für die Juden, die im Juli für den angeblichen "Arbeitseinsatz" festgenommen werden sollten, wurden innerhalb weniger Tage ständig erweitert, und zwar von 16 bis 40 (im erwähnten Vermerk Danneckers vom 15.6.1942) über 16 bis 45 (im Schreiben Kno.s vom 7.7.1942) und 16 bis 50 (im Vermerk Danneckers vom 8.7.1942 über die "Erste Sitzung des Aktionsausschusses") bis schliesslich von 2 bis 60 Jahren (im Vermerk Röthkes vom 11.7.1942 über die Besprechung vom 10.7.1942). Und bereits am 17.7.1942 wurde in Erwägung gezogen, die bei der "Pariser Grossaktion" verhafteten 4000 Kinder im Alter von 2 bis 14 Jahren ebenfalls abzuschieben, obwohl dies ganz offensichtlich nicht einem "Arbeitseinsatz" dienen konnte.

Allen Beteiligten war zudem bekannt, dass die abtransportierten Juden nur die notdürftigste Ausstattung mitnehmen durften, nachdem sie zuvor ihrer wesentlichen Habe und ihrer Wohnung beraubt worden waren. Dies war ein weiteres Anzeichen dafür, dass ein "Arbeitseinsatz", von dem man nach dessen Beendigung gewöhnlich nach Hause zurückkehren kann, nicht beabsichtigt war.

Ganz entscheidend kommt jedoch noch hinzu, dass man sich im Bereich der mit den Massnahmen Befassten ganz offen Gedanken darüber machte, ob nicht statt "Arbeitseinsatz" besser eine andere "Version" für die Angabe des Zweckes der Aktion gewählt werden sollte. So schlug Dannecker in seinem Vermerk vom 15.6.1942 ("weiterer Judentransporte aus Frankreich") vor, besser von "jüdischer Umsiedelung" zu sprechen, weil dieser "Version" zugute käme, dass die Transporte geschlossene Familien enthalten könnten. Dannecker machte sich also offensichtlich Gedanken darüber, dass die Tarnbezeichnung "Arbeitseinsatz" der tatsächlichen Situation der Abtransporte zu wenig entsprach. Einer "Umsiedelung" standen aber wiederum Massnahmen entgegen, aufgrund derer Kinder von ihren Eltern rücksichtslos ohne die Hoffnung, dass die Eltern einmal wiedergefunden werden könnten, getrennt und die Juden ihrer gesamten Habe beraubt worden waren.

Dass hinter Begriffen wie "Arbeitseinsatz" und "Umsiedelung" tatsächlich ein anderer Zweck der Deportationen verborgen war, den die an der Aktion Beteiligten wegen seiner Ungeheuerlichkeit nicht nach aussen dringen lassen wollten, geht auch aus der mit Laval am 2.9.1942 vereinbarten "Sprachregelung" hervor, wie sie Hag. in seinem Vermerk vom 4.9.1942 notiert hat. Denn eine "Sprachregelung" bzw. die "Vereinbarung" über etwas, was zukünftig mitgeteilt werden soll, wird eben nur dann getroffen, wenn etwas nicht bei seinem wahren Namen genannt werden soll. Es hätte keiner "Sprachregelung" bedurft und erst recht keines Vermerkes darüber, der zudem allen beteiligten Dienststellen zur Kenntnisnahme zugeleitet wurde, wenn die Juden tatsächlich zum Arbeitseinsatz abtransportiert worden wären. Denn, wie der Angeklagte Hag. selbst bestätigt hat, war der "Arbeitseinsatz" ja kein Geheimnis.

Auch das Fernschreiben des Reichssicherheitshauptamtes vom 29.4.1943, das an den BdS in Paris ging und in dem mitgeteilt wurde, dass "das Lager Auschwitz aus naheliegenden Gründen erneut darum gebeten (hätte), den zu evakuierenden Juden vor dem Abtransport in keiner Weise irgend welche beunruhigenden Eröffnungen über den Ort und die Art ihrer bevorstehenden Verwendung zu machen", lässt nur den Schluss zu, dass sich hinter den Deportationsmassnahmen ein anderer Zweck als ein "Arbeitseinsatz" versteckte und dass dies den an diesen Massnahmen beteiligten Dienststellen bekannt war.

Allein Dannecker hat das wahre Ziel der Massnahmen in zwei Vermerken offen schriftlich niedergelegt: In seinem Vermerk vom 13.5.1942 stellte er fest, dass der Chef der Eisenbahntransportabteilung in Frankreich, Generalleutnant Kohl, ein "kompromissloser Judengegner" sei und "einer Endlösung der Judenfrage mit dem Ziel restloser Vernichtung des Gegners hundertprozentig" zustimme. In seinem Reisebericht vom 20.7.1942 sprach Dannecker davon, dass das Weltjudentum sich darüber klar sei, "dass die im deutschen Machtbereich befindlichen Juden ihrer restlosen Vernichtung entgegen gehen".

Diese rückhaltlose Offenlegung des wahren Zwecks der Deportationen mag in der besonders fanatischen Natur Danneckers, wie sie von den Angeklagten Hag. und Hei., aber auch von den Zeugen Dal.-B., Hus. und Wel. übereinstimmend geschildert worden ist, begründet sein. Doch aus den zuvor aufgezählten vielfachen Umständen ergibt sich, dass Dannecker in den beiden erwähnten Vermerken, die ja nur an seine unmittelbaren Vorgesetzten und den HSSPF gingen, im übrigen aber im Judenreferat verblieben, diesen gegenüber nichts ausgesprochen hat, was ihnen unbekannt gewesen wäre. Die Kammer vermag deshalb allein in dem Umstand, dass Dannecker in diesen Vermerken etwas beim Namen genannt hat, was in anderen Dokumenten deutlich zwischen den Zeilen herausgelesen werden kann, keinen Grund dafür zu ersehen, der sie dazu veranlassen könnte, wie es die Verteidigung der Angeklagten Lis. und Hei. hilfsweise für den Fall einer Verurteilung beantragt haben, die Echtheit dieser Dokumente durch einen Sachverständigen nachprüfen zu lassen.

Die Kammer vermochte zwar keine Feststellung darüber zu treffen, zu welchem genauen Zeitpunkt und von wem die beim HSSPF und BdS in Paris an den Deportationsmassnahmen Beteiligten die Kenntnis von dem wahren Zweck dieser Massnahmen erlangten. Doch anders als beim BdS in Den Haag, wo der BdS Har. und der Judenreferent Zoe. [106] aus den Umständen der Deportationen auf ihren Zweck geschlossen haben wollen, lassen die Schriftstücke aus dem Bereich des BdS in Paris bzw. bereits aus dem Bereich der Dienststelle des Beauftragten des Chefs der Sicherheitspolizei und des SD in Paris den sicheren Rückschluss zu, dass dort die Kenntnis von dem wahren Ziel der Massnahmen bereits zu einem Zeitpunkt vorhanden war, als die Deportationen erst eingeleitet worden waren, noch ehe die Transporte im Frühsommer 1942 in dichter Aufeinanderfolge starteten. Eine Erklärung dafür, dass in Paris diese Kenntnis von dem Ziel der Transporte eher vorhanden war als in Den Haag, bietet immerhin der Umstand, dass sowohl Lis. und Hag. als auch Kno. und Dannecker im Gegensatz zu Har. und Zoe. enge Kontakte zum Reichssicherheitshauptamt, insbesondere

[106] Zu Har. und Zoe. siehe Lfd.Nr.645.

auch zu dem dortigen Judenreferat gehabt hatten und Mitarbeiter von Heydrich, Müller und Eichmann gewesen waren. Zudem waren sie auch bereits vor ihrer Tätigkeit in Frankreich mit der Judenpolitik des Dritten Reiches unmittelbar befasst gewesen, wohingegen Har. von der Polizei aus Süddeutschland herkam und Zoe. Sportlehrer war, der über seine Verbindung zu Dr. Gebhardt zur SS gekommen war.

Aus der Aussage des Zeugen Dr. Näh., der beim Militärbefehlshaber im Verwaltungsstab tätig war und bei Einrichtung der Dienststelle des HSSPF in die Abteilung II pol. des BdS übernommen wurde und der auch nur etwas von einem "Arbeitseinsatz" der Juden im Osten gewusst haben will, vermag die Kammer nicht herzuleiten, dass auch die Angeklagten trotz der aufgezählten Umstände den wahren Zweck der Deportationen nicht gekannt haben. Der Zeuge Dr. Näh. hat es bei seiner Aussage ganz offensichtlich mit seiner Wahrheitspflicht nicht sehr genau genommen. So erklärte er zu Beginn seiner Aussage, dass er mit Judenfragen unmittelbar nicht befasst gewesen sei. Nachdem ihm einige Dokumente, die ihn betrafen, vorgehalten worden waren, erklärte er gegen Ende seiner Aussage, dass er immer gesagt hätte, dass er über die Judenmassnahmen voll informiert gewesen sei; er wäre in der Gruppe Polizei des Verwaltungsstabes der zuständige Mann für Juden gewesen. Es liegt auf der Hand, dass eine solche Aussage für die Entscheidung ohne Bedeutung sein muss.

b) Der subjektive Tatbestand beim Angeklagten Lis.

Die vorliegenden Dokumente ergeben, dass beim Angeklagten Lis. die Kenntnis vom tatsächlichen Zweck der Deportationen der Juden bereits im Februar und März 1942 vorhanden gewesen ist.

Mit Schreiben vom 16.2.1942 an den Kommandanten von Gross-Paris, das er unterzeichnete, wandte er sich generell gegen die vom Militärbefehlshaber angeordnete Entlassung arbeitsunfähiger Juden, obwohl diese doch am 12.12.1941 zum Zwecke des Zwangsarbeitseinsatzes verhaftet worden waren. Von diesem Zweck der Verhaftung war ja ganz offensichtlich auch der Militärbefehlshaber ausgegangen; denn nunmehr hatte er angeordnet, die Juden auf ihre Arbeitsfähigkeit hin untersuchen zu lassen und die Arbeitsunfähigen sowie die Juden über 55 Jahren zu entlassen. Die von Lis. demgegenüber geäusserten "grundsätzlichen sicherheitspolizeilichen Bedenken" lassen nur den Schluss zu, dass es ihm zu diesem Zeitpunkt bereits nicht mehr darauf ankam, ob die inhaftierten Juden arbeitsfähig waren oder nicht, sondern dass grundsätzlich alle Juden, die sich in der Gewalt der Sicherheitspolizei befanden, nicht mehr entkommen sollten. So wandte er sich auch mit Schreiben vom 3.4.1942 in einem Einzelfall gegen die Entlassung eines Juden. Als Begründung führte er an, dass ein Nachgeben von den Franzosen dahin ausgelegt würde, "dass es mit Ausnahme des Führers unter den Deutschen überhaupt keine Judengegner gibt".

In dem Vermerk von Dannecker vom 10.3.1942 über die Tagung der Judenreferenten im Reichssicherheitshauptamt am 4.3.1942, der von Lis. abgezeichnet wurde, heisst es, dass es sich bei dem zu diesem Zeitpunkt geplanten Abschub von rd. 5000 Juden nach dem Osten "zunächst um männliche, arbeitsfähige Juden, nicht über 55 Jahre" handeln solle. Noch deutlicher als diese Formulierung ist der Satz, der in dem Schreiben des Angeklagten Lis. vom 17.3.1942 an den Militärbefehlshaber steht: "Allerdings muss bei diesem ersten Grossabschub darauf gesehen werden, möglichst arbeitsfähige Juden zu erfassen." Für den Angeklagten Lis. stand also bereits zu diesem Zeitpunkt fest, dass später auch die nichtarbeitsfähigen Juden in die Konzentrationslager im Osten transportiert werden sollten und dass es sich bei der Betitelung der Massnahmen mit "Arbeitseinsatz" lediglich um eine Tarnbezeichnung handelte.

Auf eine Anfrage des Militärbefehlshabers nach dem Schicksal eines Juden, der - als mit einer Nichtjüdin Verheirateter - entgegen den Bestimmungen nach Auschwitz deportiert worden war, vermerkte Dannecker offen am 20.5.1942, dass eine Prüfung des Falles unangebracht wäre, weil eine Rückführung aus dem KZ nicht infrage kommen kann. Es ist hierbei unbeachtlich, ob der Angeklagte Lis. von diesem speziellen Vermerk Danneckers Kenntnis erlangt hatte. Entscheidend ist, dass Dannecker einen derartigen Vermerk offen in den Akten machen konnte, genauso wie er in seinem Vermerk vom 13.5.1942 von einer "Vernichtung" geschrieben hatte. Denn diese Umstände deuten angesichts der sonstigen Massnahmen der Geheimhaltung zwingend darauf hin, dass denjenigen, die diese Vermerke zu Gesicht bekommen konnten - und das waren die Mitarbeiter des Judenreferates und die unmittelbaren Vorgesetzten dieser Abteilung, also Kno. und Lis. -, gegenüber nichts geheimzuhalten war, weil ihnen das Schicksal, das die Juden in Auschwitz erwartete, hinreichend bekannt war.

c) Der subjektive Tatbestand beim Angeklagten Hag.

Die Übersendung des Vermerks Danneckers vom 20.7.1942 über seine Fahrt in das unbesetzte Gebiet, in dem er offen von der restlosen Vernichtung der im deutschen Machtbereich befindlichen Juden sprach, an den HSSPF zeigt, dass Dannecker Oberg und Hag. ebenfalls zu denen zählte, denen gegenüber der Zweck der Deportationen nicht geheimgehalten zu werden brauchte, weil sie ihn bereits kannten.

Soweit der Angeklagte Hag. sich darauf beruft, er habe an eine Umsiedelung der Juden zum Zwecke der Gründung und Überführung in einen Judenstaat geglaubt, steht dies in krassem Gegensatz zu seinen eigenen Bekundungen zu einem Judenstaat aus der damaligen Zeit. Obwohl er die Auswanderung der Juden als Lösung der Judenfrage im Reichsgebiet angesehen hatte, hat er dennoch gleichzeitig Stellung gegen die Gründung eines Judenstaates bezogen, weil er hierin einen neuen Gegner Deutschlands sah und meinte, dass ein derartiger Judenstaat zu einem "Aktionszentrum der jüdischen Internationale" würde. Der Angeklagte Hag. hat selbst in der Hauptverhandlung eingeräumt, dass im Dritten Reich ein Judenstaat zunächst nicht gewünscht gewesen wäre, dass für ihn aufgrund der Unterstützung der Auswanderung nach Palästina aber erkennbar geworden sei, dass sich die offizielle Meinung geändert hätte. Angesichts der Position von Hag., der mit im Zentrum der Judenpolitik des Dritten Reiches sass, erscheint er allerdings völlig unglaubhaft, dass er darauf angewiesen war, den Stand der offiziellen Judenpolitik aus Rückschlüssen ableiten zu müssen.

Zudem zeigte sich der Angeklagte Hag. jedenfalls in Frankreich stets gut informiert über die Reden Hitlers zur "Endlösung der Judenfrage". Bousquet wies er am 19.11.1942 darauf hin, dass "der Führer ja nun oft genug auf die kapitale Bedeutung" einer Lösung der Judenfrage in seinen letzten Reden hingewiesen habe. Ein weiterer Hinweis auf Reden Hitlers enthält der Vermerk Hag.s vom 25.3.1943 über eine Besprechung mit Leguay vom 22.3.1943. Dieser Vermerk Hag.s beinhaltet zugleich eine Stelle, die keinen Zweifel daran lässt, dass Hag. in den jüdischen Menschen Gegner sah, denen es nicht zukam, dass ihnen menschliche Gefühle entgegengebracht wurden. Als nämlich Leguay mitteilte, dass sich die französische Polizei weigere, am Abtransport von 1500 Juden französischer Staatsangehörigkeit mitzuwirken, hielt ihm der Angeklagte Hag. nach seinem eigenen Vermerk vor, "dass diese Haltung verwunderlich sei, da es sich doch um Juden handele". Als daraufhin Leguay humanitäre Gründe vorbrachte, machte ihn Hag. darauf aufmerksam, "dass diese Haltung umso verwunderlicher erscheine, als der Führer nunmehr in allen seinen Reden der letzten Jahre, insbesondere auch in seiner zum Heldengedenktag gehaltenen betont auf die Notwendigkeit einer radikalen Lösung der Judenfrage hingewiesen habe".

Im übrigen sprechen auch die Umstände der Deportationen, wie bereits ausgeführt worden ist, gegen eine Umsiedelung. Schliesslich war der Angeklagte Hag. bei der Besprechung vom 17.7.1942 zugegen, bei der die Möglichkeit des Abschubs der von ihren Eltern getrennten Kindern erörtert wurde. Die Massnahme, durch die rücksichtslos Familien auseinandergerissen worden waren, vermochte einer "Umsiedelung" unter keinen Umständen zu dienen. Zudem hätte es den deutschen Behörden die Arbeit sicher sehr erleichtert, wenn sie den Juden gegenüber propagiert hätten, dass für die Juden ein Judenstaat geschaffen werden solle, wo alle angesiedelt würden. Diese Version klang aber offensichtlich auch den für die Deportation Verantwortlichen zu unglaubhaft, als dass sie die Version vom "Arbeitseinsatz" durch diese Version ersetzt hätten.

Dass der Angeklagte Hag. tatsächlich zu den Eingeweihten zählte, zeigt im übrigen auch sein bereits gewürdigter Vermerk vom 4.9.1942 über die mit Laval vereinbarte "Sprachregelung".

d) Der subjektive Tatbestand beim Angeklagten Hei.

Aus seiner Position als Sachbearbeiter des Judenreferates und seinem unmittelbaren Kontakt zu Dannecker, der, wie bereits ausgeführt worden ist, gegenüber denjenigen, die mit den Deportationen direkt befasst waren, keinen Anlass sah, sich einer Tarnsprache zu bedienen, folgt bereits, dass auch der Angeklagte Hei. zu denjenigen gehörte, die über das Schicksal, das die deportierten Juden in den Konzentrationslagern im Osten erwartete, informiert war. Dass Hei. zudem den Vermerk Danneckers vom 20.7.1942 über die gemeinsame Fahrt in das unbesetzte Gebiet gekannt hat, beweist der Umstand, dass er auf eben diesen Bericht am 29.10.1942 verwiesen hat, als es um die Zahlen der im Lager Gurs aufhältlichen Juden ging.

Seine Einlassung, er habe an einen "Arbeitseinsatz im Osten" geglaubt, widerlegen jedoch weitere Umstände:

Bereits am 22.6.1942 war Hei. im Lager Drancy bei einem Abtransport zugegen, bei dem auf die Anordnung von Dannecker hin auch Kranke in den Zug gebracht wurden; ein Kranker musste sogar auf der Krankenbahre in den Bus gebracht werden. Seinen Vermerk vom 21.7.1942 über die Telefonate mit Eichmann und Nowak leitete Dannecker Hei. zur Kenntnis und zu den Unterlagen zu. Hei., der seine Kenntnisnahme durch Paraphe bestätigte, musste diesem Vermerk entnehmen, dass Ende August / Anfang September etwa 6 Transporte, die - neben den verhafteten Kindern - auch arbeitsunfähige und alte Juden enthalten konnten, abgehen sollten. An der Abfertigung der Kindertransporte war Hei. selbst unmittelbar beteiligt, wobei er den erbärmlichen Zustand, in dem die Kinder sich befanden, mit eigenen Augen sah.

Hatte Hei. zwar am 25.8.1942 noch aus dem Lager Drancy vier schwer erkrankte über 60 Jahre alte Juden und 45 Juden, die älter als 70 Jahre waren, in das "Hospice de Rothschild" bringen lassen, weil nach den Transportrichtlinien ohnehin zunächst nur bis zu 60 Jahre alte Juden deportiert werden durften, so ordnete er im November 1942 an, dass Juden im Alter bis zu 82 Jahren abtransportiert wurden. Dass er geglaubt haben will, dass kleine Kinder, Kranke und Greise zur Arbeit eingesetzt würden, ist auch in Anbetracht seiner damaligen Jugend - immerhin war er aber bereits 22 Jahre alt - völlig unwahrscheinlich.

So behauptet der Angeklagte Hei. auch jetzt, dass er Dannecker danach gefragt haben will, was mit den Kindern geschehe. Dieser habe ihm darauf geantwortet, dass die Kinder zur "Familienzusammenführung" abtransportiert würden. Abgesehen davon, dass die Kammer diese Einlassung als eine Schutzbehauptung ansieht, wäre diese Antwort Danneckers für den Angeklagten Hei. auch erkennbar falsch gewesen.

Nachdem er selbst mit Fernschreiben vom 30.7.1942 an das Sicherheitspolizei-Kommando Orléans weitergegeben hatte, dass Eltern von ihren Kindern jetzt zu trennen wären, und nachdem er im Lager Drancy die Kinder erlebt hatte, die teilweise gar keine Identität mehr hatten, konnte er nicht mehr ernsthaft daran glauben, dass die auseinandergerissenen Familien noch einmal zusammenfinden könnten.

e) Der subjektive Tatbestand in Bezug auf die besonderen Mordmerkmale

Steht aufgrund zahlreicher Anhaltspunkte fest, dass die Angeklagten aufgrund ihres Wissensstandes vom Zweck der Judendeportationen mit der Tötung jedenfalls eines grossen Teils der Deportierten zumindest ernsthaft gerechnet haben, fehlen allerdings Hinweise darauf, dass die Angeklagten gewusst haben, dass die jüdischen Menschen in Auschwitz zum grössten Teil durch Giftgas getötet wurden. Für die Angeklagten, die alle drei voll informiert waren über die Umstände der Deportationen - der Angeklagte Hei. sah die Abtransporte sogar mit eigenen Augen -, deutete sich die Grausamkeit des Tötungsvorganges jedoch schon in der Weise an, in der die Juden in die Konzentrationslager geschafft wurden: zusammengepfercht in Güter- und Viehwaggons; zu jeder Jahreszeit in ungeheizten Wagen; ohne ausreichende Versorgung auf der Fahrt; ohne die Möglichkeit, während der Fahrt die Wagen zu verlassen; gezwungen, ihre Notdurft in den Wagen zu verrichten. Aber nicht nur die Umstände der Transporte, die auf einen entsprechend grausamen Tod hindeuteten, sondern auch die Massenhaftigkeit des Vorgangs der Tötungen kennzeichnete diese für die Angeklagten bereits als grausam.

Den Angeklagten war zudem bewusst, dass die Tötungen auf eine heimtückische Weise erfolgten. Sie selbst hatten ja mit dafür Sorge zu tragen, dass die aus Frankreich deportierten Juden nicht vorzeitig von dem Schicksal erfuhren, das sie erwartete. Dadurch, dass die Massnahmen nach aussen hin mit einem "Arbeitseinsatz im Osten" begründet wurden, sollte ja eben erreicht werden, dass die jüdischen Menschen arg- und wehrlos nach Auschwitz gelangten. An der Täuschung der Opfer haben die Angeklagten selbst mitgewirkt.

Allen Angeklagten war auch bewusst, dass die Tötung der Juden aus Motiven erfolgte, die auf tiefster sittlicher Stufe standen. Die Angeklagten kannten aus der Judenpolitik des Nationalsozialismus die Motive der Ausrottung; sie wussten, dass unschuldige Menschen allein aufgrund ihrer Rassezugehörigkeit vernichtet werden sollten.

Den Angeklagten war auch das Verbrecherische des Vernichtungsplanes bewusst. Die Tötung schuldloser Personen, auch kleiner Kinder, allein aufgrund ihrer Abstammung stellt einen so krassen Verstoss gegen die auch dem primitivsten Menschen bewussten Grundsätze über das Recht eines jeden Menschen auf sein Leben und gegen die einem Staat allenfalls in Ausnahmefällen zustehende Befugnis, den Tod eines Menschen zu fordern, dar, dass auch die Angeklagten keine Zweifel an der Rechtswidrigkeit der Judenvernichtung haben konnten und nach Überzeugung der Kammer auch nicht hatten.

Das Motiv für die Mitwirkung aller drei Angeklagten an der Vernichtungsaktion trotz dieser Erkenntnis ist darin zu sehen, dass es ihnen darum ging, die ihnen von höchster Stelle des Staates innerhalb der Massnahmen zugeteilte Rolle, die sich aus ihrer Dienststellung ergab, nach besten Kräften auszufüllen, zumal eine Bewährung bei der Verrichtung der zugeteilten Aufgaben Anerkennung und Beförderung versprach. Nur bei dem Angeklagten Hag. konnte die Kammer mit der erforderlichen Sicherheit feststellen, dass er an den Deportationsmassnahmen auch deshalb mitwirkte, weil er den Rassenhass, aus dem heraus die Tötungen geschahen, teilte. Es gibt hierfür zwar auch beim Angeklagten Lis. Anhaltspunkte, so wenn er etwa meinte - wie im Schreiben vom 14.10.1939 -, dass durch Befassung des Roten Kreuzes mit Judenauswanderungsangelegenheiten dessen eigene Aufgaben herabgewürdigt würden. Regelmässig hat der Angeklagte Lis. jedoch in seiner Funktion als stellvertretender Dienststellenleiter Schreiben unterzeichnet, die von anderen formuliert worden waren, ohne dass festgestellt werden kann, welchen Einfluss er auf die Formulierung genommen hat.

Anders ist die Situation beim Angeklagten Hag., von dem mehrere eigene Äusserungen vorliegen, die Rückschlüsse darauf erlauben, dass er sich den Rassenhass der NS-Führung zu eigen gemacht hatte. Der Schlussabschnitt aus der Broschüre "Das Weltjudentum" ist hierfür bereits bezeichnend. Seine Dienststelle in Bordeaux sah der Angeklagte Hag. "belästigt" und das Ansehen der Sicherheitspolizei "geschädigt", als im November 1941 in den Bereich der Aussenstelle Bordeaux mehrere Juden eintrafen, die glaubten, einem Abtransport in den Osten entkommen zu sein. Hag. dachte zudem sogleich an eine Internierung dieser Juden. Auch aus anderen Dokumenten geht hervor, dass Hag. immer wieder auf eine KZ-Inhaftierung verschiedener Juden drängte (Schreiben vom 8.12.1941, Vermerk Danneckers vom 13.1.1942).

Der bereits gewürdigte Abschnitt aus dem Vermerk Hag.s über ein Gespräch mit Leguay vom 25.3.1943 lässt keinen Zweifel an seiner Einstellung gegenüber den Juden. In ihnen sah er Gegner, die es aufgrund ihrer Rasse nicht wert waren, dass ihnen menschliche Gefühle entgegengebracht werden.

III. Rechtliche Würdigung

Aufgrund der getroffenen Feststellungen haben sich alle drei Angeklagten der Beihilfe zum Mord schuldig gemacht (§§211, 27, 52 StGB).

1.) Die Haupttat

Es bedarf keiner weiteren Ausführungen, dass die von der NS-Führung aus einem fanatischen Rassenhass und einer Verachtung aller Grundsätze der Menschlichkeit heraus befohlene und durchgeführte Tötung der Juden in den Gaskammern von Auschwitz aus niedrigen Beweggründen im Sinne des §211 Abs.2 StGB erfolgte.

Die Tötung der Juden in den Gaskammern erfolgte zudem heimtückisch und grausam. Wie geschildert worden ist, wurden die mit den Transportzügen ankommenden Juden, soweit sie nicht zu Arbeiten im Lager selektiert worden waren, unter bewusster Ausnutzung und Aufrechterhaltung ihrer Arg- und Wehrlosigkeit in die Gaskammern geführt, wo sie nach furchtbaren Qualen durch das eingeschüttete Giftgas getötet wurden. Diese Tötungsart war aus gefühlloser, roher und unbarmherziger Gesinnung heraus angeordnet worden.

Dass die Massentötungen schutzloser jüdischer Menschen offenbares Unrecht darstellten, liegt auf der Hand. Auch die unter Missbrauch staatlicher Machtfülle gegebene Anordnung Hitlers zur Vernichtung der jüdischen Rasse konnte die Rechtswidrigkeit der Tötungen nicht aufheben.

Soweit der Hinweis eines der Verteidiger des Angeklagten Hag. in seinem Schlussplädoyer auf eine "Kriegserklärung" des israelischen Volkes von März 1933 an Deutschland, die auch zum Gegenstand eines Hilfsbeweisantrages gemacht worden ist, bedeuten soll, dass die im Jahre 1941 eingeleitete Massenvernichtung aufgrund dieser "Kriegserklärung" durch ein "Kriegsrecht" gerechtfertigt gewesen sei, wäre diese Ansicht aufgrund der tatsächlichen Verhältnisse völlig abwegig.

2.) Die Tat der Angeklagten

Angesichts des unvorstellbar gewaltigen Ausmasses, das die Pläne zur Ausrottung der im deutschen Einflussbereich angetroffenen jüdischen Menschen hatte, war zur Verwirklichung des Vernichtungsplanes ein weitverzweigtes Netz von an den Massnahmen mitwirkenden Stellen notwendig. Dem Reichssicherheitshauptamt mit seinem Amt IV an der Spitze waren zahlreiche Dienststellen nachgeordnet, sowohl im Reich als auch in den besetzten Teilen Europas, die die Ergreifung der Juden und ihre Verschleppung nach Auschwitz durchzuführen hatten.

Das strafrechtlich relevante Handeln der Angeklagten umfasst ihre Tätigkeit, soweit sie den Abtransport von Juden aus Frankreich in das Konzentrationslager von Auschwitz umfasst. Hierunter fallen insbesondere die organisatorische Erfassung von Juden nebst der dazu erlassenen Gesetzgebung, die Einleitung bzw. die Anordnung ihrer Verhaftung, die Zusammenfassung der Juden in Lagern, die Verhinderung und Vermeidung jeden Widerstandes durch Täuschung, die Auswahl der Opfer und die Organisation der Transporte.

Beim Angeklagten Hag. hätte zur Bejahung der Beihilfe zur Deportation und Ermordung der Juden aus Frankreich allein schon ausgereicht, dass er als Verbindungsmann zu den in die Deportationsmassnahmen eingeschalteten französischen Dienststellen Informationen einholte und diese an seine Vorgesetzten weiterleitete (vgl. BGH, Urteil v. 22.3.1967 [107], in JZ 1967, 643 f., zur "Endlösung der Judenfrage" in Ungarn). Tatsächlich hat der Angeklagte Hag. aber weit mehr geleistet und ist auch aus eigener Initiative zur Förderung der Verhaftung und Deportation von Juden gegenüber den Repräsentanten der Vichy-Regierung tätig geworden und war an den Planungen der Massnahmen von deutscher Seite aktiv beteiligt.

Durch ihre Tätigkeit haben alle drei Angeklagten eine Bedingung gesetzt, die den tatbestandlichen Erfolg herbeigeführt hat und die nicht hinweggedacht werden kann, ohne dass der Erfolg entfiele. Unbeachtlich hierbei ist, dass bei Ausfall eines der drei Angeklagten der Erfolg dennoch in der geschehenen Weise herbeigeführt worden wäre, weil angesichts der auf höchster Ebene beschlossene "Endlösung" ein anderer ihre Tätigkeit übernommen und weitergeführt hätte.

Die Beweisaufnahme hat keine Anhaltspunkte für eine Willensrichtung der Angeklagten ergeben, die dahin gegangen wäre, die Tötung der Juden in den Gaskammern von Auschwitz als eigene Tat zu wollen. Die Mitwirkung der Angeklagten beruhte auf ihrer dienstlichen Stellung und ihrem dienstlichen Auftrag. Ihnen ging es darum, aus dieser Position heraus eine fremde Tat zu fördern.

Die Angeklagten haben mit zumindest bedingtem Vorsatz gehandelt. Alle drei Angeklagten gingen ab den festgestellten Zeitpunkten davon aus, dass mindestens ein grosser Teil der unter ihrer Mitwirkung aus Frankreich nach Auschwitz deportierten Juden dort getötet werden würde, wobei sie auch erkannt hatten, dass die Tötung auf eine grausame und heimtückische Weise erfolgen würde. Der Angeklagte Hag. wirkte auch deshalb an den Massnahmen mit, weil er den Rassenhass, auf dem die Vernichtung der Juden beruhte, teilte. Ihm allein können somit auch die niedrigen Beweggründe der Haupttäter zugerechnet werden.

Die Angeklagten leisteten ihren Tatbeitrag rechtswidrig und schuldhaft.

Die Angeklagten können sich nicht auf die Vorschrift des §47 des Militärstrafgesetzbuches berufen, wonach der Vorgesetzte grundsätzlich allein verantwortlich ist, wenn durch die Ausführung eines Befehls in Dienstsachen ein Strafgesetz verletzt wird. Nach der Verordnung über eine Sondergerichtsbarkeit in Strafsachen für Angehörige der SS und für die Angehörigen der Polizeiverbände vom 17.10.1939 finden zwar die Vorschriften des Militärstrafgesetzbuches sinngemäss auf die Handlungen der Angeklagten Anwendung (vgl. BGHSt. 5, 239 ff.). Eine Berufung auf §47 Abs.1 S.1 MStGB scheidet jedoch schon deshalb aus, weil den Angeklagten bekannt war, dass der Befehl zur Vernichtung der Juden ein Verbrechen bezweckte (§47 Abs.1 S.2 Nr.2 MStGB).

[107] Siehe Lfd.Nr.716e.

Anhaltspunkte für das Vorliegen eines Verbotsirrtums sind nicht gegeben. Wenn die Angeklagten zur Zeit ihres Handelns darauf vertraut haben, dass sie für ihre Mithilfe an dem an den Juden begangenen Verbrechen nicht zur Rechenschaft gezogen werden würden, weil sie auf den Fortbestand des NS-Staates hofften, ist dies strafrechtlich unerheblich.

Anhaltspunkte dafür, dass sich einer der drei Angeklagten in einem entschuldigenden Notstand befunden hätte, sind ebenfalls nicht ersichtlich. Keiner der Angeklagten beruft sich auf eine Notlage, aufgrund derer ihr Wille gebeugt worden wäre und sie nur deshalb, um einer gegenwärtigen Gefahr für ihr Leben oder ihre Freiheit zu entgehen, die Deportationsmassnahmen gefördert hätten. Berücksichtigt werden muss allerdings hierbei, dass eine derartige Einlassung der Angeklagten der von ihnen eingeschlagenen Verteidigung, nach der sie überhaupt keine Kenntnis von dem verbrecherischen Zweck der Deportationen gehabt haben wollen, widersprechen würde. Der Angeklagte Hag. hat allerdings erklärt, dass er für den Fall, dass er den Zweck erkannt hätte, "Manns genug" gewesen wäre, sich wegzumelden.

Der Verteidiger des Angeklagten Hei. hat dagegen in seinem Schlussplädoyer hilfsweise angeführt, dass Hei. für den Fall, dass er das Verbrecherische der Deportationsmassnahmen erkannt hätte, keine andere Möglichkeit gehabt hätte, als sich von der Dienststelle wegzumelden, was er ja auch getan hätte.

Die Beweisaufnahme, aufgrund der fest steht, dass die Angeklagten in Kenntnis des tatsächlichen Zwecks der Massnahmen mitgewirkt haben, hat allerdings keine Anhaltspunkte für eine derartige Notlage ergeben, insbesondere auch nicht beim Angeklagten Hei., der ja von den Angeklagten der Rangniedrigste war. Hätte er unter Zwang handeln müssen, dann wäre gerade sein besonderer Eifer bei der Verrichtung seiner Arbeit, den er zumal gegen Ende seiner Tätigkeit im Judenreferat im November 1942, als nach seiner Einlassung seine Versetzung bereits fest stand, zeigte, nicht verständlich. Vielmehr hat er gerade zu diesem Zeitpunkt aus eigener Initiative den Abtransport der greisen Juden aus dem "Hospice de Rothschild" angeordnet, obwohl er dies hätte sicherlich vermeiden können. Aufgrund der bereits getroffenen Feststellungen hat der Angeklagte Hei. vielmehr die ihm übertragenen Aufgaben willig und mit Eifer ausgeführt, ohne überhaupt eine Verweigerung der Mitwirkung in Erwägung zu ziehen. Bei den Angeklagten Hag. und Lis., die ja regelmässig aus eigener Initiative tätig geworden sind, erübrigen sich derartige Ausführungen.

Die von den Angeklagten begangene Beihilfe zum vielfachen Mord ist rechtlich als Handlungseinheit zu werten. Ihre Tätigkeit erstreckt sich zwar über unterschiedlich lange Zeiträume, beim Angeklagten Lis. über etwa 18 Monate, beim Angeklagten Hag. über etwa 26 Monate und beim Angeklagten Hei. über etwa 4 Monate. Ihre Tätigkeit lässt sich aber nicht - etwa nach der Zahl der abgefertigten Transporte - in rechtlich selbständige Einzelhandlungen auflösen, weil beispielsweise auch die laufenden Festnahmen, die Weiterleitung von Befehlen des Reichssicherheitshauptamtes in Judenangelegenheiten, die vorbereitende Gesetzgebung und die Internierung in Sammellagern zur einheitlich geleisteten Beihilfe gehören. Diese beispielhaft aufgezählten verschiedenen Handlungen erscheinen bei natürlicher Betrachtungsweise als Teilstücke des Gesamtgeschehens der Deportation der Juden aus Frankreich zum Zwecke der Ermordung in den Konzentrationslagern im Osten. Die mehreren Einzelhandlungen der Angeklagten, die zeitlich und räumlich in einem unmittelbaren Zusammenhang stehen, beruhen auf der dienstlichen Tätigkeit der Angeklagten, die sich wiederum aus ihrer Dienststellung ergeben hat. Die Einzelakte beruhen auch auf einem einheitlichen Entschluss der Angeklagten.

3.) Verfahrensrechtliche Fragen

a) Strafverfolgungsverjährung

Die Verfolgung der den Angeklagten nachgewiesenen Taten ist nicht verjährt. Die Verjährungsfrist bei Mordbeihilfe betrug nach altem Recht 20 Jahre. Der Lauf der Frist hat bis zum 8.5.1945 geruht, weil Straftaten, die im Rahmen der von den höchsten Staatsorganen betriebenen Judenverfolgung begangen worden sind, während des Dritten Reiches aus politischen Gründen nicht geahndet worden waren. Nach §1 des Gesetzes über die Berechnung strafrechtlicher Verjährungsfristen vom 13.4.1965 hat bei der Fristberechnung weiter die Zeit vom 8.5.1945 bis zum 31.12.1949 ausser Ansatz zu bleiben. Noch vor Fristablauf, der demnach am 31.12.1969 eingetreten wäre, hat der Gesetzgeber die Verjährungsfrist für Taten, die wie Mord mit lebenslanger Freiheitsstrafe bedroht sind, durch das 9.Strafrechtsänderungsgesetz vom 4.8.1969 von 20 auf 30 Jahre verlängert.

Die Frist hat sich im vorliegenden Fall auch nicht aufgrund der Neufassung des §50 Abs.2 StGB, die am 1.10.1968 in Kraft trat, auf 15 Jahre verkürzt. Nach dieser Vorschrift, die dem §28 Abs.1 StGB n.F. entspricht, war die Strafandrohung für Teilnehmer zwingend nach den Vorschriften über die Bestrafung des Versuchs gemildert worden, wenn bei dem Teilnehmer besondere persönliche Merkmale fehlen, welche die Strafbarkeit des Täters begründen. Zwar hat der Bundesgerichtshof in einem Urteil vom 20.5.1969 [108] (BGHSt. 22, 375 ff.) unter dem damals geltenden Recht angenommen, dass die Beihilfe zu einem Tötungsverbrechen, das allein wegen niedriger Beweggründe des Täters ein Mord sei, schon nach 15 Jahre verjähre, wenn der Gehilfe nicht ebenfalls aus niedrigen Beweggründen gehandelt habe. Dieser Grundsatz greift hier jedoch nicht ein, weil die Tötung der deportierten Juden in den Gaskammern von Auschwitz auch wegen der heimtückischen und grausamen Begehungsart Mord ist. Überdies liegen beim Angeklagten Hag. die niedrigen Beweggründe vor. Soweit nunmehr der §27 Abs.2 StGB, der am 1.1.1975 in Kraft getreten ist, im Gegensatz zu dem alten §49 Abs.2 StGB für den Gehilfen eine Strafmilderung zwingend anordnet, ist dies für die Frage der Verjährungsfrist unbeachtlich. Denn nach §78 Abs.4 StGB in der neuen Fassung richtet sich die Verjährungsfrist nach der Strafdrohung des Gesetzes, dessen Tatbestand die Tat verwirklicht, ohne Rücksicht auf Milderungen, die nach den Vorschriften des Allgemeinen Teils des Strafgesetzbuches vorgesehen sind.

Demnach sind die Taten der Angeklagten - abgesehen von der inzwischen erfolgten Aufhebung einer Verjährung für Mord - zu keinem Zeitpunkt verjährt gewesen.

b) Zuständigkeit deutscher Gerichte

Soweit sich französische Militärgerichte bzw. -behörden mit der Tätigkeit der Angeklagten in Frankreich befasst und Entscheidungen getroffen haben, stehen diese einer Strafverfolgung nicht entgegen, insbesondere auch nicht aufgrund von Art.3 Abs.3b des Überleitungsvertrages vom 30.3.1955. Nach dieser Vorschrift war die deutsche Gerichtsbarkeit in Sachen ausgeschlossen, in denen das Ermittlungsverfahren von der Strafverfolgungsbehörde einer Besatzungsmacht endgültig abgeschlossen war.

Beim Angeklagten Lis. lag dem Einstellungsbeschluss des militärischen Untersuchungsrichters beim Ständigen Militärgericht von Paris vom 28.6.1950 wegen Beihilfe zur vorsätzlichen Tötung und dem Urteil des Ständigen Militärgerichts in Paris vom 18.9.1950 unter anderem wegen Beihilfe zur Freiheitsberaubung ein und derselbe Sachverhalt zugrunde. Dies geht be-

[108] Siehe Lfd.Nr.667b.

reits daraus hervor, dass die Darstellung des Sachverhaltes in dem Einstellungsbeschluss identisch ist mit der Darstellung des Sachverhalts in der dem Urteil vom 18.9.1950 zugrundeliegenden Anklage vom 2.8.1950. Im übrigen ist der Einstellungsbeschluss zugleich ein "Beschluss über die Weiterleitung des Verfahrens an den Herrn Oberstaatsanwalt beim Berufungsgericht in Paris". Aus dem Zusammenhang heraus kann der Einstellungsbeschluss nur so verstanden werden, dass nicht einzelne Taten des Angeklagten Lis., die Gegenstand der Untersuchung gewesen waren, herausgetrennt worden sind, sondern dass lediglich die Verfolgung der Taten, die Gegenstand der Untersuchung waren und blieben und die auch der Anklage zugrunde gelegt wurden, unter dem Gesichtspunkt der Beihilfe zur vorsätzlichen Tötung "mangels genügender Belastungen" eingestellt worden ist.

Gegenstand dieses Verfahrens gegen den Angeklagten Lis. war seine Mitwirkung bei Geiselnahmen, und zwar, wie dem Zusammenhang der Anklage und des Urteils entnommen werden kann, in seiner Eigenschaft als Kommandeur der Sicherheitspolizei von Paris. Abgesehen davon, dass aus den genannten Gründen der Einstellungsbeschluss vom 28.6.1950 keine das Ermittlungsverfahren endgültig abschliessende Entscheidung im Sinne von Art.3 Abs.3b des Überleitungsvertrages vom 30.3.1955 darstellt, betreffen demnach Einstellungsbeschluss und Urteil einen ganz anderen Sachverhalt, zumal auch in dem Urteil selbst ausdrücklich nur auf eine "Deportierung französischer Zivilisten" Bezug genommen wird.

Soweit allerdings das Verfahren vor dem französischen Militärgericht Handlungen des Angeklagten Lis. zum Gegenstand gehabt haben sollte, die die Deportierung von Juden französischer Staatsangehörigkeit betrafen und die auch Gegenstand des vorliegenden Verfahrens sind, wäre dennoch die deutsche Gerichtsbarkeit gegeben, weil die Kammer im Sinne von Art.1 des deutsch-französischen Zusatzabkommens vom 2.2.1971 "dieselbe Tat", die Gegenstand des Abwesenheitsurteils war, zu beurteilen gehabt hätte, mag diese Tat vom französischen Militärgericht auch nur unter dem Gesichtspunkt der Beihilfe zur Freiheitsberaubung abgeurteilt worden sein. An diese rechtliche Beurteilung war die Kammer nicht gebunden.

Beim Angeklagten Hag. lag dem Einstellungsbeschluss des Ständigen Militärgerichts von Paris vom 3.5.1950 seine Tätigkeit als Leiter der Abteilung VI des BdS zugrunde, die nicht im Zusammenhang mit den Massnahmen gegen Juden stand.

Dem Abwesenheitsurteil des französischen Militärgerichts von Paris vom 18.3.1955 gegen den Angeklagten Hag. wegen Mitgliedschaft in einer kriminellen Vereinigung, die für die Deportationen von französischen Staatsangehörigen oder französischen Schutzbefohlenen verantwortlich war, lag - wie sich insbesondere auch aus der Anklageschrift ergibt - seine Tätigkeit als persönlicher Referent Obergs im Zusammenhang mit den Deportationen von Juden zugrunde.

Insoweit ist die Sperrwirkung des Überleitungsvertrages jedoch durch das deutsch-französische Zusatzabkommen vom 2.2.1971 aufgehoben worden, weil das vorliegende Verfahren im Sinne von Art.1 des Zusatzabkommens "dieselbe Tat", die Gegenstand des Abwesenheitsurteils war, betrifft. Dass diese "Tat" unter einem anderen rechtlichen Gesichtspunkt abgeurteilt worden ist, steht einer Verurteilung wegen Beihilfe zum Mord nicht entgegen.

Soweit in dem Urteil Bezug genommen ist auf eine Tätigkeit des Angeklagten Hag. als Chef der Abteilung IV des BdS, handelt es sich offensichtlich um einen Irrtum. Denn die dem Urteil zugrundeliegende Anklage geht noch davon aus, dass Hag. Leiter der Abteilung VI des BdS war. Im übrigen wird hierdurch die Frage, ob der Angeklagte Hag. wegen seiner Tätigkeit als persönlicher Referent Obergs der deutschen Gerichtsbarkeit unterliegt, nicht betroffen.

Die Tätigkeit des Angeklagten Hei. im Judenreferat des BdS war nicht Gegenstand der Untersuchungen des Militärgerichts von Paris, wie sich aus dem Zusammenhang des Einstellungsbeschlusses vom 22.3.1949 ergibt. Die Untersuchungen betrafen vielmehr seine Tätigkeit in der Abteilung IV E (Widerstandsbewegungen, Spezialgebiet für englische Waffenabwürfe und Absprung von Sabotagetrupps, Bandenbekämpfung).

c) Verhandlungsfähigkeit

Auch sonstige Verfahrenshindernisse stehen einer Bestrafung der Angeklagten nicht entgegen, insbesondere war der Angeklagte Hag. während der gesamten Dauer der Hauptverhandlung verhandlungsfähig.

Trotz des vom Angeklagten Hag. am vierten Verhandlungstag überreichten ärztlichen Attestes vom 1.10.1979 (Protokollband I, S.63) hatte die Kammer aufgrund des Eindrucks, den sie von dem Angeklagten Hag. gewann, zu keiner Zeit der Hauptverhandlung Zweifel an dessen Verhandlungsfähigkeit. Der Verteidiger des Angeklagten Hag. hatte auch im Zusammenhang mit der Überreichung des Attestes ausdrücklich erklärt, dass im Falle einer ausreichenden Belüftung und entsprechenden Pausen der Angeklagte Hag. voll verhandlungsfähig sei. Dieser Erklärung hat sich Hag. selbst auf Befragen angeschlossen. Während der Verhandlung ist auch stets Rücksicht auf den Angeklagten Hag. genommen worden. Auf seinen Wunsch wurden Pausen eingelegt und die Verhandlungen unterbrochen.

Der Angeklagte Hag. selbst, der sich umfangreich eingelassen hat, wobei bemerkenswert war die Fülle von Details und Namen, die er noch in Erinnerung hatte, hat bei dieser Gelegenheit wie auch bei späteren Befragungen oder Erklärungen seinerseits zweifelsfrei erkennen lassen, dass er in der Lage war, seine Interessen in vernünftiger Weise wahrzunehmen, seine Verteidigung in verständiger und verständlicher Weise zu führen und Prozesserklärungen abzugeben und entgegenzunehmen.

IV. Die Hilfsbeweisanträge

A. Die Hilfsbeweisanträge des Verteidigers des Angeklagten Lis., Rechtsanwalt Dr. Mil.

1.) Der Antrag auf Vernehmung des Zeugen Dr. Helmuth Kno. in Offenbach zum Beweise der Tatsachen,

> dass diesem während seines Aufenthaltes in Frankreich nicht bekannt gewesen sei, dass in den Konzentrationslagern Juden systematisch umgebracht würden;
> dass er davon ausgegangen sei, dass die Juden zum Arbeitseinsatz gebracht würden, damit sie eines Tages weiterbefördert werden könnten nach Israel;
> dass ihn im Jahre 1943 Eichmann bei einem Besuch in Paris ausdrücklich auf die totale Umsiedlung der Juden hingewiesen hätte;
> dass das Judenreferat in Paris sämtliche Anweisungen direkt vom Reichssicherheitshauptamt empfangen hätte, ohne dass der Befehlshaber der Verwaltungsstelle eigene Initiative habe entwickeln können und dass der Leiter der Judenabteilung ohne sein Wissen direkten Kontakt nach Berlin erhalten hätte,

war abzulehnen, weil das Beweismittel unerreichbar ist (§244 Abs.3 S.2 StPO).

Ausweislich der zum Gegenstand der Verhandlung gemachten amtsärztlichen Stellungnahmen des Leitenden Medizinaldirektors Dr. Schm. in Offenbach vom 15.11.1979 und vom 23.11.1979, letztere ergangen auf die Anforderung des Vorsitzenden vom 23.11.1979 (Bl.145-147, 151, 157-158 des Ladungsheftes I) stand der Zeuge Dr. Kno. zu einer Vernehmung weder vor der Kammer noch kommissarisch vor dem Amtsgericht in Offenbach zur Verfügung.

Die von der Verteidigung beantragte kommissarische Vernehmung war aus ärztlicher Sicht ausgeschlossen, weil der Zeuge nur für ca. 15 Minuten pro Verhandlungstag am Wohnort vernehmungsfähig ist, wobei eine Summation der Verhandlungstage aber zur Verschlimmerung des bereits beeinträchtigten psychischen und physischen Zustandes mit sehr ernster Gefährdung für das Leben des Zeugen führen würde. Entgegen der Ansicht des Verteidigers, nach der die Vorlage der von ihm gestellten Fragen und deren Beantwortung durch den Zeugen in einer kürzeren Zeitspanne als 15 Minuten erfolgen könnte, ist bei dem Umfang des Hilfsbeweisantrages und angesichts des Umstandes, dass dem Zeugen eine Fülle von Dokumenten, die Gegenstand der Hauptverhandlung waren, vorgehalten werden müssten, weil diese unmittelbar zu den vom Verteidiger behaupteten Tatsachen zählen, unzweifelhaft, dass die Vernehmung des Zeugen 15 Minuten weit überschreiten und eben eine Summation von Verhandlungstagen notwendig würde. Darüber hinaus hätte, wie sich aus einem weiteren Hilfsbeweisantrag ergibt, auch der Verteidiger des Angeklagten Hei. dem Zeugen Kno. mehrere Fragen vorzulegen.

Abgesehen davon, dass eine kommissarische Vernehmung des Zeugen Dr. Kno. nach §223 StPO aus den aufgezählten Gründen nicht durchführbar ist, erschien sie der Kammer auch schon deshalb nicht zu verantworten, weil es für die Glaubwürdigkeit dieses Zeugen nach Ansicht der Kammer ganz entscheidend auf den unmittelbaren Eindruck von seiner Person durch das Schwurgericht ankam. Der Zeuge Kno. hatte bereits am 15.6.1967 vor dem Schwurgericht Baden-Baden in der Sache Ks 1/67 als Zeuge eine Aussage gemacht und dabei folgendes bekundet: Er habe erst nach dem Kriege gehört, was tatsächlich mit den Juden geschehen sei; er habe keinen Begriff gehabt, wo das Lager Auschwitz gewesen sei; er habe nicht gewusst, dass die Juden in den KZ systematisch umgebracht würden; die Transporte seien von der Ordnungspolizei organisiert worden; die Sicherheitspolizei habe überhaupt keine eigene Initiative entwickelt; es habe sich hierbei um eine Verwaltungsstelle gehandelt, die die Befehle von Berlin bekommen und diese der französischen Verwaltung weitergegeben hätte; Dannecker sei direkt nach Berlin zu Eichmann ohne sein Wissen gegangen [109]. Wegen dieser Aussage ist gegen den Zeugen von der Staatsanwaltschaft Baden-Baden ein Ermittlungsverfahren wegen Meineids - Az.: 2 Js 1592/67 - eingeleitet worden. Diese Aussage, soweit sie sich auf das Zustandekommen der Judentransporte in Frankreich sowie auf die Tätigkeit der Sicherheitspolizei bezieht, widerspricht in einem derartigen Ausmasse den vorliegenden Dokumenten, die ja auch die Person des Zeugen selbst betreffen und sogar teilweise von ihm selbst stammen, dass zum Zwecke der Wahrheitsfindung eine Vernehmung dieses Zeugen vor der Kammer unerlässlich gewesen wäre.

Die für den Fall, dass das Gericht von einer Verhandlungsunfähigkeit des Zeugen ausgeht, beantragte Verlesung der erwähnten Aussage des Zeugen vom 15.6.1967 zum genannten Beweisthema, war abzulehnen, weil dieses Beweismittel zur Wahrheitsfindung völlig ungeeignet war (§244 Abs.3 S.2 StPO). Dies ergibt sich bereits daraus, dass - wie erwähnt - es sich gerade um die Aussage handelt, die zur Einleitung eines Ermittlungsverfahrens gegen den Zeugen wegen Meineids geführt hat, wenn dieses Ermittlungsverfahren auch 1970 von der Staatsanwaltschaft Baden-Baden aus der Kammer unverständlichen Gründen eingestellt worden ist. Die nach §251 Abs.1 StPO zwar zulässige Verlesung dieser Aussage wäre aus den genannten Gründen zur Wahrheitsfindung in keiner Weise zweckdienlich gewesen.

Wegen des unbedingt erforderlichen persönlichen Eindrucks hat die Kammer, wie bereits ausgeführt, auch andere verlesene Aussagen (Schn., Salomon und Oberg) nicht zur Urteilsfindung herangezogen.

[109] Siehe Bd.XXXIV S.613

2.) Der Antrag auf Vernehmung des Zeugen Dr. Alfred Trenker aus München zum Beweise der Tatsache,

dass im Jahre 1944 Eichmann dem Zeugen, der KdS in Budapest gewesen sei, zum Schicksal der aus Ungarn deportierten Juden erklärt habe, dass diese teilweise bei Schanzarbeiten und teilweise zu Arbeiten in der im Lager Auschwitz aufgebauten Rüstungsfabrikation Verwendung finden würden;
dass er während des Krieges zu keinem Zeitpunkt davon ausgegangen sei, dass die Juden systematisch vernichtet würden,

war abzulehnen, weil die Tatsache, die bewiesen werden soll, für die Entscheidung ohne Bedeutung war (§244 Abs.3 S.2 StPO).

Eine Bestätigung der behaupteten Tatsache, die in keinerlei Zusammenhang mit der Person der Angeklagten steht, hätte keinerlei Einfluss auf die Überzeugung der Kammer vom Sachverhalt, so wie sie ihn festgestellt hat, auszuüben vermocht (vgl. Kleinknecht, StPO, 34.Aufl., §244, Rdnr.52). Abgesehen davon, dass keiner der Angeklagten behauptet hat, dass ihm gegenüber Eichmann ähnlich falsche Erklärungen abgegeben hätte oder dass er Eichmann auch nur direkt nach dem Schicksal der Juden gefragt hätte, ist die Situation der Angeklagten auch nicht mit der des Zeugen Trenker zu vergleichen.

3.) Der Antrag auf Einholung eines Sachverständigengutachtens durch Prof. Lucien Steinberg zum Beweise der Tatsachen,

a) dass aus den dem Sachverständigen zugänglichen Dokumenten nicht hervorginge, dass in den Jahren 1941 bis 1944 der Begriff "Endlösung" der Judenfrage unbedingt bei allen deutschen Dienststellen in Frankreich als physische Vernichtung verstanden worden sei;
b) dass der Ausdruck "Endlösung" auch verstanden werden konnte in seinem wörtlichen, "relativ harmlosen Sinne" und so zu verstehen gewesen wäre;
c) dass auch Kno. als Vorgesetzter des Judenreferates sehr leicht über das tatsächlich Ziel der Deportation in der Form der physischen Vernichtung der Juden nichts habe wissen können;
d) dass es zumindest möglich gewesen sei, dass ein deutscher Offizier mögliche Informationen durch die Widerstandspresse und den Rundfunk über das Schicksal der Juden für Greuelpropaganda hätte halten können;
e) dass die Entscheidungen in der Judenfrage in Frankreich ohne Mitwirkung der Sicherheitspolizei direkt von der Abteilung IV B des Reichssicherheitshauptamtes in Zusammenarbeit mit dem Auswärtigen Amt und der Deutschen Botschaft Paris getroffen worden seien und dass Anfragen des Reichssicherheitshauptamtes an die Sicherheitspolizei in Frankreich bezüglich der Zweckmässigkeit der Judendeportationen weder aus Dokumenten noch aus der gesamten wissenschaftlichen Literatur bekannt seien,

war nach §244 Abs.3 und 4 StPO abzulehnen.

Die unter a) und b) behaupteten Tatsachen sind für die Entscheidung ohne Bedeutung (§244 Abs.3 S.2 StPO), weil es allein auf den Wissensstand der Angeklagten bzw. allenfalls noch der unmittelbar mit den Deportationen befassten Angehörigen der betroffenen Pariser Dienststellen ankommt. Für die unter c) behauptete Tatsache ist ein Sachverständiger das ungeeignete Beweismittel (§244 Abs.3 S.2 StPO). Über seinen Wissensstand kann nur der Zeuge Kno. selbst Aussagen machen bzw. lassen sich Rückschlüsse auf seinen Wissensstand aus Dokumenten ziehen. Die unter d) behauptete Tatsache ist für die Entscheidung ebenfalls ohne Bedeutung (§244 Abs.3 S.2 StPO), weil es wiederum nur allein auf die Situation der Angeklagten, in der diese sich befunden haben, ankommt.

Abgesehen davon, dass auch die Kammer nicht davon ausgegangen ist, dass das Reichssicherheitshauptamt eine Anfrage an die Sicherheitspolizei in Frankreich wegen der Zweckmässigkeit von Judendeportationen gerichtet hätte, ist das Gegenteil der im übrigen unter e) behaupteten Tatsache durch das Gutachten des Sachverständigen Prof.Dr. Sch. bewiesen (§244 Abs.4 S.2 StPO). Die Sachkunde dieses Sachverständigen, der sich seit 1964 mit der Forschung über die Endlösung und die nationalsozialistische Judenpolitik beschäftigt und der seit 1966 in etwa 35 NSG-Verfahren als Sachverständiger tätig geworden ist, ist nicht zweifelhaft und wird vom Verteidiger des Angeklagten Lis. auch gar nicht in Abrede gestellt. Der Sachverständige ist weder, wie die Kammer anhand der ihr vorliegenden Dokumente überprüfen konnte, von unzutreffenden tatsächlichen Voraussetzungen ausgegangen, noch enthielt sein Gutachten Widersprüche. Inwieweit die Forschungsmittel des vom Verteidiger benannten Sachverständigen nur deshalb überlegen sein sollen, weil dieser Einblick in die Originale der Dokumente genommen hat, während dem Sachverständigen Dr. Sch. lediglich regelmässig Fotokopien oder Abschriften vorgelegen haben, bleibt unerfindlich; denn massgeblich auch für die behauptete Tatsache ist allein der Inhalt der Urkunden und nicht das äussere Erscheinungsbild des Originals. Zudem hatte der Sachverständige Dr. Sch. das Werk von Prof. Steinberg für sein Gutachten herangezogen.

Im übrigen besitzt die Kammer bezüglich der behaupteten Tatsache aufgrund der ihr in ausreichender Zahl vorliegenden Dokumente selbst die erforderliche Sachkunde, um beurteilen zu können, welchen Weg die Entscheidungen in der Judenfrage in Frankreich tatsächlich gegangen sind.

Die in diesem Hilfsbeweisantrag weiterhin beantragte Einholung eines Sachverständigengutachtens zu dem Sachverhalt, dass im historischen wissenschaftlichen Verfahren Hilfsmittel und Verfahren im Sinne von Forschungsmitteln gem. §244 Abs.4 S.2 StPO primär und nahezu ausschliesslich die Quellenkunde sei und unerlässlich und entscheidend für Erkenntnisse in diesem Verfahren die Einsichtnahme und die Prüfung der Originale von Quellen sei, war abzulehnen, weil dieser Sachverhalt für die Entscheidung ohne jede Bedeutung ist (§244 Abs.3 S.2 StPO).

4.) Der Antrag auf Vernehmung des Zeugen Hellmuth Rei. [110] zum Beweise der Tatsache,

> dass dem Zeugen als Gestapochef in Norwegen nicht bekannt gewesen wäre, dass die deportierten Juden getötet werden sollten,

war abzulehnen, weil die Tatsache, die bewiesen werden soll, für die Entscheidung ohne Bedeutung war (§244 Abs.3 S.2 StPO).

Auch wenn die Kammer nach der Vernehmung des Zeugen die behauptete Tatsache bestätigt sähe, hätte dies keinen Einfluss auf ihre Überzeugung von dem festgestellten Sachverhalt gehabt, weil ein Rückschluss vom Kenntnisstand dieses Zeugen auf den Kenntnisstand der Angeklagten in keiner Weise zwingend gewesen wäre. Schliesslich hat keiner der Angeklagten behauptet, mit Rei. zur damaligen Zeit Kontakt gehabt zu haben.
Aus dem gleichen Grund erübrigte sich auch die Beiziehung der in dem Hilfsbeweisantrag aufgeführten Akten.

5.) Der Antrag auf Einholung eines Sachverständigengutachtens durch den Sprachwissenschaftler Prof. Wolfgang Klein oder durch Prof. Walter Jens zum Beweise der Tatsache,

> dass mit den Worten "Vernichtung" und "Ausrottung" in den Jahren 1940 bis 1945 andere Vorstellungsinhalte verbunden worden wären bzw. hätten verbunden werden können als heute und dass diese Bezeichnungen insbesondere im politischen Bereich nicht einer physischen Vernichtung gleichgesetzt worden wären,

[110] Siehe Lfd.Nr.739.

war abzulehnen, weil die behauptete Tatsache für die Entscheidung ohne Bedeutung ist (§244 Abs.3 S.2 StPO).

Es kam bei der Beurteilung des Sachverhalts nicht darauf an, wie in den Jahren 1940 bis 1945 allgemein die Begriffe "Vernichtung" und "Ausrottung" verstanden und ob diese Begriffe immer im Sinne einer physischen Vernichtung gebraucht worden sind. Allein entscheidend ist, wie die Angeklagten das in den beiden Dokumenten von Dannecker vom 13.5. und 20.7.1942 gebrauchte Wort "Vernichtung" verstanden und gewertet haben. Aufgrund ihres sonstigen Wissensstandes war für sie der Sinn des Wortes eindeutig gewesen.

6.) Der Antrag auf Beiziehung und Verlesung sämtlicher sich bei der Staatsanwaltschaft befindlichen Akten betreffend die Judenangelegenheiten beim Befehlshaber der Sicherheitspolizei und des SD in Paris, woraus sich ergeben soll, dass der Angeklagte Lis. ab Mai 1942 mit der Unterzeichnung von Schriftstücken in Vertretung praktisch nicht mehr befasst gewesen wäre und dass ihm ab August 1942 in einem nachfolgenden Zeitraum von fast einem Jahr nur noch 17 Schreiben zur Kenntnisnahme vorgelegt worden seien, geht, abgesehen davon, dass es sich um einen Beweisermittlungsantrag handelt, weil konkrete Beweismittel nicht angegeben sind, ins Leere. Die sich bei der Staatsanwaltschaft Köln befindlichen Dokumente, die die Judenangelegenheiten betreffen, waren Gegenstand der Hauptverhandlung und sind als Urkunden verlesen und in Augenschein genommen worden. Aus ihnen hat sich die Tätigkeit des Angeklagten Lis., wie in den Feststellungen im einzelnen aufgeführt worden ist, ergeben.

Bei der Staatsanwaltschaft Köln befinden sich keine weiteren Dokumente, die die Judenangelegenheiten des BdS in Paris betreffen. Dies wird im übrigen vom Verteidiger des Angeklagten Lis. auch gar nicht behauptet.

7.) Der Antrag auf Vernehmung sämtlicher, im Ermittlungsverfahren gehörter Zeugen, die beim Befehlshaber der Sicherheitspolizei und des SD in Frankreich tätig gewesen sind, zum Beweise der Tatsache,

> dass ihnen in den Jahren 1940 bis 1943 nicht bekannt gewesen sei, dass die deportierten Juden in Auschwitz oder im Osten getötet werden sollten, sondern dass sie davon ausgegangen wären, dass die Juden zum Arbeitseinsatz oder zur Umsiedlung in den Osten deportiert würden,

insbesondere die Vernehmung der Zeugen Dr. Bie., Dr. Mau., Dr. Hal., Tho. und Boe., die darüber hinaus bekunden sollen,

> dass Verfügungen mit dem Inhalt zur Kenntnisnahme nur formellen Charakter gehabt hätten und dass der Umfang der zur Kenntnisnahme weitergegebenen Unterlagen so gross gewesen sei, dass diese Zeugen die ihnen selbst zugegangenen Unterlagen grösstenteils nicht hätten vollständig lesen können, sondern lediglich zur Weitergabe abgezeichnet hätten,

stellt angesichts der Unbestimmtheit in der Angabe der Beweismittel tatsächlich einen Beweisermittlungsantrag dar. Die Kammer hat allerdings auch aus dem Grundsatz der Wahrheitserforschung des §244 Abs.2 StPO keine Veranlassung dazu gesehen, weitere Zeugen zur Sachaufklärung heranzuziehen.

Soweit sich der Kammer die Vernehmung von Zeugen, die zur Sachaufklärung beitragen konnten, aufdrängen musste, ist sie dem in allen Fällen nachgegangen. Dabei hatte sie alle noch erreichbaren Zeugen der Dienststelle des BdS in Paris geladen, die mit einem der Angeklagten zusammengearbeitet oder zumindest mit einem von ihnen über den dienstlichen Bereich hinaus privaten Kontakt hatte (der Zeuge Wi. [111] mit dem Angeklagten Hei.).

[111] Wi. wurde 1950 u.a. wegen seiner Tätigkeit in Frankreich in einem ostdeutschen "Waldheim Verfahren" zu einer lebenslänglichen Zuchthausstrafe verurteilt; siehe DJuNSV Bd.XIV Lfd.Nr.2013.

Die Vernehmungen der Zeugen Dr. La. und des Zeugen Kae. - der erste Mitarbeiter der Abteilung II pol., der zweite als Rasse- und Sippenforscher Mitarbeiter der Abteilung IV J -, schieden aus, weil beide gemäss vorliegenden amtsärztlichen Attesten nicht vernehmungsfähig sind. Der 86 Jahre alte Zeuge Dr. La. befindet sich gemäss des Zeugnisses des Regierungsmedizinaldirektors Dr. Wol. vom staatlichen Gesundheitsamt Reutlingen - Aussenstelle Münsingen - vom 22.11.1979 in Verbindung mit dem Attest des Hausarztes des Zeugen Dr. Str. vom 19.11.1979 (Bl.155 und 156 des Ladungsheftes I) in einem erheblich reduzierten Gesundheitszustand mit fortgeschrittener Cerebralsklerose mit zeitweise örtlicher und zeitlicher Desorientierung und Neigung zu Confabulationen. Der 74 Jahre alte Zeuge Kae. ist gemäss Zeugnis der Medizinaldirektorin Dr. Klö. vom Landesinstitut für gerichtliche und soziale Medizin Berlin vom 28.11.1979 (Bl.161-163 des Ladungsheftes I) aufgrund einer schweren Herzerkrankung, die bei einer körperlichen oder psychischen Belastung zu einem plötzlichen Ableben Anlass geben kann, auch nicht in seiner Wohnung vernehmungsfähig. Von den vom Verteidiger namentlich aufgezählten Zeugen sind der Zeuge Dr. Hal., Leiter der Abteilung V des BdS, gemäss Sterbeurkunde des Standesamts Köln-West (Bl.97 des Ladungsheftes I) am 14.2.1974 und der Zeuge Harro Tho. gemäss Sterbeurkunde des Standesamts Elmshorn (Bl.38 des Ladungsheftes I) am 2.12.1974 verstorben. Der Zeuge Tho. war allerdings gemäss seiner Vernehmung, die sich in den Hauptakten befindet, (Bd.I, Bl.80-88, XVI, Bl.3070-3072), während seiner Zeit in Paris im Spätsommer 1940 lediglich für 10 Tage dienstfähig gewesen.

Bei den genannten Zeugen Dr. Mau. und Dr. Bie. kann es sich lt. Geschäftsverteilungsplan des BdS nur um die ehemaligen Abteilungsleiter der Abteilung III und VII gehandelt haben, die - wie bereits ausgeführt worden ist - nicht mit Judenangelegenheiten befasst waren, sondern mit der Wirtschaft bzw. dem Erziehungs- und Schulwesen. Beide Zeugen sind im Ermittlungsverfahren niemals vernommen worden. Der Zeuge Dr. Mau. ist gemäss Auskunft der Staatsanwaltschaft überdies inzwischen verstorben. Der Aufenthaltsort des Zeugen Bie. ist dem Gericht unbekannt. Ein Zeuge Boe. ist allerdings im Ermittlungsverfahren vernommen worden (Bd.XI, Bl.1948-1960). Dieser Zeuge Boe. war beim Militärbefehlshaber Leiter der Abteilung II im Kommandostab von Mai 1942 bis August 1944 und danach Heeresgruppenrichter bei der Heeresgruppe G, befand sich also bezüglich der Judenangelegenheiten in einer mit dem Angeklagten Lis. nicht vergleichbaren Situation. Er war zu keiner Zeit Mitglied des Befehlshabers der Sicherheitspolizei und des SD in Paris.

Im übrigen sind die behaupteten Tatsachen auch für die Entscheidung ohne Bedeutung, weil es nach den Feststellungen allenfalls auf den Kenntnisstand von mit den Deportationsmassnahmen unmittelbar befassten Personen ankommen kann. Und soweit die Abteilungsleiter der Abteilungen III, V und VII tatsächlich nur unzureichend Kenntnis von den Vorgängen, die ihnen zur Kenntnisnahme vorgelegt worden sind, genommen haben sollten, kann hieraus noch nicht zwingend darauf geschlossen werden, dass auch der Angeklagte Lis., der in den Zeiten, in denen er die Dienststelle leitete, sich sogar die Post, die Judenangelegenheiten betraf, vorlegen liess, von den ihm vorgelegten Vorgängen des Judenreferats allenfalls nur flüchtig Kenntnis genommen hat.

8.) Der Antrag auf Einholung eines Sachverständigengutachtens durch einen Lehrstuhlinhaber für Verwaltungsrecht an der Verwaltungshochschule Speyer zum Beweise der Tatsache,

> dass im verwaltungsverfahrensmässigen Ablauf in den öffentlichen Behörden der Vorlage zur Kenntnisnahme nur eine unterrichtende Funktion zukomme und sogleich ausgeschlossen sei, dass eine funktionelle Zuständigkeit damit verbunden sei;
>
> dass in Vertretung unterzeichnete Schreiben keinerlei Funktionsübernahme bedeuteten und dass sie von dem Unterzeichnenden keine inhaltliche oder formale Prüfung erforderten, insbesondere wenn sie durch einen anderen Verfasser referatsmässig verfasst und durch Paraphierung kontrolliert worden seien,

war abzulehnen, weil die Kammer insoweit selbst die erforderliche Sachkunde besitzt (§244 Abs.4 S.1 StPO), zumal zwei der Berufsrichter und ein Schöffe eigene Verwaltungserfahrungen haben. So war der Vorsitzende der Kammer nahezu sechs Jahre lang 1.Präsidialrichter in der Verwaltung des Präsidenten des Landgerichts Köln, der beisitzende Richter En. war über zwei Jahre lang Pressedezernent des Amts- und Landgerichts Köln und der Schöffe Schä. war nach einer Tätigkeit bei verschiedenen staatlichen Behörden in Niedersachsen über 10 Jahre lang Vermessungsingenieur in der Kreisverwaltung Bergisch Gladbach; seit 1962 ist er Sachverständiger für Grundstückbewertung bei der Stadtsparkasse Köln, also auch einer öffentlichen Anstalt. Die Kammer besitzt demnach genügend eigene Verwaltungserfahrungen, um beurteilen zu können, welche Bedeutung es hat, wenn jemand etwas zur Kenntnisnahme vorgelegt bekommt und wenn jemand in Vertretung des Behördenleiters einen Vorgang unterzeichnet.

9.) Der Antrag auf Vernehmung sämtlicher beim BdS in Paris und in Frankreich eingesetzter Personen, die im Ermittlungsverfahren gehört worden sind, zum Beweise der Tatsache,

> dass sie weder von der Art der Tötung der Deportierten noch von der physischen Vernichtung in den Jahren 1941 bis 1943 überhaupt Kenntnis gehabt hätten,

ist ebenfalls wie der Antrag unter 7.) tatsächlich ein Beweisermittlungsantrag, der den Antrag zu 7.) insoweit geringfügig variiert, als jetzt die Vernehmung sämtlicher in Frankreich eingesetzter Personen beantragt wird.

Abgesehen davon, dass der Antrag in unzulässiger Form gestellt ist, weil dem Verteidiger die Namen und Anschriften derjenigen, die er vernommen haben will, aus den Hauptakten bekannt sind, kann auf die Ausführungen zu 7.) verwiesen werden. Hiernach kann es allenfalls auf die Kenntnis derjenigen ankommen, die unmittelbar mit den Deportationsmassnahmen befasst waren.

10.) Der Antrag auf Vernehmung aller im Auschwitz-Verfahren gehörten Zeugen zum Beweise der Tatsache,

> dass von Anfang an ein Teil der Deportierten zur Arbeitsleistung eingesetzt und nicht in den Gaskammern oder auf andere Weise durch die SS getötet worden sei;
> dass teilweise auch Kinder, alte und kranke Personen nicht sofort getötet worden seien, sondern entweder auf andere Weise gestorben seien oder sogar überlebt hätten,

war abzulehnen, weil es sich wiederum um einen Beweisermittlungsantrag handelt. Es soll vom Gericht erst nach Zeugen geforscht werden, die die aufgestellte Behauptung bestätigen können.
Abgesehen hiervon ist die Kammer jedoch insoweit von keinen abweichenden Feststellungen ausgegangen.

11.) Der Antrag auf Einholung eines Sachverständigengutachtens zum Beweise der Tatsache,

> dass der Angeklagte Lis. auf den Dokumenten, die ihm zur Kenntnisnahme vorgelegt worden seien, seine Paraphe zeitlich später geleistet habe, als der Verfügende die Verfügung zur Kenntnisnahme unterschrieben habe,

war abzulehnen, weil die Beweiserhebung wegen Offenkundigkeit überflüssig ist (§244 Abs.3 S.2 StPO).

12.) Der Antrag auf Verlesung der Vernehmungsschrift des Zeugen Har. [112] vom 20.2.1966 zum Beweise der Tatsache,

dass ihm als weitere Erkenntnisquelle über die tatsächlichen Ziele der Deportationen nach Auschwitz die Errichtung des Lagers Bergen-Belsen gedient habe,

war als unzulässig abzuweisen, weil die Voraussetzungen für eine Verlesung der Aussage des Zeugen nach §251 StPO eindeutig nicht vorliegen.

Der Zeuge Dr. Har. steht als Zeuge zur Verfügung und ist ausführlich vor der Kammer unter Eid vernommen worden. Abgesehen davon, dass die unter Beweis gestellte Tatsache für die Entscheidung nach den getroffenen Feststellungen ohne Bedeutung gewesen wäre, war für eine nochmalige Vernehmung des Zeugen kein Raum, weil der Zeuge eben zu der angeführten Beweistatsache, nämlich über seine Erkenntnisquellen, eingehend vernommen worden ist.

13.) Der Antrag auf Beiziehung und Verlesung der Akten des Reichssicherheitshauptamtes betreffend die Abteilung IV B und die Zentralstelle für jüdische Auswanderung, der Akten der Aussenstelle des Reichssicherheitshauptamtes in Köln sowie weiterer Akten des Reichssicherheitshauptamtes zum Beweise der Tatsachen,

dass der Angeklagte Lis. als Abteilungsleiter IV B das Judenreferat zu keinem Zeitpunkt selbst bearbeitet habe;

dass sich Eichmann und Dannecker seit dem Frühjahr 1937 in Wien bei der Zentralstelle für jüdische Auswanderung befunden hätten;

dass der Angeklagte Lis. als Leiter der Reichszentrale für jüdische Auswanderung nur für das Reichsgebiet zuständig gewesen wäre und dass während seiner Tätigkeit bei der Reichszentrale keinerlei Zwangsmassnahmen oder Zwangsauswanderungen gegenüber Juden vorgesehen gewesen wären oder stattgefunden hätten, sondern dass eine völlig selbständige Aufgabenstellung und Durchführung durch die Reichsvereinigung der Juden vorgenommen worden wäre;

dass durch die Tätigkeit des Angeklagten Lis. noch bestehende Auswanderungshindernisse fallengelassen und Behinderungen anderer deutscher Behörden ausgeräumt worden wären;

dass der Angeklagte Lis. mit den Geschehnissen der Reichskristallnacht überhaupt nichts zu tun gehabt hätte;

dass sich eine Zusammenarbeit zwischen SD und Reichssicherheitshauptamt im wesentlichen auf die Referatsebene beschränkt hätte und der Angeklagte Lis. lediglich bei der Errichtung der Reichszentrale für jüdische Auswanderung eingeschaltet gewesen wäre;

dass das Schwergewicht auf dem Bereich der Judenpolitik beim SD gelegen hätte;

dass der Angeklagte Lis. auf Initiative von Prof. Six nach Köln versetzt worden wäre;

dass während der Tätigkeit des Angeklagten Lis. in Köln keinerlei Judenmassnahmen durchgeführt worden wären;

dass die spätere Abordnung des Angeklagten Lis. von Paris nach Berlin keine Beförderung beinhaltet hätte;

dass die Sondertätigkeit des Angeklagten Lis. betreffend den 20.7.1944 sich auf die polizeiliche Vernehmung von Personen beschränkt hätte, die ohne seine Mitwirkung festgenommen worden wären, und dass der festgenommene Klausing auf Veranlassung des Angeklagten Lis. entlassen worden wäre,

war abzulehnen, weil es sich um einen Beweisermittlungsantrag handelt.

[112] Siehe Lfd.Nr.645.

Abgesehen davon, dass bereits fraglich ist, ob Akten, in denen sich Aufschlüsse über die behaupteten Tatsachen befinden sollen, überhaupt noch existieren, hat es der Verteidiger auch dem Gericht überlassen, nach dem Verbleib dieser Akten zu forschen. Aus den Akten selbst sind aber auch keine bestimmten Urkunden angegeben, aus denen sich der Beweis der behaupteten Tatsachen ergeben soll. Demnach sollen aus den Akten erst die Urkunden ermittelt werden, die als Beweismittel für die behaupteten Tatsachen in Betracht kommen könnten.

Soweit behauptet wird, dass sich Eichmann und Dannecker seit Frühjahr 1937 in Wien bei der Zentralstelle für jüdische Auswanderung befunden hätten, ist allgemein bekannt, dass der Anschluss Österreichs erst am 13.3.1938 erfolgte und dass die "Zentralstelle für jüdische Auswanderung" in Wien durch Eichmann erst hiernach eingerichtet wurde. Über die Anwesenheit von Dannecker in der Abteilung II 112 des SD geben die verlesenen Tätigkeitsberichte des Angeklagten Hag. hinreichend Auskunft; hiernach war Dannecker jedenfalls im zweiten Halbjahr 1937 und im ersten Halbjahr 1938 Mitarbeiter dieser Abteilung. Im übrigen können die behaupteten Tatsachen auch zugunsten des Angeklagten Lis. als wahr unterstellt werden. Auch die Kammer ist nicht davon ausgegangen, dass der Angeklagte Lis. Sachbearbeiter der Abteilung IV B des Reichssicherheitshauptamtes gewesen wäre; nach den Feststellungen der Kammer war er vielmehr Leiter dieser Abteilung. Allerdings war der Angeklagte Lis. Sachbearbeiter des betreffenden Referates im Geheimen Staatspolizeiamt gewesen.

Aus dem genannten Grund erübrigt sich auch die beantragte Verlesung eines Aktenvermerks der Staatsanwaltschaft vom 25.10.1974 zu der Kölner Tätigkeit des Angeklagten aus den Hauptakten sowie die beantragte Vernehmung des früheren Generalmajors a.D. Heusinger als Zeugen zu der Vernehmungsmethode des Angeklagten. Diese Vernehmungen, die anlässlich des 20.7.1944 erfolgten, stehen zudem mit den Massnahmen gegen Juden in keinem Zusammenhang.

14.) Im Antrag auf Vernehmung des Leiters des Museums Auschwitz zum Beweise der Tatsachen,

> dass sich aufgrund der vorhandenen Unterlagen des Lagers Auschwitz nicht feststellen lässt, welcher Nationalität die sofort bei Ankunft zur Tötung Ausgesonderten waren und auf welche Art welche Deportierten gestorben seien;
> dass sich aufgrund der Unterlagen ergäbe und nicht auszuschliessen sei, dass die zum Arbeitseinsatz Ausgesonderten später eines natürlichen Todes gestorben seien oder teilweise auch überlebt hätten.

wurden Tatsachen vorgetragen, von denen auch die Kammer ausgegangen ist. Wie bereits ausgeführt worden ist, können aufgrund der erhaltenen Unterlagen Feststellungen über das Schicksal der Deportierten im einzelnen nicht getroffen werden, weil insoweit sichere Beweismittel fehlen.

15.) Der Antrag auf Beiziehung sämtlicher Schriftstücke des CDJC (Centre de Documentation Juive Contemporaine), die aus dem Bereich des BdS Paris stammen und Unter- oder Abzeichnungen des Angeklagten Lis. tragen, sowie auf Verlesung dieser Dokumente in zeitlich richtiger Reihenfolge, zum Beweise dafür,

> dass der Eindruck der Befassung mit Judenangelegenheiten durch den Angeklagten Lis. nur äusserst geringfügig aus quantitativer und zeitlicher Sicht wäre,

war unzulässig, weil hierdurch keinerlei Tatsachen oder Erfahrungssätze unter Beweis gestellt, sondern lediglich eine Bewertung der Tätigkeit des Angeklagten Lis. durch seinen Verteidiger vorgenommen wurde.

Im übrigen sind alle wesentlichen auch im CDJC befindlichen Dokumente, die Judenangelegenheiten im Bereich des BdS betreffen, von der Staatsanwaltschaft und den Nebenklägern dem Gericht vorgelegt und gemäss den Sitzungsniederschriften auch zum Gegenstand der Hauptverhandlung gemacht worden.

In welcher Reihenfolge sie zu verlesen waren, ist eine Verfahrensfrage. Insoweit unterliegt dies der Sachleitung des Vorsitzenden. Diese ist in der lange andauernden Hauptverhandlung vom Angeklagten Lis. zu keiner Zeit gerügt worden. Im übrigen ist auch die Verlesung der Dokumente im wesentlichen in zeitlicher Reihenfolge geschehen, wobei Schwerpunkte in Be zug auf die einzelnen Angeklagten gebildet worden sind.

16.) Der Antrag auf Beiziehung und Verlesung der im Documentary [113] Center in Berlin befindlichen Schriftstücke und Unterlagen des Reichssicherheitshauptamtes zum Beweise der Tatsache,

> dass der Angeklagte Lis. in den Jahren 1937 bis 1939 zu keinem Zeitpunkt an einer sogenannten asozialen Aktion der Verhaftung von 2000 Juden beteiligt gewesen wäre;
> dass er zu keinem Zeitpunkt an der Verhaftung bzw. Abschiebung von 20000 polnischen Juden beteiligt gewesen wäre;
> dass er während seiner Tätigkeit als Leiter der Aussenstelle Köln zu keinem Zeitpunkt selbst Vernehmungen durchgeführt hätte;
> dass die Verhängung oder Durchführung von Todesstrafen gegen 40 Widerstandskämpfer nicht während der Tätigkeit des Angeklagten Lis. in Köln geschehen wäre;
> dass er nach seiner Rückkehr nach Berlin im Jahre 1943 keine massgebliche Stellung beim Reichssicherheitshauptamt angenommen hätte und dass er bei seiner Sonderabstellung betreffend den 20.7.1944 an keinen Verhaftungen selbst beteiligt gewesen wäre;
> dass er zu keinem Zeitpunkt an irgendeinem Arbeitsessen in Gegenwart Himmlers mit oder ohne Heydrich teilgenommen hätte,

war abzulehnen, weil es sich tatsächlich um einen Beweisermittlungsantrag handelt. Es sind wiederum keine bestimmten Urkunden aus den Akten, die beigezogen werden sollen, bezeichnet. Vielmehr sollen aus den Akten erst Urkunden ermittelt werden, aus denen sich die behaupteten Tatsachen ergeben könnten.
Im übrigen können die behaupteten Tatsachen aber auch zugunsten des Angeklagten Lis. als wahr unterstellt werden. Die Kammer ist auch von keinerlei abweichenden Feststellungen ausgegangen.

17.) Der Antrag auf Beiziehung und Verlesung der bei der Staatsanwaltschaft befindlichen Akten des BdS Paris, zum Beweise dafür,

> dass seitens des Judenreferates durch Dannecker direkte Anweisungen schriftlich und telefonisch an die KdS-Dienststellen erfolgt wären;
> dass Dannecker mündlich direkt mit dem Kommandanten von Gross-Paris verhandelt hätte;
> dass Dannecker direkte Anweisungen von Eichmann erhalten hätte;
> dass, soweit vom Judenreferat überhaupt Entscheidungen eingeholt worden wären, diese lediglich von Dr. Kno. erfolgt wären,

war abzulehnen, weil es sich um einen Beweisermittlungsantrag handelt.

Es sind keine bestimmten Dokumente bezeichnet, die als Beweismittel für die behaupteten Tatsachen in Betracht kommen können. Im übrigen geht der Antrag ins Leere, weil die sich bei der Staatsanwaltschaft Köln befindlichen Akten des BdS Paris, soweit sie Judenangele-

[113] Sic!

genheiten betreffen, bereits Gegenstand der Hauptverhandlung waren. Der Antrag kann deshalb auch nur als eine vom Verteidiger des Angeklagten Lis. vorweggenommene Beweiswürdigung angesehen werden.

Soweit insbesondere die Beiziehung von Dokumenten vom 28.1.1942, 4.11.1941, 22.1.1942, 1.3.1942 und 21.9.1942 beantragt wird, wobei die Dokumente allerdings nicht näher bezeichnet sind, sind Dokumente vom 28.1. und vom 21.9.1942 während der Beweisaufnahme verlesen worden. Bezüglich der übrigen drei Dokumente ist nicht ersichtlich, um welche Dokumente es sich überhaupt handeln soll.

18.) Der Antrag auf Beiziehung der Originale des Vermerks von Dannecker vom 13.5.1942, des Reiseberichts Danneckers vom 20.7.1942 sowie des Schreibens an das Reichssicherheitshauptamt vom 15.5.1942 und Einholung eines Sachverständigengutachtens zum Beweise dafür,

> dass die Urkunden bzw. insbesondere die Passagen in den Vermerken vom 13.5. und 20.7.1942, die sich mit der "Vernichtung" der Juden befassen, nicht aus dem Jahre 1942 stammen,

war abzulehnen, weil es sich um einen Beweisermittlungsantrag handelt.

Den vom Verteidiger des Angeklagten Lis. geäusserten Zweifeln an der Echtheit der bezeichneten Urkunden liegen keinerlei bestimmte Tatsachenbehauptungen zugrunde. Für einen Beweisantrag genügen jedoch Vermutungen, von denen die Verteidigung hofft, die Nachforschungen darüber könnten zugunsten des Angeklagten sprechende Tatsachen hervorbringen, nicht (vgl. hierzu BGH in JR 1951, 509). Dass es sich lediglich um Vermutungen des Verteidigers handelt, denen keine Tatsachen zugrunde liegen, ergibt sich bereits daraus, dass der Antrag in sich widersprüchlich ist. Denn der Verteidiger des Angeklagten Lis. geht einerseits von einer Totalfälschung der Dokumente aus, schliesst aber andererseits auch eine Fälschung von einzelnen Sätzen dieser Dokumente nicht aus.

Die Kammer konnte diesen Antrag deshalb nur als Anregung an das Gericht, diesen geäusserten Zweifeln an der Echtheit der Urkunden im Rahmen der richterlichen Aufklärungspflicht des §244 Abs.2 StPO nachzugehen, ansehen. Die Kammer hält jedoch jeden Zweifel an der Echtheit der bezeichneten Urkunden für völlig unbegründet.

Solche Zweifel sind auch erstmals in den Schlussplädoyers der Verteidiger geäussert worden, nachdem die Staatsanwaltschaft in ihrem Plädoyer gerade diese Urkunden zur Überführung der Angeklagten herangezogen hatte. Zuvor waren diese Dokumente, als sie in die Verhandlung eingeführt worden waren, von den Angeklagten unbeanstandet geblieben, nachdem der Angeklagte Lis. durch seinen Verteidiger am 3.Verhandlungstag noch hatte ausdrücklich erklären lassen, dass die Echtheit der Urkunden nicht angezweifelt werde, soweit keine Einwendungen erhoben würden. Tatsächlich hat der Verteidiger des Angeklagten Lis. wie auch die übrigen Verteidiger bezüglich verschiedener Dokumente beantragt, die Originale beizuziehen. Die darauf beigezogenen Originale haben die Fotokopien, die dem Gericht zunächst vorgelegen hatten, in vollem Umfang bestätigt. Ihrem äusseren Erscheinungsbild entsprechen die drei bezeichneten Dokumente in ihrer Gänze allen anderen vergleichbaren Dokumenten, die der Kammer in grosser Zahl vorgelegen haben und bei denen in keinem einzigen Fall die Echtheit in Zweifel gezogen worden ist, die vielmehr sogar von den Angeklagten Hag. und Hei. ausdrücklich anerkannt worden sind.

Das Schriftbild innerhalb der drei Urkunden ist völlig einheitlich, so dass auch der Gedanke einer Fälschung eines Einzelsatzes oder eines Wortes völlig unwahrscheinlich ist. Darüber hinaus befinden sich auf den Urkunden dem Gericht bekannte Unterschriften und Paraphen in ihrem typischen Erscheinungsbild, nämlich auf dem Vermerk vom 13.5.1942 (Hauptakten

Bd.XXIV, 5041 f.) die Unterschrift Danneckers und die Paraphen von Kno. und Lis. und auf den Schreiben vom 15.5.1942 die Paraphen Danneckers und Lis.s.

Der Reisebericht Danneckers vom 20.7.1942 existiert sogar in mehreren Exemplaren. Im Dokumentenband I befinden sich auf dem Vermerk ausser der Unterschrift Danneckers die Paraphe Lis.s und die Paraphe Obergs; hierbei handelt es sich offensichtlich um eine Fotokopie des Durchschlags, der gemäss der Verfügung zu diesem Vermerk unter 5.) über den Dienststellenleiter an den HSSPF ging. Ein weiteres Exemplar trägt auf der ersten Seite eine handschriftliche Verfügung Röthkes ("V. Zum Vorgang Abtransport. Rö. 20/8") und auf der letzten Seite ausser der Unterschrift Danneckers neben der Verfügung zu 3.) ("Dem Befehlshaber der Sicherheitspolizei und des SD mit der Bitte um Kenntnisnahme vorgelegt" mit dem handschriftlichen Zusatz "n. Rückkehr") die Paraphe Kno.s sowie neben der Verfügung zu 4.) die Paraphe Lis.s, die diesmal kleiner ausgefallen ist als auf dem für den HSSPF bestimmen Exemplar. Hierbei handelt es sich offensichtlich um das für den BdS bestimmte Exemplar, das später wieder an das Judenreferat zurückgelangte. Ein drittes Exemplar (Hauptakten, Band XXIV, 5056-5063) war offensichtlich das Exemplar, das von Anbeginn beim Judenreferat blieb. Es trägt auf der ersten Seite die handschriftliche Verfügung Röthkes: "V. Hei. Zum Vorgang Abtrsp. Rö." Das Datum dieser Verfügung Röthkes ist entweder der 22.7. oder 22.9. Auf der letzten Seite befindet sich lediglich die Unterschrift Danneckers. Auf diesen Reisebericht Danneckers hat zudem der Angeklagte Hei. in seinem Vermerk vom 29.10.1942 ausdrücklich hingewiesen. Ebenso bezieht sich der Vermerk Danneckers vom 21.7.1942 ("Besprechungspunkte für die Unterredung mit Bousquet") auf den Reisebericht.

Wie bereits ausgeführt worden ist, ergeben sich für die Kammer aber auch aus dem Inhalt der Dokumente, insbesondere der angeführten Passagen, keine Anhaltspunkte für eine etwaige Fälschung. Abgesehen davon, dass auch in anderen zeitlich früher liegenden Schreiben und Vermerken Passagen enthalten sind, die die in der Regel eingehaltene Tarnung der Vernichtungsaktion durchbrechen, ist es einem Fanatiker wie Dannecker, so wie er allgemein geschildert wird, zuzutrauen, dass er innerhalb des Kreises der Eingeweihten keinen Anlass sah, sich einer Tarnsprache zu bedienen.

Auch der Sachverständige Prof.Dr. Sch., dem diese Dokumente, die auch im übrigen bereits Gegenstand historischer Forschung waren, ebenfalls vorgelegen haben, sah keinen Anlass dazu, sie aufgrund ihres Inhalts in Zweifel zu ziehen.

19.) Der Antrag auf Beiziehung und Verlesung sämtlicher sich bei der Staatsanwaltschaft und dem CDJC Paris befindlichen Dokumente, die die Abteilungen I, III und V des BdS Paris betreffen, zum Beweise dafür,

> dass der Angeklagte Lis. jeden Tag eine Vielzahl von Schreiben zu unterzeichnen gehabt hätte, deren jeweiliges genaues Lesen schon von der Zeit her so langwierig gewesen wäre, dass der Angeklagte praktisch nichts anderes hätte tun müssen, als die ein- und ausgehende Post zu lesen,

war abzulehnen, weil ein Beweisermittlungsantrag vorliegt. Abgesehen davon, dass es dem Gericht unbekannt ist, ob bezüglich der Abteilungen I, III und V überhaupt noch Dokumente vorhanden sind, sind auch keinerlei Urkunden bezeichnet, aus denen sich die behauptete Tatsache ergeben soll.

Im übrigen ist allerdings auch die Kammer davon ausgegangen, dass der Angeklagte Lis. zu den Zeiten, in denen er die Dienststelle leitete, mit einer Vielzahl von Vorgängen befasst wurde. Soweit der Verteidiger hieraus allerdings bei der Beweiswürdigung eine bestimmte Folgerung ableitet, vermochte die Kammer dieser aus den bereits im einzelnen aufgeführten Gründen nicht zu folgen.

B. Die Hilfsbeweisanträge des Verteidigers des Angeklagten Lis., Rechtsanwalt Koe.

1.) Der Antrag auf Vernehmung des Sachverständigen Prof. Martin Broszat des Instituts für Zeitgeschichte in München zum Beweise dafür,

dass die Echtheit des sogenannten "Wannsee-Protokolls" zweifelhaft sei,

war abzulehnen, weil es sich um einen Beweisermittlungsantrag handelt.

Der Antrag bedarf jedoch im übrigen auch keiner weiteren Erörterung, weil es für die Entscheidung völlig unerheblich war, ob das "Wannsee-Protokoll" echt oder gefälscht ist. Allerdings ist aufgrund der zeitgeschichtlichen Forschung allgemein bekannt, dass die "Wannsee-Konferenz" tatsächlich stattgefunden hat.

Der weitere Antrag auf Vernehmung des Sachverständigen Walter Jens zum Beweise dafür,

dass sich die Funktion der Sprache in totalitären Systemen durch eine fortschreitende Sinnentleerung von Kraftausdrücken kennzeichne;
dass diese Begriffe entgegen ihrem sonstigen Wortsinn mit einem wesentlich abgeschwächten Gehalt verwendet und auf eine nahezu ausschliessliche Funktion als Kampfparolen reduziert würden;
dass diese Sprachentwicklung insbesondere für die Zeit des Nationalsozialismus in Deutschland gelte;
dass aufgrund dieser Tatsache Schriftstücke, Reden und Verlautbarungen aus dieser Zeit inhaltlich nur dann verständlich seien, wenn zuvor eine sachverständige Aufbereitung des Textes erfolgt sei,

entspricht im Kern dem Hilfsbeweisantrag zu 5.) von Rechtsanwalt Dr. Mil. Auch dieser Antrag war abzulehnen, weil die behaupteten Tatsachen und Erfahrungssätze für die Entscheidung ohne Bedeutung sind. Es kam bei der Beurteilung der Dokumente allein darauf an, welchen Sinn die Verfasser der Dokumente den von ihnen gebrauchten Worten beigemessen haben und welchen Sinn die Empfänger dieser Schriftstücke den Worten entnommen haben. Dies kann allein aus den Dokumenten selbst und aus den speziellen Umständen, unter denen sie geschrieben worden sind, entnommen werden.

2.) Der Antrag auf Vernehmung des Zeugen Dr. Ernst Achenbach sen. zum Beweise der Tatsache,

dass der Zeuge als Leiter der politischen Abteilung der Deutschen Botschaft Paris unter Zugrundelegung sämtlicher ihm zugekommener Informationen über die Deportationspolitik des Deutschen Reiches gegenüber Angehörigen der jüdischen Rasse keinen Anlass zu der Annahme gesehen hätte, dass diese Personen zum Zwecke ihrer Tötung deportiert würden und dass er mit Begriffen wie "Sonderbehandlung" bzw. "Evakuierung der Juden nach dem Osten" keinerlei über den eigentlichen Wortlaut hinausgehenden Inhalt verbunden hätte,

war abzulehnen, weil die Tatsache, die bewiesen werden soll, für die Entscheidung ohne Bedeutung war (§244 Abs.3 S.2 StPO).

Es kann insoweit auf die obigen Ausführungen zu A. 2.), 4.), 7.) und 9.) verwiesen werden, nach denen es zur Beurteilung des Sachverhalts nicht auf den Kenntnisstand von Personen, die nicht unmittelbar mit den Deportationsmassnahmen befasst waren, ankommen kann. Es sei nochmals betont, dass es allein auf den Wissensstand der Angeklagten ankommen kann.

C. Die Hilfsbeweisanträge des Verteidigers des Angeklagten Hag., Rechtsanwalt Cle.

1.) Soweit der Verteidiger des Angeklagten Hag. auf die Hilfsbeweisanträge von Rechtsanwalt Dr. Mil. zu 1.), 2.), 3.), 4.), 5.), 7.), 8.), 9.), 10.), 14.) und 17.) Bezug genommen hat, kann auf die entsprechenden Ausführungen hierzu unter A) verwiesen werden.

2.) a) Der für den Fall, dass die Kammer die verlesene Aussage Obergs, nach der er von Auschwitz erst nach dem Kriege erfahren habe, als Schutzbehauptung bewertet, gestellte Antrag auf Beiziehung der Akten des Strafverfahrens gegen Horst Wagner vor dem Landgericht Essen - 29 Ks 4/67 und 29 Ks 1/60 - sowie die Verlesung der in diesen Strafverfahren enthaltenen Vernehmungsprotokolle betreffend die Vernehmung des Von dem B.-Z. und des Gottlob Berger zum Beweise dafür,

> dass Himmler am 4.10.1943 in Posen vor SS-Führern eine Rede, wie sie sich aus dem sogenannten Posener Dokument ergebe, in dieser eindeutigen Form nicht gehalten habe,

war deshalb abzulehnen, weil es für die Entscheidung ohne Bedeutung war, ob Oberg im Oktober 1943 in Posen eine Rede Himmlers gehört hat (§244 Abs.3 S.2 StPO. Im übrigen war es jedoch Sache der Kammer, die verlesene Aussage Obergs zu werten, wozu sie aufgrund der zahlreichen vorliegenden Dokumente auch in der Lage war.

b) Der Antrag auf Einholung eines Sachverständigengutachtens des Instituts für Zeitgeschichte München zum Beweise dafür,

> dass verschiedene ausländische Zeitungen 1933 und 1939 über "Kriegserklärungen" des israelischen Volkes bzw. vom 14 Mio. Juden gegenüber Deutschland berichtet hätten und dass sich der Zionismus an die Kriegserklärung Englands und Frankreich vom 3.9.1939 angeschlossen hätte,

war abzulehnen, weil derartige "Kriegserklärungen" für die Entscheidung ohne jede Bedeutung sind (§244 Abs.3 S.2 StPO), zumal der Angeklagte Hag. nie erklärt hat, dass diese Artikel Richtschnur seines Handelns gewesen wären bzw. ihm diese Artikel und Erklärungen seinerzeit überhaupt bekannt gewesen wären.

c) Der Antrag auf Beiziehung der französischen Originalakten, die die Verurteilung des Angeklagten Hag. in Abwesenheit betreffen, zum Beweise dafür,

> dass es sich bei dem Text in der Übersetzung aus dem Französischen, betreffend das Abwesenheitsurteil, hinsichtlich der Formulierung "in der Eigenschaft des Chefs der Abteilung IV des BdS Paris" nicht um einen Schreibfehler handele,

war abzulehnen, weil die Kammer bereits aus der in der Personalakte des Angeklagten Hag. befindlichen Ausfertigung des Urteils ersehen kann, dass dort "Abteilung IV" statt "Abteilung VI" steht und dass es sich deshalb bei der Übersetzung der Stelle dieses Urteils nicht um einen Schreibfehler handelt.

Soweit der Verteidiger des Angeklagten Hag. weiterhin ausführt, dass sich aus den Prozessakten ergeben werde, dass die Verurteilung in Abwesenheit gegen den Angeklagten Hag. ausschliesslich auf Vorgängen beruhe, die dem Chef der Abteilung IV zuzuordnen seien, kann darin nur ein Beweisermittlungsantrag gesehen werden. Denn es sind keinerlei Urkunden aus den französischen Militärgerichtsakten angegeben, aus denen sich die behauptete Tatsache ergeben soll. Im übrigen geht bereits aus der in den Personalakten des Angeklagten Hag. befindlichen Übersetzung der Anklageschrift, die dem Abwesenheitsurteil zugrunde gelegen hat, eindeutig hervor, dass Gegenstand des Verfahrens Tätigkeiten des Angeklagten Hag. waren, die er als persönlicher Referent Obergs ausgeübt hat.

d) Der Antrag auf Beiziehung der Original-Vernehmungsvorgänge der französischen Abwehr betreffend den Angeklagten Hag. und die Vernehmung der Zeugen Lagarde, Dibout und Chesneue, seiner damaligen Vernehmungsoffiziere, zum Beweise der Tatsache,

> dass der Angeklagte Hag. bereits bei seinen Vernehmungen vor der französischen Abwehr bekundet habe, von einer Absicht zur Tötung der aus Frankreich nach Auschwitz deportierten Juden nichts gewusst zu haben,

war abzulehnen, weil die behauptete Tatsache als wahr unterstellt werden kann (§244 Abs.3 S.2 StPO). Die Kammer vermag hieraus allerdings nicht herzuleiten, dass der Angeklagte Hag. tatsächlich nichts von der Tötung der Juden in Auschwitz gewusst hat.

e) Der Antrag auf Vorlage der Reisepässe des Angeklagten Hag. zum Beweise dafür,
dass der Angeklagte Hag. sich nach dem Abwesenheitsurteil vom 8.3.1955 noch neunzehnmal in der französischen Republik aufgehalten habe,
war abzulehnen, weil die behauptete Tatsache als wahr unterstellt werden kann (§244 Abs.3 S.2 StPO).

f) Der Antrag auf Vorlage des Buches "Laval parle" zum Beweise dafür,
dass der Angeklagte Hag. die ihm von der Anklage zugeschriebene hohe Funktion und bedeutungsvolle Rolle nicht inne gehabt habe, weil Laval, der in seinem Buch auf sämtliche bedeutenden Persönlichkeiten der deutschen Besatzungsmacht eingehe, den Angeklagten Hag. an keiner Stelle erwähne,
war abzulehnen, weil nur bezüglich der Behauptung, Laval erwähne Hag. in seinen Buch nicht, eine Tatsachenbehauptung vorliegt. Insoweit kann die Tatsache als wahr unterstellt werden (§244 Abs.3 S.2 StPO). Im übrigen beinhaltet der Antrag jedoch eine Wertung und keine Tatsachenbehauptung. Dieser Bewertung der Stellung des Angeklagten Hag. vermag sich die Kammer allein aufgrund des Umstandes, dass Laval den Angeklagten Hag. in seinem Buch nicht erwähnt hat, nicht anzuschliessen.

g) Der Antrag auf Vorlage des kombinierten Kenn- und Meldescheins für aus der Internierung entlassene Personen des Angeklagten Hag. vom 4.3.1948 zum Beweise dafür,
dass der Angeklagte Hag. von der Militärregierung Deutschland in die Kategorie IV A eingestuft worden sei und dass er damit nicht zu den Verantwortlichen zähle,
war abzulehnen, weil, soweit in der behaupteten Einstufung eine Tatsachenbehauptung vorliegt, diese Tatsache als wahr unterstellt werden kann (§244 Abs.3 S.4 StPO). Im übrigen beinhaltet der Antrag jedoch wiederum eine Wertung, der sich die Kammer nicht anzuschliessen vermag.

D. Der Hilfsbeweisantrag des Verteidigers des Angeklagten Hag., Rechtsanwalt Kur.

Der Antrag auf Beiziehung und Verlesung der Akten des persönlichen Stabes Reichsführer-SS und Chef der deutschen Polizei betreffend II 112 zum Beweise dafür,
dass der Angeklagte Hag. zu keiner Zeit eine andere Lösung der Judenfrage als die durch Auswanderung vertreten habe;
dass der Angeklagte Hag. und der SD mit der Auslösung und den Geschehnissen der Reichskristallnacht nichts zu tun gehabt hätten,
war abzulehnen.

Soweit bestimmte Dokumente aus diesen Akten vom 24.6.1938 sowie vom 15.6.1939 bezeichnet sind, kann der angegebene Inhalt der Dokumente als wahr unterstellt werden (§244 Abs.3 S.2 StPO). Im übrigen handelt es sich jedoch um einen Beweisermittlungsantrag, weil keine weiteren Dokumente in bestimmter Weise angegeben sind und offensichtlich aus den Akten erst Dokumente herausgesucht werden sollen, aus denen sich die behaupteten Tatsachen ergeben. Allerdings können auch insoweit die behaupteten Tatsachen als wahr unterstellt werden, weil auch die Kammer davon ausgegangen ist, dass der Angeklagte, solange er Leiter der Abteilung II 112 war, nur darauf kann sich der Beweisermittlungsantrag beziehen, die Lösung der Judenfrage allein durch Förderung der Auswanderung betrieben hat. Daraus ist jedoch nicht zu schliessen, dass er den Rassenhass der NS-Führung gegen jüdische Menschen nicht geteilt hat.

E. Die Hilfsbeweisanträge des Verteidigers des Angeklagten Hei., Rechtsanwalt Hu.

1.) Soweit der Verteidiger des Angeklagten Hei. auf die Hilfsbeweisanträge von Rechtsanwalt Dr. Mil. zu 2.), 3.), 4.), 7.), 9.), 10.) und 14.) Bezug genommen hat, kann auf die entsprechenden Ausführungen hierzu unter A). verwiesen werden.

Soweit die Vernehmung des Leiters des Museums Auschwitz zusätzlich zum Beweise der Tatsache,

dass die Kinder in den Transporten 1942 lebend in Auschwitz angekommen seien,

benannt worden ist, war dieser Antrag zurückzuweisen, weil das Beweismittel völlig ungeeignet ist (§244 Abs.3 S.2 StPO).

Der Leiter des Museums Auschwitz hat weder den Transporten selbst noch ihrer Ankunft beigewohnt. Im übrigen ist es offenkundig, dass die erhaltenen Unterlagen nichts darüber ergeben, ob und wieviele der transportierten Menschen bereits während der Transporte umgekommen sind.

2.) Der Antrag auf Vernehmung des Zeugen Dr. Helmuth Kno. in Offenbach zum Beweise dafür,

dass der Zeuge keine Kenntnis von der systematischen Vernichtung der Juden gehabt hätte;
dass der Zeuge davon ausgegangen wäre, dass die Juden zum Arbeitseinsatz gebracht werden sollten, damit sie eines Tages weiterbefördert werden könnten nach Israel;
dass im Jahre 1943 Eichmann den Zeugen bei einem Besuch in Paris ausdrücklich auf die totale Umsiedlung der Juden hingewiesen hätte;
dass der Angeklagte Hei. nicht Sachbearbeiter im Judenreferat gewesen wäre, sondern nur untergeordnete Bürotätigkeiten zu verrichten gehabt hätte, und dass dem Angeklagten Hei. weder Entscheidungs- noch Weisungsbefugnisse zugestanden hätten;
dass der Angeklagte Hei. nicht befugt gewesen wäre, Deportationslisten zu erstellen;
dass der Angeklagte Hei. im Jahre 1942 nicht berechtigt gewesen wäre, Zivilkleidung zu tragen, sowie dass die Uniform eines Staffelunterscharführers mit der eines Leutnants nicht zu verwechseln gewesen wäre;
dass der Angeklagte Hei. Tätigkeiten ausserhalb des Büros nur auf besonderen Befehl eines Vorgesetzten auszuführen gehabt hätte;
dass es zum Besuch des Lagers Drancy notwendig gewesen wäre, einen Kraftwagen zu benutzen und dass die Verteilung der Kraftwagen ausschliesslich der Fahrbereitschaft beim BdS Paris zugestanden hätte und dass diese einen Fahrbefehl nur dann ausgestellt hätte, wenn ein Befehl des Referatsleiters des Angeklagten vorgelegen hätte;
dass der Angeklagte Hei. nach seiner Versetzung im November 1942 nicht mehr in die Avenue Foch zurückgekehrt wäre,

war aus den gleichen Gründen, wie sie unter A. 1.) aufgeführt worden sind, abzuweisen.

3.) Der Antrag auf Beiziehung und Verlesung der Aussage von Otto Abetz vor dem Internationalen Militärgerichtshof in Nürnberg, betreffend Nr.IV, Fall 11, zum Beweise dafür,

dass der Zeuge von dem Ziel der Deportationen, nämlich der Vernichtung der Juden, keine Kenntnis gehabt hätte,

war abzulehnen, weil die behauptete Tatsache für die Entscheidung ohne Bedeutung war (§244 Abs.3 S.2 StPO), wie sich aus den obigen Ausführungen zu A. 2.), 4.), 7.) und 9.)

ergibt. Auch Abetz kann nicht zu den unmittelbar mit den Deportationen befassten Personen gezählt werden.

4.) Soweit in dem Antrag auf den Antrag 5.) von Rechtsanwalt Dr. Mil. Bezug genommen wird, kann bezüglich der Ablehnung dieses Antrages auf die unter A. 5.) genannten Gründe verwiesen werden.

Soweit die Einholung des Gutachtens eines Sprachwissenschaftlers beantragt wird zu dem Punkt,

dass die Namen Hei. und Eriksohn auch in französischer Aussprache nicht verwechslungsfähig sind,

war der Antrag abzulehnen, weil dies für die Entscheidung ohne jede Bedeutung war (§244 Abs.3 S.2 StPO). Denn die Kammer hat bei ihrer Überzeugungsbildung davon, dass der Angeklagte Hei. im November 1942 angeordnet hat, dass mehrere greise Juden aus dem "Hospice de Rothschild" mit dem Transport vom 11.11.1942 abtransportiert würden, - wie bereits im einzelnen ausgeführt worden ist - den verlesenen Bericht des verstorbenen Zeugen Salomon in keiner Weise verwertet.

5.) Der Antrag auf Verlesung der Vernehmungsniederschrift des Zeugen Dr. Har. [114] vom 20.2.1966 ist identisch mit dem Antrag 12 von Rechtsanwalt Dr. Mil. Wegen der Gründe, die seiner Ablehnung zugrunde liegen, kann auf die Ausführungen unter A. 12.) verwiesen werden.

6.) Der Antrag auf Verlesung von Seite 104 der Memoiren von Laval, "Laval parle", in Bezug auf die Person Danneckers zum Beweise dafür,

dass Laval Dannecker als einen "Verrückten" eingestuft hätte,

war abzulehnen, weil die behauptete Tatsache als wahr unterstellt werden kann (§244 Abs.3 S.2 StPO).

7.) Der Antrag auf Beiziehung der Akten der Staatsanwaltschaft Düsseldorf betreffend den Vorwurf der Tötung des Colonel Rondenay durch den Angeklagten Hei. zum Beweise dafür,

dass gegen den Angeklagten kein hinreichender Tatverdacht gegeben ist,

war abzulehnen, weil es sich um einen Beweisermittlungsantrag handelt. Da dieser Vorwurf nicht Gegenstand des vorliegenden Verfahrens ist, hat die Kammer keinen Anlass gesehen, diesem Vorwurf nachzugehen; sie hat diesen Vorwurf auch nicht verwertet.

8.) Der Antrag auf Vernehmung des Zeugen Achenbach nimmt Bezug auf den Antrag Nr.2 von Rechtsanwalt Koe. Wegen der Gründe der Ablehnung dieses Antrags wird verwiesen auf die Ausführungen unter B. 2.).

9.) Der Antrag auf Verlesung des Buches von George Wel. "De Drancy à Auschwitz" betreffend die beiden Passagen, die sich auf den Angeklagten Hei. beziehen, zum Beweise dafür,

dass der Zeuge in seinem Buch nichts davon erwähnt hat, dass Hei. bei Abgang der sogenannten Kindertransporte im Lager zugegen gewesen wäre,

war als unzulässig abzuweisen, weil die Voraussetzungen für eine Verlesung nicht vorliegen.

Der Zeuge Wel. steht als Zeuge zur Verfügung und ist als Zeuge vor der Kammer ausführlich unter Eid vernommen worden. Gegenstand seiner Vernehmung war auch das Buch, das der Zeuge über seine Erlebnisse in Drancy geschrieben hatte. Das Buch war als Beweismittel

[114] Siehe Lfd.Nr.645.

bereits seit der Anklageerhebung bekannt und lag auch während der Vernehmung des Zeugen vor. Aus dem Buch sind dem Zeugen auch Vorhalte gemacht worden. Für eine erneute Vernehmung des Zeugen war kein Raum, weil sich keinerlei neue Tatsachen ergeben haben.

10.) Der Antrag auf Beiziehung der Originale der Dokumente vom 13.5., 20.7. und 15.5.1942 und Einholung eines Sachverständigengutachtens bezüglich der Echtheit dieser Dokumente ist identisch mit dem Antrag 18 von Rechtsanwalt Dr. Mil. Wegen der Ablehnung dieses Antrags wird auf die unter A. 18.) angeführten Gründe verwiesen.

11.) Der Antrag auf Einholung eines Sachverständigengutachtens zum Beweise dafür,
dass der Angeklagte Hei. als Angehöriger des Referates IV J in Paris im Jahre 1942 den Bestimmungen des Militärstrafrechts unterstand,
betrifft eine Rechtsfrage, die bereits vom BGH in BGHSt. 5, 239 ff. entschieden worden ist.

12.) Der Antrag auf Einholung eines rechtshistorischen Gutachtens des Sachverständigen Prof.Dr. Pfeiffenberger zum Beweise dafür,
a) dass die Judenvernichtung eine geheime Reichssache dargestellt hätte und dass die Vorgänge auch in den Judenreferaten streng geheim behandelt worden wären, so dass der Referatsleiter seine Untergebenen nicht in seinen Kenntnisstand hätte einweihen dürfen;
b) dass es bei einer Dienstverpflichtung zur SS und zum SD durchaus der Mentalität der Vorgesetzten entsprochen hätte, jemanden wegen seines Namens in die Judenabteilung abzukommandieren;
c) dass der Angeklagte Hei. keine andere Möglichkeit, aus der Abteilung wegzukommen, gehabt hätte, als die, sich wegzumelden;
d) dass die Tatsache, dass der Angeklagte Hei. während seiner Dienstzeit von 1940 bis 1945 niemals befördert worden wäre, darauf hindeute, dass er in den Augen seiner Vorgesetzten nicht als bereitwilliger Gefolgsmann der Ziele der SS und SD angesehen worden wäre,
war nach §244 Abs.3 und 4 StPO abzulehnen.

Die unter a) behauptete Tatsache war bereits Gegenstand des Gutachtens des Sachverständigen Dr. Sch. Ein Grund für die Anhörung eines weiteren Sachverständigen hierzu ist nicht gegeben (§244 Abs.4 S.2 StPO). Auch hier gilt, was bereits unter A. 3.) ausgeführt worden ist, nämlich dass die Sachkunde des Sachverständigen Sch. nicht zweifelhaft ist, dass er in seinem Gutachten nicht von unzutreffenden tatsächlichen Voraussetzungen ausgegangen ist und dass das Gutachten widerspruchsfrei war. Inwieweit die Forschungsmittel des vom Verteidiger bezeichneten Sachverständigen denen des Sachverständigen Dr. Sch. überlegen sein sollen, ist nicht dargelegt. Im übrigen kann ein Sachverständiger nichts dazu sagen, wie es der Referatsleiter in diesem speziellen Fall mit der Geheimhaltung gehalten hat, so dass auch kein geeignetes Beweismittel vorliegt.

Bezüglich der unter b) behaupteten Tatsache ist die Kammer bereits der Einlassung des Angeklagten Hei. gefolgt. Die unter c) behauptete Tatsache ist für die Entscheidung ohne jede Bedeutung, weil, wie festgestellt worden ist, der Angeklagte Hei. zu keinem Zeitpunkt überhaupt in Erwägung gezogen hatte, seine Mitwirkung zu verweigern und sich von der Abteilung wegzumelden.

Die Behauptung unter d) beinhaltet keine Tatsache, sondern eine Wertung. Insoweit stellt ein Sachverständiger kein geeignetes Beweismittel dar, weil dieser nichts über den speziellen Fall des Angeklagten Hei. aussagen kann. Der Grund einer Nichtbeförderung kann natürlich darin gesehen werden, dass jemand von seinen Vorgesetzten nicht als bereitwilliger Gefolgsmann angesehen wird. Der Grund für eine Nichtbeförderung kann aber auch auf anderen Umständen beruhen, wie z.B. dem Dienstalter oder der Dienststellung.

F. Die Hilfsbeweisanträge des Nebenklägervertreters Rechtsanwalt Ha.

1.) Der Antrag, für den Fall, dass die Kammer gegen den Angeklagten Lis. nicht auf die Höchststrafe erkenne, die Zeugen Walter Hirschfeld und Josef Högen zu vernehmen, war als unzulässig abzuweisen, weil dem Antrag keinerlei Tatsachenbehauptungen zugrunde lagen.

2.) Dem Antrag, zu der Glaubwürdigkeit des Angeklagten Hei. in der Hauptverhandlung den Sachbearbeiter der Staatsanwaltschaft Düsseldorf dazu zu vernehmen, dass der Angeklagte Hei. gewusst habe, entgegen einer anderslautenden Bestätigung der Bundesregierung in Frankreich von einem Gericht zum Tode verurteilt worden zu sein, war abzulehnen, weil dem Antrag keine entscheidungserhebliche Tatsache zugrunde lag.

V. Die Strafzumessung

1.) Allgemeines zur Strafzumessung

Die drei Angeklagten haben sich an einer Straftat ungeheuerlichen Ausmasses beteiligt. Bei Schaffung des Strafgesetzbuches war an eine derartige Straftat nicht gedacht worden. Der Tatbestand des Völkermordes ist erst aufgrund dieser Erfahrung in das Strafgesetzbuch eingefügt worden.

Der Umfang der Rechtsverletzung entzieht sich jeder Vorstellungskraft. Nur ausschnittsweise wird das Unrecht, das die Angeklagten begangen haben, fassbar am Leid der Hinterbliebenen der in Auschwitz getöteten Juden, wie es während der Hauptverhandlung sichtbar geworden ist, oder bei Durchsicht der Transportlisten, in denen jeder Name in diesen Listen für ein Leben steht, das nur wegen der Zugehörigkeit zu einer bestimmten Rasse ausgelöscht werden sollte. Die Auswirkungen des strafbaren Handelns auch der Angeklagten Lis., Hag. und Hei. hat das deutsche Volk noch heute zu tragen.

Sinn und Zweck der Strafe muss es bei einer so masslosen Verletzung der Rechtsordnung sein, dass ihre Wiederherstellung durch die Bestrafung der Schuldigen sichtbar bestätigt wird und dass das Gewissen des Volkes gegenüber einem derartigen Unrecht wachgerüttelt und wachgehalten wird.

Trotz des ungeheuren Verbrechens, an dem sich die Angeklagten beteiligt haben, hatte das Gericht jedem Angeklagten die nach dem Umfang seines persönlich geleisteten, nachgewiesenen Tatbeitrags und seiner persönlich nachgewiesenen strafrechtlich wertbaren Schuld eine gerecht erscheinende Strafe zuzumessen.

Dabei musste berücksichtigt werden, dass die Vernichtung der Juden von der höchsten Staatsführung geplant worden war und unter Einsatz der Mittel des Staates durchgeführt wurde. Aufgrund dieser Besonderheit ergab sich auch für die Angeklagten die aussergewöhnliche Situation, dass eine Mitwirkung an diesem Verbrechen Anerkennung versprach, während eine Bestrafung nicht zu befürchten war. Die Ideen Hitlers vom "Unwert" der jüdischen Menschen waren bereits seit Anbeginn des "Dritten Reiches" mit erheblichem propagandistischem Aufwand durch Presse und Rundfunk, aber auch in Schulen und Universitäten verbreitet worden; dies war nicht ohne Wirkung geblieben und hatte bereits zu einer weitgehenden Abstumpfung gegenüber allen Massnahmen, die gegen die Juden ergriffen wurden, geführt. Die Eingliederung in eine straffe Organisation, der in der SS geforderte unbedingte Gehorsam und der gerade in der SS betriebene Kult um die absolute Gefolgschaftstreue, all dies führte dazu, dass die Angeklagten Handlanger für den SS-Staat wurden und ihr Gewissen und ihre Rechtsvorstellungen zurückstellten.

Für die Situation, in der die Angeklagten sich bei ihrem Entschluss, an dem Verbrechen an den Juden mitzuwirken, befanden, muss auch Berücksichtigung finden, dass aufgrund des Ausmasses, das die Durchführung des Vernichtungsplanes hatte, die Mitwirkung zahlreicher Stellen notwendig war und auch erfolgte. In Frankreich wurden die Massnahmen gegen die Juden sogar unter Beteiligung der französischen Verwaltung durchgeführt.

Schliesslich machte es die perfektionierte Amtssprache, derer sich auch die Angeklagten bedienten und die alles in trockene, "entmenschlichte" Verfügungen kleidete, so dass der Leser sich an "Viehtransporte" erinnert fühlt, ihnen als "Schreibtischtäter" leicht, sich von den schrecklichen Vorgängen, die sich hinter diesen Verfügungen verbargen, abzusetzen.

All diese aufgezählten Umstände haben ohne Zweifel einen Abbau von Hemmungsvorstellungen bei den Angeklagten bewirkt und mussten zu ihren Gunsten berücksichtigt werden.

Die Angeklagten, die alle drei nach dem Zusammenbruch des nationalsozialistischen Unrechtssystems zu einem geordneten und bürgerlichen Wertvorstellungen entsprechenden Leben zurückgefunden haben, wären ohne die Einbeziehung in dieses System wohl kaum zu Verbrechern geworden. Andererseits hätte das Regime Hitlers ohne Leute von dem Charakter und der Denkart der Angeklagten nicht zu so gigantischen Verbrechen führen können. Die Kammer hat jedoch den Angeklagten zugute gehalten, dass mit Rücksicht auf die über 35 Jahre zurückliegende Tatzeit die Strafe heute ganz andere Menschen trifft.

Auch wenn alle drei Angeklagten nicht die führenden Köpfe der "Endlösung der Judenfrage" in Frankreich waren, so wiegen ihre Tatbeiträge dennoch verhältnismässig schwer. Die Kammer hat allerdings davon abgesehen, bei der Festsetzung der Höhe der Strafen den Angeklagten der Zahl der Opfer vorzurechnen, die aufgrund ihrer Mitwirkung in die Gaskammern von Auschwitz gelangt sind. Die zu verhängende Strafe kann kein Äquivalent für die Schwere der Rechtsverletzung sein. Es war deshalb müssig, die Zahl der Getöteten gegen die Dauer der Freiheitsstrafe aufzurechnen. Für ausschlaggebend hielt die Kammer vielmehr Umstände wie die Dauer der Tätigkeit und der Grad des auf die Deportationen genommenen Einflusses.

Bei der Ahndung der Taten der Angeklagten hatte die Kammer gemäss den §§211, 27 Abs.2, 49 Abs.1 Nr.1 StGB von einem Strafrahmen von 3 bis 15 Jahren Freiheitsstrafe auszugehen. Bei keinem der Angeklagten war die Schuld so gering, dass ein Absehen von Strafe nach §47 Abs.2 des Militärstrafgesetzbuches hätte in Frage kommen können.

2.) Strafzumessungsgründe, die die Angeklagten im einzelnen betreffen

a) Für den Angeklagten Lis. wirkte sich strafmildernd aus, dass er lediglich Stellvertreter des BdS in Paris war und ihm der gesamte Machtapparat des BdS nur stellvertretend zur Verfügung stand. Auf der anderen Seite sind gerade in der Zeit von Anfang bis Mitte 1942, in der er Dr. Kno. vertreten hat, die für die späteren Deportationen entscheidenden vorbereitenden Massnahmen getroffen worden. Er muss sich auch vorwerfen lassen, dass er als ausgebildeter Volljurist, der überdies - wenn auch nur für kurze Zeit - das Richteramt ausgeübt hat, dennoch an dem Unrecht gegen die jüdischen Menschen mitgewirkt hat. Zu berücksichtigen ist dabei auch, dass Lis. sich schon in frühen Jahren dem NS-Regime verschrieben hat.

Unter Abwägung aller für und gegen den Angeklagten Lis. sprechenden Umstände hielt die Kammer eine Strafe im mittleren Bereich des gegebenen Strafrahmens für angemessen. Sie hat diese Strafe auf 10 Jahre Freiheitsstrafe festgesetzt.

b) Straferschwerend musste sich beim Angeklagten Hag. auswirken, dass bei ihm auch niedrige Beweggründe vorlagen. Gerade auch die von Hag. beim SD geleitete Abteilung hatte in der Judenpolitik des "Dritten Reiches" eine nicht unwichtige Rolle gespielt. Die Ideologie, die der Angeklagte Hag. vertrat und verbreitete, hatte ihre Auswirkungen auch auf andere. Zudem war Hag. unter den drei Angeklagten derjenige, der die längste Zeit an den Deportationsmassnahmen aus Frankreich mitgewirkt hat. Andererseits war allerdings bereits vor der Einrichtung der Dienststelle des HSSPF zum 1.6.1942 bezüglich der Organisation und der Einleitung der Massendeportationen ohne die Mitwirkung des Angeklagten Hag. einiges geschehen. Hinzu kommt, dass er als persönlicher Referent des HSSPF nur eingeschränkt eigene Entscheidungsbefugnis hatte, wenn auch sein Einfluss aufgrund des Umstandes, dass er ab 1.6.1942 mit im Zentrum der Behandlung der "Endlösung" in Frankreich stand, nicht verkannt werden darf.

Unter Abwägung aller Umstände hielt die Kammer eine Strafe für angemessen, die zwar deutlich unter der Obergrenze des gegebenen Strafrahmens liegt, die aber dennoch im oberen Bereich des Strafrahmens angesiedelt ist. Sie hat diese Strafe auf 12 Jahre Freiheitsstrafe festgesetzt.

c) Beim Angeklagten Hei. war die gegenüber den beiden anderen Angeklagten erheblich tiefere Verantwortungsebene zu berücksichtigen. Er ist zudem kein SS-Mann gewesen und nach seiner Dienstverpflichtung durch Zufall in das Judenreferat gekommen, in dem er nur über einen relativ kurzen Zeitraum tätig war. Auch seine Jugend, aufgrund der er von allen drei Angeklagten trotz seiner Vor- und Ausbildung am ehesten der nationalsozialistischen Propaganda unterlag, musste Berücksichtigung finden. Andererseits war es der Angeklagte Hei., der unmittelbar den Opfern im Lager Drancy begegnete und die Zustände dort mit eigenen Augen gesehen hat.

Unter Abwägung aller Umstände hielt die Kammer für den Angeklagten Hei. eine Strafe für angemessen, die zwar im unteren Bereich des gegebenen Strafrahmens angesiedelt war; das grosse Unrecht, an dem der Angeklagte Hei. mitgewirkt hat, erforderte es jedoch auch, die Mindeststrafe deutlich zu übersteigen. Die Kammer hat deshalb gegen den Angeklagten Hei. eine Freiheitsstrafe von 6 Jahren festgesetzt.

VI. Nebenentscheidungen

1.) Die von den Angeklagten erlittene Internierungshaft war gemäss §51 Abs.1 StGB anzurechnen, soweit ihre Verhängung in ursächlichem Zusammenhang mit den den Gegenstand des Strafverfahrens bildenden Handlungen stand. Die Internierung der Angeklagten Lis. und Hag. beruhte auf ihrer SS-Zugehörigkeit und ihrer Tätigkeit für die Sicherheitspolizei und den SD in Paris, die des Angeklagten Hei. auf seiner Tätigkeit für die Sicherheitspolizei in Paris. Nicht angerechnet werden konnte die Internierung des Angeklagten Lis. in der Tschechoslowakei; der Grund für diese Internierung war seine Tätigkeit als Leiter des Referates "Protektorat Böhmen/Mähren" im Reichssicherheitshauptamt.

2.) Die Angeklagten haben nach §465 Abs.1 StPO die Kosten des Verfahrens zu tragen.

Für die Kostenentscheidung bezüglich der notwendigen Auslagen der zugelassenen Nebenkläger gilt folgendes: Da die Deportationen der Angehörigen der Nebenkläger Grü., Cza., Dou., Ba. und Esther B. vor dem 19.7.1942 erfolgte, noch ehe nach den Feststellungen nach der Ankunft der Transporte aus Frankreich in Auschwitz jüdische Menschen in die Gaskammern geführt wurden, trifft die Angeklagten insoweit keine Kostentragungspflicht. Ebenso hat der Angeklagte Hei. dem Nebenkläger Gin. nicht dessen erwachsenen notwendigen Auslagen zu erstatten, weil in diesem Fall die Deportation der Angehörigen des Nebenklägers zu einem Zeitpunkt erfolgte, als der Angeklagte Hei. längst nicht mehr Mitarbeiter des Judenreferates war. Im übrigen beruht die Kostenentscheidung bezüglich der notwendigen Auslagen der Nebenkläger auf §§397, 471 Abs.1 StPO.

Lfd.Nr.859

Tatkomplex
Andere Massenvernichtungsverbrechen

Tatort
Delfzijl

Tatzeit
450425

Gerichtsentscheidungen
LG Hagen vom 22.02.1980, 31 Ks 45 Js 7/78

INHALTSVERZEICHNIS

des unter Lfd.Nr.859 veröffentlichten Urteils

LG Hagen vom 22.02.1980, 31 Ks 45 Js 7/78

31 Ks 45 Js 7/78

Im Namen des Volkes

Strafsache gegen

1. den Rentner August Neu. [115], geboren am 4.April 1912 in Dortmund, aus 4459 Wilsum / Gemeinde Uelsen, verheiratet, Deutscher,
2. den Holzkaufmann Siert Bru. [116], geboren am 2.März 1921 in Vlagtwedde/Niederlande, aus 5805 Breckerfeld I, verheiratet,

wegen Mordes.

Die 1. Schwurgerichtskammer des Landgerichts Hagen hat aufgrund der Hauptverhandlung vom 29.Oktober 1979 bis zum 22.Februar 1980 in der Sitzung vom 22.Februar 1980 für Recht erkannt:

> Der Angeklagte Neu. wird wegen Beihilfe zum Mord an zwei Menschen zu einer Freiheitsstrafe von acht Jahren verurteilt. Auf diese Strafe werden vier Jahre vollstreckter Freiheitsstrafe aus dem Urteil des Sondergerichtshofes in Leeuwarden vom 7.März 1949 angerechnet.
> Der Angeklagte Bru. wird wegen Beihilfe zum Mord an zwei Menschen zu einer Freiheitsstrafe von sieben Jahren verurteilt.
> Die Angeklagten tragen die Kosten des Verfahrens und ihre eigenen notwendigen Auslagen.

Angewandte Vorschriften: §§211, 27, 49 Abs.1, 51 Abs.3 und 4 StGB.

GRÜNDE

I. « Die persönlichen Verhältnisse der Angeklagten »

1.) « Neu. »

Der jetzt fast 68 Jahre, zur Tatzeit 33 Jahre alte Angeklagte Neu. ist in einem Dortmunder Vorort geboren und aufgewachsen. Seine Eltern waren Landwirte. Nach normaler Entwicklung, vierjähriger Volksschulzeit besuchte er ein Dortmunder Gymnasium, ohne einen Abschluss zu erreichen und machte eine Schlosserlehre, die er mit der Gesellenprüfung abschloss. Er war später als Schlosser im Maschinenbau, anschliessend als Monteur im Bergbau tätig. Am 1.Mai 1933 trat er in die NSDAP ein, etwas später wurde er auch, mindestens vorübergehend, Mitglied der SS, einer Parteiformation der NSDAP. Im Jahre 1935 heiratete er in Dortmund in erster Ehe, aus der zwei Kinder im Alter von jetzt etwa 39 und 41 Jahren hervorgegangen sind. Im Jahre 1938 begann der Angeklagte eine Ausbildung bei der Schutzpolizei in Mönchengladbach, die etwa 1½ Jahre dauerte. Danach wechselte er zur Kriminalpolizei und ging für etwa ein Jahr zur Kripo-Schule in Dresden. Nachdem er im Jahre 1940

[115] Hinsichtlich Neu. rechtskräftig durch Beschluss des BGH vom 4.12.1980, 4 StR 635/80.

[116] Dieses Urteil ist hinsichtlich Bru. rechtskräftig. Ein Rechtsmittel wurde nicht eingelegt bzw. zurückgenommen.

Kriminalassistent geworden war, besuchte er noch etwa 9 Monate die Grenzpolizeischule in Pretzsch an der Elbe.

Vom 7.Februar 1941 bis zum 1.Mai 1945 war er beim deutschen Grenzpolizeiposten in Delfzijl in den Niederlanden als Polizeibeamter tätig, zuletzt mit dem SS-Angleichungsdienstgrad eines SS-Oberscharführers; der dem Militärdienstgrad Feldwebel entsprach. Mit den meisten übrigen Angehörigen des Grenzpolizeipostens in Delfzijl flüchtete er am 1.Mai 1945 im letzten Augenblick mit einem Schiff nach Emden, als zugleich die alliierten Streitkräfte - kanadische Truppen - in Delfzijl einrückten. Etwa 14 Tage später geriet er in englische Kriegsgefangenschaft, bis er am 2.Juni 1947 den niederländischen Justizbehörden überstellt und in Untersuchungshaft genommen wurde.

Am 7.März 1949 verurteilte ihn der niederländische Sondergerichtshof zu Leeuwarden, 2. Kammer in Groningen, u.a. wegen der Beteiligung an sechs Tötungsdelikten zu einer Freiheitsstrafe von 16 Jahren unter Anrechnung der seit dem 2.Juni 1947 erlittenen Untersuchungshaft. Am 4.Dezember 1956 wurde der Angeklagte Neu. vorzeitig aus der niederländischen Haft entlassen und in die Bundesrepublik Deutschland abgeschoben. Der Strafrest ist ihm inzwischen erlassen worden. Nach Scheidung seiner ersten Ehe ging der Angeklagte Neu. im Jahre 1959 eine zweite Ehe ein, aus der ein jetzt etwa 20-jähriges Kind hervorgegangen ist. Von seiner zweiten Ehefrau lebt der Angeklagte seit einigen Jahren getrennt. Er lebt mit einer aus den Niederlanden stammenden Frau zusammen, die er aus der Zeit seines Kriegsaufenthaltes in den Niederlanden kennt und mit der er damals schon befreundet war. Nach der Entlassung aus der niederländischen Strafhaft betätigte sich der Angeklagte als technisch-kaufmännischer Angestellter. Inzwischen ist er Rentner. Sein allgemeiner Gesundheitszustand ist stark angegriffen. Er leidet insbesondere an einer Herz-Kreislauferkrankung. Mit Ausnahme der genannten niederländischen Verurteilung ist der Angeklagte nicht vorbestraft. Er lebt zurückgezogen als unbescholten geltender Bürger in einem Dorf in Norddeutschland.

2.) « Bru. »

Der jetzt fast 59 Jahre, zur Tatzeit 24 Jahre alte Angeklagte Bru. wurde als niederländischer Staatsangehöriger in Vlagtwedde in den Niederlanden, nahe der deutschen Grenze, geboren. Er entstammt einer Familie mit über mehrere Generationen zurückgehender niederländischer Abstammung. Seine Eltern waren Bauern. Seine Mutter lebt noch in den Niederlanden. Der Vater ist 1945 in einem niederländischen Internierungslager verstorben. Der Angeklagte will wissen, dass er dort den Folgen schwerer Misshandlungen erlegen sei. Der elterliche Hof lag in unmittelbarer Nähe der deutschen Grenze. Nach normaler kindlicher Entwicklung besuchte der Angeklagte die Volksschule bis zum 14.Lebensjahr. Anschliessend half er für etwa 2 Jahre im landwirtschaftlichen Betrieb seiner Eltern und besuchte die Landwirtschaftsschule in seiner niederländischen Heimat. Danach arbeitete er als Landwirtschaftslehrling auf einem Bauernhof im deutschen Emsland bei Rhede, in der Grenznachbarschaft seiner Heimat. Von 1938 bis 1941 war er im deutschen Grenzland als Molkereifahrer mit Pferd und Wagen tätig und wohnte weiterhin auf dem genannten Bauernhof bei Rhede. Seine Freizeit verbrachte er überwiegend in Deutschland. Er fühlte sich zu den deutschen Nachbarn hingezogen, seine Familie war deutschfreundlich eingestellt. Es bestanden schon damals viele grenznachbarliche Kontakte. Sein Elternhaus stand dem deutschen Nationalsozialismus nahe. Im Jahre 1939 schloss sich der Angeklagte im Alter von 18 Jahren dem NSB, der nationalsozialistischen Bewegung in den Niederlanden, an und war auch in der Hitlerjugend im deutschen Grenzland aktiv.

Aus jugendlicher grossdeutscher Begeisterung meldete er sich im Frühjahr 1941 als 20-jähriger zur Waffen-SS, um unter der deutschen Fahne zu kämpfen. Nach halbjähriger Infanterieausbildung kam er ab 8.August 1941 an der Ostfront in Russland zum Fronteinsatz, bei dem ihm das Infanteriesturmabzeichen verliehen wurde. Als Folge des harten Frontwinters 1941/1942 erkrankte er im Frühjahr 1942 an einem Lungenleiden. Alsdann lag er längere Zeit in Lazaretten und kam dann in die Genesungskompanie der Waffen-SS in Arnheim. Schliesslich gelangte er noch einmal in militärischen Einsatz bei der Nachrichtenleitstelle der Waffen-SS in Kattowitz, bis er schliesslich am 11.März 1943, weil nicht mehr kriegsdienstverwendungsfähig, aus der Waffen-SS mit dem letzten Dienstgrad als SS-Rottenführer entlassen wurde. Danach wurde der Angeklagte nach seinen Angaben vor die Wahl gestellt, als Bauer in die Ukraine zu gehen oder als Angehöriger des Sicherheitsdienstes (SD) zum Grenzpolizeiposten in Delfzijl. Der Angeklagte entschied sich für das letztere und wurde in die Dienste des Befehlshabers der Sicherheitspolizei und des Sicherheitsdienstes für die besetzten niederländischen Gebiete in Den Haag übernommen, einer Polizeibehörde, die personell und organisatorisch die staatliche deutsche Sicherheitspolizei mit der Parteiorganisation des SD, einem Nachrichten- und Spitzeldienst der SS, in sich vereinigte. Der Angeklagte, nicht mehr Soldat, wurde Polizeiangestellter beim Grenzposten in Delfzijl, welcher der Aussen- oder Hauptstelle in Groningen unterstand, wo er bis zum 1.Mai 1945 Dienst tat, zuletzt mit dem Angleichungsdienstgrad eines SS-Unterscharführers, entsprechend dem Militärdienstgrad Unteroffizier. Am 3.März 1945 heiratete der Angeklagte seine Ehefrau, die Niederländerin Sapke Sche.

Mit den übrigen Angehörigen der SD-Dienststelle in Delfzijl flüchtete der Angeklagte am 1.Mai 1945 mit einem Schiff nach Emden. Zusammen mit seiner schon vorher nach Deutschland geflüchteten Ehefrau lebte er zunächst einige Zeit als Landarbeiter auf einem Bauernhof in Ostfriesland. Nach einem kurzen unerkannten Aufenthalt in den Niederlanden und danach in einem englischen Internierungslager wurde er entlassen und tauchte dann in Deutschland unter dem Namen "Siegfried Bruns" unter. Auf diesen Namen besorgte er sich einen falschen Personalausweis, wonach er angeblich am 2.März 1921 in Wirdum/Ostfriesland geboren und Deutscher sei. Seine Ehefrau, für die er ebenfalls auf den Namen Bruns lautende gefälschte Papiere besorgte, war von den niederländischen Behörden ergriffen und zu Zwangsarbeit verurteilt worden, weil sie während der Kriegszeit als Köchin in deutschen Diensten gestanden hatte. Sie wurde jedoch schon im Herbst 1945 wieder entlassen, weil sie schwanger war, und folgte dem Angeklagten nach Deutschland. Aus der Ehe des Angeklagten sind zwei Söhne hervorgegangen, jetzt 31 und 34 Jahre alt. Der Angeklagte lebte mit seiner Familie von 1947 bis 1949 in Radevormwald, zog dann nach Breckerfeld, wo er sich seitdem in einem auf dem Namen seiner Ehefrau angemeldeten Betrieb mit der Herstellung von Jägerzäunen befasst. Er ist in Breckerfeld ein angesehener und beliebter Bürger und wird als zuverlässiger Geschäftsmann geschätzt.

Durch Urteil des niederländischen Sondergerichtshofs Leeuwarden, 2. Kammer in Groningen, wurde der Angeklagte am 25.April 1949 in Abwesenheit wegen der Teilnahme an drei Erschiessungen, darunter die Erschiessung der Gebrüder Sleutelberg, welche Gegenstand des vorliegenden Verfahrens ist, zum Tode verurteilt. Diese Strafe ist nach niederländischem Recht inzwischen in eine lebenslange Freiheitsstrafe umgewandelt worden. Im Jahre 1978 wurde die wahre Identität des Angeklagten den deutschen Strafverfolgungsbehörden erstmals bekannt. Aufgrund eines Auslieferungsersuchens der Regierung des Königreichs der Niederlande befand sich der Angeklagte vom 4.Juli 1978 bis zum 2.August 1978 in vorläufiger Auslieferungshaft, die aber mit der Begründung aufgehoben wurde, dass nach den damaligen Erkenntnissen die Behauptung des Angeklagten, er sei während des Krieges Deutscher geworden, nicht mit genügender Sicherheit zu widerlegen sei. Aufgrund eines Haftbefehls in dem zugleich mit dem Auslieferungsverfahren am 4.Juli 1978 eingeleiteten deutschen Ermittlungsverfahren war der Angeklagte vom 3.August 1978 bis zum 21.September 1978 im vorliegenden Verfahren in Untersuchungshaft, danach wurde der Haftbefehl unter Auflagen ausser Vollzug gesetzt. Bis auf die erwähnte Verurteilung durch das niederländische Gericht ist der Angeklagte Bru. unbestraft.

Soweit mit Ausnahme des hier abgeurteilten Falles eine Beteiligung der Angeklagten an anderen nachstehend geschilderten Tötungshandlungen bekannt geworden ist, ist ihre Strafverfolgung unter Verneinung mordqualifizierender Merkmale und Annahme der Verjährung der Strafverfolgung wegen Totschlagsdelikte eingestellt worden.

Mit der zur Hauptverhandlung zugelassenen Anklage ist den Angeklagten zur Last gelegt worden, in oder bei Delfzijl am 25.4.1945 die jüdischen Gebrüder Sleutelberg aus niedrigen Beweggründen und grausam getötet zu haben.

II. « Der Sachverhalt »

A. « Der Grenzpolizeiposten Delfzijl und die Tötung von Widerstandskämpfern im Jahre 1944 »

Der deutsche Grenzpolizeiposten, zugleich ein Aussenposten der staatlichen Sicherheitspolizei und des politischen Sicherheitsdienstes der SS - des sogenannten SD -, bestand in Delfzijl, einer Hafenstadt am Dollart (Emsmündung), seit Mitte 1940 und setzte sich zunächst zum überwiegenden Teil aus deutschen Kriminalbeamten zusammen, später vorwiegend aus niederländischen Polizei- bzw. SD-Angestellten. Alle trugen die feldgraue Uniform des SD und Dienstpistolen. Ferner verfügte der Posten über Gewehre und einige Maschinenpistolen. Chef der Dienststelle war zunächst ein gewisser Nieze, ab Mai 1944 der Zeuge Bor. [117], ein deutscher Kriminalbeamter, zuletzt im Dienstrang eines SS-Untersturmführers, vergleichbar dem Militärdienstgrad eines Leutnants.

Im letzten Kriegsjahr bis zur Auflösung der Dienststelle am 1.Mai 1945 unterstanden dem Dienststellenchef Bor. noch 5 deutsche Beamte, darunter Neu. und die noch lebenden Zeugen Ris. [118] und Kop. [119]. Ferner zählten zur Dienststelle etwa 11 niederländische SD-Polizeiangestellte, darunter Bru. Als Dienststellengebäude diente das frühere Gemeindemuseum, ein zweistöckiges Gebäude in der Marktstrasse, nahe dem Hafengelände. Zumeist und insbesondere in den letzten Kriegswochen hatten die Dienststellenangehörigen in dem Dienstgebäude auch ihre Schlafstellen. Zur Unterbringung von Gefangenen standen dem Grenzpolizeiposten Zellen im Polizeigefängnis des Gemeindehauses zur Verfügung sowie zwei Zellen im "Molenberg", einem stallartigen Kerkergebäude, wenige 100 m vom Dienststellengebäude entfernt.

Zunächst hatte der Posten ausschliesslich grenzpolizeiliche Aufgaben gehabt, wie Passkontrollen und das Ausklarieren von Schiffen. Für die inländischen niederländischen Polizeiaufgaben blieb in der Regel die niederländische Polizei zuständig. Im Laufe der Zeit wurden dem Grenzpolizeiposten in Delfzijl auch sicherheitspolizeiliche Aufgaben im Rahmen der deutschen Spionageabwehr übertragen. Zunehmend, insbesondere nach dem Einmarsch der alliierten Truppen in Holland Anfang September 1944, wurde der Grenzpolizeiposten auch als SD-Dienststelle zur Bekämpfung des erstarkenden niederländischen Widerstandes gegen die deutsche Besatzung eingesetzt.

[117] Bor. wurde am 7.3.1949 in den Niederlanden vom Sondergericht Leeuwarden - Aussenstelle Groningen - u.a. wegen der Erschiessung von sechs Zivilisten zu 10 Jahren Freiheitsstrafe verurteilt.

[118] Ris. wurde am 7.3.1949 in den Niederlanden vom Sondergericht Leeuwarden - Aussenstelle Groningen - wegen Misshandlung und Erschiessung von Häftlingen und Niederbrennen von Häusern zu 15 Jahren Freiheitsstrafe verurteilt. Am 18.5.1956 wurde er vorzeitig aus der Haft entlassen und abgeschoben.

[119] Kop. wurde am 26.4.1951 in den Niederlanden vom Sondergericht Leeuwarden - Aussenstelle Groningen - von der Anklage - Beteiligung an einer Exekution - freigesprochen.

Gewalttaten von Widerstandskräften gegen die deutsche Besatzung oder niederländische Helfer sind in Delfzijl oder Umgebung nicht berichtet worden. Wohl war ein aktiver Widerstand in der Weise vorhanden, dass geheime Druckschriften und Zeitungen hergestellt sowie untergetauchte Personen unterstützt wurden. Auch wurde auf verschiedene andere Weise ohne Gewaltanwendung der Durchhaltewille der Bevölkerung bis zur Befreiung gestärkt. Zur Bekämpfung dieses Widerstandes musste die Dienststelle in Delfzijl auf Anordnung oder unter Leitung der Sicherheitspolizei- und SD-Aussenstelle Groningen verstärkt sicherheitspolizeiliche Aufgaben übernehmen, insbesondere des Widerstandes Verdächtige vernehmen, Wohnungen durchsuchen und Festnahmen durchführen. An solchen Tätigkeiten nahmen sowohl die deutschen wie die niederländischen Dienststellenangehörigen teil. Veranlassung für solche sicherheitspolizeilichen Massnahmen waren als konspirativ angesehene Tätigkeiten, wie etwa der Vertrieb von Propagandamaterial, der verbotene Besitz von Rundfunkgeräten, das Abhören verbotener Rundfunksender, das Verteilen von Lebensmittelkarten oder das Versteckthalten untergetauchter Personen.

Zwar war die von den nationalsozialistischen Machthabern durchgeführte Deportation der holländischen Juden, die insbesondere Mitte des Jahres 1942 erfolgt war, den Dienststellenangehörigen bekannt, die Angehörigen der Dienststelle selbst waren damit aber nicht befasst gewesen.

Gegen Ende des Jahres 1944 kam es im Verlauf von sicherheitspolizeilichen Massnahmen gegen die niederländischen Widerstandskräfte auf Anordnung der Aussenstelle in Groningen zu Erschiessungen mehrerer niederländischer Staatsbürger, die der Zugehörigkeit zu Widerstandskreisen beschuldigt wurden.

Im einzelnen handelte es sich dabei um folgende Tötungshandlungen:

1.)
Am 9.September 1944 drang der Angeklagte Neu. mit einem unter seiner Leitung stehenden Kommando von SD-Angehörigen in den Bauernhof der Familie Omta in Bierum ein. Er hatte den Auftrag der SD-Hauptstelle in Groningen, den der Widerstandstätigkeit verdächtigten Bauern Omta zu erschiessen. Zusammen mit dem Zeugen Kop. traf der Angeklagte Neu. den Bauern Omta in einem Schuppen an und erschoss ihn mit zwei Schüssen aus seiner Dienstpistole.

2.)
Am 8.September 1944 wurde der des Widerstandes verdächtigte Ruurd de Bruin in Winschoten festgenommen. Nach der Festnahme erhielt der Zeuge Bor. von der SD-Hauptstelle in Groningen den Befehl, de Bruin heimlich erschiessen und die Leiche verschwinden zu lassen. Die Ausführung dieses Befehls übertrug der Zeuge Bor. dem Angeklagten Neu. und dem Zeugen Kop. Beide, Neu. als Fahrer, fuhren de Bruin in der Nacht vom 9. zum 10.September 1944 mit einem Auto zu einem Wasser in der Nähe von Holwierde. Neu. und Kop. verliessen mit de Bruin das Auto und liessen ihn ein Stück vor sich her gehen. Alsdann schoss der Angeklagte Neu. mit seiner Dienstpistole auf de Bruin, der tödlich getroffen und dessen Leiche alsdann ins Wasser geworfen wurde.

3.)
Am 21.September 1944 war Aldert Klaas Dij. auf dem Bauernhof seiner Eltern in Bierum unter dem Verdacht, Verbindung zum Widerstand zu unterhalten, festgenommen worden. Der Zeuge Bor. erhielt den Auftrag aus Groningen, Dij. auf einer gestellten "Flucht" erschiessen zu lassen. Die Ausführung dieses Befehls übertrug Bor. den Angeklagten Neu. und Bru. In der Nacht vom 21. auf den 22.September 1944 fuhren Neu. als Fahrer und Bru. mit Dij. im Auto von Delfzijl nach Appingedam. Dort verliessen die Angeklagten in der Nähe einer Fabrik das Auto und liessen Dij. vor sich hergehen. Alsdann schossen Neu. und Bru.

beide aus ihren Dienstpistolen auf Dij., der tödlich getroffen niederfiel. Danach liessen die Angeklagten einen niederländischen Polizeibeamten, den Zeugen Ste. und einen Arzt, den Zeugen Sim., zum Tatort kommen und behaupteten wahrheitswidrig, Dij. sei nach der Sperrzeit angetroffen worden und auf Anruf nicht stehengeblieben. Man habe ihn deshalb "auf der Flucht" erschossen. Bru. berichtete später Angehörigen der SD-Dienststelle in Delfzijl, man habe Dij. aussteigen lassen und zu ihm gesagt: "Geh mal eben pissen!". Sodann hätten Neu. und er Dij. erschossen.

4.)
In der Nacht vom 30.September zum 1.Oktober 1944 war der Niederländer Baltus Timmer mit anderen untergetauchten Niederländern, die sich der Arbeitspflicht in Deutschland entzogen hatten, am Schildmeer bei Slochteren durch sogenannte Landwächter - einer Art Polizei des NSB - festgenommen worden. Timmer führte ein langes Messer mit sich, was als Tragen einer verbotenen Waffe angesehen wurde. Er wurde mit anderen Verhafteten in den Zellen des Polizeigefängnisses in Delfzijl eingesperrt. Der Zeuge Bor. erhielt von der SD-Hauptstelle in Groningen den Befehl, Timmer durch ein Exekutionskommando erschiessen zu lassen. Bor. gab diesen Befehl an Neu. weiter mit dem Auftrag, das aus niederländischen Angehörigen der Dienststelle zusammengestellte Exekutionskommando, zu welchem auch der Angeklagte Bru. gehörte, zu leiten. Am Morgen des 4.Oktober 1944 wurde Baltus Timmer durch das von Neu. geleitete Kommando erschossen. Neu. gab Timmer noch einen Gnadenschuss mit seiner Dienstpistole in den Kopf.

5.)
Unter der Leitung des Zeugen Ris. fand am 5.Oktober 1944 in Hoogezand-Sappemeer eine Razzia des SD mit dem Ziel statt, der antideutschen Widerstandstätigkeit verdächtige Niederländer festzunehmen. Es wurden etwa acht bis zehn Personen arrestiert, die zum Teil illegale Zeitschriften mit sich geführt hatten oder einer konspirativen Zusammenkunft verdächtig waren, darunter auch Jan Sangers, Jan Huitzing und Cornelis Enno de Haan. Die Hauptstelle des SD in Groningen erteilte nach den Festnahmen über den Zeugen Bor. den Befehl, die Gefangenen zu erschiessen. Die Zeugen Bor. und Ris. kamen jedoch überein, die Exekution auf zwei der Gefangenen zu begrenzen. Ris. selbst lehnte es ab, persönlich an der Exekution dieser beiden mitzuwirken. Daraufhin erteilte Bor. dem Angeklagten Neu. den Befehl, anstatt sämtlicher festgenommener Personen die festgenommenen Sangers und Huitzing durch ein von Neu. zu kommandierendes Exekutionskommando erschiessen zu lassen. Aufgrund dieses Befehls stellte der Angeklagte Neu. an der Schule in Martinshoek ein aus Soldaten der deutschen Luftwaffe bestehendes Exekutionskommando zusammen, dem er das Feuerkommando gab, worauf Jan Sangers und Jan Huitzing erschossen wurden. Der festgenommene Enno de Haan wurde zunächst mit den anderen Verhafteten in Zellen des SD am "Molenberg" in Delfzijl eingesperrt.

6.)
Die SD-Hauptstelle Groningen verlangte jedoch, dass auch noch Enno de Haan erschossen werden sollte. Der Zeuge Bor. gab diesen Befehl an den Angeklagten Neu. weiter, der weisungsgemäss am 7.Oktober 1944 wiederum ein aus niederländischen Angehörigen seiner Dienststelle bestehendes Exekutionskommando zusammenstellte, Enno de Haan aus den Zellen am Molenberg zum christlichen Friedhof in Delfzijl holen liess, dort dem Exekutionskommando den Feuerbefehl erteilte, worauf Enno de Haan tödlich getroffen niedersank. Der Angeklagte Neu. gab ihm anschliessend noch den sogenannten Gnadenschuss.

Bei ihren vorstehend geschilderten Taten handelten die Angeklagten in blindem Befehlsgehorsam. Sie haben nie den Versuch unternommen, ihre Tatbeteiligung zu verweigern oder versetzt zu werden.

Im Frühjahr 1945 rückten die alliierten Truppen, die bereits Anfang September 1944 die Grenzen der Niederlande von Süden her passiert hatten, unaufhaltsam gegen die an allen Fronten zurückweichenden deutschen Truppen vor. Mitte April 1945 war fast das gesamte Gebiet der Niederlande befreit. Am 16.April 1945 fiel bereits Groningen. Die dortige SD-Hauptstelle existierte nicht mehr. Die SD-Dienststelle in Delfzijl hatte nur noch wenige Aufgaben, nachdem der Hafen- und Schiffsverkehr fast zum Erliegen gekommen war. Mit Ausnahme einiger Vormittagsstunden war für die Bevölkerung eine Ausgehsperre verhängt worden. Die alliierten Truppen lagen in einem Abstand von etwa 4-5 km in einem Ring rund um Delfzijl. In den und aus dem Kessel wurde von Zeit zu Zeit mit Artilleriefeuer geschossen. Die SD-Angehörigen in Delfzijl hatten bereits Vorbereitungen zur Flucht getroffen. Im Hafen von Delfzijl lag ein für die Flucht klar gemachtes Schiff bereit, das im Ernstfall von dem Zeugen Kop., einem gelernten Binnenschiffer, geführt werden sollte.

Diese Situation bestand um den 24./25.April 1945 herum, dem Tatdatum des hier abgeurteilten Geschehens. Fast ganz Deutschland war bereits in der Hand der gegnerischen Truppen. An der Elbe trafen die westlichen alliierten Truppen mit der russischen Armee zusammen. Der Krieg war erkennbar für Deutschland verloren.

B. « Die Tötung der jüdischen Gebrüder Sleutelberg am 25.April 1945 »

Die jüdischen Gebrüder Sleutelberg, Lazarus (geboren am 9.November 1901) und Meijer (geboren am 2.Februar 1908), deren Eltern in Farmsum, einem Vorort südöstlich von Delfzijl, eine Metzgerei und Viehhandel betrieben hatten, waren der Deportation der holländischen Juden, die im wesentlichen im Jahre 1942 stattgefunden hatte, entgangen. Beide waren ledig und hatten vor dem Untertauchen im elterlichen Geschäft als Viehhändler und Metzger gearbeitet. Um der durch die damaligen deutschen Machthaber ausgelösten Judenverfolgung zu entgehen, waren sie auf Bauerngehöften in der Umgebung von Delfzijl untergeschlüpft und hielten sich zuletzt südlich von Farmsum, zunächst bei dem Bauern Kuiper und dann auf dem Hof des Bauern Dij. verborgen. Einzelnen Angehörigen der SD-Dienststelle in Delfzijl, insbesondere den Zeugen Ris. und Bor., war bekannt, dass die Brüder Sleutelberg Juden und untergetaucht waren, den Ort ihres Unterschlupfes kannten sie jedoch nicht. Irgendwelche Suchaktionen nach den Gebrüdern Sleutelberg oder anderen untergetauchten Juden waren von der SD-Dienststelle in Delfzijl nicht durchgeführt worden.

Am 24.April 1945, einem Dienstag, wurden die Brüder Lazarus und Meijer Sleutelberg in den Morgenstunden auf dem Hof Dij. von jungen deutschen Soldaten der Wehrmacht entdeckt, die den Hof nach Lebensmitteln durchsuchten. Die Brüder, die sich immer im Haus oder Stall verborgen gehalten und sich praktisch nie nach draussen ans Tageslicht gewagt hatten, waren nach dem Auftauchen der Soldaten auf dem Hof noch eilig in ein für sie hergerichtetes Versteck, einen Schrank geflüchtet, der sich in einem Gang vor dem Elternschlafzimmer befand. Sie wurden aber von einem Soldaten entdeckt und vor das Haus geschleppt. Dort mussten sie sich zusammen mit den Eltern Dij. und deren Kindern, den Zeugen Jantje Wi. (damals etwa 26 Jahre alt) und Willem Dij., (damals etwa 20 Jahre alt) vor eine Wand stellen. Willem Dij. war zu diesem Zweck von den Soldaten aus dem nahegelegenen Garten herbeigeholt worden, wobei man ihm ein Gewehr in den Rücken gehalten hatte. Während die Familie Dij. und die Brüder Sleutelberg mit erhobenen Händen vor der Wand standen und von den Soldaten mit Gewehren in Schach gehalten wurden, suchten andere Soldaten im Haus vergeblich nach weiteren untergetauchten Personen. Währenddessen weinten die Brüder Sleutelberg vor Angst und bettelten um ihr Leben.

Danach brachten zwei der Soldaten die Brüder Sleutelberg, die von ihnen alsbald als untergetauchte Juden erkannt worden waren, zusammen mit der Zeugin Jantje Wi. geb. Dij. zu Fuss zum Orts- und Hafenkommandanten in Delfzijl, wo sie nach etwa einer Stunde Fussmarsch ankamen. Der Kommandant ordnete an, die Soldaten sollten die drei gefangen genommenen

Personen laufen lassen oder zur SD-Dienststelle in Delfzijl bringen, was auch geschah. Als sie dort in den Mittagsstunden eintrafen, waren mehrere Angehörige der Dienststelle anwesend, jedenfalls die Zeugen Ris., van der Slu., Bro. und Bor., der möglicherweise erst etwas später hinzukam. Ausserdem befand sich noch ein Landwächter, der Zeuge de Bo., im Dienststellengebäude. Spätestens bevor die Brüder Sleutelberg wieder aus dem Dienststellengebäude herausgebracht wurden, kam auch der Angeklagte Neu. hinzu.

Die Einlieferung ging ziemlich geräuschvoll vonstatten. Die Gebrüder Sleutelberg weinten und flehten den Zeugen de Bo. an, den sie aus der Zeit vor ihrem Untertauchen persönlich kannten, ihnen zu helfen. Zumindest einer der beiden Soldaten beschimpfte die Brüder Sleutelberg wegen ihrer jüdischen Abstammung und drohte handgreiflich zu werden. Die Soldaten schilderten den Ort und die Einzelheiten der Festnahme und es kam dabei klar zum Ausdruck, dass sie die Brüder Sleutelberg allein wegen ihrer jüdischen Abstammung festgenommen hatten und nicht etwa wegen irgendwelcher Widerstandsaktivitäten, Sabotage oder Spionage.

Alles spielte sich im Flur des Untergeschosses des SD-Gebäudes ab. Der Zeuge Ris., der den Lärm von seinem im ersten Stock gelegenen Zimmer aus gehört hatte, kam herunter, beschwichtigte die aufgebrachten Soldaten und meinte, man sollte die Juden doch laufen lassen, der Krieg sei ohnehin bald zu Ende. Möglicherweise stellten sich demgegenüber einer der Soldaten oder ein anderes Mitglied des SD auf den Standpunkt, die Juden müssten erschossen werden.

Auf Anordnung des - möglicherweise erst etwas später - hinzugekommenen und über den Sachverhalt informierten Zeugen Bor. wurde die Zeugin Jantje Wi. geb. Dij. alsbald entlassen und von den Soldaten zum elterlichen Hof zurückgebracht. Hinsichtlich der Brüder Sleutelberg ordnete Bor. als vorläufige Massnahme an, sie in den Zellen am Molenberg einzusperren. Danach setzte sich Bor. mit dem Orts- und Hafenkommandanten in Verbindung und erklärte diesem, er könne die Verantwortung für die beiden Gefangenen nicht übernehmen. Seine Dienststelle habe durch die Unterstellung unter den Kampfkommandanten keine sicherheitspolizeilichen Aufgaben mehr. Auch fehle ihm eine ausreichende Unterbringungsmöglichkeit, da erst wenige Tage zuvor ein deutscher Soldat, der zusammen mit mehreren Niederländern wegen des Verdachts des Widerstandes gegen die deutsche Wehrmacht festgenommen worden war, aus den Zellen am Molenberg ausgebrochen sei. Zudem seien die Brüder Sleutelberg von Soldaten der Wehrmacht ergriffen worden und damit auch die Wehrmacht für ihr weiteres Schicksal verantwortlich. Der Orts- und Hafenkommandant lehnte die Übernahme der Gebrüder Sleutelberg aber mit dem Hinweis ab, dass er selbst keine Unterbringungsmöglichkeit habe und sie deshalb zum SD habe bringen lassen.

Danach entschloss sich der Zeuge Bor., die Brüder Sleutelberg zurück zu dem Abschnittskommandanten bringen zu lassen, dem die Soldaten, welche sie ergriffen hatten, unterstanden. Er ordnete an, die Brüder Sleutelberg sollten abends aus den Zellen am Molenberg geholt und mit dem letzten requirierten PKW, der der Dienststelle noch zur Verfügung stand, zurück zu der Wehrmachtseinheit gebracht werden, deren Soldaten sie gefangen genommen hatten. Möglicherweise gebrauchte er dabei die Worte, man sollte sie "dahin zurückbringen, wo sie hergekommen seien" und evtl. auch beiläufig die Redewendung, man solle ihm die beiden Gefangenen "vom Halse schaffen", womit er aber nicht etwa ihre Tötung, sondern das Zurückbringen zu der Wehrmachtseinheit meinte.

Diesen Auftrag erteilte er entweder ausdrücklich dem Angeklagten Neu. persönlich oder jedenfalls in solcher Weise, dass Neu., der den genannten PKW damals zumeist überwiegend führte, ihn auf sich bezog. Ob Bor. gleichzeitig den Angeklagten Bru. als den Begleiter Neu.s bestimmte oder ob sich Bru. später freiwillig hierzu meldete oder von Neu. zu seinem Begleiter bestimmt wurde, liess sich nicht mehr klären, ebensowenig, ob die gefangen gehaltenen Brüder vor ihrem endgültigen Wegbringen durch die Angeklagten am Abend noch einmal ins Dienststellengebäude gebracht worden waren.

Jedenfalls holten die Angeklagten Neu. und Bru. gegen 23 Uhr die Brüder Sleutelberg aus ihren Zellen am Molenberg, liessen sie in den PKW einsteigen und fuhren mit ihnen weg, wobei der Angeklagte Neu. das Fahrzeug führte. Beide Angeklagten wussten, dass die Brüder Sleutelberg allein wegen ihrer jüdischen Abstammung zur Dienststelle gebracht worden waren und dass ihnen sonst nichts vorgeworfen wurde, was auch nur annähernd ihre Tötung hätte rechtfertigen oder entschuldigen können.

Nach einer wenige Minuten dauernden Fahrt, wahrscheinlich Richtung Farmsum am dortigen Judenfriedhof vorbei, gelangte man wahrscheinlich bis zum Spoorweg, einem ehemaligen Eisenbahndamm, wo der Weg sich so verengte, dass eine Weiterfahrt mit dem PKW unmöglich wurde. Nicht weit von dieser Stelle lag auch die Einheit der Soldaten, welche die Gebrüder Sleutelberg ergriffen hatten, nämlich mehrere hundert Meter weiter südlich, nahe dem Gehöft Dij.

Nachdem der Angeklagte Neu. das Fahrzeug angehalten hatte, mussten die Brüder Sleutelberg aussteigen. Die beiden Angeklagten, beide mindestens mit ihrer Dienstpistole bewaffnet, verliessen ebenfalls den PKW. Während die Brüder von mindestens einem der beiden Angeklagten mit gezogener Pistole in Schach gehalten wurden, erhielt jeder von ihnen einen Spaten oder eine Schaufel und sie mussten dann - mindestens begleitet und bewacht von Bru. - eine kurze Strecke vom Fahrzeug weg aufs Land, wahrscheinlich eine Wiese, gehen. Spätestens jetzt wurde den Brüdern Sleutelberg klar, dass sie erschossen werden sollten. Das gilt auch für die beiden Angeklagten, zu deren Gunsten die Kammer jeweils davon ausgeht, dass bis dahin nur der jeweilige Mitangeklagte den Brüdern Sleutelberg nach dem Leben trachtete, diesen Plan aber bis dahin vor dem anderen geheim gehalten hatte und ihn erst jetzt am Fahrtende offenbar werden liess oder spätestens hier gefasst hatte.

Nachdem die Brüder Sleutelberg mit dem Angeklagten Bru. ein Stück aufs Land gegangen waren, mussten sie dort ihr eigenes Grab bis zur Tiefe ihres späteren Verscharrens ausheben, während der Angeklagte Bru. mit gezogener Pistole oder Maschinenpistole in ihrer unmittelbaren Nähe Platz nahm und sie bewachte. Das Grabausheben dauerte etwa ein bis zwei Stunden. Während dieser Zeit durchlitten die Brüder Sleutelberg schwere seelische Qualen. Sie hatten schon bei ihrer Festnahme und auch im Gebäude des SD vor Furcht geweint und um ihr Leben gebettelt, nach dem Einsperren in die Zellen am Molenberg aber wieder neue Hoffnung geschöpft. Nachdem sie sich jahrelang mit Erfolg, aber in ständiger Angst, verborgen gehalten hatten und die Befreiung durch die alliierten Truppen schon in greifbare Nähe gerückt war, sahen sie jetzt praktisch ihren sicheren Tod vor Augen. Sie weinten und bettelten um ihr Leben. Ihre unvorstellbaren seelischen Qualen wurden noch dadurch gesteigert, dass sie aus demonstrativer Geringschätzung und gefühlloser, unbarmherziger Gesinnung ohne Rücksicht auf ihr Weinen und Flehen gezwungen wurden, sich vor dem Erschossenwerden in mühsamer und demütigender Weise noch ihr eigenes Grab auszuheben.

Während sie mit dem Ausheben des eigenen Grabes beschäftigt waren, hielt sich der Angeklagte Neu. - zumindest überwiegend - bewusst in nächster Sichtweite auf und beobachtete das Geschehen. Falls er die Tötung der Brüder Sleutelberg und den Zwang, sie zuvor ihr eigenes Grab ausheben zu lassen, nicht selbst angeordnet hatte - was sich zu seinem Nachteil nicht mit der gebotenen Sicherheit feststellen lässt -, so billigte er jedenfalls das Vorgehen des Angeklagten Bru. und war bereit, Bru. dadurch zu unterstützen, dass er wartend in der Nähe blieb, um ebenfalls einschüchternd auf die Opfer zu wirken, bei einem etwaigen Fluchtversuch eingreifen und Bru. angesichts der Frontnähe gegebenenfalls Feuerschutz geben zu können und ihm durch die Bereithaltung des PKW den Fluchtweg zu sichern.

Beiden Angeklagten war klar, dass die Brüder Sleutelberg während des Aushebens ihres eigenen Grabes im Angesicht des bevorstehenden Todes durch Erschiessen schwere seelische Qualen durchmachten und dass der Zwang, sie zuvor das eigene Grab ausheben zu lassen, bewusst darauf abzielte, ihnen aus demonstrativer Geringschätzung und aufgrund einer gefühllosen, unbarmherzigen Gesinnung diese besonderen Qualen zu bereiten.

Zwar hatte das Aushebenlassen des Grabes durch die Opfer auch die Folge, dass die Leichen später leichter vergraben und so die Tatspuren müheloser verwischt werden konnten. Zum Verbergen der Leichen bedurfte es jedoch keinesfalls des geschilderten grausamen Vorgehens. Das Vergraben der Leichen wäre etwa - wie die beiden Angeklagten wussten - ohne weiteres in einem der vielen Gräben möglich gewesen, die das deutsche Militär in der Umgebung Farmsums gezogen hatte, ohne dass man die Opfer zuvor hätte zwingen müssen, ihr eigenes Grab auszuheben. Vor allem hätten die Angeklagten ihnen diese grausame Behandlung im Angesicht der bevorstehenden Tötung dadurch ersparen können, dass sie selbst nach der Tat wo auch immer das Grab gruben.

Nachdem die Brüder Sleutelberg ihr eigenes Grab ausgehoben hatten, wurden sie erschossen, und zwar entweder je einer von ihnen von den Angeklagten Bru. und Neu. oder beide durch Bru. oder beide durch Neu., oder durch Neu. und/oder ein oder zwei von Neu. zur Exekution herbeigeholte Soldaten. Danach schaufelte Bru. das Loch, in dem die Leichen der Gebrüder Sleutelberg lagen, zu und fuhr mit Neu. im PKW zurück nach Delfzijl. Später - noch in der Nacht oder an folgenden Tagen - liess der Angeklagte Bru. gegenüber dem einen oder anderen seiner niederländischen Kameraden durchblicken, dass er mit Neu. die Juden weggebracht habe und dass sie nach Ausheben ihres eigenen Grabes erschossen worden seien.

Es besteht zwar eine gewisse Wahrscheinlichkeit dafür, dass beide Angeklagten bereits bei Fahrtantritt übereingekommen waren, die Gebrüder Sleutelberg ihr eigenes Grab ausheben zu lassen und sie anschliessend zu erschiessen. Dies liess sich aber nicht mit der erforderlichen Sicherheit feststellen. Zur Überzeugung der Kammer steht nur fest, dass mindestens einer der beiden Angeklagten sich aus Judenhass entschloss, entgegen der Anordnung des Zeugen Bor. die beiden jüdischen Gebrüder Sleutelberg ihr Grab ausheben zu lassen und sie dann zu erschiessen und dass er diesen Plan spätestens am Fahrtende fasste und dem Mitangeklagten offenbar werden liess, als er die Spaten oder Schaufeln an die Opfer verteilte.

Vor diesem Hintergrund lässt sich zum Nachteil des Angeklagten Bru. nur folgende Mindestbeteiligung feststellen:

Der Angeklagte Bru. nahm zunächst an der Fahrt teil in der Vorstellung, die Gebrüder Sleutelberg würden entsprechend dem Befehl des Dienststellenleiters Bor. zurück zum Abschnittsführer der Einheit gebracht, welche die Brüder gefangen hatte. Am Fahrtziel ordnete der Angeklagte Neu. an, die Brüder Sleutelberg würden erschossen, verteilte die Spaten und befahl dem Angeklagte Bru., mit den Opfern ein Stück aufs Land zu gehen und sie dort unter seiner Bewachung ein Loch für ihr Grab ausheben zu lassen. Der Angeklagte Bru. erkannte, dass dies aus besonders verwerflichen Beweggründen, aus Judenhass geschah. Zudem war ihm bewusst, dass die Brüder Sleutelberg während des Aushebens des eigenen Grabes angesichts des bevorstehenden sicheren Todes schwerste seelische Qualen durchmachten und dass die Anordnung, sie sollten vor dem Erschossenwerden ihr eigenes Grab ausheben, bewusst darauf abzielte, ihnen aus demonstrativer Geringschätzung und aufgrund einer gefühllosen, unbarmherzigen Gesinnung besondere Qualen zu bereiten.

Der Angeklagte Bru. wusste, dass die Anordnung Neu.s auf die Begehung eines Verbrechens gerichtet war. Ihm drohte bei einer Verweigerung einer Teilnahme an dem Verbrechen weder eine Gefahr für Leib, Leben oder Freiheit noch ging er irrtümlich von einer solchen Gefahr aus. Gleichwohl entschloss er sich, ohne Widerspruch die Anordnung Neu.s auszuführen und die Juden beim Ausheben des Grabes zu bewachen, weil er dem dienstälteren und ranghöheren Neu. auch so kurz vor dem sich abzeichnenden Kriegsende seine Gefolgschaftstreue und Ergebenheit unter Beweis stellen wollte. Dabei war er weder von einem eigenen Judenhass bestimmt, noch hatte er ein eigenes Interesse daran, die Brüder Sleutelberg zu quälen oder zu töten. Es erschien ihm unter den damaligen Verhältnissen opportun, sich dem Befehl Neu.s nicht zu widersetzen und so dessen Tat zu unterstützen, ohne dass er dabei die Tat aber als eigene wollte.

Demgegenüber lässt sich zum Nachteil des Angeklagten Neu. nur folgendes sicher feststellen:

Der Angeklagte Neu. hatte zunächst vor, entsprechend der Anordnung des Zeugen Bor. die Brüder Sleutelberg zurück zu dem Abschnittsführer zu bringen, dessen Einheit die Brüder gefangengenommen hatte. Spätestens am Fahrtende wurde ihm klar, dass Bru. den beiden Juden nach dem Leben trachtete, sie ihr eigenes Grab ausheben lassen und danach erschiessen wollte. Der Angeklagte Neu. erkannte, dass dieser Plan auf einem niedrigen Beweggrund, nämlich auf Judenhass, beruhte und dass die Brüder Sleutelberg deshalb gezwungen werden sollten, zunächst ihr eigenes Grab auszuheben, um ihnen aus demonstrativer Geringschätzung und aufgrund einer gefühllosen, unbarmherzigen Gesinnung besondere Qualen zuzufügen. Obwohl er selbst nicht von Judenhass bestimmt war und auch kein eigenes Interesse daran hatte, die Opfer zu quälen oder zu töten, entschloss er sich, dem Vorhaben des Angeklagten Bru. nicht entgegenzutreten, sondern ihn noch dadurch zu unterstützen, dass er - während die Opfer von Bru. gezwungen wurden, ihr eigenes Grab zu graben - sich zumindest überwiegend in nächster Sichtweite aufhielt, um ebenfalls einschüchternd auf die Opfer zu wirken, bei einem etwaigen Fluchtversuch eingreifen und dem Angeklagten Bru. angesichts der Frontnähe gegebenenfalls Feuerschutz geben zu können und um ihm durch die Bereithaltung des PKW den Fluchtweg zu sichern. Dass er dadurch über die blosse Unterstützung des Angeklagten Bru. hinaus die Tat auch als eigene wollte, liess sich nicht feststellen, zumal sich nicht ausschliessen lässt, dass ihm Bru. an Ort und Stelle mit Erfolg vorspiegelte, der Zeuge Bor. habe ihn - Bru. - in einem kurz vor Fahrtantritt geführten Gespräch unter vier Augen beauftragt, ihm die beiden Juden auf diese Weise "vom Halse zu schaffen". Dabei war dem Angeklagten Neu. klar, dass ein etwaiger diesbezüglicher Befehl des Zeugen Bor. an Bru. auf die Begehung eines Verbrechens gerichtet war und dass ihm bei einer Verweigerung der Teilnahme an dem Verbrechen keine Gefahr für Leib, Leben oder Freiheit drohte.

C. « Die niederländischen Verfahren gegen die Angeklagten sowie gegen den Zeugen Bor. »

Nach dem Kriege wurde der Angeklagte Neu. am 7.März 1949 vom Sondergerichtshof zu Leeuwarden, 2. Kammer in Groningen, - No. 7/49 - wegen der zugestandenen Beteiligung an den oben geschilderten Erschiessungen in den Fällen Omta, de Bruin, Dij., Timmer, Sangers und Huitzing und de Haan sowie wegen vorsätzlicher Misshandlung des Jacob Dorenbos, den er im Januar 1944 in Wagenborgen bei einer Vernehmung mit einer Maschinenpistole auf den Kopf geschlagen und blutig verletzt hatte, zu einer Freiheitsstrafe von 16 Jahren verurteilt. In den Urteilsgründen wurde zur Strafzumessung "was die aufzuerlegende Strafe betrifft" u.a. ausgeführt, "dass der Sondergerichtshof vor allem das Erschiessen des Landwirts Omta höchst feigherzig und abscheulich finde und auch die von dem Angeklagten zugegebene, wenn auch ihm nicht zur Last gelegte Beteiligung an dem Mord an den jüdischen Gebrüdern Sleutelberg Ende April 1945, als fast die ganze Provinz Groningen schon befreit gewesen sei, als eine äusserst gemeine Tat berücksichtigen wolle". Die gegen dieses Urteil eingelegte Revision des Angeklagten Neu. hatte keinen Erfolg.

Der Angeklagte Bru. wurde durch Urteil des Sondergerichtshofs Leeuwarden, 2. Kammer in Groningen, - No. 22/49 - am 25.April 1949 in Abwesenheit durch ein Versäumnisurteil zum

Tode verurteilt. Gleichzeitig wurde ihm die niederländische Staatsangehörigkeit entzogen. Der Sondergerichtshof sah u.a. als erwiesen an, dass der Angeklagte Bru. an Tötungshandlungen und zwar an den Erschiessungen Dij. und Timmer sowie an der Tötung der Gebrüder Sleutelberg beteiligt war. Nach den zu dem Fall Sleutelberg lediglich auf Grund einer Aussage vom Hörensagen des Zeugen Bro. und der verlesenen Aussagen Neu.s aus dem Protokoll der am 14.Februar 1945 gegen Neu. geführten niederländischen Gerichtsverhandlung getroffenen Urteilsfeststellungen sollen die tödlichen Schüsse auf die Brüder Sleutelberg entweder vom Angeklagten Bru. allein oder gemeinsam von ihm und Neu. abgegeben worden sein.

Inzwischen ist, wie bereits ausgeführt, die in den Niederlanden gegen Bru. verhängte Todesstrafe in lebenslange Freiheitsstrafe umgewandelt worden.

Der Zeuge Bor. wurde am 7.März 1949 durch den Sondergerichtshof in Leeuwarden, 2. Kammer in Groningen, - No. 9/49 - zu einer Freiheitsstrafe von zehn Jahren verurteilt wegen seiner Beteiligung - durch Anstiftung im Wege der Befehlserteilung bzw. Weitergabe - an der Tötung von Timmer, Sangers und Huitzing, de Haan, de Bruin und Dij. und wegen der Anstiftung zur Inbrandsetzung von zwei Häusern und einer Scheune in der Nähe von Slochteren, in denen sich Untergetauchte aufgehalten hatten.

III. « Beweismittel »

Diese Feststellungen beruhen auf den Einlassungen der Angeklagten, soweit die Kammer ihnen zu folgen vermochte, auf der Vernehmung der Zeugen Wei., Bor., Koo., Deh., van der Slu., Ris., Jan., Beu., van D., van Kla., Ove., Sapke und Cornelius Bru., van der W., Vee., Kop., van Di., Wac., Br., Bot., Büh., Wi., Dij., Tex., Friederika Jan., Pla. und Mul., den verlesenen Aussagen der kommissarisch vernommenen Zeugen Siv., Ste., Ven., Bro., van Esv., de Bo., Trijntje Br.-Sch., de Gro., van Did., Jon. und Lun., auf den im Protokoll bezeichneten sonstigen verlesenen Urkunden und Schriftstücken und auf der Inaugenscheinnahme der im Protokoll einzeln aufgeführten Gegenstände.

Die Verteidigung hat der Verlesung von Vernehmungsprotokollen des Sondergerichtshofs Leeuwarden mit der Begründung widersprochen, es handele sich dabei um ein Ausnahme- oder Sondergericht, das mit der niederländischen Verfassung nicht vereinbar und deshalb nicht wirksam errichtet worden sei. Dieser Einwand ist unzutreffend. Die niederländischen Sondergerichtshöfe sind zwar nur durch Beschluss der niederländischen Exilregierung in London vom 22.Dezember 1943 (Nr. D 62) zur Zeit verfassungsrechtlichen Notstandes eingerichtet, doch sowohl von den niederländischen Nachkriegsregierungen wie auch vom Parlament und der niederländischen Rechtsprechung - soweit ersichtlich ausnahmslos - aber als legal angesehen und bestätigt worden. Zudem waren die Sondergerichtshöfe keine unzulässigen Ausnahmegerichte. Sie waren vor Begehung der den Angeklagten zur Last gelegten Taten für bestimmte, abstrakt geregelte Sachgebiete errichtet und generell nicht nur zur Entscheidung eines oder mehrerer Einzelfälle oder nur bestimmter Personen eingesetzt. Die Vorschriften über ihre Errichtung und Besetzung und das nach der niederländischen Strafprozessordnung gehandhabte Verfahren erfüllten alle wesentlichen Anforderungen an rechtsstaatliche Gerichtsverfahren, wovon sich die Kammer anhand der mit den Verfahrensbeteiligten erörterten einschlägigen niederländischen Bestimmungen und dem erörterten formellen Inhalt der Sitzungsprotokolle des Sondergerichtshofes überzeugt hat und wie zudem es die Zeugen Vee. (heute Amtsrichter) und Mul. (heute Professor für Strafrecht), die damals als bereits examinierte Juristen als Protokollführer und Abfasser von Urteilsentwürfen an den Verhandlungen des Sondergerichtshofes in Groningen mitgewirkt haben, bestätigt haben. Vor diesem Hintergrund bestehen keine Bedenken gegen die Verwertbarkeit der verlesenen Sitzungsniederschriften des Sondergerichtshofs Leeuwarden, 2. Kammer Groningen. Die am niederländischen Vernehmungsort erforderlichen Förmlichkeiten sind bei den nach den dort gültigen Rechtssätzen stattgefundenen Vernehmungen berücksichtigt worden. Es handelte sich um richterliche Vernehmungen, weil die Mitglieder des Sondergerichtshofes im niederländischen Rechtsgefüge die Stellung von Richtern einnahmen; mindestens 2 der jeweils 3 Mitglieder des Sondergerichtshofes waren rechtsgelehrte Richter der niederländischen ordentlichen Gerichtsbarkeit.

IV. « Einlassung der Angeklagten und Beweiswürdigung »

Die Angeklagten haben zu Beginn der Hauptverhandlung von ihrem Schweigerecht zur Sache zunächst vollumfänglich Gebrauch gemacht und sich erst im Verlaufe der Beweisaufnahme von Fall zu Fall, etwa auf Vorhalt von Zeugenaussagen und Schriftstücken oder auf daran anschliessende Fragen, teilweise zur Sache geäussert.

Der Angeklagte Neu. hat dabei zum Vorwurf der Tötung der Gebrüder Sleutelberg insgesamt folgende Einlassungen abgegeben:
Er habe die beiden Brüder Sleutelberg im Auftrag des Zeugen Bor. in einem PKW der Dienststelle in Richtung Farmsum gefahren. An der Fahrt habe noch ein anderer Angehöriger der Dienststelle teilgenommen. Dieser habe die beiden Gefangenen entsprechend dem Auftrag des Zeugen Bor. südlich von Farmsum durch die Front geschleust oder in der Nähe der Front deutschen Soldaten übergeben. Er wisse zwar noch genau, dass ihn damals ein weiterer Angehöriger der SD-Dienststelle in Delfzijl begleitet habe, er könne sich aber nach so langer Zeit nicht mehr erinnern, ob es sich dabei um den Mitangeklagten Bru. oder um ein anderes SD-Mitglied gehandelt habe.
Es sei möglich, dass er kurz nach Kriegsende gegenüber niederländischen Polizeibeamten und Richtern ausgesagt habe, sein Begleiter, damals als Bru. bezeichnet, sei am Zielpunkt der Fahrt mit den Brüdern Sleutelberg ein Stück aufs Land gegangen, habe sie ein Loch ausheben lassen und dann erschossen. Derartige Aussagen seien ihm aber von der niederländischen Polizei teils aus dem Kopf geschlagen, teils in den Mund gelegt worden. Vor den niederländischen Gerichten habe er seine falschen Angaben dann wiederholt, weil ihm nach seiner Auffassung die Wahrheit doch nicht mehr geglaubt worden wäre und ihm im Hinblick auf sein weiteres Schicksal ohnehin alles egal gewesen sei.

Der Angeklagte Bru. hat sich dahin eingelassen, er habe mit dem Fall Sleutelberg nichts zu tun. Zur möglichen Tatzeit habe er sich nicht in Delfzijl aufgehalten. Er habe sich in den letzten Apriltagen 1945 beim Einschlag einer Propagandabombe in das SD-Gebäude an der Hand verletzt, danach zwei Tage im Lazarett in Emden gelegen und anschliessend noch seine Ehefrau in Neuwesteel bei Norden besucht, wo er einmal übernachtet habe und sei dann erst im Laufe des 30.April 1945 nach Delfzijl zurückgekehrt.
Er habe zwar anlässlich seiner verantwortlichen Vernehmung vom 4.Juli 1978 durch den Zeugen Oberstaatsanwalt Wei. bekundet, er habe die Gebrüder Sleutelberg auf Anordnung Neu.s mit einer Pistole bewacht, während sie ihr eigenes Grab hätten ausheben müssen und anschliessend seien sie von Neu. und einem herbeigeholten Marinesoldaten erschossen worden. Dies habe er jedoch unter Ausnutzung des ihm bekannten Akteninhaltes erfunden, um hier in der Bundesrepublik eine strafrechtliche Überprüfung des Tatvorwurfs zu erreichen und so seine Auslieferung an die Niederlande zu verhindern.

Diese Einlassungen der Angeklagten sind, soweit sie mit den getroffenen Feststellungen in Widerspruch stehen, aufgrund der Beweisaufnahme zur sicheren Überzeugung der Kammer widerlegt.

Der Angeklagte Neu. hat seine Beteiligung an den Erschiessungen in den Fällen Omta, de Bruin, Dij., Timmer, Sangers und Huitzing sowie de Haan im Sinne der oben getroffenen Feststellungen glaubhaft eingeräumt, allerdings hinzugefügt, er erinnere sich heute nicht mehr, ob in den Fällen Dij. und Timmer der Angeklagte Bru. beteiligt gewesen sei.

Der Angeklagte Bru. hat nach anfänglichem Leugnen, je an einer Erschiessung teilgenommen zu haben, schliesslich eingeräumt, er habe einmal auf einem Friedhof an einer Exekution teilgenommen. Es habe sich dabei zeitlich um die erste Exekution gehandelt, bei dem das Exekutionskommando aus Angehörigen der Dienststelle gebildet worden sei. Hierbei handelte es sich, wie die Zeugen Bor., Ven. und auch der Angeklagte Neu. glaubhaft bekundet haben, um die Erschiessung des Baltus Timmer durch ein aus SD-Mitgliedern gebildetes Exekutionskommando unter der Leitung Neu.s am 4.Oktober 1944.

Der Angeklagte Bru. hat seine Beteiligung an der Erschiessung des Klaas Aldert Dij. in der Nacht vom 21. zum 22.September 1944 hingegen bestritten und behauptet, er habe sich auch zu diesem Zeitpunkt für mehrere Wochen zum Ernteurlaub auf dem Hof seiner Eltern aufgehalten und sei nicht in Delfzijl gewesen.

Die Kammer hat jedoch keinen vernünftigen Zweifel, dass der Angeklagte Bru. an der Erschiessung Dij. in dem festgestellten Umfang beteiligt war. Der Angeklagte Neu. hat in der öffentlichen Gerichtssitzung des Sondergerichtshofes in Leeuwarden, 2. Kammer in Groningen, am 14.Februar 1949 die Tat im einzelnen geschildert und dabei Bru. als seinen Mittäter bezeichnet. Inhaltlich dieselben Angaben hat er als Zeuge in den niederländischen Gerichtsverfahren gegen Bor. und Jan. gemacht, wie auch noch bei einer verantwortlichen kriminalpolizeilichen Vernehmung am 25.Januar 1971 in Pforzheim, dessen Protokoll ihm vorgehalten und seiner damaligen Erinnerung entsprechend von ihm als richtig anerkannt worden ist. Zudem erinnerte sich der Zeuge Bor. in der Hauptverhandlung auf Vorhalt seiner früheren gerichtlichen Aussage im niederländischen Prozess gegen Neu. wieder daran, dass er den Angeklagten Neu. und Bru. den Befehl erteilt hatte, Dij. zu erschiessen. Vor diesem Hintergrund hat die Kammer keinen vernünftigen Zweifel, dass der Angeklagte Bru. an der Erschiessung des Dij. in dem festgestellten, auch nach den Bekundungen der Zeugen Ste. und Sim. bestätigten, Umfang beteiligt war und dass seine diesbezügliche Alibibehauptung, die von den meisten Zeugen bezweifelt und von keinem bestätigt wurde, unzutreffend ist. Im Hinblick auf die zur Beteiligung Bru. zuverlässigen Angaben Neu.s und Bor. steht auch nicht entgegen, dass die Zeugen Sim. und Ste. den Mittäter nicht als Bru. oder nicht sicher als diesen bezeichnet haben, weil sie Bru. damals nicht oder nicht sicher gekannt haben.

Die Feststellungen über das Leben, die persönlichen Verhältnisse und das Schicksal der Gebrüder Sleutelberg vor allem zunächst bis zu ihrer Einlieferung auf die SD-Dienststelle in Delfzijl stützt die Kammer neben den verlesenen Geburtsurkunden und Todeserklärungsurkunden im wesentlichen auf die Aussagen der Zeugen van D., Wi., Dij., Mul., Bor., Ris., Eheleute Br. und de Bo.

Aufgrund dieser Zeugenaussagen ist die Kammer überzeugt, dass die jüdischen Brüder Lazarus und Meijer Sleutelberg aus Farmsum der Deportation der holländischen Juden entgangen waren, sich seit dem Jahre 1942 verborgen hielten, zuletzt auf dem Hof Dij. südlich Farmsums, dort am 24.April 1945 von Soldaten der deutschen Wehrmacht ergriffen und zunächst zum Orts- und Hafenkommandanten und dann zur SD-Dienststelle in Delfzijl gebracht wurden.

Der Zeuge Aaron Alexander van D., verheiratet mit einer Schwester der Brüder Sleutelberg, hat als Zeuge bekundet, er sei im Jahre 1942 gemeinsam mit seiner Ehefrau, seiner Tochter und seinen Schwägern Lazarus und Meijer Sleutelberg untergetaucht, um der nationalsozialistischen Judenverfolgung zu entgehen. Sie hätten zunächst zu fünft bei einer Familie Lessman und dann auf dem Bauernhof Kuiper südlich von Farmsum Unterschlupf gefunden. Er sei mit Frau und Tochter bis zur Befreiung durch die alliierten Truppen Anfang Mai 1945 bei Kuiper geblieben, die Brüder Sleutelberg, für die bei Kuiper nur eine Schlafstelle auf dem Heuboden vorhanden gewesen sei, hätten nach einiger Zeit auf dem nahegelegenen Hof Dij. Unterschlupf gefunden, wo sie sich bis April 1945 versteckt gehalten hätten. Bis dahin habe er über Mittelsmänner noch regelmässig Kontakt zu ihnen gehabt. Wenige Tage nach der Befreiung sei ihm von Hörensagen bekannt geworden, seine Schwäger seien noch kurz vor Kriegsende von den Deutschen auf dem Hof Dij. ergriffen und alsbald erschossen worden. Daraufhin habe er den in Delfzijl inhaftierten ehemaligen holländischen SD-Angehörigen Bro. nach dem Schicksal seiner Schwäger befragt. Bro. habe ihm berichtet, er habe von Neu. oder Bru. erfahren, die Brüder Sleutelberg seien von beiden Angeklagten kurz vor Kriegsende umgebracht worden. Die beiden Angeklagten hätten die Brüder abends oder nachts aus der Zelle geholt und seien mit ihnen in einem Auto in Richtung Farmsum gefahren. Dort hätten die Brüder ihr eigenes Grab ausheben müssen und seien dann von Neu. und Bru. erschossen worden. Der Zeuge van D. hat weiter bekundet, er habe sich sodann zu dem inzwischen verstorbenen niederländischen Polizeibeamten Velthuis begeben, der damals in dem Gebäude am Molenberg gewohnt habe, wo sich auch die Gefängniszellen befanden. Velthuis habe ihm berichtet, er habe gesehen, dass die Brüder Sleutelberg von Neu. und Bru. aus den Zellen am Molenberg geholt und mit einem Auto weggefahren worden seien. Der Zeuge van D. hat hinzugefügt, wenn man auch die Leichen seiner Schwäger bis heute nicht gefunden habe, so sei er doch überzeugt, dass sie damals zu Tode gekommen seien. Er und seine Familie hätten bis heute kein Lebenszeichen mehr von ihnen erhalten. Auch habe der Angeklagte Neu. im Jahre 1948 der niederländischen Polizei die Stelle zeigen wollen, wo nach seiner Behauptung die Brüder Sleutelberg von Bru. erschossen worden seien. An diesem Ortstermin habe er - van D. - teilgenommen. Der Angeklagte Neu. habe die Polizei zu einem Platz in der Nähe des Judenfriedhofs bei Farmsum, südlich des alten Spoordammes, geführt und erklärt, dort seien sie von Bru. erschossen worden, nachdem sie ihr eigenes Grab hätten ausheben müssen. Die anschliessenden Bodenuntersuchungen der niederländischen Polizeibeamten hätten jedoch nicht zum Auffinden der Leichen geführt.

Die Zeugin Jantje Wi. geb. Dij., Tochter des Bauern Dij., bei dem die Brüder Sleutelberg zuletzt untergetaucht waren, hat erklärt, die Brüder Sleutelberg hätten vor ihrem Untertauchen mit ihrem Vater Viehhandel getrieben und seien etwa im Jahre 1944, genauer könne sie den Zeitpunkt nicht mehr erinnern, durch einen Kontaktmann auf den elterlichen Hof gebracht worden, nachdem sie sich zuvor schon längere Zeit an anderen Orten versteckt gehalten hätten. Die Brüder hätten im Vorhaus des Hofgebäudes ein Zimmer für sich gehabt und sich praktisch nie ins Freie gewagt, sondern seien nur im Haus oder Stall geblieben. Sie hätten gelegentlich im Stall gearbeitet oder auch in der Küche ausgeholfen, etwa Kartoffeln geschält oder ähnliche Arbeiten übernommen.

Am Morgen des 24.April 1945 etwa gegen 9 Uhr seien plötzlich mehrere deutsche Soldaten auf dem Hof ihrer Eltern erschienen, einer habe das Haus wohl nach Lebensmitteln durchsucht und dabei zufällig die Brüder Sleutelberg entdeckt, die sich zuvor noch in aller Eile in einen für solche Gefahrensituationen hergerichteten grossen Kleiderschrank im Gang vor dem Schlafzimmer ihrer Eltern geflüchtet hätten. Die Brüder Sleutelberg seien dann von den Soldaten zusammen mit ihren Eltern, ihrem mit vorgehaltenem Gewehr aus dem Garten herbeigeholten Bruder Willem und ihr selbst vor eine Aussenwand des Gehöftes gestellt worden, während andere Soldaten das Haus erfolglos nach weiteren untergetauchten Personen durchsucht hätten. Es sei möglich, dass die Brüder Sleutelberg dabei geweint und um ihr Leben gebettelt hätten, daran könne sie sich aber heute nicht mehr sicher erinnern. Sie sei dann von zwei der deutschen Soldaten, darunter dem, der die Juden entdeckt hatte, gemeinsam mit den Brüdern Sleutelberg zu Fuss nach Delfzijl gebracht worden; zunächst zur Orts- und Hafenkommandantur. Dort habe man mit der Sache nichts zu tun haben wollen und angeordnet, die Brüder Sleutelberg und sie laufen zu lassen oder zur SD-Dienststelle in Delfzijl zu bringen, wo sie gegen 12 Uhr mittags eingetroffen seien. Im SD-Gebäude seien sie im Flur des Untergeschosses von ein oder zwei SD-Leuten in Empfang genommen worden, nach ihrer Erinnerung etwa mit den Worten: "Ha, da haben wir sie!"

Sie könne sich heute nicht mehr erinnern, ob die Brüder Sleutelberg auf der SD-Dienststelle von den Soldaten oder von SD-Angehörigen misshandelt oder beschimpft worden seien oder ob man in ihrer - der Zeugin - Gegenwart über das weitere Schicksal der Brüder Sleutelberg beraten habe. Sie sei jedenfalls nur wenige Minuten auf der SD-Dienststelle festgehalten worden, dann habe man sie selbst freigelassen. Sie sei von den zwei Soldaten zurück zum elterlichen Hof gebracht worden. Seit diesem Tage habe sie von den Brüdern Sleutelberg kein Lebenszeichen mehr erhalten und kurze Zeit nach Kriegsende von irgendjemandem, dem es wohl auch nur vom Hörensagen bekannt gewesen sei, erfahren, die Brüder Sleutelberg seien noch vor der Befreiung von den Deutschen erschossen worden.

Der Zeuge Willem Dij. hat die Schilderung seiner Schwester Jantje über das Versteckthalten der Brüder Sleutelberg auf dem elterlichen Hof und die Einzelheiten ihrer Ergreifung durch die deutschen Soldaten bestätigt. Die Soldaten hätten die Brüder allein wegen ihrer von ihnen nicht geleugneten und auch nach dem äusseren Erscheinungsbild erkennbaren jüdischen Abstammung mitgenommen, ohne ihnen etwa Sabotage, Spionage oder Zugehörigkeit zum Widerstand vorzuwerfen oder vorwerfen zu können. Die Brüder hätten sich weder in dieser Hinsicht noch aus einem anderen Grunde etwas zuschulden kommen lassen. Während sie vor der Hauswand gestanden hätten, hätten die Brüder Sleutelberg aus Furcht geweint und bei den Soldaten um ihr Leben gebettelt. Dies alles sei am Dienstag, dem 24.April 1945, geschehen. Daran erinnere er sich deshalb noch so genau, weil zwei Tage vorher die kanadischen Truppen von Süden her erstmals so weit - nach seiner Erinnerung bis Wagenborgen - vorgedrungen seien, dass er vom elterlichen Hof aus den Gefechtslärm habe hören können. Dies sei am 22.April 1945, dem vorletzten Sonntag vor der Befreiung Delfzijls, gewesen, und er wisse genau, dass die Brüder zwei Tage später, also am 24.April 1945, einem Dienstag, von den deutschen Soldaten ergriffen worden seien. In der folgenden Nacht sei es ziemlich ruhig geblieben, er habe jedenfalls kaum Schüsse gehört. Seit dem Tage ihrer Festnahme habe er von den Brüdern Sleutelberg kein Lebenszeichen mehr erhalten. Kurze Zeit nach der Befreiung habe man ihm vom Hörensagen berichtet, die Brüder Sleutelberg seien von den Deutschen erschossen worden.

Der Zeuge Professor Mul., ein Neffe des Bauern Dij., bei dem die Brüder Sleutelberg zuletzt untergetaucht waren, hat bekundet, er habe bei seinem Onkel Dij. im Sommer 1942 einen jüdischen Freund, der ebenfalls der Deportation entgangen und untergetaucht war, für einige Zeit untergebracht. Später, sein Freund habe sich inzwischen in einem anderen Unterschlupf befunden, habe sein Onkel die Brüder Sleutelberg aufgenommen. Er - der Zeuge - habe die Brüder auf dem Hof des Onkels bei einem Besuch im Jahre 1944 kennengelernt und sich dort mit ihnen unterhalten. Dabei habe er erfahren, dass es sich um jüdische Männer aus Farmsum gehandelt habe, mit denen der Onkel vor ihrem Untertauchen Viehhandel getrieben habe.

Die Zeugin Trijntje Br.-Sch., die mit ihrem Ehemann, dem Zeugen Christopher Johannes Br., in unmittelbarer Nähe des SD-Gebäudes in Delfzijl eine Bäckerei betrieb, hat bekundet, sie habe die Brüder Sleutelberg schon aus der Zeit vor dem Krieg gekannt und gewusst, dass sie nach Beginn der Judenverfolgung untergetaucht seien. An einem Tag im April 1945, wohl gegen Mittag, habe sie durch das Fenster der Bäckerei gesehen, dass die Brüder Sleutelberg von zwei deutschen Soldaten zum SD-Gebäude gebracht worden seien. Etwa nach einer viertel Stunde seien sie von dem Zeugen Ris. und wohl auch von einem der deutschen Soldaten, welche sie gebracht hatten, in Richtung der Zellen "Am Molenberg" weggebracht worden. Sie wisse sicher, dass der ihr bekannte Angeklagte Neu. unmittelbar nach ihnen aus dem Haus getreten sei und - in der geöffneten Eingangstür stehen bleibend - den Brüdern Sleutelberg nachgeschaut habe. Den Angeklagten Bru. habe sie bei oder nach der Einlieferung der Brüder Sleutelberg ins SD-Gebäude nicht gesehen.

Der Zeuge Christopher Johannes Br. hat bekundet, nach seiner Erinnerung habe ihm seine Frau etwa 4 oder 5 Tage vor der Befreiung Delfzijls in den Mittagsstunden vom Fenster der Bäckerei aus zugerufen, die Brüder Sleutelberg würden gerade ins SD-Gebäude eingeliefert. Als er ebenfalls ans Fenster getreten sei, seien die Brüder Sleutelberg aber bereits im SD--Gebäude verschwunden gewesen. Nach etwa 1/4 Stunde seien sie, nach seiner Erinnerung von dem Zeugen Ris. und wohl auch von einem der Soldaten, aus dem Gebäude gebracht und in Richtung der Zellen am Molenberg abgeführt worden. Dahinter habe er in der halboffenen Tür den Angeklagten Neu., den er damals persönlich gekannt und mit "August" angeredet habe, stehen und der Gruppe nachschauen sehen. Etwa eine Woche nach der Befreiung Delfzijls sei ihm dann vom Hörensagen berichtet worden, die Brüder Sleutelberg seien von den Deutschen noch erschossen worden.

Der Zeuge Jan de Bo., ehemaliger Landwächter, hat bekundet, er habe die Brüder Lazarus und Meijer Sleutelberg aus der Zeit vor dem Krieg gekannt und sei sogar ein bisschen mit ihnen befreundet gewesen. Bei ihrer Einlieferung sei er gerade im SD-Gebäude gewesen und habe sie zweifelsfrei wiedererkannt. Er habe schon vorher gehört, dass sie untergetaucht seien und sich verborgen hielten. Die Brüder Sleutelberg hätten ihn ebenfalls erkannt und weinend gefragt, ob er nichts für sie tun könne, was ihm aber in der damaligen Situation nicht möglich gewesen sei. Der Angeklagte Neu. sei zur fraglichen Zeit im Dienststellengebäude anwesend gewesen; ob das auch auf den Angeklagten Bru. zutreffe, könne er nicht sagen.

Schliesslich haben auch die Zeugen Bor. und Ris. übereinstimmend und glaubhaft bekundet, auf der SD-Dienststelle sei schon vor der Ergreifung der Brüder Sleutelberg bekannt gewesen, dass sie der Deportation entgangen und seither untergetaucht waren, ohne dass man aber ihren Unterschlupf gekannt und danach geforscht habe. Auch diese Zeugen haben keinen Zweifel daran gelassen, dass es sich bei den unter den beschriebenen Umständen zur Dienststelle gebrachten Männern um die jüdischen Gebrüder Sleutelberg gehandelt hat.

Aufgrund der geschilderten Zeugenaussagen besteht kein Zweifel an der Identität, dem Leben und den festgestellten persönlichen Verhältnissen sowie dem Schicksal der Brüder Lazarus und Meijer Sleutelberg bis zu ihrer Einlieferung auf die SD-Dienststelle in Delfzijl.

Dass die Brüder Sleutelberg, unmittelbar nachdem sie von den deutschen Soldaten entdeckt worden waren, bei ihrer Einlieferung in die SD-Dienststelle und am Tatort weinten und um ihr Leben bettelten, entnimmt die Kammer den Aussagen der Zeugen Willem Dij. und de Bo. Zwar erinnerte sich die Zeugin Jantje Wi. an diese Einzelheit bei der Festnahme nicht mehr. Dafür konnte der Zeuge Willem Dij. sich hieran aber noch genau erinnern. Ein solches Verhalten der Brüder Sleutelberg ist auch sicher anzunehmen angesichts des hinter und vor ihnen liegenden Schicksals als vom deutschen Rassenwahn verfolgte und ihrer Vernichtung preisgegebenen jüdischen Menschen, zumal unter den festgestellten Tatumständen.

Dass es sich bei dem Tag der Ergreifung der Brüder Sleutelberg um den 24.April 1945 gehandelt hat, stützt die Kammer ebenfalls auf die Aussage des Zeugen Willem Dij. Der Zeuge war sich sicher, dass die Brüder Sleutelberg an einem Dienstag entdeckt und festgenommen worden sind und dass er an dem vorhergehenden Sonntag - nach seiner Erinnerung dem zweitletzten vor der Befreiung Delfzijls durch die Alliierten - erstmals den Kampflärm der von Süden heranrückenden alliierten Truppen gehört hatte. Da Delfzijl am Dienstag, dem 1.Mai 1945, befreit wurde, müssen die Gebrüder Sleutelberg eine Woche früher, und damit am 24.April 1945, nämlich dem Dienstag, von den deutschen Soldaten ergriffen und nach Delfzijl gebracht worden sein.

Bei der Einlieferung der Brüder Sleutelberg ins SD-Gebäude waren zumindest die Zeugen Bor., van der Slu., Ris., de Bo. und Bro. zugegen. Diese Zeugen haben jeweils für ihre eigenen Person glaubhaft bekundet, bei der Einlieferung der Brüder Sleutelberg im SD-Gebäude gewesen zu sein, wobei allerdings der Zeuge Bor. nach seiner Aussage evtl. erst etwas später hinzugekommen ist. Auch der Angeklagte Neu. hielt sich nach der glaubhaften Bekundung der Eheleute Br. spätestens in dem Augenblick im SD-Gebäude auf, als die Brüder Sleutelberg wieder aus dem SD-Gebäude herausgebracht und in Richtung Molenberg abgeführt wurden. Die Zeugen kannten den Angeklagten Neu. gut, eine Personenverwechslung scheidet zur Überzeugung der Kammer aus. Zudem haben auch die Zeugen van der Slu. und de Bo. bekundet, der Angeklagte Neu. habe sich zusammen mit den Gebrüdern Sleutelberg im SD-Gebäude befunden. Der Zeuge van der Slu. hat zwar - wie noch näher auszuführen sein wird - bei seiner Aussage eine deutliche Tendenz zur Belastung des Angeklagten Neu. und zur Entlastung des Angeklagten Bru. offenbar werden lassen, an seiner Bekundung über die Anwesenheit Neu.s auf der Dienststelle, zu dem Zeitpunkt, als die Brüder Sleutelberg sich dort aufhielten, hat die Kammer jedoch angesichts der Übereinstimmung seiner Aussage in diesem Punkt mit den Angaben der Eheleute Br. und des Zeugen de Bo. keinen Zweifel, zumal sich der Angeklagte Neu. auf eine entsprechende Frage dahin eingelassen hat, er sei bei der Einlieferung der Brüder Sleutelberg nicht zugegen gewesen, verweigere aber die Aussage auf die Frage, ob er anwesend gewesen sei, als sie aus dem SD-Gebäude herausgebracht und zum Molenberg abgeführt worden seien. Nach Auffassung der Kammer hätte der Angeklagte Neu. auf die zuletzt genannte Frage die Aussage wohl kaum verweigert, falls er sie wahrheitsgemäss hätte verneinen können.

Dass sich auch der Angeklagte Bru. während der Einlieferung der Gebrüder Sleutelberg ins SD-Gebäude im Hause befand, lässt sich nicht feststellen, ist vielmehr eher unwahrscheinlich, weil dies von keinem der vernommenen Zeugen bekundet worden ist. Lediglich der Zeuge Ris. meinte, nach seiner Vorstellung seien so kurz vor der Flucht sämtlicher SD-Angehörige aus Delfzijl, praktisch alle Angehörigen im SD-Gebäude gewesen, da nach seiner Erinnerung ohnehin kein Aussendienst mehr angefallen sei. Abgesehen davon, dass es sich auch hierbei um keine konkrete Erinnerung des Zeugen Ris. an die Anwesenheit des Angeklagten Bru. im Dienststellengebäude zum fraglichen Zeitpunkt, sondern nur um eine Schlussfolgerung handelte, trifft auch dessen Annahme - es sei kein Aussendienst mehr gemacht worden - nicht zu, denn nach den übereinstimmenden und die Kammer überzeugenden Aussagen der Zeugen Kop. und Jan. wurde noch bis zum letzten Tag u.a. Dienst im Hafen und an der Schleuse gemacht, mag dieser Dienst auch wegen des nahezu zum Erliegen gekommenen Schiffsverkehrs in erster Linie in einer blossen Wach- und Kontrollbereitschaft sowie der Klarmachung und Bewachung des Fluchtschiffes bestanden haben.

Dass die Soldaten nach der Einlieferung der Brüder Sleutelberg auf die SD-Dienststelle Ort und Einzelheiten der Festnahme schilderten, wobei klar wurde, dass die Brüder Sleutelberg nur wegen ihrer jüdischen Herkunft und nicht etwa wegen Sabotage, Spionage oder Zugehörigkeit zum Widerstand gefangengenommen worden waren, dass es bei der Einlieferung laut herging und einer der Soldaten Judenhass zum Ausdruck brachte und handgreiflich zu werden drohte, während der Zeuge Ris. meinte, man solle die Juden doch laufen lassen, der Krieg sei ohnehin bald zu Ende, stützt die Kammer in erster Linie auf die Angaben des Zeugen Ris. Dieser hat überzeugend ausgesagt, er habe sich in seinem Zimmer im ersten Stock des SD-Gebäudes aufgehalten, als er durch den aus dem Flur des Erdgeschosses heraufdringenden Lärm auf die Einlieferung der Brüder Sleutelberg aufmerksam geworden sei. Daraufhin sei er nach unten gegangen und habe zunächst die Soldaten von den Brüdern Sleutelberg getrennt, weil die Soldaten den Gefangenen gegenüber "saugrob" gewesen seien und mit Handgreiflichkeiten gedroht hätten. Dann hätten die Soldaten Ort und Umstände der Ergreifung der Gebrüder Sleutelberg geschildert und sich dabei abfällig über deren jüdische Herkunft geäussert, ohne ihnen aber andere Vorwürfe, etwa der Sabotage, der Spionage oder der Zugehörigkeit zum Widerstand zu machen. Er - Ris. - habe spontan geäussert, man sollte die Juden doch laufen lassen, der Krieg sei ohnehin bald zu Ende.

Die Bekundung des Zeugen Ris., dass die Soldaten die Gefangennahme der Gebrüder Sleutelberg auf der SD-Dienststelle allein mit ihrer jüdischen Herkunft begründeten, wird zunächst gestützt durch die Aussagen der Zeugen Jantje Wi. und Willem Dij., wonach Lazarus und Meijer Sleutelberg sich lediglich verborgen gehalten, sich aber gegenüber der deutschen Besatzungsmacht nichts hatten zuschulden kommen lassen. Besondere Umstände, die bei den Soldaten die irrige Annahme von irgendwelchen aktiven Widerstandshandlungen der Gebrüder Sleutelberg hätten begründen können, sind demgegenüber nicht hervorgetreten. Auch fehlen greifbare Gründe für die Annahme, die Soldaten hätten irgendwelchen Anlass gesehen, den Brüdern Sleutelberg wahrheitswidrig solche Aktivitäten zu unterschieben. Zudem haben die Zeugen Bor. und van der Slu. übereinstimmend mit dem Zeugen Ris. bekundet, irgendwelche Widerstandshandlungen gegen die deutsche Besatzungsmacht sei den Brüdern Sleutelberg nicht zur Last gelegt worden. Auch der Zeuge de Bo. hat nichts derartiges berichtet.

Allerdings hatte der Zeuge Bor. kurz nach Kriegsende sowohl gegenüber dem Zeugen Koo., der ihn damals als Beamter der politischen Fahndungsabteilung des Distrikts Groningen vernahm, als auch als Zeuge in dem niederländischen Gerichtsverfahren gegen Neu. bekundet, von der Wehrmacht sei behauptet worden, die Gebrüder Sleutelberg hätten sich der Spionage schuldig gemacht. Bei diesen Aussagen handelte es sich aber nach der heutigen Bekundung des Zeugen Bor. mit Sicherheit um blosse Schutzbehauptungen, die nicht der Wahrheit entsprachen und offenbar nur der angeblichen Rechtfertigung ihrer weiteren Gefangennahme durch Bor. dienen sollten.

Möglich, d.h. weder feststellbar noch ausschliessbar, ist, dass auf die Bemerkung des Zeugen Ris., man sollte die Juden doch laufen lassen, da der Krieg ohnehin bald zu Ende sei, entweder von einem der Soldaten oder einem Angehörigen des SD Widerspruch erhoben wurde mit dem Bemerken, die Juden müssten erschossen werden.

Für diese Möglichkeit sprechen die Aussagen der Zeugen de Bo. und van der Slu.

Der Zeuge de Bo. hat dazu bekundet, die Soldaten hätten wiederholt: "Erschiessen!" gerufen und damit die Gebrüder Sleutelberg gemeint. Einer der Soldaten habe so etwas gesagt wie: "Sie haben an der polnischen Grenze meine Schwester ermordet". Der Zeuge van der Slu. hat ausgesagt, der eine der beiden Soldaten habe geschimpft, das seien zwei Juden, und er habe sie gleich umbringen wollen. Auf Ris.s Bemerkung, man sollte sie doch laufen lassen, sei der Angeklagte Neu. hinzugetreten und habe gesagt, das komme nicht in Frage, die Juden würden umgelegt.

Demgegenüber haben aber die Zeugen Bor. und Ris. übereinstimmend bekundet, in ihrer Gegenwart habe niemand geäussert, die Brüder Sleutelberg sollten erschossen werden.

Die Kammer hält es zwar für möglich, dass die Zeugen Ris. und Bor. aufgrund des langen Zeitablaufs dieses Detail des damaligen Geschehens vergessen haben könnten, sie schliesst aber auch nicht aus, dass die Aussagen der Zeugen van der Slu. und de Bo. in diesem Punkt unzutreffend sein könnten. Soweit der Zeuge van der Slu. bekundet hat, der Angeklagte Neu. sei hinzugetreten und habe gesagt, die Juden würden umgelegt, hat die Kammer insbesondere deshalb Bedenken gegen die Richtigkeit seiner Angabe, weil der Zeuge van der Slu. in der Hauptverhandlung - wie bereits erwähnt - auffällig bestrebt war, den Angeklagten Neu. möglichst stark zu belasten und den ihm persönlich näher stehenden Angeklagten Bru. zu entlasten. So hat der Zeuge van der Slu. etwa bekundet, dem Vorschlag Neu.s, die Gebrüder Sleutelberg umzubringen, habe niemand widersprochen; denn selbst die deutschen Kollegen hätten Angst vor Neu. gehabt, weil dessen Pistole etwas locker gesessen hätte. Auf gezielte Fragen war der Zeuge van der Slu. jedoch nicht in der Lage, auch nur einen konkreten Fall zu schildern, mit dem er die Beschuldigung, Neu.s Pistole habe so locker gesessen, dass selbst die deutschen Kollegen Angst vor ihm gehabt hätten, hätte belegen können. Bedenken gegen die Richtigkeit seiner Angaben über die angeblichen Äusserungen des Angeklagten Neu. zum weiteren Schicksal der Brüder Sleutelberg ergeben sich zudem daraus, dass der Zeuge van der Slu. bei seiner richterlichen Vernehmung vom 3.August 1978 durch den Zeugen Wac., damals Direktor des Amtsgerichts Königstein im Taunus, zwar bekundet hat, der Angeklagte Neu. sei nicht damit einverstanden gewesen, die beiden Juden laufen zu lassen, dass er aber - wie der Zeuge Wac. zur Überzeugung der Kammer glaubhaft bekundet hat - damals noch nicht die weitergehende Behauptung aufgestellt hat, der Angeklagte Neu. habe den Tod der Brüder Sleutelberg gefordert.

Wie sehr der Zeuge van der Slu. auf der anderen Seite bestrebt war, den Angeklagten Bru. zu schonen, wurde dadurch deutlich, dass er in der Hauptverhandlung auf die Frage, wann er mit dem Angeklagten Bru. zuletzt über den Fall Sleutelberg gesprochen habe, zunächst ausweichend antwortete und erst nach mehreren gezielten Vorhalten einräumte, er sei seit etwa 17 Uhr des Vortages Gast im Hause des Angeklagten Bru. und habe sich noch an dem seiner Vernehmung voraufgegangenem Abend mit dem Angeklagten Bru. über die Sache unterhalten. Auch über den Inhalt dieses Gesprächs gab der Zeuge van der Slu. zunächst nur zögernd und ausweichend Antwort und behauptete, der Angeklagte Bru. habe den Fall Sleutelberg, ohne konkrete Einzelheiten zu nennen, nur so am Rande gestreift.
Erst auf wiederholte Vorhalte hat der Zeuge van der Slu. schliesslich eingeräumt, dass der Angeklagte Bru. am Vortag immerhin folgendes über den Fall Sleutelberg erzählt habe: Er - Bru. - habe sie nicht erschossen. Neu. habe ihm zunächst erklärt, sie müssten ein paar Leute wegbringen, die seien zum Tode verurteilt und müssten weg. Neu. sei dann mit den beiden Gebrüdern Sleutelberg weggegangen und nach einer gewissen Zeit zurückgekehrt und habe gesagt, Bru. solle sie begraben, was er auch getan habe. Bru. habe nichts davon erwähnt, dass er die Brüder Sleutelberg beim Grabschaufeln habe bewachen müssen.

Bei der ausgeprägten Tendenz des Zeugen van der Slu., den Angeklagten Bru. zu schonen, schliesst die Kammer die Möglichkeit nicht aus, dass er den Angeklagten Neu., was dessen angebliche Äusserungen über die Behandlung der Brüder Sleutelberg angeht, zu Unrecht belasten könnte.

Wenn auch der Umstand, dass der Zeuge Bor. die Brüder Sleutelberg nicht laufen liess, sondern sie zunächst in den Zellen am Molenberg einsperrte, dafür spricht, dass keineswegs alle so dachten wie der Zeuge Ris. und die Juden laufen lassen wollten, so lässt sich doch nicht mit hinreichender Sicherheit feststellen, die Soldaten oder gar der Angeklagte Neu. hätten die Erschiessung der Brüder Sleutelberg gefordert.

Die Feststellungen über das Verhalten des Zeugen Bor. nach der Einlieferung der Brüder Sleutelberg in das Dienstgebäude des SD und die von diesem getroffenen Anordnungen stützt die Kammer in erster Linie auf seine eigenen glaubhaften Angaben. Der Zeuge Bor. hat dazu folgendes ausgesagt:

Nach seiner Auffassung sei es Sache der Wehrmacht gewesen, über das weitere Schicksal der Brüder Sleutelberg zu entscheiden. Zwar habe die Behandlung von Juden an sich der Sicherheitspolizei oblegen, aber etwa zwei Monate zuvor seien aufgrund eines entsprechenden Befehles sämtliche sicherheitspolizeilichen Kräfte in Delfzijl dem Kampfkommandanten unterstellt und ihrer sicherheitspolizeilichen Aufgaben praktisch entledigt worden. Er habe die Brüder Sleutelberg nach ihrer Einlieferung zunächst als vorläufige Massnahme in die Zellen am Molenberg bringen lassen und sich anschliessend mit dem Orts- und Hafenkommandanten in Verbindung gesetzt. Diesem gegenüber habe er darauf hingewiesen, dass seine Dienststelle durch die Unterstellung unter den Kampfkommandanten keine sicherheitspolizeilichen Aufgaben mehr habe und dass ihm ausreichende Unterbringungsmöglichkeiten für Gefangene fehlten, zumal erst wenige Tage zuvor ein deutscher Soldat, der zusammen mit

mehreren Niederländern wegen des Verdachts des aktiven Widerstandes gegen die deutsche Wehrmacht festgenommen worden war, aus den Zellen am Molenberg ausgebrochen sei. Zudem seien die Brüder Sleutelberg von Soldaten der Wehrmacht ergriffen worden und damit sei die Wehrmacht für ihr weiteres Schicksal verantwortlich. Der Orts- und Hafenkommandant habe es aber abgelehnt, die Brüder Sleutelberg zu übernehmen und darauf hingewiesen, dass sie schon bei ihm gewesen seien und er keine Unterbringungsmöglichkeit für sie habe. Daraufhin habe er - Bor. - den Befehl erteilt, die Brüder Sleutelberg zurück zu dem Kommandanten (Abschnittsführer) bringen zu lassen, dem die Soldaten unterstanden, welche sie ergriffen hatten. Ob er diesen Befehl direkt dem Angeklagten Neu. erteilt oder das nur generell ohne Auswahl einer bestimmten Person angeordnet habe, wisse er heute nicht mehr genau. Er glaube jedenfalls nicht, dass er diesen Auftrag dem dienstjüngeren und rangniedrigeren Angeklagten Bru. erteilt habe. Er glaube eher, dass er die Anordnung in allgemeiner Form erteilt und Neu. diese auf sich bezogen habe, weil Neu. damals üblicherweise das einzige noch vorhandene Dienststellenfahrzeug geführt habe.
Keinesfalls habe er angeordnet, die beiden Juden sollten erschossen werden. Er glaube auch nicht, dabei etwa die - ihm vorgehaltene - Redewendung gebraucht zu haben, man solle ihm die beiden Brüder "vom Halse schaffen". Sollte er sie gebraucht haben, so aber eindeutig in dem Zusammenhang, dass sie zurück zu dem Abschnittsführer gebracht werden sollten, dem die Soldaten unterstanden.

Die Kammer glaubt dem Zeugen Bor., dass er an dem Tod der Brüder Sleutelberg nicht interessiert war und keinen Befehl gegeben hat, sie zu erschiessen. Der Zeuge war sichtlich bemüht, die damaligen Vorgänge möglichst exakt zu beschreiben und erinnerte sich noch an viele Einzelheiten des Geschehens. Er hat dabei zur Überzeugung der Kammer nicht der - im vorliegenden Fall keinesfalls fernliegenden - Versuchung nachgegeben, den Umfang seiner eigenen Rolle im Fall Sleutelberg auf Kosten der Angeklagten zu bagatellisieren oder sonstwie in ein günstigeres Licht zu rücken. Die Kammer schliesst aufgrund seiner detailreichen Schilderung und dem von ihm in der Hauptverhandlung gewonnenen Persönlichkeitsbild aus, dass er einen Tötungsbefehl im Fall Sleutelberg inzwischen etwa vergessen oder verdrängt haben könnte.

Für die Richtigkeit seiner Aussage spricht zunächst schon der von beiden Angeklagten und mehreren Zeugen übereinstimmend und glaubhaft geschilderte Umstand, dass es während der gesamten Zeit, in welcher der Zeuge Bor. die Dienststelle in Delfzijl leitete, nie zu irgendwelchen Aktionen von Angehörigen der Dienststelle gegen untergetauchte Juden gekommen ist. Auch an der eigentlichen Deportation der Juden seit dem Jahre 1942 waren Mitglieder der Dienststelle, wie sämtliche dazu gehörten Zeugen glaubhaft bekundet haben, nicht beteiligt. Zudem ist nie nach dem Unterschlupf untergetauchter Juden gesucht worden, obwohl auf der Dienststelle bekannt war, dass eine Reihe von Juden der Deportation entgangen und untergetaucht waren. Auch sind Anhaltspunkte für eine persönliche antijüdische Einstellung des Zeugen Bor. während seiner Dienstzeit als Leiter des Grenzpolizeipostens in Delfzijl nicht hervorgetreten. Vielmehr ist von mehreren Zeugen hervorgehoben worden, dass der Zeuge Bor. von der niederländischen Bevölkerung wegen seiner menschlichen Haltung durchweg geachtet wurde. Der Zeuge Ven. hat etwa bekundet, der Zeuge Bor. sei ein anständiger Kerl gewesen und er - der Zeuge - glaube nicht, dass Bor. ohne einen Befehl von höherer Stelle einen Menschen erschossen hätte. Auch spricht das Verhalten des Zeugen Bor. im Falle Sangers und Huitzing dafür, dass er selbst Tötungsbefehlen seiner vorgesetzten Dienststelle gegenüber kritisch eingestellt war. Der Zeuge Bor. hat auch überzeugend darauf verwiesen, dass er nie aus eigener Initiative, sondern nur auf höheren Befehl in jedem Einzelfall Erschiessungen angeordnet habe - nach den vorliegenden umfangreichen Aktenunterlagen auch früherer niederländischer Urteile und Protokolle, sind gegenteilige Anhaltspunkte objektiver Art nicht hervorgetragen - und dass von einer - damals nicht mehr vorhandenen oder erreichbaren - höheren Stelle kein Befehl zur Tötung der Gebrüder Sleutelberg erteilt worden sei. Wäre ein solcher Tötungsbefehl von höherer Stelle hier erteilt worden, so hätte der Zeuge Bor. sich, wie bei den übrigen Erschiessungen geschehen, zur Überzeugung der Kammer auch hierauf damals vor dem niederländischen Gericht berufen. Auch nach dem von ihm gewonnenen persönlichen Eindruck war sein entschiedenes Bestreiten, die Tötung der Gebrüder Sleutelberg angeordnet zu haben, glaubhaft.

Einen Tötungsbefehl des Zeugen Bor. an den Angeklagten Bru. schliesst die Kammer zudem auch deshalb aus, weil Bru. sich anlässlich seiner verantwortlichen geständnisfreudigen Vernehmung durch den Zeugen Oberstaatsanwalt Wei. lediglich auf einen Befehl des Mitangeklagten Neu. berufen hat. Die Kammer ist überzeugt, dass der Angeklagte Bru. sich bei dieser Gelegenheit auf einen Befehl seines Dienststellenleiters Bor. berufen hätte, wenn dieser ihm einen solchen tatsächlich erteilt hätte. Ein vernünftiger Grund, warum Bru. einen Befehl seines Dienststellenvorgesetzten Bor., der - auch für ihn erkennbar - ihn mehr entlastet hätte als ein Befehl des Mitangeklagten Neu., wäre er gegeben, nicht angeführt hat, ist ebensowenig hervorgetreten wie ein Grund für die Annahme, der Angeklagte Bru. habe etwa den Zeugen Bor. unter Belastung Neu.s schonen wollen.

Auch der Angeklagte Neu. hat in der Hauptverhandlung nicht geltend gemacht, der Zeuge Bor. habe die Tötung der Gebrüder Sleutelberg angeordnet. Vielmehr hat er seine ursprüngliche Einlassung, die Brüder Sleutelberg seien auf Anordnung des Zeugen Bor. von Bru. durch die Front geschleust worden, auf Vorhalt und unter dem Eindruck der Aussage des Zeugen Bor. dahingehend modifiziert, möglicherweise, an die Einzelheiten erinnere er sich nicht mehr so genau, seien die Brüder Sleutelberg auch entsprechend der Aussage des Zeugen Bor. in der Nähe der Front zurück zu dem Abschnittsführer gebracht worden, dem die Soldaten unterstanden, welche die Brüder Sleutelberg ergriffen hätten. Immerhin hat er darüber hinaus - spontan aus sich heraus - erklärt, dass Bor. keinen Tötungsbefehl im Falle der Gebrüder Sleutelberg erteilt habe.

Soweit der Angeklagte Neu. in den niederländischen Gerichtsverfahren allerdings behauptet hat, der Zeuge Bor. habe ihm - Neu. - zunächst den Auftrag erteilt, die Brüder Sleutelberg zu erschiessen, diesen Auftrag jedoch auf seine Gegenvorstellungen hin zurückgenommen und Bru. den Auftrag zur Tötung erteilt, während er - Neu. - nur das Fahrzeug habe führen sollen, sieht die Kammer diese damalige Einlassung als blosse Schutzbehauptung an. In diesem Falle hätte der Angeklagte Bru. den Befehl zur Tötung der Brüder Sleutelberg unmittelbar von dem Zeugen Bor. erhalten und dies - wie bereits ausgeführt - bei seiner verantwortlichen Vernehmung durch den Zeugen Wei. zur Überzeugung der Kammer nicht unerwähnt gelassen. Hätte der Zeuge Bor. demgegenüber Neu. einen entsprechenden Befehl erteilt und diesem gegenüber auch nicht zurückgenommen, so hätte Neu. sich hierauf zur Überzeugung der Kammer in dem niederländischen Gerichtsverfahren gegen seine Person auch berufen. Für den Angeklagten Neu. stand in dem damaligen Verfahren viel auf dem Spiel. Ihm war keinesfalls egal, wie das Verfahren ausgehen würde, sondern er hat mit allen Mitteln versucht, sein Verhalten in einem günstigen Licht erscheinen zu lassen. Dabei ging er damals soweit, im Falle Omta zunächst einen Tötungsbefehl des Zeugen Bor. vorzuspiegeln, den er - wie er später eingeräumt hat und auch heute noch einräumt - tatsächlich von diesen nicht erhalten hatte. Vor diesem Hintergrund ist die Kammer überzeugt, dass der Zeuge Bor. weder dem Angeklagten Neu. noch dem Angeklagten Bru. den Befehl erteilte, die Brüder Sleutelberg zu erschiessen. Inhalt der Anordnung des Zeugen Bor. war vielmehr, wie dieser glaubhaft bekundet hat, die Brüder Sleutelberg zurück zu dem Abschnittsführer zu bringen, dem die Soldaten unterstanden, welche die Brüder Sleutelberg ergriffen hatten. Offengeblieben ist lediglich, ob Bor. diesen Auftrag dem Angeklagten Neu. direkt gab oder in allgemeiner Form so, dass Neu. sich angesprochen fühlte, ferner wieweit er den Angeklagten Bru. als Begleiter Neu.s selbst auswählte und ob er dabei die Formulierung benutzte, man solle ihm die Gefangenen "vom Halse schaffen" oder sie "dahin zurückbringen, wo sie hergekommen seien".

Jedenfalls wurden die Gebrüder Sleutelberg am Abend des 24.April 1945 von den beiden Angeklagten aus ihren Zellen am Molenberg geholt, mit einem PKW weggebracht und nach kurzer Fahrtstrecke unter der festgestellten Mindestbeteiligung der beiden Angeklagten erschossen, nachdem die Opfer zuvor ihr eigenes Grab hatten ausheben müssen.

Diese Feststellung stützt die Kammer im wesentlichen auf die nachfolgend wiedergegebenen, mehrfachen Tatschilderungen beider Angeklagter, die sich zwar in einzelnen Punkten widersprechen, im Umfang der getroffenen Feststellungen aber im wesentlichen sich gegenseitig bestätigen und ergänzen.

Der Angeklagte Neu. hat schon im Jahre 1948 gegenüber dem Zeugen van Esv., heute Oberwachtmeister der niederländischen Reichspolizei, der ihn damals als Wachtmeister erster Klasse bei der Politischen Kriminalpolizei u.a. zum Fall Sleutelberg vernahm, angegeben, er - Neu. - habe den Wagen geführt, in dem die Brüder Sleutelberg vom Molenberg aus weggebracht worden seien. Bru., der an der Fahrt in Richtung Farmsum teilgenommen habe, habe die Brüder dann am Fahrtziel erschossen. Er - Neu. - habe sich zwar in Sichtweite aufgehalten, als Bru. die Brüder erschossen habe, auch erinnere er sich noch in etwa an die Stelle, wo das passiert sei, er selbst habe aber an der eigentlichen Erschiessung nicht mitgewirkt. Daran, dass sich der Angeklagte Neu. im Jahre 1948 ihm gegenüber so zum Fall Sleutelberg geäussert habe, erinnerte sich der Zeuge van Esv. bei seiner kommissarischen Vernehmung durch den niederländischen Untersuchungsrichter am 22.November 1979 noch genau, ohne dass ihm zuvor die damals von ihm gefertigten Protokolle hätten vorgehalten oder andere Gedächtnisstützen hätten gegeben werden müssen. Auf den Vorhalt, nach der Einlassung des Angeklagten Neu. seien diesem die damaligen Aussagen zum Fall Sleutelberg "aus dem Kopf geschlagen worden", hat der Zeuge van Esv. bekundet, die Aussagen Neu.s zum Fall Sleutelberg und auch zu den übrigen gegen ihn erhobenen Vorwürfen seien weder unter Drohungen noch unter Zwang zustande gekommen. Der Angeklagte Neu. habe bei ihm - van Esv. - jedenfalls immer freiwillig ausgesagt. Er sei weder durch Schläge zu Aussagen gezwungen worden noch seien ihm Worte in den Mund gelegt worden. Wohl hätten er - van Esv. - und seine Kollegen in einigen Fällen Beschuldigten oder Zeugen vor ihren Aussagen mitgeteilt, über welche Hinweise und Aussagen sie bereits verfügten und worauf sie ihre Rekonstruktionen des Ablaufs einer bestimmten Tat aufgebaut hätten. Er habe den vernommenen Personen aber immer Gelegenheit gegeben, ihre eigene Version der Geschehnisse wiederzugeben. Auch glaube er nicht, dass der Angeklagte Neu. durch andere Kollegen geschlagen oder bedroht worden sei. Auch seine Kollegen von der Politischen Kriminalpolizei hätten nach seiner Überzeugung keine Gefangenen geschlagen. Sein verstorbener Chef, der Adjudant Poutsma, sei sogar ein ausgesprochen sanftmütiger Mensch gewesen. Demgegenüber habe er - van Esv. - den Angeklagten Neu. als einen eiskalten Menschen eingeschätzt, der bei seinen Vernehmungen nie Reue oder Nervosität gezeigt habe. Vielmehr habe Neu. seine Handlungsweise im Krieg als eine mehr oder weniger geschäftliche Angelegenheit betrachtet und dazu gesagt, es sei eben Krieg gewesen, womit er sein Verhalten habe rechtfertigen wollen. Der Angeklagte Neu. sei zwar regelmässig bereit gewesen, auszusagen, aber seine Aussagen hätten keinesfalls immer der Wahrheit entsprochen. Erst wenn er mit praktisch unumstösslichen Beweisen konfrontiert worden sei, habe er Geständnisse abgelegt, aber bis dahin versucht, sich herauszureden. Dies ergibt sich auch aus dem Inhalt der dem Angeklagten vorgehaltenen und verlesenen richterlichen Protokolle über seine Vernehmungen, in denen er seine Tatbeteiligung auch in den anderen Fällen bagatellisiert und dann erst nach und nach voll eingestanden hat.

Die Kammer ist überzeugt, dass dem Angeklagten Neu. weder durch den Zeugen van Esv. noch durch die ebenfalls als Zeugen vernommenen niederländischen Polizeibeamten Koo., van Kla. und van Did. irgendwelche Aussagen aus dem Kopf geschlagen oder in den Mund gelegt oder sonstwie untergeschoben worden sind, welche er etwa in den folgenden Gerichtsverhandlungen - wie er behauptet - resignierend und in der Erwartung, dass man ihm ohnehin nichts anderes mehr glauben würde, aufrechterhalten haben könnte. Dagegen steht schon überzeugend, dass er entsprechend seinen damaligen Geständnissen, die mit zu seiner damaligen Verurteilung wegen der Beteiligung an sonstigen Tötungsdelikten führten, diese Beteiligung auch vor dem deutschen Kriminalbeamten in Pforzheim und vor allem auch in der hiesigen Hauptverhandlung eingestanden hat.

Der Angeklagte Neu. musste seine ursprüngliche Behauptung anlässlich seiner Vernehmungen durch den Zeugen Wei., er sei praktisch bei allen Vernehmungen in den Niederlanden geschlagen worden, dann auch im Laufe des Verfahrens schrittweise zurücknehmen. Nachdem er eingeräumt hatte, dass er in keiner Gerichtsverhandlung bedroht oder geschlagen worden war, hielt er zunächst noch die Behauptung aufrecht, er sei jedenfalls bei allen polizeilichen Vernehmungen geschlagen worden. Erst unter dem Druck der Gegenbeweise hat er dann schliesslich eingeräumt - und das hat er dann in der Hauptverhandlung spontan getan -, dass er von den als Zeugen vernommenen Polizeibeamten van Esv., van Kla. und Koo. äusserst korrekt behandelt und weder bedroht noch geschlagen worden sei. Auch seinen ursprünglichen Vorwurf, der Zeuge van Did. habe ihn bei Vernehmungen mehrfach geschlagen, hat er im weiteren Verlaufe der Hauptverhandlung immer weiter zurückgenommen und schliesslich nur noch behauptet, er sei von dem Adjutanten Poutsma, der einer der Schlimmsten gewesen sei, geschlagen worden, während van Did. ihn habe schlagen wollen, als er - Neu. - bei dem erwähnten Ortstermin die Lage der Gräber der Brüder Sleutelberg nicht habe zeigen können. Nur durch das Dazwischentreten eines Kollegen sei van Did. daran gehindert worden, ihn zu schlagen.

Zu dem erwähnten Ortstermin kam es nach der glaubhaften Aussage des Zeugen van Esv. deshalb, weil der Angeklagte Neu. sich freiwillig bereit erklärt hatte, die Stelle zu zeigen, wo nach seiner Behauptung der Angeklagte Bru. die Brüder Sleutelberg erschossen und begraben habe. Der Angeklagte Neu. führte daraufhin eine Gruppe von Polizeibeamten, darunter die Zeugen van Did., van Kla. und van Esv. sowie den Zeugen van D., einen Hellseher und Leute des Identifizierungsdienstes in Richtung Farmsum, am Judenfriedhof vorbei bis zum alten Spoorweg und wies auf eine etwa 100 m entfernt gelegene Wiese, wo sich nach seiner Erinnerung das Tatgeschehen abgespielt habe. Nach den übereinstimmenden Aussagen der Zeugen van Esv., van Kla., van D. und van Did. ist der Angeklagte Neu. bei diesem Ortstermin weder geschlagen noch mit Schlägen bedroht worden. Der Zeuge van Did. hat glaubhaft bekundet, er habe den Angeklagten Neu. niemals geschlagen oder mit Schlägen bedroht. Bei dem Ortstermin habe Neu. auf verschiedene Stellen gezeigt, wo angeblich die Leichen vergraben sein sollten, danach habe der Identifizierungsdienst mit Stangen den Boden untersucht, aber jedesmal ohne Erfolg. Schliesslich hätten die Kollegen und er sich auf den Arm genommen gefühlt und Neu. veranlasst, selbst an den bezeichneten Stellen zu graben. Neu. habe dann auch ungefähr eine dreiviertel Stunde an verschiedenen Stellen selbst gegraben, jeweils etwa 30 cm tief, danach hätten die Leute vom Identifizierungsdienst wiederum den Boden untersucht, aber ebenfalls ohne Erfolg.

Die Kammer hält es durchaus für möglich, dass der Angeklagte Neu. bei diesem Ortstermin durch den Zeugen van Did. barsch behandelt worden sein könnte, weil van Did. - wie er selbst einräumt - das ganze als ein Possenspiel des Angeklagten Neu. ansah. Dass der Angeklagte dabei von van Did. beinahe geschlagen oder mit Schlägen bedroht worden wäre, haben die Zeugen jedoch glaubhaft verneint. Auch kann von dem Versuch eines gewaltsamen Abpressens belastender Aussagen schon deshalb keine Rede sein, weil der Angeklagte Neu. nach den glaubhaften Bekundungen der Zeugen freiwillig bereit gewesen war, den angeblichen Tatort zu zeigen.

Schliesslich haben sich auch keine Anhaltspunkte dafür ergeben, der Angeklagte Neu. könnte von dem inzwischen verstorbenen Vernehmungsbeamten Poutsma durch Schläge oder Drohungen zu irgendwelchen Aussagen im Fall Sleutelberg veranlasst worden sein. Dagegen spricht bereits die Aussage der Zeugen van Esv. und van Did., ihr Chef Poutsma sei ein eher sanftmütiger Mensch gewesen. Der Zeuge van Did. hat dazu erklärt, Poutsma sei ein ruhiger, korrekter und geradliniger Mensch gewesen, der nach seiner Überzeugung niemals einen Beschuldigten geschlagen hätte. Wegen seiner väterlichen Persönlichkeit sei er von den Kollegen "Pa Poutsma" genannt worden. Poutsma habe die erste Vernehmung des Angeklagten Neu. in einem Gefängnis in Emden in einem derartige ruhigen Ton durchgeführt, dass er - van Did. - ein wenig kribbelig geworden sei. Während dieser Vernehmung habe Poutsma kein einziges böses Wort zum Angeklagten gesagt, die Vernehmung sei vielmehr als ein ruhiges und korrektes Gespräch abgelaufen.

Zudem hat der Angeklagte Neu. weder gegenüber dem Zeugen van Esv. noch bei den späteren gerichtlichen Vernehmungen je zum Ausdruck gebracht, er sei durch Schläge oder Drohungen zu früheren Aussagen veranlasst worden. Das hätte er aber zur Überzeugung der Kammer mit Sicherheit getan, wenn er durch Schläge oder Drohungen zu irgendwelchen belastenden Aussagen gezwungen worden wäre. Es war damals keinesfalls so, dass dem Angeklagten Neu. alles egal gewesen wäre und er sich apathisch in sein Schicksal ergeben hätte, wie er es heute darzustellen versucht. Er hat nämlich nach der Bekundung des Zeugen van Esv., an deren Richtigkeit die Kammer keinen Zweifel hegt, durchweg sämtliche Vorwürfe so lange bestritten, bis er mit unumstösslichen Beweisen konfrontiert wurde. Auch der Zeuge Professor Mul., der als Protokollant an der Hauptverhandlung in dem niederländischen Verfahren gegen den Angeklagten Neu. teilgenommen hat, bestätigte diesen Eindruck und erinnerte sich noch genau daran, dass der Angeklagte u.a. in einem Fall, in welchem ihm Misshandlung eines Niederländers vorgeworfen wurde (Dorenbos), so lange bestritt, bis er durch Zeugenaussagen praktisch überführt war.

Nach alledem steht zur Überzeugung der Kammer fest, dass dem Angeklagten Neu. von der niederländischen Polizei keine Aussagen "aus dem Kopf geschlagen" oder sonstwie untergeschoben worden sind, welche er dann bei späteren richterlichen Vernehmungen in der Erwartung, dass ihm doch nichts anderes mehr geglaubt würde, sich selbst zu Unrecht belastend und resignierend aufrechterhalten hätte. Fest steht vielmehr, dass er sich sowohl bei den polizeilichen Vernehmungen als auch bei Gericht in dem Bewusstsein, dass ihm gegebenenfalls die Todesstrafe drohte, möglichst wirksam zu verteidigen versucht hat, zumal er als ausgebildeter Kriminalbeamter im besonderen Masse wusste, was auf dem Spiele stand und was ihm drohte, wenn er auf die gegen ihn erhobenen Vorwürfe zu seinen Lasten mehr einräumte, als tatsächlich geschehen war.

Der gegen Ende der Beweisaufnahme unternommene Versuch des Angeklagten Neu., die Zuverlässigkeit der in niederländischer Sprache abgefassten Protokolle und Schriftstücke über seine Aussagen in den Niederlanden in Zweifel zu ziehen unter Hinweis darauf, er habe die niederländische Sprache nicht verstanden, geht fehl. Das ist eine blosse Schutzbehauptung. Die Kammer ist davon überzeugt, dass der Westfale Neu. bei jahrelangem Aufenthalt in den Niederlanden die niederländische Sprache sehr wohl in der Umgangssprache verstehen, sprechen und lesen konnte. Ohne dieses Sprachverständnis hätte er seinen Dienst dort gar nicht versehen können; zudem hatte er eingestandenen Umgang zu niederländischen Familien. Gerichtsbekannt ist aber die niederländische Bevölkerung, insbesondere die Beamtenschaft im Emsland um Groningen/Delfzijl der deutschen Sprache weitgehend mächtig; Verständigungsschwierigkeiten können daher bei den Vernehmungen Neu.s nicht entstanden sein. Vor allem waren bei den hier insbesondere zugrunde gelegten richterlichen Geständnissen Neu.s in Hauptverhandlungen ausweislich der Protokolle Dolmetscher zugegen. Diese unter Zuhilfenahme eines Dolmetschers erhobenen richterlichen Protokolle wiederum bestätigen in allen wesentlichen Punkten die Angaben Neu.s in den Protokollen über die polizeilichen und richterlichen Vernehmungen, die ohne Dolmetscher stattgefunden haben. Sie enthalten schliesslich auch eine Fülle von Angaben, die schlechterdings nur von Neu. selbst stammen können. Dass der Angeklagte Neu. von den niederländischen Vernehmungspersonen richtig verstanden worden ist und sich ihnen richtig verständlich machen konnte, bestätigt auch, dass er in hiesigen Vernehmungen die in den Niederlanden gemachten Angaben als richtig wiederholt und auch in der Hauptverhandlung die ihm vorgelesenen und vorgehaltenen Protokolle über seine Vernehmungen ihren wiedergegebenen Inhalt nach als richtig bestätigt hat.

Vor diesem Hintergrund ist die Kammer überzeugt, dass die im folgenden dargestellten Aussagen des Angeklagten Neu. vor der niederländischen Justiz nur seine im Sinne der getroffenen Feststellungen tatsächlich geschehene Mindestbeteiligung und sein entsprechendes Mindestwissen im Zusammenhang mit der Tötung der Gebrüder Sleutelberg enthalten, welche er angesichts der den Ermittlungsbehörden vorliegenden Beweismittel ohnehin nicht erfolgreich glaubte bestreiten zu können, keinesfalls aber Angaben, durch die er sich selbst zu Unrecht belastet hätte.

Bei seiner Vernehmung durch den Untersuchungsrichter am Sondergerichtshof in Leeuwarden am 15.Juni 1948 hat er in dem Bestreben, seine Beteiligung und sein Wissen im Fall Sleutelberg als möglichst gering darzustellen, noch behauptet, Bru. habe von dem Zeugen Bor. den Auftrag erhalten, die beiden Juden umzubringen, nachdem er - Neu. - sich geweigert hätte, weil die Tötung heimlich und in der Nacht habe geschehen sollen. Daraufhin habe Bor. ihm - Neu. - nur noch den Befehl erteilt, das Auto zu führen, mit dem die Juden zur Exekutionsstelle hätten gebracht werden sollen. Abends gegen 23 Uhr seien Bru. und er mit dem Fahrzeug der Dienststelle, in dem die beiden Juden Platz genommen hätten, Richtung Farmsum gefahren, über eine Strasse, die am dortigen Judenfriedhof entlanggeführt hätte. Bei dem genannten Friedhof habe er das Fahrzeug angehalten. Es sei in unmittelbarer Nähe des deutschen Militärpostens gewesen. Er sei beim Wagen geblieben, während Bru. die beiden Juden in eine Wiese geführt hätte. Nach etwa 1½ Stunden sei Bru. allein zurückgekommen und habe erzählt, dass er die beiden Juden zunächst ein Grab hätte ausheben lassen und sie danach durch Pistolenschüsse umgebracht hätte. Er - Neu. - habe hiervon nichts gehört oder gesehen. Das Ganze habe sich in unmittelbarer Nähe der Front abgespielt. Bru. sei mit den beiden Juden in das Niemandsland gegangen. An der Front sei dauernd geschossen worden, so dass er nichts dazu sagen könne, ob Bru. die beiden Juden tatsächlich erschossen habe. Er selbst habe sich davon nicht überzeugt, da er nur den Wagen habe führen müssen. Nach der Rückkehr in die Dienststelle habe Bru. dem Zeugen Bor. gemeldet, dass er den Befehl auftragsgemäss ausgeführt habe. Bor. habe ihm - Neu. - zunächst vorspiegeln wollen, die beiden Juden hätten Spionage getrieben, was ihm jedoch zweifelhaft erschienen sei. Er habe deshalb dem Zeugen Bor. geantwortet, nach seiner Ansicht müssten die Juden von der Wehrmacht exekutiert werden, und darum gebeten, ihn von dem Auftrag zur Vornahme dieser Exekution zu entbinden, was Bor. dann auch getan habe.

In dem niederländischen Verfahren gegen sich hat der Angeklagte Neu. am 14.Februar 1949 in der öffentlichen Gerichtssitzung des Sondergerichtshofes in Leeuwarden, 2. Kammer in Groningen, praktisch eingeräumt, dass er die Brüder Sleutelberg beim Ausheben des Grabes beobachtet und auch die Schüsse gehört hat, durch welche sie erschossen wurden. Insgesamt hat er zum Fall Sleutelberg bei dieser Gelegenheit im wesentlichen folgende Angaben gemacht:

Abends sei der Mitangeklagte Bru. zu ihm gekommen und habe erklärt, dass er vom Zeugen Bor. den Auftrag erhalten hätte, die Gebrüder Sleutelberg niederzuschiessen. Bru. habe ihn - Neu. - gebeten, sie mit einem Auto in Richtung Farmsum zu fahren, um sie dort zu töten. Er sei dieser Bitte nachgekommen. In der Umgebung von Farmsum, dicht beim Friedhof, sei er bei einem Feldwebel zurückgeblieben und habe gesehen, dass Bru. mit den Brüdern Sleutelberg ein Stückchen aufs Land gegangen sei. Er habe in der Dämmerung zuerst zwei Personen graben sehen, danach einen Schuss gehört und habe darauf eine Person graben sehen, ein anderes Mal einen Schuss gehört und wieder jemanden graben sehen. Danach sei Bru. zu ihm zurückgekehrt und habe gesagt, er habe die Brüder Sleutelberg umgelegt.

Auch bei seiner Vernehmung als Zeuge in dem niederländischen Gerichtsverfahren gegen Bor. hat der Angeklagte Neu. in der Sitzung vom 28.Februar 1949 - vor dem gegen ihn selbst ergangenen Urteil - keinen Zweifel daran gelassen, dass die Brüder Sleutelberg an dem betreffenden Tage erschossen und begraben wurden, während er - Neu. - sich in Sichtweite aufhielt. Im einzelnen hat er bei dieser Vernehmung folgendes bekundet:

Gegen Ende April 1945 seien zwei Juden, die Brüder Sleutelberg, welche auf einem Bauernhof in der Umgebung von Delfzijl durch einige deutsche Soldaten gefangengenommen worden seien, zur Dienststelle in Delfzijl gebracht worden. Abends habe ihm der Zeuge Bor. mitgeteilt, diese Juden würden der Spionage beschuldigt, seien standrechtlich zum Tode verurteilt und müssten erschossen werden. Er habe dagegen Bedenken erhoben, worauf Bor. seinen Befehl zurückgezogen habe. Nach etwa einer Stunde habe Bor. ihn erneut zu sich gerufen und ihm den Auftrag gegeben, das Auto zu fahren. Er - Neu. - habe gesehen, dass Bru. kurz zuvor aus dem Zimmer des Zeugen Bor. gekommen sei und habe deshalb angenommen, dass nunmehr Bru. den Auftrag hätte, die beiden Juden zu erschiessen. Bru. hätte etwas getrunken gehabt, sei aber nicht betrunken gewesen. Er sei scharf darauf gewesen, die Juden zu erschiessen. Er sei dann gemeinsam mit Bru. und den beiden Juden in Richtung Farmsum gefahren, hätte in der Umgebung angehalten und hier seien alle ausgestiegen. Bru. sei mit den Brüdern Sleutelberg ein bisschen aufs Land gegangen und habe sie dort erschossen und begraben.

Die geschilderten Aussagen des Angeklagten Neu. in den niederländischen Gerichtsverfahren sind zwar insofern widerlegt, als er sich dort auf einen Tötungsbefehl des Zeugen Bor. berufen hat. Auch bestehen Bedenken gegen die Richtigkeit seiner Behauptung, die Tat als solche sei allein durch den Mitangeklagten Bru. durchgeführt worden. Die Kammer hat aber aufgrund der damaligen Angaben des Angeklagten Neu. keinen Zweifel daran, dass die Brüder Sleutelberg im Anschluss an die Autofahrt in nächster Sichtweite und damit im Beisein des Angeklagten Neu. erschossen und begraben worden sind, nachdem sie zuvor ihr eigenes Grab hatten ausheben müssen.

Die Tatsache der Erschiessung wird auch dadurch gestützt, dass gerade die Angeklagten als einzige oder einzig auffindbare "Tatzeugen" dies vielfach früher bezeugt haben und dass die Brüder Sleutelberg seither nie wieder aufgetaucht sind und selbst ihre nächsten Verwandten von ihnen kein Lebenszeichen mehr erhalten haben.

Das erdrückende Beweisergebnis insoweit wird auch nicht dadurch abgeschwächt, dass die Leichen der Gebrüder Sleutelberg nie gefunden worden sind. Da der Tatort bzw. die Lage des Grabes nicht exakt bekannt ist, ist zu fragen, wo in der Umgebung von Delfzijl oder Farmsum begonnen oder aufgehört werden sollte, zu graben. Eine Nachsuche an der früher vom Angeklagten Neu. gezeigten Stelle erschien völlig aussichtslos, da an dieser Stelle nach Baggerarbeiten ein tiefes Hafenbecken entstanden ist. Die Kammer hat daher auch keine Versuche unternehmen können, eine Nachsuche zu veranlassen.

Soweit Vermutungen aufgekommen sind, die Leichen der Gebrüder Sleutelberg seien später da oder dort gefunden worden unter Umständen, die auf andere Todesursachen hindeuten könnten, haben sich dazu keine irgendwie fassbaren Hinweise ergeben, welche auch nur annähernd die Feststellung der hier beschriebenen Todesumstände erschüttern könnten.

Schliesslich hat auch der Angeklagte Bru. mehrfach - teils im Rahmen des staatsanwaltschaftlichen Ermittlungsverfahrens, überwiegend aber aufgrund eigener Initiative im privaten Kreis - geschildert, die Brüder Sleutelberg hätten im Anschluss an die Autofahrt unter seiner Bewachung ihr eigenes Grab ausheben müssen, seien danach - nach seiner Behauptung durch Neu. oder von diesem herbeigeholte Marinesoldaten - erschossen und von ihm - Bru. - begraben worden.

Bei seiner verantwortlichen Vernehmung durch den Zeugen Oberstaatsanwalt Wei. am 4.Juli 1978 in Gegenwart seiner Verteidiger, denen zuvor Akteneinsicht gewährt worden war, hat der Angeklagte Bru. zum Fall Sleutelberg im wesentlichen folgende Angaben gemacht:

Er sei abends mit dem Angeklagten Neu. in einem Kraftwagen zum Gefängnis gefahren und habe im Auftrag Neu.s die Gebrüder Sleutelberg herausgeholt. Die Brüder Sleutelberg und auch Mitgefangene hätten ihn gefragt, ob sie nun erschossen würden. Er habe darauf geantwortet, dass er das nicht wisse. Das habe auch seiner Ansicht entsprochen. Es seien nämlich häufiger Gefangene zur Nachtzeit zur Vernehmung aus dem Gefängnis geholt worden. Auch sei ihm nicht bekannt gewesen, dass es sich bei den Brüdern Sleutelberg um Juden gehandelt habe. Dies habe er erst am folgenden Tag erfahren. Er habe sie bis dahin für Saboteure oder Terroristen gehalten. Die Brüder Sleutelberg hätten in dem Fahrzeug, das Neu. geführt habe, Platz genommen; nach einer knappen viertel Stunde habe Neu. plötzlich angehalten und ihm eröffnet, dass die Juden zu erschiessen seien. Neu. habe ihm den Befehl erteilt, die Opfer ein Grab schaufeln zu lassen. Die Schaufeln hätten im Kofferraum des Fahrzeugs gelegen. Er habe keine andere Möglichkeit gesehen, als dem Befehl Neu.s zu folgen und habe die Brüder Sleutelberg beim Ausheben des Grabes mit einer Maschinenpistole bewacht. Neu. sei dann nach geraumer Zeit mit einem Marinesoldaten erschienen und habe sich erkundigt, ob das Grab fertig sei. Auf seine bejahende Antwort habe sich Neu. mit dem Marinesoldaten zu den späteren Opfern begeben. Er - Bru. - habe sich abgewandt. Unmittelbar darauf seien zwei Schüsse gefallen. Danach habe er auf Befehl Neu.s die Leichen der Brüder Sleutelberg, die vorn übergebeugt in dem Grab gelegen hätten, begraben.

Der Angeklagte Bru. räumt ein, bei seiner verantwortlichen Vernehmung durch den Zeugen Wei. in der geschilderten Weise ausgesagt zu haben. Nach seiner jetzigen Einlassung handelte es sich bei seiner damaligen Schilderung jedoch um eine reine Erfindung, bei welcher er die ihm durch die Aktenkenntnis seiner Verteidiger bekannt gewordenen Tatsachen verwertet habe. Tatsächlich sei er zur fraglichen Zeit nicht in Delfzijl gewesen. Er habe sich durch die erfundene Tatbeteiligung "schuldig" machen wollen, um auf diese Weise ein Ermittlungsverfahren in der Bundesrepublik Deutschland gegen sich in Gang zu bringen und so die von ihm am meisten gefürchtete Auslieferung in die Niederlande zu verhindern.

Der Zeuge Bot., ein Lehrer aus Delfzijl, der sich seit längerer Zeit mit der Suche nach den Gräbern der Brüder Sleutelberg befasst, hat glaubhaft folgendes bekundet:

Erstmals habe er den Angeklagten Bru. am 6.Mai 1979 in Breckerfeld besucht. Bei dem Gespräch über die Lage der Gräber der Brüder Sleutelberg sei jedoch nicht viel herausgekommen. Immerhin habe sich der Angeklagte Bru. selbst daran interessiert gezeigt, die Leichen zu finden, weil er auf diese Weise die Richtigkeit seiner damaligen Einlassung habe befestigen wollen. Nach mehreren Telefongesprächen habe er den Angeklagten Bru. erneut am 27.Juni 1979 besucht und dabei mit ihm im Büro seiner Verteidiger die Angelegenheit erneut durchgesprochen. Der Angeklagte Bru. habe dabei bekundet, er habe die Brüder Sleutelberg gegen 23 Uhr aus den Zellen geholt. Anschliessend seien Neu. und er mit ihnen in Richtung Farmsum gefahren, jedenfalls hätte man unterwegs Schleusen passiert. Er - Bru. - wisse nicht genau, wo sie sich befunden hätten, als das Fahrzeug von Neu. angehalten worden sei. Nach dem Aussteigen habe Neu. erklärt, die Brüder Sleutelberg würden erschossen. Man sei etwa 200 m bis zum Erschiessungsort gegangen. Dort hätten sie unter seiner - Bru. - Bewachung graben müssen. Neu. hätte dann zur Exekution zwei Soldaten herbeigeholt. Nachdem diese die Brüder Sleutelberg erschossen hätten, habe er - Bru. - das Grab zugeschaufelt. Der ganze Vorgang habe etwa eine Stunde gedauert. Dass es sich um Juden gehandelt habe, habe er nicht gewusst.

Schon kurz nach seiner am 21.September 1978 erfolgten Haftentlassung hatte der Angeklagte Bru. dem von der Kammer als Zeugen vernommenen holländischen Journalisten Ton van Di.

ein Interview gegeben, über das die holländische Wochenzeitung Haagse Post am 7.Oktober 1978 berichtete. Gegenüber dem Zeugen van Di. gab Bru., wie er selbst nicht bestreitet, folgende Tatschilderung zum Fall Sleutelberg:

Er sei bei der Einlieferung der Brüder Sleutelberg nicht auf der Dienststelle gewesen und habe sie später im Auftrag Neu.s aus dem Gefängnis geholt. Sie seien in einen Wagen gestiegen und zur Front gefahren. Dort habe Neu. gesagt, sie sollten erschossen werden, und zwei Schaufeln aus dem Wagen geholt. Er - Bru. - habe sie etwa eine Stunde bewacht, bis sie ein Loch gegraben hätten. Danach sei Neu. mit zwei Soldaten gekommen, er - Bru. - sei ein bisschen herumgewandert, danach müsse es passiert sein. Er habe jedenfalls danach das Loch mit zwei Leichen wieder zugeschmissen, könne allerdings nicht mit Sicherheit sagen, ob es sich um die Leichen der Gebrüder Sleutelberg gehandelt habe.

Schliesslich hat der Angeklagte Bru. gegenüber dem Zeugen van der Slu. - wie bereits erwähnt - mindestens folgendes über das Ende der Gebrüder Sleutelberg erzählt:

Er habe die Brüder Sleutelberg nicht erschossen. Neu. habe ihm zunächst erklärt, sie müssten ein paar Leute wegbringen, die seien zum Tode verurteilt und müssten weg. Neu. sei dann mit den beiden Brüdern Sleutelberg weggegangen und nach gewisser Zeit zurückgekehrt, und habe gesagt, Bru. solle sie begraben, was er auch getan habe. Auf Vorhalt hat der Zeuge van der Slu. hinzugefügt, ihm gegenüber habe der Angeklagte Bru. nicht erwähnt, dass er die Brüder Sleutelberg beim Grabschaufeln bewacht habe.

Die Kammer schliesst aus, dass der anwaltlich beratene Angeklagte Bru. die wiedergegebenen Tatschilderungen bei einem so schwerwiegenden Tatvorwurf frei erfunden hat, um ein Ermittlungsverfahren in der Bundesrepublik gegen sich fortdauern zu lassen und dadurch seine Auslieferung an die Niederlande zu verhindern. Glaubhaft ist allerdings, dass er ein grosses Interesse daran hatte, seine Auslieferung zu verhindern. Möglich ist auch, dass er von vornherein Zweifel hatte, ob er mit seiner Behauptung, er habe während der Kriegszeit die deutsche Staatsangehörigkeit erworben, auf die Dauer durchdringen und allein dadurch seine Auslieferung würde verhindern können. Wenn er vor diesem Hintergrund an hiesigen Ermittlungen und Verfolgung interessiert gewesen sein sollte, so hätte es nahe gelegen, zunächst nur seine tatsächlich geschehene Beteiligung in den Fällen Timmer und Dij. - ganz oder teilweise - einzugestehen, statt eine Beteiligung im Fall Sleutelberg etwa frei zu erfinden. Zudem hätte der Angeklagte zur Überzeugung der Kammer, wenn er schon das Risiko eines solchen "Schwindels" eingegangen wäre, spätestens nach der Zustellung der Anklage alles daran gesetzt, die Beschuldigung zu entkräften und im Hinblick auf §4 Nr.3 des Deutschen Auslieferungsgesetzes möglichst schon die Eröffnung des Hauptverfahrens zu verhindern. Der Angeklagte hat jedoch auch danach seine erste Einlassung gegenüber dem Zeugen Wei. im Kern aufrechterhalten und - wenn auch mit gewissen Abweichungen - nach seiner Haftentlassung gegenüber dem Zeugen Ton van Di., nach der Eröffnung des Hauptverfahrens noch gegenüber dem Zeugen Bot. und noch während des Laufs der Hauptverhandlung gegenüber dem Zeugen van der Slu. wiederholt. Zudem war seine damalige Tateinlassung so detailliert aus eigenem Erleben geschildert mit vielen Details, die dem damaligen Akteninhalt nicht entnommen sein konnten.

Zudem hat der Angeklagte Bru. auch schon ein oder zwei Tage, nachdem die Brüder Sleutelberg zur SD-Dienststelle gebracht worden waren, in Gegenwart anderer Angehöriger des SD in Delfzijl berichtet, er habe die Brüder Sleutelberg gemeinsam mit Neu. in einem PKW weggebracht, beide hätten ihr eigenes Grab ausheben müssen und seien dann erschossen worden. Dies haben die Zeugen Bro., Siv. und Jan. kurze Zeit nach dem Kriege niederländischen Vernehmungsbeamten unabhängig voneinander an verschiedenen Orten und zu verschiedenen Zeitpunkten berichtet.

Der Zeuge Bro. erinnerte sich zwar bei seiner kommissarischen Vernehmung durch den holländischen Untersuchungsrichter am 22.November 1979 nur noch daran, dass die Brüder Sleutelberg Ende April 45 von Soldaten der Wehrmacht zur SD-Dienststelle in Delfzijl gebracht worden seien und dass er am folgenden Tag oder auch einige Tage später auf der Dienststelle gehört habe, Bru. und Neu. hätten die beiden Gefangenen erschossen. Er hat jedoch auf den Vorhalt, ausweislich eines von dem Zeugen van Esv. gefertigten Protokolls solle er im Jahre 1948, damals interniert im Lager Eese bei Steenwijk, ausgesagt haben, er könne sich noch sehr gut daran erinnern, dass Siert Bru. Ende April 1945 auf der Dienststelle in Delfzijl erzählt habe, Neu. und er hätten am vorigen Abend die Brüder Sleutelberg - untergetauchte Juden - im Auto mitgenommen, sie hätten beide ihr eigenes Grab ausheben lassen und sie danach erschossen und in ihrem eigenen Grab begraben, erklärt, wenn er das damals gegenüber dem Zeugen van Esv. so ausgesagt habe, so sei das die reine Wahrheit gewesen. Er habe möglichst reinen Tisch machen wollen, alle seine Aussagen nach Ehre und bestem Gewissen gemacht und keinesfalls mit der Absicht, andere zu Unrecht zu belasten. Er erinnere sich auch noch, durch den Zeugen van Esv. mehrfach, u.a. zum Fall Sleutelberg, vernommen worden zu sein. Die Vernehmungen seien immer sehr korrekt verlaufen. Dem Zeugen van Esv. sind anlässlich seiner kommissarischen Vernehmung durch den niederländischen Untersuchungsrichter mehrere von dem Zeugen gefertigte Protokolle in beglaubigter Fotokopie vorgelegt worden, darunter auch das oben erwähnte Protokoll über die Vernehmung des Zeugen Bro. in dem Lager Eese. Der Zeuge van Esv. hat die Protokolle als von ihm gefertigt anerkannt und hinzugefügt, dass er für deren Richtigkeit voll und ganz einstehe. Er habe seine Protokolle unter Amtseid gefertigt und nur das protokolliert, was die von ihm verhörten Personen auch ausgesagt hätten.

Die Kammer hat keinen Zweifel, dass der Zeuge Bro. in der von dem Zeugen van Esv. protokollierten Weise ausgesagt hat und dass dies auch der Wahrheit entsprach. Dafür spricht auch der Umstand, dass der Zeuge Bro. schon wenige Tage nach Kriegsende gegenüber dem Zeugen van D., als dieser ihn mit dem Polizeichef van der Werf im Gefängnis aufsuchte und nach dem Schicksal der Brüder Sleutelberg befragte, nach dessen glaubhafter Bekundung auch damals schon ausgesagt hatte, sie seien von Neu. und Bru. aus der Zelle geholt, in einem Auto weggefahren und dann erschossen worden, nachdem sie sich zuvor ihr eigenes Grab hätten ausheben müssen. Zwar war sich der Zeuge van D. nicht mehr sicher, ob Bro. damals gesagt hatte, er habe dies von Bru. oder von Neu. erfahren. Er erinnerte sich aber noch genau, dass Bro. jedenfalls einen von beiden als seinen Informanten genannt hatte. Zudem hat auch der Zeuge Siv., der seit der Flucht aus Delfzijl am 1.Mai 1945 mit Bro. nicht mehr zusammengetroffen war, am 25.August 1945 gegenüber dem Zeugen Tex. bekundet, Bru. habe auf der Dienststelle erzählt, er habe gemeinsam mit Neu. die beiden Juden erst ein Grab ausheben lassen und sie dann erschossen. Allerdings erinnerte sich auch der Zeuge Siv. bei seiner kommissarischen Vernehmung durch den niederländischen Untersuchungsrichter am 21.November 1979 nicht mehr an alle Einzelheiten seiner damaligen Aussage. Er wusste nur noch, dass am Tage, nachdem Neu. und Bru. die Brüder Sleutelberg mit dem Auto weggebracht hatten, auf der Dienststelle darüber gesprochen worden war, dass Neu. und Bru. die Brüder ums Leben gebracht hatten. Auf den Vorhalt eines von dem Zeugen Tex. gefertigten Berichts über eine Vernehmung des Zeugen Siv. am 25.August 1945 hat der Zeuge Siv. erklärt, wenn er früher ausgesagt haben sollte, Bru. habe auf der Dienststelle erzählt, Neu. und er hätten die beiden Juden umgebracht, nachdem sie ihr eigenes Grab hätten graben müssen, dann könne das wohl stimmen, aber daran erinnere er sich heute nicht mehr. Wenn er so ausgesagt habe, so sei das die reine Wahrheit gewesen. Er habe niemals bewusst irgendwelche falschen Angaben gemacht, die einen anderen zu Unrecht belastet hätten. Eine konkrete Erinnerung an die Vernehmung durch den Zeugen Tex. am 25.August 1945 habe er allerdings nicht mehr. Die dort gemachten Angaben können indes aber auch nur von ihm stammen, wie sich schon aus der Schilderung seiner persönlichen, dem Protokollanten nicht bekannt gewesenen persönlichen Verhältnisse ergibt.

Auch der Zeuge Tex. hatte keine konkrete Erinnerung mehr an die Person oder den Inhalt der damaligen Aussage des Zeugen Siv. Er hat jedoch eine Abschrift des damals von ihm gefertigten Berichtes aufgrund des Stiles und der Aufmachung als von ihm gefertigt anerkannt und hinzugefügt, er stehe dafür ein, die in dem Bericht erwähnte Aussage richtig wiedergegeben zu haben.

Hinzukommt, dass der Zeuge Jan., der nach dem Eindruck der Kammer die Angeklagten keinesfalls belasten wollte, sondern deutlich bestrebt war, sie zu entlasten und von früheren belastenden Aussagen abzurücken, in der Hauptverhandlung auf Vorhalt schliesslich eingeräumt hat, er habe noch vor der Flucht aus Delfzijl und nicht etwa erst im Jahre 1947 oder 1948, wie er eingangs seiner Vernehmung vor der Kammer angegeben hatte, von einem Dienststellenangehörigen des SD in Delfzijl erfahren, die Brüder Sleutelberg seien von Neu. und Bru. erschossen worden. Er sei jetzt zu 90% sicher, dass er das von Bru. erfahren habe und glaube nicht, es von Neu. gehört zu haben, wenn er es auch nicht völlig ausschliessen könne. Wenn er früher Bru. als seinen Informanten angegeben habe, so sei das die Wahrheit gewesen. Nach einem Protokoll, das der Zeuge van Esv. am 19.Juli 1948 gefertigt hat, soll der Zeuge Jan. im Jahre 1946, damals interniert im Carel Coenraad Polder, bekundet haben, Neu. und Bru. seien abends mit den Brüdern Sleutelberg im Auto weggefahren und am folgenden Tag habe Bru. ihm erzählt, dass Neu. und er am vorhergehenden Abend die Brüder Sleutelberg erschossen hätten, nachdem sie zuvor ihr eigenes Grab hätten ausheben müssen. Der Zeuge van Esv. hat auch für die Richtigkeit dieses Protokolls die volle Verantwortung übernommen.

Zwar hat die Aussage eines Zeugen, er wisse nicht mehr, was er früher zu einem bestimmten Beweisthema bekundet habe, aber was er bekundet habe, sei die Wahrheit gewesen, keinen allzu grossen Beweiswert. Das gilt - isoliert gesehen - auch für die Angabe einer Verhörsperson, getreulich protokolliert zu haben, insbesondere dann, wenn im übrigen eine konkrete Erinnerung an den Inhalt der Vernehmung wegen Zeitablaufs nicht mehr besteht. Im vorliegenden Fall konnten sich aber die Zeugen Bro., Siv. und Jan., letzterer allerdings erst nach Vorhalt, unabhängig vom Inhalt der Protokolle noch daran erinnern, dass kurz nach der Einlieferung der Brüder Sleutelberg auf der SD-Dienststelle unter den Angehörigen des SD in Delfzijl erzählt wurde, die Brüder Sleutelberg seien von Neu. und Bru. erschossen worden. Dass sich die Zeugen heute nicht mehr daran erinnern, welcher der SD-Angehörigen ihnen hiervon berichtet hat, ist aufgrund der langen Zeitspanne, die seither verstrichen ist, ohne weiteres verständlich. Wenig wahrscheinlich erscheint andererseits, dass die Zeugen van Esv. und Tex. - van Esv. ist von mehreren Zeugen und auch vom Angeklagten Neu. als sehr korrekt bezeichnet worden, Tex. hat bei seiner Vernehmung durch die Kammer den Eindruck eines besonnenen und korrekten Beamten hinterlassen - unabhängig voneinander an verschiedenen Orten und zu verschiedenen Zeiten die Zeugenaussagen in diesem Punkt falsch verstanden oder falsch wiedergegeben hätten. Ebensowenig ist ein Motiv hervorgetreten, warum die Zeugen Bro., Siv. und Jan. sich damals unabhängig voneinander über diejenige Person, welche ihnen vom Schicksal der Brüder Sleutelberg berichtet hatte, geirrt oder gar bewusst falsche Angaben gemacht haben sollten. Vor diesem Hintergrund, abgestützt durch die geschilderte Aussage des Zeugen van D. und die Bekundung des Zeugen Jan., er sei jetzt zu 90% sicher, es von Bru. erfahren zu haben, hat die Kammer keinen vernünftigen Zweifel, dass der Angeklagte Bru. schon wenige Tage nach dem Geschehen auf der Dienststelle gegenüber Kollegen berichtete, er habe die Brüder Sleutelberg zusammen mit Neu. in einem PKW weggebracht und sie seien im Anschluss daran erschossen worden, nachdem sie zuvor ihr eigenes Grab hätten ausheben müssen.

Die Kammer hat berücksichtigt, dass die Erzählungen des Angeklagten Bru. über das Ende der Brüder Sleutelberg gegenüber seinen Kollegen vom SD, deren Wortlaut und Einzelheiten sich heute nicht mehr mit der genügenden Sicherheit feststellen lassen, die tatsächlichen Einzelheiten der Tatausführung nicht unbedingt zuverlässig wiedergegeben haben. Es besteht sowohl die Möglichkeit, dass der Angeklagte Bru. - vom Zeugen Bor. als etwas prahlerisch im Erzählen von Kriegserlebnissen gekennzeichnet - den Umfang seines eigenen Tatbeitrages damals grösser dargestellt hat, als er tatsächlich war. Andererseits könnten seine Erzählungen auf der SD-Dienststelle auch von dem Motiv bestimmt gewesen sein, aus Furcht vor Strafe angesichts des immer näher rückenden Kriegsendes den Tatbeitrag des Angeklagten Neu. möglichst über- und den eigenen möglichst unterzubewerten.

Kein Zweifel besteht aber daran, dass seine Schilderung jedenfalls insoweit zutraf, als er gemeinsam mit Neu. die Brüder Sleutelberg im PKW weggebracht hatte, dass sie anschliessend unter seiner Bewachung ihr eigenes Grab ausheben mussten und dass er ihre Leichen begraben hat, nachdem sie - von ihm oder Neu. oder durch von Neu. herbeigeholte Soldaten - erschossen worden waren. Dafür, dass andere Angehörige des SD in Delfzijl als die beiden Angeklagten an dem unmittelbaren Tatgeschehen beteiligt gewesen sein könnten, ist nicht der geringste Anhaltspunkt hervorgetreten.

Damit ist auch die von dem Angeklagten Bru. aufgestellte Behauptung, er habe sich zur Tatzeit nicht in Delfzijl aufgehalten, widerlegt. Es ist zwar durchaus möglich, dass sich der Angeklagte Bru. aufgrund einer Verletzung durch eine Propagandabombe ins Lazarett nach Emden begeben und dies auch noch zum Besuch seiner in Neuwesteel bei Norden lebenden Frau genutzt hat. Das muss dann aber vor oder nach der Tötung der Gebrüder Sleutelberg, die in der Nacht vom 24. zum 25.April 1945 stattfand, geschehen sein. Denn die Beweisaufnahme hat nur Anhaltspunkte dazu ergeben, dass der einmalige Einschlag von Propagandabomben mit Flugblattaufforderungen zur Kapitulation um den 28./29.April 1945 stattgefunden hat. Für ein späteres Datum spricht auch die Aussage des Zeugen Bot., der bekundet hat, der Angeklagte Bru. habe ihm berichtet, dass er sich kurz nach der Erschiessung der Brüder Sleutelberg ins Lazarett in Emden begeben habe. Selbst nach der eigenen Einlassung des Angeklagten Bru. blieb nach dem Tatgeschehen in der Nacht vom 24. zum 25.April 1945 noch genügend Zeit, sich anschliessend für ein bis zwei Tage ins Lazarett in Emden zu begeben (etwa am 26. und 27.April 1945), danach ein- oder zweimal bei seiner Frau in Neuwesteel zu übernachten (etwa zum 28. und zum 29.April 1945) und sodann noch vor der Befreiung Delfzijls am 1.Mai 1945 wieder dorthin zurückzugelangen. Fest steht jedenfalls aufgrund verschiedener Zeugenaussagen und auch der eigenen Bekundung des Angeklagten Bru., dass er am 1.Mai 1945 gemeinsam mit den übrigen SD-Angehörigen aus Delfzijl mit einem von dem Zeugen Kop. geführten Boot nach Emden flüchtete.

Soweit sich die beiden Angeklagten früher in dem festgestellten Umfang über ihre Mitwirkung an der Tötung der Gebrüder Sleutelberg geäussert haben, waren ihre Aussagen - beim Angeklagten Neu. sicher, beim Angeklagten Bru. nicht ausschliessbar - von dem Bestreben bestimmt, den Umfang der eigenen Beteiligung möglichst gering und den des jetzigen Mitangeklagten möglichst gross darzustellen. Die Kammer hat deshalb die früheren Bekundungen der beiden Angeklagten über die angeblichen Tatbeiträge des jeweiligen Mitangeklagten mit grosser Vorsicht gewertet.

Gleichwohl besteht für die Kammer kein vernünftiger Zweifel, dass zumindest einer der beiden Angeklagten aus Judenhass den Plan ersann, die Brüder Sleutelberg zu erschiessen und ihnen dabei aus demonstrativer Geringschätzung und aufgrund einer gefühllosen, unbarmherzigen Gesinnung dadurch besondere Qualen zu bereiten, dass sie zuvor im Angesicht ihres sicheren Todes das eigene Grab ausheben mussten. Auch steht zur Überzeugung der Kammer fest, dass dieser Initiator und Urheber der Tat (Haupttäter) seinen Plan dann mit Täterwillen verwirklichte. Der Zeuge Bor. hatte angeordnet, die Brüder Sleutelberg zurück zum Abschnittsführer zu bringen, dem die Soldaten unterstanden, welche die Brüder Sleutelberg ergriffen hatten. Dass die Brüder trotzdem anschliessend in Gegenwart bzw. in Sichtweite beider Angeklagten ihr eigenes Grab ausheben mussten und sodann erschossen wurden, lässt zur Überzeugung der Kammer erkennen, dass mindestens einer der beiden Angeklagten die Tötung der Brüder Sleutelberg als eigene gewollt und diesen Plan mit Täterwillen verwirklicht hat. Keiner der beiden Angeklagten hat eine weitere Person erwähnt, die als Planer und Beherrscher der Tat in Betracht käme. Die von Bru. erwähnten Wehrmachtssoldaten, die von Neu. zur Exekution herbeigeholt worden sein sollen, können erst hinzugekommen sein, als die Tötung der Brüder Sleutelberg beschlossene Sache war und scheiden als Urheber und Planer der Tat zur Überzeugung der Kammer aus.

Die Kammer hat auch keinen vernünftigen Zweifel, dass derjenige der beiden Angeklagten, welcher die Tat ersann und sie als eigene wollte und auch verwirklichte, durch Judenhass motiviert war und dass er die Opfer in demonstrativer Geringschätzung und aufgrund einer unbarmherzigen Gesinnung zwang, im Angesicht des sicheren Todes ihr eigenes Grab auszuheben, um ihnen dadurch noch besondere Qualen zuzufügen. Judenhass als Motiv für die Tat drängt sich schon deshalb auf, weil die Brüder Sleutelberg allein wegen ihrer jüdischen Abstammung zur SD-Dienststelle in Delfzijl gebracht worden waren und ihnen weder von den Soldaten, welche sie ergriffen hatten, noch von dem Dienststellenleiter Bor. ein sonstiger Vorwurf gemacht wurde, der Anlass für ihre Tötung hätte sein können. Zudem fällt die hier gewählte besonders grausame Form der Erschiessung deutlich aus dem Rahmen der übrigen beschriebenen Erschiessungen, welche durch Mitglieder der SD-Dienststelle in Delfzijl durchgeführt worden waren und bei denen den Opfern tatsächlich der Vorwurf des Widerstandes gegen die deutsche Besatzungsmacht - wenn auch in einer ihre Tötung in keinem Falle rechtfertigende Weise - gemacht wurde. Zudem waren die Brüder Sleutelberg beiden Angeklagten bis zu ihrer Einlieferung auf die SD-Dienststelle in Delfzijl persönlich unbekannt, so dass frühere persönliche Feindschaften zwischen den Opfern und den Angeklagten als Tatmotiv ebenfalls ausscheiden. Schliesslich fällt auf, dass auch die beiden Angeklagten, soweit sie früher unter Hervorhebung der dominierenden Rolle ihres Mitangeklagten die Tötung der Brüder Sleutelberg eingeräumt haben, diese mit angeblicher Spionage und Sabotage zu motivieren versucht haben, Vorwürfe, welche blosse Schutzbehauptungen und erwiesenermassen unzutreffend sind.

Beiden Angeklagten war bekannt, dass es sich bei den Brüdern Sleutelberg um Juden handelte und dass sie allein deshalb von den Soldaten zur SD-Dienststelle gebracht worden waren. Der Angeklagte Neu. wusste das, weil er - wie oben ausgeführt - spätestens kurz nach der Einlieferung der Brüder Sleutelberg auf die SD-Dienststelle kam und sich dabei mit Sicherheit bei seinen Kollegen über den wahren Sachverhalt informiert hat. Berücksichtigt man, welche Aufregung die Einlieferung der Brüder Sleutelberg im SD-Gebäude unter den damals obwaltenden Umständen der letzten Kriegstage verursacht hatte und dass es sich um den ersten und einzigen Fall handelte, in dem die Dienststelle in Delfzijl mit Juden unmittelbar konfrontiert war, so bleibt zur Überzeugung der Kammer kein vernünftiger Zweifel, dass auch der Angeklagte Bru. den Grund der Einlieferung der Brüder Sleutelberg zur SD-Dienststelle kannte, bevor er sie gemeinsam mit Neu. aus den Zellen am Molenberg holte und mit ihnen im PKW wegfuhr. Zudem war auch an den Gesichtszügen der Brüder Sleutelberg deren jüdische Abstammung zu erkennen, wie die Zeugen Wi. und Dij. in Übereinstimmung mit den von der Kammer in Augenschein genommenen Fotos der Brüder bestätigt haben.

Schliesslich liegt auf der Hand und war zur Überzeugung der Kammer auch beiden Angeklagten bewusst, dass die Brüder Sleutelberg deshalb gezwungen wurden, im Angesicht des sicheren Todes ihr eigenes Grab auszuheben, weil ihnen aufgrund einer demonstrativen Geringschätzung und aus unbarmherziger Gesinnung noch besondere seelische Qualen zugefügt werden sollten. Die Grausamkeit dieser Tatausführung war unabhängig von dem Umstand, dass die Brüder Sleutelberg nach wie vor verzweifelt um ihr Leben bettelten, aus sich heraus augenfällig und den Angeklagten bewusst. Die Tatausführung war bewusst so grausam gewählt, um den Brüdern Sleutelberg diese besonderen Qualen zu bereiten. Beiden Angeklagten war klar, dass man den Opfern hätte ersparen können, sich ihr eigenes Grab zu schaufeln und die Leichen auch auf andere Weise hätte verschwinden lassen können, etwa in irgendeinen der Gräben, welche das deutsche Militär in der Umgebung Farmsums ausgehoben hatte.

Den Feststellungen über das Vorhandensein von Judenhass und grausamer Gesinnung steht nicht entgegen, dass sich aus früherem Verhalten der Angeklagten keine Hinweise auf eine hasserfüllte Einstellung gegenüber Juden, deren Verfolgung und sonstige Brutalität bei ihrer Teilnahme an Erschiessungen ergeben haben.

Letztlich ungeklärt geblieben ist allerdings, welcher von beiden Angeklagten von einem solchen ausgeprägten Judenhass bestimmt war, dass er mit Täter- und Tatbeherrschungswillen die Brüder Sleutelberg entgegen dem Befehl des Zeugen Bor. in der beschriebenen grausamen Form zu Tode bringen wollte.

Auf den ersten Blick scheint der Angeklagte Neu. stärker belastet zu sein. Er hatte, soweit ersichtlich, praktisch an allen Tötungen des SD in Delfzijl teilgenommen. Auch war er dienstälter und ranghöher als der Angeklagte Bru. Zudem soll er nach den Bekundungen des Zeugen van der Slu. bei der Einlieferung der Brüder Sleutelberg sinngemäss bekundet haben, die Juden müssten erschossen werden. Der Aussage des Zeugen van der Slu. misst die Kammer jedoch - wie bereits ausgeführt - in diesem Punkt kein grosses Gewicht bei. Die Beteiligung des Angeklagten Neu. in den übrigen Tötungsfällen lässt hingegen keine hinreichend sicheren Rückschlüsse auf den Fall Sleutelberg zu, weil in jenen Fällen antisemitische Motive gerade nicht gegeben waren. Auch ein konkreter persönlicher Judenhass hat sich zum Nachteil des Angeklagten Neu. nicht feststellen lassen.

Hinzukommt, dass gewisse andere Indizien darauf hindeuten, dass der Plan zur Tötung der Brüder Sleutelberg durchaus auch auf den Angeklagten Bru. zurückgegangen sein könnte. Nach dem Bericht des Zeugen Tex. soll der Zeuge Siv. ihm gegenüber am 25.August 1945 bekundet haben, der Angeklagte Bru. habe an dem Abend nach der Einlieferung der Brüder Sleutelberg in die SD-Dienststelle den Zeugen Bor. befragt, was mit den beiden Juden geschehen würde. Auf die Antwort des Zeugen Bor., er wolle sie erst mal ruhig sitzen lassen, habe Bru. bei Bor. gebettelt, ob er sie nicht erschiessen dürfe.

Allerdings lässt sich nicht mit genügender Sicherheit feststellen, dass der Angeklagte Bru. tatsächlich darum gebettelt hat, die Brüder Sleutelberg erschiessen zu dürfen. Selbst wenn man aufgrund der Bekundung des Zeugen Tex., er könne sich an die damalige Vernehmung des Zeugen Siv. zwar nicht mehr erinnern, stehe aber für die Richtigkeit seines Berichtes ein, davon ausgeht, der Zeuge Siv. - der sich an diesen Punkt nicht erinnert - habe das damals so bekundet, so bleiben zur Überzeugung der Kammer immer noch Zweifel, ob seine Bekundung auch in diesem Punkt der Wahrheit entsprach. Der Zeuge Bor. hat nämlich im Gegensatz dazu bekundet, bei ihm habe niemand darum gebettelt, die Brüder Sleutelberg erschiessen zu dürfen. Dagegen spricht auch der Inhalt des Protokolls, das der Zeuge van Esv. über die Aussage des Zeugen Jan. im Jahre 1946 im Carel Coenraad Polder gemacht hat. Damals soll Jan., der sich daran heute ebenfalls nicht mehr erinnert, gerade umgekehrt bekundet haben, der Angeklagte Neu. habe Bru. darum gebeten, Bru. möge an der Erschiessung der Brüder Sleutelberg teilnehmen.

Nach alledem steht zum Nachteil des Angeklagten Bru. keinesfalls sicher fest, dass er allein den Brüdern Sleutelberg aus Judenhass nach dem Leben trachtete und ein eigenes Interesse an ihrer Tötung hatte. Andererseits lässt sich dies - der Täterwille Bru. - zugunsten des Angeklagten Neu. auch nicht mit der gebotenen Sicherheit ausschliessen. Genügend Anhaltspunkte für die Feststellung, beide Angeklagten hätten den Tatplan gemeinschaftlich gefasst und gemeinsam mit Täterwillen verwirklicht, hat die Hauptverhandlung ebenfalls nicht erbracht.

Letztlich konnte auch nicht aufgeklärt werden, wer die Schüsse auf die Brüder Sleutelberg abgegeben hat. Eine gewisse Wahrscheinlichkeit spricht dafür, dass jeder der beiden Angeklagten einen der beiden Brüder erschossen hat. So haben die beiden Angeklagten auch im Fall Dij. gemeinsam auf das Opfer gefeuert. Auch soll der Zeuge Jan. nach dem bereits erwähnten, vom Zeugen van Esv. gefertigten Protokoll, im Jahre 1946 bei seiner Vernehmung im Carel Coenraad Polder erklärt haben, der Angeklagte Bru. habe auf der Dienststelle erzählt, er und Neu. hätten jeder einen Juden erschossen. Ausserdem soll der Zeuge Siv. nach dem Bericht des Zeugen Tex. vom 25.August 1945 erklärt haben, der Angeklagte Bru. habe sich nach der Tat auf der Dienststelle damit gebrüstet, dass Neu. und er jeder einen Juden umgebracht hätten.

Die Kammer hat jedoch - insofern auch in Einklang mit dem Sitzungsvertreter der Staatsanwaltschaft - Bedenken, hieraus abzuleiten, dass beide Angeklagten eigenhändig auf die Opfer geschossen haben. Auch wenn man davon ausgeht, dass die damaligen Aussagen der Zeugen Siv. und Jan. in der protokollierten Form in allen Details richtig wiedergegeben worden sind, was letztlich auch nicht sicher ist, so bleibt doch die nicht nur theoretische Möglichkeit offen, dass diese Zeugen die Äusserungen des Angeklagten Bru. auf der Dienststelle über die Tötung der Brüder Sleutelberg in diesem Punkt missverstanden oder bis zu ihrer Vernehmung nicht exakt behalten haben können. Sollte etwa der Angeklagte Bru. auf der Dienststelle erklärt haben, Neu. und er hätten die Brüder Sleutelberg zunächst ein Grab ausheben lassen und sie dann erschossen, so werden Jan. und Siv. dies wahrscheinlich dahin ausgelegt haben, Bru. und Neu. hätten beide jeder einen erschossen. Das legt auch der Wortsinn nahe. Eine solche Erklärung liesse aber - zumindest unter Berücksichtigung einer nicht ausschliessbaren Renommiersucht des Angeklagten Bru. - die Möglichkeit offen, dass die Angeklagten zwar an dem Aushebenlassen des Grabes und der Erschiessung im weiteren Sinn beteiligt waren, ohne dass sie aber unbedingt auch persönlich geschossen haben müssten. Zudem sind die Zeugen Siv. und Jan. nach ihren Angaben nach Kriegsende gemeinsam nach Elten geflohen, haben dort eine zeitlang zusammengewohnt und dürften sich dabei mit einiger Wahrscheinlichkeit auch über das Geschehen im Fall Sleutelberg unterhalten haben. Es lässt sich zur Überzeugung der Kammer nicht ausschliessen, dass sich bei ihnen durch spätere Unterhaltungen über den Fall die ursprüngliche Schlussfolgerung, Neu. und Bru. hätten jeder eins der Opfer erschossen, zu einem Irrtum über den Wortlaut oder die Bedeutung der Erklärung geführt oder sich ein derartiger Irrtum verfestigt hat. Zudem bleibt auch noch die Möglichkeit offen, dass der Angeklagte Bru., falls er sich wörtlich so geäussert haben sollte, aus Renommiersucht seinen eigenen Tatbeitrag erheblich grösser dargestellt hat als dieser tatsächlich war. Aus dem gemeinsamen Vorgehen beider Angeklagter im Fall Dij., wo beide Angeklagten praktisch gleichzeitig auf das Opfer gefeuert haben, lässt sich schon deshalb kein genügend gesicherter Rückschluss auf ihr Verhalten im Fall Sleutelberg ziehen, weil Dij. immerhin der Zugehörigkeit zu Widerstandskreisen verdächtig war und in jenem Fall ein ausdrücklicher Tötungsbefehl des Zeugen Bor. vorlag, der dazu seinerseits von Groningen aus angewiesen worden war. Im vorliegenden Fall fehlt es demgegenüber an einem Tötungsbefehl des Zeugen Bor., ausserdem scheidet - wie bereits ausgeführt - die Bekämpfung des Widerstandes gegen die deutsche Besatzungsmacht als Tatmotiv aus.

Es lässt sich danach nicht sicher klären, welcher der beiden Angeklagten von solchem Judenhass bestimmt war, dass er den Brüdern Sleutelberg nach dem Leben trachtete, noch aufklären, wie weit die Brüder Sleutelberg von Bru., Neu. oder durch von Neu. herbeigeholte Soldaten erschossen wurden.

Der Angeklagte Bru. war an der Tötung der Brüder Sleutelberg zur Überzeugung der Kammer mindestens in dem festgestellten Umfang beteiligt, wie er es insbesondere bei seiner verantwortlichen Vernehmung durch den Zeugen Oberstaatsanwalt Wei. am 4.Juli 1978 eingeräumt und vor dem Haftrichter auch anerkannt hat. Dass der Angeklagte Bru. den beschriebenen Tatbeitrag aufgrund eines eigenen Interesses an der Tötung der Brüder Sleutelberg mit

Täterwillen leistete, liess sich nicht feststellen. Zu seinen Gunsten ist die Kammer von der nicht fern liegenden und für ihn günstigeren Möglichkeit ausgegangen, dass er sich dem Befehl Neu.s nur deshalb nicht widersetzte, weil er dem dienstälteren und ranghöheren Neu. seine Gefolgschaftstreue und Ergebenheit unter Beweis stellen wollte. Kein Zweifel besteht jedoch daran, dass dem Angeklagten Bru. dabei bewusst war, dass für die Tötung der Brüder Sleutelberg weder Rechtfertigungs- noch Entschuldigungsgründe vorhanden und die Anordnung Neu.s auf die Beteiligung an einem Verbrechen gerichtet war. Dem Angeklagten Bru. drohte bei einer Befehlsverweigerung weder eine Gefahr für Leib, Leben oder Freiheit noch führte er den Befehl deshalb aus, weil er irrtümlich von einer solchen Gefahr ausgegangen wäre. Bru. hat nach seiner eigenen Einlassung gegen den Befehl keinerlei Einwände erhoben. Ihm war zudem zur Überzeugung der Kammer bekannt, dass der Zeuge Ris. bei der Aktion in Hoogezand-Sappemeer selbst gegen einen von der Hauptstelle in Groningen erteilten Erschiessungsbefehl erfolgreich opponiert hatte.

Zugunsten des Angeklagten Neu. geht die Kammer davon aus, dass der Tatplan allein von dem Angeklagten Bru. stammte und Neu. dessen Tatplan erst am Ende der Autofahrt beim Verteilen der Spaten oder Schaufeln erkannte. Dass der Angeklagte Neu. auch ein eigenes Interesse an der Tötung der Brüder Sleutelberg hatte und sich nunmehr dem Vorhaben des Angeklagten Bru. mit Täterwillen anschloss, liess sich nicht mit genügender Sicherheit feststellen. Insbesondere ist nicht auszuschliessen, dass er sich nur deshalb zur Unterstützung des Angeklagten Bru. entschloss, weil dieser ihm, wie der Angeklagte Neu. bei seinen Vernehmungen in den niederländischen Verfahren geltend gemacht hat, nunmehr mit Erfolg vorspiegelte, der Zeuge Bor. habe ihn - Bru. - in einem kurz vor Fahrtantritt geführten Gespräch unter vier Augen beauftragt, ihm die beiden Juden auf diese Weise "vom Halse zu schaffen". Zwar hatte der Zeuge Bor. tatsächlich weder Neu. noch Bru. einen solchen Auftrag erteilt. Neu. hatte aber möglicherweise - so hat er sich jedenfalls früher eingelassen - den Angeklagten Bru. aus dem Zimmer von Bor. kommen sehen und hieraus, gegebenenfalls im Zusammenhang mit der Formulierung des Zeugen Bor., man solle ihm die beiden "vom Halse schaffen" bzw. sie "dahin bringen, wo sie hergekommen seien", abgeleitet, der Angeklagte Bru. habe tatsächlich von Bor. den Befehl erhalten, die Gebrüder Sleutelberg zu töten.

Zur Überzeugung der Kammer entschloss sich der Angeklagte Neu. spätestens jetzt, das Vorhaben aktiv zu unterstützen. Er hat schon bei seinen früheren Angaben vor den niederländischen Gerichten nach anfänglichem Bestreiten zugestanden, dass er bewusst gewartet habe, bis der Angeklagte Bru. zurückgekehrt sei und dass er während des Wartens die Brüder Sleutelberg habe graben sehen. Das Grabausheben dauerte längere Zeit, etwa 1-2 Stunden, wie die Angeklagten bei verschiedenen Gelegenheiten bekundet haben.

Der Angeklagte Neu. hat während dieser relativ langen Zeit keine ernsthaften Einwendungen gegen das Vorgehen des Angeklagten Bru., das sich vor seinen Augen abspielte, erhoben, andernfalls hätte er das bei seinen früheren Darstellungen des Tatgeschehens zu seiner Entlastung mit Sicherheit erwähnt. Zur Überzeugung der Kammer hat er deshalb solange in Sichtweite abgewartet, weil er das Vorhaben des Mitangeklagten billigte und es dadurch aktiv unterstützen wollte, dass er allein durch seine Anwesenheit einschüchternd auf die Opfer wirkte, bei einem Fluchtversuch eingreifen und dem Angeklagten Bru. wegen der Frontnähe gegebenenfalls Feuerschutz geben konnte und ihm den Rückzug durch Bereithalten des PKW sicherte. Seine Absicht, die Tat aktiv zu unterstützen, drängt sich schon nach dem festgestellten objektiven Geschehen auf. Zudem hat der Angeklagte Neu. gegenüber dem Zeugen Bot. nach dessen glaubhafter Aussage selbst eingeräumt, dass er dem Mitangeklagten Bru. bewusst Feuerschutz gegeben habe.

V. « Keine Doppelbestrafung; zur Anwendbarkeit des deutschen Strafrechts »

Die Verurteilung der Angeklagten in den Niederlanden steht einer erneuten Aburteilung durch ein deutsches Gericht nicht entgegen. Der Grundsatz "ne bis in idem", dass also jemand wegen derselben rechtskräftig abgeurteilten Tat nicht noch einmal verfolgt bzw. verurteilt werden darf, gilt nur für das deutsche Prozessrecht, nicht im Verhältnis zu Urteilen ausländischer Gerichte. Ein ratifizierter zwischenstaatlicher Vertrag, der dem entgegenstehen könnte, besteht zwischen den Niederlanden und der Bundesrepublik nicht.

Für beide Angeklagten gilt das deutsche Strafrecht. Nach §7 Abs.2 StGB gilt das deutsche Strafrecht für Taten, die im Ausland begangen worden sind, wenn die Tat am Tatort mit Strafe bedroht ist und der Täter zur Zeit der Tat Deutscher war oder später geworden ist.

Diese Voraussetzungen treffen jedenfalls auf den Angeklagten Neu. zu, der von Geburt an Deutscher ist. Demgegenüber erscheint es zweifelhaft, ob der von Geburt an niederländische Staatsangehörige Bru. später die deutsche Staatsangehörigkeit erworben hat. Dass er dies behauptet, dürfte auf dem erkennbar gewordenen Bestreben beruhen, unter Berufung auf die deutsche Staatsangehörigkeit zu verhindern, dass er an die Niederlande ausgeliefert wird und die dort verhängte lebenslange Freiheitsstrafe verbüssen muss.

Zunächst hat der Angeklagte Bru. bei seiner verantwortlichen Vernehmung am 4.Juli 1978 durch den Zeugen Wei. noch behauptet, er habe die deutsche Staatsangehörigkeit automatisch dadurch erworben, dass er zwei Jahre in der Waffen-SS gedient habe. Dies sei im Soldbuch und im Wehrpass eingetragen worden, darüber hinaus habe er keine Urkunde bekommen, die seine Staatsangehörigkeit ausgewiesen hätte.

Für die Möglichkeit eines solchen automatischen Erwerbs der deutschen Staatsangehörigkeit durch deutschstämmige Ausländer, die der Waffen-SS angehörten, sprach zwar der Text des sogenannten "Führererlasses" vom 19.Mai 1943 (Reichsgesetzblatt I Seite 315). Tatsächlich bedurfte es jedoch für den Erwerb der deutschen Staatsangehörigkeit zusätzlich eines entsprechenden Antrages sowie eines positiven Bescheides der Einwandererzentralstelle, wie durch den Runderlass des Reichsministers des Inneren vom 23.Mai 1944 (vgl. MBliV 1944, 551) dann ausdrücklich klargestellt wurde. Dass in derartigen Fällen kein automatischer Erwerb der deutschen Staatsangehörigkeit, d.h. ohne einen ausdrücklichen Antrag möglich war, entspricht zudem der Rechtsprechung des Bundesverfassungsgerichts (NJW 1962, 1859 ff.).

Der Angeklagte Bru. behauptet zwar jetzt, er habe einen entsprechenden Antrag auf Einbürgerung gestellt, der auch positiv beschieden worden sei. Diese Behauptung hat jedoch schon deshalb wenig Gewicht, weil er sich zunächst - immerhin nach anwaltlicher Beratung und in dem deutlichen Bestreben, seine Auslieferung an die Niederlande zu verhindern - auf den automatischen Erwerb berufen hatte. Der Angeklagte Neu. hat zwar am 3.August 1978 eine notariell beurkundete eidesstattliche Versicherung dahin abgegeben, Bru. habe im Jahre 1944 die deutsche Staatsangehörigkeit beantragt und er - Neu. - sei ihm beim Ausfüllen des Fragebogens behilflich gewesen. Etwa im August 1944 sei Bru. zur Hauptdienststelle nach Groningen beordert worden und habe ihm nach seiner Rückkehr ein Schreiben sowie sein Soldbuch vorgelegt, aus beiden hätte sich ergeben, dass Bru. deutscher Staatsangehöriger geworden sei. Dasselbe hat der Angeklagte Neu. auch in der Hauptverhandlung bekundet. Die Richtigkeit dieser Angaben muss jedoch bezweifelt werden. Der Angeklagte Bru. hat sich nämlich noch Ende 1944, als er um seine Heiratsgenehmigung nachsuchte, als niederländischen Staatsangehörigen bezeichnet. Auch für den angeblichen Einbürgerungsantrag im Frühjahr 1945, wie der Angeklagte Bru. nachgeschoben behauptet hat, liegen zuverlässige Anhaltspunkte nicht vor. In den Unterlagen der Einwandererzentralstelle, über die der Antrag gelaufen wäre, finden sich dazu keine Eintragungen. Zuverlässige Zeugenbekundungen dafür, dass der Angeklagte Bru. die deutsche Staatsangehörigkeit erworben hat, sind nicht vorhanden. Zwar hat seine Ehefrau als Zeugin bekundet, sie habe noch vor ihrer Eheschliessung im Jahre 1944 an einer Feier in Groningen teilgenommen, bei welcher dem Angeklagten die deutsche Staatsangehörigkeit verliehen worden sei. Von einer derartigen Feier will auch der Zeuge van der Slu. gehört haben. Demgegenüber haben die übrigen hierzu vernommenen Zeugen allenfalls einen automatischen Erwerb der deutschen Staatsangehörigkeit durch Bru. für möglich gehalten, keinem war aber etwas von einem von Bru. eingeleiteten Einbürgerungsverfahren bekannt. Auch erscheint fraglich, ob ein derartiger Antrag überhaupt Erfolg gehabt hätte, weil seine vier Grosseltern alle in den Niederlanden geboren waren, sämtlich die niederländische Staatsangehörigkeit besassen und auch nicht erkennbar geworden ist, wie der Angeklagte die nach dem Führererlass für seine Einbürgerung erforderliche "Deutschstämmigkeit" hätte überzeugend begründen können.

Das deutsche Strafrecht ist auf die Tat des von der Kammer im Zweifel als Ausländer oder diesem gleichzustellenden Staatenlosen angesehenen Angeklagten Bru. jedoch deshalb anzuwenden, weil er zur Tatzeit ein in deutschen Diensten stehender Amtsträger war. Nach §5 Nr.12 StGB gilt das deutsche Strafrecht auch für Taten, die ein Ausländer als deutscher Amtsträger im Ausland begeht. Dasselbe galt auch zum Zeitpunkt der Tat gemäss §4 StGB aufgrund der Verordnung über den Geltungsbereich des Strafrechts vom 6.Mai 1940 (RGBl. 1940, 754). Das in diesen Bestimmungen zum Ausdruck kommende Personalitätsprinzip ist international als dem Völkerrecht entsprechend anerkannt. Der Angeklagte Bru. hat als Polizist bei der Grenzpolizei und dem Sicherheitsdienst damals Aufgaben deutscher staatlicher Verwaltung wahrgenommen und war sowohl nach der heutigen Legaldefinition in §11 Abs.1 Nr.2 StGB als auch nach der ständigen Rechtsprechung zum Beamtenbegriff des §359 a.F. StGB Amtsträger. Als solcher, zumindestens jedoch unter Ausnutzung dieser Stellung und in ganz engem sachlichen und zeitlichem Zusammenhang damit hat er die hier abzuurteilende Tat begangen.

Zu Unrecht meint die Verteidigung, der Angeklagte Bru. sei als früherer Angehöriger der Waffen-SS als Soldat beim Grenzpolizeiposten in Delfzijl tätig gewesen und falle als ehemaliger Soldat nicht unter die deutsche Strafgerichtsbarkeit für eine im Ausland begangene Tat.

Für eine solche Auffassung fehlt es bereits an der tatsächlichen Grundlage. Mit dem Ausscheiden aus der Waffen-SS verlor der Angeklagte Bru. die Stellung eines Soldaten und wurde mit dem Beginn seiner Tätigkeit als Polizeiangestellter im Dienste des Befehlshabers der Sicherheitspolizei und des Sicherheitsdienstes Amtsträger im Sinne der genannten Vorschrift. Dies würde selbst dann gelten, wenn er für seine Tätigkeit zwangsweise dienstverpflichtet worden wäre. Durch die Unterstellung der Dienststelle unter den Befehl des Kampfkommandanten kurz vor Kriegsende verlor der Angeklagte Bru. seine Stellung als Amtsträger nicht. Die Dienststellenangehörigen nahmen auch danach noch bis Kriegsende grenzpolizeiliche Aufgaben war, wie etwa die Hafen- und Schleusenkontrolle. Zumindest soweit sie derartige originäre Aufgaben der Dienststelle weiterhin wahrnahmen und dazu gehörte auch der Transport der Gebrüder Sleutelberg im Auftrag des Dienststellenleiters Bor., waren sie weiterhin als Amtsträger tätig.

Aber selbst wenn man unterstellt, durch die Unterstellung der Dienststelle unter den Befehl des Kampfkommandanten hätten sämtliche Dienststellenangehörige ohne weiteres den Status von Soldaten erhalten und hätten gleichzeitig ihre frühere Funktion als Amtsträger völlig verloren, so fiele der Angeklagte Bru. gleichwohl unter die deutsche Gerichtsbarkeit. Denn nach §4 Abs.3 StGB in der Fassung der Verordnung vom 6.Mai 1940 galt das deutsche Strafrecht auch für Straftaten eines Ausländers im Ausland, die er als deutscher Soldat oder als Angehöriger des Reichsarbeitsdienstes beging. Die Worte "als deutscher Soldat oder als Angehöriger des Reichsarbeitsdienstes" sind erst durch das dritte Strafrechtsänderungsgesetz vom 4.August 1953 (BGBl. I, 735) gestrichen worden. Damit sollte, wie sich aus der amtlichen Begründung ergibt (Bundestagsdrucksache Nr.3713) der Text des Gesetzes lediglich der neuen Lage, nämlich der Abschaffung der Wehrmacht und des Reichsarbeitsdienstes, angepasst, aber nicht rückwirkend die deutsche Gerichtsbarkeit für Straftaten, die ein Ausländer im Ausland als deutscher Soldat begangen hatte, aufgehoben werden. Auch §1a Abs.3 des Wehrstrafgesetzbuchs hat an dem Prinzip festgehalten, dass die deutsche Gerichtsbarkeit für einen in deutschen Diensten stehenden Soldaten gilt, der als Ausländer während eines dienstlichen Aufenthaltes oder in Beziehung auf den Dienst im Ausland eine Straftat begeht. Da zu den Ausländern alle Personen zählen, die nicht Deutsche sind, also auch die Staatenlosen, spielt es für die Entscheidung schliesslich auch keine Rolle, wieweit dem Angeklagten Bru. durch die Verurteilung in den Niederlanden die niederländische Staatsangehörigkeit wirksam aberkannt worden ist.

VI. « Rechtliche Würdigung »

Nach den getroffenen Feststellungen sind beide Angeklagten jeweils der Beihilfe zum Mord an zwei Menschen schuldig (§§211, 27 StGB).

Die vorsätzliche Tötung der Brüder Sleutelberg ist als Mord an zwei Menschen gemäss §211 StGB zu werten. Die vorsätzlich begangenen rechtswidrigen Tötungen der Gebrüder waren objektiv grausam, weil den Opfern durch den Zwang, im Angesicht des sicheren Todes zunächst ihr eigenes Grab ausheben zu müssen, bewusst erhebliche seelische Qualen zugefügt wurden. Der der Person nach nicht sicher festgestellte Haupttäter hatte diese Tötungsmodalität aus einer gefühllosen und unbarmherzigen Gesinnung heraus ersonnen, um den Opfern solche besonderen Qualen zuzufügen. Auch handelte er aus Rassenhass und damit aus niedrigen Beweggründen.

Beide Angeklagten haben - mindestens - dem Haupttäter vorsätzlich und in Kenntnis der wesentlichen Tatmerkmale Hilfe geleistet, in dem der Angeklagte Bru. die Opfer beim Ausheben ihrer Gräber mit gezogener Waffe bewachte und später ihre Leichen mit Erde bedeckte, während der Angeklagte Neu. so lange - zumindest überwiegend - in Sichtweite blieb, um ebenfalls einschüchternd auf die Opfer zu wirken, bei einem Fluchtversuch eingreifen und dem Angeklagten Bru. angesichts der Frontnähe gegebenenfalls Feuerschutz geben zu können und ihm durch die Bereithaltung des PKW den Fluchtweg zu sichern.

Keiner der beiden Angeklagten kann als Täter verurteilt werden. Nach den getroffenen Feststellungen bleibt offen, wer von beiden die Tat als eigene wollte, ein persönliches Interesse an der Tötung der Opfer hatte und wer letztlich die tödlichen Schüsse abgegeben hat. Auch der Umfang der jeweils festgestellten Tatbeiträge der beiden Angeklagten ist nach Auffassung der Kammer nicht so bedeutend, dass sich daraus das Vorliegen der Täterschaft bei einem oder beiden Angeklagten zwingend herleiten liesse. Zum selben Ergebnis führt auch eine wertende Betrachtung aller von der Vorstellung der Beteiligten umfassten Umstände.

Allerdings hatte der Angeklagte Neu. als dienstälterer und ranghöherer der beiden Angeklagten eine besondere Verantwortung für das Schicksal der Brüder Sleutelberg. Dass er gleichwohl die Tötung der Brüder Sleutelberg nicht verhinderte, sondern in dem festgestellten Umfang noch aktiv förderte, legt - für sich genommen - die Annahme der Täterschaft ziemlich nahe. Berücksichtigt man jedoch den unwiderlegt gebliebenen Umstand, dass er dem Angeklagten Bru. an Ort und Stelle nur deshalb nicht entgegentrat, sondern sein Vorhaben in dem festgestellten Umfang sogar noch aktiv unterstützte, weil jener ihm am Tatort erfolgreich vorspiegelte, er - Bru. - handele aufgrund eines kurz vor Fahrtantritt in einem Gespräch unter vier Augen erhaltenen ausdrücklichen Tötungsbefehls von Bor., so lässt sich auch bei ihm nicht sicher ausschliessen, dass er seinen Tatbeitrag lediglich zur Unterstützung einer fremden Tat und nicht etwa mit Täterwillen leistete.

Beide Angeklagten haben die Haupttat vorsätzlich und in Kenntnis der wesentlichen Tatmerkmale gefördert. Insbesondere war beiden klar, dass die Tötung objektiv grausam war und auf einer gefühllosen und unbarmherzigen Gesinnung beruhte, die dem Rassenhass des Haupttäters entsprach, einem nach allgemeiner sittlicher Anschauung verachtenswerten und auf tiefster Stufe stehenden Tötungsmotiv.

Beiden Angeklagten war bewusst, dass sowohl die Tat als solche als auch die von ihnen hierzu geleistete Beihilfe rechtswidrig war und ein Verbrechen darstellte. Die Tötung der Gebrüder Sleutelberg und die Gehilfenschaft dazu waren rechtswidrig; sie verstiessen brutal gegen die einfachsten Grundsätze der Menschlichkeit und gegen die unter Kulturvölkern feststehenden Auffassungen von Sitte, Moral und Gesetz. Das Bewusstsein von Rechtswidrigkeit seitens der Angeklagten ergibt sich auch aus der Heimlichkeit der Tatausführung im Schutze der Nacht und dem Verscharren der Opfer. Aufgrund dieses sicheren Wissens kann ihre strafrechtliche Verantwortlichkeit selbst auch nicht durch einen dienstlichen Befehl berührt worden sein. Nach §47 Abs.1 Nr.2 des Militärstrafgesetzbuches träfe den gehorchenden Untergebenen u.a. auch dann die Strafe des Teilnehmers, wenn ihm bekannt gewesen ist, dass der Befehl ein Verbrechen bezweckte.

Für einen Befehlsnotstand, der das Handeln der Angeklagten nach §35 StGB entschuldigen könnte, fehlt es bereits an einer Gefahr für Leben, Leib oder Freiheit im Falle einer Befehlsverweigerung. Zudem war bei beiden Angeklagten auch subjektiv eine derartige Angst nicht der Beweggrund für ihre Mitwirkung bei der Tat, was weitere Voraussetzung für einen entschuldigenden Nötigungsnotstand wäre (vgl. BGHSt. 18, 311 ff.).

Rechtfertigungs- oder Entschuldigungsgründe standen den Angeklagten somit nicht zur Seite.

Da sich bei keinem der Angeklagten Anhaltspunkte dafür ergeben haben, dass einer von ihnen zur Tatzeit wegen einer krankhaften seelischen Störung, wegen einer tiefgreifenden Bewusstseinsstörung oder einer schweren anderen seelischen Abartigkeit das Verbotene seines Tuns nicht hätte einsehen können oder nach dieser besseren Einsicht zu handeln oder dass ihre Unrechtseinsicht oder ihre Hemmungsfähigkeit aus solchen Gründen auch nur vermindert gewesen wären (§§20, 21 StGB), waren beide Angeklagten zur Tatzeit voll zurechnungsfähig, d.h. verantwortlich. Das gilt auch für eine nicht ausschliessbare, jedenfalls aber nur geringgradige Alkoholisierung der Angeklagten. Tatverhalten und Tatumstände schliessen die Annahme aus, dass über die Dauer des Geschehens eine höhergradige Alkoholisierung tatbestimmend oder -fördernd gewesen sein könnte.

Beide Angeklagten haben zwar jeweils Beihilfe zu zwei Tötungsdelikten geleistet, es handelt sich aber bei beiden Angeklagten jeweils nur um eine Beihilfehandlung im Sinne des §52 StGB, weil bei natürlicher Betrachtung die auf einem einheitlichen Tatentschluss beruhende Unterstützung zu den beiden Tötungsdelikten als eine natürliche Handlungseinheit anzusehen ist. Das gilt auch dann, wenn die tödlichen Schüsse nicht unmittelbar nacheinander abgegeben worden sein sollten.

Die Strafverfolgung ist nicht verjährt. Die Angeklagten haben Beihilfe zu grausamen Tötungen geleistet. Das Mordmerkmal der Grausamkeit ist tatbezogen (BGHSt. 24, 106, 108), so dass sich auch unter Anwendung der in BGHSt. 22, 375 entwickelten Grundsätze die Verjährungsfrist nach dem für Mord geltenden Strafrahmen bemisst. §28 Abs.1 StGB ist auf solche Merkmale nicht anzuwenden. Das Gesetz droht für Mord lebenslange Freiheitsstrafe an. Danach richtet sich auch die Bemessung der Verjährungsfrist bei Beihilfe zum Mord. Die nach §27 Abs.2 StGB vorgeschriebene Milderung der Strafe bleibt für die Verjährung ausser Betracht (§78 Abs.4 StGB).

Die Verjährungsfrist begann nach §1 Abs.1 des Gesetzes über die Berechnung strafrechtlicher Verjährungsfristen vom 13.April 1965 (BGBl. I, Seite 315) erst am 1.Januar 1950 zu laufen und war nach den §§67 Abs.1 Nr.1 StGB 1969 und 78 Abs.3 Nr.1 StGB 1975 zum Zeitpunkt der Aufhebung der Verfolgungsverjährung für Mord noch nicht abgelaufen (vgl. BGHSt. 23, 103, 105).

VII. « Strafzumessung und Kostenentscheidung »

Die Strafe für den Gehilfen richtet sich zwar nach der Strafdrohung für den Täter, sie muss aber nach §49 Abs.1 StGB gemildert werden (§27 Abs.2 StGB).

Nach §49 Abs.1 Nr.1 StGB tritt an die Stelle der in §211 StGB für den Mörder vorgesehenen lebenslangen Freiheitsstrafe eine zeitige Freiheitsstrafe nicht unter drei Jahren. Demnach sind bei beiden Angeklagten zeitige Freiheitsstrafen zu verhängen und aus einem Strafrahmen von drei Jahren bis zu 15 Jahren, dem Höchstmass zeitiger Freiheitsstrafe (§38 Abs.2 StGB), zu entnehmen.

Bei der Strafzumessung hat die Kammer die für und gegen die Angeklagten sprechenden Umstände ihrer persönlichen Schuld und das Bedürfnis nach Tatschuldsühne abgewogen. Dabei fiel zu Lasten beider Angeklagter ins Gewicht, dass sie die festgestellten Unterstützungshandlungen bei der grausamen und aus niedriger Gesinnung vorgenommenen Tötung von zwei Menschen geleistet haben, ohne sich zuvor mit dem Mitangeklagten auseinanderzusetzen und zu versuchen, ihn von seinem Vorhaben abzubringen. Ein solcher Versuch hätte für keinen von beiden angesichts ihrer voraufgegangenen mehrjährigen gemeinsamen Arbeit beim Grenzpolizeiposten in Delfzijl ein persönliches Risiko mit sich gebracht, zumal das Kriegsende sich abzeichnete. Es handelte sich um eine höchst verachtenswerte, gemeine und besonders sinnlose Tat, doch kann nicht unberücksichtigt bleiben, dass die Angeklagten damals unter dem Einfluss der Kriegsereignisse und des Zeitgeistes abgestumpft waren, was auch ihre letztlich willige, jedenfalls ohne erkennbare Auflehnung geschehene Beteiligung an den durch das Kriegsrecht nicht gedeckten Tötungen von Zivilpersonen in den anderen geschilderten Fällen zeigt.

Andererseits soll die Strafe nicht die Tat treffen, sondern jetzt lebende Menschen, auf welche sie zugeschnitten sein muss. Allgemeine Abschreckungszwecke sind bei solchen Straftaten nach Überwindung der verbrecherischen Nichtbeachtung menschlichen Lebens im System des Nationalsozialismus und unter den verbrecherischen Umständen der Endphase des Krieges weniger gewichtige Strafziele. Das gilt auch für die persönliche Abschreckung dieser Angeklagten. Beide sind seither unbestraft geblieben und haben sich über Jahrzehnte sozial eingegliedert. Die Frage der blossen Tatvergeltung hat gänzlich ausser Betracht zu bleiben, da das Recht hiervon frei zu sein hat.

Der Angeklagte Neu. war mit 33 Jahren der ältere der Tatbeteiligten, hatte den höheren Dienstgrad und damit die höhere Verantwortung für das Schicksal der beiden Gefangenen. Demgegenüber war der Angeklagte Bru. zur Tatzeit erst 24 Jahre alt; er hatte die wichtigen Entwicklungsjahre zum Erwachsenen unter Kriegs- und Frontumständen verbracht. Aus diesem Grunde war bei ihm eine mildere Strafe geboten.

Die zu verhängende Strafe trifft letztlich nicht mehr die Menschen, welche die Angeklagten damals waren. Ihr höheres Alter, ihre heutige familiäre, wirtschaftliche und soziale Stellung wirken sich auf ihre Strafempfänglichkeit und auch Strafempfindlichkeit aus. Eine heute verhängte lange Freiheitsstrafe trifft die Angeklagten - als angesehene Bürger - härter. Die Jahre im letzten Lebensdrittel, in welchem sich beide Angeklagten befinden, zählen für sie mehr. Sie sollen, wenn dies nicht unabdingbar ist, im Ergebnis nicht durch übermässige Strafe über die Tatschuldsühne hinaus vernichtet werden. Beide haben bereits im direkten Zusammenhang mit dem Krieg, in dem sie schuldig wurden, Leid hinnehmen müssen.

Der Angeklagte Neu. befand sich bis zum Jahr 1947 in Kriegsgefangenschaft, alsdann unter den damals schärferen Bedingungen in niederländischer Strafhaft bis zum 4.Dezember 1956. Er hat bereits viel gesühnt, ein Umstand, der jedoch weitgehend dadurch abgegolten wird, dass ein erheblicher Teil der in den Niederlanden verbüssten Strafe auf die hier verhängte Freiheitsstrafe anzurechnen ist. Die Strafempfindlichkeit des Angeklagten Neu. ist überdies durch sein fortgeschrittenes Alter und seine Krankheit erhöht.

Der Angeklagte Bru., der über Jahrzehnte unter der Furcht des Entdecktwerdens leben musste, wird durch die Freiheitsstrafe aus einer noch aktiven wirtschaftlichen Existenz gerissen. Die Kammer geht davon aus, dass auch er, trotz äusserlicher Unberührtheit innerlich gesühnt hat. Strafmildernd ist berücksichtigt worden, dass die Angeklagten Geständnisse oder doch Teilgeständnisse abgelegt haben. So hat der Angeklagte Neu. in dem niederländischen Verfahren mehrfach eine gewisse Tatbeteiligung zugegeben und der Angeklagte Bru. sich noch bei seiner ersten verantwortlichen Vernehmung in diesem Verfahren zu seiner Tatbeteiligung bekannt. Ohne ihre früheren Teilgeständnisse hätten die Angeklagten kaum mit der Sicherheit, mit der die Kammer ihren Schuldspruch gefällt hat, überführt werden können.

Es ist schliesslich nicht zu übersehen, dass der staatliche Strafanspruch durch Zeitablauf allmählich verblasst und schwächer wird, weil das Sühnebedürfnis abnimmt. Es besteht nicht mehr das volle Strafbedürfnis wie in den ersten Jahren nach dem Tatgeschehen.

Unter Abwägung all dieser Umstände hält die Kammer für den Angeklagten Neu. eine Freiheitsstrafe von acht Jahren und für den Angeklagten Bru. eine solche von sieben Jahren für unbedingt erforderlich, aber auch ausreichend.

Auf die gegen den Angeklagten Neu. verhängte Freiheitsstrafe von acht Jahren waren 4 Jahre der von ihm in den Niederlanden verbüssten Haft anzurechnen. Dass der Angeklagte Neu. durch das Urteil des Sondergerichtshofs Leeuwarden, 2. Kammer in Groningen, vom 7.März 1949 auch wegen seiner Beteiligung an der Tötung der Gebrüder Sleutelberg bestraft worden ist, ergibt sich aus der Urteilsbegründung, wonach diese Tatbeteiligung bei der Strafzumessung ausdrücklich berücksichtigt worden ist.

§51 Abs.3 StGB schreibt vor, dass einem wegen derselben Tat im Ausland Verurteilten auf die neue Strafe die ausländische angerechnet werden muss, soweit sie vollstreckt ist. Dies muss zugunsten eines Verurteilten auch dann gelten, wenn dieselbe Tat im ausländischen Verfahren zwar nicht Gegenstand der Anklage war, gleichwohl aber bei der Strafzumessung ausdrücklich straferhöhend berücksichtigt worden ist. Andernfalls würde der Verurteilte durch einen Verfahrensfehler des ausländischen Gerichts, der ihn dort in seiner Verteidigung schon erheblich behindert hat, erneut grundlos benachteiligt. Würde in derartigen Fällen eine Anrechnung nach §51 Abs.3 StGB abgelehnt, bliebe zwar noch die Möglichkeit, die Strafverbüssung schon bei der eigentlichen Strafzumessung durch das deutsche Gericht in entsprechendem Umfang zu berücksichtigen und wegen der ausländischen Strafvollstreckung von vornherein eine geringere Strafe festzusetzen, dies würde den Angeklagten aber gleichwohl - etwa bei der Berechnung des 2/3-Termines nach §57 StGB - benachteiligen.

Den Massstab der Anrechnung einer im Ausland für dieselbe Sache verhängten und vollstreckten Freiheitsstrafe bestimmt das Gericht nach pflichtgemässem Ermessen. Eine Einzelstrafe für diese Tat ist entsprechend dem niederländischen Strafsystem nicht ausgeworfen worden. Die Kammer schätzt, dass von den 16 Jahren Freiheitsstrafe, welche das niederländische Gericht gegen den Angeklagten Neu. festgesetzt hat, höchstens vier Jahre auf seine Beteiligung im Fall Sleutelberg entfallen. Die Kammer hat dabei berücksichtigt, dass - abgesehen von den Fällen Omta und Sleutelberg - sämtliche Tötungsdelikte des Angeklagten Neu. von dem Zeugen Bor. angeordnet waren und dass dieser hierfür durch dasselbe Gericht durch Urteil vom gleichen Tage nur zu einer Freiheitsstrafe von zehn Jahren verurteilt worden ist. Vor diesem Hintergrund geht die Kammer zugunsten des Angeklagten Neu. davon aus, dass die gegen ihn von demselben Gericht verhängte Freiheitsstrafe ohne seine Beteiligung im Fall Sleutelberg um - höchstens - vier Jahre geringer ausgefallen wäre.

Der Angeklagte Neu. hat zwar von der gegen ihn erkannten Freiheitsstrafe von insgesamt 16 Jahren nur etwa 9½ Jahre, also knapp zwei Drittel, verbüsst. Dies geschah jedoch unter den zur damaligen Nachkriegszeit schärferen Haftbedingungen, so dass die Kammer eine Anrechnung in diesem Verhältnis für nicht ausreichend erachtet. Die Kammer hält vielmehr eine Anrechnung von insgesamt vier Jahren der von dem Angeklagten im Ausland verbüssten Haft für angemessen.

Dass die von dem Angeklagten Bru. in dieser Sache erlittene vorläufige Auslieferungshaft ebenso wie die Untersuchungshaft auf seine Strafe anzurechnen ist, ergibt sich aus dem Gesetz (§51 StGB).

Die Kostenentscheidung folgt aus §465 StPO.

Lfd.Nr.860

Tatkomplex
NS-Gewaltverbrechen in Haftstätten

Tatort
Warschau

Tatzeit
4408

Gerichtsentscheidungen
LG Köln vom 28.02.1980, 57-10/78

INHALTSVERZEICHNIS

des unter Lfd.Nr.860 veröffentlichten Urteils

LG Köln vom 28.02.1980, 57-10/78

57 - 10/78

Im Namen des Volkes

In der Strafsache gegen [120]

1. den Kaufmann Paul Günter Martin P., geb. am 19.11.1916 in Rothenburg an der Obra (Provinz Posen), wohnhaft in 5020 Frechen, Deutscher, verheiratet;
2. den Versicherungskaufmann Erwin Karl Mis., geb. am 9.11.1912 in Pfullendorf (Baden), wohnhaft in 8000 München, Deutscher, verheiratet;

wegen Beihilfe zum Mord,

hat die 13. gr. Strafkammer als Schwurgericht bei dem Landgericht Köln auf Grund der am 16.1., 18.1., 22.1., 24.1., 26.1., 30.1., 1.2., 5.2., 7.2., 9.2., 19.2., 21.2., 1.3., 5.3., 7.3., 9.3., 13.3., 15.3., 19.3., 21.3., 23.3., 27.3., 2.4., 4.4., 6.4., 10.4., 18.4., 20.4., 24.4., 26.4., 30.4., 2.5., 4.5., 10.5., 14.5., 22.5., 28.5., 7.6., 11.6., 21.6., 25.6., 27.6., 29.6., 3.7., 5.7., 6.8., 8.8., 10.8., 14.8., 16.8., 20.8., 22.8., 24.8., 28.8., 30.8., 3.9., 5.9., 7.9., 11.9., 17.9., 19.9., 21.9., 25.9., 1.10., 3.10., 15.10., 17.10., 19.10., 23.10., 29.10., 6.11., 8.11., 12.11., 14.11., 16.11., 20.11., 26.11., 28.11., 30.11., 4.12., 6.12., 10.12., 12.12., 14.12., 18.12., 28.12.1979 sowie am 7.1., 9.1., 11.1., 15.1., 17.1., 21.1., 29.1., 8.2., 12.2., 20.2., 21.2., 22. und 28.2.1980 durchgeführten Hauptverhandlung in der Sitzung vom 28.2.1980 für Recht erkannt:

> Die Angeklagten sind der gemeinschaftlichen Beihilfe zum Mord an mindestens 250 Menschen schuldig. Es werden verurteilt
> der Angeklagte P. zu einer Freiheitsstrafe von 9 Jahren,
> der Angeklagte Mis. zu einer Freiheitsstrafe von 4½ Jahren
> (§§211, 25 Abs.2, 27, 49 Abs.1 StGB, 47 Abs.1 Satz 2 Nr.2 MilStGB).
> Die Kosten des Verfahrens fallen den Angeklagten zur Last.

GRÜNDE

I. Der Werdegang der Angeklagten

A. Martin P.

Der Angeklagte P. wurde am 16.November 1916 als ältestes von zwei Kindern des Ziegeleibetriebsmeisters Paul P. und dessen Ehefrau Elfriede geborene Vie. in Rothenburg an der Obra (Provinz Posen) geboren. Als er etwa 5½ Jahre alt war, musste die Familie dieses inzwischen polnisch gewordene Gebiet verlassen, weil die Eltern des Angeklagten - vor die Wahl gestellt - für Deutschland optiert hatten. Seit Ende des Jahres 1922 wurde die Familie in Köln ansässig.
Hier besuchte der Angeklagte seit 1924 zunächst 4 Jahre die Volksschule, dann 3 Jahre das Friedrich-Wilhelm-Gymnasium, bevor er wegen dort gezeigter unzureichender schulischer Leistungen auf eine höhere Privatschule überwechselte, die er mit der Obersekundareife ver-

[120] Rechtskräftig hins. beider Angeklagten durch Beschluss des BGH vom 26.8.1981, 2 StR 731/80. Die Revision wurde ohne weitere Begründung als 'offensichtlich unbegründet' gemäss §349 Abs.2 StPO verworfen.

liess. Um einen der "mittleren Reife" gleichstehenden staatlich anerkannten Schulabschluss zu erlangen, absolvierte er dann mit Erfolg binnen zweier weiterer Jahre die höhere Handelsschule.

Die mässigen schulischen Leistungen des Angeklagten waren nicht zuletzt darauf zurückzuführen, dass er verschiedenen Jugendorganisationen angehörte, für die er sich unter Vernachlässigung seiner schulischen Verpflichtungen stark engagierte. Dabei fiel weniger seine Zugehörigkeit zu einer christlichen Jugendvereinigung ins Gewicht, der er, ohne sich dort hingezogen zu fühlen, nur auf Wunsch der strenggläubig methodistischen Eltern beigetreten war, als vielmehr seine Mitgliedschaft in der zum deutschen Pfadfinderbund gehörigen bündischen Jugend, der er sich aus persönlicher Begeisterung schon als Sextaner angeschlossen hatte. Einem deutsch-national denkenden Elternhaus entstammend - der Vater war als Mariner Weltkrieg-I-Teilnehmer gewesen -, hatte sich dem Angeklagten nämlich schon frühzeitig ein Zugang zu einer national ausgerichteten, dem völkischen Gedanken eng verbundenen Denkungsart erschlossen, so dass er fast zwangsläufig zur bündischen Jugend gefunden hatte, die in ihrer Ausrichtung und Zielsetzung den gedanklichen Idealen des jungen Martin P. entsprach. Als er anlässlich einer Julfeier des Pfadfinderbundes im Dezember 1931 Bekanntschaft mit dem NS-Schülerbund und dessen damaligem Führer Bornemann machte, entschloss er sich spontan, leicht entflammbar und begeisterungsfähig, wie er war, auch dieser Vereinigung beizutreten. Durch Versagung ihrer Zustimmung wussten die Eltern das zwar zunächst zu verhindern, ein halbes Jahr später liessen sie es auf Drängen des Angeklagten aber dann doch zu. Als Angehöriger dieses Bundes nahm der Angeklagte P. am ersten Reichsjugendtreffen in Potsdam am 1.10.1932 teil.

Als im April 1933 der Pfadfinderbund in das "Jungvolk" überführt wurde, rückte der Angeklagte unverzüglich in Führungspositionen ein, erst als Jungzug-, später als Fähnleinführer und dann weiter aufsteigend, nachdem er sich im Anschluss an Schulausbildung und Ableistung des sechsmonatigen Arbeitsdienstes für eine hauptamtliche HJ-Führer-Tätigkeit entschieden hatte.

Um diesen Entschluss in die Tat umsetzen zu können, galt es allerdings, zuvor den Widerstand des Vaters gegen dieses Vorhaben zu überwinden. Nach dessen Willen nämlich sollte der Angeklagte die im Oktober/November 1936 begonnene kaufmännische Lehre weiterführen, weil der Vater daran dachte, gemeinsam mit ihm ein Fuhrunternehmen aufzubauen. Mit der Unterstützung der Mutter aber, die den Plänen des Angeklagten wohlgesonnen gegenüberstand, und unter dem Zureden des Gebietsjungvolkführers Bornemann liess sich der Vater umstimmen und gab zu dem Übertritt des Sohnes in den hauptamtlichen Dienst der HJ mit Beginn des Jahres 1937 seinen Segen.

Mit Feuereifer trat er für die Sache des Nationalsozialismus ein, der er aus Überzeugung seine berufliche Zukunft gewidmet hatte. Anerkennungen dafür blieben nicht aus. War ihm schon 1936 das goldene HJ-Ehrenzeichen zuteil geworden, so erhielt er zu einem nicht konkret feststellbaren Zeitpunkt auch den "Winkel des alten Kämpfers" verliehen, der später in der Kriegszeit seine Uniform zierte. Am 1.1.1938 trat der Angeklagte der Partei bei. Er besuchte wiederholt HJ-Führerschulungen, wo er in seinem fehl geleiteten Idealismus ein empfängliches Opfer der Indoktrination mit dem nationalsozialistischen Ideengut war. Nachdem die Ideologie ihn so sehr in ihren Bann geschlagen hatte, vollzog sich seine innere Abkehr von dem christlichen Glauben, in dem er erzogen worden war. Gelegentliche Kirchenbesuche erfolgten nur noch den Eltern zu Gefallen. Wenn der Angeklagte sich früher dahin eingelassen hat, er habe selbst noch während des Krieges in Waffen-SS-Uniform zweimal Vorträge in überfüllten Kölner Kirchen gehalten, weil er überzeugter Christ geblieben sei, so hat er unter Aufgabe dieser Einlassung zuletzt selber eingeräumt, bei diesen Vorträgen nur einen auf eigenem Erleben beruhenden Sachbericht über das Verhältnis der Russen zur Religion gegeben zu haben, ohne dass er damit ein demonstratives Bekenntnis zur Kirche und ihren Lehren abgegeben habe und habe abgeben wollen.

Der Angeklagte kletterte die Beförderungsleiter in der HJ hinauf. Zuletzt wurde er am 09.11.1943 in den Dienstrang eines Oberstammführers erhoben, hatte sich selbst allerdings in seinen Personalangaben schon viel früher den nächsthöheren Titel eines Bannführers gegeben, offenbar auch hier einem ihm wesensimmanenten Hang zur Aufschneiderei nachgebend. Jedenfalls war der Angeklagte noch als sehr junger Mann mit Positionen betraut worden, die ihm ein für sein Alter und seine Vorbildung beachtliches Mass an Ansehen und an Führungsbefugnissen bescherten, was ihm in Anbetracht des ihm eigenen Geltungsbedürfnisses durchaus gelegen kam. Nach seiner eigenen Einschätzung zumindest - wie sie sich in einem von ihm im Juni 1942 verfassten Lebenslauf nachlesen lässt - war er sogar vorgesehen, nach dem Kriege als HJ-Führer für die Ostgebiete eingesetzt zu werden. Dem Ostraum nämlich gehörte im Rahmen seiner beruflichen Tätigkeit sein besonderes Interesse. Um die ihm anvertraute Jugend mit den Ostvölkern und deren Lebensraum vertraut zu machen, unternahm er als HJ-Führer zahlreiche Auslandsreisen, durch die er den gesamten südosteuropäischen Raum kennenlernte. Auf einer dieser Auslandsreisen wurde er vom Kriegsausbruch überrascht. Bei seiner Heimkehr fand er den Einberufungsbefehl zur Waffen-SS vor, zu der er sich - nach voraufgegangener erfolgloser Bewerbung zur Marine - bereits 1936 freiwillig gemeldet hatte, wegen seiner hauptamtlichen HJ-Tätigkeit bis zum Kriegsbeginn aber nicht gezogen worden war.

Mit der Einstellung, dass es etwas Ehrenvolles sei, den Heldentod für Volk und Führer zu sterben, folgte er dem Ruf zu den Waffen. Vom 10.9.1939 bis zum März 1940 erhielt der Angeklagte P. seine militärische Grundausbildung beim ersten Bataillon "Germania" in Hamburg. Dort begegnete er erstmals dem Offizier Bel., mit dem er später erneut als dem Kommandeur des Ersatztruppenteils in Warschau zusammentreffen sollte.
Der Grundausbildung schloss sich eine Verwendung bei der Feldtruppe im Rahmen des Frankreichfeldzuges an, diese wurde gefolgt von einer Versetzung nach Arnheim/Holland. Als nächstes gelangte der Angeklagte im Oktober 1940 in den Raum Dachau zu der in Neuaufstellung begriffenen Division "Wiking". Während dieses Zeitraumes der Neuaufstellung nahm er mit Erfolg an einem Unterführerlehrgang teil. Im Range eines Rottenführers, dann eines Unterscharführers der Reserve, wozu er am 1.8.1941 ernannt wurde, machte er alsdann den Russlandfeldzug im Südabschnitt (Ukraine bis in den Raum Rostow am Don) mit. Im Winter 1941/42 erkrankte er an Gelenkrheumatismus und Gelbsucht. Eine mehrmonatige Behandlung im Lazarett schloss sich an, bevor er nach kurzer Zugehörigkeit zu dem in Arnheim liegenden Ersatztruppenteil zur Teilnahme am 7.SS-Kriegs-Reserve-Führer-Anwärter--Lehrgang an der SS-Junkerschule Bad Tölz befohlen wurde, wo er erstmals auf den Mitangeklagten Mis. traf. Beider Verhältnis zueinander war unpersönlich und von gegenseitigen Antipathien durchsetzt. Während Mis. P. als einen arroganten, streberhaften, besserwisserischen und unkameradschaftlichen Lehrgangsteilnehmer beschreibt, äussert sich P. abfällig über eine nach seiner Meinung bei Mis. vorhandene Neigung zu Distanzlosigkeit und vordergründiger Kameraderie.

Der Angeklagte P. wurde mit einer durchschnittlichen Beurteilung aus dem Lehrgang entlassen, durchschnittlich, wie im übrigen auch seine militärische Laufbahn insgesamt verlief. Als Oberscharführer und Reserveführeranwärter erhielt er seine Versetzung zur Totenkopfdivision. Mit Wirkung vom 21.12.1942 erfolgte seine Beförderung zum SS-Untersturmführer der Reserve. Als Zugführer der 1.Kompanie des Regimentes "Theodor Eicke", das nach seiner Zerschlagung im Kessel von Demjansk im Raum Angoulême neu aufgestellt worden war, kam er im Februar 1943 erneut zum Fronteinsatz in Russland, zunächst im Raum Poltawa, dann bei Charkow und Bjelgorod. Infolge Verletzung bzw. Verwundung des Kompanie- und des ersten Zugführers musste er zeitweilig stellvertretend die Führung der Kompanie übernehmen.

Für seine Einsätze an der Ostfront zeichnete man ihn mit dem EK I und II, der Ostmedaille, dem Panzerkampfabzeichen und dem Verwundetenabzeichen in schwarz aus.

Im späten Frühjahr des Jahres 1943 hielt man ihn für den richtigen Mann, das Kommando über eine Bewährungseinheit zu übernehmen, die er im Kampf zu führen und deren Angehörige er unter dem Gesichtspunkt zu beurteilen hatte, ob sie einer Rehabilitierung würdig seien. Der Angeklagte stellte sich auch dieser sicher nicht unproblematischen Aufgabe bereitwillig, weil es seine Eitelkeit befriedigte, Führungsrollen anvertraut zu bekommen, wenn sie ihn - entgegen seiner Selbsteinschätzung - tatsächlich auch überforderten. Befehlsgemäss führte er diese etwa kompaniestarke Truppe einige Wochen später in einen Einsatz gegen eine gegnerische Stellung, bei dem sie aus vorgeschobener Position heraus etwa 800 m vor der HKL kämpfen mussten. Vier Tage lang hatte sie unter äusserst widrigen Umständen in schweren Gefechten, überwiegend in Nahkämpfen, zu bestehen. Nur 18 Mann und der Angeklagte selbst überlebten sie. Eine durch gnadenlose Härte und Unnachsichtigkeit gegenüber dem Feind gekennzeichnete Kampfeinstellung des Angeklagten, über die an anderer Stelle noch zu berichten sein wird, findet hier eine ihrer Grundlagen.

Der Angeklagte kehrte danach wieder zu seiner alten Einheit zurück, wo er als Zugführer und seit dem 15.1.1944 als Kompanieführer Verwendung fand. Am 30.1.1944 zog er sich beim Angriff auf den Kessel von Cherkassy eine Granatsplitterverletzung an Arm und Bein mit Nervenberührung zu, nachdem er zuvor bereits einmal durch Granateneinwirkung im Kiefer- und Zahnbereich leichter verwundet worden war. Aufenthalte in den Lazaretten Stendal und Arendsee folgten. Noch im Lazarett erhielt er Mitteilung über seine mit Wirkung vom 20.4.1944 ausgesprochene Beförderung zum Obersturmführer der Reserve. Wiederhergestellt traf er etwa Mitte Juni bei dem in Warschau stationierten Ersatztruppenteil der T-Division, dem SS-Panzergrenadier-Ausbildungs- und Ersatzbataillon III, ein, zu dem er zwischenzeitlich versetzt worden war. Nach kurzem Aufenthalt trat er seinen Genesungsurlaub an, aus dem er im ersten Julidrittel zur Einheit zurückkehrte. Unverzüglich wurde er zum SS-Hauptamt nach Kulmbach befohlen, wo man ihn auf die ihm zugedachte Aufgabe, die Führung der Abteilung VI beim Bataillon zu übernehmen, vorbereitete. Dem Leiter der Abteilung VI - dem nationalsozialistischen Führungsoffizier (NSFO) bei der Wehrmacht vergleichbar - oblagen die weltanschauliche Unterrichtung und Überwachung der Einheitsangehörigen wie auch die fürsorgerische Truppenbetreuung. Wegen der weltanschaulichen Ausrichtung des Amtes sollten politisch besonders zuverlässige, schwungvolle, dynamische Offiziere mit dieser Aufgabe betraut werden. Diesen Anforderungen entsprach der Angeklagte. Er entfaltete auch alsbald den Richtlinien entsprechende erste Aktivitäten wie die Unterrichtung der Einheitsführer über einen neuen Dienstplan für weltanschauliche Erziehung sowie deren Informierung über die politische Lage. Der Angeklagte bekleidete diese Position bis zu seinem Weggang vom Bataillon im Januar 1945, ausgenommen den Zeitraum des Warschauer Aufstandes, währenddessen er die in der Stadt zurückgebliebenen Reste des Bataillons als Kampfgruppenkommandant befehligte.

Mit Wirkung vom 15.1.1945 wurde er auf Bitten des SS-Hauptamtes - Amt für weltanschauliche Erziehung - zum Beauftragten des Reichsführers SS für Kroatien nach Agram kommandiert, und zwar wiederum als Leiter der Abteilung VI. Der Angeklagte war von der Wichtigkeit der ihm übertragenen weltanschaulichen Schulungsaufgaben auch jetzt noch überzeugt und nahm sich ihrer mit Ernst und Eifer an. Vorbehalte seines Dienstvorgesetzten gegenüber der Nützlichkeit seines Tuns in Anbetracht der militärischen Lage hielten ihn nicht davon ab, sich mit Hingabe der Erstellung eines politischen Schulungsblattes für die in die Polizeiverbände eingegliederten Kroaten zu widmen. Auch sorgte sich der Angeklagte um die Verbesserung der Kampfkraft und Einsatzbereitschaft der Truppe. Zu diesem Zweck betrieb er mit den Angehörigen des Stabes Waffen- und Geländeausbildung, hielt Schulungsvorträge und kümmerte sich um die Beseitigung von Missständen wie etwa desjenigen, dass zahlreiche Einheitsangehörige in Privatquartieren anstatt in ihren Unterkünften wohnten.

Erst im März/April 1945 wurden ihm von seinem Dienstvorgesetzten Kammerhofer, dem damaligen Beauftragten des Reichsführers SS in Kroatien, seine Illusionen über einen aussichtsreichen Kampf für eine Weltmacht Deutschland unter der Herrschaft der Nationalsozialisten genommen. Unterrichtet über die Frontlage und die hoffnungslose militärische Situation der deutschen Truppen, hörte er von Kammerhofer, dass es nur noch darum gehe, die eigenen Leute heil aus Jugoslawien hinauszuschaffen. Damit trat in dem Angeklagten, wie er es selbst ausgedrückt hat, erstmals eine totale Ernüchterung ein. Seine Begeisterungsfähigkeit in Verbindung mit seiner Neigung, sich einer für gut befundenen Sache leidenschaftlich und hingebungsvoll zu verschreiben, das ihm wesenseigene Widerstreben, einen einmal eingeschlagenen Weg zu korrigieren, schliesslich seine mangelnden Fähigkeiten zur Selbstkritik und zu einem abstrakten, emotionslosen Denken in grösseren Zusammenhängen hatten ihn bis dahin an einer realistischen Einschätzung der wirklichen Gegebenheiten gehindert.

So machte er sich nun im Auftrag Kammerhofers daran, ca. 40 km vor Agram eine Sammelstelle zu bilden und die Absetzbewegung nach Österreich vorzubereiten. Anfang Mai war es soweit. Mit geringen Verlusten erreichten die Angehörigen der Dienststelle Oberdrauburg. Am Millstätter See geriet der Angeklagte in englische Gefangenschaft. Als dort die Rede darauf kam, es seien Kommissionen unterwegs, die nach Kriegsverbrechern unter den Gefangenen suchten, besorgte sich der Angeklagte eine handgeschriebene mit dienstlichem Stempel versehene Bescheinigung des Inhaltes, dass er seit dem 1.3.1944 beim Beauftragten des Reichsführers SS in Kroatien eingesetzt gewesen sei, somit den Zeitraum in Warschau aussparend.

Im Juni 1947 wurde er nach Hamburg entlassen, wo seine Eltern nach ihrer Ausbombung eine vorübergehende Bleibe gefunden hatten. Auch der Angeklagte wurde dort aufgenommen und als Gartenarbeiter beschäftigt. Ein Entnazifizierungsverfahren wurde gegen ihn nicht durchgeführt. Im Juni 1948 verzog die Familie nach Frechen bei Köln. In den Folgejahren arbeitete der Angeklagte überwiegend als Vertreter für verschiedene Firmen unterschiedlicher Branchen. Am 1.7.1964 eröffnete er ein eigenes kleines Discountgeschäft in Frechen, das er bis zum 1.3.1978 betrieb und dann etwa mit einem Saldo plus minus Null aufgab. Seither ist er nicht mehr erwerbstätig.

Der Angeklagte ist seit 1950 verheiratet. Beide Ehegatten sind engagierte Mitglieder der methodistischen Kirche, der sich der Angeklagte in der Nachkriegszeit wieder zugewandt hat, was er häufig und mit Nachdruck betont. Der Angeklagte hat zwei erwachsene Kinder, eine als Hauptschullehrerin tätige Tochter sowie einen Sohn, der städtischer Beamter geworden ist.

Der Angeklagte ist strafrechtlich nicht in Erscheinung getreten.

Im Zuge des anhängigen Verfahrens wurde unter dem Datum des 14.10.1975 vom Amtsgericht Köln Haftbefehl gegen ihn erlassen, von dessen Vollzug er aber aufgrund Beschlusses vom 20.10.1975 verschont wurde. Durch Beschluss des erkennenden Gerichtes vom 3.7.1978 wurde der Haftbefehl wieder in Vollzug gesetzt und der Angeklagte P. am 18.7.1978 in U-Haft genommen. Am 21.8.1978 wurde er aufgrund Beschlusses des OLG Köln vom selben Tage erneut verschont. Am 23.10.1978 kam er wieder in U.-Haft, und zwar aufgrund Beschlusses der Kammer vom 20.10.1978. Durch Anordnung des Vorsitzenden wurde er am 23.10.1979 als derzeit haftunfähig aus der U.-Haft entlassen.

In der Krankheitsgeschichte des Angeklagten finden sich ausser den bereits erwähnten Krankheiten und Verwundungen ein Gelenkrheumatismus und im Zusammenhang damit eine operative Entfernung der Mandeln in Kindesalter, eine Granatsplitterverletzung am Gesäss während des Krieges, ein nicht objektivierbarer, vom Angeklagten als solcher bezeichneter Herzanfall, der nach seinen Angaben ambulant behandelt wurde, ein unblutig retressierter Bandscheibenvorfall, eine kurzfristig stationär behandelte cerebrale Minderdurchblutung im Jahre 1964, eine rheumatische Myocarditis sowie eine Gelbsucht mit nachfolgender Gallenblasenresektion. An Krankheiten, die bis in das Verfahren hinein andauerten und von dem Angeklagten zumindest versuchsweise dazu herangezogen worden sind, den Gang des Verfahrens in seinem Sinne zu beeinflussen, sind zu nennen eine objektiv nicht behandlungsbedürftige Vergrösserung der Prostata, eine Schwerhörigkeit, eine fortgeschrittene beiderseitige Coxarthrose, die einseitig operativ behandelt worden ist im Jahre 1978, sowie ein Bluthochdruckleiden. Durch Betonung und zweckgerichtete Überzeichnung der jeweiligen Beschwerdebilder hat der Angeklagte nach Überzeugung der Kammer bis gegen Ende der Hauptverhandlung von ihm angestrebte Entscheidungen, sei es zur Frage der Verhandlungs-, sei es zur Frage der Haftfähigkeit, zu erzwingen versucht. Dabei hat die Kammer nicht übersehen, dass es sich bei dem Angeklagten um einen infolge seiner stark ausgeprägten Egozentrizität zur Wehleidigkeit neigenden Menschen handelt, was in seinen häufigen von Selbstmitleid und Selbstbedauern getragenen Gefühlsausbrüchen erkennbar wurde.

Anzeichen für irgendwelche die Schuldfähigkeit zur Tatzeit ausschliessende Umstände im Sinne des §20 StGB sind bei dem Angeklagten P. nicht hervorgetreten. Er ist intellektuell durchschnittlich ausgestattet, verfährt infolge seines Hanges zur Verbohrtheit im Einsatz seiner Intelligenz aber oft ungeschickt. Ungeachtet seiner tatsächlich vorhandenen körperlichen Beeinträchtigungen bietet er das Erscheinungsbild eines für sein Alter vitalen, selbstbewussten, geistig regen, psychisch belastbaren Mannes.

Die vorstehend getroffenen Feststellungen beruhen auf den eigenen Angaben des Angeklagten, soweit ihnen das Gericht zu folgen vermochte, den Erklärungen des Mitangeklagten Mis., den überzeugenden Darlegungen der Sachverständigen Frau Di., Frau Dr. Sch. und Prof. Dr. Dr. Bre. und der dem Gericht dadurch vermittelten Sachkunde sowie auf den ausweislich des Sitzungsprotokolls verlesenen Urkunden und in Augenschein genommenen Lichtbildern.

B. Karl Mis.

Der Angeklagte Mis. wurde am 09.November 1912 in Pfullendorf/Baden geboren. Er war das einzige Kind aus der bereits im Jahre seiner Geburt wieder geschiedenen Ehe des Lebensmittelchemikers und Rittmeisters der Reserve Paul Eduard Mis. und der Josefine geborene Gre. Bei der Mutter lebend, verzog er mit dieser 1914 nach Konstanz, 1919 nach Schörzingen, wo die Mutter ein zweites Mal heiratete. Dort besuchte er von 1919 bis 1928 die katholische Volks- und anschliessend die Fortbildungsschule. Sein eigentlicher Berufswunsch war es gewesen, Lehrer zu werden; an eine Realisierung dieses Wunsches war aber angesichts der finanziellen Verhältnisse im Elternhaus nicht zu denken. Die Vermögenslage gestattete es den Eltern nicht einmal, die Ausbildungsbeihilfe aufzubringen, die für den Erhalt einer Lehrstelle bei der seinerzeitigen katastrophalen Arbeitsmarktlage notwendig gewesen wäre. So blieb dem Angeklagten nichts weiter übrig, als als ungelernte Kraft seinen Lebensunterhalt zu verdienen. Etwa 2 Jahre war er bei der Mundharmonikafabrik Hohner beschäftigt, weitere zwei Jahre ungefähr arbeitete er als Bauhilfsarbeiter in einem Bauunternehmen in Villingen, wobei er hoffte, unter gebesserten wirtschaftlichen Verhältnissen eine Lehre anschliessen und sich dann eventuell zum Bautechniker ausbilden lassen zu können. Auch dieser Plan wurde ein Opfer der wirtschaftlichen Misere, die zu seiner Entlassung wegen Arbeitsmangels führte. Der Angeklagte verdingte sich dann als Aushilfe in einem landwirtschaftlichen Betrieb. Um dieselbe Zeit, im Jahre 1932, bewarb er sich vergeblich um Aufnahme in die Reichswehr und in die Landpolizei. Der Organisation "schwarze Reichswehr" gehörte er da seit einigen Jahren an. 1933 wurde ihm eine Information zuteil, wonach in Trossingen eine neue Polizeitruppe aufgestellt werde. Er bewarb sich. Am 1.März 1933 trat er der NSDAP bei; am 26.März 1933 kam er zur Hilfspolizei nach Rottweil und am 28.Mai

1933 folgte seine Einberufung zur politischen Bereitschaft Württemberg in Trossingen, der ersten Hundertschaft der SS-Verfügungstruppe.

Der Anschluss an die nationalsozialistische Bewegung war bei dem Angeklagten Mis. mehr von einem Nützlichkeits- und Zweckdenken bestimmt als bei dem Angeklagten P., der aus idealisierender Begeisterung für die Bewegung und ihre Ziele sich ihr anschloss. Auch Mis. war dem Ideengut des Nationalsozialismus nicht abhold, entfaltete aber keine besondere Aktivität für dessen Verbreitung. Für ihn stand im Vordergrund die Aussicht, mit Hilfe der neuen Machthaber seine persönliche Situation verbessern zu können. Eben diese Erwartung erfüllte sich in seiner Person, da er nun nach Scheitern seiner früheren beruflichen Pläne das Vorhaben, eine militärische oder paramilitärische Laufbahn einzuschlagen, unter der Herrschaft der Nationalsozialisten verwirklichen konnte. Schon deswegen fühlte er sich ihnen verbunden. Hervorgetreten im Dienste für die Partei ist er lediglich als Fahnenträger anlässlich einer Fahnenweihe beim Reichsparteitag 1937.

Im August 1933 wurde er nach Ellwangen/Jagst versetzt, wo er ein Jahr später, am 20.9.1934, die um 3 Jahre jüngere Charlotte Ber. heiratete. Aus dieser Ehe gingen vier Kinder hervor, geboren in den Jahren 1934, 1937, 1939 und 1941.
1937 trat der katholische Angeklagte mit seiner Familie aus der Kirche aus, weil man ihn unter Hinweis darauf, dass Kirchenbesucher in SS-Uniform nicht erwünscht seien, aus der Kirche gewiesen hatte. Verärgerung über diese Zurückweisung und nicht - wie er glaubhaft erklärt hat - Opportunismus gegenüber den politischen Machthabern waren ausschlaggebender Beweggrund für diesen Schritt, den der Angeklagte auch später, um sich selbst treu zu bleiben, nicht rückgängig gemacht hat, obwohl er dem katholischen Glauben - anders als der Institution Kirche - in allen Jahren verbunden geblieben ist.

Der Angeklagte wurde 1936 nach München versetzt, wo aus der SS-Verfügungstruppe heraus das SS-Regiment "Deutschland" aufgestellt wurde. Als Angehöriger dieser Einheit nahm er 1939 am Polenfeldzug, 1940 am Frankreichfeldzug teil und gehörte einige Monate lang zur Besatzungstruppe in Holland. Ende des Jahres 1940 wurde er auf persönliche Anforderung seitens des Kommandeurs, dem er bekanntgeworden war, zu der in Neuaufstellung begriffenen Division "Wiking" nach München versetzt. Die Einheit verlegte sodann über mehrere Truppenübungsplätze in den Bereitstellungsraum Oppeln, bevor sie - und mit ihr der Angeklagte - zum Einsatz im Russlandfeldzug befohlen wurde, an dem er als Zug-, zeitweilig - wegen mangels an Offizieren - sogar als Kompanieführer teilnahm.

Ende des Jahres 1941 erkrankte der Angeklagte an Gelenkrheumatismus. Im Lazarett Dachau wurde er deswegen behandelt. Gleichzeitig unterzog er sich einer Mandeloperation. Eine kurze Zugehörigkeit zu einem Ersatzbataillon der Einheit bildete die nächste Station, bevor der Angeklagte, der es zwischenzeitlich bis zum Dienstrang eines Hauptscharführers gebracht hatte, zu dem bereits früher erwähnten 7.Kriegs-Reserve-Führer-Anwärter-Lehrgang nach Bad Tölz abkommandiert wurde, den er in der Zeit von Juni bis September 1942 erfolgreich absolvierte. In seiner abschliessenden Beurteilung heisst es unter anderem über ihn, er sei ein anständiger Charakter, der sich Belehrungen sehr zu Herzen nehme, von ernstem und zurückhaltendem Wesen, leicht zur Gutmütigkeit neigend.
Anschliessend wurde er zur Totenkopfdivision versetzt, die zur Neuauffrischung in Frankreich lag. Als Angehöriger des Regiments Eicke kam er wieder an der Ostfront zum Einsatz, und zwar nach seiner Beförderung zum Untersturmführer der Reserve (21.12.1942) als stellvertretender Kompanieführer und als Kompanieführer. Während dieses Zeitabschnittes reifte in ihm die Erkenntnis der Aussichtslosigkeit der Kriegsführung. Er hatte, wie er selbst sagt, "die Schnauze voll" und wäre - hätte auf der anderen Seite der Engländer gestanden - am liebsten hinübergelaufen.

1943 wurde er zum zweiten Mal verwundet, nachdem er schon 1941 einen glatten Oberarmdurchschuss ohne Knochenbeteiligung davongetragen hatte. Bei dieser zweiten Verwundung detonierte eine Granate so dicht neben ihm, dass es ausser zu einer Verletzung des Kinns zu einer Schwerhörigkeit des linken Mittelohres kam. Die dritte und schwerste Verwundung erlitt er im November 1943, als er an der Spitze seiner Kompanie in eine MG-Garbe hineingeriet, die ihm das linke Fersenbein teilweise zertrümmerte und das rechte Sprunggelenk durchschoss, so dass er gehunfähig liegenblieb. Nur Dank des selbstlosen Einsatzes von Kameraden wurde er aus dem Kampfgebiet herausgeschafft, was der Angeklagte heute - nach Überzeugung der Kammer: glaubhaft - mit den Worten kommentiert: "Leider - sonst sässe ich heute nicht hier vor Ihnen."

Nach Lazarettaufenthalten in Winniza und Garmisch hatte sich der Angeklagte bei dem SS--Panzergrenadierausbildungs- und Ersatzbataillon III in Warschau einzufinden. Zwischenzeitlich war er - ebenso wie P. - mit Wirkung vom 20.4.1944 zum Obersturmführer der Reserve befördert worden. In dem Beförderungsvorschlag war er als bescheidener, charakterlich einwandfreier und stets hilfsbereiter SS-Führer beschrieben worden, der hart gegen sich selbst sei, eine gesunde völkische Lebensauffassung zeige, sich in und ausser Dienst stets einwandfrei verhalte und der seine Einheit vor dem Feind umsichtig und mit vorbildlicher Tapferkeit geführt habe. An Auszeichnungen für seine Einsätze im West- und Ostfeldzug waren ihm inzwischen das EK II, das EK I, das Verwundetenabzeichen in Silber, die Nahkampfspange in Silber, das Sturmabzeichen und die Ostmedaille verliehen worden.

Im letzten Junidrittel traf Mis. beim Ersatzbataillon ein. Nachdem er etwa einen Monat dem Stab z.b.V. zugeteilt gewesen war, übertrug man ihm die Führung einer Ausbildungskompanie. Wenige Tage darauf hatte er mit ihr erneut einen Fronteinsatz zu bestehen, obwohl seine Beinverletzung noch nicht endgültig ausgeheilt war. Seit Anfang August wurde er alsdann bei der Niederschlagung des Aufstandes der Warschauer Zivilbevölkerung eingesetzt. Im Oktober 1944 gelangte er mit den Resten des Bataillons, die in Warschau gekämpft hatten, in den Raum Guben, wo man sich wieder mit den übrigen Teilen des Bataillons verband. Als Kompanieführer blieb der Angeklagte bis zum Kriegsende bei dieser Einheit, die in Anbetracht der sich verschlechternden Frontlage dann zurückverlegte in den Raum Adelmannsfelden, später nach Günzburg. Kurz vor Kriegsende löste sich die Einheit schliesslich auf. Bald darauf geriet der Angeklagte - auf der Suche nach seiner Familie - in amerikanische Kriegsgefangenschaft, aus der er später in die Internierung überführt wurde, aus der er im September 1947 entlassen wurde.

Um seine Familie, die seit Kriegsende entbehrungsreich gelebt hatte, ernähren zu können, nahm er zunächst eine Stelle als Lagerarbeiter in der Krankenhausversorgungsabteilung in München, wo seine Familie eine notdürftige Unterkunft gefunden hat, an. Mitte des Jahres 1948 wurde er angestellter Aussendienstmitarbeiter der Hamburg-Mannheimer-Versicherungsgesellschaft, für die er bis Mitte des Jahres 1978 tätig blieb. Seither bezieht er eine Rente, die ihm und seiner Frau ein bescheidenes Auskommen sichert.
Alle vier Kinder können eine abgeschlossene Berufsausbildung vorweisen und haben sich eine tragfähige berufliche Existenz aufgebaut, drei von ihnen in Kanada, der jüngste Sohn in der räumlichen Nähe der Eltern bei München.

Der Angeklagte Mis. hat ausser den erwähnten Krankheiten und Verwundungen als Kind Masern und Diphtherie durchgemacht, er litt später unter einer Lungenentzündung, hatte etwa von 1951 bis 1958 mit Magengeschwüren sowie 1954/55 mit Nierenkoliken zu tun und unterzog sich 1953 einer Hämorrhoidenoperation. Im Jahre 1970 verunglückte er infolge Glatteises schwer mit seinem Fahrzeug. Er trug einen Oberschenkelhalsbruch, einen Sitzbeinbruch sowie eine Fraktur des linken Mittelfingers davon. Als Folge zahlreicher Bluttransfusionen stellte sich zudem eine Serumhepatitis ein. Die stationäre Krankenhausbehandlung wegen der Unfallfolgen erstreckte sich über insgesamt 11 Monate.

Während der Hauptverhandlung bot der Angeklagte Mis. das Bild eines deutlich vorgealterten Mannes in erheblich reduziertem Allgemeinzustand, der bei einer Grösse von 1,82 m noch 58½ kg wog. Trotz aller von dem Angeklagten bewiesener Haltung und Selbstdisziplin war seine geringe psychische Belastbarkeit und seine Affektlabilität doch unübersehbar. Die Schilderung der Leiden derjenigen, die Opfer oder Beinahe-Opfer der den Gegenstand des Verfahrens bildenden Tat waren, nahmen ihn sichtlich aufs äusserste mit. Auch dann, wenn für ihn konkreter Anlass bestand, sich seine Verantwortung am Tatgeschehen bewusst zu machen, war er selten in der Lage, ein Zittern seines ganzen Körpers zu unterdrücken und seine Tränen zurückzuhalten. Nach Überzeugung der Kammer hat sich das Verfahren auf ihn als eine echt bedrückende Last ausgewirkt, nicht weil er Selbstmitleid empfindet wie der Angeklagte P., sondern weil es sein Schuldbewusstsein, das ihn all die Jahre nicht losgelassen hat, neu aktualisiert und potenziert hat im Angesicht der Opfer.

Anknüpfungspunkte dafür, dass bei dem Angeklagten Mis. zur Tatzeit die Schuldfähigkeit ausschliessende Umstände im Sinne des §20 StGB vorgelegen haben könnten, fehlen.

Der Angeklagte Mis. ist strafrechtlich nicht in Erscheinung getreten. Gegen ihn besteht im anhängigen Verfahren Haftbefehl des Amtsgerichtes München vom 20.10.1975 - ER VI Gs 3906/75 -, ergänzt durch Beschluss vom 22.12.1975 - ER VI 4568/75 - und neugefasst durch Beschluss der Kammer vom 3.Juli 1978. Er war durch Beschluss des Amtsgerichtes München vom 30.10.1975 - ER VII Gs 4513/75 - vom Vollzug der Untersuchungshaft verschont worden. Auf der Grundlage des Kammerbeschlusses vom 3.7.1978 hat er sich in der Zeit vom 18.7.1978 bis zum 4.8.1978 in Untersuchungshaft befunden, aus der er aufgrund Beschlusses des OLG Köln vom 4.8.1978 entlassen wurde.

Die vorstehend getroffenen Feststellungen beruhen auf den eigenen Angaben des Angeklagten, den überzeugenden Ausführungen des Sachverständigen Prof. Dr. Dr. Bre. und der dem Gericht dadurch vermittelten Sachkunde sowie auf den ausweislich der Sitzungsniederschrift verlesenen Urkunden.

II. Der zeitgeschichtliche Hintergrund der Tat

Die den Gegenstand der Anklage bildende Tat stellt eine exzessive Begleiterscheinung einer kriegerischen Auseinandersetzung dar. Sie kann deswegen nicht isoliert von diesem Geschehen betrachtet werden, ohne dass sie nicht hervorgebracht worden wäre.

Ort der Handlung ist Warschau zu Beginn des Monats August 1944. Der sogenannte "Aufstand der Warschauer Zivilbevölkerung" hat gerade begonnen. Angeführt von der nationalpolnischen Widerstandsorganisation (AK) war am 1.8.1944, Punkt 17.00 Uhr, ein Heer zwar nicht einheitlich organisierter, aber gut bewaffneter und für diesen Kampf langfristig vorbereiteter, von fanatischem Kampfgeist besessener und von Tapferkeit und patriotischer Opferbereitschaft beseelter Kämpfer zum bewaffneten Kampf gegen die verhassten deutschen Besatzer angetreten. Unter Ausnutzung des Überraschungsmomentes und der jedenfalls vorübergehend bestehenden deutlichen zahlenmässigen Überlegenheit von geschätzt etwa 10 : 1 sollte Warschau sozusagen im Handstreich erobert werden, bevor die Deutschen Gelegenheit bekämen, Nachschubkräfte heranzuführen. Das Vorhaben misslang. In einem zwei Monate dauernden zähen und erbitterten Ringen wurde der Aufstand unter beiderseitigen hohen Verlusten blutig niedergeschlagen. Mit der Unterzeichnung der Kapitulationsurkunde am 2.10.1944 setzte man den Schlusspunkt unter ein von Härte, Verbitterung, Hass und Verachtung auf beiden Seiten geprägtes Kampfgeschehen. Um Zugang zu der Einstellung der Kämpfenden zu finden, die eine solche von - nachfolgend noch darzustellenden - Greueltaten begleitete Kampfführung ermöglichte, bedarf es einer Betrachtung der in den vorangegangenen Jahren von den Deutschen in Polen und mit den Polen betriebenen Politik sowie des

Menschenbildes, das sich Deutsche infolge des Einflusses von politischer Propaganda und weltanschaulicher Schulung über den polnischen Menschen machten.

Am 1.September 1939 war Polen von den Deutschen überfallen und binnen weniger Wochen im Vereine mit der Sowjetunion erobert worden. Durch Vertrag vom 28.9.1939 teilten Russen und Deutsche das unterworfene polnische Reich unter sich auf. Hitler trennte von dem ihm zugefallenen Westpolen die sodann unter der Bezeichnung "Reichsgaue" geführten Gebiete ab und verleibte sie dem Reich ein. In ihnen wurde auf Befehl Hitlers unter der Führung des Reichsführers SS Himmler eine ebenso gründliche wie grausame und unwürdige Politik der "Germanisierung" betrieben. Die dort ansässig gewesene polnische Bevölkerung musste weichen, um neuen Lebensraum zu schaffen für deutsche Menschen, überwiegend bisherige Auslandsdeutsche, die dort angesiedelt wurden.

SS-Formationen mit "volkspolitischen Sonderaufträgen" gingen alsbald daran, eine deutsche Schreckensherrschaft unter den dort lebenden Polen und Juden zu errichten. Binnen kurzem kam es zu öffentlichen Erschiessungen willkürlich ausgesuchter Personen unter oft unwürdigen Umständen, zu wahllosen - jeweils von Plünderungen begleiteten - Verhaftungen, Internierungen, Überführungen in Konzentrationslager und zu schlimmsten entwürdigendsten Ausschreitungen gegen Juden. Indem man sich ausserdem der Mittel der Umsiedlung, Vertreibung und Deportation zum Arbeitseinsatz bediente, arbeitete man erfolgreich auf das Ziel hin, diese Gebiete allmählich von seinen angestammten polnischen Bewohnern zu entvölkern. Viele der Polen verschlug es auf diese Weise in das Restpolen, jenes den Deutschen zugefallene, aber losgelöst vom Reichsgebiet als eigenständiges Territorium unter deutscher Verwaltung stehende Gebiet, das fortan unter der Bezeichnung "Generalgouvernement für die besetzten polnischen Gebiete" geführt wurde. Dieses Sammelbecken der polnischen Bevölkerung wurde degradiert zum Objekt rücksichtsloser personeller und wirtschaftlicher Ausschlachtung und bot darüber hinaus jenen ein Betätigungsfeld, die sich in ihrem rassistischen Grössenwahn für befugt hielten, als Schlächter umzugehen unter denjenigen, deren rassischen Minderwert sie erkennen zu können glaubten.

In einem im Januar 1940 fertiggestellten Geheimgutachten zur "Rechtsgestaltung deutscher Polenpolitik nach volkspolitischen Gesichtspunkten" lässt sich bereits in der Einleitung die nüchterne Feststellung nachlesen:

> "Dem polnischen Volk steht eine harte und schwere Zukunft bevor. Es wird in jeder Hinsicht Not leiden und daher hassen müssen ... wird dafür zu sorgen sein, dass neben Hass und Furcht zu den Grundelementen der Gemütseinstellung des polnischen Volkes zum deutschen Volk auch die Achtung tritt ..."

Eine solche auf die Erzeugung von Hass und Furcht bei den Unterdrückten geradewegs abzielende Politik wurde dann in der Praxis auch betrieben. Das Generalgouvernement wurde zum Reservoir an Arbeitskräften für niedrige Arbeiten deklariert, der Pole als ein von der Natur nur für die Verrichtung niederer Arbeiten geschaffener Mensch hingestellt. Die polnische Jugend sollte in Unwissenheit gehalten werden. Weiterführende Schulen und Universitäten wurden geschlossen. Möglichkeiten zu kultureller Betätigung wurden abgeschafft. Die polnische Intelligenz wurde verfolgt und liquidiert, weil es für die Polen - wie Hitler äusserte - nur einen Herrn geben dürfe, eben den Deutschen. Grundbesitz wurde den Polen ebenso weggenommen wie Privateigentum auf industriellem und gewerblichem Sektor. Man liess das Land wirtschaftlich ausbluten. Die polnische Bevölkerung insbesondere in den Städten musste hungern und frieren, weil die festgesetzten Ablieferungsverpflichtungen an das Reich die Leistungsfähigkeit des Generalgouvernements bei weitem überstiegen. Jedweden Einfluss der Polen auf die staatliche Verwaltung schnitt man ab. Kirchliche Einrichtungen wurden geschlossen. Man ersann Möglichkeiten, um der Fortpflanzungsfreudigkeit der Polen zu begegnen, und untersagte geschlechtliche Beziehungen zwischen Deutschen und Polen, um eine blutsmässige Vermischung zu verhindern. Nichtige Verstösse wurden mit der Todesstrafe belegt. Das Prinzip der Sippenhaft wurde zu neuem Leben erweckt. Die deutsche Polizei nahm Massenverhaftungen und -erschiessungen in Bandengebieten nach dem Prinzip der kumulativen Verantwortlichkeit vor.

Angesichts dieser Behandlung, die man dem besiegten Volk widerfahren liess, konnte es nicht ausbleiben, dass die anfangs der Besatzungszeit abwartende bis freundlich erwartungsvolle Grundhaltung der polnischen Bevölkerung alsbald umschlug und einem Gemisch aus Furcht, Verbitterung, Hass, Wut und Verachtung wich. Diese Empfindungen liessen in der Bevölkerung die Bereitschaft zum Widerstand in aktiver oder passiver Form wachsen. Dies blieb auch der Verwaltungsspitze im Generalgouvernement nicht verborgen.
So setzte sich der Generalgouverneur Dr. Frank in einem Geheimbericht an den Führer vom 19.Juni 1943 dafür ein, die deutsch-polnischen Beziehungen einem grundlegenden Wandel zu unterziehen, um die von einer durch gemeinschaftlich empfundenen Hass zur Einheit verschworenen Volksgemeinschaft ausgehende Gefahr zu bannen und dieses zur Aktivität aufgerüttelte polnische Volk stattdessen als ein Glied in der bolschewistischen Abwehrfront zu gewinnen. Um dieses Ziel zu erreichen, sollten die Lebensumstände verbessert, die zahlreichen Beschränkungen gelockert und insbesondere die Abschlachtung von Männern, Frauen, Greisen und Kindern aus Kollektivhaftungsgesichtspunkten eingestellt werden.

In der Alltagswirklichkeit fanden diese Änderungsvorschläge keinen sichtbaren Niederschlag. Zu verhärtet waren die Fronten, zu tief die geschlagenen Wunden, zu gross war die von den militärischen Niederlagen der Deutschen ausgehende Ermunterung für die aufbegehrenden polnischen Widerständler, zu brutal die Reaktion der deutschen Besatzer auf Terror- und Sabotageakte von Partisanen, als dass jetzt noch auf der unteren Ebene eine Annäherung hätte vollzogen werden können, selbst wenn sie von oben ernsthaft beabsichtigt gewesen wäre. Stattdessen nahm das Ausmass der Gewaltanwendung auf beiden Seiten zu. Die Anzahl der Terroranschläge häufte sich, die Zahl der unschuldigen Opfer, die insbesondere im Zuge von Vergeltungsmassnahmen seitens der Deutschen dafür büssen mussten, wuchs und wuchs.
So registrierte das Wehrkreiskommando Generalgouvernement beispielsweise für den Monat November 1943 an Gesamtverlusten auf Seiten der Wehrmacht 52 Tote, 138 Verwundete, 3 Vermisste, während die Verluste unter der Zivilbevölkerung mit 76 Toten, 108 Verwundeten und 9 Vermissten innerhalb des reichs- und volksdeutschen Bevölkerungsteils beziehungsweise mit 474 Toten, 188 Verwundeten und 76 Vermissten innerhalb des in deutschen Diensten stehenden polnischen und ukrainischen Bevölkerungsteils festgestellt wurden. Allein für diesen einen Monat bezifferte man die "Feindverluste (Banditen)" mit 1511 Erschossenen und 3683 Festgenommenen. Die Zahl der Überfälle durch "Banditen" oder durch stärkere Banden soll sich innerhalb dieses Monats November 1943 auf insgesamt 6.789 belaufen haben. Als Ziele dieser Überfälle traten hauptsächlich Eisenbahn- und Fernmeldeanlagen, deutsche Dienststellen sowie deutsche Waffenträger aller Art, landwirtschaftliche und industrielle Einrichtungen, Geldinstitute und Haftanstalten hervor.

Je nachhaltigere Einbrüche den Partisanen in der Folgezeit gelangen, desto massiver waren die Gegenschläge, mit denen die Deutschen antworteten. Als beispielsweise im Februar 1944 der SS- und Polizeiführer Warschau Brigadeführer Kutschera einem Mordanschlag zum Opfer gefallen war, meldete der Geheimbericht des Wehrkreiskommandos für diesen Monat an Verlusten unter der polnischen und ukrainischen Bevölkerung im Generalgouvernement allein 1.692 Tote, daneben zahlreiche Verwundete und Vermisste. Die die Zahl der Verwundeten und Vermissten bei weitem übersteigende Zahl der Toten war vor allem darauf zurückzuführen, dass ein gehöriger Teil davon als Repressalgeiseln unschuldig ihr Leben lassen mussten.

Gewalt und Gegengewalt eskalierten weiter und erreichten im Juni 1944 einen vorläufigen Höhepunkt. Für diesen Monat wurden von deutscher Seite 7.617 Überfälle gezählt. An Verlusten verzeichnete man auf Seiten der Wehrmacht 411 Tote, 689 Verwundete und 95 Vermisste. Während man die Verluste in der gesamten Zivilbevölkerung mit annähernd 1.000 Toten angab, entfielen auf sogenannte "Feindverluste", wobei man den "Feind" mit "Banditen und Banditenverdächtige" umschrieb, allein für den Monat Juni 1944 3.685 Tote und 8.366 Gefangene. Damit nicht genug, erliess der Höhere SS- und Polizeiführer Ost am 28.6.1944 einen Befehl, in dem es unter anderem heisst:

> "Reichsführer SS hat mit Zustimmung des Generalgouverneurs angeordnet, dass in allen Fällen, in denen Attentate oder Attentatsversuche auf Deutsche erfolgt sind oder Saboteure lebenswichtige Einrichtungen zerstörten, nicht nur die gefassten Täter erschossen werden, sondern dass darüber hinaus die sämtlichen Männer der Sippe gleichfalls zu exekutieren und die dazugehörigen weiblichen Angehörigen über 16 Jahre in das KZ einzuweisen sind."

Diese aus sich selbst heraus zur Entladung in einem Aufstand hindrängende Entwicklung wurde durch politische und militärische Ereignisse während des Juli 1944 begünstigt. Die ohnehin zahlenmässig nicht besonders starken Verteidigungskräfte in Warschau wurden weiter abgebaut. Trotz der spannungsgeladenen Atmosphäre in der Stadt und ungeachtet entgegenstehender Warnungen deutscher Dienststellen zog man Anfang Juli zwei SS- und Polizeiregimenter ab, um entblösste Frontlinien aufzufüllen. Selbst noch in den letzten Julitagen, als sich in der Stadt die Gerüchte über einen bevorstehenden Grossaufstand verdichteten und auf Bitten des Gouverneurs Panzer zu Propagandazwecken durch die Strassen Warschaus rollten, erhielt das SS-Ausbildungs- und Ersatzbataillon, dem beide Angeklagten angehörten, aus Berlin Befehl, ins Reich zurückzuverlegen. Um dieselbe Zeit durchkreuzten beachtliche Wehrmachtseinheiten auf ihrem Rückzug vor der Sowjetarmee die Stadt von Osten nach Westen. Es herrschte Aufbruchstimmung in den deutschen militärischen Dienststellen. Das weibliche Wehrmachtsgefolge hatte befehlsgemäss fast fluchtartig die Stadt verlassen.

Das alles liess in den Polen die Hoffnung aufkeimen, dass die bis dahin unverwundbar erscheinende, übermächtige deutsche Besatzungsmacht entscheidend getroffen sei. In dieser Einschätzung der Situation wurden sie bestärkt durch die Tatsache, dass die Deutschen gerade einige empfindliche Niederlagen hatten einstecken müssen. An der Westfront war die Invasion der Alliierten in vollem Gange; sie würde - das war jetzt abzusehen - erfolgreich verlaufen. Am 20.Juli war das Attentat auf Hitler verübt worden. Wenn es auch erfolglos geblieben war, so hatte es doch die deutschen Truppen zusätzlich verunsichert und die tiefe Zerrissenheit zwischen der politischen Führung und Teilen der militärischen Führung für alle sichtbar zutage treten lassen, hatte darüber hinaus das Misstrauen der einen gegen die andere noch weiter geschürt.

Schliesslich hatte der Juli an der Ostfront den Zusammenbruch der Heeresgruppe Mitte gebracht, gefolgt von einem fast mühelosen Vormarsch der Russen gen Westen. Sowjetische Truppenteile hatten die Grenzen des Generalgouvernements überschritten. In der zweiten Julihälfte gelang es ihnen bei Lublin, die deutsche Abwehrfront, die ohnehin nur noch ein Torso genannt werden konnte, zu durchbrechen. Seither rückten sie unter schwerer Panzerbedeckung für die Deutschen unaufhaltsam in Richtung Warschau vor. Am 1.August standen sowjetische Verbände im Nordosten und Südosten 15 km vor der Stadt.

Die polnische Exilregierung in London, die die Wiederherstellung eines souveränen polnischen Staates erstrebte, entschloss sich angesichts dieser militärischen Lage, den Kampf um die Befreiung Warschaus vom Joch der deutschen Herrschaft mit eigenen Kräften aufzunehmen, bevor die Stadt von den Russen erobert und von ihnen als Faustpfand für die Unterwerfung ganz Polens eingesetzt werden würde.

Im Vertrauen auf Waffenhilfe seitens der Alliierten wagten die Polen die Erhebung gegen ihre Unterdrücker. Was sich in 5 Jahren an ohnmächtiger Wut, an Hass und Rachegelüsten in ihnen aufgestaut hatte, fand nun seine eruptive Entladung. Der Schlag traf auf deutsche

Verteidiger, von denen nicht wenige die Lehre ihrer politischen Führung begriffen hatten, wonach dem polnischen Menschen im Vergleich zum Tier nur ein ungleich höherer Stellenwert zukam. Es waren zudem Männer, die zu einem Gutteil seit 5 Jahren im Fronteinsatz zwangsläufig das Töten als Handwerk auszuüben gelernt hatten, von denen viele, kampfesmüde geworden, nur noch danach strebten, lebendig wieder nach Hause zu kommen, und die nun von den Aufständischen herausgefordert wurden, mit dem Mut der Verzweiflung um das Überleben zu kämpfen, denn alle wussten, dass die sowjetischen Truppen vor den Toren der Stadt standen und jederzeit auf Seiten der Polen in das Kampfgeschehen eingreifen und damit das Schicksal der noch in Warschau befindlichen Deutschen besiegeln konnten.

So bestimmte unnachgiebige Härte das beiderseitige Aufeinandertreffen zu Beginn des Aufstands. Am Nachmittag des 1.8. hatte es sich durch kleinere Schiessereien, hektische Betriebsamkeit und zu beobachtende Zusammenrottungen angekündigt. Um 17.00 Uhr dehnten sich die Schiessereien schlagartig auf alle Stadtteile Warschaus aus. Die deutschen Stützpunkte, wichtige Versorgungseinrichtungen und Betriebe wurden auf einen Schlag überfallen. Wachposten fielen dem ersten Ansturm zum Opfer, und auch die Angehörigen schwachbesetzter deutscher Stützpunkte konnten sich vielfach der Angriffe nicht erwehren und wurden von den erbittert kämpfenden Aufständischen niedergemacht. Im übrigen aber setzten sich die Besatzungen grösserer deutscher Dienststellen derart verbissen zur Wehr, dass den Polen entscheidende Einbrüche nicht gelangen. Fernsprechämter und lebenswichtige Betriebe blieben mit wenigen Ausnahmen in deutscher Hand. Das Telefonnetz konnte intaktgehalten werden. Auch zahlreiche Strassen waren bald wieder eingeschränkt passierbar. Selbst das Polizeiviertel, das von den Aufständischen mit ganz besonderer Vehemenz berannt worden war, wurde zwar vorübergehend eingeschlossen, konnte sich aber, wenn auch unter hohen Verlusten, halten. Wäre es den Aufständischen gelungen, die Dienstgebäude der Polizei, gegen die sich in der Hauptsache ihr Hass richtete, einzunehmen, so hätte das - den Angaben gefangengenommener Partisanen zufolge - vermutlich ein Massaker unter den dort angetroffenen Deutschen zur Folge gehabt. Auch das Regierungsviertel mit dem Dienstsitz des Wehrmachtskommandanten und des Gouverneurs hielt den heftigen Angriffen jedenfalls insoweit stand, als eine Einnahme verhindert werden konnte.

Als Wehrmachtskommandant residierte dort der einige Tage zuvor eigens von Hitler nach Warschau befohlene Generalleutnant der Flieger Stahel, der sich als Befreier von Wilna einen Namen gemacht und sich den Ruf eines harten, standhaften Mannes erworben hatte. Ihm waren alle in Warschau anwesenden Truppenteile mit Ausnahme der Polizei territorial unterstellt worden. Am Abend des 1.8. verhängte er über Warschau den Belagerungszustand. Da die Widerstandskämpfer nur zum Teil durch rot/weisse Armbinden gekennzeichnet auftraten, im übrigen aber von der Zivilbevölkerung nicht zu unterscheiden waren, liess er gleichzeitig bekanntgeben, dass auf Zivilpersonen, die die Strasse beträten, geschossen werde und dass Gebäude und Einrichtungen, aus denen auf Deutsche geschossen worden sei, dem Erdboden gleichgemacht würden. Entsprechend diesem Befehl wurde in den ersten Aufstandstagen verfahren.

An Rigorosität wurden diese Stahelschen Anordnungen aber noch bei weitem übertroffen durch die Befehle, die wenig später aus Berlin eintrafen. Hitler sei ausser sich vor Wut geraten, so berichtete glaubhaft der Zeuge Büc., ehemals Generalstabsoffizier im Oberkommando der Wehrmacht (OKW), als er erfahren habe, dass die Polen ihm ein drittes Mal Schwierigkeiten bereiteten, nachdem sie sich zuvor der Eroberung in 1939 entgegengestellt hatten und in 1943 durch den Aufstand der Juden im Warschauer Ghetto deutsche Kräfte gebunden worden waren. Er wollte nun in diesem besetzten Gebiet ein Exempel statuieren für den Fall, dass auch andere mit dem Gedanken an eine Auflehnung gegen ihre deutschen Besatzer spielten, und befahl, die Stadt mitsamt ihrer Bevölkerung auszuradieren. In der Auswahl der Mittel gab er Himmler, der sowohl in seiner Eigenschaft als Befehlshaber des Ersatzheeres als auch in seiner Rolle als oberster Polizeichef nach Warschau hineinregieren konnte, vollkommene Entscheidungsfreiheit. Noch am Abend des 1.8. traf zumindest beim SS- und Polizeiführer Warschau, dem SS-Gruppenführer und General der Polizei Geibel, der fernschriftliche Befehl Himmlers ein: "Vernichten sie Zehntausende!"

Entgegen der Angabe des zwischenzeitlich verstorbenen Zeugen Geibel, dessen Aussagen verlesen worden sind, ist die Kammer davon überzeugt, dass dieser Befehl weitergegeben worden ist. Verständlicherweise hatte Geibel bei seinen während polnischer Haft [121] gemachten Aussagen Anlass genug, seine Verantwortlichkeit für den Tod ungezählter polnischer Zivilisten abzustreiten. Die Richtigkeit seiner Behauptung wird widerlegt durch zahlreiche andere Beweismittel, die Zeugnis davon ablegen, dass jedenfalls während der ersten Aufstandstage insbesondere durch Angehörige der Polizei, aber auch durch andere Truppenteile, selbst durch Wehrmachtseinheiten, dieser an sie ausgegebene allgemeine Tötungsbefehl rückhaltlos befolgt worden ist.

Warschau wurde Schauplatz eines wahllosen Mordens.

Im Bereich der Litzmannstädter Strasse beispielsweise richteten Angehörige der Polizei um den 5.8. herum ein Blutbad unter der Bevölkerung an. Die Leichen einer Vielzahl Ermordeter, darunter Männer, Greise, Frauen, Kinder, lagen auf der Strasse. Eine Mutter wurde vor den Augen ihrer Kinder erschossen. Die beiden Jungen im Alter zwischen 10 und 12 Jahren, die mit den Rufen "Mama, Mama!" auf den Lippen in Todesangst davonzulaufen versuchten, starben im Kugelhagel aus der MP eines Polizisten. Ein älterer Mann ging vorüber, so als wenn nichts wäre, als auch ihn aus der Waffe eines deutschen Polizeiangehörigen ein Schuss in den Rücken traf, der ihn tödlich getroffen auf das Pflaster fallen liess. So beschrieb es glaubhaft der verstorbene Zeuge Jo. in seiner in der Hauptverhandlung verlesenen Vernehmungsniederschrift, der zu folgen die Kammer keine Bedenken hegt, da es sich um eine in sich stimmige, detailreiche, mit anderen Beweismitteln vereinbare Aussage handelt.

So wird Vergleichbares von dem unter Eid vernommenen Zeugen Ri. berichtet, der in Übereinstimmung mit seiner richterlichen Vernehmung aus 1963 für die Kammer glaubhaft bekundet hat, dass seine Polizeireiterschwadron, die Anfang August 1944 zum Freikämpfen der Litzmannstädterstrasse mit eingesetzt gewesen sei, dahin eingewiesen wurde, dass laut Führerbefehl alle angetroffenen Polen zu erschiessen seien, gleichgültig, ob im Kampfgeschehen oder ausserhalb desselben betroffen, gleichgültig, ob Männer, Frauen oder Kinder. Schon im ersten Haus, das von dem Zeugen mit durchsucht wurde, musste er - von Grauen gepackt - mit ansehen, wie einer seiner Kameraden eine junge Frau, die ein kleines Kind auf dem Arm trug, ebenso bedenkenlos tötete wie das von ihr festgehaltene Kleinkind selbst.

Desgleichen glaubt die Kammer den Bekundungen des uneidlich vernommenen Zeugen Wilhelm Me., dem noch bei seinem Erscheinen vor Gericht im November 1979 ein unterdrücktes Weinen die Stimme nahm, als er auf seine Erinnerungen an Vorkommnisse in Warschau im August 1944 angesprochen wurde, zu denen er sich in einer früheren Aussage nach anfänglichem Leugnen bekannt hatte. Die Kammer zweifelt deshalb nicht daran, dass dieser Zeuge, der einer Wehrmachts-Flak-Einheit angehörte, tatsächlich miterlebt hat, wie Angehörige seines Zuges um den 6. bis 8.August herum Häuser in der Nähe der "Stadtbrücke" in Warschau durchkämmen mussten, weil daraus auf einen deutschen Unteroffizier geschossen worden war. Die etwa 10 Personen, auf die man in den Kellern der Häuser stiess, wurden zur Weichsel geschafft, dort unmittelbar entlang des Flussufers aufgestellt und erschossen. Zu den Getöteten, deren Leichen man der Einfachheit halber in die Weichsel warf, gehörten nur zwei bis drei Männer, die übrigen waren Frauen und Kinder. Der an die Einheit ausge-

[121] Paul Otto Geibel wurde 1954 in Warschau zu einer lebenslänglichen Freiheitsstrafe verurteilt; Oktober 1966 beging er Selbstmord in der Haft.

gebene Befehl hatte gelautet, keine Gefangenen zu machen, sondern alles, auch Frauen und Kinder, zu erschiessen.

Andere Exzesse, bezüglich deren die ausführenden Einheiten nicht bekannt sind, wurden der Kammer durch die ausgewogene, in zeitlicher Nähe zum Geschehenen gemachte Aussage des verstorbenen Zeugen Wi., die verlesen worden ist, sowie durch die detailreiche Schilderung des unter Eid vernommenen Zeugen Bas. glaubhaft dargetan.

Im Jesuitenkloster an der Ecke Rakowieckastrasse / Andrej-Boboli-Strasse wurden 26 Personen - ausser den Patres auch Zivilisten - im Keller zusammengetrieben, mit Handgranaten beworfen und mit Flammenwerfern angezündet, das Haus danach in Brand gesteckt, wobei darinnen mehrere Verwundete verbrannten. Den Prior des Klosters hatte man zuvor mitgenommen; er wurde erschossen. Ein ähnliches Schicksal wurde einer grösseren Zahl polnischer Zivilisten zuteil, die man in den Keller eines Hauses in der Olesinska-Strasse trieb. Kurze Zeit darauf wurden Handgranaten in die Menschenmenge geworfen. Der damals 16jährige Zeuge Bas., der sichtlich noch unter dem Eindruck des Geschehenen stehend darüber berichtete, fand sich plötzlich, zwar mit angesengten Haaren und angebrannten Kleidern, aber infolge glücklicher Umstände als noch Lebender mitten zwischen einer Vielzahl von Leichnamen oder Körpern Sterbender wieder. Nur mit letzter Kraft gelang es ihm, vor seinen schussbereiten Verfolgern aus dem mit Toten und Lebenden darinnen in Brand gesetzten Gebäude zu entkommen.

Sofern das Ausmass des Grauens, das diese Taten begleitete, überhaupt noch einer Steigerung fähig war, dann wurde sie erreicht durch die reibungslos funktionierende Tötungsmaschinerie, die im Polizeiviertel, kaum, dass es sich aus der schlimmsten Bedrängnis befreit hatte, in Gang gesetzt wurde. Gestützt auf die Aussagen der Zeugen Willi Kön., Pö. und Fi. sowie ergänzend auf die verlesenen Aussagen des inzwischen verstorbenen Zeugen Rod. hat die Kammer keinen Zweifel, dass eine in die Tausende gehende Anzahl polnischer Zivilisten im Zuge von Massenexekutionen im Polizeiviertel hingerichtet worden ist. In Gruppen zwischen 60 und 100 Personen etwa wurden Männer und Frauen jeden Alters, selbst Jugendliche darunter, von Angehörigen der Polizei aus der Innenstadt herangeführt, erst zum Dienstgebäude des Kommandeurs der Sicherheitspolizei, von dort aus weiter getrieben auf das Gelände der zerstörten ehemaligen polnischen Kadettenanstalt. Auf dem Hofe vor dieser Ruine mussten sich die Herangeführten entkleiden. Die Männer in Unterwäsche, die Frauen allenfalls noch mit einem Slip bekleidet, viele vollständig nackt, standen sie da vor ihren Bewachern. Häftlinge, die schon in der Voraufstandszeit im Polizeiviertel gefangengehalten worden waren, schafften die Kleidungsstücke fort. Währenddessen nutzten manche der Opfer im Angesicht des ihnen zugedachten Schicksals, das sie mindestens erahnten, die Gelegenheit, sich von Leidensgenossen, die ihnen nahestanden, zu verabschieden. Ehegatten, manche Ehefrau darunter hochschwanger, berührten einander ein letztes Mal, bevor die Bewacher sie trennten und zu Kolonnen in Dreierreihen formierten. Vor dem Zugang zu einem grossen fensterlosen Saal in einem teilzerstörten Flügel der Kadettenanstalt warteten die Menschen alsdann auf ihren Tod.

Den ersten drei aus der Kolonne wurde befohlen, in den Saal hineinzugehen. Schon von draussen konnte man erkennen, dass drinnen bereits andere Leichen lagen. Den ersten drei Unglücklichen wurde bedeutet, sich auf die Leichen zu legen. Dann trafen sie die Genickschüsse aus den Maschinenpistolen der sie begleitenden Todesschützen. Während die Schützen an der Hinrichtungsstätte darauf warteten, dass ihnen neue Opfer zugeführt würden, trieben andere Bewacher die nächste Dreiergruppe ihren Henkern entgegen. Auch ihnen blieb es nicht erspart, sich auf die noch warmen, womöglich noch im Todeskampf zuckenden Körper der unmittelbar vor ihnen exekutierten Leidensgenossen legen zu müssen, um dann den geradezu eine gnädige Erlösung von den seelischen Qualen darstellenden Genickschuss zu empfangen. So ging es in rascher Folge unverändert fort, bis keiner von der Gruppe mehr übrig war. Eine Gruppe wurde gefolgt von anderen. Wenn sich nach Meinung der dafür Zuständigen genügend Leichen angesammelt hatten, verbrannte man sie auf einem eigens dafür aus Ziegelsteinen und Eisenbahnschwellen gebauten Rost, auf dem man die nackten Leichen wie Ölsardinen aufstapelte. Eine Rauchwolke über der Kadettenanstalt kündete von dem, was dort vor sich ging, und der eigentümliche, unverwechselbare Geruch verbrannten Menschenfleisches, der die angrenzenden Stadtviertel in diesen Zeiten einhüllte, musste Verdacht wecken auch bei denjenigen, die aus eigener Anschauung von dem Grauenhaften, was dort geschah, nichts wussten.

Kein Erbarmen gegenüber irgendeinem Polen zu zeigen, genau das entsprach den Intensionen Hitlers und Himmlers. Um sicherzustellen, dass die Mordbefehle auf willige Befehlsempfänger trafen, die die Gewähr dafür boten, dass Furcht und Schrecken in der Stadt verbreitet wurden, tat Himmler von Berlin aus ein übriges, indem er in den ersten Augusttagen Einheiten der Waffen-SS zur Entsetzung von aussen heranführte, die wegen der Art ihrer Kampfesführung einen weit über die Grenzen Deutschlands hinausreichenden fragwürdigen Ruhm erlangt hatten.

Dazu gehörte zum einen die russische Brigade Kaminski, ein gänzlich disziplinloser Haufen, der weniger kämpfend als vielmehr saufend, plündernd, schändend und mordend seine Einsatzgebiete durchzog und auf diese Weise eine Terrorisierung der Zivilbevölkerung und Demoralisierung des Gegners erzielte. Zum anderen handelte es sich um den Verband Dirlewanger, ein im Jahre 1941 von Himmler angeblich aus Wilderern zusammengestelltes Regiment, zu dem sich fortan SS-Bewährungsleute sowie aus den Konzentrationslagern und Zuchthäusern herausgeholte Berufsverbrecher gesellten. Die besondere charakterliche und moralische Qualität dieser Truppe einerseits, der Umstand, dass von den Leuten keiner mehr etwas zu verlieren hatte, andererseits, prägte deren Kampfesweise: Selbst den Tod nicht fürchtend, schonten sie nichts und niemanden, den sie vor den Lauf ihrer Waffen bekamen. Diese Einheiten setzten ihre rücksichtslosen Übergriffe auch dann noch fort, als eine gewisse Beruhigung der Situation eingetreten war und der Kriegstagebuchschreiber der 9.Armee in seinen Notizen unter dem Datum des 12.8. festhalten konnte, die SS-Führung habe sich entschlossen, nicht mehr alles umzulegen.

Militärisch hatte sich die Situation für die Deutschen zu dieser Zeit längst entspannt. Der gefürchtete Übertritt der Russen über die Weichsel war bisher ausgeblieben. Den meisten deutschen Dienststellen war es bereits am 2.8. gelungen gewesen, sich aus der engen Umklammerung zu lösen. Die Strassen waren nach kurzer Zeit trotz Barrikadenbaus wieder eingeschränkt passierbar. Lediglich die Herstellung einer gesicherten Ost-/Westverbindung bereitete längerdauernde Schwierigkeiten.

In der Wahl der Mittel, die zur Beseitigung derartiger Schwierigkeiten eingesetzt wurden, pflegte man nicht besonders wählerisch zu sein. Beispielsweise bestückte der SS- und Polizeiführer Geibel einen deutschen Panzer von aussen mit polnischen Frauen in der Hoffnung, dass sich die Aufständischen dadurch davon abhalten lassen würden, das Fahrzeug unter Feuer zu nehmen. Die Rücksichtslosigkeit des Vorgehens, bei der gerade in den ersten Aufstandstagen zwischen bewaffnetem Feind und unbewaffneten Zivilisten nicht besonders sorgfältig unterschieden wurde, liess sich auch an den Verlustzahlen ablesen. Schon am 5.8. bezifferte man von deutscher Seite die Verluste der Aufständischen einschliesslich der Erschossenen auf mehr als 10.000. Auch nachdem der allgemeine Tötungsbefehl aufgehoben worden war, änderte sich nichts daran, dass den Aufständischen und all jenen, die man der Unterstützung verdächtigte, weiterhin mit unnachsichtiger Härte begegnet wurde. Einsatzkommandos der Sicherheitspolizei zogen im Gefolge einzelner Kampfgruppen durch die Stadt und machten alles unschädlich, was sich irgendwie den Verdacht der Aufstandsbeteiligung zugezogen hatte. Flammenwerfertrupps wurden eingesetzt, um das seit Beginn der Aufstandsbekämpfung eingesetzte Mittel des Niederbrennens von Häusern zu intensivieren. Seit dem

4.8. wurden eigene Luftangriffe geflogen. Stukas sollten die Kampfkraft der sich in Häuserblocks verschanzenden Widerstandskämpfer brechen helfen. Taifunzüge entledigten sich gewissenhaft ihrer Aufgabe, ganze Strassenzüge zu unterminieren und samt den aufstehenden Häuser zum Einsturz zu bringen. Grosse Teile des Kanalisationssystems der Stadt, das die Aufständischen zu einem Verbindungswegenetz hergerichtet hatten, wurden auf diese Weise zerstört. Als sich der Widerstand der heroisch kämpfenden Aufständischen versteifte, wurden auf Weisung des Führers Spezialwaffen mit besonderer Zerstörungskraft, darunter der sogenannte "Thor-Mörser", nach Warschau beordert. Schliesslich teilte man die Stadt in Kessel ein, von denen einer nach dem anderen von den Deutschen gegen den erbitterten Widerstand der Polen niedergerungen wurde.

Von den westlichen Alliierten nur unzureichend aus der Luft mit Nachschub an Waffen und Lebensmitteln versorgt, von den Russen allenfalls gegen Ende durch Entlastungsangriffe halbherzig unterstützt, blieben die Aufständischen letztlich auf sich gestellt und waren als solche in einem langdauernden Kampf der deutschen Übermacht an Menschen und Material nicht gewachsen. Nachdem die Widerstandskämpfer ihre Anerkennung als Kombattanten erreicht hatten, kapitulierten sie. Annähernd 12.000 aktive Kämpfer begaben sich in deutsche Gefangenschaft. Die Zivilbevölkerung, soweit sie die Massaker überstanden hatte, wurde evakuiert. In der Zeit vom 2. bis 7.10. verliessen mehr als 150.000 Bewohner die Stadt. Als letztes gab der Reichsführer SS Himmler den Befehl aus, Warschau zu "pazifieren", was soviel bedeutete, wie die Stadt nach ihrer vollständigen Ausplünderung dem Erdboden gleichzumachen. Damit endete der beiden Seiten hohe Opfer abverlangende Warschauer Aufstand, über den selbst Himmler in seiner ausweislich der Sitzungsniederschrift verlesenen Rede vom 21.9.1944 urteilte, der Kampf sei der härteste, den die Deutschen seit Kriegsbeginn durchgeführt hätten, vergleichbar mit dem Häuserkampf in Stalingrad.

Die vorstehend unter II. getroffenen Feststellungen beruhen ausser auf den bereits angeführten Beweismitteln auf den ausweislich der Sitzungsniederschrift verlesenen Urkunden und in Augenschein genommenen Karten, auf den Einlassungen der Angeklagten sowie auf den eidlichen Bekundungen der Zeugen Bu., Büc., Fir., Gem., Gün., Hey., Kn., Mol., Rie., Sko., Zag. und von Zez., ergänzt durch die verlesenen Aussagen der verstorbenen Zeugen Ba., Bel., Geibel, Rod. und Sm. Soweit die Angaben in den verlesenen Vernehmungsniederschriften jedoch keine Entsprechungen in anderen Beweismitteln gefunden haben, hat die Kammer sie unberücksichtigt gelassen, da diese Aussagen sämtlich den Anschein erwecken, von Zurückhaltungs- und Begünstigungs- bzw. Selbstbegünstigungstendenzen durchzogen zu sein.

Die Überzeugung der Kammer, dass die Angaben Geibels und Ba.s in Verbindung mit denen Rod.s über den Erhalt des Himmler'schen Tötungsbefehles am 1.8. abends dessen ungeachtet glaubhaft sind, gründet sich unter anderem auf den Inhalt der Himmler-Rede vom 21.9.1944, in der er seine Reaktion auf die Mitteilung vom Aufstandsausbruch beschreibt. Am Beweiswert dieser Urkunde zu zweifeln, sieht die Kammer keinen Anlass. Diese Selbstdarstellung Himmlers, die glaubhafte Wiedergabe der Hitler'schen Gefühlsregungen anlässlich der Meldung über die Erhebung in Warschau sowie die für die Kammer aufgrund der genannten Beweismittel gesicherte Überzeugung, dass auf der unteren Ebene entsprechend einem generellen Tötungsbefehl gehandelt worden ist, liefern nach Ansicht der Kammer stichhaltige Indizien dafür, dass vom Reichsführer SS oder über ihn ein derartig radikaler Vernichtungsbefehl an die Inhaber der Kommandogewalt in Warschau gelangt ist. Sie hat daher keine Bedenken, insoweit ergänzend die Angaben der verstorbenen Zeugen Geibel, Rod. und Ba. heranzuziehen und ihnen auch in der Datierung des Befehlseinganges auf den 1.8. abends zu folgen. Dem steht nicht entgegen, dass der verstorbene Zeuge Rod. in seiner Vernehmung vom 12.10.1961 die Ankunft des fernschriftlichen Befehls auf den 3. bis 4.Aufstandstag verlegt hat. Insoweit muss er einem zeitlichen Irrtum erlegen sein. Dafür spricht die in dieser Vernehmungsniederschrift an vielen Stellen anklingende Unsicherheit des Zeugen im Hinblick auf Einzelheiten wie auch die in der späteren Vernehmung vom 29.11.1971 spontan ohne besondere Ansprache vorgenommene abweichende Datierung, die sich wiederum mit den Angaben der Zeugen Geibel und Ba. deckt und auch sehr viel eher in Einklang zu bringen ist mit den Erkenntnissen über die heftige, keinen Aufschub duldende Reaktion Hitlers und Himmlers.

III. Die Entwicklung im Vorfeld der Tat

Eingebettet in die vorstehend unter II. beschriebenen Zeitumstände, haben sich die Angeklagten durch ihr Handeln strafbar gemacht.

Beide gehörten seit Juni/Juli 1944 als Obersturmführer dem SS-Panzergrenadier-Ausbildungs- und Ersatzbataillon III an. Regulär bestand die Aufgabe dieser Einheit darin, die Fronttruppen mit personellem Nachschub zu versorgen; daneben wurden Einheitsangehörige aber auch mit Wachaufgaben betraut und gelegentlich zur Unterstützung von Polizeitruppen herangezogen, wie etwa zur Zeit des Aufstandes im Warschauer Ghetto, als sich auf Verlangen des SS- und Polizeiführers zwei Kompanien an dessen Niederschlagung beteiligen mussten.

Die Unterkünfte des Bataillons lagen verteilt über den Stadtteil Mokotow, der sich im Süden Warschaus westlich der Weichsel, südlich des Stadtzentrums und südwestlich des damaligen Polizeiviertels befand. Als Hauptquartier sozusagen, in dem der Stab und mehrere der Ausbildungskompanien untergebracht waren, diente ein zwischen der Rakowieckastrasse im Süden und dem Mokotower Feld im Norden gelegenes ehemaliges polnisches Ministeriumsgebäude, das nun die Bezeichnung Staufer-Kaserne führte. Es war ein in der Form eines H gebautes, mehrstöckiges, mit einer auffälligen Vielzahl gleichförmiger Fenster versehenes Gebäude, dessen Quertrakt auf Stelzen stand. Das Haupttor, an dem in einem gläsernen Wachlokal die Hauptwache ihren Standort hatte, mündete auf die Rakowieckastrasse, eine in ostwestlicher Richtung verlaufende Verbindungsstrasse zwischen den beiden grossen Ausfallstrassen nach Süden, der Aleja Niepodleglosci im Westen und der Aleja Pulawska im Osten.

Daneben hatte das Bataillon ein ehemaliges Schulgebäude, jetzt Narbutta Kaserne genannt, in Beschlag, gelegen an einer südlich verlaufenden Parallelstrasse zur Rakowieckastrasse, der Narbuttastrasse, und der diese rechtwinklig kreuzenden Kazimierzowska. Weitere kleinere Unterkünfte befanden sich im Bereich Narbuttastrasse/Rozana, einer noch etwas weiter südlich gelegenen Parallelstrasse. Daneben unterhielt das Bataillon bis Ende Juli zwei Ausbildungslager ausserhalb Mokotows. Das eine in Praga, dem östlich der Weichsel gelegenen Stadtteil Warschaus, musste dann geräumt werden, weil es durch einen sowjetischen Artillerieangriff am 27.7.1944 zerstört worden war. Das andere Ausbildungslager befand sich in Milosna, einem etwa 25 km ostwärts Warschaus gelegenen kleinen Ort. Es beherbergte Ende Juli 2 Ausbildungskompanien, nämlich die - in diesem Zeitpunkt allerdings überwiegend mit Unterführerbewerbern besetzte - VI.Kompanie, deren Führung mit Wirkung vom 25.Juli dem Angeklagten Mis. übertragen worden war, sowie die gerade mit frisch eingetroffenen Rekruten aufgefüllte III.Kompanie, die seit Ende Juni unter dem Kommando des knapp 20jährigen Untersturmführers Alb. stand, eines alerten, selbstbewussten, verwegen draufgängerischen Offiziers.

Diese beiden Einheiten wurden auf Befehl einer Wehrmachtsstelle trotz ihrer unzureichenden Fronttauglichkeit um den 27./28.Juli als Lückenfüller in die zusammenbrechende Frontlinie nahe des Dorfes Wiazowna geworfen, wo sie, eingegliedert in einen Verband verschiedener Truppenteile, unter dem Oberbefehl eines Wehrmachtsoffiziers die sowjetischen Truppen bis zum Eintreffen regulärer Wehrmachtsverbände aufhalten sollten. Zu demselben Zweck waren aus den in Mokotow stationierten Einheitsangehörigen diejenigen herausgesucht worden, die - wie der Zeuge Krö. es beschrieb - laufen und ein Gewehr tragen konnten, um in aller Eile zu einer Kampfgruppe unter Führung des damaligen Obersturmführers Krö. formiert und in eben diesen Frontabschnitt abkommandiert zu werden. Noch vor dem Eintreffen der Entsatztruppen wurden sie vom 30. auf den 31.Juli in schwere verlustreiche Kämpfe verwickelt. Um ein Drittel und mehr dezimiert, zogen sie sich am 31.7./1.8. zurück, nachdem sie durch Teile der Panzerdivision Hermann Göring abschnittsweise aus der Front herausgelöst worden waren. Teils mit, teils ohne Zwischenaufenthalt in Milosna begaben sie sich nach Warschau, einige im Fussmarsch, andere jedenfalls streckenweise auf LKWs oder mit Bussen. Spätestens beim Überqueren der Weichsel hörten auch die, die es bis dahin noch nicht erfahren hatten, dass in Warschau der Aufstand ausgebrochen war. Von dem Feuerzauber der Aufständischen mehr oder weniger mitbekommend, setzten sie ihren Weg zur Staufer-Kaserne fort, wo sie - zeitlich gestaffelt - von etwa 22.00 Uhr am 1.8. bis gegen 2.00 Uhr in der Nacht zum 2.8. eintrafen.

Was die meisten von ihnen erst jetzt mit grossem Erstaunen erfuhren, war, dass zwischenzeitlich das Gros des Bataillons Warschau eiligst verlassen hatte. Auf Betreiben des Bataillonskommandeurs Obersturmbannführer Bel., dem man nachsagte, dass er die schönen Dinge des Lebens sehr viel höher schätzte als die soldatische Bewährung in kriegerischen Auseinandersetzungen, hatte das SS-Führungshauptamt im Hinblick auf die herannahende Front die Zurücknahme der für die Frontbewährung noch nicht gerüsteten Ausbildungskompanien befohlen. Mit dem Marschbefehl in Richtung Frankfurt/Oder versehen, setzten sich die in Warschau stationierten Teile des Bataillons unter Führung Bel.s in den letzten Julitagen nach Kutno, etwa 50 km westlich von Warschau, ab. Sie liessen in den einzelnen Unterkünften kleine Nachkommandos zurück, die dem Befehl des Angeklagten P. unterstellt waren. Sein Auftrag ging dahin, alle in Warschau noch zurückgelassenen Bestände des Bataillons aufzulösen und binnen kurzem die Angehörigen der Nachkommandos sowie alle zwischenzeitlich eintreffenden Einheitsangehörigen, insbesondere die vom Fronteinsatz bei Wiazowna zurückerwarteten Kompanien, zum Bataillon zu führen. Aber noch bevor er die Erfüllung dieses Auftrages ernsthaft in Angriff nehmen konnte, entfesselten die Polen ihren Aufstand und konfrontierten die in Warschau Zurückgebliebenen mit einer völlig veränderten Situation.

Der erste Ansturm der Aufständischen verschonte die Unterkünfte des Ersatzbataillons ebensowenig wie andere von Deutschen gehaltene Stützpunkte. Das in der Staufer-Kaserne zurückgebliebene Restkommando hatte eine Stärke von maximal 100 Mann, darunter zwei Offiziere, nämlich P. und ein ihm beigegebener Verwaltungsoffizier, der damals 22 Jahre alte Untersturmführer Etz. Diese Mannschaft wurde verstärkt durch einige Angehörige einer zur Totenkopf-Division gehörigen Panzereinheit, die unter Führung ihres unbekannt gebliebenen Offiziers auf ihrem Weg zur Front in der Kaserne über Nacht Station gemacht hatten. Zum Glück für die Kasernenbesatzung waren sie mit ihren etwa 10 Panzern und gepanzerten Fahrzeugen, die hinter der Kaserne in der Nähe der Garagen abgestellt waren, zufällig noch anwesend, als die Feindseligkeiten, mit denen hier niemand gerechnet hatte, ausbrachen. Von überall her schoss es plötzlich. Die Wachposten am Tor wurden als erste tödlich getroffen. In der Kaserne brach ein heilloses Durcheinander aus. Alles lief aufgeregt durcheinander. Einige suchten Zuflucht in irgendeiner für sicher gehaltenen Deckung. Andere griffen sich eine Waffe und bezogen irgendwo Stellung, um von dort aus das Feuer zu erwidern. Bestürzung und Angst waren die Gefühle, die sich der meisten zunächst bemächtigten. Sie waren mit ihren Gedanken schon in Deutschland gewesen, wohin sie ja alsbald hatten verlegen sollen, und dann kam dieser Angriff, dessen Heftigkeit keinen Zweifel an der Kampfkraft und Entschlossenheit des Gegners aufkommen liess. Zudem waren sich zumindest diejenigen, die schon auf einen längeren Aufenthalt in Warschau zurückblicken konnten, über die Empfindungen, die die Polen den Deutschen gegenüber hegten, im klaren. Der Zeuge Gem. beispielsweise hat eindrucksvoll seine damals durchlebten Ängste beschrieben. Er sei in den ersten Tagen wie gelähmt gewesen, sagte er; wäre es den Polen gelungen, sie zu überrennen, so hätten sie sie, dessen sei er sicher gewesen, zerstückelt, nicht erschossen, sondern totgeschlagen, weil der Hass auf die Deutschen im allgemeinen so gross gewesen sei. Ähnlich empfanden viele seiner Kameraden in den ersten Aufstandstagen, darunter auch die Angeklagten, die sich glaubhaft dahin eingelassen haben, der Ausbruch des Aufstandes habe ihnen einen Schock versetzt und ihnen sei angst und bange geworden in Erkenntnis der Stärke des Gegners.

Obwohl also den meisten Angehörigen der Kasernenbesatzung der Schrecken in den Gliedern sass und die Verteidigung in Anbetracht des den Polen jedenfalls hier gelungenen Überrumpelungseffektes völlig unorganisiert und planlos vor sich ging, gelang es dennoch, den Angriff der Aufständischen in einer 1½ bis 2 stündigen Abwehrschlacht zurückzuwerfen, wobei sich die Panzertruppe das entscheidende Verdienst daran zuschreiben konnte. Als man sich etwas Gelegenheit zum Luftschnappen verschafft hatte, ging P. daran, eine planmässige Gegenwehr zu organisieren. Um seine Untergebenen zunächst einmal richtig auf diese Aufgabe einzustimmen, fuhr er sie herrisch an und drohte damit - wie der Zeuge Met. glaubhaft bekundet hat -, dass er jeden eigenhändig umlegen werde, der sich bei nächster Gelegenheit so schnell verkrieche und nicht seinen Mann stehe.

Dann wurden Stosstrupps zusammengestellt, die, um ein Vorfeld für die Kaserne zu schaffen, die umliegenden Häuser durchkämmen und "feindfrei machen" sollten. Betroffene Aufständische waren an Ort und Stelle zu erschiessen. Als P. bei der Besichtigung des zuerst geräumten Eckhauses an der Rakowieckastrasse / Ecke Kazimierzowska eines ganzen Bündels rot-weisser Armbinden ansichtig wurde, kam ihm der Gedanke, dass sich die Aufständischen nach Ablegung ihres Kennzeichens unerkannt würden unter die Zivilbevölkerung mischen können. Um zu verhindern, dass sie dort unentdeckt verweilen könnten, zugleich, um den Aufständischen ein mögliches Nachschubpotential von vornherein zu entziehen, gab er Befehl, alle in den geräumten Häusern angetroffenen Männer zur Kaserne zu schaffen, wo sie zunächst interniert werden sollten. So gelangten am Abend des 1.8. kleinere Gruppen polnischer Zivilisten in die Kaserne, wo man sie vorübergehend in einem Kellerraum unterbrachte. Die Frauen und Kinder, die auch darunter anzutreffen waren, hatten irgendwelche Einheitsangehörige infolge Übereifers oder infolge Missverständnisses der Befehlsgebung ebenfalls zur Kaserne getrieben. Insoweit folgt die Kammer der unwiderlegt gebliebenen Einlassung des Angeklagten P., dass sich sein Internierungsbefehl ausschliesslich auf die angetroffenen Männer erstreckt habe. Bei Einbruch der Dunkelheit brach man an diesem Abend die Räumung der Häuser ab, um sie am nächsten Morgen bei Tageslicht wieder aufzunehmen.

Andere Angehörige des Restkommandos mussten hinaus, um kleineren mit Deutschen besetzten Stützpunkten in Mokotow zu Hilfe zu kommen, die zwischenzeitlich der Staufer-Kaserne telefonisch ihre Not gemeldet hatten. Zu diesen hart bedrängten deutschen Stützpunkten gehörte vor allem die Narbutta Kaserne, die noch erhebliche Lebensmittel-, Waffen- und Munitionsvorräte des Bataillons barg. Ihre Besatzung hatte verzweifelt versucht, sich der zahlenmässig starken Übermacht der Angreifer zu erwehren. Als es dem Zeugen Bu. mit seinen Leuten schliesslich trotz heftigsten Beschusses gelungen war, bis in die Narbutta Kaserne vorzudringen, befanden sich Aufständische bereits innerhalb des Gebäudes und mussten dort erst wieder hinausgeworfen werden. Von den dort vorgefundenen Einheitsangehörigen war nur noch die Hälfte etwa kampffähig, die übrigen waren entweder im Feuer der Aufständischen gefallen oder schwer verwundet worden. Ein erster Versuch, die Verwundeten am Abend des 1.8. zu bergen, blieb im Kugelhagel der Partisanen auf dem Weg zur Narbutta Kaserne liegen. Erst ein zweiter Anlauf in der Nacht zum 2.8. brachte den von dem Zeugen Alb. geführten Leuten den gewünschten Erfolg. Die Bereinigung der Situation im Bereich dieser Kaserne trat erst im Laufe des 2.8. ein, nachdem weitere Verstärkung hatte zugeführt werden können, die unter Führung des Zeugen Bu. die Kaserne in den darauffolgenden Tagen zu einem gesicherten Stützpunkt ausbaute.

Weniger erfolgreich war die Einheit in der Entsetzung der bisherigen Unterkunft der Genesendenkompanie in der Rozana. Ein am 2.8. dorthin unternommener Vorstoss brach unter dem heftigen Beschuss der Aufständischen zusammen. Dieses Gebäude behielten die Aufständischen in ihrer Hand. Von den Angehörigen der dort noch verbliebenen Nachhut hörte man nichts mehr, sie sollen - so das in der Einheit umlaufende Gerücht - sämtlich von den Aufständischen niedergemacht worden sein.

Ein weiteres dringendes Hilfeersuchen war während der ersten Stunden des Aufstands aus der Deutschen Strafanstalt Mokotow eingetroffen. Sie lag der Staufer-Kaserne schräg gegenüber auf der südlichen Seite der Rakowieckastrasse. Beide Gebäude waren so gegeneinander versetzt, dass der östliche Gebäudeflügel des Gefängnisbaus etwa auf gleicher Höhe abschloss wie die westliche Begrenzung des Kasernengebäudes. Der Haupteingang zum Gefängnisgelände, das von einer etwa 4 m hohen, von Stacheldraht und Glasscherben gekrönten Mauer umsäumt wurde, lag ca. 50 m weiter westlich an der Rakowieckastrasse als der Hauptzugang zum Kasernengelände. Inmitten des Gefängnisgeländes standen das Hauptgebäude und der sogenannte Zellenbau. Aus der Luft betrachtet, bildeten diese beiden Gebäude miteinander ein Kreuz, allerdings unterhalb des Kreuzbalkens durchbrochen. Das nördlicher, also näher an der Rakowieckastrasse gelegene Gebäude war der Hauptbau. Er wurde gebildet aus einem senkrecht zur Rakowieckastrasse stehenden Vorbau, der die Dienstzimmer der Vewaltungsangehörigen und das Wachlokal beherbergte, sowie dem in Ost-/Westrichtung gebauten Zellentrakt, den man in dem oben herangezogenen Vergleich als den "Kreuzbalken" bezeichnen müsste. Sowohl am östlichen wie am westlichen Ende dieses Quertraktes fand sich jeweils ein 2,5 m herausragender Mauervorsprung von 8,2 m Länge. Im Kellerbereich besass das Gebäude Fensteröffnungen, deren Unterkante 20 cm über Bodenniveau lag. Diese Kellerräume nicht mitgezählt, lagen darüber 3 Stockwerke. In allen Stockwerken gab es nach Norden wie nach Süden Fenster, von denen jeweils 2 in einem Seitenabstand von etwa 80 cm zueinander angeordnet waren, während sie zu der nächsten Zweiergruppe einen Seitenabstand von etwa 3,5 m einhielten. Sämtliche Fenster waren durch Aussengitter gesichert, mindestens auf der Südseite einige darüber hinaus mit Sichtblenden versehen. Die nach Norden zeigenden Fenster gehörten zu den Zellengängen, die jeweils einseitig in den Querflügeln entlang liefen und den Zugang zu den auf der Südseite des Quertraktes gelegenen, nur durch Gittertüren vom Flur abgetrennten Zellen eröffneten. Jeweils an den Kopfseiten des Quertraktes gab es dann noch eine Zelle, deren Fenster in östliche bzw. westliche Richtung gingen. In diesem Hauptgebäude waren die Abteilungen I bis IX untergebracht, und zwar Abteilungen I bis III im Souterrain, Abteilungen IV und V in Parterre, VI und VII im 1.Stock und VIII und IX im 2.Stock, dabei jeweils die Abteilung mit gerader Nummer auf der westlichen, die Abteilung mit ungerader Nummer auf der östlichen Seite des Quertraktes. Zwei weitere Abteilungen, nämlich X und XI, befanden sich in den beiden Stockwerken des Zellenbaus, der - in Nord-/Südrichtung verlaufend - südlich des Hauptgebäudes anschloss und mit diesem nur durch einen brückenartigen Übergang im Obergeschoss verbunden war. Anders als im Hauptgebäude, wo es grosse, mit 30 und mehr Personen belegte Zellen gab, waren hier nur Einzelzellen zu finden, die mit den 3 Mann, die dort überwiegend zusammen eingeschlossen waren, regulär schon überbelegt waren. Im Gegensatz zum Hauptgebäude waren die Zellen hier durch massive Türen verschlossen, durch die nur von aussen nach innen mittels eines Gucklochs Einblick genommen werden konnte. Der Gang verlief inmitten der auf der West- wie Ostseite gelegenen Zellen. Die Zellenfenster zeigten dementsprechend auch in beide Richtungen.

Zu dem Gefängniskomplex gehörten des weiteren einige Wirtschaftsgebäude, die über das Gelände verteilt waren. So gab es westlich vom Haupteingang an der nördlichen Umfassungsmauer die Küche, daneben eine Druckerei, südlich davon entlang der westlichen Begrenzung Magazine und Kammern. Nicht weit davon entfernt existierte eine Nebenpforte, die einen Zugang zum Gefängnisgelände ausserhalb des Haupteinganges ermöglichte. Des weiteren befanden sich an der Südseite des umschlossenen Gefängnisgeländes von Westen nach Osten fortschreitend ein Gebäude mit Wäscherei, Kesselhaus, Maschinenraum, daneben eine Schlosserei und in der Süd-/Ostecke das Lazarett. Zu Sicherungszwecken besass das Gefängnis mehrere Wachtürme, so jeweils einen im Nord/Osten, im Süd/Osten und im Süd/Westen des Geländes. Im Osten grenzten die an der Kazimierzowska gelegenen Häuser unmittelbar an die Gefängnismauer an. Im Süden lagen die Häuser der Narbuttastrasse ebenfalls nicht weit entfernt. Westlich der Gefängnismauer befand sich von der Südspitze an bis über die Mitte des Gefängnisgeländes in Richtung Norden gesehen hinaus das Grundstück der ehemaligen Papierfabrik, die weitgehend zerstört war. Nördlich daran angrenzend gab es einen noch zum Gefängnis gehörigen Lagerschuppen sowie zwei hintereinander stehende Häuser, in denen die Gefängnisbediensteten mit ihren Familien wohnten, und die deswegen als "Familienhäuser" bezeichnet wurden. Das grössere von beiden hatte eine Strassenfront entlang der Rakowieckastrasse. In einem wohnten nur polnische Gefängnisaufseher, in dem anderen überwiegend Reichs- und Volksdeutsche, aber auch einige polnische Bedienstete. Nur die Gesamtleitung des Gefängnisses nämlich, insbesondere die Wahrnehmung der Sicherungsaufgaben, lag in deutscher Hand, während für die allgemeinen Verwaltungsangelegenheiten polnische Kräfte eingesetzt waren.

Auch die Belegung der Anstalt setzte sich bis Ende Juli aus Polen wie auch aus Reichs- und Volksdeutschen zusammen. Das änderte sich erst, als die Panik, die angesichts der rasch näherrückenden Front die deutsche Zivilverwaltung erfasst hatte, auch vor den Justizdienststellen nicht Halt machte und überstürzt Vorbereitung zur Räumung und Aufgabe der Anstalt getroffen wurden. Aus diesem Grunde wurde die Belegstärke von annähernd 1500 Mann in der Zeit vom 23. bis zum 27.7.1944 auf annähernd die Hälfte zurückgeführt, wobei nur wenig über 30 Häftlinge in andere Anstalten verlegt wurden, während sich mehr als 600 Inhaftierte, darunter fast sämtliche reichs- und volksdeutschen Insassen, über ihre Entlassung freuen konnten. Offensichtlich hatte der Erlass des Befehlshabers der Sicherheitspolizei und des SD im Generalgouvernement vom 20.7.1944 hier noch keine Auswirkungen gezeitigt. Darin nämlich war äusserste Zurückhaltung bei Entlassungen Gefangengenommener vorgeschrieben worden, und es wurde weiter angeordnet, dass bei überraschender Entwicklung der Frontlage, wenn ein Abtransport der Häftlinge zwecks Totalräumung einer Anstalt nicht mehr möglich sei, die Häftlinge liquidiert werden sollten, um auf jeden Fall zu verhindern, dass sie vom militärischen Gegner befreit würden und diesem lebend in die Hände fielen.

So kam es, dass am 1.8.1944 noch 794 Häftlinge fast ausschliesslich polnischer Nationalität, darunter 41 Minderjährige, in der deutschen Strafanstalt Warschau einsassen. Rund 2/3 der Zurückgebliebenen waren U-Häftlinge, die überwiegend unter dem Verdacht der Sabotage oder des Verstosses gegen eine der zahllosen Bestimmungen des Besatzungsrechtes von der deutschen Kripo inhaftiert worden waren, einige verbüssten Strafhaft wegen entsprechender abgeurteilter Rechtsverstösse und bei einem geringen Teil der Gefängnisinsassen handelte es sich um Kriminelle im hergebrachten Sinne. Viele dieser Männer waren gerade ob ihrer mehr oder weniger willkürlichen Inhaftierung den Deutschen gegenüber alles andere als wohlgesonnen. So durften die Aufständischen mit gutem Grund darauf hoffen, aus den Gefängnis-Insassen, wenn ihnen deren Befreiung gelänge, eine schlagkräftige Verstärkungstruppe rekrutieren zu können, zumal ein Grossteil der Einsitzenden junge, kampfstarke Männer waren. Auch der Gedanke daran, dass die Häftlinge von seiten der Deutschen, die man als nicht gerade zimperlich in der Wahl ihrer Mittel kennengelernt hatte, ein höchst ungewisses Schicksal erwartete, mag sie mit bewogen haben, für deren Befreiung zu kämpfen. Nicht zuletzt aber war es die Baulichkeit als solche, die ihren Reiz auf die Partisanen ausübte. Bot sie doch eine begehrenswerte Bastion, von der aus das Umfeld, in erster Linie die schräg gegenüberliegende Staufer-Kaserne, unter fast idealen Bedingungen unter Feuer genommen werden konnte.

So griffen die Aufständischen am Nachmittag des 1.8. beherzt und entschlossen auch das wie eine Festung dastehende Gebäude an der Rakowieckastrasse Nr.37 an, das allerdings nur mit einer sehr spärlich besetzten Verteidigungsmannschaft ausgestattet war. Um den stellvertretenden Anstaltsleiter, den Justizinspektor Kirchner, scharte sich eine Gruppe von 6 bis 7 reichs- und volksdeutschen Beamten, die unter Einsatz der wenigen ihnen zur Verfügung stehenden Waffen die Anstalt gegen die wuchtigen, unerwartet über sie hereinbrechenden Angriffe zu halten versuchten. Das polnische Anstaltspersonal hatte man vorsichtshalber entwaffnet; in das Geschehen griff es nicht ein. Die Gefangenen hörten in ihren Zellen das anhaltende Geräusch der Schüsse und Explosionen, einige von ihnen sahen Zivilpersonen über Dächer laufen und in Häuser eindringen, und fast allen unter ihnen war klar, was das bedeutete. Trotz der inneren Erregung, die manche von ihnen beim Gedanken an die Erhebung gegen die deutschen Besatzer erfasste, verhielten sich alle in ihren Zellen ruhig und abwartend.

Der Anstaltsleiter Regierungsdirektor Langebartels hielt sich währenddessen in dem von den Aufständischen eingeschlossenen Dienstsitz des Gouverneurs, dem Palais Brühl, auf. An ein Durchkommen nach Mokotow war nicht zu denken. Deshalb liess er sich fernmündlich über die jeweilige Situation in der Strafanstalt unterrichten. Seine Bemühungen, Polizeikräfte zur Verstärkung in das Gefängnis entsandt zu bekommen, musste er im Laufe des Abends als endgültig gescheitert aufgeben. Er informierte daraufhin den Gouverneur zum wiederholten Male über die ernsthafte Bedrohung der Anstalt und wies Kirchner fernmündlich an, das Gefängnis solange wie möglich zu verteidigen, sich aber, wenn es nicht mehr anders gehe, unter Aufgabe der Anstalt mit den deutschen Beamten in die Staufer-Kaserne zurückzuziehen. Gegen Mitternacht brach der Telefonkontakt zwischen dem Palais Brühl und dem Gefängnis in Mokotow aus ungeklärter Ursache ab. Um diese Zeit hatte sich die Situation aber auch im Bereich der Strafanstalt etwas entspannt.

Als die Schiessereien losgegangen waren, hatte sich das Anstaltspersonal nicht nur des Angriffes der Aufständischen zu erwehren gehabt, sondern hatte darüber hinaus auch noch Deckung suchen müssen vor dem Beschuss aus der Staufer-Kaserne, wo man in der allgemeinen Verwirrung irrtümlich angenommen hatte, tatsächlich aus Häusern jenseits der Anstalt abgegebene Schüsse seien aus dem Gefängnis abgefeuert worden. Da eine telefonische Verbindung zur Kaserne nicht zustande zu bringen war, hatte einer der Beamten den Weg hinüber gewagt und um Entsendung einer Hilfstruppe nachgesucht. Zwei MG-Trupps aus der Staufer-Kaserne griffen daraufhin in die Verteidigung der Anstalt ein, als bereits 4 Aufständische innerhalb des umschlossenen Geländes gesichtet worden waren, die die Mauer von Süden her nahe des Lazaretts überwunden hatten. Mit Hilfe der SS-Soldaten gelang es - wenn auch unter Verlusten -, die vornehmlich von Süden, später auch von Westen her aus Gräben und Kellern, von Dächern und Balkonen aus feuernden Angreifer in Schach zu halten. Gegen eine grössere Gruppe Aufständischer, die sich vorübergehend in einem der Familienhäuser eingenistet hatte, wurde schliesslich von der Staufer-Kaserne her mit Panzern erfolgreich vorgegangen. Bei Einbruch der Dunkelheit schien das Schlimmste jedenfalls vorerst überstanden zu sein. Die MG-Gruppen rückten wieder in die Staufer-Kaserne ein. Stattdessen wurde eine Wache in nicht genau feststellbarer Stärke in das Gefängnis abkommandiert, um für befürchtete neue Angriffe gewappnet zu sein. Dies geschah auf Befehl des Angeklagten P., der sich nach Abflauen der Kampfhandlungen am Abend des 1.8. vor Ort einen groben Überblick über die strategisch wichtigsten Stützpunkte des seinem Kompetenzbereich unterfallenden Gebietes verschaffte. Im Zuge dessen suchte er auch das Gefängnis auf und inspizierte die von seinen Einheitsangehörigen besetzten Posten. Inwieweit er dabei Einzelheiten der räumlichen Aufteilung des Gebäudeinneren und des Aussehens des Gefängnisgeländes insgesamt in sich aufnahm und gedanklich speicherte, vermochte die Kammer im einzelnen nicht zu klären.

Nach abgeschlossener Inspektion kehrte P. in die Kaserne zurück und gab dort weitere Einsatzbefehle aus. Davon wurden jedenfalls zu einem Teil nicht einmal diejenigen verschont, die, aus ihrem schweren Fronteinsatz kommend, gerade übermüdet, entnervt und ausgelaugt in der Staufer-Kaserne eingetroffen waren. Im Laufe dieser Nacht erhöhte sich die Gesamtstärke des P. unterstehenden Restbataillons, das fortan unter der Bezeichnung "Kampfgruppe

Staufer" oder "Kampfgruppe P." geführt wurde, auf ca. 250 bis 300 Mann, darunter 3 weitere Offiziere, nämlich die beiden mit P. ranggleichen, aber lebensälteren Obersturmführer Krö. und Mis. sowie der Untersturmführer Alb.

Die Gesamtsituation war seit Einbruch der Dunkelheit ruhiger geworden. Sicher waren noch gelegentliche Schusswechsel und Detonationen zu hören, vornehmlich aus dem Bereich der Innenstadt, aber das war mehr eine Geräuschkulisse, die in keinem Verhältnis stand zu den konzentrierten Angriffen am Nachmittag und frühen Abend.

Noch während der Nacht erstattete P. seinem Dienstvorgesetzten einen ersten Lagebericht über die Vorkommnisse in seinem Befehlsbereich. Allerdings liessen sich trotz der umfangreichen Beweisaufnahme keine gesicherten Erkenntnisse darüber gewinnen, ob P. in unmittelbarer Telefonverbindung zu Stahel als seinem militärischen Vorgesetzten beziehungsweise zu dessen Adjutant oder einer anderen von ihm beauftragten Person gestanden hat oder ob - aus welchen Gründen auch immer - auf dem Meldeweg von P. zu Stahel der SS- und Polizeiführer Geibel zwischengeschaltet war und er - wie P. sich einlässt - den Gesprächspartner dieses nächtlichen Telefonates abgab. Jedenfalls steht zur Überzeugung der Kammer fest, dass P. einer der genannten Personen über die Entwicklung seit Ausbruch des Aufstandes berichtete und sich gleichzeitig vergewisserte, dass die von ihm zunächst eigenverantwortlich getroffenen Massnahmen die Absegnung seiner vorgesetzten Dienststelle erfuhren. Dies geschah. Darüber hinaus wurde P. bei diesem Telefonat der Befehl zuteil, am nächsten Morgen eine Verbindung zu dem nordöstlich gelegenen Polizeiviertel herzustellen. Des weiteren kam man im Verlaufe des Gespräches auf die Situation beim Gefängnis zu sprechen. P. gab einen kurzen Bericht über den Verlauf der dortigen Kämpfe und der getroffenen Sicherungsvorkehrungen. Ob auch er es war, der die Befürchtung eines neuerlichen Vorstosses gegen das Gefängnis aussprach, oder ob er von seinem Gesprächspartner erfuhr, es lägen Erkenntnisse darüber vor, dass ein noch unvergleichlich massiverer Angriff zwecks Erstürmung des Gefängnisses und Befreiung der Insassen bevorstehe, muss offen bleiben. Tatsächlich ging im Laufe der Nacht mindestens ein Telefonanruf im Gefängnis ein, der sinngemäss die Ankündigung einer Befreiungsaktion für die unmittelbare Zukunft beinhaltete. Anhaltspunkte dafür, dass der Inhalt dieses Telefonates an P. oder gar an seinen Gesprächspartner weitergegeben worden ist, hat die Hauptverhandlung jedoch nicht erbracht.

Jedenfalls - soviel steht zur Überzeugung der Kammer fest - hat sich das Telefongespräch zwischen P. und seinem Vorgesetzten über die Gefahr einer Erstürmung des Gefängnisses und einer Befreiung der Insassen, lauter potentieller Gewehrträger der AK, verhalten. Vornehmlich um dieser Gefahr zu begegnen, so liess man den Angeklagten P. wissen, habe der Wehrmachtskommandant Stahel befohlen, sämtliche Insassen des Gefängnisses Mokotow zu liquidieren. Die Tötung stellte sich - so hiess es - wegen des Ausmasses der Bedrohung, die von solcher massiert auftretenden Menge dem Feind zuzurechnender, wehrfähiger und vermutlich überwiegend zum Kampf auch entschlossener Männer ausgehe, als eine militärische Notwendigkeit dar. Im übrigen, so wurde P. informiert, um denkbaren Vorbehalten gegenüber diesem Befehl von vornherein entgegenzutreten, sei ohnehin von höchster Stelle befohlen, alles niederzumachen, was polnischen Nationalität sei.

Damit war der Befehl, der die den Gegenstand dieses Verfahrens bildende Tat auslöste, in der Welt. Der Angeklagte P. nahm ihn widerspruchslos zur Ausführung an.

IV. Die den Gegenstand der Anklage bildende Tat

Als der Morgen des 02.08. heraufzog, nahm P. die Vorbereitung der Erschiessungsaktion in Angriff. Er zögerte nicht, das Seine zur Ausführung des offensichtlich verbrecherischen Befehls beizutragen, obwohl er sich darüber im klaren war, dass er wehrlose, an den Kampfhandlungen unbeteiligte Zivilgefangene der Justiz töten sollte, die eine aktuelle Gefahr schon deswegen nicht darstellen konnten, weil sie unter dem sicheren Verschluss der Anstalt gehalten wurden. Aber nicht nur, dass er darauf gedrillt war zu gehorchen, sondern auch sein ehrgeiziges Bestreben, durch willfährige Befehlsausführung und entschiedenes Auftreten gegenüber dem Feind das Lob seiner Vorgesetzten zu ernten, und die ihm wesenseigene Unempfänglichkeit für fremdes Leid, gepaart mit einer übertriebenen Besorgnis um das eigene Wohlergehen, machten ihn zu einem prompt reagierenden Ausführungsorgan des Willens seiner Befehlsgeber.

Schon früh morgens liess er telefonisch die Belegstärke der Anstalt erfragen, um entsprechende Dispositionen für den Ablauf der Erschiessungsaktion zu ermöglichen. Dann wurde seine Aufmerksamkeit vorübergehend durch ihm noch dringender erscheinende Angelegenheiten beansprucht. Tatsächlich hätte die Situation als solche von jedem anderen in der Position des Angeklagten es erfordert, vielerlei Regelungen zu treffen. An P. speziell stellte dieser Tag aber besonders hohe Anforderungen. Sozusagen über Nacht war aus dem Restkommandoführer ein Restbataillonsführer geworden. Für die sachgemässe Ausfüllung dieser Position selbst unter gewöhnlichen Bedingungen fehlte es ihm an Erfahrung und Vorbildung, aber auch an intellektueller Ausstattung und wesensmässiger Eignung, insbesondere an der Fähigkeit zur Umsicht, zur planerischen Vorausschau und zum systematischen Handeln. Nun aber kamen noch erschwerend die widrigen äusseren Umstände hinzu. Das war zum einen die mit dem Aufstandsausbruch eingetretene missliche Lage, die selbst in den deutschen Befehlszentralen Unordnung und Verwirrung gestiftet hatte. Dazu zählte zum anderen der Zustand der P. unterstehenden Truppe. Dieser wild zusammengewürfelte Haufen, in dem angefangen beim blutjungen, noch unausgebildeten Rekruten bis hin zum langjährig fronterfahrenen, hartgesottenen Kriegsveteranen alles vertreten war, liess sich nur schwerlich straff führen. Bei den Offizieren des Restbataillons - mit Ausnahme von Etz. -, die ihm bei dieser Aufgabe hilfreich hätten zur Seite stehen können, machte sich P. durch die in seinem Auftreten liegende Arroganz und Herrschsucht binnen kurzem so unbeliebt, dass von daher an Unterstützung nicht viel zu erwarten war, von P. aber wohl auch gar nicht gesucht wurde. So ging er im wesentlichen auf sich allein gestellt daran, die vielfältig auf ihn einstürzenden Aufgaben zu meistern. Er befahl, die am Vortag begonnene Räumung der Häuser und Internierung ihrer männlichen Bewohner mit vermehrten Kräften fortzusetzen, er liess Stosstrupps zusammenstellen, die den Auftrag bekamen, verschiedenen noch immer hart bedrängten deutschen Stützpunkten zu Hilfe zu kommen, und er setzte Mis. mit einigen Leuten auf das Polizeiviertel an, zu dem sie mit Unterstützung von Teilen der Panzertruppe eine Verbindung freikämpfen sollten.

Erst im weiteren Verlauf des Vormittags fand P. Zeit, den Justizinspektor Kirchner zu sich zu bitten, den er davon in Kenntnis setzte, welcher Befehl Stahels ihm zuteil geworden sei. Kirchner meldete Bedenken an, nicht wegen der Tötung als solcher, sondern wegen des noch bestehenden Unterstellungsverhältnisses der Gefangenen unter die Justizhoheit. Als guter Bürokrat scheute er sich, die Verantwortung für die Herausgabe der Häftlinge an eine andere Institution als die Justiz ohne das Vorliegen eines schriftlichen Befehls zu übernehmen. Versuche, telefonisch von Langebartels im Palais Brühl oder der übergeordneten Dienststelle in Krakau Rückendeckung zu erhalten, blieben erfolglos, weil eine Telefonverbindung zu beiden Stellen nicht zustande kam. P. war überdrüssig, länger mit Kirchner über diesen Punkt zu debattieren, und er schlug deshalb vor, sich beim SS- und Polizeiführer Geibel Gewissheit darüber zu verschaffen, dass die Gefangenen herausgegeben werden sollten. Stahel selbst, der im Bereich des Palais Brühl ebenso unerreichbar war wie Langebartels, schied als Anlaufstelle aus.

So begaben sich die beiden zu dem zweiten massgeblichen Befehlshaber in Warschau, eben Geibel, der den Tötungsbefehl auf Nachfrage nicht nur bestätigte, sondern ihn noch dahingehend erweiterte, dass die polnischen Angehörigen der Wachmannschaft gleich mit erschossen werden sollten. Insoweit hielt Kirchner es für erforderlich zu remonstrieren, mit dem Erfolg, dass Geibel diese Ergänzung des Liquidierungsbefehles zurücknahm. Auf Wunsch Kirchners bestätigte P. ihm förmlich die Übernahme der Anstaltsbelegung durch die Waffen-SS, indem er eine ihm von Kirchner vorgelegte, am 1.8. erstellte Belegstärkemeldung mit seiner Unterschrift unter Beifügung seines Dienstranges abzeichnete. Alsdann gingen P. und Kirchner als derjenige, der am besten mit den Gegebenheiten im Gefängnis vertraut war, daran, die Ausführungsmodalitäten, die P. nicht vorgegeben worden waren, zu erörtern. Ob zu dieser Besprechung weitere Personen und gegebenenfalls welche zugezogen worden sind, hat die Kammer nicht mit der erforderlichen Sicherheit klären können. Ebensowenig vermochte sich das Gericht die notwendige Gewissheit darüber zu verschaffen, wessen Kopf die Idee, die Aktion auf diese oder jene Weise durchzuführen, entsprungen ist.

Die der Kammer insoweit ausschliesslich zur Verfügung stehenden Beweismittel, nämlich die P.sche Einlassung einerseits, der ausweislich des Protokolls verlesene Bericht Kirchners vom 6.8.1944 andererseits, erscheinen ihr in Bezug auf das, was jeder von beiden zu verantworten hat, gleichermassen unzuverlässig. Es steht jedoch zur Überzeugung der Kammer fest, dass man sowohl erwogen hat, die Gefangenen in ihren Zellen zu erschiessen, als auch, sie auf dem Gelände der ehemaligen Papierfabrik zu exekutieren. Die letztgenannte Möglichkeit wurde verworfen, weil sie P. im Hinblick darauf, dass in den Hof von den Aufständischen aus Richtung der Aleja Niepodleglosci Einblick genommen werden könnte, unter dem Gesichtspunkt der Sicherheit der Truppe zu gefahrvoll erschien. Er entschied sich stattdessen für eine Hinrichtung der Gefangenen in den beiden Südhöfen des Gefängniskomplexes an eigens dafür vorzubereitenden Massengräbern. Diese Lösung schien ihm vorzugswürdig, weil er sich dessen vergewissert hatte, dass diese beiden Höfe an jeweils zwei Seiten durch die Gefängnismauer, an den beiden übrigen Seiten durch die aufstehenden Gebäude, nämlich Hauptbau und Zellenbau, gegen einen Einblick sowie gegen einen möglichen Beschuss von aussen weitestgehend geschützt waren.

Angesichts des überragenden Gewichtes, das P. dem Aspekt der Sicherheit der Truppe nach eigenem Bekunden in grundsätzlich allen Entscheidungen beimass, ist die Kammer davon überzeugt, dass er sich nicht etwa damit begnügte, sich die Örtlichkeiten von dem in militärischen Dingen unerfahrenen Justizbeamten Kirchner beschreiben zu lassen, sondern dass er sich mit eigenen Augen die notwendige Ortskenntnis verschaffte, um diesen Sicherheitsaspekt beurteilen zu können, sei es, dass er sich am Vorabend bereits hinreichend ortskundig gemacht hatte, sei es, dass er die Auswahl der Hinrichtungsstätte am 2.8. an Ort und Stelle traf. Wenn er dabei auch wahrnahm, dass Haupt- und Zellengebäude Fenster jeweils zu diesen Höfen hin aufwiesen, und P. sich darüber im klaren war, dass die 800 Gefängnisinsassen ja irgendwo hinter diesen Fenstern untergebracht sein mussten, so interessierte ihn das unter dem für ihn vordringlichen Aspekt der Sicherheit der Truppe nicht; denn die unbewaffneten Gefangenen konnten seinen Leuten nicht gefährlich werden, und sie würden später auch keine Gelegenheit mehr haben, Dritten über das, was sie gesehen hatten, zu berichten. Daran, was diese Menschen an Todesqualen würden durchleben müssen, wenn sie - den eigenen Tod vor Augen - die Exekution ihrer Mitgefangenen, darunter für viele Freunde, Bekannte, Verwandte, mit ansehen mussten, wenn deren Schreie ihnen in den Ohren gellten, während unerbittlich die Schüsse peitschten, bedachte P. nicht im einzelnen, weil ihm das Schicksal dieser polnischen Gefängnisinsassen, lauter "potentielle Gewehrträger der AK", gleichgültig war. Ihn beschäftigte vorwiegend der Gedanke, wie er es fertig bringen konnte, die Aktion ungestört durch die Aufständischen und erträglich für seine eigenen Leute abzuwickeln. Das eine Moment kam bei der Auswahl der Erschiessungsstätte zum Tragen, das zweite Ziel versuchte er dadurch zu erreichen, dass er ausreichend Schnaps für das Erschiessungskommando bereitstellen liess.

Nicht ausschliesslich darin, aber besonders hervorstechend in dieser Empfindungslosigkeit gegenüber dem Leid anderer, der Gedankenlosigkeit und Gleichgültigkeit, die sich als Unbarmherzigkeit auswirkt auf die, die es trifft, offenbart sich die rohe und gefühllose Gesinnung, von der dieser Befehl P.s, die Leute an den Gruben in den südlichen Vorhöfen zu erschiessen, getragen wurde. Selbst eine Massenexekution dieses Ausmasses hätte sich unter Bedingungen ausführen lassen, die den Opfern eine graduelle Erleichterung ihres Schicksals bereitet hätte, sei es, dass sie in kleinen Gruppen in umschlossene Gebäude geführt worden wären, wo sie wenigstens nicht vor den Augen der erst später an die Reihe kommenden Leidensgenossen erschossen worden wären, sei es, dass man diejenigen, deren Stunde noch nicht geschlagen hatte, in anderen Räumen, die keine Fenster zu den Südhöfen hatten, zusammengetrieben hätte, beispielsweise in den Fluren des Hauptgebäudes oder in der Gefängniskirche, oder sei es auch, dass man unter Inkaufnahme eines etwas höheren Risikos, das durch eine stärker besetzte Wachmannschaft wieder hätte ausgeglichen werden können, die Exekution doch in das jenseits der Gefängnismauer gelegene Gelände der ehemaligen Papierfabrik verlegt hätte. Mit derartigen Möglichkeiten, von denen es noch andere gegeben hätte, befasste P. sich aber gar nicht, weil das Leid der Gefangenen ihn aus Gleichgültigkeit nicht kümmerte.

P. befahl Mis. zu sich. Er eröffnete ihm, was von Stahel angeordnet war, fügte hinzu, dass die Gefängnisinsassen an vorzubereitenden Massengräbern, die in den beiden südlichen Gefängnishöfen auszuheben seien, erschossen werden sollten, und wies Mis. an, die Leitung der Aktion zu übernehmen. Mis., der beispielhaft gehorsame Soldat, gehorchte auch hier. Der sein Denken beherrschende Wunsch, irgendwann wieder heil nach Hause zu kommen, verdrängte jeden Gedanken an Widerspruch gegen diesen offenkundig verbrecherischen Befehl, dessen verbrecherischer Charakter von P. zuvor ebenso erkannt worden war wie jetzt von Mis. Gerade weil es sich um eine Aufgabe handelte, die ausserhalb des soldatischen Pflichtenkreises lag, befand P., dass das Erschiessen der Gefangenen nur Leuten zugemutet werden könne, die sich dafür freiwillig meldeten. Er befahl Mis. deswegen, ein Erschiessungskommando aus Freiwilligen zusammenzustellen, die alsdann in der Sicherung der Anstalt und in der Arbeit des Hinausführens der Gefangenen während der Aktion durch die Einheits-Angehörigen unterstützt werden sollten, die sich ohnehin bereits als Wachmannschaft im Gefängnis befanden.

Mis. tat, wie ihm geheissen. Wieviele sich unter den in der Kaserne anwesenden Soldaten bereitfanden, sich für diese Aufgabe, die ihnen jedenfalls im Kerngehalt bekanntgegeben wurde, freiwillig zur Verfügung zu stellen, konnte nicht festgestellt werden. Jedenfalls waren es nicht genug, als dass allein mit ihnen die Aktion in Angriff genommen werden konnte; denn es steht zur Überzeugung der Kammer fest, dass zusätzlich Einheitsangehörige aus der Kaserne ins Gefängnis befohlen worden sind. Ob aus diesen Abkommandierten auch welche als Schützen an die Gruben gestellt worden sind oder ob dafür tatsächlich nur Freiwillige genommen wurden, vermochte die Kammer nicht zu klären.

Zumindest einen Teil des Kommandos, der vor seinem Abrücken ins Gefängnis auf dem Kasernenhof angetreten stand, versuchte P. durch eine zündende Ansprache zu motivieren. Es war darin die Rede von der geplanten Befreiung der Insassen durch die Aufständischen, von der Gefährlichkeit der befreiten Gefangenen, von denen jeder als potentieller Gewehrträger der Aufständischen zu gelten habe, und davon, dass Himmler ihre Erschiessung angeordnet habe. Dann sprach P. über die Gefahrenlage, in die sie, die deutschen Soldaten in Warschau, durch die Schuld der Aufständischen geraten waren. Er beschrieb den brutalen Überfall der Aufständischen auf das Bema-Krankenhaus, bei dem alles, was man angetroffen hatte, ob Kranke, Schwestern oder Ärzte, niedergemacht und grauslich zugerichtet worden war, und er versuchte auf diese Weise, in seinen Leuten das Bedürfnis nach Rache zu wekken, nach Vergeltung für das, was die Polen durch ihren Aufstand angerichtet hatten.

Gegen Mittag besetzte Mis. mit seinen Leuten das Gefängnis. Die Gesamtstärke des Kommandos einschliesslich der mitherangezogenen Gefängniswache belief sich auf 50 bis 60 Mann, von denen allerdings einige erst später hinzustiessen, andere das Gefängnis während der Aktion mal verliessen, so dass nicht alle ständig anwesend waren. Ausserdem hielten sich die reichs- und volksdeutschen Justizbeamten mindest zu einem Teil noch in der Anstalt auf, da sie nach einer zwischen P. und Kirchner getroffenen Vereinbarung die SS-Leute mit den Gegebenheiten im Gefängnis vertraut machen und ihnen ansonsten notwendige Unterstützung zuteil werden lassen sollten. Mis. liess sich von ihnen einweisen und machte sich selbst ortskundig.

Dann gab er seine Anweisungen. Ein MG wurde in den Zellenbau, in dem die Abteilungen X und XI untergebracht waren, geschafft, das Dach des Gebäudes durch Herausnehmen von Dachschindeln mit einer Öffnung versehen und das MG mit Schussrichtung auf den westlichen Flügel des Hauptgebäudes dort hinein postiert. Ein zweites MG stellte man vor der Türe auf, die den Zugang zum Treppenaufgang im Vorbau des Hauptgebäudes sicherte. Den Leuten wurde ihre jeweilige Funktion zugewiesen. Ein LKW voller Schaufeln, die der Verwaltungsoffizier Etz. irgendwoher besorgt hatte, fuhr auf den Gefängnishof. Eine Gruppe von Häftlingen bekam den Befehl, ihn zu entladen. Kisten mit Wodka-Flaschen wurden aus den Kasernenbeständen herangeschafft und standen fortan dem unkontrollierten Zugriff der Soldaten offen. Auch Mis. selbst vertrieb sich mit einigen seiner Leute die Zeit, während deren die Vorbereitungen für die Aktion liefen, dadurch, dass er in einem Raum neben dem Wachlokal dem Alkohol zusprach.

Diese Vorgänge blieben von den meisten Inhaftierten unbemerkt. Aufgefallen war ihnen hingegen, dass der übliche Morgenappell und die Verteilung des Frühstücks ausgefallen waren. Stattdessen waren Brot und Kaffee an die Gefangenen erst ausgegeben worden, nachdem um die Mittagszeit zwei bewaffnete SS-Soldaten in Begleitung eines volksdeutschen Aufsehers in den Zellen erschienen waren und die Anzahl der einsitzenden Gefangenen festgestellt und niedergeschrieben hatten. Eine erste Vorahnung von dem ihnen zugedachten Schicksal hatten einige Gefangene bekommen, die gesehen hatten, dass der volksdeutsche Wachbeamte beim Verlassen ihrer Zelle ein dem Kreuz ähnliches Zeichen in die Luft gemalt hatte. Andere stimmte es bedenklich, dass bald darauf in dem jeweiligen südlichen Gefängnishof, den sie aus ihrer Zelle einsehen konnte, mit Grabungsarbeiten begonnen wurde. Eine Gruppe von 10 bis 12 SS-Soldaten, denen zuvor ein Offizier in einer kurzen Ansprache zur Richtschnur gegeben hatte, dass bis 9.00 Uhr alles fertig sein müsse, beaufsichtigte etwa 20 bis 30 Gefangene, die man aus dem Souterrain des Hauptgebäudes herangeführt hatte. Diese Häftlinge wurden dazu angehalten, entlang des Pavillons, der die Abteilungen X und XI beherbergte, Gruben auszuheben, und zwar auf der Ost- wie auf der Westseite jeweils drei, parallel zueinander verlaufend, in einem seitlichen Abstand von geschätzt 7 Metern. Da diese Gruben dazu bestimmt waren, menschliche Körper aufzunehmen, hiess man einen Häftling, sich bäuchlings auf die Erde zu legen, um nach seinen Massen die Breite der Grube festzulegen. Die Arbeiten gingen nur langsam voran, weil der Boden hart war und erst aufgelockert werden musste, bevor man mit dem Schaufeln beginnen konnte. Im Laufe des Nachmittags waren dann die sechs Massengräber fertig, auf der Ostseite alle drei etwa gleich gross, ca. 20 bis 25 m lang, 2 m breit, 1,5 m tief, auf der Westseite eine Grube etwa in Länge des Zellenbaus und dicht an diesem gelegen, die mittlere kürzer, aber noch rechteckig, die dritte schliesslich von fast quadratischer Form. Neben den Gruben jeweils erhoben sich Erdwälle aus dem dort aufgehäuften weggeschaufelten Erdreich.

Aus ihrem Zellenfenster heraus hatten die Gefangenen verstohlen beobachtet, was da vor sich ging. Trotz des generell bestehenden Verbotes, aus dem Fenster zu schauen, wagten sie es, einander abwechselnd, kurze Blicke auf das Geschehen zu riskieren, auch wenn die SS-Leute nicht zögerten, auf Köpfe, die sich an den Fenstern zeigten, sofort zu schiessen. Angesichts der Vorgänge im Hof wurden unter den Gefangenen in den einzelnen Zellen Vermutungen über den Sinn der Grabearbeiten angestellt. Man dachte an Luftschutzgräben, andere an Stellungen für Luftabwehrgeschütze und wieder andere schliesslich glaubten, dass in den Gruben Kartoffeln über Winter eingelagert werden sollten. Dann gab es aber auch welche, vor allem unter den Älteren, die anfingen zu beten, weil sie den Zweck, dem die Gruben zu dienen bestimmt waren, richtig errieten. Aber alsbald erlangten auch die übrigen Gewissheit über das Vorhaben der Deutschen. Als im Osthof die Grubengräber die letzten Spatenstiche ausgeführt hatten, sammelte sich die Wachmannschaft an dem dem Hauptgebäude zugewandten Ende und eröffnete das Feuer auf die ahnungslos an oder noch in dem Graben stehenden Gefangenen. Sie waren die ersten Opfer des am späten Nachmittag beginnenden und bis über den Einbruch der Dunkelheit hinaus andauernden Gemetzels.

Eine weitere Gruppe SS-Angehöriger erschien auf dem Hof. Wie ihre dort bereits anwesenden Kameraden waren sie fast alle mit Handgranaten, einige mit Karabinern, einige mit Maschinenpistolen und die meisten mit kurzläufigen Pistolen bewaffnet. Viele hatten die Ärmel ihrer Uniformblusen bis zu den Ellenbogen hochgekrempelt.

Den Anweisungen Mis.s folgend, begaben sich eine Reihe von ihnen zu den Erdwällen an jeweils einer Grube auf der Ost- und Westseite des Zellenbaus. Jedenfalls zu Beginn warteten sie darauf, dass andere SS-Soldaten die Gefangenen gruppenweise an die Gruben führten, später holten sie sich die Opfer vielfach einzeln an die Gruben und erschossen sie. Die meisten Angehörigen des Kommandos standen bereits zu dieser Zeit sichtlich unter Alkoholeinwirkung. Aus den Kisten voller Schnapsflaschen, die an der Gebäudewand abgestellt standen, hatten sich diejenigen, die das Graben beaufsichtigt hatten, schon währenddessen reichlich bedient. Andere hatten zusammen mit Mis. im Gefängnisinneren getrunken. Diejenigen, die erst später herübergekommen waren, hatten auf Anordnung P.s schon in der Kaserne reichlich Wodka ausgehändigt erhalten. In diesem alkoholisierten Zustand, der sich im Verlaufe der Aktion noch zusehends verschlimmerte, gingen sie daran, ihr Werk zu vollbringen.

In einer Gruppe zu zweit oder auch zu dritt gingen Angehörige des Kommandos zu einer Zelle, schlossen sie auf und befahlen den Einsitzenden herauszukommen. Vorbei an einer weiträumig gestaffelten Postenkette, die die vorbeigehenden Gefangenen vereinzelt mit Tritten oder Kolbenstössen bedachte, wurden sie zu dem Hofausgang geführt. Dort übernahmen andere SS-Leute sie, trieben sie zu den Gruben, händigten sie den Todesschützen aus, die sie zu sich heranzogen, mit dem Gesicht zur Grube aufstellten, ihnen den in aller Regel tödlichen Pistolenschuss ins Genick verabfolgten und sie anschliessend kopfüber in das Massengrab stiessen oder hineinstürzen liessen. Einige weitere SS-Soldaten gingen an den Gruben entlang und gaben aus Karabinern oder Pistolen Gnadenschüsse auf diejenigen ab, die sich noch regten oder bewegten. So wurde systematisch Zelle für Zelle geräumt und deren Insassen dem Tode überantwortet. Als erste waren die Häftlinge aus der Abteilung I an der Reihe, von denen einige zuvor ihr eigenes Grab hatten schaufeln müssen. Es folgten die ebenfalls im Souterrain untergebrachten Zellen der Abteilung II und III. Alle drei Abteilungen zusammen hatten einen Bestand von 232 Inhaftierten.

Von unten nach oben fortschreitend ereilte dann die im Parterre des Hauptgebäudes einsitzenden 61 Häftlinge ihr Schicksal. Auch die im Zellenbau Untergebrachten wurden nicht ausgelassen. Allerdings vermochte die Kammer nicht zu klären, ob dieser Zellentrakt beim späteren Abbruch der Aktion bereits komplett geräumt war. Jedenfalls sind auch Häftlinge aus dem Pavillon, in dem am 2.August nur noch die Abteilung X belegt war, der Massenexekution zum Opfer gefallen.

Eine Störung in dem bis dahin fast reibungslos funktionierenden Hinrichtungsmechanismus trat dann erst auf, als das Obergeschoss des Hauptgebäudes zur Räumung anstand, in dem die Häftlinge die ihnen verbliebene Zeit genutzt hatten, nach Auswegen aus der für sie anscheinend aussichtslosen Situation zu suchen. Verständlicherweise hatte mit dem Beginn der Erschiessungsaktion Panik die Insassen des Mokotow-Gefängnisses ergriffen. Der Hof war erfüllt von dem Schreien und Wehklagen der zur Hinrichtungsstätte geführten Opfer. Bald mischte sich darein das Stöhnen der Sterbenden, das herausgebrüllte Verlangen nach dem

Gnadenschuss derjenigen, die dem Tode geweiht waren, denen es aber noch nicht vergönnt war, sterben zu können. Dazwischen hallten die Schüsse des Exekutionskommandos begleitet von den Hilferufen der Todeskandidaten, von ihren Bitten, sie zu verschonen, von ihren in Todesangst gestammelten Stossgebeten. Dessen nicht achtend, setzten die Schützen ihr blutiges Werk fort, einige freudig bewegt, eine Gelegenheit zum Ausleben vorhandener sadistischer Neigungen gefunden zu haben, andere voller Widerwillen, angeekelt bis zum Erbrechen, physisch und psychisch überfordert, aber unfähig, sich dem Befehlsdruck zu entziehen. Szenen erschütternder menschlicher Tragik liefen unter den Augen der von Entsetzen gepackten und in Todesangst erzitternden Mitgefangenen ab.

Ein Häftling riss sich auf dem Weg zur Grube von seinem Bewacher los und begann, in Richtung des Lagers zu fliehen. SS-Männer verfolgten ihn, packten ihn und zwangen ihn unter Schlägen mit ihren Gewehrkolben, zu dem Erdwall zu gehen, wo er erschossen wurde. Dann wurde eine Gruppe Minderjähriger, Jungen im Alter zwischen 14 und 17 Jahren etwa, herangeführt. Einige von ihnen knieten vor der Grube nieder und flehten die SS-Männer an, ihnen das Leben zu lassen. Einer der Todesschützen griff einen der Jungen, zog ihn an seinem Jackenkragen hoch und schoss ihm aus unmittelbarer Nähe in den Hinterkopf. Dann schubste er den Leichnam in die Grube.
Als mit einer anderen Gruppe ein etwa 10- bis 12jähriger Junge zur Erschiessung herangeführt wurde, besah der SS-Mann, der zu seinem Mörder werden sollte, ihn sich, rief aus: "Scheisse, ich kämpfe nicht mit Kindern!" und stiess ihn von dem Graben weg. Unverzüglich eilte ein anderer SS-Mann wohl im Range eines Oberscharführers herbei, packte den Jungen und erschoss ihn über der Grube.
Der Zeuge Jed. musste hilflos mit ansehen, wie man seinen Schwager Fligiel an der Grube exekutierte, der nur deswegen im Mokotow-Gefängnis einsass, weil man ihm unerlaubten Handel mit Sahne auf dem Warschauer Markt vorwarf. Derselbe Zeuge beobachtete, wie einer der SS-Männer sein Opfer, das grösser war als er, mit der Pistole auf den Kopf schlug, um dem sich unter dem Schlag duckenden Mann bequemer den Genickschuss verabfolgen zu können.
Ein anderer Häftling hatte vergeblich versucht, sich hinter dem an der Wand befestigten Bett vor seinen Häschern zu verstecken. Dort aufgefunden, kündigte der SS-Mann ihm an, dass er zur Strafe für seinen Versuch, sich zu verstecken, durch einen Schuss ins Gesicht getötet werden würde. Diese Drohung erwies sich als durchaus Ernst gemeint. Nur wie durch ein Wunder entging der Bestrafte dem Tod, weil er im Moment der Schussabgabe den Kopf zur Seite drehte, so dass die Kugel die Wange durchschlug und in Nackenhöhe wieder austrat, ohne ihn schwerwiegend zu verletzen.
Ein Häftling fiel vor seinem Henker auf die Knie, küsste ihm die Schuhe und bat ihn, ihm das Leben zu schenken, er sei Reichsdeutscher. Das Flehen wurde nicht erhört. Auch dieser Mann starb unter einer Kugel des Exekutionskommandos.

Der Zeuge Mil. hat bewegend geschildert, wie er - selbst an der Hofausgangstüre auf seine Exekution wartend - miterleben musste, wie der vor ihm stehende bisherige Zellengenosse mit dem Bekenntnis, Volksdeutscher zu sein, einen verzweifelten, aber erfolglosen Rettungsversuch unternahm, um dann, die Aussichtslosigkeit erkennend, in Richtung des anderen Hofes davonzulaufen, bis ihn der Gewehrschuss eines SS-Mannes niederstreckte. Wie in Hypnose registrierte Mil., wie die, die vor ihm an der Reihe waren, an die Grube getrieben, einer, der Widerstand leistete, regelrecht dorthin geschleift wurde. Dann war es auch für ihn soweit, nachdem die Soldaten sich erst noch einmal durch einen Schluck aus der Flasche gestärkt hatten. Willenlos liess er sich in Erwartung des sicheren Todes zu der Erschiessungsstätte führen. Dort traf sein Blick auf eine Schicht menschlicher Leichen, die den Boden der Grube in ihrer gesamten Länge bedeckten. Er nahm noch wahr, dass einige der Opfer noch Lebenszeichen von sich gaben. Zu weiteren reproduzierbaren Wahrnehmungen nicht mehr imstande, muss ihn dann der Schuss getroffen haben. Als sein Bewusstsein wiederkehrte, erkannte er, dass er in der Grube lag, inmitten der Leichen anderer Häftlinge, und hörte über sich den Widerhall der Schüsse des Exekutionskommandos. Das Glück, das er zuvor bei der Schussabgabe gehabt hatte, blieb ihm auch insofern treu, als die Blicke derjenigen, die nach Lebenszeichen in der Grube Ausschau hielten, ihn nicht trafen. Er entkam der Grube. Nach einer wahren Odyssee innerhalb des Gefängnisgeländes, nach Wochen durchlebter Todesangst, begleitet von grössten Entbehrungen, wurde er Ende September von einem polnischen Wärter entdeckt und zu einer Selbstgestellung in der Staufer-Kaserne überredet. Dort geriet er an einen gnädigen Unteroffizier, der sich damit zufrieden gab, ihn zu Arbeitseinsätzen heranzuziehen, ohne ihm aber nach dem Leben zu trachten. So überlebte der todgeweihte Zeuge das Massensterben in Mokotow.

Ein vergleichbares Schicksal erlitt der zwischenzeitlich verstorbene Zeuge Por., dessen Aussage ausweislich der Sitzungsniederschrift verlesen worden ist. Er hörte die Kugel, die ihm galt, an seinem Ohr vorbeipfeifen, als er mit dem Gesicht zur Grube stand, und spürte noch den Tritt, den ihm der SS-Mann versetzte, bevor er mit dem Gesicht auf den Berg von Leichen fiel. Nach einer vorübergehenden Besinnungslosigkeit erwachte er inmitten weiterer Leichen, die inzwischen auf ihn gefallen waren. Als er deren Gewicht nicht mehr ertragen konnte, entschloss er sich aufzustehen, in der festen Überzeugung, damit sein Ende zu besiegeln. Wider Erwarten fand er den Platz jedoch leer, die SS-Leute waren verschwunden. Noch am selben Abend gelang ihm die Flucht vom Gefängnisgelände.

Ähnlich erging es dem Zeugen Stp. Zusammen mit seinem Vater und einem Dritten war er in einer der kleinen Zellen in Abteilung X festgehalten worden. Als man sie holen kam, wurden sie, bevor man sie zur Grube führte, gezwungen, einem Mithäftling aus der Nachbarzelle, der bereits in der Zelle durch eine Handgranatendetonation ums Leben gebracht worden war, dessen lange Schaftstiefel auszuziehen. Dann mussten sie den leblosen Körper zur Grube schleifen. Erst danach wurde ihnen befohlen, selbst an die nächste Grube zu gehen. Mit dem Gesicht zum Massengrab gewandt, wissend, dass der eigene Vater 2 m neben ihm an der Grube stand, hörte der Zeuge Stp. Schüsse fallen, ohne zu wissen, wem sie gegolten hatten. Dann traf auch ihn ein Schuss, und er fiel in die Grube hinein, in der schon eine Schicht Leichen lag. Irgendwann erlangte er das Bewusstsein wieder, denn die Schützen trafen nicht mehr so genau, sei es, dass der Alkohol seine Wirkung nicht verfehlte, sei es, dass es anderen einfach an der Nervenkraft fehlte, gezielt zu schiessen. So überkam auch den Zeugen Stp. irgendwann die überraschende Erkenntnis, dass er noch lebte, wenn auch inmitten eines Berges menschlicher Leichen liegend, aus dem zu befreien ihm aber gelang. Auch er konnte sich durch Flucht noch in derselben Nacht in Sicherheit bringen.

Während das Morden im Hof seinen Lauf nahm, mischten sich in den Zellen derjenigen, die noch auf ihre Hinrichtung warten mussten, Ausbrüche der Verzweiflung und Hoffnungslosigkeit mit Akten wildentschlossenen Aufbegehrens gegen das anscheinend unvermeidliche Schicksal.

Als die ersten Schüsse im Hof fielen, als die ersten Todesschreie der Getroffenen in die Zellen der noch Unwissenden drangen und sie die warnenden Rufe ihrer zu den Gruben geführten Leidensgenossen vernahmen, die ihnen im Angesicht des eigenen Todes zuriefen "sie bringen uns um! Wehrt Euch!", da entbrannte ein unbeschreiblicher Lärm im Gefängnisinneren. "Mörder! Mörder!" skandierten die Gefangenen. Einige Häftlinge rissen Ziegel rund um die Zentralheizung aus der Wand und warfen sie in Richtung der im Hof stehenden SS-Männer. Andere trugen durch Schläge auf Schüsseln und gegen die Gitter der Zellentüren dazu bei, den Krach in der Anstalt weiter zu steigern. Schüsse peitschten in Richtung der Zellenfenster, um die Einsitzenden zur Ruhe zu bringen.

Unter den in Todesnot geratenen Inhaftierten brachen sich die verschiedenen Temperamente Bahn. Einige fügten sich in ihr Schicksal und wurden im Angesicht des Unabänderlichen von grenzloser Gelassenheit erfasst. Der Zeuge Cez. beispielsweise, dessen Aussage ausweislich

des Sitzungsprotokolls verlesen worden ist, setzte sich hin und schrieb einen minutiösen Bericht nieder über das, was sich in den letzten Stunden im Gefängnis ereignet hatte und gerade noch ereignete, in der Hoffnung, so der Nachwelt eine wahrheitsgetreue Information aus erster Hand zukommen lassen zu können. Manche trafen Vorsorge dafür, dass ihre Leichen später wenigstens würden identifiziert werden können, indem sie sich ihre persönlichen Daten auf den Körper malten, auf ihre Kleidung schrieben oder entsprechende Zettel am Körper versteckten. Andere hingegen waren der psychischen Belastung nicht gewachsen. Sie verfielen in völlige Apathie, wurden von ihrer Verzweiflung zum Wahnsinn getrieben oder suchten nach Mitteln und Wegen, ihrem Leben selbst ein Ende zu setzen.
Der Zeuge Cez. sah mit an, wie einer seiner Zellengenossen in Richtung auf die Zellenwand lief und aus diesem Anlauf heraus mit dem Kopf gegen die Wand schlug. Ein anderer Mithäftling wollte sich erhängen, wurde durch das Eingreifen seiner Mitgefangenen aber daran gehindert, wie die Zeugen Cez. und Jed. übereinstimmend berichteten. In der zur Abteilung VII gehörigen Zelle Nr.36 hingegen, in der der Zeuge Mil. festgehalten wurde, griff niemand ein, als einer von ihnen sich am Wasserkasten der Toilette erhängte. Nicht wenige Häftlinge unternahmen den verzweifelten Versuch, sich hinter den Gefängnisbetten, die man hochklappen und an der Wand befestigen konnte, zu verstecken. Einer war psychisch dermassen zerrüttet, dass er die in der Zelle befindliche Klosettschüssel zu seinem Versteck zu machen versuchte, wie es der Zeuge Ni. eindrucksvoll bekundet hat.

Eine dritte Gruppe von Häftlingen schliesslich rief dazu auf, sich den Mördern nicht kampflos auszuliefern, und ihnen wuchsen in ihrem Willen zu überleben ungeahnte physische und psychische Kräfte zu. So wurden beispielsweise in mehreren Zellen die eisernen Klappbetten aus der Wand gerissen, Tische, Bänke und alles, was die Zelle an brauchbarem Mobiliar einschliesslich des Toilettentopfes aufwies, genommen und als Barrikade hinter den Türen aufgebaut. Allerdings bewahrten auch diese Massnahmen die meisten der Zelleninsassen nicht vor einem grauenvollen Tod. Die SS-Soldaten nämlich, die eine verbarrikadierte Zellentür vorfanden, reagierten darauf mit dem Einsatz von Handgranaten. Auf diese Weise kamen die Insassen der Nachbarzelle des Zeugen Stp. in ihrer Zelle ums Leben. In der Zelle des Zeugen Ni. war einer der Insassen geistesgegenwärtig genug, die durchs Fenster hineingeworfene Granate, bevor sie explodierte, zu packen und zurückzuwerfen; in der Zelle war das Geräusch der Detonation vom Hof her zu hören. Die Deutschen beantworteten diese verzweifelte Gegenwehr damit, dass sie die Einzelzelle, in der sich drei Menschen aufhielten, von draussen mit einer geballten Ladung bewarfen. Nachdem infolge der ungeheuren Druckwelle die verbarrikadierte Tür aufgesprengt war, vergewisserten sich zwei SS-Männer des Erfolges ihrer Massnahme. Sie sahen, dass es einem der drei Insassen die Eingeweide aus dem Leib herausgerissen hatte. Sie gaben noch einen Gnadenschuss ab und räumten dann wieder das Feld. Sie übersahen, dass der Zeuge Ni., den sie nach oberflächlicher Prüfung wohl für tot gehalten hatten, sich lediglich tot stellte. Bevor die SS-Leute den Raum betraten, hatte er geistesgegenwärtig seine Hände in das herumfliessende Blut getaucht und sich damit beschmiert. Tatsächlich hatte er nur Kopfverletzungen davongetragen, die nicht so schlimm waren, als dass sie ihn an einer Flucht gehindert hätten. Vorsichtig kroch er auf den Korridor hinaus, musste inne halten, weil er vor dem Eingang zum Zellenbau einen Wachposten stehen sah. Erst als dieser schliesslich verschwunden war, wagte er sich bis zur Abdeckplatte des Zentralheizungskanals vor, die er abhob, um sich in dem sehr kleinen, schmalen Kanal für einen ungeklärten Zeitraum verborgen zu halten, der ihm selbst jedenfalls so vorkam, als seien es Tage gewesen.

Die effektivste Verteidigung bauten Häftlinge im 1.Stock des Hauptgebäudes, westlicher Flügel, auf, in dem die Abteilung VI mit 134 Mann lag. Ausgehend von der mittleren Zelle, die die Nr.33 trug, und die mit mehr als 30 Gefangenen belegt war, verbreitete sich die Parole, eine Vereinigung der Insassen aller Zellen herbeizuführen, um dermassen verstärkt den Deutschen nachhaltigen Widerstand entgegensetzen zu können. Einige, die kräftig genug waren, brachen die Metallrohre aus den Zellenwänden heraus, die sie nötigenfalls als Waffen zu gebrauchen gedachten. Andere griffen einen Tisch oder eine Bank und setzten sie als eine Art Rambock gegen die den Zugang zum Korridor versperrende Gittertür ein. Einer der Zelleninsassen versuchte, seine Mithäftlinge von der Sinnlosigkeit eines solchen Aufbäumens zu überzeugen. Er legte sich auf die Bank, mit der man die Tür aus den Angeln sprengen wollte, und redete auf seine Zellengenossen ein; es sei besser, so argumentierte er, wenn man draussen einen Genickschuss bekäme, anstatt hier in der Zelle darauf zu warten, dass einen die Handgranaten der Deutschen zerfetzten. Die zum Widerstand Entschlossenen hörten aber nicht auf ihn, zogen ihn vielmehr von der Bank herunter und setzten zum Sturm auf die Zellentür an. Diese hielt der Gewaltanwendung nicht lange stand; die Stäbe des Gitters brachen heraus.

Als die ersten Häftlinge den Flur der Abteilung VI betreten wollten, fielen Schüsse. Im Treppenaufgang, der durch jeweils eine Gittertür von den Korridoren der links von ihm gelegenen Abteilung VI und der nach rechts abgehenden Abteilung VII getrennt war, stand ein Soldat auf Posten, der auf jeden gezielt schoss, der aus seiner Zelle auf den Flur hinauszutreten versuchte. Die Gittertüren zu beiden Seiten des Treppenaufgangs waren zu dieser Zeit noch verschlossen.

Um den Zusammenschluss mit den Häftlingen aus den anderen Zellen unter Umgehung des Wachpostens im Treppenaufgang herbeizuführen, schlugen und rammten die Gefangenen mit Bänken, Tischen, Hockern, manche sogar mit ihren blossen Händen ein Loch in die Trennwand zur Nachbarzelle. Bald war dort, wo die Kaminschächte verliefen, eine Öffnung solcher Grösse geschaffen, dass man dadurch in die Nachbarzelle hineingelangen konnte. Gleiches vollführte man anschliessend zu der auf der anderen Seite angrenzenden Nachbarzelle. Während einige mit dem Herstellen der weiteren Verbindungswege beschäftigt waren, sammelten andere Tische, Bänke, Hocker und wessen sie habhaft werden konnten, warfen es auf den Korridor hinaus und bildeten damit nahe der Korridorabschlusstüre eine Barrikade. Um den SS-Männern, wenn sie kämen, den Zugang nachhaltig zu erschweren, bildeten sie in 1 bis 2 m Entfernung hinter dieser Barrikade einen Scheiterhaufen aus Strohsäcken, Lappen, Decken, und ähnlichem, den sie entzündeten. Dicker, beissender Qualm breitete sich aus und zog in die Zellen der Abteilung VI. Um sich selbst vor dem grösser werdenden Feuer zu schützen, hatten die Häftlinge alle greifbaren Gefässe mit Wasser gefüllt und damit Flammen, die sich auf sie zubewegten, gelöscht, solange, bis aus ungeklärter Ursache der Wasserstrom versiegte. Um sich gegen die Erstickungsgefahr zu wehren, waren zugleich alle Fenster weit geöffnet worden.

Als das Feuer schon ziemlich gross geworden war, hallten die Schritte von SS-Leuten aus dem Treppenflur wider, die herannahten, um die Gefangenen aus dem Obergeschoss zur Hinrichtungsstätte zu holen. Vor dem Zugang zur Abteilung VI machten sie Halt. Sie betrachteten die Hindernisse, die die Gefangenen dort aufgetürmt hatten, und dann hörten die Häftlinge sie auf deutsch zueinander sagen: "Die lassen wir sich selbst verbrennen; wir gehen erst mal in Abteilung VII." So jedenfalls wurde es den gespannt die Entwicklung Abwartenden durch einen des Deutschen mächtigen Mithäftling aus Posen übersetzt, wie der Zeuge Jed. glaubhaft bekundet hat.

Tatsächlich wurde die vom Treppenaufgang her gesehen erste Zelle der Abteilung VII, die die Nr.36 trug, aufgeschlossen. Inzwischen war es dämmrig bis dunkel geworden. Vom Zellenflur her riefen die Leute des Abholkommandos in die Zelle hinein: "Hände hoch!" und "Komm, komm!" Die Mehrzahl der Zelleninsassen, darunter der Zeuge Mil., drängte sich verängstigt in den beiden der Tür nächstgelegenen Ecken zusammen. Einige liefen planlos in der Mitte der Zelle umher. Auf den Zuruf der SS-Soldaten verliess dann ein Häftling nach dem anderen mit erhobenen Händen den Raum und liess sich willenlos zum Richtplatz führen. Wieder mussten die noch in ihren Zellen Verbliebenen mit ansehen, wie auch diese Mitgefangenen in die Grube hinein erschossen wurden, ausser Mil. - der, wie schon ausgeführt, letztendlich überlebt hat - beispielsweise auch ein guter Freund des Zeugen Jed., dessen Exekution er machtlos miterleben musste.

Dann kamen wieder zwei SS-Männer in den Flur der Abteilung VII, um die nächstgelegene Zelle zu räumen. Einer von beiden war der Zeuge Dob., der zweite ein damals etwas über 30 Jahre alter Unterscharführer Kolodzeij. Zumindest der Letztgenannte war zu diesem Zeitpunkt erheblich angetrunken. Er liess deswegen die gebotene Vorsicht ausser Acht und ging in die Zelle hinein. Einer der Insassen hielt zu seiner Verteidigung ein Messer bereit. Auf das Kommando "raus!" hin ging er als Erster, trat dann unvermittelt auf den einen Angriff nicht erwartenden Unterscharführer zu und stiess ihm das Messer in den Leib. Noch im Fallen gelang es dem SS-Mann, seine Maschinenpistole abzuziehen, wodurch der Angreifer tödlich getroffen wurde. Spätestens da war für die übrigen das Signal gesetzt, über den Schützen herzufallen. Mit einem Schemel schlugen sie ihn tot. Dob. und sein im Treppenaufgang postierter Kamerad, dessen Identität nicht mit der erforderlichen Sicherheit geklärt werden konnte, ergriffen die Flucht. Die Zellentür und auch die Gittertür vom Korridor zum Treppenaufgang blieben offen. Einer der beiden Flüchtenden versuchte noch, durch das Werfen einer Handgranate verlorenen Boden zurückzugewinnen, aber die Granate explodierte im Flur ohne nennenswerte Wirkung zu erzielen.

Ohne Zögern bemächtigten sich die, die erfolgreich Widerstand geleistet hatten, der Waffen des getöteten SS-Mannes und des zurückgebliebenen Schlüsselbundes. So hatten die bis dahin Wehrlosen plötzlich eine Maschinenpistole, eine Pistole und mehrere Handgranaten. Durch Rufe und Klopfen alarmierten sie die übrigen Gefangenen. Wie ein Lauffeuer ging es durch die Etage. Teilweise hinter den Zellentüren errichtete Barrikaden wurden abgebaut, die noch verschlossenen Zellen- und Korridortüren aufgeschlossen oder gewaltsam geöffnet, und die Häftlinge traten auf die Zellenflure hinaus. Flugs baute man direkt am Treppenaufgang aus allem erreichbaren Mobiliar zwei mächtige Barrikaden, die - solange sie nicht beiseite geräumt waren - den Zugang zu den Korridoren der Abteilungen VI und VII unmöglich machten, zumal sie nach bewährtem Muster mit brennenden Strohsäcken oder Matratzen besonders undurchdringlich gestaltet wurden. Ein SS-Mann versuchte vergeblich, sich einen Weg zum Obergeschoss zu bahnen. Als er mit der erbeuteten Maschinenpistole beschossen worden war, gab er auf. Vorsorglich wurden auch auf den Korridoren noch brennende Strohsäcke ausgelegt. Dadurch wurde der Anschein erweckt, dass es in dem Stockwerk brannte.

In beiden Abteilungen herrschte ein aufgeregtes Durcheinander. Viele der Gefangenen liefen wie aufgescheucht ziellos auf den Korridoren hin und her, behindert durch den beissenden Qualm der brennenden Strohsäcke. Vergeblich durchsuchte der Zeuge Cez. die Zellen der Abteilung VII, um seinen Vater aufzuspüren, von dem er wusste, dass er in einer der dortigen Zellen inhaftiert gewesen war. Unter den gegebenen chaotischen Umständen fand er ihn nicht.

Irgendwann wurde von irgendwem, ohne dass sich die diesbezüglichen Einzelheiten nachträglich hätten klären lassen, die Parole verbreitet, über die Küchenräume führe ein aussichtsreicher Fluchtweg zum Dachboden und von dort über die Mauer nach draussen. Die meisten entschieden sich dafür, lieber alle mit dieser Flucht verbundenen Risiken auf sich zu nehmen, als tatenlos abzuwarten, bis die Deutschen sich zu irgendeinem vernichtenden Gegenschlag gesammelt hatten. Allerdings fühlten sich einige aufgrund ihres fortgeschrittenen Alters oder einer körperlichen Behinderung physisch nicht imstande, den über Dächer, Mauerkronen, Leitern und Balkone führenden Fluchtweg zu wagen. Über das Schicksal dieser in den Zellen Zurückgelassenen, zu denen auch der damals 75jährige Vater Cez. gehört haben muss, wie der Sohn später aus Erzählungen erfuhr, hat man nie mehr etwas gehört.
Andere waren nach dem, was sie an Ängsten in den letzten Stunden bereits durchlebt hatten, den nervlichen Belastungen einer Flucht ins Ungewisse nicht mehr gewachsen. Mindestens einer hat sich noch am Fenstergitter seiner Zelle erhängt, als ihm der Weg zur Flucht schon

offenstand. Der Zeuge Kie. berichtet in seiner verlesenen Aussage aus eigener Erfahrung glaubhaft darüber, wie ihm zumute war, als er vor der Entscheidung stand, den Fluchtweg über das Dach zu wagen, in der Ungewissheit darüber, ob nicht SS-Posten das Dach besetzt hielten. Erst nachdem er sich gegen das Wagnis entschieden hatte und voller Verzweiflung in seine Zelle zurückgekehrt war, liess er sich von einigen ebenfalls noch zurückgebliebenen Häftlingen überreden, mit ihnen gemeinsam sein Heil in der Flucht zu suchen.

Vom 1.Stock aus führte ein Verbindungsweg zu den an der nördlichen Grenze des Gefängniskomplexes gelegenen Küchenräumen. Von dort aus gab es über ein gesondertes Treppenhaus einen Aufgang zum Dachboden. Die Gitter der den Zugang zum Dachboden versperrenden Türe bog die erste Gruppe der Fliehenden, die sich in der Küche mit Werkzeugen ausgestattet hatte, auseinander. Dann entfernten sie einige Dachpfannen, so dass man durch die auf diese Weise entstandene Öffnung auf das Dach hinausschlüpfen konnte. Mit äusserster Disziplin und fast lautlos warteten die in kleinen Gruppen zusammengeschlossenen Flüchtlinge in kauernder Stellung auf dem steil abfallenden Dach darauf, nacheinander auf die Begrenzungsmauer hinabsteigen zu können. Auf der ca. einen halben Meter breiten Mauerkrone, die teilweise mit Stacheldraht bespannt, an anderen Stellen mit Glasscherben belegt war, balancierten sie einzeln entlang, viele barfuss, um ein Ausgleiten zu vermeiden, bis sich ihnen die Möglichkeit bot, auf kleinere Gebäude entweder auf dem Gelände der Familienhäuser oder dem der ehemaligen Papierfabrik hinabzuspringen. Von dort aus galt es noch mindestens eine weitere Mauer zu überwinden, bevor sie die Hinterhöfe der an der Aleja Niepodleglosci gelegenen Häuser erreichten. Dann trennten sich ihre Wege. Die meisten derer, die dem Massaker entgangen waren, schlossen sich sofort den Aufständischen an.

Die für viele letztlich erfolgreiche Flucht wurde nicht etwa durch eine stillschweigende Duldung der SS-Führung begünstigt, vielmehr hatte P. alle ihm notwendig erscheinenden Anordnungen getroffen, um ein solches Unterfangen zu verhindern.

Nachdem Mis. von irgendeinem seiner Leute gemeldet worden war, dass die Gefangenen einen SS-Kameraden überwältigt und ihn der Waffen beraubt hätten, nun dabei seien, eine undurchdringliche Feuerbarrikade zu errichten, ging er, um seinerseits P. zu berichten und dessen Weisung einzuholen, wie weiter verfahren werden solle.

P. hatte nach seiner unwiderlegt gebliebenen Einlassung den Schauplatz des Grauens selbst nicht aufgesucht, weil er - wie er heute sagt - sich diesem Anblick nicht gewachsen fühlte. Aber der Lärm, der vom Gefängnis bis zur Kaserne herüberdrang, das Schreien und Toben der Häftlinge, das Geräusch der Schüsse und Handgranatendetonationen, war ihm ebensowenig verborgen geblieben wie vielen seiner Einheitsangehörigen und hatte ihm eine Vorstellung vermittelt von dem, was drüben vor sich ging. Nun hörte er von Mis. über die unerwartet eingetretene Wende. Eine Fortsetzung der Aktion nach der bisherigen Verfahrensweise war unmöglich geworden. Unter dem Aspekt der Sicherheit der Truppe wollte P. eine Erstürmung des verbarrikadierten Gebäudes während der Nacht nicht riskieren; denn - wie er erfuhr - hatten die Gefangenen keinen Zweifel daran gelassen, dass sie von den erbeuteten Waffen rückhaltlos Gebrauch machen würden, hatten sie doch bereits nicht nur die Maschinenpistole eingesetzt, sondern auch mindestens eine Handgranate auf den Hof in Richtung des Exekutionskommandos geworfen, das ungeachtet der Vorgänge in den Abteilungen VI und VII noch dabei gewesen war, Gefangene aus der Abteilung X hinzurichten.

P. gab deswegen Befehl, die Erschiessungsaktion bis zum Morgen einzustellen. Gleichzeitig ordnete er an, dass das Haupttor des Gefängnisses geöffnet würde. Dahinter, das heisst auf der Strassenseite, postierte er zwei Soldaten mit Maschinenpistolen. Mindestens zeitweilig liess er einen Panzer im Haupteingang Stellung beziehen. Das Erschiessungskommando wurde abgezogen. Mit den meisten von ihnen konnte man infolge ihres Trunkenheitsgrades ohnehin nicht mehr rechnen; Einige waren so sinnlos betrunken, dass sie selbst noch auf der

Stube unter Gefährdung ihrer Kameraden wild um sich schossen. Die Wache blieb im Gefängnis zurück und wurde durch neue Kräfte verstärkt. Sämtliche Wachtürme wurden besetzt. Alle Posten hatten Befehl, auf Flüchtende zu schiessen. P. liess sich dabei von der Vorstellung leiten, dass es nur zwei denkbare Alternativen gebe: Entweder würden die Gefangenen einen Ausbruchsversuch wagen und dabei von den Wachen "auf der Flucht erschossen" werden, was ihm als die vorzugswürdigere Lösung erschien, oder sie verschanzten sich bis zum nächsten Tag, was es erforderlich gemacht hätte, sie dann zu überwältigen. Der von den Häftlingen ausgekundschaftete Fluchtweg war ihm entweder nicht bekannt oder er dachte nicht daran, dass sie einen so langen, schwierigen Weg wählen würden.

Ausser diesem Umstand, dass dieser Fluchtweg in die Überlegungen des Angeklagten P. nicht mit einbezogen war, hatten die äusseren Witterungsbedingungen wesentlichen Anteil daran, dass den meisten, die das Wagnis auf sich nahmen, die Flucht glückte. Der schon am Nachmittag einsetzende Nieselregen hatte sich verstärkt, starke Regenfälle gingen nieder, und es war eine sehr dunkle Nacht. So entkamen die Flüchtenden im Schutze der Finsternis ihren Verfolgern.

Nach 24stündiger Dienstzeit wurde die Gefängniswache vom Tattag, der ausser dem erwähnten Zeugen Dob. auch die Zeugen Tob. und Uba. angehört hatten, am Morgen des 3.8. gegen 6.00 Uhr abgelöst. Bei einer darauffolgenden Nachsuche stöberte man noch mindestens einen Gefangenen auf, der sich im Souterrain verborgen gehalten hatte. Im übrigen konnte man aber nur noch feststellen, dass die Gefangenen entkommen waren.

P. wagte es nicht, dieses teilweise Missglücken der Gefängnisaktion an vorgesetzter Stelle einzugestehen, weil er Konsequenzen für sich persönlich befürchtete. So meldete er Geibel, dass der Befehl ausgeführt sei. Mit Kirchner, der am Vormittag des 3.8. in einem grösseren Konvoi Warschau verliess, stimmte P. sich insoweit ab, als auch Kirchner seinen Vorgesetzten gegenüber verheimlichen sollte, dass ein Grossteil der Inhaftierten sich hatte befreien können. Kirchner, der über die Vorgänge im Gefängnis während der Liquidierungsaktion genau unterrichtet war, fertigte daraufhin den verlesenen Bericht vom 6.8.1944, der lediglich die Vermutung wiedergibt, es könnten 8 bis 10 Häftlinge aus dem Lazarett entkommen sein. In Übernahme dieses Berichtes beantwortete unter dem Datum des 13.9.1944 ein Sachbearbeiter der Hauptabteilung Justiz in Krakau eine Anfrage des Reichsführers SS, dem zu Ohren gekommen war, dass in Warschau angeblich eine grosse Anzahl Schwerverbrecher auf freien Fuss gesetzt worden sei. Infolgedessen blieb der wirkliche Sachverhalt unaufgeklärt. Der Reichsführer SS hat nicht erfahren, dass in Wirklichkeit eine in die Hunderte gehende Anzahl von Gefangenen hatte entkommen können. Wie gross ihre Zahl genau war, hat sich nicht feststellen lassen.

Das Gericht hat die Anzahl der im Laufe der Gefängnisaktion vom 2.8.1944 getöteten Menschen bei zugunsten der Angeklagten zurückhaltendster Bewertung der Fakten auf mindestens 250 veranschlagt.

In den Massengräbern an der Rakowieckastrasse 37, also im Gefängnisgelände, sind ausweislich der in der Hauptverhandlung verlesenen Exhumierungsprotokolle annähernd 440 Leichen aufgefunden worden. Eine Vollständigkeit der Unterlagen zugunsten der Angeklagten unterstellend, hatte das Gericht von dieser Zahl Abzüge zu machen, da es aufgrund der nachfolgend noch darzulegenden Feststellungen keinem vernünftigen Zweifel unterliegt, dass auch andere Opfer des Warschauer Aufstands, die nicht Insassen des Gefängnisses Mokotow gewesen waren, jedenfalls in einigen dieser Massengräber beigesetzt worden sind; mindestens eine Grube war, noch während die Aktion lief, zugeschüttet worden, da sie bereits in dem Zeitpunkt bis obenhin mit Leichen angefüllt war. Andererseits hatte die Kammer zu berücksichtigen, dass ausweislich der vorstehend getroffenen Feststellungen von den insgesamt 794 Gefangenen der Deutschen Strafanstalt nur die insgesamt 381 Insassen der Abteilungen VI und VII mit Ausnahme der Inhaftierten aus Zelle 36, deren Zahl nicht exakt festliegt, und desjenigen, der sich vor Antritt der Flucht erhängt hat, fliehen konnten, wobei die Kammer zugunsten der Angeklagten davon ausgegangen ist, dass alle, auch die Alten und Kranken, irgendwie entkommen konnten. Die Kammer vermochte allerdings nicht auszuschliessen, dass auch aus der mit 80 Mann belegten Abteilung X einige verschont geblieben sind. Sie hat darüber hinaus die 40 Gefangenen abgezogen, die in der untersten Spalte der dem Kirchner--Bericht anliegenden Quittung oberhalb der Gesamtzahl vermerkt sind, weil nicht geklärt werden konnte, wo diese 40 Mann untergebracht waren und ob die Räumkommandos auch sie schon ergriffen hatten, bevor die Aktion abgebrochen wurde. Schliesslich hat die Kammer in Rechnung gestellt, dass es einigen nicht namentlich bekanntgewordenen Opfern ebenso wie den Zeugen Mil., Stp. und Por. gelungen sein mag, dem Massengrab lebend zu entfliehen.

Unter Berücksichtigung all dieser Einschränkungen hat die Kammer keinen Zweifel, dass der Liquidierung mindestens 250 von den 794 Todgeweihten tatsächlich zum Opfer gefallen sind.

Die vorstehend unter III und IV getroffenen Feststellungen beruhen auf den Einlassungen der Angeklagten, soweit das Gericht ihnen zu folgen vermochte, auf den eidlichen Bekundungen der polnischen Zeugen Jed., Kuc., Mil., Ni., Ski. und Stp., den eidlichen Bekundungen der deutschen Zeugen Bu., Dob., Gem., Gor., Hey., Hn., Hüt., Ih., Kön., Kot., Krö., Leh., Mei., Met., Plo., Ram., Rap., Rie., Sz., Tet., Tob., Urb., Vet. und Völ., ferner den uneidlichen Bekundungen des Zeugen K., Mic. und Uba. sowie den verlesenen richterlichen Vernehmungsniederschriften der Zeugen Cez., Kie., Por. und Win., ferner den verlesenen Vernehmungsniederschriften der Zeugen Bel. und Pra., soweit das Gericht ihnen zu folgen vermochte, schliesslich auf den überzeugenden Darlegungen des Sachverständigen Prof. Dr. Dr. Bre. und der dem Gericht dadurch vermittelten Sachkunde, auf dem verlesenen Protokoll über die richterliche Augenscheinseinnahme der Strafanstalt in Mokotow und den ausweislich der Sitzungsniederschrift verlesenen Urkunden und den in Augenschein genommenen Skizzen und Lichtbildern.

V. Die Einlassungen der Angeklagten

Die vorstehend unter III und IV getroffenen Feststellungen decken sich nur zu einem Teil mit den von den Angeklagten abgegebenen Erklärungen.

A. Der Angeklagte Mis.

In dieser Sache ist der Angeklagte Mis. erstmals am 2./3.2.1967 als Zeuge in dem gegen P., Krö. und andere geführten Ermittlungsverfahren vernommen worden. Ohne dass damals ein gegen ihn persönlich gerichteter Verdacht bestanden hätte, berichtete er unaufgefordert darüber, dass P. den Befehl erteilt habe, angebliche Widerstandskämpfer in einem bei der Stauffer-Kaserne gelegenen fenstervergitterten Gebäude zu erschiessen. Zum Ablauf der Aktion, über den seinerzeit an Einzelheiten noch wenig bekannt war, äusserte er sich dann wie folgt:

Um den vierten bis siebten 8.1944 habe P. ihn angewiesen, in seiner Einheit nach Freiwilligen für einen Sonderauftrag zu suchen, ohne dass ihm dieser Auftrag seinem Inhalt nach bekannt worden sei. Erst vor dem angetretenen Freiwilligenkommando habe P. mitgeteilt, dass sich drüben im Gefängnis Aufständische befänden, deren geplanter Ausbruch verhindert werden müsse. Deswegen solle die Gruppe unter Panzerbedeckung hinübergehen, die Leute aus dem Gebäude holen und sie einschliesslich des Wärters an Ort und Stelle erschiessen. Er - Mis. - sei zum Führer des Einsatzkommandos bestimmt worden.

Als er seine Leute hinübergeführt habe, hätten 3-4 Panzer das Gebäude schon umstellt gehabt. Ein Oberscharführer namens Fiedler und etwa 3 seiner Leute hätten das Gefängnis betreten, er selbst habe am Eingang des Gebäudes Stellung bezogen. 5-10 Polen, unbewaffnet und in Zivil, hätten das Gebäude verlassen. Sie seien zu einem etwa 10 m vom Gebäude entfernten Platz dirigiert worden, wo sie - so, wie sie da standen - mit einem Gewehr oder mit einer Pistole niedergeschossen worden seien. Er selbst habe höchstens 1-2 Polen getötet, darunter möglicherweise den Wärter. Seine Leute hätten das Gebäude ergebnislos nach Waffen durchsucht. Er habe aus dem Gebäudeinneren Schüsse fallen hören. Als die Aktion etwa 30 Minuten gedauert habe, weitere Polen das Gebäude nicht mehr verliessen, hätten ihm seine Leute, die im Inneren gewesen waren, gemeldet, dass drinnen ein Feuer ausgebrochen sei, und er habe dann auch einen Feuerschein durch ein Fenster im 2. oder 3.Stockwerk gesehen. Er vermute, dass es zur Entstehung dieses Feuers durch von seinen Leuten geworfene Handgranaten, die er von seinem Posten aus drinnen habe detonieren hören, gekommen sei. Seines Wissens hätten sich insgesamt 40-50 Polen im Gebäude aufgehalten; 5-10 davon seien im Hof getötet worden. Ob und wieviele im Gebäudeinneren durch Schüsse oder Handgranatendetonationen umgekommen seien, entziehe sich seiner Kenntnis; er nehme an, dass alle noch lebendig im Gebäudeinneren verbliebenen Polen dort verbrannt seien.

Auf Frage, warum er das in Brand geratene Gebäude nicht gewaltsam habe räumen lassen, bekannte Mis., er sähe ein, dass er als Führer des Einsatzkommandos diesbezüglich vollkommen versagt habe, dass er schon aus menschlichen Gründen anders hätte handeln müssen. Er habe Mitleid mit diesen Menschen gehabt. Während der Aktion seien ihm Zweifel gekommen, ob es sich bei den Inhaftierten tatsächlich um Partisanen gehandelt habe. Als er nach Abschluss der Aktion P. die Ausführung des Befehles gemeldet habe, habe er auch ihm gegenüber diese Bedenken geltend gemacht, woraufhin P. lediglich mit einem Hinweis auf die grossen Verluste in den eigenen Reihen geantwortet habe. Schon bei Ausbruch des Feuers habe er P. aufgesucht und sei dann wohl mit ihm gemeinsam an den Tatort zurückgekehrt. Er glaube nicht, dass zu diesem Zeitpunkt die Polen noch vor dem Feuertod hätten gerettet werden können. Daraus, dass die Polen nicht freiwillig aus dem Gebäude herausgekommen seien, schlussfolgere er, dass man wahrscheinlich durch Verschliessen der Ausgangstüre ihnen den Fluchtweg versperrt habe. Durch den Vernehmungsbeamten entsprechend angestossen, ergänzte er sein Vorbringen dahingehend, eine Zwangsräumung des brennenden Gebäudes auch deswegen nicht in Angriff genommen zu haben, um Verluste in den eigenen Reihen zu vermeiden. Abschliessend hob er hervor, vor der Ausführung des Befehles von P. über das rücksichtslose Vorgehen der Aufständigen unterrichtet worden zu sein, mit der Folge, dass die Truppe in einer gewissen Verbitterung die Polen auch nicht besonders geschont habe.

Von dieser Einlassung, jedenfalls insoweit, als es seine Verantwortlichkeit für die Leitung des Exekutionskommandos anbetraf, ist Mis. während der gesamten Dauer des Verfahrens nicht abgerückt. Nach seinen in der Hauptverhandlung abgegebenen Erklärungen fehlt ihm die Erinnerung an die meisten Einzelheiten des Geschehensablaufs. Das Vorhandensein dieser sehr erheblichen Erinnerungslücken erklärt er selbst damit, dass er die Geschehnisse aus seiner Erinnerung habe verdrängen müssen, um weiterleben zu können; eine Erläuterung, die dem Gericht in Anbetracht der Persönlichkeitsstruktur Mis.s nachvollziehbar und glaubhaft erscheint. Im Verlaufe der Hauptverhandlung hat der Angeklagte Mis. sich dahin eingelassen, er wisse mit Bestimmtheit, dass er erst im Laufe des 2.8.1944, etwa um die Mittagszeit herum, in der Staufer-Kaserne eingetroffen sei. Auf dem Rückmarsch von der Front nach Warschau sei er nämlich in der Nacht vom 1. auf den 2.8.1944 durch Flakeinheiten an der Weichselbrücke in Praga angehalten und es sei ihnen der Zugang zur Stadt verwehrt worden. Seine anfängliche Einlassung, das Anhaltemanöver sei damit begründet worden, dass in der Stadt der Aufstand ausgebrochen sei und niemand hineindürfe, hat er aufgrund ihm gemachter Vorhalte und nach Kenntnisnahme der Aussage des Zeugen Me. dahingehend abgeändert, dass man ihn und seine Leute wohl gestoppt habe, um mit ihrer Hilfe eine in der Brückenverteidigung entstandenen Lücke aufzufüllen.

Mis. will dann - so seine Einlassung - etwa 3-4 Stunden nach seiner Ankunft in der Kaserne von P. den Auftrag erhalten haben, ein aus Freiwilligen bestehendes Sonderkommando in Stärke von etwa 20 Mann für einen Sondereinsatz, dessen Art ihm nicht bekannt gemacht worden sei, zusammenzustellen. Er habe den Gedanken an eine Art Stosstruppunternehmen damit verbunden. Seines Wissens hätten sich genügend Freiwillige gemeldet, vollkommen sicher sei er dessen aber nicht mehr.
Vor dem Kommando habe P. dann bekanntgegeben, dass Aufständische entweder unter den Gefangenen seien oder dass sie in das Gefängnis eingedrungen seien - das erinnere er nicht mehr so genau - und dass der Festungskommandant befohlen habe, die Insassen zu erschiessen. Von der Anzahl der Gefangenen habe er keine Grössenvorstellung gehabt. Auch sei er völlig ortsunkundig gewesen. Nach dem Einmarsch habe er auf dem Gefängnisgelände einen Luftschutzgraben vorgefunden. Durch anders uniformierte Leute, die verhältnismässig gut deutsch sprachen, vermutlich Gefängnisbeamte, sei er eingewiesen worden, wie die Aktion durchgeführt werden sollte. Seine Aufgabe habe darin bestanden, die Leute einzuteilen und zu beaufsichtigen. 3-4 Panzer hätten das Gefängnisgelände umstellt gehabt, für ihn ein Indiz, dass ein Angriff der Aufständischen bevorgestanden habe.

Während er über einen langen Zeitraum hinweg allen anders lautenden Zeugenaussagen zum Trotz stets beteuert hatte, Alkohol sei während der Aktion nicht ausgegeben worden, änderte Mis. am 16.11.1979 seine Einlassung dahingehend ab, dass - wie die Aktion insgesamt - auch die Bereitstellung von Alkohol vorbereitet gewesen sei. Er habe das bislang aus Scham darüber, dass er als Offizier während des Dienstes Alkohol mitgetrunken habe, verschwiegen, aber ohne die Wirkung des Alkohols habe er die Befehlsausführung damals nicht durchstehen können. Ob ausser ihm noch ein zweiter Offizier die Erschiessungen auf dem Gefängnisgelände verantwortlich mitgeleitet habe, das könne er aus der Erinnerung heraus nicht mehr sagen, er halte es aber für möglich, wenn nicht sogar für wahrscheinlich, da ihm nur ein Bild vor Augen stehe, wonach er die Erschiessungen allein in einem der Gefängnishöfe beaufsichtigt habe.

Nach seiner Erinnerung habe er der Vorführung von 3-5 Gruppen von mal 5, mal 10 Gefangenen beigewohnt, als er Schreie oder Rufe aus dem Gefängnisinneren vernommen habe, dort hingelaufen sei und Qualm in den oberen Stockwerken habe aufsteigen sehen. Er habe daraufhin den Kopf verloren und sei weggelaufen zu P. Er habe nicht mehr weitermachen können und habe P. dies auch gesagt. Ob er dann noch einmal, evtl. mit P., ins Gefängnisgelände zurückgegangen sei, wisse er nicht sicher, glaube aber nicht, dass er das Gefängnis je wieder betreten habe. Er glaube auch nicht, die sich an die Exekutionen anschliessenden Sicherungsmassnahmen zur Verhinderung einer Flucht der Gefangenen geleitet zu haben, vielmehr meine er, in die Kaserne gegangen zu sein, und dort weiter getrunken zu haben. Dass Kinder und Jugendliche unter den Herausgeführten gewesen seien, habe er nicht wahrgenommen. Über die Zahl der Getöteten habe er keine andere Vorstellung als die genannte; er könne nicht ausschliessen, dass sich sein Erinnerungsbild auf diese Anzahl von Vorführungen verengt habe. Die Meldung, dass ein Rottenführer oder Unterführer im Gefängnis ums Leben gekommen sei, habe er wohl zugleich mit der Wahrnehmung der Rufe und des Feuers erhalten; es sei aber auch möglich, dass er erst später davon erfahren habe.
Er glaube, selbst ein-, zweimal geschossen zu haben, möglicherweise habe es sich dabei um Gnadenschüsse gehandelt.

Er schäme sich heute noch dafür, dass das alles geschehen sei. Er habe nie über diese Angelegenheit gesprochen, auch nach dem Kriege nicht mit seiner Frau oder mit seinen Kindern. Erst als er dann 1967 vernommen worden sei, habe er die Gelegenheit ergriffen, endlich jemanden zu haben, mit dem er darüber habe reden können.

B. Der Angeklagte P.

Im Gegensatz zu diesen im Kern beibehaltenen, den eigenen Tatbeitrag bekennenden Eingeständnissen des Angeklagten Mis. stehen die wechselvollen, auf Anpassung an die jeweilige Beweissituation angelegten, von Selbstbegünstigungs- und Beschönigungstendenzen augenfällig durchzogenen Einlassung des Angeklagten P., die in einer solch widersprüchlichen Vielfalt dem Gericht dargeboten worden sind, dass eine jede Einzelheit erfassende Wiedergabe den Rahmen eines Urteils sprengen würde. An dieser Stelle soll daher nur anhand eines Beispieles das Aussageverhalten des Angeklagten P., das das Gericht zu unüberwindlichen Zweifeln an der Verlässlichkeit seiner Angaben genötigt hat, veranschaulicht werden. Gleichzeitig wirft dieser Ausschnitt aus dem Wust von Erklärungen, die P. zu fast jedem Detail der Feststellungen abgegeben hat, ein bezeichnendes Licht auf die Persönlichkeitsstruktur des Angeklagten und auf seine Einstellung zur Tat. Auch unter diesem Aspekt kommt der nachfolgenden Aneinanderreihung der Erklärungen P. zu der Frage, in welchem Masse er Kenntnis von der Anzahl der Opfer, die getötet werden sollten, und der, die tatsächlich getötet worden sind, hatte, exemplarischer Charakter zu.

Am 25.5.1971, als P. erstmals als Beschuldigter vernommen wurde, basierte der Stand der Ermittlungen im wesentlichen auf der vorstehend wiedergegebenen Mis.schen Einlassung aus 1967. Zu dem angesprochenen Fragenkomplex sagte P. damals aus, Mis. sei ihm, kalkweiss im Gesicht, ohne Mütze und wie von Sinnen, entgegengekommen und habe ihm berichtet, dass etwa 12 Gefangene bereits erschossen seien, die Übrigen sich zur Wehr setzten und ausbrechen wollten. Er, P., habe daraufhin spontan die Aktion abbrechen lassen. Soweit er wisse, sei von den Entflohenen keiner wieder ergriffen noch einer erschossen worden.
Am 27.7.1971 als Zeuge angehört in einem Verfahren gegen den damaligen Kommandeur der Sicherheitspolizei und des SD in Warschau Dr. Hahn [122], nahm P. insoweit auf die vorstehend wiedergegebenen Darstellung Bezug und fügte hinzu;

> "Ich kann nur heute zu meiner Beruhigung sagen, hätte ich die Gefängnisinsassen in die Polizeistrasse überstellt, so wären sie wahrscheinlich samt und sonders erschossen worden, während aufgrund meiner Massnahmen nur wenige Gefängnisinsassen getötet wurden und der grösste Teil der Insassen fliehen konnte."

In der Beschuldigtenvernehmung vom 20.10.1975 stellte P. zunächst richtig, dass entgegen einem ihm früher gemachten Vorhalt die Strafanstalt zur Tatzeit mit mehr als 40-50 Insassen belegt gewesen sein müsse. Nach den Angaben seiner Untergebenen, die im Gefängnis gewesen seien, hätten es erheblich mehr Gefangene sein müssen, ohne dass er deren Zahl aber auch nur ungefähr nennen könne. Er führte dann ausweislich der ihm vorgehaltenen Vernehmungsniederschrift vom 20.10.1975 weiter wörtlich aus:

> "So, wie sich nach meinen Schilderungen die Gefängnisaktion darstellt, hat sie sich tatsächlich zugetragen. Ich sehe es heute als einen Teil der Erhörung meines Gebetes an, dass lediglich 10-12 Gefangene nach der Schilderung Mis.s umgekommen sind und die restlichen entfliehen konnten. M.E. hätten die Polen allen Grund, mir nicht nur wegen dieses Falles ein Denkmal zu setzen, denn schliesslich war ich es, der die Aktion abbrach, als Mis. zu mir nach der Erschiessung der 10-12 Gefangenen kam."

Nachdem ihm im weiteren Verlaufe dieser Vernehmung die Aussagen einiger der unter IV. aufgeführten ehemaligen Strafanstaltsinsassen, die das Massaker überlebt haben, vorgehalten worden waren, äusserte sich P. dazu wie folgt:

> "Das ist ja ungeheuerlich, wenn das wahr wäre, wäre die Begründung des Haftbefehls zutreffend. Die Angaben dieser Zeugen gehören in den Bereich der

[122] Siehe Lfd.Nr.795 und 821.

Fabel, soweit sie die Tat betreffen sollen, die mir angelastet wird. Ich schliesse nicht aus, dass die Zeugen tatsächlich Erlebtes berichten. Das betrifft jedoch nicht die Tat die ich befohlen habe und die sich auch nicht in der Zeit ereignet haben könne, in der ich die Kampfgruppe in Warschau geführt habe. Die Zeit stimmt nicht, zu dieser Zeit war ich mit ganz anderen Aufgaben im Rahmen der Kampfgruppe betraut, die Tat hat nicht so lange gedauert, wie von den Zeugen angegeben und soviele Gefangene hat es in der Anstalt nicht gegeben, wie von den Zeugen berichtet."

Unvorbereitet konfrontiert mit dem Inhalt des ihm bis dahin unbekannten Kirchner-Berichtes und der diesem beiliegenden Belegstärkemeldung, die seine Unterschrift mit Dienstrangbezeichnung trägt, erklärte P. dann:

"Mir ist die Quittung gezeigt worden; von einer derartigen Quittung ist mir weissgott nichts bekannt. Die Unterschrift sieht meiner Unterschrift ähnlich. Das, was unter meinem Namenszug steht und offenbar SS-Obersturmführer heissen soll, ist mit Sicherheit nicht meine Schrift."

Am selben Tag liess sich der Angeklagte P. dann vor dem Haftrichter wie folgt ein:

"Richtig ist, dass ich den Befehl zur Erschiessung weitergegeben habe, an meinen Untergebenen, Herrn Mis. Dieser kam einige Zeit später zu mir und erklärte, er habe 10 Personen erschossen, weitere Personen zu erschiessen habe er nicht über sich gebracht. Darauf habe ich gesagt, er möge die Aktion abbrechen. Es ist auch weiter nichts geschehen ..."

Eine Woche später, am 27.10.1975, erschien der Angeklagte P. unaufgefordert bei dem vernehmenden Staatsanwalt und gab zu Protokoll, dass der ihm in der Vorwoche vorgehaltene Kirchnerbericht ihn zum Nachdenken über den Sachverhalt angeregt und verschüttet gewesene Erinnerungen freigelegt habe. Daraufhin stellte er den hier angesprochenen Sachverhaltsausschnitt dann wie folgt dar: Noch am 1.8.1944 sei ein Hilfeersuchen seitens des Gefängnisses eingegangen. Er sei in der Dunkelheit dort im Wachlokal gewesen. Auf dem Weg zurück zur Kaserne habe er einen Untergebenen beauftragt festzustellen, wieviele Menschen eigentlich in der Anstalt seien. Während einer später in der Kaserne abgehaltene Lagebesprechung sei plötzlich ein Angehöriger der Strafanstalt erschienen, ein Deutscher, besonders zackig auftretend; er habe die Belegstärke der Anstalt gemeldet. Er habe dann die Stärkemeldung bestätigt haben wollen.

Sodann fuhr P. fort:

"Wie diese Bestätigung durch mich im Einzelnen erfolgte, vermag ich nicht zu sagen. Es kann aber durchaus sein, dass ich meinen Namenszug auf einen vorgefertigten Zettel gesetzt habe, der Angaben über die Belegung der Anstalt enthielt. Die in dem Zettel enthaltenen Zahlenangaben habe ich mir damals nicht mit Bewusstsein angesehen ..."

In der am 10.11.1975 erfolgten Fortsetzung der am 27.10.1975 unterbrochenen Vernehmung wiederholte P., nachdem er sich ausführlichst über seine Bemühungen, den Befehl von sich und seinen Leuten abzuwenden, ausgelassen hatte, seine früheren Angaben bezüglich seiner Kenntnis über den Ausgang der Erschiessungsaktion:

"Ich schrie daraufhin ebenfalls von Grauen über den Anblick Mis.s gepackt, aufhören, aufhören. Ich frug Mis. noch, was wohl bis jetzt geschehen war. Er sagte, 10-12 Mann seien bis jetzt erschossen worden, ein Unterführer sei von den Gefangenen in eine Zelle gezerrt und erschlagen worden.

Ich war nicht mehr in der Lage, mich von der Richtigkeit der Behauptungen Mis.s zu überzeugen. Ich war viel zu fertig, um noch das Gefängnis aufsuchen zu können. Ich habe zu keinem Zeitpunkt persönlich Einblick in das erhalten, was dort im Einzelnen geschehen ist. Ich fühlte mich darüber erleichtert, dass nur 10-12 Gefangene getötet worden waren und die restlichen, wie Mis. berichtete, sich über einen Luftschacht in die Küchenräume zurückgezogen hätten und

offenbar Gelegenheit fanden zu fliehen. Ich sah das als eine Erhörung meines Gebetes an ...
Ich habe keine Anhaltspunkte bis zu meiner Vernehmung am 27.10.1975 dafür gehabt, dass weitere als die mir von Mis. berichteten Erschiessungen im Gefängnis vorgenommen worden sind. Mit den Angaben, die Mis. mir überbracht hatte, habe ich bis zu dieser Zeit gelebt ...
Als an diesem Tage ... die Kriminalbeamten erwähnten, es ginge wieder um Dinge aus Warschau, habe ich dem gelassen und guten Gewissen entgegengesehen. Als ich dann später im Laufe der Vernehmung hörte, dass nach den neuesten Erkenntnissen etwa 500-600 Gefangene bei dieser Aktion den Tod gefunden haben sollen und nicht nur 10-12, habe ich das für so grotesk gehalten, dass ich dieses spontan als in den Bereich der Fabel gehörend bezeichnete ...
Zwei, drei Tage später hat mir ein Unterführer das Gefängnis gezeigt. Das ganze Haus war mir voller Grauen. Ein Blick in den Gefängnishof liess eine abgedeckte Grube erkennen. Ich habe ihre Masse abgeschätzt und ich erinnere mich noch, mit Erleichterung festgestellt zu haben, dass in der kleinen Grube nicht viele Menschen liegen könnten. Alles in allem war ich froh, wie glimpflich alles verlaufen war."

Im weiteren Verlauf dieser Vernehmung wies P. darauf hin, dass er aufgrund eines Vernehmungsersuchens eines SS-Gerichtes in Krakau bald darauf zu dem gegen ihn erhobenen Vorwurf vernommen worden sei, Gefangene laufen gelassen zu haben. Die Vorhaltungen seien jedoch "sehr, sehr vage" gewesen, wieviele Gefangene er laufen gelassen haben solle, sei ihm nicht gesagt worden.
Seine fehlende Kenntnis vom Ausmass der Tötungsaktion beteuerte der Angeklagte P. auch noch vor dem erkennenden Gericht am 18.7.1978. Dabei sagte er:

"Bis zu meiner Vernehmung vor 3 Jahren habe ich nur von der Erschiessung von 12 Personen gewusst. Dies hatte mir Mis. gemeldet."

In einem an die Kammer gerichteten Brief vom 22.7.1978, der durch auszugsweisen Vorhalt in die Hauptverhandlung eingeführt worden ist, schrieb der Angeklagte P., dass er "den Mitangeschuldigten Mis. der Gnade des Herrn" anbefehle, dass er Mis., der das Grauen auszuführen gehabt und erlebt habe, darin verstehe, dass er nie ein Wort darüber gesprochen habe. In dem selben Brief forderte er den Mitangeklagten Mis. auf, er solle "bekennen, was in diesen Mauern geschehen" sei.

Als der Angeklagte P. sich in der Hauptverhandlung erstmals zur Sache einliess, stellte er es so dar, dass derjenige, der ihn wenige Tage nach der Aktion durch das Gefängnis geführt habe, davon gesprochen habe, dass Hunderte entkommen seien. Er selbst habe einen Blick in den Gefängnishof geworfen und verhältnismässig kleine Grabaufschüttungen gesehen. Da sei ihm klar geworden, dass mehr Menschen umgekommen sein mussten, als die 10-12, von denen Mis. gesprochen hatte, P. bestritt aber auch da mit Nachdruck, das tatsächliche Ausmass jemals erahnt zu haben. Bezüglich der Meldung über die Belegstärke der Anstalt hielt er seine bereits einmal abgegebene Darstellung aufrecht, wobei er betonte, dass seine Unterschrift lediglich dem Zweck gedient habe, den Erhalt der Meldung über die Belegstärke zu bestätigen. Er schloss daran die Vermutung an, ob nicht vielleicht Kirchner früher als er, nämlich schon am 1.8. abends, den Tötungsbefehl inhaltlich gekannt und deswegen darauf gedrängt habe, die Stärkemeldung von ihm - P. - abgezeichnet zu bekommen.
In anderem Zusammenhang berichtete P. am 5.3.1979 darüber, dass er später seinem Vorgesetzten Bel. schriftlich über den ihm zuteil gewordenen Befehl in Kenntnis gesetzt habe. Er habe ihn auch darüber informiert, dass der Befehl wegen des Widerstandes der Gefängnisinsassen nicht vollständig habe ausgeführt werden können und dass ca. 300 Leute entkommen seien. Auf Vorhalt, woher ihm diese Zahl damals bekannt gewesen sei, erwiderte er, dass diese Zahl im Zuge des gegen ihn gerichteten SS-Ermittlungsverfahren gefallen sei.

In der Verhandlung vom 29.6.1979 war dann von P. zu hören, dass ein SS- und Polizeigerichtsverfahren gegen ihn eingeleitet worden sei wegen des Vorwurfs, 200-300 Polen laufengelassen zu haben. Im Gegensatz zu früheren anderslautenden Erklärungen gab er auch jetzt wieder an, Bel. über die Gefängnisaktion nachträglich informiert zu haben, sei dabei auf Zahlen aber nicht eingegangen.
Als P. dann später seine früheren Aussagen vorgehalten wurden, räumte er ein, im Anblick der Grube die Anzahl der darin verscharrten Leichen sicher höher geschätzt zu haben, als damals zugegeben, aber eine Zahl um die 400 habe ihm auch damals nicht vor Augen gestanden.

In seiner zusammenfassenden Einlassung vom 16.11.1979 hatte P. dann folgende Erklärung parat: Der Erschiessungsbefehl sei ihm schon am 01.08. abends telefonisch von Geibel zugegangen, er sei im Anschluss daran ins Gefängnis gegangen und habe Kirchner informiert. Auf seinen Wunsch hin habe Kirchner eine Belegstärkemeldung erstellt und ihm später in die Kaserne gebracht. Kirchner habe dabei bemerkt, dass er - P. - den Zettel ja unterschreiben könne, da die Erschiessung der Gefangenen bereits beschlossene Sache sei.

Eine vergleichbare Vielfalt von Erklärungen drang zu fast allen Einzelheiten des Sachverhaltes von seiten P.s auf das Gericht ein. Die Kammer sah sich deswegen ausserstande, zwischen dem, was der Angeklagte an echter Erinnerung preisgegeben hat, zwischen Phantasiegebilden, auf Verdrängungsmechanismen, Erinnerungsverlust oder Selbstschutzbestreben beruhenden Auffüllungen vorhandener Erinnerungsreste und zwischen bewussten Lügen zu unterscheiden. Den Einlassungen des Angeklagten vermochte sie Beweiswert deswegen nur in dem Umfang zuzuerkennen, als die Erklärungen in anderen verlässlicheren Beweismitteln eine Entsprechung fanden, bzw. insoweit, als Einlassungen sich im Verlaufe der Beweisaufnahme mangels einschlägiger anderer Beweismittel als unwiderlegbar erwiesen.
In diesem Zusammenhang ist hervorzuheben, dass der Angeklagte P. angesichts eines sich in der Hauptverhandlung verdichtenden Beweisergebnisses erklärt hat, seine Erinnerungen wichen in vielen Einzelheiten von dem Ergebnis der Beweisaufnahme ab, er halte es aber nicht mehr für ausgeschlossen, Irrtümern zu unterliegen; die Qualität der herangezogenen Beweismittel wolle er nicht in Zweifel ziehen.

Soweit er in Gegensatz zu den getroffenen Feststellungen stehende Einlassungen bis zum Ende des Verfahrens aufrecht erhalten hat, werden sie in Zusammenhang mit der Würdigung des Beweisergebnisses zu den jeweiligen Feststellungen nachfolgend unter VI abgehandelt werden.

VI. Beweiswürdigung

A. Aussonderung unbrauchbarer Beweismittel

Aus der Vielzahl der von der Kammer erhobenen Beweise gilt es vorab diejenigen auszuscheiden, die wegen ihrer Unzuverlässigkeit bei der Urteilsfindung unberücksichtigt bleiben mussten.

Zu diesen untauglichen Beweismitteln gehören vor allem etliche der als Zeugen vernommenen ehemaligen Angehörigen der Waffen-SS. In ihrer Mehrzahl schienen sie es für geboten zu halten, das Treuegelöbnis der Waffen-SS noch heute zu beherzigen und ihre Solidarität mit den Angeklagten dadurch zu beweisen, dass sie bezüglich des in Rede stehenden Zeitraumes nichts zu wissen oder sich an nichts zu erinnern vorgaben. Nur bei einigen von diesen gelang es, im Laufe der Vernehmung die Mauer des Schweigens zu durchbrechen und sie zu einer detailreichen Aussage zu bewegen, die gerade deswegen, weil der Zeuge sie sich hatte schwer abringen lassen, an Verlässlichkeit gewann. Die meisten dieser im Prinzip nicht aus-

sagebereiten Zeugen aber beharrten auf ihren erkennbar unvollständigen, vielfach ersichtlich unzutreffenden Aussagen.
In Anbetracht der Fülle des Beweismaterials hat das Gericht die Bekundungen solcher Zeugen insgesamt nicht verwertet, mochten sie auch zum Randgeschehen Angaben enthalten, die sich mit dem übrigen Ergebnis der Beweisaufnahme deckten; insoweit aber war die Kammer gerade wegen des Vorhandenseins anderer Beweismittel auf eine Bekräftigung der Aussage solcher an sich unzuverlässiger Zeugen nicht angewiesen.

Die Reihe dieser Zeugen, die vom Gericht als unzuverlässig und daher unbrauchbar eingestuft wurden, wurde angeführt von dem Zeugen Etz., der nach Überzeugung der Kammer in wesentlichen Teilen seiner Aussage bewusst die Unwahrheit gesagt hat. Auffällig war der Gegensatz zwischen seiner ausgesprochen dürftigen Erinnerung an die Geschehnisse in der Aufstandszeit und an seine eigenen Aufgaben in diesem Zeitraum, während er sich spontan an völlig unwesentliche Einzelheiten, die Bestandteil der P.schen Einlassung waren und einer Bestätigung bis dahin noch entbehrten, einschliesslich ihrer zeitlichen Einordnung zu erinnern vermochte. Insofern, als es darum ging, Teile der P.schen Einlassung abzudecken, bildete seine Aussage vor Gericht eine geradlinige Fortsetzung seiner früheren Erklärungen, während, wenn man auf den Inhalt der einzelnen Vernehmungen abstellt, die früheren Ungereimtheiten und Widersprüche seiner Angaben noch durch neue ergänzt wurden. Allein seine verschiedenen Bekundungen, was und wie er von den Erschiessungen im Gefängnis erfahren oder auch nicht erfahren haben will, sind ein beredtes Zeugnis dafür, wie es um die Glaubwürdigkeit dieses Zeugen bestellt ist, der nach Überzeugung der Kammer in die Vorbereitung der Liquidierungsaktion persönlich eingeschaltet war. Sein unsicheres Auftreten vor Gericht, das Ausdruck fand in fahrigen Bewegungen, einem hastigen, tiefen Atemholen, einer zunehmenden Rötung des Gesichtes, einer überhasteten, kaum einen Satz folgerichtig zu Ende führenden Sprechweise, ferner die Unfähigkeit dieses geistig beweglichen, gewandten Mannes, im Zusammenhang über seine Erinnerung an die fragliche Zeit zu berichten, seine Flucht in ausweichende, meist im Konjunktiv gehaltene Formulierungen taten ein übriges, Zweifel in die Glaubwürdigkeit dieses Mannes zu setzen, dessen Bild sich nach dem, was polnische Zeugen über ihn zu berichten wussten, als das eines besonders feindselig gegen die Polen eingestellten, seine Macht auskostenden Offiziers in Warschau darstellt, der seine Gründe dafür haben mag, das zu verschweigen, was er noch über die Warschauer Zeit weiss.

Die Kammer hat des weiteren die Aussage des ehemaligen Bataillonsadjutanten Har. ausgesondert. Auch dieser Zeuge wich erkennbar aus, verwickelte sich in Widersprüche, kürzte seine früheren Aussagen um gewichtigere Angaben als die Belanglosigkeiten, die er überwiegend vor Gericht bekundete. Auch energische Vorhalte bewirkten keine Umkehr seines Aussageverhaltens, lediglich fand er sich bereit einzuräumen, dass es in einigen Punkten anders gewesen sein könne, als von ihm dargestellt.

Nicht verwertet hat die Kammer auch die Aussage des ehemaligen Untersturmführers Alb. sowie die Bekundungen der sich um ihn gruppierenden ehemaligen Unterführer seiner Kompanie, der Zeugen Gön., Ött. und Ree. Zugestandenermassen haben alle vier vor ihren Vernehmungen untereinander in Kontakt gestanden. Die Frage nach Häufigkeit und Gegenstand dieser telefonischen Verbindungen beantworteten sie mit einander derart unvereinbaren Erklärungen, dass sie sich schon deswegen nach Überzeugung der Kammer als glaubwürdige Zeugen disqualifiziert haben. Da sie sich darüber hinaus auf die den Gegenstand dieses Verfahrens berührenden Fragen solchermassen einliessen, dass der Verdacht einer Aussageabsprache nicht mehr von der Hand zu weisen war, mussten ihre Bekundungen für die Urteilsfindung ausser Betracht bleiben. Alle vier wollten über die Gefängnisaktion gar keine oder allenfalls vage Kenntnisse haben, und das, obwohl - wie die Kammer aus anderen, ihr verlässlicher erscheinenden Aussagen ehemaliger Kompanieangehöriger erfahren hatte - innerhalb dieser von Alb. geführten Leute ein guter Zusammenhalt und reger Informationsfluss geherrscht hatte und viele Angehörige eben dieses Verbandes kurz nach der Aktion im Gefängnis hatten Wache schieben müssen und dadurch von den Vorgängen, die sich dort abgespielt hatten, erfahren hatten; insoweit wird auf die nachfolgend noch zu würdigenden Aussagen der Zeugen Hn., Plo., Gor. und Vet. verwiesen.

Aber nicht nur diese anderslautenden Zeugenaussagen, sondern schon das eigene Aussageverhalten dieser vier ehemaligen Führer und Unterführer strafte sie lügen.

Da war der Zeuge Alb., dessen ausgesprochene reichhaltige Detailerinnerung zum Randgeschehen in einem auffälligen Missverhältnis zu seiner - allenfalls geringsten Anforderungen genügenden - Erinnerung an die Geschehnisse innerhalb der Aufstandszeit stand, und der, nachhaltig auf die Folgen einer möglichen Falschaussage hingewiesen, mit hochrotem Kopf vorübergehend in einen Zustand geistesabwesenden Nachsinnens verfiel, um dann aber doch daran festzuhalten, dass er eben nicht mehr wisse.
Bei dem Zeugen Gön. wirkte sich eine abschliessende Belehrung über die Möglichkeit einer Aussageberichtigung bis zum Abschluss des Verfahrens dahingehend aus, dass er sich noch im Gerichtssaal über die dabei einzuhaltenden Formalitäten erkundigte, ohne allerdings später von dieser Möglichkeit Gebrauch zu machen. Nach Überzeugung der Kammer hätte dieser Zeuge einiges an seiner Aussage zu berichtigen gehabt. Greift man nur seine Erklärungen heraus, was er bezüglich der Gefängnisaktion wahrgenommen haben will, so wurde das Eingeständnis, einen Brand lodern gesehen zu haben, gefolgt von dem Begehren, ein Auskunftsverweigerungsrecht geltendmachen zu dürfen, um dann schliesslich zu bekennen, er sei sich dessen so unsicher, ob er Schüsse gehört und Leichengeruch wahrgenommen habe, dass er lieber gar nichts dazu sagen wolle.
Der Zeuge Ött. erweckte bei Gericht den Eindruck eines betont redseligen, mitteilungsbereiten Zeugen, dessen Redefluss abrupt abbrach, als das Gespräch auf den Warschauer Aufstand kam, zu dem er zunächst nicht mehr zu sagen wusste, als dass er Einzelheiten nicht mehr in Erinnerung habe. Erst energisch angegangen, besann er sich doch noch auf verschiedene Einzelheiten, die aber in ihrer Art solchermassen waren, dass durch ihre Preisgabe niemand in ein schlechtes Licht gerückt werden konnte.
Auch der Zeuge Ree. schliesslich zog sich auf die Position zurück, während der Aufstandszeit so gut wie nichts gesehen und gehört zu haben. In zutreffender Einschätzung des Gehaltes seiner Aussage wandte er sich ob der Ankündigung seiner Vereidigung voller Verwunderung an das Gericht und fragte, beklommen und verunsichert, ob er denn auch den Eid leisten müsse, wo er doch nichts wisse.

In diesem Zusammenhang sei gleich die Aussage des Zeugen Ho. mitabgehandelt, ehedem Untergebener des Zeugen Gön.. Ohne dass konkrete Anhaltspunkte für eine Absprache zwischen Ho. und den vorgenannten Zeugen hervorgetreten sind, glich er sich in seinem Aussageverhalten diesen doch auffällig an. Während er sich zu Beginn der Vernehmung an so gut wie gar nichts zu erinnern wusste, nahm seine Erinnerungsfähigkeit später direkt proportional der Eindringlichkeit der Vorhalte und Belehrungen zu, ohne deswegen den Verdacht, auch weiterhin bewusst mit seinem Wissen zurückzuhalten, zerstreuen zu können. Die Kammer liess deswegen auch seine Angaben unberücksichtigt.

In diese Kategorie von auszuscheidenden Zeugen war auch der Zeuge Os. einzureihen, ehedem Bataillonsspiess, der sich schon in seinen vorangegangenen Vernehmungen durch geschicktes Ausweichen auf gestellte Fragen hervorgetan hatte. Von dieser Kunst, nicht nichts zu sagen, sondern etwas, das soviel ist wie nichts, legte er auch vor Gericht eine Kostprobe ab. Kaum ein Aussagesatz, der nicht durch eine Formulierung wie "es ist möglich, dass ...", "ich halte es für wahrscheinlich, dass ..." oder "es könnte sein, dass ..." letztendlich entwertet worden wäre. Nur in zwei Dingen war er sich seiner Sache ganz sicher, darin, dass er - entgegen zahlreichen anderslautenden Bataillonstagesbefehlen - nie vom Bataillon als Fussballspieler eingesetzt worden sei, und darin, dass er - anders als von P. zeitweilig vorgetragen - an keiner Lagebesprechung in Warschau teilgenommen habe, die sich mit dem Befehl zur Liquidierung der Gefangenen befasste. Durch den Vorhalt dieser P.schen Angabe liess er sich ein einziges Mal in seiner mehrstündigen Vernehmung zu einer ebenso spontanen wie entschiedenen Antwort hinreissen. Angesichts dieses erkennbaren Bestrebens des Zeugen, seine Aussage so unbestimmt wie eben möglich zu halten, solange nicht ein seine eigene Verantwortlichkeit möglicherweise tangierender Bereich angesprochen wurde, machte ihn, gemessen an der Position, die er seinerzeit innehatte, und unter Berücksichtigung des Eindrucks der Gewandtheit, geistigen Beweglichkeit und Souveränität, den er bei Gericht hinterliess, in den Augen der Kammer zu einem bewusst mit seinem Wissen zurückhaltenden Zeugen, dessen Aussage deshalb kein Wert beigemessen werden konnte.

Als unbrauchbar erwies sich auch die Bekundung des 74jährigen ehemaligen SS-Hauptsturmführers Kli., seinerzeit Rechnungsführer und somit Chef der Verwaltung beim Bataillon. Weitschweifig und sprunghaft breitete er seine angeblichen Erinnerungen vor dem Gericht aus. Seine geschwätzige, aufdringliche Art der Darstellung, die Distanzlosigkeit in seinem Verhalten, seine krampfhaften Anstrengungen, die Aufmerksamkeit der Zuhörer zu fesseln, die Abgabe einer im Vergleich zu den Vorvernehmungen völlig neuen Darstellung über sein Erleben des Warschauer Aufstandes, die ihm erstmals eine Heldenrolle bei der Aufstandsbekämpfung zuwies, fügten sich zusammen zu dem Bild eines von krankhaften sklerotischen Veränderungen gezeichneten Mannes, sei es, dass dieses Bild objektivierbare Befunde widerspiegelt, sei es, dass es hervorragend gestellt war. Jedenfalls sah sich die Kammer ausserstande, innerhalb der Erklärungen dieses Zeugen das Glaubhafte zuverlässig von dem Unglaubhaften abzuscheiden.

Den Eindruck der Verwirrtheit rief - gewollt oder ungewollt - auch der Zeuge N. hervor. Die Erklärungen, die er abgegeben hatte, bevor er das Auskunftsverweigerungsrecht nach §55 StPO für sich in Anspruch nahm, liess die Kammer deswegen bei der Urteilsfindung ausser Betracht.

Die Aussage des geistig einfach strukturierten Zeugen R. war so deutlich vom Stempel der Unrichtigkeit geprägt, dass sie jeden Beweiswertes entbehrte. Der Zeuge kündete schon während der Belehrung über seine Pflichten dem Gericht an, dass er sich auf einen Eid "sowieso nicht einlassen" werde. Als er am Ende vor die Frage gestellt wurde, ob er den Eid mit oder ohne religiöse Beteuerungsformel leisten wolle, wandte er sich sinngemäss mit den Worten "was sag' ich denn nun? ich bin doch ein Christenmensch!" hilfesuchend zu seiner im Zuschauerraum weilenden Tochter um, die ihm aufmunternd zunickte. Nachdem ihm wunschgemäss die Wahlmöglichkeiten noch einmal erläutert und ihm in diesem Zusammenhang zum Zwecke der Verdeutlichung gesagt worden war, dass ihn, wenn er eine inhaltlich falsche Aussage bei Gott beschwöre, der Teufel holen werde, erklärte er kurz entschlossen: "Nein, beim Herrgott schwören tu' ich nicht."

Ähnlich eindrucksvolle Beweise dafür, mit welcher Einstellung er zu Gericht gekommen war und wie es um seine Bereitschaft zu einer sachbezogenen, vollständigen und wahrheitsgemässen Aussage stand, lieferte der Zeuge Pol. Auf Vorhalt, dass er, wenn er sich zur Tatzeit im Kasernenbereich aufgehalten habe, den Lärm vom Gefängnis her eigentlich kaum habe überhören können, steigerte sich der Ausdruck des Unwillens und der Verbitterung im Gesicht dieses Zeugen noch um einige Grade und er stiess trotzig hervor: "Wenn das so ist, dann habe ich vielleicht geträumt, dann war ich sicher gar nicht in Warschau. Man kann ja auch jemandem etwas einreden. Das ist wie mit der Religion, am Ende ist das Opium." Im weiteren Verlaufe der Vernehmung wurde ihm reichlich Gelegenheit gegeben, sich seine in russischer Kriegsgefangenschaft gesammelten persönlichen Erfahrungen von der Seele zu reden. Als das Thema dann nochmals auf den Gegenstand dieses Verfahrens überwechselte und ihm Aussagen ehemaliger Kameraden, die über die fragliche Massenexekution etwas berichtet hatten, vorgehalten worden waren, lachte der Zeuge an ausgesprochen unpassender Stelle.

Deswegen ermahnt, erklärte der Zeuge, dass er lache, weil es so etwas nie im Leben gegeben habe. "Das sind für mich Märchen", und er fügte, wieder voll Bitterkeit in der Stimme, hinzu, dass man nach seiner Meinung Menschen "kaputtmachen" könne, wenn man ihnen etwas einrede, was gar nicht gewesen sei, "Opium" eben. Seine Hasstirade gegen die Justiz gipfelte dann in dem Ausspruch, dass es hier vor Gericht auch nicht viel anders zugehe als damals bei der Verhandlung in Russland, "nur dass man da" - so sinngemäss - "noch was zu essen und zu trinken bekam und anschliessend eine geschmiert; dann wurde einem die Pistole auf die Brust gesetzt und man bekam gesagt, was man zu tun hatte."
Die Kammer war der Überzeugung, auch auf die Erklärungen dieses Zeugen bei ihrer Urteilsbildung verzichten zu sollen.

Die Angaben der Zeugen Beh., We. und Kas. hat die Kammer als unergiebig aus der Fülle der Beweismittel ausgeschieden. Sie konnten aus ihrer Erinnerung keine Details beisteuern, die der Kammer irgendwelche weiterführenden Erkenntnisse vermittelt hätten.

Der Zeuge Lor. wiederum war nach Überzeugung der Kammer jener Gruppe ehemaliger Einheitsangehöriger zuzurechnen, die zwar über eine gehörige Menge an Detailerinnerung verfügten, es aber verstanden, sie für sich zu behalten. Obwohl nach eigenen Angaben als Wache im Kasernengelände eingeteilt, wollte er keinerlei eigene Wahrnehmungen bezüglich der Gefängnisaktion getroffen haben. Auf die Frage, ob er selbst irgendwann im Gefängnis gewesen sei, verwickelte er sich in Widersprüche; erst stritt er es ab, auf Vorhalt einer älteren Vernehmungsniederschrift gestand er zu, vielleicht mal hineingeschaut zu haben, aber nicht drinnen gewesen zu sein, nach Fortgang der Vernehmung schränkte er seine Angabe weiter dahin ein, nicht richtig darinnen gewesen zu sein, bis er sich schliesslich bereitfand einzuräumen, zumindest das Wachlokal des Gefängnisses aufgesucht zu haben. Ähnlich mussten ihm Bekenntnisse zu anderen Wahrnehmungen Stück für Stück abgerungen werden, ohne dass der Zeuge aber denjenigen Rahmen überschritten hätte, den er durch Preisgabe von Wissen in Vorvernehmungen bereits selbst abgesteckt hatte.
Die mangelnde Bereitwilligkeit dieses Zeugen, von sich aus dem Gericht mehr als nur ausgesuchte Bruchstückchen seiner an sich guten Detailerinnerung zu liefern, liessen ihn als ungeeignetes, weil unzuverlässiges Beweismittel erscheinen.

Im Gegensatz zu ihm liess es der Zeuge Ret. an der Bereitschaft, das Gericht an seiner anscheinend geradezu phänomenalen Gedächtnisleistung teilhaben zu lassen, keineswegs fehlen. Er verblüffte die Kammer mit einer minutiösen Wiedergabe der 35 Jahre und mehr zurückliegenden Ereignisse. Bei nachgehender Betrachtung taten sich allerdings Zweifel auf, ob der Film, den er - bildlich gesprochen - vor der Kammer abgespult hatte, wirklich ein naturgetreues, ungekürztes Abbild der Wirklichkeit oder nicht vielmehr eine mit Phantasieprodukten angereicherte zusammengeschnittene Fassung eines erlebten Zeitabschnittes war. Nach Überzeugung der Kammer trifft die letztgenannte Alternative zu.
Beispielhaft sei der Bericht Ret.s über den Einmarsch in Warschau am 1.8. abends herangezogen. Da ist die Rede davon, dass sie schon jenseits der Weichsel unter Beschuss geraten seien, dass der vor ihm gehende Offizier, in dem er dann Mis. erkannt habe, ihnen, als sie zurückfeuerten, zugerufen habe: "Ihr Idioten, man schiesst doch nicht auf Weiber!", dass dann an der Weichselbrücke drei Postbusse bereitgestanden hätten, die Mis. zuerst für den Bedarf seiner Kompanie beansprucht habe, bevor die anderen hineingedurft hätten, ferner dass diese drei Busse dann mitten durch das Polizeiviertel ohne wesentliche Behinderung zur Staufer-Kaserne gelangt seien. An anderer Stelle erzählte Ret. in aller Ausführlichkeit über einen Vorfall in einer Unterführerschule etwa im Dezember 1943, wo ihm Mis. durch sein Eintreten für ihn das Leben gerettet habe.

Nicht nur, dass in Mis., auch nachdem er diese Bekundungen gehört hatte, keinerlei Erinnerungen wachgerufen wurden, es mangelte diesen Detailangaben auch an jeder sonstigen Bestätigung durch die umfangreiche Beweisaufnahme. Die Kammer glaubt nicht daran, dass diese Bestätigung nur deswegen ausblieb, weil es sich um urkundlich nicht registrierte, dem menschlichen Vergessen anheimfallende unwesentliche Randgeschehnisse handelt, sie ist vielmehr davon überzeugt, dass diese detailreichen Schilderungen des Zeugen zwar einen Kerngehalt an echter Erinnerung in sich tragen, darüber hinaus aber von einem der Fantasie entsprungenen Rankenwerk umgeben sind. Anders vermag sich die Kammer diese Anhäufung von Unwahrscheinlichkeiten, die die Ret.sche Darstellung gemessen an dem übrigen Ergebnis der Beweisaufnahme in sich trägt, nicht vernünftig zu erklären.

Es passt nicht in das Bild, das der Kammer über den Zustand der vom schweren Fronteinsatz nach Warschau hineinmarschierenden Truppe gezeichnet worden ist, dass einer ihrer Offiziere seinen Leuten untersagt haben soll, sich, als sie beschossen wurden, ihrer Haut zu wehren, ganz zu schweigen davon, dass Ret. offenliess, wie sich die Ereignisse nach dem angeblichen Zuruf Mis.s weiter entwickelten. Unwahrscheinlich ist für die Kammer auch die Beschreibung des Vorfalles auf der Brücke, die sich nach der Einlassung Mis.s schon deswegen so nicht zugetragen haben kann, weil Mis. den ganzen Weg im Fussmarsch zurückgelegt haben will und insoweit durch die Aussagen seiner damaligen Einheitsangehörigen Dob. und Mic. eine glaubhafte Bestätigung erfährt. Nach allem, was die Kammer über die Heftigkeit der Kämpfe im Polizeiviertel zu Beginn des Aufstands erfahren hat, erscheint es ihr geradezu denkunmöglich, dass ausgerechnet drei Busse voller Waffen-SS-Leute, ohne auch nur beschossen zu werden, am Abend des 1.8.1944 das Polizeiviertel durchquert haben sollen.

Nimmt man nun noch die dritte Ret.sche Episode hinzu, in der Mis. eine Rolle gespielt haben soll, dann zeigt sich ein weiteres Mal, dass auch daran etwas nicht stimmen kann. Wiederum bestätigte Mis. die Angabe Ret.s nicht. Mis. wies vielmehr darauf hin, dass er als Offizier nie einer Unterführerschule angehört habe, was sich mit den urkundlich belegten Erkenntnissen über seinen militärischen Lebenslauf deckt. Dies zur Kenntnis nehmend, begann der Zeuge Ret., mit Mis. darüber zu diskutieren, woanders oder zu welcher anderen Zeit die fragliche Begegnung stattgefunden haben könne.

Diese Unstimmigkeiten und Ungereimtheiten, die sich bei eingehender Betrachtung zuhauf in seiner über viele Stunden sich erstreckenden Vernehmung finden, liessen Zweifel am Wahrheitsgehalt dieser beim ersten Anhören beeindruckenden Zeugenaussage aufkeimen. Diese Zweifel haben sich dann zu der gesicherten Überzeugung des Gerichtes verfestigt, dass dieser Zeuge zweckgerichtet ein Gemisch aus Erfundenem und Nichterfundenem verfüttert hat, um sich seine Zuhörer gefügig zu machen. Durch seine zur Schau getragene Gesprächsbereitschaft und die von ihm angebotene Detailfülle verstand er es, Zweifel an seiner Aufrichtigkeit und Wahrheitsliebe während der Vernehmung gar nicht erst aufkommen zu lassen, was ihn davor bewahrte, weiter bedrängt zu werden, wenn er vorgab, auf eine Frage nach bestimmten Einzelheiten mal ausnahmsweise keine Antwort zu wissen.
So gelang es ihm, den Zeitraum vom 2.8. mittags bis etwa zum 3.8. früh aus seinen sonst umfassenden Nacherzählungen des damaligen Geschehens auszusparen, ohne deswegen durch eindringliche Nachfragen behelligt zu werden. Erst bei nachträglicher Würdigung der Gesamtheit seiner Erklärungen wurde diese auffällige Erinnerungs- und Informationslücke offenbar. Die Kammer ist davon überzeugt, dass dieser ansonsten bestens informierte und - ungeachtet des Wahrheitsgehaltes seiner Aussage - zweifellos mit einem beneidenswerten Gedächtnis ausgestattete Zeuge sein Wissen um die Tat, die Gegenstand dieses Verfahrens ist, bewusst zurückgehalten hat.

So blieb trotz allen Detailreichtums letztlich doch nur eine durch Auffüllungen einerseits, durch Auslassungen andererseits verfälschte Wiedergabe von Erinnerungen übrig, die sich für die Urteilsfindung nicht nutzbar machen liess.

Einen krassen Gegensatz zu Ret. wiederum bildete der Zeuge Viktor Ernst Schm., ehemals Magazinverwalter beim Bataillon, der gar nichts zu wissen vorgab. Um den Stil seiner Aussage zu kennzeichnen, dürfte es genügen, seine Antwort auf die Frage zu zitieren, ob er vom Gefängnis her Schüsse gehört habe. Er, der schon das ganze Jahr 1944 über als Angehöriger des Stabes in der Staufer-Kaserne gelegen hatte, antwortete darauf sinngemäss: "Von einem Gefängnis habe ich überhaupt nichts gewusst; ich wusste nicht, dass da eines war. Ich war doch wie ein Maulwurf ständig unter der Erde." Dementsprechend war das Niveau seiner Wahrnehmungen. Brauchbare Erkenntnisse liessen sich daraus nicht gewinnen.

Ein weiteres Muster einer unverwertbaren Aussage lieferte der Zeuge Ha. Er gab sich alle Mühe, den Eindruck der Schwerbesinnlichkeit, der geistigen Schwerfälligkeit, der Erinnerungslosigkeit zu erwecken. Trotz seiner zeitlichen Desorientiertheit im allgemeinen, wusste er doch als Datum seiner Ankunft in Warschau spontan ohne jede Orientierungshilfe den 3. oder 4.8.1944 zu nennen, den Zeitraum der fraglichen Liquidierungsaktion somit sorgsam umgehend. Obwohl zugestandenermassen nach seiner Ankunft als Gefängniswache eingeteilt, will er dort nichts anderes bemerkt haben, als dass das Gebäude leer gewesen sei. Warum er sich ausgerechnet im Gefängnis habe fotografieren lassen und die Bilder auch aufgehoben habe, beantwortete der Zeuge dann noch ausweichender als die voraufgegangenen Fragen. Die Kammer ist sich dessen sicher, von diesem Zeugen angelogen worden zu sein, so dass sich die Aussonderung seiner Aussage von selbst versteht.

Wegen Unglaubwürdigkeit musste auch der Zeuge Dieter Fuc. von der Liste der verwertbaren Beweismittel gestrichen werden. Seine Aussage war ein einziges Sammelsurium von Ungereimtheiten und Widersprüchen. Beispielsweise will er mit einer Gruppe, also etwa acht Mann, am 1.8. abends erfolgreich eingesetzt gewesen sein, um die in der Narbutta Kaserne Eingeschlossenen zu entsetzen, angeblich eine Einheit in Kompaniestärke etwa. Konfrontiert mit abweichenden Erkenntnissen der Beweisaufnahme, zögerte der Zeuge Fuc. keinen Augenblick zu erklären, so könne es auch gewesen sein, da habe er sich getäuscht, er wisse nur, dass er mit einer Gruppe diesen Einsatz gehabt habe, könne sich in der Zahl der angetroffenen Kameraden aber irren. Nach Überzeugung der Kammer kann sich der Zeuge Fuc. insoweit, als er statt etwa 12 so um die 120 Kameraden befreit haben will, nur deswegen irren, weil er zu der angegebenen Zeit überhaupt nicht in der Narbutta Kaserne gewesen ist. Er hat in seiner Vernehmung vor Gericht Anzeichen dafür geliefert, dass er ein schnell reagierender Mann ist, der sich geänderten Situationen prompt anzupassen versucht. Darin liegt nach Auffassung der Kammer auch die Erklärung dafür, dass dem Zeugen in der ihm vorgehaltenen Vernehmung vom 10.5.1977 gegen Ende "gerade eingefallen" ist, dass er diesen Einsatz zur Narbutta Kaserne bekommen habe, wo er fortan geblieben sei, während er dem Vernehmungsbeamten zuvor detailliert über seine Wahrnehmungen in und um die Staufer-Kaserne in den ersten Aufstandstagen berichtet hatte. Ähnlich wechselvoll und deswegen unglaubhaft gestaltete er dann auch seine Aussage vor Gericht.

Bei dem Zeugen Kag. stiess die Kammer zwar nicht auf Anhaltspunkte für mangelnde Bereitschaft, dafür aber auf die fehlende Fähigkeit, sich noch zuverlässig an die lange zurückliegenden Ereignisse zu erinnern. Mangels Detailreichtums war seine Aussage unergiebig.
Auch von dem Zeugen St. waren brauchbare weiterführende Erkenntnisse nicht zu erlangen. Sein im übrigen zeitlich wohlgeordnetes Altgedächtnis liess ihn bei der Wiedergabe der Warschauer Vorgänge im Stich. Widersprüche zu anderen Zeugenaussagen, die ihm vorgehalten wurden, vermochte er nicht befriedigend zu klären, ebensowenig wie er über Widersprüche in seiner eigenen Aussage hinwegkam. Er hinterliess den Eindruck eines mit seinem Wissen hinter dem Berge haltenden Zeugen, auf den die Kammer deswegen nicht bauen konnte.
Dasselbe gilt für den Zeugen Schi., der in seiner Aussage seinen eigenen Wirkungskreis während der Aufstandszeit in die Küche der Staufer-Kaserne verlegte, wo er so gut wie nichts mitbekommen haben will. Dann gehört ferner in diese Reihe der Zeuge Hz., ein rasch auffassender, geistig beweglich erscheinender Mann, der sich ebenfalls in behauptete Wissenslücken, Erinnerungsverluste und Irrtümer zurückzog.

In dem Bemühen, sein vorhandenes Wissen hinter einem undurchsichtigen Schleier zu verbergen, wurde er noch übertroffen von dem gewandten, selbstsicheren Zeugen Sti. Obwohl in der Aufstandszeit als Putzer, Schreiber und später Melder für P. tätig gewesen, wusste er von so gut wie nichts etwas. Nur kurzzeitig lüftete er geringfügig den herabgelassenen Schleier und liess das Gericht erahnen, welcher Berg an Wissen dahinter versteckt lag. Nicht einmal das Wenige, was ihm an konkreten Aussagen abzuringen war, liess sich aber für die Urteilsfindung verwerten, weil es angesichts der Zurückhaltungs- und Beschönigungstendenz dieses Zeugen mit dem Makel der Unzuverlässigkeit behaftet war.

Ähnlich verhielt es sich mit den Bekundungen des Zeugen Se., der von sich selbst sagte, "als Mädchen für alles" in den Diensten P.s gestanden zu haben. Befragt, welche Aufgaben er während des Aufstandes zu erfüllen gehabt habe, nannte er als einziges die Verwaltung eines Schnapslagers, womit er ausreichend beschäftigt gewesen sei. Ebensowenig wie Sti. will er etwas über Massenexekutionen im Gefängnis gehört haben. Ebenso wie dieser war er augenscheinlich bemüht, sein Detailwissen so weit als möglich auf solche Einzelheiten zu beschränken, die geeignet erschienen, P. als einen gutmütigen, warmherzigen, jeglicher Härte abholden Menschen hinzustellen. Angesichts des auffälligen Missverhältnisses zwischen der diesbezüglichen Detailerinnerung im Vergleich zu der Unkenntnis von Einzelheiten im übrigen, vermochte das Gericht diesen Aussagen auch insoweit nicht zu glauben.

Unberücksichtigt gelassen hat die Kammer ferner die Bekundungen der Zeugen Val. und Kap., die beide ausserstande erschienen, Eindrücke aus der fraglichen Zeit heute noch zu reproduzieren. Gleiches muss wohl auch für den Zeugen Spa. gelten, der - entgegen einer anderslautenden, jedenfalls von der Kammer so verstandenen Ankündigung in einem Anwaltsschreiben - Wesentliches zur Sachverhaltsauffindung nicht beizutragen wusste.

Als ebenso unbrauchbar erwiesen sich die Aussagen Dau., De., F. und Fin. Die Bekundungen des Zeugen Dau. beschränkten sich letztlich auf die Behauptung, am 1.8. nicht in Warschau gewesen zu sein. Der schon bei Betreten des Gerichtssaales unwillig und nicht kooperationsbereit wirkende Zeuge De. bestätigte diesen Eindruck in seiner Aussage. Alles, was er sich im Ergebnis abringen liess, war die Äusserung, in der Aufstandszeit ein Schulgebäude oder ähnliches bewacht zu haben. Der Zeuge F. erinnerte sich ebensowenig an Kampfhandlungen, sondern wollte ausschliesslich an einer Gärtnerei auf Posten gestanden haben. Der Zeuge Fin. schliesslich verbrachte die ersten Aufstandswochen mit Rücksicht auf eine wiederaufgebrochene Verletzung angeblich im Keller der Staufer-Kaserne, wo er von nichts etwas mitbekam.

Die Angaben des Zeugen Las. waren zeitlich und sachlich derart verworren, dass eine Zuordnung zu dem hier interessierenden Komplex nicht einmal sicher möglich war. Auch die Bekundungen des Zeugen Oswald Mül. waren so bar jeder zeitlichen und örtlichen Bezüge, dass ein weiteres Befragen des offenbar gutwilligen, aber überforderten Zeugen zwecklos erschien. Die Zeugen Schü., Vl. und Wül. waren von einem so weitreichenden - vielleicht echten, vielleicht vorgetäuschten - Erinnerungsverlust befallen, dass ihre Angaben nicht weiterhelfen konnten.

Der ehemalige Unterkunftsverwalter beim Bataillon, der Zeuge Z., war nach dem Eindruck der Kammer intellektuell zu gut ausgestattet und von zu unbeeinträchtigter Erinnerungsfähigkeit im übrigen, als dass ihm seine häufige Erklärung in Bezug auf Vorgänge während der Aufstandszeit, davon nichts zu wissen oder sich daran nicht zu erinnern, hätte geglaubt werden können. Mangels Verlässlichkeit wurden seine Angaben von der Kammer aus dem verwertbaren Beweismaterial ausgesondert.

Die Zeugen Gra. und Rin. waren von Krankheiten gezeichnet, die dafür verantwortlich sein dürften, dass brauchbare Erkenntnisse mit Hilfe dieser Zeugen nicht zu gewinnen waren.

Die Zeugen Hel., Wei. und Nol. ordnete die Kammer demgegenüber der Kategorie der aussagefähigen, aber nicht aussagewilligen Zeugen zu.
Was Hel. anbetrifft, so hatte er zunächst nach Erhalt der Ladung schriftlich durchzusetzen versucht, dass er nicht vor Gericht zu erscheinen brauchte. Nach Misslingen dieses Unternehmens nahm er zu Beginn seiner Vernehmung die Aufforderung, über seine Soldatenzeit zu berichten, zum Anlass, sich zu erkundigen, ob er die Aussage dazu insgesamt verweigern könne. Als ihm dann schliesslich nichts anderes übrig blieb, als auszusagen, gab er Erklärungen ab, auf die den Eid zu leisten er sich anschliessend sträubte mit der Begründung, dass da ja einer kommen und etwas anderes sagen könne, ihn damit hereinlege und er dann der Dumme sei; zwar sei er sich eigentlich sicher, so ziemlich die Wahrheit gesagt zu haben, aber irren könne er sich ja. Da die Kammer nicht sicher klären konnte, wo die "ziemliche Wahrheit" endete und das Irren des Zeugen begann, hat sie auf seine Angaben insgesamt verzichtet.
Im Gegensatz zu ihm gab sich der Zeuge Wei. zwar bemüht, ohne sich deswegen aber das Prädikat "glaubwürdig" verdient zu haben. Dafür lieferte er eine mit zu vielen Unstimmigkeiten durchsetzte Aussage, an denen er im Zuge seiner Vernehmung dann einige Korrekturen vornahm, ohne dadurch aber seine Bekundungen vor Gericht von Unstimmigkeiten und Widersprüchen zu befreien. Wegen des Verdachtes, dass dieser Zeuge sich aus Warschau wegzulügen versuchte, konnte die Kammer seine Erklärungen nicht für die Urteilsfindung heranziehen.
Der Zeuge Nol. begegnete dem Gericht in einer Kontra-Haltung und versuchte, sich durch überaus globale Angaben seiner Aussagepflicht zu entledigen. Trotzdem verwickelte er sich noch in Widersprüche zu seiner ihm vorgehaltenen ähnlich pauschalen früheren Aussage. Unter der Androhung von Beugemassnahmen konnte er sich zwar zur Preisgabe eines ergänzenden Details durchringen, wobei diese Angabe aber angesichts der Unzuverlässigkeit des Zeugen zugunsten des Angeklagten P. ausser Betracht gelassen worden ist.

Die Zeugen W. und Bo. schliesslich hielten sich so im Allgemeinen auf, dass ihren Bekundungen an für die Urteilsfindung verwertbaren Detailangaben nichts zu entnehmen war.

Soweit Vernehmungsniederschriften verstorbener oder unerreichbarer Zeugen ausweislich des Sitzungsprotokolls verlesen worden sind, hat die Kammer sie in der Regel - soweit nicht weiter unten Abweichendes begründet wird - nicht zur alleinigen Grundlage ihrer Urteilsbildung gemacht, sondern sie ergänzend mitherangezogen, wenn und soweit sie Entsprechungen in anderen Beweismitteln fanden. Einige dieser Vernehmungsniederschriften hat sie jedoch vorweg ausgesondert, weil sie sich in Ermangelung eines persönlichen Eindrucks von den Zeugen ausserstande sah, Zweifel zu überwinden, die sich aufgrund der verlesenen Erklärungen an der Verlässlichkeit des Zeugen, der Vollständigkeit und Wahrheitsgemässheit seiner Aussage aufdrängten. Deswegen mussten die verlesenen Bekundungen der Zeugen Vs., Sli. und Zie. aus dem verwertbaren Beweismaterial herausfallen.

Hinsichtlich des Zeugen Vs. ist schon aufgrund seiner eigenen Aussage, aber noch zusätzlich durch die Bekundung des Zeugen Mei. verstärkt, der Verdacht aufgekommen, er könnte möglicherweise eine eigene Tatbeteiligung verschwiegen haben. Im Hinblick darauf hatte die Kammer Bedenken, den Bekundungen dieses zwischenzeitlich verstorbenen Zeugen Glauben zu schenken. Vor Beginn des Hauptverfahrens verstorben war auch der Zeuge Sli., dessen beide im Abstand von etwa acht Jahren durchgeführte Vorvernehmungen so viele Unterschiede und Unsicherheiten erkennen liessen, dass die Kammer sie als unzuverlässig aussortierte.

Bei dem Zeugen Zie. schliesslich handelt es sich um einen polnischen Zeugen, dessen Aussage schon deswegen mit besonderer Sorgfalt auf ihre Eignung überprüft werden musste, weil die persönlichen Daten, speziell Alter, Vorbildung und Beruf, in seinem Fall ausnahmsweise nicht vorlagen. Die Einstufung dieser Aussage als ungeeignet nahm die Kammer dann deswegen vor, weil die Art der Darstellung vermuten lässt, dass dieser Zeuge bei seiner Vernehmung im Jahre 1946 von übermächtigem Hass gegen die Deutschen schlechthin und gegen den Angeklagten P. im besonderen beherrscht war. Die Kammer vermochte deshalb nicht mit der nötigen Sicherheit auszuschliessen, dass sich unter dem Einfluss dieser Emotionen in dem Bewusstsein des Zeugen vielleicht Erinnerungsbilder verfestigt hatten, die gar nicht auf tatsächlichem Erleben beruhten.

B. Positive Beweiswürdigung

1. Was zunächst die zum Lebenslauf des Angeklagten P. getroffenen Feststellungen anbetrifft, so hat sich die Kammer ganz überwiegend auf seine eigene Einlassung gestützt, ergänzt durch die ausweislich der Sitzungsniederschrift verlesenen Urkunden, die überzeugenden Darlegungen der Sachverständigen Frau Di. und des Sachverständigen Prof. Dr. Dr. Bre., sowie den im Verlauf der mehr als 13-monatigen Hauptverhandlung von dem Angeklagten gewonnenen persönlichen Eindruck.

Wenn die Kammer in diesem Punkt den im allgemeinen äusserst skeptisch zu betrachtenden Einlassungen des Angeklagten gefolgt ist, so ist das darauf zurückzuführen, dass P. sich letztlich zu einer Darstellung bereit gefunden hat, die mit dem übrigen Beweismaterial in Einklang zu bringen ist und deswegen die Vermutung der Richtigkeit für sich hat.

Entgegen den getroffenen Feststellungen hatte P. anfänglich seine hauptamtliche HJ-Tätigkeit verschwiegen, den Zeitraum stattdessen ausgefüllt mit einer angeblich absolvierten kaufmännischen Lehre, und er hatte mit dem ihm eigenen Pathos seine tiefe Verwurzelung und sein ungebrochenes Verharren im christlichen Glauben auch während des 3.Reiches betont. Von diesem Vorbringen, das er später selbst als "Verteidigungsvorbringen" qualifizierte, ist er unter dem Gewicht der ihn widerlegenden Urkunden abgerückt. Die Kammer glaubt ihm, wenn er angibt, sein entschiedenes Eintreten für den Nationalsozialismus zu verschleiern versucht zu haben, weil er eine daraus resultierende negative Vorverurteilung seiner Tatverantwortung gefürchtet habe. Es entspricht der von Anfang an bezogenen Verteidigungslinie P.s, nach allen erdenklichen Positionen Ausschau zu halten, die ihn - jedenfalls nach seiner Einschätzung - in einem günstigeren Licht erscheinen lassen könnten. Dazu passt sein Bemühen, seine Begeisterung für die Sache des Nationalsozialismus herunterzuspielen.

Wenn er im Laufe der Hauptverhandlung zugestanden hat, ein glühender Anhänger der Nationalsozialistischen Ideen gewesen zu sein, dann ist dieses Bekenntnis nach Überzeugung der Kammer zutreffend. Herkunft und Erziehung im deutsch-national geprägten Elternhaus indizieren eine Begeisterungsfähigkeit des jungen P. für diese Bewegung. Sein frühes Eintrittsdatum in die HJ, seine spätere hauptamtliche Tätigkeit für die Bewegung, seine Berufung zum Leiter der Abteilung VI erst in Warschau und dann noch bis Kriegsende in Agram, allesamt urkundlich belegte Fakten, sprechen für die Richtigkeit dieser seiner Einlassung. Auch die Behauptung, überzeugter und tätiger Methodist stets geblieben zu sein, hat P. als unzutreffend zurückgenommen. Auch insoweit folgt ihm die Kammer. Zum einen, weil sich seine festgestellte innere Anbindung an die Nationalsozialisten mit einem Festhalten am Christentum schwerlich in Einklang hätte bringen lassen, zum anderen, weil urkundlich belegt ist, dass er sich selbst unter der Herrschaft der Nationalsozialisten als "gottgläubig" und eben nicht als "methodistisch" oder "evangelisch-freikirchlich" bezeichnet hat, wie es zu erwarten gewesen wäre, wenn er es mit seinem Glauben damals ernst gemeint hätte.

Sein früheres Bestreiten, Mitglied der NSDAP und Träger des "Winkels für alte Kämpfer" gewesen zu sein, hat der Angeklagte letztlich nicht aufrechterhalten, sich vielmehr auf die Position zurückgezogen, dass er sich dessen nicht erinnere, dem aber so sein könne. Dass dem so war, steht zur Überzeugung der Kammer fest aufgrund einer von P. selbst ausgefüllten Urkunde, ferner aufgrund seines handschriftlichen Lebenslaufes, der der Kammer mittels der von Sachkunde getragenen Ausführungen der Sachverständigen Frau Di. zur Kenntnis gebracht worden ist, sowie aufgrund einer P. darstellenden Fotografie, die das Gericht in Augenschein genommen hat.

Was die Einschätzung seines Wesens angeht, so ist die Kammer gestützt auf die von überragender Sachkunde getragenen Darlegungen des Sachverständigen Prof. Dr. Dr. Bre. und die ihr dadurch vermittelte eigene Sachkunde, davon überzeugt, dass eine Grundstruktur des Charakters eines Menschen auch über Jahrzehnte hinweg erhalten bleibt. Die Kammer konnte sich ihr Urteil daher nicht nur auf der Grundlage der Fakten bilden, die ihr über den Angeklagten P. aus dem die Tatzeit einschliessenden Zeitraum bekannt geworden sind, sondern darüber hinaus die Eindrücke mitverwerten, die sie aufgrund des Verhaltens und der Erklärungen des Angeklagten P. während des Verfahrens über seine bestimmenden Wesenszüge gewinnen konnte. Dies zusammengenommen, hat die Kammer unter Einbeziehung der Ausführung des Sachverständigen Prof. Dr. Dr. Bre. keinen Zweifel am Vorliegen der im Rahmen der Feststellungen dem Angeklagten P. attestierten Eigenschaften.

Die Feststellungen zum Lebenslauf des Angeklagten Mis. basieren auf dessen unverändert vorgetragener Einlassung und den diese Einlassung absichernden und sie stellenweise ergänzenden Urkunden, die ausweislich des Sitzungsprotokolls verlesen worden sind, sowie ergänzend auf den überzeugenden Darlegungen des Sachverständigen Prof. Dr. Dr. Bre. und der der Kammer durch ihn vermittelten Sachkunde.

2. Was die unter II. getroffenen Feststellungen anbetrifft, wird auf die dort zu findenden Ausführungen zur Beweiswürdigung verwiesen.

3. Die Kammer hat sich aufgrund der ausweislich des Protokolls verlesenen Urkunden, darunter insbesondere die Bataillonstages- und -sonderbefehle, unterstützt durch die Einlassungen der Angeklagten und die ineinandergreifenden Bekundungen der Zeugen Hey., Krö., Rie., Tet., Hans Kön., Mei. und K. sowie durch die verlesenen Aussagen des ehemaligen Bataillonskommandeurs Bel. das unter III. festgehaltene Bild von der Aufgabenstellung des Bataillons und seiner Unterbringung in und um Warschau machen können.

Die Ortskenntnis vom Stadtteil Mokotow gründet sich vornehmlich auf die in Augenschein genommenen Pläne, Skizzen, Luftaufnahmen und andere Fotografien.

Dafür, dass Teile des Bataillons in die zusammenbrechende Frontlinie bei Wiazowna hineingeworfen worden sind, liegen der Kammer urkundliche Belege vor, an deren Authentizität zu zweifeln sie keine Veranlassung hat.

Der von dem Zeugen Krö. unter dem Datum des 10.11.1944 gefertigte Gefechtsbericht nebst Skizze beschreibt die Beschaffenheit des Geländes und den Verlauf des Angriffs auf das Dorf Wiazowna genau so wie eine Vielzahl von Zeugen, denen die Kammer wegen dieser wechselseitigen Bestätigung ihre Anwesenheit vor Ort glaubt. Einige von ihnen können sich zusätzlich auf eine urkundliche Bestätigung ihrer Angaben durch Nahkampftage-Bescheinigungen berufen.
Dass einige der dort Kämpfenden unter Führung Krö.s aus Warschau dorthin beordert worden waren, weiss die Kammer ausser aus den Anlagen zum Kriegstagebuch der 9.Armee aus den glaubhaften Bekundungen der Zeugen Krö., Rie., Sz., Ih., Kot., Rap. und Mei.
Die Verwendung der 3. und 6.Kompanie ist für die Kammer belegt durch die verlesenen Bataillonsverlustlisten und verlesene Bataillonsbefehle in Verbindung mit den Aussagen des Zeugen Krö. als des damaligen Kampfgruppenführers, der Zeugen Gor., Hn., Plo. und Vet., damals Angehörige der 3.Kompanie, sowie der Zeugen Dob., Gem., Leh. und Mic., seinerzeit Angehörige der 6.Kompanie, die sämtlich ergänzend bestätigt werden durch die Einlassung des Angeklagten Mis. und die verlesene Bekundung des verstorbenen Zeugen Bel.

Der Inhalt des von Krö. gefertigten Gefechtsberichtes steht nicht im Widerstreit zu diesen Feststellungen. Wenn es darin heisst, der am 30.07.1944 zwecks Einnahme des Dorfes Wiazowna zusammengestellten Kampfgruppe hätten unter anderem zwei - nicht etwa drei - Kompanien Waffen-SS angehört, so deckt sich das mit den Bekundungen der vorstehend angeführten Zeugen, die nur insoweit, als sie nicht der 6.Kompanie angehörten, sich daran erinnern konnten, an dem Vorstoss auf ein Dorf teilgenommen zu haben. Dies bestätigt nach Ansicht der Kammer die durch die Aussage Krö.s erhärtete Einlassung Mis.s, dass er befehlsgemäss seine Leute aus diesem Angriff auf Wiazowna herausgehalten habe.

Demgegenüber hat die Beweisaufnahme nichts für die von P. verfochtene Behauptung hergegeben, er sei als taktischer Führer einer Kampfgruppe, bestehend aus der Kompanie Mis.s, in diesem Frontabschnitt eingesetzt gewesen. Von den vernommenen Zeugen konnte sich keiner daran erinnern, mit P. bei diesem Einsatz südöstlich Milosna zusammengetroffen zu sein. Lediglich der verstorbene Zeuge Bel. bekundete in seiner Vernehmung vom 23.4.1965, P. habe sich in der Abwehrstellung bei Milosna befunden, als er selbst mit dem Bataillon aus Warschau abgerückt sei. Diese Aussage kann die P.sche Einlassung jedoch nicht stützen, weil sich in der Erinnerung dieses Zeugen erkennbar einiges verschoben haben muss. Er berichtet von ausschliesslich zwei Kompanien, die unter Führung P.s vom Bataillon zurückgelassen worden seien, beide eingebaut in die Verteidigungsstellung vor Warschau. Von Restkommandos in der Stadt weiss der Zeuge offensichtlich nichts mehr. Ebenso scheint ihm entfallen gewesen zu sein, dass andere Offiziere seiner Einheit die Absetzbewegung aus Warschau nicht mitgemacht haben. Nach Überzeugung der Kammer hatte sich das Erinnerungsbild dieses Zeugen im Zeitpunkt seiner Aussage verengt auf einen Offizier namens P. und auf ausserhalb Warschaus im Fronteinsatz zurückgelassene Teile des Bataillons, und er hat dann zwangsläufig diese beiden Bezugspunkte seiner Erinnerung miteinander verknüpft.

Nach Auffassung der Kammer erklärt sich die auffällige Übereinstimmung zwischen diesen Erklärungen Bel.s und P.s daraus, dass sich P. in Kenntnis dieser Aussage, mit der er sich im Zuge seiner ersten Einlassung zur Sache in der Hauptverhandlung verschiedentlich auseinandergesetzt hat, deren Inhalt in dem genannten Umfang zu eigen gemacht hat aus Gründen, die die Kammer nicht zu klären vermochte. Im Gesamtzusammenhang betrachtet sind die Einlassungen P.s nämlich nicht dazu angetan, glaubhaft zu machen, dass er vor Milosna im Einsatz gewesen war.

Er will - so sagt er - die Kompanie Mis. als die ihm zugewiesene Kampfgruppe in Warschau übernommen und von dort mit ihr nach Milosna gezogen sein. Tatsächlich war die Mis.sche Kompanie in Milosna stationiert, wie sich aus Bataillonsbefehlen zweifelsfrei ergibt. Die Zeugen Dob., Leh. und Mic. haben denn auch bekundet, direkt von Milosna aus in den Einsatz gekommen zu sein. Etwas anderes anzunehmen, wäre auch unter militärischen Gesichtspunkten ebenso unsinnig wie es die Behauptung P.s nach Ansicht der Kammer ist, dass er als gleichrangiger Offizier dem dienst- und lebensälteren Kompanieführer Mis. in der Führung eben dieser Kompanie unter der Bezeichnung Kampfgruppenführer noch übergeordnet worden ist, und das bei der ohnehin prekären personellen Situation in der 2.Hälfte des 5.Kriegsjahres. Eine befriedigendere Erklärung als die, ihm sei die Aufgabe zugefallen, taktisch zu führen und als Verbindungsmann zu Stahel zu fungieren, hat P. für diese Ungereimtheiten nicht gefunden.

P. wusste auch - im Gegensatz zu fast allen vorstehend genannten Zeugen - über Charakteristisches in der Beschaffenheit des Geländes am Einsatzort nichts zu sagen. Seine Beschreibung vom Verlauf dieses Einsatzes beschränkte sich auf die Feststellung, dass seine Kampfgruppe praktisch keine Feindberührung gehabt habe. Diese Darstellung findet weder eine Entsprechung in den Aussagen der Zeugen Dob., Leh. und Mic., noch steht sie in Einklang mit den Verlustlisten des Bataillons, die eine Anzahl Gefallener aus der 6.Kompanie im Raum um Wiazowna für die letzten Julitage ausweisen.

P. will in seiner Eigenschaft als Kampfgruppenführer jenseits Milosnas auch nichts davon erfahren haben, dass dort noch andere Kompanien des Bataillons im Einsatz waren. Im Gegensatz dazu steht die Bekundung des Zeugen Krö., der umgekehrt sehr wohl von der Existenz eines unter Führung Mis.s stehenden Verbandes gewusst und bezüglich dessen Einsatzes sogar Weisungen seines Bataillonskommandeurs Bel. mit auf den Weg bekommen haben will. Wenn sich dieser Zeuge, den die Kammer in Hinblick auf seine umfassenden, in sich stimmigen und vielfach durch andere Beweismittel abgedeckten Bekundungen als glaubwürdig einschätzt, wohl an den ihm unterstellten Mis., nicht aber an einen diesem noch übergeordneten Kampfgruppenführer P. im Zusammenhang mit dem Fronteinsatz vor Milosna erinnert, so wertet die Kammer das als zusätzliches Indiz für die Unrichtigkeit der P.schen Einlassung.

Nach alledem ist die Kammer davon überzeugt, dass P. nicht mit der Führung einer Kampfgruppe vor Milosna betraut war, sondern vielmehr von Bel. das Kommando über die in Warschau zurückgelassenen Angehörigen des Bataillons und alle, sobald und soweit sie von ausserhalb noch dazustossen sollten, übertragen bekommen hatte.

Dafür spricht zunächst einmal die militärische Gepflogenheit, die Führung eines Verbandes, und sei es auch nur, um ihn wieder mit seinem Bataillon zu vereinigen, einem Truppenoffizier anzuvertrauen, und nicht einem Verwaltungsoffizier, wie Etz. das war. Wäre P. aber - wie er behauptet - tatsächlich in die Verteidigungsstellung vor Milosna abkommandiert gewesen, hätte zwangsläufig Etz. als der einzige dann noch in Warschau anwesende Offizier das Kommando übertragen erhalten haben müssen. Dann wiederum wäre es nicht folgerichtig, dass an seiner Stelle P. in die Position des Befehlshabers eingerückt wäre. Etz. gegenüber war er zwar der Ranghöhere, aber als der nach Dienst- und Lebensalter Jüngere hätte er sowohl Krö. als auch Mis. gegenüber zurückstehen müssen.

Die Kammer nimmt zugunsten von P. nicht an, dass er sich diese Stellung unbefugt angemasst hat. Aufgrund der insoweit übereinstimmenden Angaben von Krö. und Mis. sind beide bei ihrer Ankunft in der Staufer-Kaserne dahingehend informiert worden, dass P. dort das Kommando führe. Krö. meinte, sich zuverlässig daran erinnern zu können, von P. selbst gesagt bekommen zu haben, er - P. - sei der von Bel. eingesetzte Restkommandoführer in der Staufer-Kaserne. Auch dies stützt die von der Kammer getroffenen Feststellungen, denn nach ihrer Überzeugung hätte P. sich vernünftiger Weise gehütet, eine solche Behauptung, wenn sie nicht stimmte, in die Welt zu setzen, da er sich darüber hätte im klaren sein müssen, dass sie durch Nachfrage bei Bel. kurzfristig überprüfbar war und zu schwerwiegendsten Konsequenzen für ihn persönlich zwangsläufig hätte führen müssen. Ergänzend kann die verlesene Aussage des verstorbenen Zeugen B. herangezogen werden, der den Obersturmführer P. als Führer des in der Staufer-Kaserne verbliebenen Nachkommandos bezeichnet. Im übrigen gründet sich die Überzeugung der Kammer auch noch auf die durch Zeugen belegte und von P. selbst nicht in Abrede gestellte Tatsache, dass er sich bei Ausbruch des Aufstandes in Mokotow aufhielt. Die Kammer weiss aufgrund der Beweisaufnahme aber von keinem der jenseits Milosna im Einsatz gewesenen Einheitsangehörigen, dass er den Beginn der Feindseligkeiten aus eigener Anschauung mitbekommen hätte; alle trafen erst im Bereich der Staufer-Kaserne ein, als der Aufstand bereits im Gange war.

Über den Zeitpunkt der Ankunft ist die Kammer am zuverlässigsten unterrichtet worden durch den Zeugen Krö., der die Zeitspanne des Eintreffens noch aus der Erinnerung abzugreifen wusste, wobei er als Gedächtnisstütze anführte, dass er selbst, der sich für die Unterbringung seiner Kampfgruppenangehörigen verantwortlich fühlte, gegen 4.00 Uhr morgens ins Bett gekommen sei, nachdem er alles geordnet gewusst habe.

Trotz aller begründeten Vorbehalte gegenüber Zeitangaben, die Zeugen über derart lange zurückliegende Geschehensabläufe machen, hält die Kammer diese Angabe des Zeugen Krö.

für zutreffend, weil sie durch Bekundungen anderer Zeugen abgesichert wird. Die Bekundungen all jener Zeugen, die an dem Einsatz vor Milosna teilgenommen hatten, stimmten darin überein, dass sie am Tage des Aufstandsausbruchs die Weichsel überschritten, und zwar so lange nach Beginn, dass die ersten Kämpfe schon ihre Spuren hinterlassen hatten. Die Zeugen Gor., Hn., Leh., Ram., Rie., Sz. und Urb. grenzten den Zeitpunkt ihres Eintreffens in der Kaserne noch weiter dahin ein, dass es abends bzw. dass es im Dunklen gewesen sei. Da sich dies wiederum in die Bekundungen der Zeugen Vet., Ram. und Sz. einpasst, die Staufer-Kaserne im Zustand relativer äusserer Ruhe nach Abwehr des ersten Angriffs vorgefunden zu haben, genügen der Kammer diese ineinandergreifenden Bekundungen zur Abdeckung der von Krö. gelieferten Zeitangabe.

Die Kammer sieht damit zugleich die Einlassung P.s als widerlegt an, dass zumindest die von Mis. geführte Kompanie bereits am 01.08. vormittags in der Kaserne anzutreffen gewesen sei.

Ebensowenig vermochte sie der Einlassung Mis.s zu folgen, dass er mit seinen Leuten erst im Laufe des 02.08., etwa gegen Mittag, die Kaserne erreicht gehabt habe. Für diese Behauptung findet sich in der Beweisaufnahme keine Stütze. Speziell die von Mis. dafür herangezogene Aussage des Zeugen Me. ist diesbezüglich untauglich. Dessen ihm vorgehaltene polizeiliche Vernehmung vom 25.11.1963 gibt für den hier interessierenden Sachverhalt Beweiserhebliches nicht her. Dass auf oder an den Weichselbrücken Flakeinheiten in Stellung lagen und dass es einen sie befehligenden Oberst gegeben haben mag, erbringt noch keinen Beweis dafür, dass Mis. von einer solchen Einheit am Abend des 1.8. angehalten worden ist.

Der Kammer ist auch unerfindlich geblieben, warum eine in der Stadt dringend benötigte Verstärkung der deutschen Truppen von eigenen Leuten daran gehindert worden sein soll hineinzumarschieren. Den Grund, er habe mit seinen Leuten eine Lücke in der Brückenverteidigung schliessen sollen, trägt Mis. selbst nur als Vermutung vor. Die Aussage Me.s ist auch insoweit als Beleg ungeeignet.

Die somit durch nichts bewiesene, zudem noch in sich unstimmige Einlassung Mis.s kann den ihr entgegenstehenden Beweismitteln nicht standhalten. Da ist zum einen die Aussage des Zeugen Krö., wonach auch Mis. mit seinen Leuten in der genannten Zeitspanne die Kaserne erreicht habe; da sind zum anderen die Zeugen Dob. und Mic., nach Überzeugung der Kammer beide der Kompanie Mis.s angehörend, die übereinstimmend bekundet haben, in einem grösseren Verband ohne Aufenthalt an der Weichselbrücke zur Kaserne marschiert und dort jedenfalls noch am Aufstandstag eingetroffen zu sein, was - darauf sei ergänzend hingewiesen - eine Entsprechung in der Aussage des verstorbenen Zeugen B. findet. Die Einlassung Mis.s hält die Kammer nach alledem für widerlegt.

Das Gros des Bataillons war bei Aufstandsausbruch nicht mehr in Warschau; insoweit decken sich urkundliche Belege mit den Einlassungen der Angeklagten und den Aussagen der insoweit informierten Zeugen. Über die Grösse der Restkommandos hat sich die Kammer mit Hilfe verlesener Urkunden, ergänzt durch die Bekundungen Krö., Bu., Dob., Mic., H. Kön. und Gem. sowie die Einlassungen der Angeklagten ein Bild gemacht.
Die Einschätzung des Bataillonskommandeurs Bel. gründet sich auf die insoweit ineinandergreifenden Bekundungen der Zeugen Hey., Krö. und Tet. sowie die Einlassung des Angeklagten P.

Über den Verlauf des Aufstandsbeginns aus der Sicht der Kasernenbesatzung und die Gefühle, die sich ihrer bemächtigten, haben glaubhaft die Zeugen Met., Tet., Tob., Ohl., Gem. und H. Kön. berichtet, ergänzt durch die verlesenen Aussagen der Zeugen B. und Scho. Die Einlassung des Angeklagten P. steht damit nicht in Widerstreit.

Die wiedergegebene Bekundung des Zeugen Met., dass P. seine Untergebenen bei erstbester Gelegenheit barsch zurechtgewiesen habe, hält die Kammer für glaubhaft. Dem steht nach ihrer Auffassung nicht entgegen, dass dieses spezielle Detail in keiner anderen Zeugenaussage Erwähnung gefunden hat. In Anbetracht des verflossenen Zeitraumes kann es nicht verwundern, dass der eine Zeuge nur diese Kleinigkeit, der andere sich nur jene hat über all die Jahre hinweg merken können. Gerade der Zeuge Met. hat eine mit recht vielen Details angereicherte Aussage gemacht, die in so gut wie allem durch die Beweisaufnahme bestätigt worden ist. Auch sein ganzes Aussageverhalten, das als gelöst, offen und unverkrampft umschrieben werden kann, deutete seine Bereitschaft zu einer freimütigen, wahrheitsgemässen Aussage an. Etwaige Aggressionen oder Unverträglichkeiten mit P. traten nicht spürbar hervor. So hat die Kammer keinen Zweifel daran, dass P. die in Rede stehende Äusserung gemacht hat, von der er bezeichnenderweise selbst sagt, dass sie gefallen sein könnte, wenn er sich konkret auch nicht daran erinnern könne. Das Gericht hat zur Kenntnis genommen, welche Verständnislosigkeit noch heute aus P.s Worten spricht, wenn er sich über jene ehemaligen Untergebenen beklagt, deren Laufrichtung damals mehr nach rückwärts als nach vorne ausgerichtet gewesen sei. Umsoweniger Anlass sah die Kammer, die Richtigkeit der Bekundung Met.s anzuzweifeln.

Die von P. am Abend des 1.8. angeordneten Unternehmungen, insbesondere Häuserräumung und Internierung der Bewohner, sind bewiesen durch seine eigene Einlassung in Verbindung mit den Bekundungen der Zeugen Met., Tet. und Kot. Met. und Kot. haben unabhängig voneinander bekundet, dass am Abend des 1.8. eine Vielzahl polnischer Zivilisten in der Kaserne anzutreffen gewesen sei. Über deren Herkunft konnten sie Genaueres nicht sagen. Der Zeuge Tet. hat bekundet, er sei an diesem Abend vor Einbruch der Dunkelheit mit eingesetzt gewesen, die umliegenden Häuser in der Kasernennähe zu räumen und die Bewohner zu internieren. Männer seien dabei allerdings nicht angetroffen worden, Frauen und Kinder hätten sie in die Kaserne gebracht.

Diese Bekundungen in ihrer Zusammenschau lassen die Einlassung P.s, er habe noch am 1.8. aus eigenem Antrieb Befehl gegeben, die Bewohner der umliegenden Häuser zu internieren, glaubhaft erscheinen. Für sich allein betrachtet, wäre sonst die Aussage Tet. möglicherweise nicht über den Einwand der zeitlichen Unzuverlässigkeit hinweggekommen, da die Bekundungen dieses Zeugen von einer Zeitverschiebung vom 2. auf den 1.8., soweit es die Gefängnisaktion betrifft, fast durchgängig durchzogen sind. Bei Überprüfung der Gewichtigkeit dieses Einwandes ist aber festzuhalten, dass von diesem Zeugen seine Teilnahme an der Häuserräumung stets in unmittelbaren Anschluss an die ersten Kampfhandlungen des Aufstandes beschrieben worden ist. Nimmt man hinzu, dass Tet. im Kasernenbereich Ohrenzeuge der Massenexekutionen im Gefängnis geworden sein will und glaubhaft über diese Eindrücke berichtet, dann kann er nicht zur selben Zeit, also am 2.8. spätnachmittags bis abends, in den umliegenden Strassen Häuser geräumt haben. Im übrigen erfolgte die Häuserräumung am 2.8. im Laufe des Tages und nicht mehr gegen Abend, wie später noch abzuhandeln sein wird. Dies zusammengenommen, bietet die Behauptung Tet.s, am 1.8. zur Häuserräumung abkommandiert worden zu sein, schon für sich allein betrachtet eine recht zuverlässige Gewähr für ihre Richtigkeit. Sie erhält aber dann noch weitere Unterstützung durch die Angabe Kot.s, bei seinem Eintreffen in der Staufer-Kaserne eine Vielzahl polnischer Zivilisten, darunter Frauen und Alte, im Keller gesehen zu haben. Auch dem Zeugen Met. war eine Ansammlung von Polen in der Kaserne am 1.8. aufgefallen, die, wie er vermutete, sich schutzsuchend dorthin geflüchtet hatten. Diese Vermutung des Zeugen steht nicht der Annahme entgegen, dass es sich tatsächlich um Internierte handelte. Eine Identität der von Kot. und Met. beobachteten Zivilpersonen mit den von Tet. gemeinten ist auch nicht etwa deswegen ausgeschlossen, weil Tet. ausschliesslich über Frauen und Kinder berichtet. Seine Angabe besagt nichts anderes, als dass der Stosstrupp, dem er zugeteilt war, lediglich Frauen und Kinder internierte, gibt aber keinen Aufschluss darüber, was die in anderen Stosstrupps eingesetzten Kameraden an Hausbewohnern angetroffen hatten.

Die Kammer wertet die Einlassung P.s als mit diesen Bekundungen so hinreichend belegt, dass sie ihr glaubt.

Die von P. bei anderer Gelegenheit abgegebene Erklärung, von Geibel den Befehl bekommen zu haben, die Bewohner jener zwischen Staufer- und Narbutta-Kaserne gelegenen Häuser festzunehmen, steht dieser Einlassung nicht entgegen. Nach Ansicht der Kammer ist sie Ausdruck dessen, was er an anderer Stelle als Billigung der von ihm aus eigener Initiative zu Aufstandsbeginn angeordneten Massnahmen bezeichnet hat.

Die Feststellungen bezüglich der Entsetzung der Narbutta-Kaserne sowie des gescheiterten Entsetzungsversuches bezüglich der Unterkunft der Genesendenkompanie gründen sich auf die verlesenen Nahkampftagebescheinigungen, auf die Einlassung des Angeklagten P. sowie auf die Bekundungen der Zeugen Bu., Met., Rie. und Urb. Die lediglich verlesenen Aussagen der Zeugen B. und Scho. konnten in diesem Zusammenhang nicht verwertet werden. Der Kammer sind vornehmlich von den als unglaubwürdig ausgesonderten Zeugen die vielfältigsten Versionen über Vorstösse zur Narbutta-Kaserne angeboten worden, meist zu dem Zweck - wie die Kammer sicher annimmt -, sich aus der Umgebung von Staufer-Kaserne und Gefängniskomplex wegzulügen. Wenn auch die Zeugen B. und Scho. sich in ihren Aussagen schon mit Wirkung vom 1.8. abends in die Narbutta-Kaserne zurückzuziehen versuchen, so sieht sich die Kammer im Hinblick auf die gesammelten Erfahrungen ausserstande, dem zu glauben, alldieweil sie keine Gelegenheit hatte, sich einen persönlichen Eindruck von diesen Zeugen zu verschaffen.

Was die Vorgänge im Gefängnis bis zum Aufstandsausbruch und die Kämpfe bei Aufstandsbeginn anbetrifft, so gibt nach Überzeugung der Kammer der Kirchner-Bericht darüber in dem für die Feststellungen interessierenden Rahmen detailliert und zuverlässig Aufschluss.

Die Kammer ist diesem Kirchner-Bericht ob seiner Darstellung der Gefängnisaktion mit grösster Skepsis begegnet. In dem vorstehend angesprochenen Bereich werden die Angaben des Kirchner-Berichtes jedoch in so vielen Einzelheiten durch andere Beweismittel bestätigt, dass die Kammer keine Bedenken hatte, der Darstellung Kirchners insoweit zu folgen. Da sind seine Angaben über die durchgeführten Entlassungen und Verlegungen, die durch den Langebartels-Bericht zum einen, durch die Aussage des früheren Gefängnisbeamten Hüt. zum anderen, und schliesslich durch die Bekundungen der Zeugen Jed., Kuc., Mil., Ni., Ski. und Stp. sowie die verlesenen Aussagen der Zeugen Cez., Kie., Por. und Win. bestätigt werden.

Zur Glaubwürdigkeit dieser polnischen Zeugen, die seinerzeit die Massenexekution als Betroffene mitangesehen haben, kann hier vorweg zusammenfassend gesagt werden, dass sie dem Gericht keinen Anlass gegeben haben, ihr Bemühen um eine wahrheitsgemässe, sachbezogene, emotionslose, den Sachverhalt objektiv darstellende Aussage in Zweifel zu ziehen. Sicher war das Erinnerungsvermögen unterschiedlich gut und waren die Temperamente der Zeugen verschieden, aber nach dem Eindruck der Kammer war ihnen allen gemein das Bestreben, durch ihre Bekundungen dem Gericht bei der Auffindung der Wahrheit zu helfen, ohne sich durch persönliche Rachegelüste leiten zu lassen oder sich durch überzeichnende, von Aggressionen bestimmte Darstellungen ein Gefühl persönlicher Befriedigung zu verschaffen.

Dieser Eindruck der Kammer gründet sich sowohl auf das Aussageverhalten der vor ihr vernommenen Zeugen als auch auf die Inhalte ihrer Aussagen, die durchweg als ausgewogen und nüchtern zu charakterisieren waren. Da diese Aussagen im Kerngehalt untereinander Übereinstimmung zeigten, darüber hinaus in fast allen wesentlichen Punkten eine Bestätigung durch urkundliche Beweismittel, Augenscheinsobjekte oder durch die Bekundungen ehemaliger Einheitsangehöriger erfuhren, ist die Kammer von der Glaubhaftigkeit dieser Aussagen überzeugt. Daran ändert die Tatsache, dass Einzelheiten von den Zeugen verschieden oder teils gar nicht berichtet worden sind, nichts. Die Kammer hatte zu bedenken und hat bedacht, unter welch ungeheurer, ja unvorstellbarer psychischer Belastung die Zeugen ihre Wahrnehmungen gemacht haben. Dass sich angesichts einer solchen nervlich-seelischen Anspannung die Wahrnehmungsfähigkeit verengt und die Speicherungsfähigkeit zum Teil auf Ausschnitte konzentriert, stellt eine auch aus vielen anderen Schwurgerichtsverfahren bekannte Erfahrungstatsache dar. Die Glaubwürdigkeit des jeweiligen Zeugen leidet deswegen nicht.

Auch was die lediglich verlesenen Bekundungen verstorbener oder unerreichbarer ehemaliger Häftlinge aus Mokotow anbetrifft, hat sich die Kammer durch Vergleiche mit den anderen Beweismitteln dessen vergewissert, dass ein Einklang mit dem Beweisergebnis im übrigen zu verzeichnen ist und die Angaben dieser Zeugen so weitgehend durch andere Beweismittel abgedeckt sind, dass kein Anlass bestand, ihnen insofern nicht zu folgen, als sie über Einzelheiten berichten, die von keinem anderen Zeugen beobachtet worden sind.

Zwei dieser ehemaligen Gefängnisinsassen, nämlich die Zeugen Mil. und Kie., wagten es, eine Schätzung über die Anzahl der Ende Juli noch verbliebenen Inhaftierten abzugeben. Beide sprachen - in Unkenntnis des Kirchner-Berichtes - von etwa 800 und haben damit nach Ansicht der Kammer die Kirchnerschen Zahlenangaben eindrucksvoll bestätigt. Da sie darüber hinaus mit dem im Langebartels-Bericht aufgeführten Zahlenmaterial übereinstimmten, hatte die Kammer keine Bedenken, die Zahlenangaben aus der dem Kirchner-Bericht anliegenden Quittung zur Grundlage ihrer Feststellungen zur Anstaltsbelegung am Tattage zu machen.

Die Kammer sieht es auch als erwiesen an, dass der von Kirchner beschriebene Kampf um das Gefängnis ausgetragen und später mit Hilfe einer von der Staufer-Kaserne entsandten Unterstützung entschieden worden ist.

Indirekt wird diese Darstellung durch den Langebartels-Bericht abgedeckt, der den Inhalt der zwischen Kirchner und dem im Palais Brühl eingeschlossenen Langebartels geführten Telefonate am Abend des 01.08. wiedergibt. Darüber hinaus werden aber auch Einzelheiten der Darstellung von Zeugen bestätigt. Die Zeugen Wit., Jed. und Ge. haben unabhängig voneinander aus völlig verschiedenen Blickwinkeln über den Versuch der Aufständischen berichtet, vom Lazarett her gegen das Gefängnishauptgebäude vorzugehen. Die Kirchnersche Behauptung, dass das Gefängnis zunächst auch von der Kaserne her beschossen worden sei, unterstützen die Aussagen der Zeugen Win. und Gem., indirekt die der Zeugen H. Kön. und Tob.

Über die Beweggründe der Aufständischen für den Angriff auf das Gefängnis finden sich gleichgelagerte Erklärungen wie bei Kirchner auch in der Bekundung des Zeugen Kuc. Im übrigen kann sich Kirchner, um die Richtigkeit seiner Behauptung zu unterstreichen, insoweit aber auch auf allgemeine Erwägungen militärischer Art stützen, die zweifellos den Gefängniskomplex als eine für die Aufständischen erstrebenswerte Bastion erscheinen lassen. Soweit es die Einstellung der Gefängnisinsassen zu den Aufständischen anbetrifft und die von jenen erwartete Unterstützung, belegen die Zeugen Cez., Jed., Kie., Kuc., Ni. und Ski. die Richtigkeit der im Kirchner-Bericht enthaltenen Einschätzung; alle diese Zeugen nämlich schlossen sich nach erfolgreicher Flucht unverzüglich den Aufständischen an.

Aus den Bekundungen der Zeugen Ski. und Win. lässt sich für die Zuverlässigkeit des Kirchner-Berichtes insofern etwas herleiten, als beide Zeugen über den späteren Einsatz eines Maschinengewehres im 2.Stock des Gefängnishauptgebäudes berichten. Auch die Kirchnersche Angabe, dass anstelle der MG-Gruppen für die Nacht eine Wache aus SS-Soldaten im Gefängnis zurückgeblieben sei, erfährt eine Bestätigung, in diesem Fall durch den Zeugen Dob., auf den sich Kirchner auch insoweit stützen kann, als es um einen nächtlichen Drohanruf der Aufständischen in der Kaserne geht.

In Anbetracht dieser vielfältigen Bestätigung sah die Kammer den Kirchner-Bericht auch insoweit als zuverlässig an, als in ihm Einzelheiten über die Entwicklung im Gefängnis bis zum Morgen des 2.8. enthalten sind, die durch die Beweisaufnahme nicht weiter abzusichern waren.

Die örtlichen Gegebenheiten innerhalb des Gefängniskomplexes stehen fest, aufgrund des verlesenen richterlichen Protokolls über die Augenscheinseinnahme, ferner der in Augenschein genommenen Skizzen und Lichtbilder, sämtlich ergänzt durch den Kirchner-Bericht nebst Anlagen, die Bekundungen der oben namentlich aufgeführten ehemaligen Insassen der Strafanstalt Mokotow und die Aussagen der Zeugen Hüt., Dob., Leh., Mic. und Tob.

Zu diesen vorstehend behandelten Feststellungen stehen die Einlassungen der Angeklagten nicht in Widerspruch, stellen aber andererseits auch keine brauchbare Stütze dar. P. beschreibt den Kampf ums Gefängnis wie Kirchner, wobei unklar ist, ob dem echte Erinnerung zugrundeliegt oder ob es sich nicht vielmehr um eine Nacherzählung des von P. studierten Kirchner-Berichtes handelt. Was die Belegstärke der Anstalt anbetrifft, bestreiten beide Angeklagten die Richtigkeit der in der Kirchnerschen Quittung aufgeführten Zahlen heute nicht mehr, ebensowenig wie sie Einwände gegen die Beweismittel erhoben haben, die die Feststellungen zu den örtlichen Gegebenheiten im Gefängniskomplex tragen.

Der Angeklagte P. hat im Verlaufe der Hauptverhandlung eingeräumt, am Abend des 1.8. das Gefängnis betreten zu haben, wobei er stets betonte, nur bis zum Wachlokal vorgedrungen zu sein. Die Kammer ist dieser Einlassung insoweit gefolgt, als sie P. die zugestandene abendliche Inspektion des Gefängnisses glaubt, ohne ihm jedoch abzunehmen, dass diese Inspektion sich auf einen Aufenthalt im Wachraum beschränkt hat.

Die Kammer schliesst sich der Einlassung im genannten Umfang an, weil das behauptete Vorgehen sich als vernünftige, den Erfordernissen der Situation angepasste Reaktion eines Offiziers in der Stellung von P. darstellt. Er hatte am Abend des 1.8. nur eine geringe Anzahl einsatzbereiter Kräfte zur Verfügung, so dass er damit so gut wie eben möglich haushalten musste. Angesichts der zahlreichen Brennpunkte mussten in der Verteilung der Leute Prioritäten je nach Schwere der Bedrohung und Wichtigkeit der Verteidigung einer bestimmten Stellung gesetzt werden. Das wiederum setzte Kenntnis der Gegebenheiten voraus. Diese Kenntnis konnte P. sich vernünftigerweise nur vor Ort verschaffen. Da P. immer als Front- und nicht als Stabssoldat gedient hatte, es mithin gewöhnt war, sich mit eigenen Augen über die Lage vor Ort ein Bild zu machen, ist die Kammer überzeugt davon, dass er auch in Warschau so verfuhr.

Diese Überzeugung wird ergänzend dadurch gestützt, dass P. dem Gericht glaubhaft dargetan hat, auch in dem zuerst geräumten Eckhaus gewesen zu sein. Dieser Einlassung ist die Kammer gefolgt, weil der Angeklagte ihr - nicht ohne Stolz - über eine im Zusammenhang damit vollzogene Gedankenabfolge berichtet hat. Da war das geräumte Haus, darin die von geflüchteten Aufständischen zurückgelassenen rot-weissen Armbinden; daran schloss sich die P.sche Überlegung bezüglich der fehlenden Differenzierbarkeit von Partisanen und nichtkämpfender Zivilbevölkerung an, die ihn zu einem Befehl veranlasste, nämlich dem der Internierung aller männlichen Hausbewohner. Dass dieser Befehl erteilt und ausgeführt worden ist, wurde bereits an anderer Stelle abgehandelt. Wie es zu eben diesem Befehl kam, scheint der Kammer mit dieser Einlassung glaubhaft, weil nachvollziehbar und folgerichtig dargestellt.

Wenn aber P. schon dieses feindfrei gemachte Eckhaus vor Ort in Augenschein nahm, wieviel mehr Grund hatte er dann, sich das von den Aufständischen berannte Gefängnis selbst anzusehen, das wegen seiner Lage und seiner baulichen Beschaffenheit um keinen Preis verloren gehen durfte. Da kein Anhaltspunkt dafür hervorgetreten ist, dass P. bereits vorher einmal im Gefängnis gewesen war, musste er sich die Ortskenntnis, die ihm bis dahin fehlte, nun am Abend des 1.8. aneignen. Nur so war es ihm möglich zu erkennen, wieviele seiner wenigen Leute er für das Gefängnis abzweigen musste, um einen eventuellen Überraschungsangriff der Aufständischen abblocken zu können. Diese Ortskenntnis liess sich jedoch nicht im Wachlokal gewinnen. Deshalb hält das Gericht diese Einschränkung in der P.schen Einlassung für eine seiner vielen Schutzbehauptungen, eingepasst in die grosse Linie seiner Verteidigung, die Örtlichkeiten im Gefängnis nicht gekannt und nicht gewusst zu haben, dass die südlichen Höfe von den Zellen her eingesehen werden konnten. Die Kammer ist hingegen aufgrund der vorstehenden Erwägungen überzeugt, dass P., wenn er schon das Gefängnis inspizierte, sich nicht ausgerechnet mit dem Kennenlernen des Wachlokales begnügte, sich vielmehr aus eigener Anschauung einen Überblick über die unter militärischem Blickwinkel wichtigen Merkmale in der Beschaffenheit des Gefängniskomplexes verschaffte.

Ungewollt hat er - wie oft - seiner eigenen Einlassung durch eine spontane, unbedachte Bemerkung letztlich auch den Boden entzogen. Als ihm vorgehalten worden war, dass laut Kirchner-Bericht ein MG auf dem Dachboden des Zellenbaus aufgebaut worden war, antwortete er mit grösster Selbstverständlichkeit: "Ja, natürlich, weil es von daher übersichtlich war nach Süden." Auf den Vorhalt hin, dass er diese Kenntnis doch wohl aus einer Ortsbesichtigung bezogen habe, wurde sich P. seiner vorschnellen Äusserung bewusst und schwenkte sofort wieder auf seine bisherigen Linie ein: Nein, er sei nur im Wachraum gewesen und habe sich im übrigen auf ihm gegebene Informationen verlassen. Dieses von P. behauptete Verhalten hält die Kammer für zu widersinnig, als dass sie es ihm zutraute, zumal es ihm an Fronterfahrung nicht mangelte und er eben das Denken und Handeln eines Kompanieführers hatte, nicht das eines Bataillonsführers oder gar noch höher gestellten Offiziers.

Die Kammer ist der P.schen Einlassung auch insoweit nicht gefolgt, als er sich über den Erhalt des Liquidierungsbefehles verbreitet hat. Zu diesem Punkt hat er so viele verschiedene Versionen geliefert, dass sich die Kammer ausserstande sah, einer von ihnen zu folgen. Durchgängig ist die Einlassung insofern geblieben, als P. behauptet hat, mit Wirkung vom 31.7. - mal 17.00 Uhr, mal später - von Stahel Geibel zur Aufrechterhaltung der Ordnung in der Stadt unterstellt worden zu sein. Den Tötungsbefehl will er dann von Geibel erhalten haben, der auch zugleich dessen geistiger Urheber gewesen sei.

Obwohl P. diese Einlassung ständig wiederholt hat, ist die Kammer ihr in beiden Punkten nicht gefolgt. In der Hauptsache stützt sich das Gericht diesbezüglich auf den Bericht Kirchners, wo es heisst, P. habe ihm eröffnet, dass der Platzkommandant, Generalleutnant Stahel, die Liquidierung der Anstaltsbelegung verfügt habe. Vergleichbares enthält auch die vor Gericht abgegebene Einlassung Mis.s; danach soll P. in seiner Ansprache vor dem Exekutionskommando bekannt gegeben haben, dass der Festungskommandant die Erschiessung der Gefangenen befohlen habe. Die Kammer ist sich darüber im klaren, dass die Erklärungen Mis.s angesichts seiner offenbar verschwommenen Erinnerungsbilder in Bezug auf die Gefängnisaktion sicher nicht unbesehen übernommen werden können. Für die Zuverlässigkeit seiner Erklärung in diesem Punkt lässt sich aber der Umstand geltend machen, dass schon in seiner ersten, 1967 gemachten Aussage als Befehlsgeber von P. der "Kampfkommandant von Warschau, ein Luftwaffengeneral Stahl oder ähnlich" auftaucht, also zu einem Zeitpunkt, als der Kirchner-Bericht noch nicht einmal den Ermittlungsbehörden vorlag, so dass Mis. sein Wissen unmöglich aus diesem Bericht bezogen haben kann. Ein geringer Beweiswert kann daher dieser Angabe Mis.s nicht abgesprochen werden. Schwerer allerdings wiegt die Namensnennung Stahels im Bericht Kirchners. Die Kammer hält es für ausgeschlossen, dass Kirchner so kurz nach der Tat einem Irrtum über die ihm gegenüber als Befehlsgeber bezeichnete Person erlegen sein könnte. Die Kammer vermag aber ebensowenig zu erkennen, warum Kirchner insoweit bewusst den Sachverhalt unrichtig wiedergegeben haben sollte. Weder ist einzusehen, dass eine Berufung auf Stahel für Kirchner irgendeine vorteilhaftere Rechtsstellung herbeiführte, als die Nennung Geibels, vorausgesetzt, dass P. ihm diesen tatsächlich als

Urheber namhaft gemacht hätte, noch findet die Kammer eine Erklärung dafür, welche schwerwiegenden Gründe Kirchner hätten bewegen sollen, es zu wagen, eine solche falsche Angabe in die Welt zu setzen, obwohl deren Unrichtigkeit durch Nachfrage bei den Betroffenen - P., Stahel, Geibel - problemlos aufzudecken war. Die Kammer ist deswegen sicher, dass Kirchner insoweit zutreffend das wiedergegeben hat, was er zuvor von P. erfahren hatte, und die Kammer ist des weiteren davon überzeugt, dass P. selbst diesen Befehl auch als einen Befehl Stahels empfangen hatte. Wenn P. demgegenüber in seinen Einlassungen Geibel als den Befehlsgeber aufbaut, diente das nach Meinung der Kammer allein dazu, sich ein Gegenüber für seine reichhaltig ausgeschmückte Beschreibung seines Widerstandes gegen diesen Befehl zu schaffen, als das sich die Person Stahel deswegen nicht eignete, weil er - wie P. aus eigener Kenntnis wusste - für ihn unerreichbar im Regierungsviertel eingeschlossen gesessen hatte. Dass Geibel selbst eine Unterstellung des Angeklagten P. für die Tatzeit in Abrede gestellt hat, sei nur am Rande erwähnt; aus den bereits früher erwähnten Gründen verdient diese Erklärung Geibels ebensoviel oder ebensowenig an Glauben wie die Einlassung P.s.

Aufgrund des auch von P. anerkannten Urkundenmaterials steht fest, dass mit Wirkung vom 31.7. die in Warschau anwesenden Truppen mit Ausnahme der Polizei Stahel als dem Stadtkommandanten territorial unterstellt wurden, mithin auch die unter Führung P.s in der Stauffer-Kaserne liegende Waffen-SS-Einheit. Dafür, dass Stahel nichts Eiligeres zu tun hatte, als von den ohnehin wenigen ihm zur Verfügung stehenden Kräften flugs welche einem anderen Befehlshaber abzutreten, spricht ausser der Einlassung von P. nichts. Nimmt man hinzu, dass - wie ausgeführt - Stahel nach diesem Zeitpunkt als Urheber des Liquidierungsbefehles in Erscheinung getreten ist und P. diesen Befehl von ihm entgegengenommen hat, dann reicht das nach Ansicht der Kammer aus, die Angaben P.s als widerlegt anzusehen.

Auch seinen Erklärungen über Zeitpunkt und äussere Umstände der Befehlsausgabe hat die Kammer keinen Glauben geschenkt. Wenn er sich früher dahin eingelassen hat, irgendwann zwischen dem 3. bis 7.8. etwa den Befehl bekommen und dann wiederholt dagegen remonstriert zu haben, so hat er diese Darstellung mittlerweile selbst zurückgezogen.

Als er sich erstmals in der Hauptverhandlung zur Sache erklärte, gab er an, am Mittag des 2.8. im Rahmen einer Lagebesprechung bei Geibel sei ihm in Gegenwart von SD-Leuten und Polizeioffizieren der fragliche Befehl zuteil geworden. Er will dann noch einmal an diesem Nachmittag zusammen mit Kirchner bei Geibel gewesen sein und ein weiteres Mal an darauffolgenden Morgen bei ihm vorgesprochen haben, um die Ausführung des Befehls von sich und seinen Leuten abzuwenden. Erst unter der erdrückenden Last der Beweise gestand P. dann schliesslich zu, dass die Aktion bereits am 2.8. durchgeführt wurde. Wiederholt befragt, ob ihm der Befehl nicht vielleicht schon am Abend des 1.8. fernmündlich zugegangen sei, entging er weiteren darauf abzielenden Fragen dadurch, dass er nun aussagte, noch am Abend des 1.8. gegen 23.00 Uhr etwa habe Geibel ihn angerufen und gefragt, was mit dem Gefängnis sei, Stahel habe dieserhalb mit ihm telefoniert. Schon im Verlaufe dieses Telefonates sei ihm der Tötungsbefehl bekannt gemacht und ihm aufgegeben worden, für die Nacht Sicherungsmassnahmen zu treffen. Er sei im Anschluss an dieses Gespräch ins Gefängnis gegangen und habe Kirchner über den Befehl informiert, ihn zugleich um Erstellung einer Belegstärkemeldung gebeten.

Nach Überzeugung der Kammer stellt diese letztgenannte Einlassung ebensowenig eine auf Erinnerung beruhende Wiedergabe des tatsächlichen Geschehensablaufes dar wie die voraufgegangenen Erklärungen, sondern ist nichts anderes, als der Versuch einer Anpassung an ein tatsächliches oder vermeintliches Ergebnis der Beweisaufnahme. Tatsächlich deckt die Beweisaufnahme diese Erklärung nicht ab.

Die verlesenen Berichte der ehemaligen Justizbediensteten Kirchner und Langebartels belegen in ihrer Wechselbezüglichkeit, dass bis zum Zusammenbruch der Telefonverbindung gegen Mitternacht von einer Übernahme der Gefangenen durch die SS oder gar von einem Tötungsbefehl zwischen diesen beiden nicht gesprochen worden ist. Die Kammer schätzt den ehemaligen Justizinspektor Kirchner aufgrund seines Berichtes als einen unterwürfigen, verantwortungsscheuen, sich an Vorschriften aufrichtenden Bürokraten ein. Sie zweifelt deshalb nicht daran, dass er sofort die Gelegenheit ergriffen hätte, seinen Vorgesetzten zu informieren und jegliche Verantwortung auf ihn abzuwälzen, wäre ihm zu dieser Zeit der Befehl zur Tötung der Gefangenen schon bekannt gewesen.

Nach Kirchner ist die Belegstärke erst gegen 7.00 Uhr am 2.8. von der Staufer-Kaserne erfragt worden. Die Kammer erachtet diese Angabe als zutreffend. Gegenüber den häufig wechselnden, auf Anpassung bedachten Erklärungen P.s hat sie ein höheres Mass an Glaubhaftigkeit für sich, zumal auch hier wiederum zu bedenken ist, dass Kirchner bei Abfassung seines Berichtes mögliche Nachforschungen von vorgesetzter Stelle zu gewärtigen hatte.

Der Umstand, dass die von P. quittierte Belegstärkemeldung das Datum des 01.08. trägt, zwingt zu keiner anderen Beurteilung. Etwas Gegenteiliges hätte allenfalls dann zu gelten, wenn P. von eigener Hand dieses Datum seiner Unterschrift hinzugesetzt hätte. Erkennbar stammt die Zahlenangabe aber von dem Verfasser der Stärkemeldung. Die Gestaltung dieser Aufstellung, nämlich ihre Unterteilung nach Abteilungen und ihre Abfassung in polnischer Sprache, spricht dagegen, dass es sich um eine auf Anforderung der Staufer-Kaserne hergestellte Belegstärkemeldung handelt. Nach Überzeugung der Kammer entstammt diese Aufstellung vielmehr dem regulären Dienstbetrieb in der Anstalt, zu dem es gehörte, tägliche Zählappelle durchzuführen, wie die Kammer aus den Bekundungen der ehemaligen Gefängnisinsassen und des Zeugen Hüt. weiss. Wie die polnischen Zeugen übereinstimmend ausgesagt haben, ist erstmals nach Aufstandsausbruch am 02.08. der frühmorgendliche Zählappell ausgefallen. Am 01.08. morgens hingegen fand er noch statt. Von daher widerlegt diese Quittung nicht die Darstellung Kirchners, dass P. diesen Zettel am 02.08. vorgelegt erhalten und abgezeichnet hat, um dadurch die Übernahme der Anstaltsbelegung zu dokumentieren.

Die Kammer ist auf Grund all dessen zu der Überzeugung gelangt, dass der Liquidierungsbefehl P. am 02.08. in der Zeitspanne zwischen Mitternacht und frühem Morgen erreicht hat. Sie hat nicht zu klären vermocht, ob diese Befehlsausgabe über Geibel führte, wie es P. behauptet, von seinem Standpunkt aus aber zwangsläufig auch behaupten musste, da er ja Geibel unterstellt gewesen sein will, oder ob P., auf welche Weise auch immer, in Verbindung mit dem Dienstsitz des Stadtkommandanten Stahel stand. Jedenfalls, davon ist die Kammer überzeugt, hatte P. in dieser Nacht Kontakt zu einer übergeordneten Dienststelle, der er Bericht erstattete, und von der er sich die getroffenen Anordnungen genehmigen liess. Insoweit stimmen die Feststellungen mit den Zugeständnissen von P. überein, die die Kammer für glaubhaft hält, weil sie mit allgemeinen Erfahrungssätzen in Einklang stehen.

Auch soweit P. angibt, ihm sei befohlen worden, am Morgen des 2.8. eine Verbindung zur Polizeistrasse freizukämpfen, ist ihm die Kammer gefolgt. Die in Übereinstimmung mit dem Kirchner-Bericht stehende Behauptung P.s, gegen Mittag ins Polizeiviertel gefahren zu sein, wobei über nachhaltige Behinderungen nichts bekannt geworden ist, sieht die Kammer als Beweis dafür an, dass bis zu diesem Zeitpunkt eine Zugangsmöglichkeit geschaffen worden war. Stützend können hier auch die urkundlich belegten Bekundungen der Zeugen Fir. und Mol. herangezogen werden, wonach alsbald eine Verbindung vom Polizeiviertel zum Flugplatz Okecie offenstand, und dieser Zugang führte nach Angaben des verstorbenen Zeugen Geibel - dem insoweit zu folgen die Kammer keine Bedenken hat - unter anderem über die Feldherrnallee und die Rakowiecka-Strasse.

Was die Begründung des an P. ausgegebenen Erschiessungsbefehls angeht, ist die Kammer bei ihrer Überzeugungsbildung weitgehend auf dessen eigene Angaben angewiesen gewesen, weil es an unmittelbaren Zeugen dieses Gespräches fehlt.

Die von P. selbst bei Weitergabe des Befehls angeführten Gründe erlauben wenigstens mittelbar einen Rückschluss auf die Begründung, die ihm gegeben worden war. Hier hat die Kammer auf die Bekundung des Zeugen Tet. zurückgegriffen, in dessen sämtlichen Aussagen von einem Befehl des Reichsführers SS Himmler, aufgrund dessen die Gefangenen zu erschiessen gewesen seien, die Rede ist. An dem Bemühen dieses Zeugen um eine wahrheitsgemässe Aussage hat die Kammer nach dem von ihm gewonnenen Eindruck keinen Zweifel. Er war einer der ersten, die über ihre bleibenden Erinnerungen an die grauenvollen Begleitumstände der Gefängnisaktion Auskunft gegeben haben; dass ihm das nicht leicht gefallen ist, hat sein Aussageverhalten vor Gericht deutlich gemacht. Die Kammer hat sich dessen vergewissert, in ihm alles andere vor sich zu haben als den Typ eines Aufschneiders oder eines geltungsbedürftigen Gernegrossen, der mit einer aufsehenerregenden Aussage Eindruck zu schinden versucht. Nach Überzeugung der Kammer haben die Erlebnisse in Warschau diesen relativ sensiblen, nachdenklichen Mann so nachhaltig beeindruckt, dass er es nicht fertig gebracht hat, über dieses miterlebte Grauen zu schweigen. Bei aller Anerkennung, die diese Redlichkeit und Aufrichtigkeit des Zeugen verdienen, hat die Kammer deswegen nicht darüber hinweggesehen, dass seine verschiedenen Vernehmungsniederschriften zuzüglich seiner Aussage vor Gericht einige Abweichungen und zeitliche Ungenauigkeiten enthalten. Dies betrifft auch seine Angaben über die Zusammenstellung und die Befehlsausgabe vor dem Exekutionskommando, die Unterschiede im Detail aufweisen. In Anbetracht der erheblichen Zwischenräume zwischen dem Tatgeschehen und den einzelnen Vernehmungen in 1965, 1967, 1975 und 1979 beseitigen diese Verschiedenheiten in der Detailbeschreibung nicht die Verlässlichkeit der Aussage in ihrem Kerngehalt. Zu diesem immer erhalten gebliebenen Kerngehalt gehört auch die Verbindung zwischen Himmler-Befehl einerseits und Gefängnisaktion andererseits. Von daher ist die Kammer zu der Überzeugung gelangt, dass der Himmler'sche Tötungsbefehl P. bekannt gemacht und zur Begründung des Erschiessungsbefehls bezüglich der Zivilgefangenen mitherangezogen worden ist.

Hinsichtlich der weiteren Begründung, die ihm für die Gefängnisaktion genannt worden sein soll, ist die Kammer P. gefolgt. Entgegenzusetzen hatte sie seiner Einlassung nichts. Da über den Draht Kirchner-Langebartels - wie für die Kammer feststeht, - dem Palais Brühl Informationen über die bedrohliche Situation im Gefängnis zuflossen, spricht das zumindest nicht gegen die Annahme, Stahel habe die Exekution der Gefangenen auch angeordnet, um eine potentielle Verstärkung der Partisanen durch die befreiten Häftlinge auf diese Weise sicher zu verhindern.

Zur Bestätigung könnte man dann auf die Einlassung Mis.s verweisen, der sich in seiner Erklärung vor Gericht genau daran erinnern können wollte, dass P. in seiner Ansprache einen bevorstehenden Angriff gegen das Gefängnis von aussen erwähnt habe. Dieser angeblich genauen Erinnerung des Angeklagten Mis. traut die Kammer jedoch nicht. In seiner frühen Einlassung aus 1967 waren es gerade die Aufständischen im Gefängnis, denen die Erschiessungsaktion gelten sollte. Wenn er jetzt abschwächend erklärt, er wisse nicht mehr genau, ob P. von Aufständischen unter den Gefangene oder von in das Gefängnis eingedrungenen Aufständischen gesprochen habe, jedenfalls aber davon, dass ein Angriff von aussen geplant sei, dann verbleiben der Kammer unüberwindliche Zweifel, ob diese angebliche Erinnerung in Wirklichkeit nicht eine blosse Übernahme der P.schen Erklärung darstellt.

Die Kammer verlässt sich stattdessen lieber auf die Indizwirkung der damaligen Zeitumstände. Das Zahlenverhältnis der deutschen Verteidiger im Vergleich zu den polnischen Angreifern war aus der Sicht Stahels beängstigend schlecht, die Zuführung weiterer Verstärkung für die polnische Seite galt es zu verhindern. In der Wahl der Mittel, die man zur Erreichung

eines angeblich militärisch notwendigen Erfolges einsetzte, liessen sich weder die politische Führung als solche noch die ihr Vertrauen geniessenden militärischen Führer, zu denen Stahel gehörte, durch Gebote der Rücksichtnahme und Humanität Grenzen setzen.
Von daher betrachtet, sieht die Kammer keinen Grund, P. nicht zu glauben, dass bei der Befehlsausgabe auch die Furcht vor einer erfolgreichen Erstürmung des Gefängnisses und der Freisetzung beachtlichen Nachschubpotentials für die Partisanen eine tragende Rolle gespielt hat.

P. hat diesen Befehl widerspruchslos entgegengenommen. Davon ist die Kammer überzeugt, auch wenn P. viel Mühe darauf verwandt hat, das Gegenteil glaubhaft zu machen. Seine früheren Einlassungen, in denen er jede Einzelheit seines letztlich erfolglosen Aufbegehrens gegen den ihm verhassten Befehl mit wirklicher Liebe zum Detail geschildert hat, stellen eine wahre Meisterleistung der Erzählkunst dar. Stimmen tut daran so gut wie nichts. An diesem Zugeständnis kam P. mit zunehmender Vertiefung der Beweisaufnahme nicht mehr vorbei. Letztlich ist in seiner eigenen Einlassung für auch nur die Andeutung eines Widerspruchs gegenüber dem Befehlsgeber kein Platz mehr geblieben, und diese Darstellung ist im Gegensatz zu allen vorangegangenen zutreffend, weil sie ihre Entsprechung findet in der Person P. zum einen, in der Behandlung der ganzen Angelegenheit durch P. zum anderen.

Aufgrund der ihm eigenen charakterlichen Veranlagung war eine Neigung zum Widerspruch, der ihm persönliche Nachteile hätte einbringen können, ohnehin nur schwach ausgebildet. In seiner Egozentrik und seiner darin wurzelnden ängstlichen Besorgnis um das eigene Wohlergehen liegt es ihm vom Typ her fern, sich eigenes Ungemach zu bereiten, nur um die Haut anderer zu retten. Wenn diese anderen zudem noch solche sind, die ihm im Falle ihrer Rettung womöglich nach seinem Leben trachten könnten, dann haben sie von ihm erst recht keine Unterstützung zu erwarten.

Diese Bewertung seiner Denkweise bestätigte P. unbewusst, als er nach Abkehr von seinen früheren Einlassungen sein Verhalten dem Gericht damit zu erklären versuchte, man habe das damals alles aus dieser militärischen Sicht heraus gesehen, die Gefangenen hätten praktisch schon als bewaffnete Freiheitskämpfer vor dem geistigen Auge gestanden, ihre Eigenschaft als Zivilpersonen sei gar nicht so recht ins Bewusstsein vorgedrungen.

Einstellung und Erziehung des überzeugten Nationalsozialisten und des von der Pike auf durch die militärische Gehorsamsschulung gegangenen Soldaten P. bewirkten eine zusätzliche Schrumpfung der Bereitschaft, sich den Anordnungen eines Vorgesetzten, der die Vermutung der weitreichenderen Einsicht in den Augen P.s für sich hatte, zu widersetzen. Diese Einschätzung der Kammer hat P. dadurch unterstrichen, dass er - wiederum zur Rechtfertigung seines Verhaltens - ausführte, dass ein SS- und Polizeiführer oder ein General damals jemand gewesen sei, zu dem man aufgeschaut, dessen Wort etwas gegolten habe.

Die widerspruchslose Entgegennahme des Befehls wird dann auch belegt durch die Art und Weise, in der er ihn behandelte. Kein Anzeichen deutet darauf hin, dass er seine Ausführung etwas hinauszuzögern versucht hätte, dass er einen Gedanken darauf verschwendete, wie sich der Befehl, ohne ihn zu verweigern, stillschweigend durch eine weniger effektive Form der Durchführung unterlaufen liesse, oder dass ihm die Remonstration Kirchners bei Geibel gegen die Einbeziehung der Aufsichtsbeamten einen Anstoss gegeben hätte, seinerseits eine Missbilligung der Tötungsanordnung auszudrücken.

4. Über die Lage am 2.8. im Bereich der Staufer-Kaserne hat P. selbst Auskunft gegeben, unterstützt durch das sich mit der allgemeinen militärischen Lage in Warschau befassende Urkundenmaterial, das die Kammer zum Gegenstand der Hauptverhandlung gemacht hat. Über die Einsätze der einzelnen Stosstrupps liegen der Kammer darüber hinaus Erkenntnisse aufgrund der verlesenen Nahkampftagebescheinigungen vor, die die Einlassung P.s jedenfalls

in Teilbereichen abdecken, und deren Richtigkeit ihrerseits wieder unterstrichen wird durch die glaubhaften Bekundungen der Zeugen Rie. und Urb.

Die am 2.8. fortgesetzten Häuserräumungen und Internierungen sind durch eine Vielzahl von Aussagen vornehmlich polnischer Zeugen belegt, deren Glaubwürdigkeit noch an anderer Stelle eingehender zu behandeln sein wird, die aber jedenfalls für die in diesem Zusammenhang zu nennenden Zeugen Kn., Mie., Ne., Sko., Zag. und Wit. in dem hier in Rede stehenden Umfang zu bejahen ist. Im übrigen stehen sie insoweit nicht allein, sondern ihre Aussagen befinden sich im Einklang mit den die Internierungen vom 2.8. ebenfalls bestätigenden Bekundungen der ehemaligen Einheitsangehörigen Vet., H. Kön., Ram. und Gem.

Die Feststellungen über das erste Gespräch zwischen P. und Kirchner und deren gemeinsame Unterredung mit Geibel basieren auf den insoweit übereinstimmenden Angaben von Kirchner und P. Die insoweit entgegenstehenden Aussagen Geibels, der mit den Vorgängen im Gefängnis von Mokotow nie etwas zu tun gehabt haben will, sind nach Ansicht der Kammer so anzweifelbar, dass sie die Glaubhaftigkeit des Kirchner-Berichtes in diesen Punkten, die von P. bestätigt werden, nicht nachhaltig erschüttern können. Die Kammer verkennt dabei nicht, dass P. früher durchaus anders gesprochen hat. Noch in seiner Vernehmung vom 20.10.1975 hatte P. mit aller Entschiedenheit jedweden Kontakt zur Gefängnisleitung bestritten:

> "Ich habe nie mit irgend einem Angehörigen der Leitung der Strafanstalt gesprochen. Ich habe nie einen gesehen oder kennengelernt ... Ich höre heute zum ersten Male, dass es sich um eine Strafanstalt unter deutscher Leitung gehandelt haben soll ..."

Als ihm daraufhin der Kirchner-Bericht auszugsweise vorgelesen worden war, erklärte P.:

> "Mir ist dieser Mann völlig unbekannt ... Zu der angegebenen Zeit bin ich nicht mit irgendeinem Angehörigen der Anstaltsleitung bei Geibel gewesen. Das kommt schon zeitlich nicht hin, weil wir den Weg zum Polizeiviertel erst frühestens am 3.8.1944 frei gekämpft haben."

Eine Woche später erschien dann P. unaufgefordert, um eine neue Erklärung abzugeben, angeblich, weil der ihm verlesene Kirchner-Bericht Erinnerungen wieder wachgerufen habe. Jetzt tauchte erstmals ein Angehöriger der Strafanstalt in den P.schen Erklärungen auf, und das Freikämpfen des Zugangs zum Polizeiviertel wurde auf den Vormittag des 2.8. verschoben, um daraufhin zwei Fahrten zu Geibel, je eine am Nachmittag und am Abend dieses Tages, in seine Darstellung einzubauen, wobei er auf der zweiten Fahrt von jemandem begleitet worden sein will, bei dem es sich - so P. - um den Justizbeamten Kirchner gehandelt haben könnte. Über weitere Stationen in der Gestaltung seiner Einlassung ist P. dann schliesslich bei der mit dem Inhalt des Kirchner-Berichtes identischen Aussage gelandet. Die Kammer ist sich in Anbetracht dessen der begründeten Zweifel an der Verlässlichkeit der P.schen Angaben auch zu diesem Bereich der Feststellungen durchaus bewusst. Die Beweisaufnahme hat aber keinen brauchbaren Hinweis darauf geliefert, dass schon die diesbezüglichen Angaben Kirchners, die P. dann obendrein noch bestätigt, falsch gewesen wären. Die Kammer hat dieser Darstellung deswegen geglaubt.

Sie ist den übereinstimmenden Darlegungen von P. und Kirchner auch insoweit gefolgt, als beide über die Erörterungen betreffend die Art und Weise, in der dem Erschiessungsbefehl Genüge getan werden sollte, berichten. Über die jeweiligen Diskussionsbeiträge dieser beiden Beteiligten hat die Kammer jedoch keine gesicherten Feststellungen treffen können. Kirchner weicht in diesem Zusammenhang auf Formulierungen in der Passiv-Form bzw. auf das Satzsubjekt "man" aus, soweit es nicht um die Wiedergabe angeblich von ihm beigesteuerter Argumente geht. Gerade in solchen Passagen, in denen sich Kirchner der Zur-Schau-Stellung seiner eigenen Wichtigkeit widmet, wirkt der Bericht überzeichnend und unecht, ruft er beim Leser den Eindruck hervor, das Schreibwerk eines eitlen, wichtigtuerischen Verfassers vor

sich zu haben. Die Kammer hatte deswegen Bedenken, Kirchner darin zu glauben, dass alle Beiträge, die er sich selbst zugeschrieben hat, tatsächlich auch von ihm stammten.
Die Einlassung P.s konnte der Kammer auf dem Weg zu einer gefestigten Überzeugung ebensowenig weiterhelfen, weil er nach eigenem Bekunden eine so detaillierte Erinnerung an den Gesprächsverlauf gar nicht hat; dies steht in Einklang mit dem Eindruck der Kammer.

Selbst über die Teilnehmer dieses Gespräches konnte die Kammer keine Klarheit gewinnen. P. benannte welche, darunter alle anwesenden Offiziere des Bataillons einschliesslich des Panzerkommandanten, die - soweit vernommen - sämtlich ihre Teilnahme an einer solchen Besprechung mit Nachdruck in Abrede stellten, dann aber gab P. diese Einlassung auch wieder auf, und es blieb nichts übrig, worauf sich eine Überzeugung der Kammer hätte gründen lassen.

Die in Betracht gezogenen Ausführungsmodalitäten konnten aufgrund des Kirchner-Berichtes in Verbindung mit der P.schen Einlassung festgestellt werden. Er hat auch eingeräumt, den Hof der Papierfabrik als Exekutionsstätte mangels hinreichender Sicherheit für die Truppe abgelehnt zu haben. Über seine Gewichtung dieses Sicherheitsaspektes hat er ebenfalls selbst Auskunft gegeben. Dieser Angabe hat die Kammer Glauben geschenkt.

Dafür war zum einen ausschlaggebend, dass P. seine Aussage, der Sicherheit der Truppe allen anderen Aspekten gegenüber Vorrang eingeräumt zu haben, auch noch an einem der letzten Hauptverhandlungstage mit Entschiedenheit bekräftigt hat, als er nach Überzeugung der Kammer zum ersten und einzigen Mal wirklich nach bestem Wissen auf Fragen geantwortet hat. Zum anderen erscheint der Kammer die Angabe deshalb zutreffend, weil sie sich in das Bild des Offiziers P. einfügt. Ein in der Tiefe seines Wesens ängstlicher, weil um sich selbst sehr besorgter Mensch, wie es P. nach Überzeugung der Kammer und der diese Überzeugung mittragenden sachkundigen Einschätzung des Sachverständigen Prof. Dr. Dr. Bre. ist, ist darauf angelegt, Sicherheitsrisiken auszuschalten. Dieses Bestreben schliesst die Bereiche mit ein, in denen ein Risiko nicht nur ihn allein, sondern auch seiner Führung anvertraute Menschen seiner Umgebung bedroht. Gerade wenn er für deren Wohl und Wehe miteinzustehen hat, ist er auch auf deren Sicherheit bedacht.

Deshalb glaubt die Kammer P., dass er sich bei der Auswahl der Exekutionsstätte von der Erwägung leiten liess, dass seine Leute dort nicht gefährdet werden durften. Für die Kammer steht aber gerade deswegen auch zweifelsfrei fest, dass er - entgegen seiner Einlassung - sehr wohl die Örtlichkeiten besichtigt hat. Ob ihm dabei die Inspizierung des Gefängnisses am Vorabend eine genügende Ortskenntnis verschafft hatte oder ob er die Erörterungen mit Kirchner - wofür die Lebenserfahrung spricht - in dem ja unmittelbar vor den Toren der Staufer-Kaserne gelegenen Gefängniskomplex führte, konnte unentschieden bleiben. Jedenfalls - das steht für die Kammer fest - verharrte der erfahrene Frontoffizier P., wenn er das Gefängnisgelände bis dahin nicht ausreichend kannte, bestimmt nicht in seinem Büro und liess sich von dem ihm bis dahin völlig fremden Justizbeamten Kirchner, bei dem er Erfahrung in militärischen Dingen nicht voraussetzen konnte, erklären, wie es im Gefängnis aussehe, um auf der Grundlage dieser Information darüber zu entscheiden, ob dieser oder jener Einsatzort die erwünschte Sicherheit für seine Leute bot.

Folglich ist die Kammer auch davon überzeugt, dass P. bei seiner Augenscheinseinnahme die Anordnung der die südlichen Höfe umschliessenden Gebäude zur Kenntnis nahm und dass er registrierte, dass diese Gebäude Fenster zum Hof hatten. Die eine Feststellung schliesst die andere zwangsläufig ein, weil der Anblick eines Gebäudes nicht die Wahrnehmung des hervorstechendsten Charakteristikums, der Vielzahl gleichförmiger, vergitterter Fenster, aussparen kann. Für den Soldaten P. signalisierte ein Fenster zudem Gefahr, weil dahinter der bewaffnete Feind lauern konnte, ein Anhaltspunkt mehr dafür, dass P. diese Fenster registrierte und mindestens beiläufig darüber nachdachte, dass sich dahinter wohl Menschen aufhalten würden.

Dass P. daran zugleich die Überlegung anknüpfte, diese Menschen würden, weil sie die Exekutionen würden mit ansehen müssen, qualvoller in den Tod gehen als unbedingt nötig, hat er selbst stets energisch bestritten; dies konnte die Kammer ihm auch nicht nachweisen. Aber er hat die Einsichtsmöglichkeit der Gefangenen in den Hof bedacht. Das belegt eine von ihm selbst früher abgegebene Erklärung. In seiner Aussage vom 10.11.1975 gibt er den Inhalt eines Disputs zwischen dem Unterführer, der die Aushebung der Gruben habe beaufsichtigen sollen, und Etz., der für die Gestellung des Werkzeuges verantwortlich gewesen sei, wieder. Es heisst dort:

> "Nachdem Etz. genügend Werkzeug aus Beständen der Staufer-Kaserne zur Verfügung stellen konnte, verlangte der Unterführer zum Ausheben der Grube ein Arbeitskommando aus polnischen Zivilinternierten der Kaserne zu erhalten. Zur Begründung führte er an, die Gefangenen würden bestimmt unruhig werden, wenn sie miterleben müssten, wie Mitgefangene schon so früh aus den Zellen geholt und zum Ausheben der Grube gezwungen werden. Ich beendete diese Diskussion, indem ich bestimmte, dass keine Polen aus der Kaserne auf das Gelände des Gefängnisses kommen und in Erfahrung bringen können sollten, dass sich dort etwas tut. Das hätte zu einer Unruhe unter den polnischen Zivilinternierten in der Kaserne führen können. Im Kasernenbereich waren etwa zehn- bis zwölfmal mehr Polen, als SS-Angehörige. Im Falle einer Unruhe oder eines Aufstandes hätten diese Polen uns leicht fertig machen können. Deshalb versuchte ich zu verhindern, dass Polen nähere Kenntnis von dem erlangten, was hinter den Mauern der Anstalt vor sich ging."

In der Hauptverhandlung hat der Angeklagte diesen Teil seiner früheren Einlassung als reines Fantasieprodukt ausgegeben.

Die Kammer hat nicht übersehen, dass er in seiner Vernehmung vom 20.10.1975 auch etwas ganz anderes gesagt hatte, nämlich, er habe bezüglich der Art und Weise, wie die Tötungen ausgeführt werden sollten, mit Mis. ausschliesslich besprochen, dass auf dem Gefängnisgelände vorher Gruben ausgehoben werden sollten, durch ein Arbeitskommando aus Polen, die sich in der Staufer-Kaserne befanden.

Diese Erklärung ist aber schon dadurch widerlegt, dass eben nicht Internierte, sondern Insassen des Gefängnisses die Gruben ausgehoben haben; das weiss die Kammer aus den glaubhaften Bekundungen der ehemaligen Gefängnisinsassen, ebenso wie aus den Aussagen Tet.s und Mei.s, die vom Hören-Sagen darüber berichten konnten. Da die Kammer keinen Anlass hat anzunehmen, dass Mis. entgegen einer mit P. getroffenen Absprache auf die Gefängnisinsassen zum Grubenausheben zurückgegriffen hat, kann die vorstehend wiedergegebene Erklärung von P. nicht richtig sein.

Die Kammer hatte sich dann zu entscheiden, ob denn der Einlassung P.s aus 1975 ein Wahrheitsgehalt innewohnt oder ob seine jetzige Behauptung richtig ist, er habe dieses Streitgespräch frei erfunden. Gegen die Annahme, dass es sich um eine reine Fantasterei handelte, spricht die Nutzlosigkeit dieser Geschichte für die P.sche Verteidigung. Üblicherweise fügte P. seine erfundenen Geschehensabläufe an Stellen ein, wo er sich für seine Verteidigung etwas davon versprach, wie etwa die frei erfundenen Berichte, über sein einen Befehlsnotstand ausfüllendes Verhalten.

Im übrigen kann diese Einlassung für sich in Anspruch nehmen, Entsprechungen im erwiesenen Sachverhalt zu finden; tatsächlich sind Gefangene zur Grubenaushebung herangezogen worden, tatsächlich waren die Überlegungen, die nach P. angestellt worden sind, sachgerecht und in Anbetracht der gegebenen Situation geboten, tatsächlich muss P. dafür gesorgt haben, dass die Ereignisse im Gefängnis den in der Kaserne internierten Polen verborgen blieben, denn keiner der vernommenen Zeugen, die seinerzeit in der Kaserne interniert gewesen waren, hatte mit eigenen Augen oder Ohren vom Ablauf der Gefängnisaktion etwas mitbekommen. Schliesslich spricht für die Richtigkeit der Einlassung, dass sie in das oben schon dargestellte P.sche Denkschema passt: Ausschaltung von Risikofaktoren, Sicherheit der Truppe über alles.

Die Kammer wertet deswegen diese Einlassung von P. als Bestätigung ihrer auch auf Grund anderer Überlegungen gewonnenen Überzeugung, dass P. damit rechnete, dass die Gefängnisinsassen den Erschiessungen ihrer Landsleute würden zusehen können.

Die Kammer geht nicht davon aus, dass es ihm darauf ankam, oder dass es ihm zumindest nicht unwillkommen war, die Inhaftierten durch die optische Teilhabe am Tod der Leidensgenossen zu quälen; dafür hat die Beweisaufnahme nichts ergeben. Die Kammer ist vielmehr der Überzeugung, dass P. die zusätzliche Qual, die er den Todeskandidaten bereitete, nicht bedachte. Wie er selbst gesagt hat, beherrschte ihn schon der Gedanke an die befreiten Gefangenen als bewaffnete Feinde, von denen Gefahr drohte, weswegen die Sorge um das eigene Wohlergehen und die Sicherheit der Truppe im Vordergrund standen.

Die eigentliche Durchführung der Gefängnisaktion war Sache Mis.s. Dies entspricht seinem eigenen glaubhaften Eingeständnis. Die von ihm in seiner Zeugenvernehmung 1967 bekanntgegebenen Details über den Verlauf der Massenexekution setzten Kenntnis von diesem Geschehen voraus. Dass Mis. diese Kenntnis aus der eigenen Wahrnehmung bezogen und sich nicht etwa von Hörensagen angeeignet hatte, steht für die Kammer in Ansehung seiner Person ausser Zweifel. Die Art seiner Auseinandersetzung mit dem von ihm bis heute nicht bewältigten Geschehen, sein physischer Verfall unter der ihn bedrückenden Last seines Schuldgefühls, sein eindrucksvolles Bekenntnis, sich heute noch für das, was geschehen ist, zu schämen, das alles sind Reaktionen eines, der dabeigewesen ist, der seine Verantwortung für das, was da geschehen ist, kennt.

Dagegen lässt sich nicht etwa vorbringen, die von Mis. offenbarten Einzelheiten stimmten nicht in allem mit den getroffenen Feststellungen überein. Diese Unrichtigkeiten sind jedenfalls partiell auf das Eingreifen von Verdrängungsmechanismen zurückzuführen. Verdrängen muss aber nur der, der sich im Gefühl der Schuld mit Ereignissen der Vergangenheit gedanklich befasst. Wären der Kammer Zweifel an der Identität Mis.s als des Führers des Erschiessungskommandos verblieben, dann hätte die Aussage Dob. ein Übriges dazu beitragen können, diese endgültig auszuräumen. Dieser Zeuge, der Mis. schon aus früheren Kriegseinsätzen kannte und in seiner Vernehmung keinen Anhaltspunkt dafür lieferte, ihm etwas anderes als wohlgesonnen zu sein, hat Mis. als den Offizier bezeichnet, der mit einer Gruppe von Leuten am Tattag ins Gefängnis kam und dort trank, bis die Erschiessungen begannen.

Für die Kammer steht aber nicht nur fest, dass Mis. - wie von ihm selbst eingestanden - das Erschiessungskommando führte, sie ist über den Umfang seines Eingeständnisses hinaus auch davon überzeugt, dass er der für die Tat innerhalb des Gefängnisbereiches einzige verantwortliche Offizier war.

Wenn Mis. demgegenüber erklärt, für das Ausheben der Gruben sei er nicht verantwortlich gewesen, die habe er bei seinem Eintreffen im Gefängnis vorgefunden, so kann die Kammer dieser Einlassung nur insoweit nichts entgegensetzen, als es um die Überwachung des Grabekommandos durch Mis. persönlich geht. Deswegen - so sieht es die Kammer - gehörte die Aushebung der Gruben gleichwohl zu den Aufgaben des von ihm geführten Kommandos, mag auch deren Überwachung auf Unterführer delegiert gewesen sein. Das ergibt sich einmal aus der von dem Zeugen Dob. glaubhaft beschriebenen zeitlichen Abfolge: Trinkgelage Mis.s und einiger seiner Leute im Gefängnis, deren Hinausgehen in den Hof und sich unmittelbar daran anschliessend der Beginn der Erschiessungen. Damit ist die Behauptung Mis.s widerlegt, dass er bei seiner Ankunft im Gefängnis sofort an vorbereitete Gruben geführt worden sei. Dafür spricht zum anderen, dass - wie alle ehemaligen Insassen des Mokotower Gefängnisses versichert haben - SS-Soldaten das Ausheben der Gruben überwachten. Die Kammer hält es für lebensfremd anzunehmen, dass diese Soldaten innerhalb ein und desselben Einsatzes, solange sie die Aushebung der Gruben bewachten, dem Befehl eines anderen Offiziers unterstanden als von dem Moment an, in dem die Erschiessungen einsetzten, obwohl diese Teilbereiche des Gesamteinsatzes nahtlos ineinander übergingen.

Was die Anwesenheit eines anderen mit Befehlsgewalt ausgestatteten Offiziers als Mis. während der eigentlichen Liquidierungsaktion angeht, deutete die Aussage des Zeugen Zag. auf Etz. als Mitverantwortlichen hin. Er bekundete in Übereinstimmung mit seiner früheren Aussage vor dem polnischen Vernehmungsrichter, dass sich - wie er über einen früheren Gefängnisinsassen erfahren habe - ein Offizier namens Augusberger bei den Erschiessungen im Gefängnis besonders hervorgetan haben solle. Nach Vorlage der Lichtbildmappen (Sbd. 16/1, 16/2 und 16/3) suchte er unter anderem das Bild Nr.171 heraus und erklärte dazu, die dort abgebildete Person in der Mitte könne mit dem Augusberger identisch sein, nur erscheine sie ihm auf dem Bild etwas zu schlank. Die bezeichnete Person von Bild 171 stellt den Zeugen Etz. dar.

Die Gewichtigkeit dieser Erklärung schwand jedoch bei einer Gesamtbetrachtung der von dem Zeugen in diesem Zusammenhang gemachten Angaben. Da war nämlich zu berücksichtigen, dass die von dem Zeugen abgegebene Personenbeschreibung wenig Gemeinsamkeiten mit dem Erscheinungsbild des Zeugen Etz. aufweist. In seiner ihm vorgehaltenen Vernehmung vom 9.Mai 1973 hatte er ihn als Rangniedriger im Vergleich zu P., etwa 25jährig, blond, von gedrungenem Körperbau beschrieben. Dem fügte er jetzt noch hinzu, dass man ihn oft mit den Soldaten habe gehen sehen, dass er an vielen Aktionen beteiligt gewesen sei, beispielsweise beim Anlegen eines Sicherungsgürtels um die Narbutta Kaserne. Diese letztgenannten Charakteristika passen auf den in der Kaserne residierenden Verwaltungsoffizier Etz. ebensowenig wie das äussere Merkmal eines gedrungenen Körperbaus; Etz. war ein auffällig grosser, damals sehr schlanker Mann von noch nicht 23 Jahren. Ferner litt die Verlässlichkeit der Identifizierung darunter, dass der Zeuge Zag. nicht nur auf allen ihm dann gesondert vorgelegten Lichtbildern, auf denen Etz. zu sehen ist, ihn als denjenigen herausfand, der mit Augusberger personengleich sein könnte; er bemerkte dann auch zu Bild Nr.45, das ihm zusammen mit den Bildern der anderen Offiziere des Bataillons aus Warschau gezeigt wurde, dass die erste Person von links in ihrer Bewegung ähnlich wie Augusberger sei und dass es sich auf Bild Nr.46 noch einmal um denselben Offizier handele. Diese letztgenannte Beobachtung ist richtig, nur hat der Zeuge Zag. als Vergleichsobjekt zu Augusberger hier nicht den Zeugen Etz., sondern vielmehr den Angeklagten Mis. herangezogen. Zu einem Vergleich der Abgebildeten aufgefordert, offenbarte sich die - verständliche - Unsicherheit des Zeugen, mit Hilfe von Fotografien den oder jenen als den sogenannten Augusberger zu identifizieren.

Schliesslich hält die Kammer aber folgende Erwägung für ausschlaggebend, die Bekundung des Zeugen Zag. insoweit zu entkräften, als in ihr ein Hinweis auf einen anderen Offizier als Mis. bei der Gefängnisaktion enthalten ist. Zag. bezog sein Wissen - wie er in seiner früheren Vernehmung glaubhaft angegeben hat - von seinem Landsmann Sowinski, der der Massenexekution der Gefängnisinsassen, zu denen er auch gehört hatte, dadurch entgangen war, dass er im Kamin der Bäckerei Zuflucht gesucht und sich dort tagelang versteckt gehalten hatte. Aus welchem Blickwinkel dieser Augenzeuge Sowinski die Erschiessungen sehen konnte, wie zuverlässig seine Beobachtungen waren, ob er dem Zeugen Zag. überhaupt über die Liquidierung der Gefängnisinsassen am 2.8. oder nicht vielleicht über Hinrichtungen Aufständischer oder Aufstandsverdächtiger im Gefängnishof während der darauffolgenden Tage berichtet hat, die erwiesenermassen stattgefunden haben, wie noch auszuführen sein wird, das alles sind Fragen, auf die die Kammer weder von dem Zeugen Zag. noch mit Hilfe anderer Beweismittel eine Antwort erlangen konnte. Diese mit der Unsicherheit in der Identifizierung zusätzlich befrachtete Aussage eines blossen Zeugen vom Hörensagen reicht der Kammer nicht aus, um von daher auf die Existenz eines zweiten Kommandoführers ausser Mis. bei der Gefängnisaktion zu schliessen, eine Annahme, die vor dem Hintergrund der damaligen Situation keinerlei Wahrscheinlichkeit für sich hat. In der angespannten Lage wurde jedermann gebraucht, nicht zuletzt jeder Offizier; die Häuserräumkommandos mussten geführt werden, irgendjemand musste in der Kaserne Vorkehrungen für die Unterbringung, Sicherung und Versorgung der zu internierenden Polen treffen. Es gibt keinen einleuchtenden Grund, warum bei diesem personellen Mangel dem erfahrenen Kompanieführer Mis., der es gewöhnt war, 100 bis 120 Mann zu führen, ein zweiter Offizier an die Seite gestellt worden sein soll, nur um die 50 bis 60 bei der Gefängnisaktion auf engstem Raum eingesetzten Soldaten zu befehligen.

Bezeichnenderweise enthalten die alten Aussagen der beiden Angeklagten auch nicht den kleinsten Hinweis darauf, dass für die Durchführung der Aktion irgend ein anderer Offizier noch als Mis. verantwortlich eingesetzt gewesen wäre. Wenn Mis. im Verlaufe der Hauptverhandlung diesen Standort verlassen hat, dann aber doch nur, um sich mit anderslautenden Schlussfolgerungen zu befassen, ohne aber wirklich Gegenteiliges zu behaupten.

Er hat den Gedanken an ein zweites Exekutionskommando einmal anklingen lassen, weil er - wie er sich erinnern zu können glaubt - die Erschiessungen nur in einem Hof beaufsichtigt habe. Um die Zuverlässigkeit der Mis.schen Erinnerungsbilder ermessen zu können, muss man diese Erklärung in dem zugehörigen Zusammenhang sehen. Er will auch nur gesehen haben, dass die Gefangenen aus dem Haus geradeaus in Richtung auf die Grube weggeführt wurden, nicht auch in Richtung eines anderen Hofes. Er hat - so sagt er - auch nur eine einzige Grube vor Augen, die diagonal von Südwesten nach Nordosten über den westlichen Hof verlief. Mitangesehen habe er seines Wissens die Herausführung von drei bis fünf Gruppen, mal à 5, mal à 10 Mann, bevor er weggelaufen sei zu P.

Gemessen am Ergebnis der Beweisaufnahme zeigt sich, dass die Erinnerungen Mis.s zu einem wesentlichen Teil verkürzt oder verfälscht sind. Deswegen kann die Kammer seiner Behauptung, ausschliesslich Erschiessungen in einem Hof beaufsichtigt zu haben, nicht stärker vertrauen als seiner Angabe, es habe nur eine, schräg über den Hof verlaufende Grube gegeben, an der die Menschen erschossen worden seien. Genaugenommen ist das Wort "Behauptung" eine unzutreffende Bezeichnung für die Erklärungen Mis.s. Wie manche Zeugen pflegte auch er durch Einleitungen wie "soviel ich weiss ...", "soweit ich mich noch erinnere", "ich möchte annehmen ..." oder "es schwebt mir etwas vor ..." die Unzuverlässigkeit seiner Erinnerungen von vornherein kenntlich zu machen. Auch die Angaben, dass nur in einem Hof geschossen worden sei und dass er dort gestanden habe, unterlagen diesen Einschränkungen. Auf wiederholtes Befragen gab er gleichförmig zur Antwort, er wisse nicht, ob ein zweiter Offizier bei der Aktion mit eingesetzt gewesen sei oder nicht.

P. hat als Verantwortlichen stets Mis. namhaft gemacht, ohne die Verwendung eines weiteren Offiziers auch nur anzudeuten. Das änderte sich vorübergehend, nachdem der Zeuge Zag. mit seiner Aussage den Verdacht auf Etz. als den oder mindestens als einen der die Gefängnisaktion Befehligenden gelenkt hatte. Daraufhin befragt, ob Etz. von ihm auch ins Gefängnis entsandt worden sei, wand P. sich zunächst; er sei sich nicht sicher, er könne darauf weder mit "ja" noch mit "nein" antworten, er müsse das auch erst mit seinen Verteidigern besprechen. Bald darauf wandelte er seine Erwiderung auf diese Frage wie folgt ab: Er meine, von Etz. gesagt bekommen zu haben, dass dieser von der Gefängnisaktion etwas gesehen habe. Schliesslich pendelte sich P. auf der Linie ein, er habe Etz. nicht hinbefohlen, aber dieser habe mal verlauten lassen, dass er der Aktion zumindest ausschnittsweise zugesehen habe. Ein Indiz dafür, dass Etz. als weiterer verantwortlicher Offizier neben Mis. die

Gefängnisaktion mit leitete, lässt sich mithin weder aus den vagen Erinnerungen Mis.s noch aus den wechselvollen Erklärungen P.s ableiten. Nach alledem - nicht zuletzt im Hinblick auf die ursprünglichen Erklärungen der Angeklagten - sind der Kammer keine vernünftigen Zweifel an der ungeteilten Zuständigkeit Mis.s für die Durchführung der Massenexekution im Gefängnis verblieben.

Mis. ist nach Überzeugung der Kammer von P. zutreffend über die ihm zugewiesene Aufgabe unterrichtet worden. Wenn sich demgegenüber Mis. in seiner ersten Aussage von 1967 dahin eingelassen hat, er habe aufgrund der P.schen Befehlsgebung im Gefängnis Aufständische vorzufinden erwartet, so entsprach diese Angabe nicht den Tatsachen.

An dieser Stelle sei angemerkt, dass die Kammer nicht auszuschliessen vermochte, dass dieser nach ihrer Überzeugung objektiv unwahre Vorwurf Mis.s, von P. getäuscht worden zu sein, für P. das auslösende Moment gewesen sein mag, seinerseits Mis. nicht zu schonen, sondern immer wieder mit dem Finger auf ihn als den Verantwortlichen zu zeigen. Sie ist deswegen zugunsten von P. davon ausgegangen, dass sein sich auf Kosten von Mis. freizeichnendes Aussageverhalten durch diese unrichtige Darstellung Mis.s initiiert worden ist.

Die oben angesprochene Behauptung Mis.s, die er in der Hauptverhandlung in der bereits wiedergegebenen Form abgeschwächt hat, ist schon deswegen widerlegt, weil sie in unvereinbarem Widerspruch mit dem von ihm selbst dargestellten Verhalten beim Einmarsch in das Gefängnis steht. Nach eigenem Bekunden will er ohne besondere Sicherheitsvorkehrungen mit seinem Kommando offen in den Gefängniskomplex einmarschiert sein. Er spricht dann davon, in die Örtlichkeiten eingewiesen worden zu sein, die Grube in Augenschein genommen und dann seine Leute verteilt zu haben. Hätte Mis. aufgrund einer ihm zuteil gewordenen Belehrung tatsächlich das Gefängnis als einen Hort der Partisanen angesehen, so hätte er sich derart nur verhalten können, wenn er selbst lebensmüde und das Leben seiner Untergebenen ihm gleichgültig gewesen wäre. Das Gegenteil aber war der Fall; gerade weil er mit heiler Haut irgendwann wieder nach Hause wollte, führte er selbst diesen Befehl aus - so seine eigene Einlassung -, und die Ausführung des Befehls war ihm nicht etwa deswegen zuwider, weil es um die Auseinandersetzung mit sich im Gefängnis verschanzenden Aufständischen ging, sondern weil ihm zur Aufgabe gemacht war, Wehrlose, am Kampf nicht beteiligt gewesene Zivilisten hinzumorden - so die sichere Überzeugung der Kammer.

Als er mit seinen Mannen in das Gefängnis marschierte, wurde dieser Komplex auch nicht von mehreren Panzern umrundet, wie Mis. behauptet hat. Nach Überzeugung der Kammer dienten diese Panzer in der Mis.schen Einlassung nur dazu, die Version von den Aufständischen im Gefängnis, an die Mis. geglaubt haben will, zu untermauern.

Es gibt keinen Zeugen, der um das Gefängnis in Stellung gegangene Panzer gesehen hat, während drinnen die Schüsse fielen. Einzig der Zeuge Jed. nahm einen Panzer wahr, aber da befanden sich die Gefangenen bereits auf der Flucht, und da dieser Zeuge von verschiedenen Fluchtpunkten aus, nämlich einmal aus der Küche, einmal vom Dachboden her, auf den Haupteingang und die Rakowieckastrasse hinausgeblickt hatte, konnte er glaubhaft darüber Auskunft geben, dass erst in dem späteren Beobachtungszeitpunkt der bis dahin nicht gesichtete Panzer im Haupteingang Stellung bezogen hatte. Nach Überzeugung der Kammer ist dieser Panzer tatsächlich eingesetzt gewesen, aber erst, nachdem das Chaos ausgebrochen war und es darum ging, einen erwarteten Fluchtversuch der Gefangenen zu verhindern. Vorher bestand aus militärischer Sicht gar keine Notwendigkeit, den Gefängniskomplex von aussen durch Panzer zu sichern; von den unbewaffneten Gefangenen war zum einen keine Gefahr zu erwarten, zum anderen wären die Panzer einer solchen Gefahr gegenüber machtlos gewesen, weil vom Gefahrenherd durch eine hohe Mauer getrennt. Mit Gefahren von aussen war noch viel weniger zu rechnen, nachdem die Räumung der angrenzenden Häuser durchgeführt und die Exekutionsstätte so gewählt worden war, dass aus den noch von den Partisa-

nen besetzten Gebieten kein Einblick dorthin genommen werden konnte. Nach Ansicht der Kammer steht völlig ausser Frage, dass P. sicher nicht, nur um Mis. zu täuschen beziehungsweise eine Täuschung aufrechtzuerhalten, einen militärisch unnötigen Einsatz von drei oder vier Panzern befohlen hat, zu einem Zeitpunkt, da es in Warschau noch viele Brennpunkte, aber nur wenige Panzer gab, und da Geibel jeden Panzer, dessen er habhaft werden konnte, seinem Befehl unterstellte und zur Entsetzung hart bedrängter Dienststellen hinausschickte, wie den insoweit übereinstimmenden Bekundungen der Zeugen Fir. und Mol. sowie denen der verstorbenen Zeugen Geibel und Rod. zu entnehmen ist. Auch P. spricht in seiner Einlassung nicht von vier Panzern, erwähnt allerdings einen unbemannten Panzer, der auf seine Veranlassung hin bei Beginn der Aktion vor dem Haupteingang Stellung bezogen habe, damit die Geräusche des laufenden Motors die Schüsse und Schreie übertönen sollten. Auch dieser eine Panzer ist nach Überzeugung der Kammer nicht eingesetzt gewesen, jedenfalls nicht zur angegebenen Zeit zum angegebenen Zweck. Das beweist nach Ansicht des Gerichts die verwirrte Reaktion P.s auf die Frage, wie der unbemannte Panzer am Laufen gehalten worden sei und warum man nicht, wenn es auf die Lautstärke des Laufgeräusches angekommen sei, statt ihn unbemannt im Leerlauf zu halten, einen Mann abgestellt habe, der durch Bedienung des Gefährtes dessen Motorengeräusche hätte verstärken können.
Ergänzend stützt sich die Kammer wiederum auf die Aussage Tet.s, der sie sowohl entnimmt, dass beim Abrücken des Kommandos Panzer es nicht begleitet haben und auch noch nicht etwa vor dem Gefängnis aufgezogen waren, wie auch, dass P. dem angetretenen Kommando gegenüber in seiner Ansprache nichts davon erwähnte, das Gefängnis sei von Aufständischen besetzt.

Wenn demgegenüber die Zeugen H. Kön. und Mic. bekundeten, sie hätten davon gehört, dass gesagt worden sei, aus dem Gefängnis sei geschossen worden, deswegen habe das Kommando hinüber gemusst, dann zwingen diese Angaben nicht dazu, der Einlassung Mis.s von den im Gefängnis befindlichen Aufständischen zu folgen. Das gilt nicht etwa deswegen, weil die Kammer Anlass gesehen hätte, die Glaubwürdigkeit dieser beiden Zeugen anzuzweifeln. Der Zeuge H. Kön., der erstmals von dem erkennenden Gericht zur Sache vernommen worden ist, zeigte ein gleichbleibend ruhiges Aussageverhalten ohne besondere Auffälligkeiten; seine Aussage war zeitlich und gedanklich geordnet, enthielt einen durchschnittlichen Detailreichtum und passte sich in das Ergebnis der Beweisaufnahme ein. Der Zeuge Mic. gehörte zu den zunächst zurückhaltenden Zeugen, bei dem es aber nur weniger Vorhalte bedurfte, um ihn aus seiner Reserve zu locken. Als sich bald darauf herausstellte, dass er selbst zu den bei der Liquidierungsaktion eingesetzten Leuten gehört hatte, wurde er über sein Auskunftsverweigerungsrecht belehrt. Der Umstand, dass er sich nach längerer Bedenkzeit dessen ungeachtet zur Aussage entschloss, wertete die Kammer als Anzeichen seiner Bereitschaft zu einer wahrheitsgemässen Aussage. Entgegenstehende Anhaltspunkte konnten weder aus Form noch Inhalt seiner nachfolgenden Erklärungen gewonnen werden.

Die Glaubwürdigkeit dieser beiden Zeugen ändert aber nichts daran, dass das Gericht die Einlassung Mis.s aus den schon erörterten Gründen als widerlegt ansieht. Es mag sein, dass über Schüsse aus Richtung des Gefängnisses gesprochen worden ist; tatsächlich wurde ja ein Angriff vom Familienhaus hervorgetragen und tatsächlich war jedenfalls vorübergehend in der Kaserne zu Beginn des Aufstandes der Eindruck entstanden, dass aus Richtung des Gefängnisses geschossen worden sei. Der Zeuge Mic. konnte denn auch auf Nachfrage hin gar nicht ausschliessen, über angebliche Schüsse aus dem Gefängnis im Rahmen eines allgemeinen Gespräches und unabhängig von der späteren Befehlsgebung bezüglich der Erschiessungsaktion gehört zu haben. Seine Bekundung ist somit als Beleg für eine bestimmte Begründung des Erschiessungsbefehles unbrauchbar, das um so mehr, als nach seiner Erinnerung ihm und den mit ihm ins Gefängnis abrückenden Kameraden offiziell nichts über die ihnen bevorstehende Aufgabe und deren Anlass gesagt worden ist.

Der Zeuge H. Kön. will von Kameraden nach Abschluss der Aktion erfahren haben, dass sie hinüber gemusst hätten, weil von dort geschossen worden sei, und dass sie nun drüben "aufgeräumt" hätten. Die Wiedergabe dieser ihm von Kameraden gegebenen Erklärung entkräftet nach Ansicht der Kammer nicht die gewichtigen Argumente, die dagegensprechen, dass Mis. und seine Leute über den Inhalt ihres Kommandounternehmens getäuscht worden sind. Mag sein, dass diese Erklärung zur Rechtfertigung gegenüber den Kameraden nachträglich abgegeben worden ist, mag sein, dass auf diese Weise die Zahl der Mitwisser geringgehalten werden sollte, mag auch sein, dass in diese Erklärung das Vergeltungsmotiv Eingang gefunden hat, das bei der Einstimmung des Exekutionskommandos mit angesprochen worden war. Die Deutungsmöglichkeiten sind zu zahlreich, als dass man dieser Äusserung von beteiligten Einheitsangehörigen mehr Aussagekraft beimessen könnte als ihrem eigenen Verhalten bei der Inbesitznahme des Gefängnisses und der Inangriffnahme der Massenexekution, ein Verhalten, das eindeutig gegen die Einlassung Mis.s spricht, in dem Bewusstsein ins Gefängnis gegangen zu sein, dort bewaffnete Aufständische vorzufinden.

Einer eingehenderen Auseinandersetzung mit der Bekundung des Zeugen Ram., der in seiner polizeilichen Vernehmung angegeben hatte, es sei bekanntgeworden, dass aufständische Gefangene aus dem Mokotow-Gefängnis erschossen werden sollten, bedarf es hier nicht. Sollte sie in dem Sinne zu verstehen sein wie die Bekundung des Zeugen Kön., hätte für sie Vergleichbares zu gelten. Sollten damit hingegen gefangengenommene Aufständische gemeint gewesen sein, so wäre das eine Behauptung, die von Mis. selbst nicht aufgestellt worden ist; sie findet auch in keinem anderen Beweismittel eine Entsprechung. Im übrigen wird darauf noch weiter unten einzugehen sein.

Auch insoweit, als sich Mis. darauf versteift hat, bis zur Ansprache P.s vor dem von ihm zusammengestellten Freiwilligenkommando überhaupt nicht gewusst zu haben, welche Aufgabe er mit diesen Leuten erfüllen sollte, ist diese Einlassung widerlegt.

Zu diesem Punkt hat die Kammer die Aussage des Zeugen Ram. verwertet. Einer besonderen Hervorhebung bedarf das deswegen, weil dieser Zeuge im Hinblick auf die Verlässlichkeit seiner Bekundungen keineswegs über jeden Zweifel erhaben war. Er verfügte über ein auffallend gutes Erinnerungsvermögen, das es ihm erlaubte, noch heute Daten, Einheitsbezeichnungen, Geschehensabläufe zutreffend zu reproduzieren. In Punkto Warschau war aber dann auch seine Erinnerung merkwürdig gelichtet. Entsprechende Vorhaltungen nahm er zum Anlass, aufsässig und dreist zu reagieren. Um so eindringlicher die Vorhalte und Ermahnungen wurden, desto deutlicher steigerte sich seine Widersetzlichkeit. Erst eine Unterbrechung der Sitzung förderte die Bereitschaft des Zeugen zu einem halbwegs vernünftigen Gespräch zutage. In Anbetracht dieses störrischen, Aggressionen gegen das Gericht verratenden Verhaltens kann sich die Kammer nicht sicher sein, von dem Zeugen alles erfahren zu haben, was ihm an Erinnerungen bezüglich Warschau verblieben ist. Insoweit jedoch, als sich der Zeuge nach der Wandlung in seinem Aussageverhalten entschlossen hat, über Details zu berichten, hat sie weder aufgrund seines Auftretens noch aufgrund des Inhaltes seiner Erklärungen Anlass, die Richtigkeit dessen in Zweifel zu ziehen, zumal das Gericht an anderer Stelle Gelegenheit gehabt hatte, die Güte seines Erinnerungsvermögens zu beurteilen. Es war auch festzustellen, dass sich seine Bekundungen im wesentlichen mit seinen früheren Angaben deckten und sich in den dem Gericht bis dahin durch die Beweisaufnahme vermittelten Wissensstand einpassten.
In Übereinstimmung mit seiner polizeilichen Vernehmungsniederschrift vom 25.4.1977 gab der Zeuge an, er wisse, dass Freiwillige unter den Unterführern der Einheit für Erschiessungen gesucht worden seien, seines Wissens für Erschiessungen von Gefängnisinsassen. Insoweit hatte er - wie oben erwähnt - früher von "aufständischen Gefangenen" gesprochen.

Gestützt auf diese Aussage sieht die Kammer es zunächst einmal als erwiesen an, dass Mis., der ja nach eigenem Eingeständnis derjenige war, der die Freiwilligen suchte, über die dem Freiwilligenkommando zugedachte Erschiessungsaufgabe sehr wohl unterrichtet war.

Diese Bekundung des Zeugen Ram., der das Gericht folgt, hat auch deswegen die Vermutung der Richtigkeit für sich, weil sie in Einklang mit der Lebenserfahrung steht. Gerade deswegen hat die Kammer dieser Aussage den Vorzug gegeben gegenüber der des Zeugen Hn., der von einer Bekanntgabe dessen, worum es für die Freiwilligen gehen sollte, nichts gehört haben will. Im Hinblick auf die allgemeine Lebenserfahrung vermag die Kammer dem Angeklagten Mis. nämlich nicht abzunehmen, dass er sich als ranggleicher Offizier von dem jüngeren Mitangeklagten P., den er von der Junkerschule her kannte und mit dem er seither "per Du" war, losschicken liess, um Freiwillige zu suchen, ohne selbst darauf zu bestehen, die Aufgabe zu erfahren, die dieses Kommando ausführen sollte. Die Kammer glaubt ebensowenig, dass sich unter den Unterführern mit einiger Aussicht auf Erfolg hätte nach Freiwilligen suchen lassen, wenn diese nicht sofort den Zweck erfuhren, für den die Freiwilligen gebraucht wurden. Dass in erster Linie erfahrene, gestandene Soldaten gesucht wurden, wie es der Zeuge Ram. glaubhaft bekundet hat, insoweit auch unterstützt durch die Angaben des Zeugen Hn., ist nur ein zusätzliches Indiz dafür, dass Mis. wusste, welche Aufgabe auf die Freiwilligen wartete.

Die Glaubwürdigkeit des Zeugen Ram. wird nicht durch anderslautende Zeugenaussagen erschüttert. Wenn der Zeuge Tet. mit angesehen hat, wie rein schematisch nach Abzählverfahren ein Kommando zusammengestellt, von P. eingestimmt und dann ins Gefängnis geschickt wurde, so steht diese Wahrnehmung, die das Gericht ebenfalls als glaubhaft erachtet, nicht in unvereinbarem Widerspruch mit der Bekundung Ram.s. Dieser konnte darüber, ob und wieviele sich freiwillig gemeldet haben, keine Auskunft geben. Ebensowenig konnte Tet. ausschliessen, dass unter den anscheinend rein schematisch Ausgewählten einige sich schon vorher freiwillig gemeldet hatten, und er konnte auch nicht mit Sicherheit etwas darüber sagen, ob ausser den Leuten, die er abrücken sah, die möglicherweise das Ausheben der Gruben vorweg beaufsichtigen sollten, nicht andere Kameraden früher oder später in Richtung Gefängnis abgerückt sind. Freiwillige sind gesucht worden; das haben auch die Zeugen Hn. und Dob. bestätigt. Dass auch Freiwillige zumindest in geringer Anzahl gefunden worden sind, leitet die Kammer einmal aus der allgemeinen Erfahrung her - die ihr speziell für die Resteinheit in Warschau auch durch den Zeugen Tob. bestätigt worden ist -, dass sich einige auch für derartige Aufgaben immer melden. Zum anderen hat sie dafür die eindrucksvolle Schilderung des Zeugen Vet., der - noch heute bewegt - die beschrieben hat, die zurückkamen und sich übergeben mussten, im Gegensatz zu denen, die sich ihrer Taten brüsteten und ganz wild darauf zu sein schienen, ihr mörderisches Tun fortsetzen zu dürfen. Die Kammer ist davon überzeugt, dass zu solchen Freudenkundgebungen nur in der Lage ist, wer bereitwillig an diese Aufgabe herangegangen ist; wer solche Bereitwilligkeit in sich spürt, der aber meldet sich auch freiwillig.

Steht somit zur Überzeugung der Kammer die bedingt erfolgreiche Suche nach Freiwilligen für die Erschiessungen im Gefängnis fest, so ist nur noch zu klären, ob bei Bekanntgabe der Aufgabe die Freiwilligen über die Gründe für die Erschiessung getäuscht worden sind. Nach Überzeugung der Kammer ist das nicht der Fall. Etwas anderes folgt nicht etwa zwangsläufig aus der Aussage Ram. Nimmt man seine Vernehmung vor dem erkennenden Gericht, in deren Verlauf er nur über eine Erschiessung von Gefängnisinsassen zu berichten wusste, so enthält diese gar keinen Hinweis auf eine eventuelle Täuschung der Freiwilligen. Wenn er früher von "aufständischen Gefangenen" gesprochen hat, so müsste diese Angabe aus den bereits erörterten Gründen als unzutreffend bewertet werden, wenn sie in dem Sinne zu verstehen gewesen sein sollte, dass man damit zu rechnen gehabt habe, auf bewaffneten Widerstand von Seiten der Gefängnisinsassen zu stossen.

Anders wäre es dann, wenn seine Aussage beinhaltete, dass den Einheitsangehörigen gesagt worden war, sie sollten sich für eine Erschiessung gefangengenommener Aufständischer freiwillig melden. Ein solcher Aussageinhalt würde nicht durch ein entgegenstehendes Verhalten ad absurdum geführt. Aber dennoch geht die Kammer davon aus, dass die potentiellen Freiwilligen nicht in ihrer Entscheidung durch eine derartige Täuschung beeinflusst worden sind.

Dem liegt folgende Überlegung zugrunde: Urheber einer solchen Täuschung hätte nur einer der beiden Angeklagten sein können. Dafür, dass Mis. aus eigener Initiative den Leuten in Täuschungsabsicht etwas anderes gesagt hat als er selbst von P. erfahren hatte, gibt es keinen Anhaltspunkt, im Gegenteil, die charakterliche Einschätzung des Angeklagten Mis. spricht dagegen. Insoweit war die Kammer schon nach dem Grundsatz des "in dubio pro reo" gehalten, zugunsten des Angeklagten Mis. dieser Bekundung des Zeugen Ram. nicht zu folgen. Eine täuschende Angabe des Angeklagten P. gegenüber Mis. über die Eigenschaft der im Gefängnis Einsitzenden hält die Kammer in Würdigung aller Umstände für ausgeschlossen. Dagegen spricht, dass nicht einmal Mis. Derartiges behauptet hat; seine Einlassung ist eindeutig auf aktive Widerstandskämpfer, nicht auf entwaffnete, als Gefangene in der Strafanstalt untergebrachte Aufständische fixiert. Ferner lässt sich dagegen die Aussage des Zeugen Tet. ins Feld führen, wonach P. in seiner Ansprache vor den auf dem Kasernenhof angetretenen Kameraden nichts über Aufständische im Gefängnis gesagt hat. Das wertet die Kammer als Argument dafür, dass eine abweichende Begründung auch denen, die zu einer freiwilligen Meldung angespornt werden sollten, nicht gegeben worden ist, denn es wäre widersinnig, Angehörigen einunddesselben Kommandos hier diese, dort jene Begründung zu nennen. Schliesslich fehlt es auch an einem einleuchtenden Grund, warum P. zum Mittel der Täuschung hätte greifen sollen, um sich seine Untergebenen gefügig zu machen. Gegenüber Mis. konnte er befehlen, und für den Fall, dass sich nicht genügend Freiwillige melden sollten, konnte er dasselbe natürlich gegenüber den Unterführern und Mannschaften erst recht.

Dies alles zusammengenommen, ist die Kammer davon überzeugt, dass P. den ihm zugegangenen Befehl mit derselben Begründung nach unten weitergegeben hat, sowohl an Mis. vor Zusammenstellung des Kommandos als auch später vor den auf dem Hof angetretenen Einheitsangehörigen. Gestützt wird dieses Ergebnis zusätzlich durch die Bekundung des Zeugen Kot., der im Lazarett von einem aus Warschau kommenden Kameraden erfuhr, dass die Insassen der Strafanstalt Mokotow erschossen worden seien, wohl weil die Aufständischen sie hätten befreien wollen.

Im Rahmen dieser Ansprache hat P. noch eine Schilderung von Greueltaten der Widerstandskämpfer in den ersten Stunden des Aufstands angefügt, um seinen Leuten bei der Überwindung eventueller innerer Widerstände gegen die ihnen gestellte Aufgabe zu helfen.

Das räumt P. selber ein, und dieses Eingeständnis erfährt eine Bestätigung durch die Aussage des Zeugen Hn., der später davon gehört haben will, dass zur Vergeltung für den Überfall der Partisanen auf einen deutschen Truppenverbandsplatz die Gefangenen hätten sterben müssen. Vergeltung als Motiv für die Gefängnisaktion klingt auch in der Bekundung des Zeugen Tet. an. Diese beiden Bekundungen reichen der Kammer andererseits nicht aus, dem Angeklagten P. zu unterstellen, er habe über den ihm zuteil gewordenen Befehl hinaus die Tötung der Gefängnisinsassen auch zur Vergeltung für die Entfesselung des Aufstands befohlen. Nach Ansicht der Kammer geben die Bekundungen dieser beiden Zeugen nicht mehr her als das, was P. selbst zugestanden hat, nämlich zur Einstimmung derjenigen, die es tun mussten, auch über die Grausamkeiten des Gegners gesprochen zu haben.

Die Kammer hat keinen vernünftigen Zweifel daran, dass sowohl P. als auch Mis. den verbrecherischen Charakter des Befehls erkannt haben.

Wie vorstehend ausgeführt, sieht die Kammer es als erwiesen an, dass beide um die Natur der Gefängnisinsassen als unbewaffneter, an Aufstandshandlungen nicht beteiligt gewesener Zivilgefangener wussten, die nur wegen ihrer potentiellen Gefährlichkeit für die Deutschen sterben sollten. Um eine derart begründete Tötung als unter dem Gesichtspunkt der militärischen Notwendigkeit gerechtfertigt ansehen zu können, müsste man einen Rechtssatz des Inhaltes anerkennen, dass es nach Kriegsrecht erlaubt ist, Zivilbevölkerung in unbeschränktem Ausmass zu töten, sofern sie verdächtig ist, zukünftig den Feind möglicherweise unterstützen zu wollen. Selbstverständlich existiert ein solcher Rechtssatz im Völkerkriegsrecht nicht, und nach Auffassung der Kammer haben beide Angeklagte das auch genauso selbstverständlich gewusst. Schon deswegen haben sie auch erkannt, dass der Befehl auf die Begehung eines nicht durch Kriegsrecht abgedeckten Verbrechens gerichtet war. Im übrigen bezeugen auch die Reaktionen der Angeklagten auf das ihnen anbefohlene Tun, dass sie sich über das Verbrecherische dessen im klaren waren. Da ist die Überlegung P.s, die Übernahme dieser Aufgabe könne nur solchen abverlangt werden, die sich freiwillig dazu bereit fänden. Da ist auf Seiten Mis.s die erst spät im Verfahren schamhaft eingestandene Flucht in den Alkohol, die es ihm erleichtern sollte zu tun, was ihm befohlen war.

Was nun die Durchführung der Aktion als solche anbetrifft, ist die Kammer davon überzeugt, dass an ihr 50 bis 60 Einheitsangehörige beteiligt waren. Diese Schätzung stützt sich auf die Angaben der Angeklagten sowie auf die Bekundungen der Zeugen Tet., H. Kön., Mic., Dob., Tob., Uba. und schliesslich auf die Beobachtungen der schon früher namentlich genannten Gefängnisinsassen, die als Zeugen vernommen worden sind, mit Ausnahme der verlesenen Aussage des Zeugen Win., der wegen der Blickrichtung der Fenster seiner Zelle die Erschiessungen als solche nicht beobachten konnte. Danach waren sowohl die seit dem frühen Morgen im Gefängnis als Wachen eingesetzten Soldaten wie auch die eigens für die Aktion abgestellten Leute im Rahmen der Liquidierungsaktion eingesetzt. Für die Wachsoldaten folgt das aus den Bekundungen der Zeugen Dob. und Uba., die beide vor dem erkennenden Gericht eingestanden haben, auf diese Weise in das Geschehen mit hineingezogen worden zu sein. An der Richtigkeit dieser Eingeständnisse hegt die Kammer angesichts des erkennbaren Widerstrebens, die Anwesenheit am Tatort zu bekennen, keinen Zweifel, wenn auch dahingestellt bleiben muss, ob der Zeuge Dob. - der anders als der Zeuge Uba. ein Auskunftsverweigerungsrecht nicht in Anspruch genommen hat - den Umfang seiner Tatbeteiligung zutreffend dargestellt hat.

Wenn der Zeuge Tob. bestreitet, mit Aufgaben im Rahmen der Aktion betraut worden zu sein, obwohl er seinen Beschreibungen über die Vorgänge im Gefängnis zufolge gerade zur Tatzeit dort auf Wache gewesen sein muss, dann erschüttert das die getroffene Feststellung nicht. Es kann sehr wohl sein, dass nicht alle Wachsoldaten zu unterstützenden Tätigkeiten herangezogen worden sind, wie es auch keineswegs ausgeschlossen werden kann, dass der Zeuge Tob., der die Anordnung seines Erscheinens vor Gericht zu unterlaufen versucht hatte, seine eigene Tatbeteiligung aus Furcht oder Scham verschwiegen hat. Der Vollständigkeit halber sei erwähnt, dass auch P. wiederholt erklärt hat, er habe Mis. angewiesen, die im Gefängnis auf Wache befindlichen Soldaten zur Unterstützung des Exekutionskommandos mit heranzuziehen.

Eine kleinere Gruppe von Einheitsangehörigen ist erst kurz vor Beginn der Erschiessungen ins Gefängnis abkommandiert worden, wie sich aus der bereits früher gewürdigten glaubhaften Bekundung des Zeugen Mic. ergibt, der selbst diesem Kommando angehörte. Von ihm weiss das Gericht auch, dass diesen erst später hinüberbefohlenen Soldaten bereits im Kasernengelände Alkohol ausgegeben worden ist.

Auf der glaubhaften Bekundung Dob.s beruht die Feststellung, dass Mis. mit einigen seiner Untergebenen vor Beginn der Erschiessungen in einem Raum neben dem Wachlokal gewartet und dass sie sich durch den Genuss von Alkohol für die vor ihnen liegende Aufgabe gerüstet haben.

Der Verbleib deutscher Gefängnisbeamter in der Anstalt ist belegt durch die Einlassung Mis.s, der erklärt hat, von ihnen eingewiesen worden zu sein, daneben durch die Angaben Kirchners, der über eine Mithilfe von seiten der Justizbediensteten berichtet, ferner durch den Umstand, dass Kirchner selbst eine so umfassende Kenntnis über die Vorgänge im Gefängnis ausweislich seines Berichtes gehabt hat, wie sie eigentlich nur ein Tatzeuge gehabt haben kann, schliesslich durch die glaubhaften Bekundungen der Zeugen Jed. und Mil. sowie die verlesenen Aussagen der Zeugen Cez. und Win., die über den Zählappell am 2.8. berichten, der von zwei SS-Soldaten in Begleitung eines volksdeutschen Aufsehers durchgeführt worden sei.

Was sodann die Überzeugung der Kammer von den veranlassten Vorbereitungs- und Ausführungsmassnahmen anbetrifft, stützt sie sich im wesentlichen auf die Wahrnehmungen der ehemaligen Gefängnisinsassen, betreffs deren Glaubwürdigkeit auf die an anderer Stelle gemachten Ausführungen verwiesen wird. Die Überzeugung von deren Glaubwürdigkeit ist ausser auf den von ihnen gewonnenen persönlichen Eindruck - soweit vor Gericht vernommene Zeugen - und die Dichte, Folgerichtigkeit, Widerspruchslosigkeit und Ausgewogenheit ihrer Bekundungen nicht unwesentlich darauf zurückzuführen, dass die meisten ihrer Detailangaben in den Aussagen ehemaliger Einheitsangehöriger eine Entsprechung gefunden haben. Diese werden in der Folge hier ergänzend und stützend herangezogen werden, wobei nach Ansicht der Kammer die Deckungsgleichheit solcher unabhängig voneinander gemachter Detailangaben deren Richtigkeit beweist, ohne dass es insoweit noch weitreichenderer Ausführungen bedürfte.

Was die zeitliche Einordnung der Aktion anbetrifft, so hatte die Kammer neben dem Kirchner-Bericht die Zeitbestimmungen der ehemaligen Gefängnisinsassen zur Verfügung, die allerdings nicht unerheblich voneinander abwichen. Diese Divergenz erschüttert nach Ansicht der Kammer aber nicht die Glaubwürdigkeit einiger oder gar aller. Vielmehr war allen gutzubringen, dass sie während ihrer Inhaftierung nicht im Besitz von Uhren waren, jede Zeitangabe ohnehin also nur auf Schätzung beruhen konnte. Des weiteren war zu berücksichtigen, mit welch furchtbaren Eindrücken sie konfrontiert wurden, neben denen eine Registrierung von Uhrzeiten sicher völlig nebensächlich wurde. Die Macht dieses Durchlebens von Todesangst dürfte darüber hinaus das Zeitgefühl der einzelnen merklich beeinflusst haben; dem einen verging die Zeit, die ihm noch zu leben blieb, wie in Sekundenschnelle, dem anderen schien das Warten auf den Tod unendlich lang. Von daher begründen die voneinander abweichenden Zeitangaben weder den Vorwurf mangelnder Wahrheitsliebe noch ungenügenden Bemühens um Exaktheit ebensowenig wie aus ihnen auf eine gestörte Erinnerung des jeweiligen Zeugen geschlossen werden kann.

Unter Einbeziehung dessen, was bezüglich der auf P. am Morgen des 2.8. wartenden Aufgaben festgestellt werden konnte, unter kritischer Würdigung der Zeitangaben des Kirchner--Berichtes und in Auswertung der Angaben des Zeugen Dob. hat die Kammer den vor Gericht abgegebenen Zeitschätzungen der Zeugen Jed., Mil. und Ni., die in einer Linie mit denen der nur in Polen richterlich vernommenen Zeugen Cez. und Win. lagen, den Vorzug gegenüber abweichenden Zeitbestimmungen anderer Zeugen gegeben, soweit sie das Auftauchen der Gruppe um Mis. im Gefängnis, die Durchführung des Zählappells und den Beginn der vorbereitenden Massnahmen einschliesslich der Grubenaushebung betreffen.

Der Aufbau des Maschinengewehrs im Dach des Zellenbaus wurde von dem Zeugen Jed. wahrgenommen. Das zweite Maschinengewehr am Aufgang zum Hauptgebäude sah der Zeuge Tob., dessen Erinnerung daran deswegen noch besonders lebendig war, weil er durch dieses Tor hatte hinausgelassen werden wollen, weswegen Kameraden das Maschinengewehr erst beiseite rücken mussten. Dieses Erinnerungsstück des Zeugen Tob., das durch die Bekundung des Zeugen Mic. erhärtet wird, hält die Kammer für echt, auch wenn seine Sachdarstellung insgesamt gesehen einen etwas wirren, zeitlich ungeordneten Eindruck hervorrief. Betrachtet man die von ihm vorgetragenen Einzelheiten aber für sich, so passen sie sich durchaus in das übrige Beweisergebnis ein. Die Kammer glaubt daher, dass der Zeuge sehr wohl über auf eigenem Erleben beruhende Eindrücke von der Gefängnisaktion berichtet, dabei aber Zusammenhänge auseinanderreisst oder durcheinander bringt, möglicherweise, weil er Teile seiner Erinnerungen für sich behalten wollte.

Durch die Gestellung des Werkzeugs leistete nach Überzeugung der Kammer Etz. seinen Beitrag zu der Gefängnisaktion. Dafür spricht die schon früher ausführlich abgehandelte Einlassung von P., in der er den Disput zwischen Etz. und dem Unterführer wiedergibt. Wie bereits begründet, hält die Kammer diese Einlassung für zutreffend. Wenn P. bei anderer Gelegenheit behauptet hat, Kirchner habe das Gerät aus Beständen der Anstalt gestellt, ist das sicher nicht richtig; die Beobachtungen der Zeugen Kie. und Tet. widerlegen ihn.

Tet. will die Entgegennahme von Schaufeln auf dem Kasernengelände durch eine Gruppe Gefangener beobachtet haben. Diese Wahrnehmung stand in zeitlichem Zusammenhang mit der Bildung des Exekutionskommandos und den später akustisch in der Kaserne wahrnehmbaren Erschiessungen. Die Kammer, die keinen Anlass sieht, dem Zeugen Tet. insoweit nicht zu glauben, zweifelt deswegen nicht daran, dass es sich um das für die Herstellung der Massengräber erforderliche Gerät handelte. Die Beschaffung, Verwaltung und Ausgabe von Werkzeugen und ähnlichem aber fiel in den Aufgabenbereich Etz.s. Von daher gewinnt die Einlassung P.s noch weiter an Glaubhaftigkeit.

Die Aussage Tet. wird nicht widerlegt durch die verlesene Bekundung des Zeugen Kie., wonach ein mit Schaufeln beladener LKW auf das Gefängnisgelände kam. Beide Beobachtungen schliessen einander nicht aus; es mag sein, dass eine Hälfte der benötigten Werkzeuge herangefahren wurde, die andere nicht, ebensogut wie es möglich ist, dass die Gruppe Gefangener die Schaufeln in der Kaserne in Empfang nahm, Anweisung bekam, sie auf einen LKW zu laden, möglicherweise um einen aufsehenerregenden Transport von Hand über die Rakowiecka-Strasse zu vermeiden, dass diese Gruppe dann zurückgeführt wurde ins Gefängnis, wo sie den LKW zu entladen hatte. Beide Aussagen zusammen beweisen, dass die Gerätschaften von der Staufer-Kaserne gestellt worden sind.

Über die für das Exekutionskommando bereitstehenden Alkoholvorräte berichten alle ehemaligen Gefängnisinsassen übereinstimmend. Ihre Bekundung wird abgesichert durch die Aussagen der Zeugen Dob., Vet., H. Kön., Mei. und Mic., die entweder bei oder nach der Aktion die Auswirkungen des genossenen Alkohols an ihren Kameraden bemerkten. Selbst Mis. hat nach langewährendem Bestreiten seine Einlassung dahin abgeändert, dass Alkohol während der Liquidierungsaktion getrunken worden sei.

Die Aushebung der Gruben durch Mitgefangene wird ausnahmslos von allen ehemaligen Gefangenen berichtet. Die Kammer hat keinen Anlass, diese Angabe in Zweifel zu ziehen, zumal die Zeugen Mei. und Tet. später gehört haben wollen, dass die Gefangenen sich ihr eigenes Grab hätten schaufeln müssen.

Auch bezweifelt das Gericht nicht die deckungsgleiche Bekundung der ehemaligen Gefangenen, dass diese Mitgefangenen aus dem Souterrain herangeführt worden seien. Der Zeuge Jed. beispielsweise erkannte darunter seinen Schwager, von dem er wusste, dass er noch in der sogenannten Quarantäneabteilung festgehalten wurde, andere wie der Zeuge Mil. und der Zeuge Ni. hoben hervor, dass es sich um Gefangene der Abteilung gehandelt habe, die im Gegensatz zu den übrigen zivil gekleideten Gefangenen eine graue Gefängniskleidung hätten tragen müssen.

Die Ansprache des Offiziers ist der Kammer durch den Zeugen Jed. ebenso glaubhaft berichtet worden, wie dessen Wahrnehmung, dass einer der Häftlinge mit seinem Körper das Mass für die Grösse der Gruben habe abgeben müssen und dass die Bodenbeschaffenheit nur ein langsames Vorankommen der Arbeiten zuliess.

Über Anzahl, Lage und Grösse der Massengräber hat sich das Gericht mit Hilfe der in Augenschein genommenen Handskizze Kirchners sowie einer weiteren Skizze des Zeugen Ih. und der die darin befindlichen Einzeichnungen bestätigenden Luftaufnahmen unterrichtet; ergänzend konnte es sich auf die insoweit mindestens teilweise detaillierten Beschreibungen der Zeugen Mil. und Ni., Hn., Ih. und Bas. sowie die verlesene Aussage des Zeugen Kie. stützen.

Auf Grund dieser überzeugenden, einander abdeckenden Beweismittel hatte die Kammer keine Bedenken, die Einlassungen beider Angeklagter als widerlegt anzusehen, in denen von nur einer einzigen Grube die Rede ist. Auch soweit einige Zeugen eine geringere Anzahl an Gruben erwähnt haben, wurde dadurch die Beweiskraft der oben angeführten Beweismittel nicht geschmälert. Bei diesen Zeugen handelt es sich zum Teil um die von der Erschiessungsaktion damals Betroffenen; für sie gilt das oben Gesagte, nämlich, dass eine Reduzierung ihrer Wahrnehmungs- und Speicherungsfähigkeit auf Kernpunkte nachvollziehbar ist, während ihr Sinn für Zahlen, Zeiten, Grössen, Entfernungen sich in dieser Situation verringerte oder - je nach Sensibilität des einzelnen - sogar völlig verloren ging. Bei ehemaligen Einheitsangehörigen hervorgetretene Unsicherheiten über die Anzahl der Gruben lassen sich sowohl durch eine mangelhaft sorgfältige Registrierung als auch dadurch erklären, dass im Zeitpunkt der Wahrnehmung eine oder mehrere Gruben bereits zugeschüttet waren und als solche einen weniger nachhaltigen Eindruck hinterliessen.

Über die Erwägungen, die im Verlaufe der Grabearbeiten in den Zellen angestellt wurden, über das verstohlene Beobachten und die Reaktion der Soldaten auf das Erkennen eines unerbetenen Zuschauers haben die Zeugen Jed., Kuc., Mil., Ski., Stp. und Cez. im gleichen Sinne, einander ergänzend, berichtet, ohne dass die übrige Beweisaufnahme einen Hinweis auf Gegenteiliges erbracht hätte.

Die Erschiessung des Gefangenenarbeitskommandos unmittelbar bei Beendigung der Grubenaushebung ist von jenen Zeugen bekundet worden, deren Zellenfenster ihnen Einblick in den Osthof gewährten; das waren die ehemaligen Gefängnisinsassen Kuc. und Ni.

Allerdings haben auch die Zeugen Mil. und Stp. die Lage ihrer Zelle und deren Fenster so beschrieben, dass sie den Osthof hätten einsehen können müssen; dennoch haben sie entsprechende Wahrnehmungen nicht gemacht. Die Kammer ist dennoch den insoweit übereinstimmenden Angaben der Zeugen Kuc. und Ni. gefolgt. Dafür war ausschlaggebend, dass sowohl Mil. als auch Stp. über die Vorgänge im Osthof offenkundig unzutreffende Erinnerungen haben. Mil. behauptete, dass während der Dauer seiner Beobachtung im Osthof überhaupt keine Gruben ausgehoben worden seien, während er über Grösse und Lage der Massengräber im Westhof eine wegen ihrer Genauigkeit unter allen Zeugenaussagen herausragende Beschreibung geben konnte. Der Zeuge Stp., der im Zellentrakt/Ostseite einsass, konnte zwar über die Aushebung einer Grube im Osthof berichten, erklärte aber mit Bestimmtheit, dass während der Dauer seiner Beobachtung daran niemand erschossen worden sei.

Für beide Zeugen gilt, dass sie zu denen gehören, die schon als vermeintlich Tote in der Grube gelegen haben, um dann doch noch ihrem schier unausweichlich geglaubten Schicksal zu entrinnen. Beide geben an, an einer Grube im Westhof den als tödlich gedachten Schuss entgegengenommen zu haben. Mil. wird insoweit bestätigt durch seine in der Tat zutreffende Beschreibung der westlichen Massengräber; Stp. erfährt diesbezüglich eine Unterstützung durch die Bekundungen der Zeugen Ni. und Por., die beide - wie Stp. - aus dem Zellentrakt

herausgeführt wurden, und zwar an eine Grube im Westhof. Nach Überzeugung der Kammer hat in den Erinnerungsbildern dieser Zeugen der Eindruck, das eigene Grab vor Augen zu haben, sich so übermächtig ausgebreitet, dass der Ort dieses Geschehens, eben der Westhof, die Erinnerungen daran, was zuvor anderen an anderer Stelle, nämlich im Osthof, zugefügt worden war, hat verblassen lassen. Wenn demgegenüber dem Zeugen Ni. dasselbe Schicksal widerfahren ist, er aber dessen ungeachtet über die Erschiessungen im Osthof zu berichten vermochte, dann zwingt das zu keiner anderen Beurteilung, sondern zeigt lediglich, dass verschiedene Menschen auf Anforderungen, die ein und dieselbe Situation an sie stellt, verschieden reagieren.
Dass tatsächlich auf der Ostseite Gefangene erschossen worden sind, somit den Aussagen der Zeugen Kuc. und Ni. der Vorzug gegenüber denen der Zeugen Mil. und Stp. gebührte, beweisen im übrigen die Bekundungen der Zeugen Gor., Hn., Ih. und Kn., die alsbald nach Durchführung der Gefängnisaktion im südöstlichen Hof mit menschlichen Leichen angefüllte Massengräber entdeckten.

Das Eintreffen weiterer SS-Leute zur Verstärkung, nachdem die Gruben ausgehoben waren, ist den Zeugen Ni. und Cez. aufgefallen. Deren Beobachtung findet eine Bekräftigung in den Aussagen Dob. und Mic. Dob. hat glaubhaft bekundet, Mis. habe mit seinen Zechkumpanen den Raum neben der Wache verlassen und sei zum Hof gegangen, unmittelbar bevor das andauernde Geräusch der Schüsse und Schreie eingesetzt habe. Die Aussage Mic.s greift hier insoweit ein, als er ins Gefängnis abkommandiert worden sein will, als die Gruben schon fertig vorbereitet waren, die Schiessereien aber erst ihren Anfang nahmen.

Über die Bewaffnung der Kommandoangehörigen haben die in Augenschein genommenen Lichtbilder und die Bekundungen der Zeugen Tet., Dob., Mic., Jed., Kuc., Ski., Cez. und Kie. Aufschluss gegeben.

Die Schilderung des Ablaufs der Massenexekution als solcher beruht ganz überwiegend auf den ineinandergreifenden, sich teils überschneidenden, teils einander ergänzenden Schilderungen der polnischen Augenzeugen, die durch die Angaben des Kirchner-Berichtes in groben Zügen abgedeckt werden und der die Einlassung Mis.s, auch wenn sie den Geschehensablauf verkürzt, vergröbert und gedrängt wiedergibt, im Grunde nicht entgegensteht. Ausschnittsweise werden Einzelheiten des Hergangs dann auch von ehemaligen Einheitsangehörigen berichtet, was die Kammer in ihrer Überzeugung bestärkt, dass die ehemaligen Anstaltsinsassen den Ablauf der Ereignisse zutreffend dargestellt haben.

Der Zeuge Tet. hat das sich über Stunden hinziehende Gemisch von Schüssen und Schreien in der Kaserne vernommen. Tob., der angeblich im Obergeschoss des Gefängnishauptgebäudes auf Wache gestanden haben will, wurde aufgeschreckt durch einen unbeschreiblichen Lärm aus den unteren Stockwerken, wo die Gefangenen gegen ihre Gittertüren schlugen und sich durch Geschrei Gehör zu verschaffen suchten. Vom Hof her vernahm er das Geräusch von Schüssen und Schreien. Auch der Zeuge Pra., dessen Aussage verlesen worden ist, erinnerte sich noch nach 33 Jahren an die sehr lauten Schreie von Menschen, die ihn in der Staufer-Kaserne am Abend nach seiner Ankunft beeindruckten. Der Zeuge Met. hörte in der Kaserne das Geräusch detonierender Handgranaten vom Gefängnis her. Der Zeuge Plo. sah hinter den Fenstern des Gebäudes die Leichen zweier Erhängter, als er im Anschluss an die Liquidierungsaktion im Hof zwischen den gefüllten Massengräbern Wache schieben musste.

Der Zeuge Uba. war als Wachposten eingeteilt, die Gefangenen mit herauszuführen. Der Zeuge Dob., der sich zur Tatzeit im Wachlokal des Gefängnisses aufgehalten haben will, bekam mit, wie die Schiessereien losgingen, wie das Gebäude von unten nach oben fortschreitend geräumt wurde, wie einer der Gefangenen, als er aus dem Souterrain herausgeführt wurde, noch rief: "Ich bin Wiener, Ihr könnt mich doch nicht erschiessen!" Ihm entging auch nicht der ungeheure Lärm, den die Gefangenen verursachten. Der Zeuge Vet. war zugegen, als Unterführer, die beteiligt gewesen waren, erzählten, wie es im Gefängnis zugegangen sei; da war die Rede von einem Massengrab, an das Gruppen von 5 bis 10 Gefangenen, begleitet von 5-10 SS-Soldaten, herangeführt und dort mittels eines Genickschusses getötet wurden.

Der Zeuge Mic. schliesslich hat sich überwunden, vor dem erkennenden Gericht seine Tatbeteiligung einzugestehen. Er bekam mit, wie das Räumkommando in Stärke von etwa 3 Mann Zelle nach Zelle öffnete, er sah, wie die Insassen zellenweise an ihm vorbei in Richtung des Hofes gingen, er hörte die Schüsse und auch die Schreie. Wenn dieser unmittelbare Tatzeuge mit Nachdruck in Abrede stellt, dass Gefangene von unten heraufgeführt worden seien, vielmehr von seinem Standort am Hofausgang her gesehen, alle von oben heruntergeführt worden seien, dann muss sich der Zeuge insoweit irren. Er hat der Kammer keinen Ansatzpunkt geboten, an seiner Aufrichtigkeit zu zweifeln. Wenn er dennoch von einer Räumung des Souterrains, die auch nach seinen Bekundungen erfolgt sein muss, nichts mitbekommen haben will, dann gibt es dafür zwei denkbare Erklärungen: entweder er hat seinen Posten erst später bezogen oder auch seine Erinnerung hat sich insoweit verkürzt. Gegen die erstgenannte Alternative lässt sich einwenden, dass er bei Einteilung auf seinen Posten die Grube noch leer gesehen haben will, dass er selbst bekundet, es sei erst losgegangen, als er schon dort gewesen sei, und schliesslich, dass seine Angaben insgesamt erkennen lassen, dass er das Gefängnis zunächst noch in geordnetem Zustand vorgefunden hat, was sich dann alsbald mit fortschreitender Dauer der Aktion änderte.
Danach ist die Kammer zu der Überzeugung gelangt, dass sich unter dem Eindruck der Bilder, die sich dem damals 21 Jahre alten, verschlossen, introvertiert, etwas schwerblütig wirkenden Zeugen dargeboten haben, dessen Wahrnehmungs- und Speicherungsfähigkeit schwerpunktmässig auf Ausschnitte konzentriert hat, in denen für Beobachtungen solcher Art, welchen Weg die Opfer bis zu ihrem Zusammentreffen mit ihm, dem Zeugen, zurückzulegen hatten, kein Platz war.

Nachdem somit die grossen Züge des von den polnischen Augenzeugen beschriebenen Ablaufs der Gefängnisaktion durch die übrige Beweisaufnahme bestätigt worden sind, hatte die Kammer keine Bedenken, Einzelvorkommnisse, die in der Regel nur von einem einzigen Zeugen berichtet worden sind, zu glauben, zumal sie sich reibungslos, stimmig und nachvollziehbar in die Bekundungen des jeweiligen Zeugen einfügten.

Über den Fluchtversuch eines Gefangenen, der gewaltsam zurückgeholt und an einer Grube erschossen worden ist, berichtete der Zeuge Kie. in seiner verlesenen Aussage, die sich durch Detailreichtum auszeichnet und in vielen anderen Einzelheiten eine Entsprechung in der Beweisaufnahme gefunden hat.

Die Gruppe Minderjähriger, die an der Grube erschossen worden ist, hat der Zeuge Cez. beobachtet. Auch seine Aussage konnte zwar nur verlesen werden, hat nach Überzeugung der Kammer aber trotzdem Glauben verdient, weil auch ihr eine durch die übrige Beweisaufnahme untermauerte Genauigkeit und Ausgewogenheit innewohnt. Zudem ist durch die dank der sachkundigen Ausführungen der Sachverständigen Frau Rup. ins Deutsche übertragene Quittung, die dem Kirchner-Bericht anliegt, belegt, dass in einer der unten im Gefängnishauptbau untergebrachten Abteilungen unter anderem eine Anzahl Minderjähriger einsass.

Über einen vergleichbaren Vorfall, dessen Opfer ein Minderjähriger wurde, hat der Zeuge Ni. bereits in seiner früheren richterlichen Vernehmung Auskunft gegeben und diese Angabe vor dem erkennenden Gericht bestätigt. Auch ihm zu folgen hatte das Gericht in Anbetracht seiner beiden im wesentlichen übereinstimmenden Bekundungen, die sich auch in vielen anderen Einzelheiten mit dem Ergebnis der Beweisaufnahme deckten, keine Bedenken.

Die in den Feststellungen im einzelnen abgehandelten Wahrnehmungen des Zeugen Jed. waren Teil seiner sehr ausführlichen, ausgesprochen detailreichen und in Einklang mit dem Beweisergebnis stehenden Aussage vor dem erkennenden Gericht, der nicht zu glauben die Kammer keinen Anlass sah.

Wenn der Zeuge Ni. die flehentliche Bitte eines der Gefangenen wiedergegeben hat, ihn zu verschonen, weil er Reichsdeutscher sei, dann sah die Kammer keine Notwendigkeit, die Glaubwürdigkeit dieses Zeugen anders zu beurteilen, als vorstehend getan.

Der Bericht über den nur Leichtverletzten, der als Strafe für seinen Versuch, sich zu verstecken, durch einen Schuss ins Gesicht getötet werden sollte, stammt - wie die nachfolgend getroffenen Feststellungen - von dem Zeugen Mil. Hatte dieser Zeuge schon in seiner richterlichen Vernehmungsniederschrift eine ebenso distanzierte wie wohl gerade deswegen erschütternde Darstellung seiner mehrwöchigen Gratwanderung zwischen Leben und Tod gegeben, so verstand er es, durch sein Auftreten vor Gericht die Prozessbeteiligten noch verstärkt zu beeindrucken. Ruhig, sachlich, ohne eine Entgleisung ins Emotionale, mit einem Minimum an Mimik und Gestik auskommend, aber dennoch nicht ohne innere Bewegung in der Stimme, durchlebte er nochmals alle Stationen seines Leidensweges und liess das Gericht daran teilhaben. Für die Kammer steht ausser Frage, dass in dieser Form und mit diesem Inhalt nur der sprechen kann, der fernab von jedem Streben nach Zur-Schau-Stellung, nach Tarnung oder Übertreibung nichts anderes tut, als unvergessenes und unvergessliches Erleben wieder präsent werden zu lassen. An der Verlässlichkeit seiner Angaben hat die Kammer keinen Zweifel.

Bezüglich des Zeugen Por. kann eine derartige Bewertung nicht uneingeschränkt Platz greifen, weil dem Gericht insoweit nur eine relativ kurze Vernehmungsniederschrift aus dem Jahre 1948 zur Verfügung stand, die verlesen worden ist. Aber auch der Inhalt dieser Aussage bietet in Kenntnis der übrigen Beweisaufnahme keinen Anlass, daran zu zweifeln, dass der Zeuge seine Erinnerungen zutreffend wiedergegeben hat.

Bezüglich des Zeugen Stp. ist bereits an anderer Stelle angemerkt worden, dass er Wahrnehmungen, die nicht in unmittelbarem Zusammenhang mit seinem individuellen Schicksal standen, nicht gemacht oder jedenfalls nicht gespeichert zu haben scheint. Soweit er jedoch über ihn unmittelbar betreffende Ereignisse ausgesagt hat, ergab sich für die Kammer kein Grund, an der Verlässlichkeit seiner Erinnerungen und der Aufrichtigkeit ihrer Wiedergabe zu zweifeln.

Die Zeugen, die in Abteilung VI gefangengehalten worden waren, nämlich Jed., Ski., Cez. und Kie., haben gemeinschaftlich, jeder durch Beisteuerung einzelner Details, dazu beigetragen, vor den Augen des Gerichtes das in den Feststellungen wiedergegebene Bild über die dort entfalteten, vom Widerstandsgeist getragenen Aktivitäten entstehen zu lassen. Ihre Angaben werden untermauert durch die Wahrnehmungen anderer Zeugen, die an diesen Widerstandshandlungen selbst nicht beteiligt gewesen sind.
So registrierte der Zeuge Mil., als er selbst aus der ersten Zelle von Abteilung VII zum Richtplatz geführt wurde, dass auf dem Korridor der Nachbarabteilung in Brand gesteckte Strohsäcke und ähnliches lagen, und er begriff sofort, dass sich die Mitgefangenen auf diese Weise gegen den Zugriff der SS-Leute zu verschanzen versuchten. Der Zeuge Tob. gab an, während seines Wachdienstes den Posten im 2.Stock des Hauptgebäudes verlassen zu haben und ins Wachlokal hinuntergelaufen zu sein, als das Schreien und Klopfen der Gefangenen eine beängstigende Lautstärke erreicht hatte und vom Hof her die Schüsse zu hören waren. Auf diesem Weg bemerkte er Qualm und erkannte, dass die Inhaftierten ihre eigenen Matratzen entzündet hatten. Auch der Zeuge Dob., der nach eigenem Eingeständnis den später getöteten Kameraden auf dem Weg zu der Zelle begleitete, wo diesen sein Schicksal ereilte, nahm in diesem Zeitpunkt starken Brandgeruch wahr.

Über den für einen SS-Mann tödlichen Vorfall, der die Wende in der bis dahin für die Deutschen planmässig verlaufenden Gefängnisaktion herbeiführte, zeigten sich vom Hörensagen die damaligen Inhaftierten Jed., Kuc., Ski., Kie., Cez. und Win., ergänzend auch Por., eingehend informiert. Ihre Darstellung fand im Rahmen der Hauptverhandlung eine bis dahin nicht erwartete Bestätigung durch die Zeugen Sz. und Dob., die nach Überzeugung des Gerichtes beide insoweit, als sie unter erkennbarer Überwindung innerer Widerstände ihre Kenntnis von der Tötung des Kameraden offengelegt haben, über jeden Zweifel an ihrer Glaubwürdigkeit erhaben sind.

Dob. war zugegen, als der stark angetrunkene SS-Mann in die Zelle hineinging und von den Insassen überwältigt wurde; selbst unbewaffnet - wie er behauptete - ergriff Dob. die Flucht, nicht einmal mehr des in der Zellentür zurückgelassenen Schlüsselbundes achtend. Der Zeuge Sz. hatte mit dem getöteten Kolodzeij zusammen Dienst als Hilfsausbilder bei der 4.Kompanie versehen, deswegen holte man ihn - wie er in der Hauptverhandlung zögernd eingestand -, um den von den Polen übel zugerichteten Kameraden zu identifizieren. Dessen Namen erinnerte der Zeuge Sz. ohne fremde Hilfe nicht mehr, er wusste aber noch anzugeben, dass dieser Name polnisch geklungen und mit dem Anfangsbuchstaben "K" begonnen habe. Als ihm der Name Kolodzeij vorgehalten wurde, stimmte er spontan zu. Da sich auch die aus der Erinnerung heraus gemachten Angaben des Zeugen Sz. über das ungefähre Alter und den Heimatort des Getöteten mit den Personalien des Wilhelm Kolodzeij decken, der ausweislich der Bataillonsverlustlisten am 2.8.1944 als Unterscharführer der 4.Kompanie an nicht näher bezeichneter Stelle in Warschau gefallen ist, steht die Identität des deutschen Opfers der Gefängnisaktion mit diesem Unterscharführer Kolodzeij zur Gewissheit der Kammer fest.

In Ansehung dieser überzeugenden Beweismittel erübrigt es sich eigentlich, auch noch auf die Zeugen Mic. und H. Kön. zu verweisen, die ebenfalls davon wussten, dass einer ihrer Kameraden bei der Aktion den Tod gefunden hatte. Nur ganz am Rande sei schliesslich noch der Zeuge Kol. aufgeführt, dessen Bekundung einen entsprechenden Verlauf der Aktion, über den er in Kameradengesprächen erfahren haben will, jedenfalls andeutet. Bei dieser Beweislage erübrigte es sich, den allenfalls ausschnittsweise zutreffenden Nachtrag zum Kirchner--Bericht heranzuziehen, auch wenn dieser die Überwältigung eingesetzter SS-Leute nicht verschweigt (er spricht allerdings von zweien).

In diesem Zusammenhang sei angefügt, dass das Gericht dem Zeugen Jed. die Kenntnis darüber verdankt, dass die Erschiessung von Häftlingen aus Abteilung X zumindest noch kurzzeitig fortgeführt wurde, während die Befreiungsaktion der Gefangenen aus den Abteilungen VI und VII bereits im Gange war. Diese Wahrnehmung verträgt sich mit der Angabe des Zeugen Mil., der, als er selbst bereits in der Grube lag, noch den Widerhall von Schüssen über der Grube vernahm.

Die nach Überwältigung und Entwaffnung des SS-Mannes von den Gefangenen ergriffenen Abwehrmassnahmen sind durch die Bekundungen der Zeugen Jed., Kuc., Ski., Cez., Kie. und Win. zur Kenntnis des Gerichtes gebracht und durch die bestätigenden Wahrnehmungen ehemaliger Einheitsangehöriger als zutreffend ausgewiesen worden.

Der Zeuge Sz. bezeichnete den Zustand des Gefängnisinneren, den er vorfand, als er seinen getöteten Kameraden identifizieren sollte, als verwüstet; er sah durchbrochene Gittertüren und herabgerissene Rohrleitungen. Der Zeuge Pra. erwähnt in seiner verlesenen Aussage ausser den langen Gruben im Hof die Fensterscheiben des Gebäudes, die er zumeist zerschlagen vorfand, und das wüste Durcheinander, das im Gebäudeinneren herrschte. Als der Zeuge Gor. im Gefängnisgebäude Wache schieben musste, fiel ihm auf, dass Mauern durchbrochen waren, so dass man von Zelle zu Zelle gehen konnte, und es roch, als habe es gebrannt gehabt. Gleiche Wahrnehmungen bekundeten die Zeugen Ram. und Urb., auch der Zeuge Leh.

stellte am 3.8. auf dem Gefängnishof Brandgeruch fest. Der Zeuge Mic., der sich zur fraglichen Zeit noch innerhalb des Gefängnisses aufhielt, bekam mit, wie vom oberen Stockwerk her Möbel in das Treppenhaus flogen und wie eine von oben herabgeworfene Handgranate im Hof detonierte. Über Mauerdurchbrüche und die Flucht der Gefangenen übers Dach hat er erst nachträglich erfahren, auf eigene Beobachtungen konnte er insoweit nicht zurückgreifen. Dass die Gefangenen übers Dach geflohen sein sollen, davon hatten auch die Zeugen Met. und H. Kön. gehört.

In allen Einzelheiten ist der Fluchtweg der Kammer beschrieben worden von den Zeugen Jed., Kuc., Ski., Cez., Kie. und Win. sowie ergänzend durch die Angaben der Zeugen Ni. und Por., die - der Grube entkommen - den anderen auf diesem Wege nachfolgten. In Anbetracht der dem Gericht durch anderes Beweismaterial vermittelten Ortskunde sowie gestützt auf die die Angaben der ehemaligen Inhaftierten absichernde Auskunft des Wetteramtes, die verlesen worden ist, gelangte die Kammer zu der Überzeugung, dass sie diesen Zeugenaussagen auch insoweit unbedenklich folgen könne.

Die Kammer hat Mis. insoweit beim Wort genommen, als er den Schauplatz des Geschehens verlassen haben will, nachdem ihm gemeldet worden war, dass im Gebäude Feuer ausgebrochen und einer der Unterführer überwältigt worden sei. Nach eigenem Bekunden will er daraufhin einen Blick in das Gebäudeinnere geworfen haben, wobei ihm Rauch im Obergeschoss aufgefallen sei; daraufhin habe er P. Meldung gemacht.
Diese Einlassung beweist nach Überzeugung der Kammer, dass Mis. die Aktion bis zu deren Abbruch geleitet hat.

Das Gericht hat nicht verkannt, dass Mis.s Angabe, nur der Vorführung von etwa fünf Häftlingsgruppen in Stärke von mal 5, mal 10 Gefangenen beigewohnt zu haben, in unvereinbarem Widerspruch mit der vorstehend wiedergegebenen Erklärung steht; denn als die Aktion infolge des unerwarteten Widerstandes der Gefängnisinsassen abgebrochen wurde, war die Anzahl der den Angeklagten zur Last gelegten Morde, die weit über die von Mis. eingeräumte Zahl von etwa 30 bis 40 hinausging, bereits begangen.
Die Kammer führt diese Erklärung Mis.s auf eine Verkürzung seiner Erinnerung zurück, während sie ihm glaubt, dass er die Meldung über den Feuerausbruch bekommen und erst daraufhin P. zwecks Erhalt weiterer Weisungen aufgesucht hat. Diese Überzeugungsbildung der Kammer beruht auf folgenden Erwägungen: Mis. hat schon in seiner Aussage von 1967 dem Feuer im Gefängnis breiten Raum gewidmet, zu einem Zeitpunkt, als den Ermittlungsbehörden über einen angeblichen Brand im Gefängnis noch gar nichts bekannt war. Ein polizeilicher Vorhalt als Quelle des Mis.schen Wissens um einen Brand scheidet mithin aus.

Die Kammer glaubt auch nicht daran, insoweit ein Produkt seiner Phantasie vor sich zu haben, das zufällig eine Entsprechung in der Realität gefunden hat. Wenn auch zwischen den damaligen Angaben Mis.s über das Feuer und dessen vermutliche Auswirkungen einerseits, den von der Kammer getroffenen Feststellungen andererseits erhebliche Differenzen bestehen, so sind sie miteinander doch insoweit deckungsgleich, als es einen Feuerschein aus dem oberen Stockwerk des Gefängnishauptgebäudes gegeben hat und dieses Ereignis das Ende der Erschiessungen im Hof signalisierte. Eine solche Übereinstimmung zwischen reiner Erfindung und tatsächlich Geschehenem anzunehmen, erforderte eine Zufallsgläubigkeit, die die Kammer nicht aufzubringen vermag.

Auch die theoretisch denkbare Erklärung, Mis. könnte vom Hörensagen über den Brand im Gefängnis erfahren und mit Hilfe unrichtiger Schlussfolgerungen den Faden der Ereignisabfolge selbst weitergesponnen haben, scheidet nach Überzeugung der Kammer aus, weil es ihr an Stimmigkeit im Rahmen einer Gesamtbetrachtung der Mis.schen Angaben fehlt. In seiner ersten Aussage 1967 liess sich Mis. dahingehend ein, dass er nach Ende der Aktion mit seinen Leuten in die Kaserne abgerückt sei und dort P. Vollzugsmeldung erstattet habe.

Diese erste Erklärung zur Sache, die im allgemeinen die Vermutung der geringsten Beeinflussung von aussen für sich hat, enthält also keinen Hinweis auf ein vorzeitiges Verlassen des Tatortes ebensowenig wie auf eine psychische Unfähigkeit, das Unternehmen bis zu Ende durchzuführen, wie dann in späteren Einlassungen von Mis. behauptet worden ist. Spricht somit seine eigene Erstaussage dafür, dass Mis. die Massenexekution, soweit sie durchgeführt worden ist, beaufsichtigt hat, so findet dieses Ergebnis eine tragfähige zweite Stütze in der psychologischen Ausleuchtung seines Schuldbekenntnisses aus 1967. Er bezichtigt sich in dieser Vernehmung, den Feuertod der in der Anstalt noch verbliebenen Inhaftierten verschuldet zu haben, die Tat mithin noch grausamer ausgeführt zu haben, als ihm von P. befohlen worden war. Diese Selbstanschuldigung war objektiv unrichtig, wie die voraufgegangenen Ausführungen deutlich gemacht haben sollten.

Die Erklärung für dieses sich selbst mehr als überhaupt verdient belastende Aussageverhalten liegt nach Überzeugung der Kammer, die sich insoweit in Übereinstimmung mit den sachkundigen Ausführungen des Sachverständigen Prof. Dr. Dr. Bre. befindet, darin, dass Mis. im Zuge der gedanklichen Verarbeitung des Erlebten einen Verdrängungsprozess durchgemacht hat. Stellt man sich das Erinnerungsbild einmal als eine Rasteraufnahme vor, dann bewirkt die Verdrängung im allgemeinen eine Veränderung dieses Erinnerungsbildes durch Zurückdrängen der schwarzen und Überbetonung der weissen, lichten Punkte des Rasters. Aber auch die entgegengesetzte Auswirkung kann als Folge einer Verdrängung bei intensiver geistiger Beschäftigung mit dem Geschehenen im Bewusstsein des Schuldempfindens eintreten. So stellt es sich nach Ansicht der Kammer im Falle Mis. dar. Unter der Last des Schuldgefühls haben sich in seinen Erinnerungsbildern unbewusst die negativen Faktoren vergrössert unter gleichzeitiger Zurückdrängung der positiven Elemente.

Zu einer solchen intensiven gedanklichen Auseinandersetzung, die im Ergebnis eine Verdrängung herbeiführt, reizt aber nur das im Zustand eigener Verantwortlichkeit Erlebte, nicht das Hören von Dingen, die unter fremder Zuständigkeit geschehen sind. Deshalb beweist nach Überzeugung der Kammer die in einen Verdrängungsprozess mündende gedankliche Verarbeitung des Feuerausbruchs im Gefängnis mit dem nachfolgenden Einstellen der Erschiessungen, dass Mis. dieses Stadium noch als der Verantwortliche miterlebt hat und eben nicht vorzeitig den Ort des Geschehens verlassen hat, von der Weiterführung seiner Aufgabe entbunden worden ist und als letztlich Unbeteiligter über den Brand im Gefängnisinneren vom Hörensagen erfahren hat.

Dieses bei Mis. beobachtete Phänomen eines sich zum eigenen Nachteil verschobenen Erinnerungsbildes hinderte die Kammer, seine eigene Einlassung insoweit zu verwerten, als er früher erklärt hat, ein bis zwei Polen selbst erschossen zu haben, darunter möglicherweise den Gefängniswärter; von diesem Eingeständnis ist er vollständig nie abgerückt, hat es allerdings dahingehend abgeschwächt, dass er es für möglich halte, selbst wenige Schüsse abgegeben zu haben, wobei es sich aber wahrscheinlich um Gnadenschüsse gehandelt habe.

Diese ihn selbst der eigenhändigen Tatausführung beschuldigende Angabe hat in der Beweisaufnahme keinerlei Bestätigung erfahren. Keiner der Zeugen, die seinerzeit im Mokotow--Gefängnis einsassen, hat einen Offizier bei Abgabe eines Schusses beobachtet. Ausser in der Bekundung des Zeugen Jed., der die Ansprache des Offiziers gehört hat, taucht das Bild eines Offiziers während der Aktion nur noch in der Aussage des Zeugen Stp. auf. Nach dessen ihm vorgehaltener richterlicher Vernehmung soll es ein Offizier gewesen sein, der einen Gefangenen auf dessen Vorbringen hin, dass er Volksdeutscher sei, von der Herausführung zur Richtstätte verschonte. In seiner Aussage vor Gericht hat er seine Angaben dahingehend modifiziert, es sei ihm so vorgekommen, als habe es sich um einen Offizier gehandelt, denn er habe irgendwelche Anordnungen getroffen, genau sagen könne er das aber nicht. Diese Bekundung war der Kammer zu vage, um sie als gesicherte Feststellung, Mis. betreffend, zu übernehmen. Die Kammer sah sich auch nicht gehalten, diese Angabe

nach dem Grundsatz "in dubio pro reo" in ihre Feststellungen einzubeziehen, weil es nach ihrer Ansicht nicht um eine eindeutig zugunsten des Angeklagten sich auswirkende Tatsachenbehauptung geht. Die Verschonung eines Betroffenen wegen seiner nichtpolnischen Herkunft könnte als Billigung des Tötungsbefehls aus völkisch-rassischen Gründen ausgedeutet werden ebenso wie dieses Vorgehen eine willkürliche Ungleichbehandlung der von dem Befehl Betroffenen aus eigener Machtvollkommenheit indizieren könnte.
Die Bekundung des Zeugen Zag. über das angebliche Hervortreten eines Offiziers namens Augusberger bei Erschiessungen im Gefängnis ist bereits an anderer Stelle behandelt worden; reichte sie dem Gericht nicht aus, Etz. als mit diesem Augusberger identisch einzuordnen, dann konnte sie erst recht nicht genügen, irgendein belastendes Moment gegen Mis. zu tragen.

Mis. ist aber nicht nur von niemandem als eigenhändiger Todesschütze bezeichnet worden, darüber hinaus hat die Beweisaufnahme auch keinen Anhaltspunkt dafür geliefert, dass ein oder mehrere polnische Wachbeamte - durch wen auch immer - bei der Aktion ums Leben gekommen sind. Im Gegenteil, Zeugen haben bestätigt, dass die polnischen Wärter - wie es Kirchner seinem Bericht zufolge ja durchgesetzt haben will - von der Massenhinrichtung ausgenommen geblieben sein sollen. Hier wären zu nennen die Zeugen Ski. und Kie., die gerüchteweise noch während ihrer Inhaftierung am 1. oder 2.8. hörten, dass die polnischen Gefängniswärter von den Deutschen in einer Zelle festgesetzt worden seien. Insbesondere wird in diesem Zusammenhang aber verwiesen auf die Bekundungen des Zeugen Mil., der später im Gefängnisgelände von zwei polnischen Wärtern aufgefunden wurde, sowie auf die verlesene Aussage des Zeugen Por., der glaubhaft unter Namensnennung angegeben hat, einige polnische Aufsichtsbeamte später wiedergetroffen zu haben.

Da diese Selbstbezichtigung Mis.s ohne jede Bestätigung in der Beweisaufnahme geblieben ist, konnte die Kammer sie angesichts der Unzuverlässigkeit seiner Erinnerungsbilder nicht gegen ihn verwerten.

Umgekehrt verhält es sich nach Überzeugung der Kammer bei P., der für sich in Anspruch nimmt, von dem, was im Gefängnis vor sich ging, nichts mitbekommen zu haben. Bezogen auf ihn ist sich die Kammer sicher, dass er seine noch vorhandenen Erinnerungsbilder in Selbstbegünstigungsabsicht verschweigt. Wenn die Beweisaufnahme auch keine Handhabe dafür erbracht hat, seine Einlassung, zur Tatzeit die Gefängnishöfe gemieden zu haben, zu widerlegen, so hat die Kammer doch keinen Zweifel daran, dass ihm die vom Gefängnis herüberdringenden Geräusche nicht entgangen sind.

In Bezug darauf spricht die glaubhafte Darstellung des Zeugen Tet. eine deutliche Sprache. Wenn er sagt, er könne sich nicht vorstellen, dass der fürchterliche Lärm, der vom Gefängnis her zu hören gewesen sei, in dieser Nacht irgend jemanden in der Kaserne Schlaf hätte finden lassen, dann übersteigt es die Vorstellungskraft der Kammer, dass ausgerechnet P., der am besten über das unterrichtet war, was im Gefängnis stattfinden sollte und dann auch stattfand, seine Ohren davor hat verschliessen können sollen.

Sicher hat der Zeuge Tet. eingeräumt, dass viele seiner Einheitskameraden ein dickeres Fell gehabt haben mögen als er, und die Kammer kann auch nicht umhin festzustellen, dass eine Vielzahl der vernommenen Zeugen angeblich nichts gehört haben will. Die Glaubwürdigkeit des Zeugen Tet., zu der bereits weiter oben ausführlich Stellung genommen worden ist, wird aber dadurch nicht erschüttert. Diejenigen, die nichts gehört haben wollen, gehörten zu einem grossen Teil den als generell unglaubwürdig eingestuften Zeugen an, andere konnten über ihren Aufenthaltsort zur Tatzeit keine konkreten Angaben mehr machen, wieder andere schliesslich - wie beispielsweise der Zeuge Ram. - haben zwar ausschnittsweise mit ihren Angaben vor Gericht Glauben gefunden, vermochten sich aber eines Verdachtes der Zurückhaltungstendenz deswegen nicht zu entledigen. Des weiteren musste die Kammer zugunsten vieler der ehemaligen Einheitsangehörigen berücksichtigen, dass sie gerade aus einem kräftezehrenden Fronteinsatz zurückgekehrt waren, währenddessen sie kaum Schlaf gefunden hatten, manche davon noch in der Nacht ihrer Ankunft wieder zum Einsatz befohlen worden waren, weswegen für sie nicht ausgeschlossen werden konnte, dass sie von einem unwiderstehlichen Schlafbedürfnis übermannt tatsächlich für akustische Eindrücke unempfänglich geworden waren.

P., der eine solche Entschuldigung für sich nicht geltend machen kann, unterschied sich darüber hinaus von seinen Untergebenen dadurch, dass er die Vorgänge im Gefängnis erwartete und für sie die Verantwortung trug, von daher mit einem ganz anderen Interesse ihnen gegenüberstand als die zum Teil nicht eingeweihten, jedenfalls aber nicht für das Gelingen der Aktion persönlich haftbaren Einheitsangehörigen. Wenn dennoch Leute wie der ehemalige Waffenwart Met. die Detonation der Handgranaten und der Zeuge Vet. den Widerhall der Schüsse vom Gefängnis her hörten und dem Zeugen Pra. die eindringlichen Schreie von Menschen ans Ohr drangen, ohne dass sie den Hintergrund dieser Geräuschkulisse kannten, dann hat die Kammer keinen Zweifel daran, dass erst recht P. entsprechende Wahrnehmungen machte, weil er Grund genug hatte, bewusst auf vom Gefängnis herrührende Laute zu achten, einmal, um sich des Fortganges der Aktion zu vergewissern, zum zweiten, um das Mass der Unruhe, das in die Kaserne hätte getragen werden können, unter Kontrolle zu halten.

Wenn P. im Laufe der Hauptverhandlung erklärt hat, er habe sich, während die Gefängnisaktion abgelaufen sei, auf einer Lagebesprechung bei Geibel befunden, dann glaubt die Kammer ihm diese Einlassung nicht. Diese Entscheidung liegt wesentlich darin begründet, dass P. auch diesbezüglich zuviele anderslautende Erklärungen abgegeben hat, als dass einer von ihnen noch unbesehen geglaubt werden könnte.

Es begann mit seiner Vernehmung vom 25.05.1971, in der er zu Protokoll gab, er habe sich in seinen Schlafraum begeben und gebetet, sei erst wieder nach oben gegangen, als gerade Mis. ihm kalkweiss im Gesicht entgegengekommen sei und sein Unvermögen, weiter Menschen zu erschiessen, herausgebrüllt habe. Diese Einlassung im Kern wiederaufgreifend, führte er am 10.11.1975 aus, er habe sich nach der Befehlsausgabe in seine Unterkunft verkrochen und habe für die Zeit danach jedes Zeitgefühl verloren, bis er sein Zimmer wieder verlassen habe und auf dem Weg zum Kasernenhof mit Mis. zusammengestossen sei. In der Hauptverhandlung wiederholte er zunächst diese Darstellung, sich in sein Zimmer zurückgezogen zu haben, diesmal allerdings mit der Variante, dass er sich total übermüdet aufs Bett geworfen und unbestimmte Zeit geschlafen habe. Dann - nachdem die Zeugen Tet., Met. und Vet. ausgesagt hatten - gab er auf Vorhalt an, sich im Hof der Kaserne, in seinem Dienstzimmer und im Keller aufgehalten zu haben, nirgendwo aber das Geräusch von Schüssen und Schreien vernommen zu haben, seiner Vermutung nach deswegen, weil er den den Lärm übertönenden Panzer vor dem Gefängnis habe auffahren lassen.
Erst in der Verhandlung vom 5.9.1979, also nach mehr als achtmonatiger Hauptverhandlungsdauer, verlegte P. seinen Aufenthaltsort in das Polizeiviertel, wo alles das, was er früher Tage vor der Befehlsausgabe erlebt haben wollte, jetzt zusammengedrängt innerhalb weniger Stunden vor seinen Augen und Ohren abgelaufen sein soll. Danach will er erst in die Kaserne zurückgekehrt sein, angeblich durch Erlebnisse im Polizeiviertel noch unter Schockeinwirkung stehend, kurz bevor Mis. kam, um ihm Meldung zu erstatten.

Dieser letztgenannten Erklärung, die sich gegen all die früheren abweichenden Einlassungen P.s durchsetzen müsste, vermochte die Kammer keine überragende Glaubhaftigkeit abzugewinnen, weil sie der allgemeinen Erfahrung entgegensteht. Nach Lage der Dinge hält die Kammer es für unglaubhaft, dass P., während dieses hochbrisante Unternehmen durchgeführt wurde, sich jeder wirkungsvollen Kontroll- und Eingriffsmöglichkeit begab, indem er sich ausgerechnet zu dieser Zeit ins Polizeiviertel absetzte.

Die Kammer ist des weiteren davon überzeugt, dass P. nach Entgegennahme der Meldung Mis.s alle ihm notwendig erscheinenden Sicherheitsvorkehrungen getroffen hat, um einen zu erwartenden Ausbruch der gepeinigten, mit dem Mut der Verzweiflung ums Überleben kämpfenden Gefangenen zu verhindern, damit die Erschiessungen am nächsten Tag bei Tageslicht fortgesetzt werden könnten.

Wenn P. im Gegensatz dazu früher erklärt hat, er habe auf die Meldung Mis.s hin spontan befohlen "was tun? Aufhören, ausbrechen lassen!", dann ist diese Einlassung zweifelsfrei widerlegt, wie schon eine Zusammenstellung der zeitlich nachfolgenden P.schen Ausführungen über seine Reaktion auf die Meldung Mis.s eindrucksvoll beweist.
Über mehrere Vernehmungen hinweg beharrte P. auf dieser Linie, dass er den überlebenden Gefangenen eine Flucht ermöglicht habe, und er scheute nicht einmal davor zurück, wider besseres Wissen sich selbst als den Retter der entkommenen Gefängnisinsassen hochzuloben. So gab er in der Vernehmung vom 27.7.1971 die bereits an anderer Stelle zitierte Erklärung ab:

> "Ich kann nur heute zu meiner Beruhigung sagen, hätte ich die Gefängnisinsassen überstellt, so wären sie wahrscheinlich samt und sonders erschossen worden, während aufgrund meiner Massnahmen nur wenige Gefängnisinsassen getötet wurden und der grösste Teil der Insassen fliehen konnte."

Es folgte in der Aussage vom 20.10.1975 eine kaum noch für möglich zu haltende Steigerung dieser Selbstbeweihräucherung, die - bedenkt man, dass sie in Kenntnis des wirklichen Geschehensablaufes abgegeben worden ist - nach Ansicht der Kammer ihresgleichen sucht:

> "M.E. hätten die Polen allen Grund, mir nicht nur wegen dieses Falles ein Denkmal zu setzen, denn schliesslich war ich es, der die Aktion abbrach, als Mis. zu mir nach der Erschiessung der 10 bis 12 Gefangenen kam."

Ein erster Wandel deutete sich in der Aussage vom 10.11.1975 an, nachdem ihm in der Vorvernehmung der Inhalt des Kirchner-Berichtes zur Kenntnis gebracht worden war. Dort heisst es zunächst:

> "Ich fühlte mich darüber erleichtert, dass nur 10 bis 12 Gefangene getötet worden waren und die restlichen, wie Mis. berichtete, sich über einen Luftschacht in die Küchenräume zurückgezogen hätten und offenbar Gelegenheit fanden, zu fliehen. Ich sah das als eine Erhörung meines Gebetes an ...!"

Wenige Absätze später wird aber dann von P. richtigstellend ausgeführt, den Gefangenen sei die Flucht da noch nicht gelungen gewesen, sie hätten sich vielmehr erst in den Küchenräumen verbarrikadiert gehabt. Am Abend sei im Rahmen einer Dienstbesprechung daraufhin erörtert worden, mit welchen Massnahmen ein Ausbruch der Gefangenen beziehungsweise eine Befreiung von aussen verhindert werden könne. In der Vernehmungsniederschrift heisst es dann weiter wörtlich:

> "Die Besatzung im Bereich des Gefängnisses wurde verstärkt und Mis. sollte für eine lückenlose Überwachung aller Fluchtmöglichkeiten der Gefangenen sorgen ... Am nächsten Morgen fragte ich Mis., wie die Nacht verlaufen sei. Ich hörte, es sei eine ungewöhnlich finstere Nacht gewesen, es habe lebhafte Kampftätigkeit geherrscht, morgens habe er Leute in das Gefängnis geschickt, die die Anstalt völlig leer gefunden hätten."

In wortgetreuer Übernahme dieser Formulierung griff er diese Einlassung zu Beginn der Hauptverhandlung wieder auf. Bald darauf verfiel er noch einmal in seine das Gericht stark befremdende wohlgefällige Selbsteinschätzung als Wohltäter der damaligen Gefängnisinsassen. In der Hauptverhandlung vom 26.1.1979 erklärte er in Bezug auf deren Schicksal im Rahmen der Gefängnisaktion:

> "Durch die Aktion sind nicht nur Leute ums Leben gekommen, viele wurden auch vor dem Tode bewahrt und an Leib und Gut geschützt."

Auf dieser Linie lag auch noch seine am 30.4.1979 gemachte Äusserung, wiederum bezogen auf die Gefängnisaktion:

"Dass dieses furchtbare Geschehen sich abgespielt hat, habe ich ja nie abgestritten. Ich weiss nur eines, dass ich mehr als menschlich war."

Im weiteren Verlauf der Hauptverhandlung durch Fragen bedrängt, verwickelte sich P. dann zunehmend in Widersprüche.

Auf die Ungereimtheit aufmerksam gemacht zwischen der Erklärung, verstärkte Wachen zwecks Verhinderung eines Ausbruchs aufziehen gelassen zu haben, und der Behauptung, den Abbruch der Aktion befohlen und ein Stillhalten bei einem Entweichen der Gefangenen angeordnet zu haben, rettete sich P. auf einen Mittelweg: Ihm sei damals gemeldet worden, die Gefangenen hätten sich alle im Küchentrakt verbarrikadiert, darauf habe er befohlen: "Nicht nachstossen!" Weiter befragt, was denn am nächsten Tag mit den Gefangenen im Küchentrakt hätte geschehen sollen, wand P. sich, indem er auf jeweils nachgehende Vorhalte sinngemäss folgende Erklärungen in chronologischer Reihenfolge abgab:

"Ich hatte da noch keinen Befehl vorgesehen, das weitere Vorgehen war von der jeweiligen Lage abhängig.

Ich muss sagen, dass ich mich im einzelnen an die Gedanken, die ich damals dazu hatte, heute nicht mehr erinnere.

Ich wollte erst die Entwicklung abwarten.

Wenn Sie so genau fragen, kann ich Ihnen nicht sagen, was am nächsten Tag aus den verbliebenen Gefangenen werden sollte."

Erneut auf den Widerspruch in seinen Erklärungen hingewiesen, hob P. nochmals hervor, dass er bei der Meldung Mis.s Erleichterung empfunden und den Befehl "Aufhören!" gegeben habe. Wieder auf die verstärkten Wachen angesprochen, erläuterte P., die habe er ja aufziehen lassen müssen, weil nach den Erkenntnissen Geibels das Gefängnis einen Gefahrenherd darstellte, denn man habe mit einem weiteren Angriff der Aufständischen gegen das Gefängnis rechnen und einen erneuten Versuch zur Befreiung der Gefangenen befürchten müssen.

Darauf hingewiesen, dass es in Anbetracht seiner Einlassung, die männliche Zivilbevölkerung festgesetzt zu haben, um Nachschubpotential für die Aufständischen stillzulegen, geradezu widersinnig erscheine, ausgerechnet die männlichen Gefangenen, ein fast hundertprozentiger Zugang für den Gegner, laufengelassen zu haben, erwiderte er spontan, bezüglich der Gefangenen habe er doch Befehle Geibels gehabt.

Auf Vorhalt, dass gerade deswegen doch wohl beabsichtigt gewesen sei, die Überlebenden am nächsten Morgen hinzurichten, gestand P., unlösbar in die Widersprüche seiner eigenen Erklärungen verstrickt:

"Wahrscheinlich wäre es so gewesen, dass sie am nächsten Morgen erschossen worden wären, wenn sie noch dagewesen wären. Aber Gott sei Dank waren sie ja dann weg."

In seiner vorbereiteten Erklärung zur Sache vom 5.9.1979 führte er dann aus, er habe nach dem vorübergehenden Scheitern der Aktion eine Führerbesprechung anberaumt, deren Thema die Sicherung des Gefängnisses gegen Angriffe von innen und aussen gewesen sei. Ein Satz, den er im Verlaufe dieser Unterredung ausgesprochen habe, sei ihm noch heute in Erinnerung: "Wenn sie fliehen, lieber darauf schiessen, lieber auf der Flucht erschossen, als noch mal anzufangen." Diese Erklärung wiederholte er bei anderer Gelegenheit.

Im Verlaufe der Verhandlung vom 5.9.1979 bekannte er dann später auf Vorhalt sinngemäss folgendes:

"Ich hatte doch diese Angst, Geibel sagen zu müssen, dass 300 Gewehrträger der Aufständischen laufengegangen waren. Wären sie am anderen Morgen noch dagewesen, hätte ich sie doch befehlsgemäss erschiessen lassen müssen."

In dieser Aussage glaubt die Kammer die Gedankengänge wiederzufinden, die P. tatsächlich in seinem Kopf vollzogen hat.

P. wollte keineswegs die sich noch im Gefängnis aufhaltenden Gefangenen entkommen lassen. Das entnimmt die Kammer daraus, dass zahlreiche Sicherheitsvorkehrungen getroffen worden sind, teilweise von P. selbst zugestanden, im übrigen aber durch die Bekundungen zahlreicher Zeugen belegt.

Der Panzer im Haupteingang wurde von dem Zeugen Jed. beobachtet; auf seine an anderer Stelle bereits wiedergegebenen und als glaubhaft eingestuften Wahrnehmungen wird insoweit Bezug genommen. Der Einsatz eines Panzers zu Sicherungszwecken nach Abbruch der Exekutionen ist zuletzt von P. auch eingestanden worden. Das geöffnete Haupttor und die dahinter postierten bewaffneten SS-Soldaten nahm der Zeuge Win. wahr, dessen Angabe anzuzweifeln die Kammer keine Veranlassung sieht. Die am Morgen im Gefängnis aufgezogene Wache hatte dort zu verbleiben; das haben übereinstimmend und glaubhaft die beiden davon selbst betroffen gewesenen Zeugen Dob. und Tob. bekundet. Das Exekutionskommando hingegen rückte ab; daran erinnerte sich der Zeuge Mic., dessen Bekundung eine Bestätigung gefunden hat in den Aussagen der Zeugen Vet., Mei. und Met., die an diesem Abend mit Teilnehmern der Massenexekution in der Kaserne zusammentrafen. Stattdessen wurde die Wache mit neuen Leuten verstärkt; das entnimmt die Kammer den Angaben des Zeugen Plo., der zwar keine Daten mehr nennen konnte, dessen Beobachtungen ihrer Natur nach aber nur in der Nacht vom 2. auf den 3.8.1944 gemacht worden sein können. Aus den insoweit übereinstimmenden Bekundungen der Zeugen Urb. und Mil. leitet die Kammer her, dass die Wachtürme besetzt worden sind und dass die Wachen Weisung hatten, auf jede Bewegung sofort zu schiessen. Wenn demgegenüber der Zeuge Stp. in dieser Nacht über einen unbesetzten Wachturm entkommen sein will, muss die Kammer erneut auf die gegenüber der Erinnerungsfähigkeit dieses Zeugen früher gemachten Vorbehalte verweisen, die zu der Einschätzung geführt haben, dass sich in dessen Erinnerungen die Konturen des Randgeschehens verwischt haben. Diesbezügliche Einschränkungen waren demgegenüber bei den Zeugen Mil. und Urb. nach dem Gesamtgehalt ihrer Bekundungen nicht vonnöten.

Es steht danach zur Überzeugung der Kammer fest, dass die vorgenannten Sicherheitsvorkehrungen getroffen worden sind. Daran, dass P. für die diesbezüglichen Anordnungen verantwortlich zeichnete, hat die Kammer keinen Zweifel. Er war es - so die übereinstimmenden Erklärungen der Angeklagten -, dem Mis. die aufgetretenen Komplikationen meldete; er war es auch, der nach eigenen Angaben dann wieder das Heft des Handelns in die Hand nahm, sei es, dass er - wie er das Gericht glauben machen wollte - "Aufhören!" befahl, sei es, dass er - so seine anderslautende Einlassung - verstärkte Wachen aufziehen liess. Nach Lage der Dinge hält die Kammer es auch für folgerichtig, dass P. als der Verantwortliche in dieser Situation, in der einerseits die Befehlsausführung zu scheitern drohte, andererseits das Leben der eigenen Leute in Gefahr geraten war, das Kommando wieder an sich zog. Die Kammer hat infolgedessen keine Bedenken, den Einlassungen der Angeklagten insoweit zu folgen.

Die zur Überzeugung der Kammer nachgewiesenen Sicherheitsvorkehrungen konnten vernünftigerweise nur dem Zweck dienen, eine Befreiung der überlebenden Gefängnisinsassen und damit eine als sicher anzusehende Verstärkung der Aufständischen zu vereiteln. Von daher ist die von P. früher verfochtene, letztendlich aber nicht mehr aufrechterhaltene Darstellung, er habe das Entweichen der Überlebenden dulden wollen, eindeutig widerlegt. Richtig ist vielmehr, wie von P. im Verlaufe der Hauptverhandlung eingestanden, dass die Exekutionen am nächsten Tag weitergehen sollten. Als Beweis dafür steht der Kammer die glaubhafte Bekundung des bereits an anderer Stelle qualifizierten Zeugen Met. zur Verfügung, der sich abends bei informierten Kameraden umhörte, was der Lärm vom Gefängnis her zu bedeuten gehabt habe, und der dabei erfuhr, dass die Gefangenen liquidiert würden, eine Hälfte bereits erschossen sei und die andere am darauffolgenden Morgen an die Reihe kommen solle.

Diese Bekundung Met.s steht in Einklang mit der insoweit folgerichtigen, in sich stimmigen Einlassung P.s. Für ihn, der zum einen autoritätsgläubig und auf loberheischende Befehlsausführung bedacht war, zum anderen alles zu vermeiden trachtete, was ihm und der Truppe gefährlich werden konnte, musste konsequenterweise die Zielsetzung lauten, die Aktion nach der von den Opfern erzwungenen Unterbrechung wenn schon nicht planmässig, dann doch jedenfalls so gut wie möglich improvisiert zu Ende zu führen. Dabei hat die Kammer seiner Einlassung insoweit nichts entgegenzusetzen, als er vorträgt, ein Erschiessen auf der Flucht bedacht und als die für seine Leute vorzugswürdigere Lösung empfunden zu haben im Vergleich zu der organisierten Massenhinrichtung.

Dass P. die Sicherheitsvorkehrungen etwa nur zum Schein angeordnet hätte, um den Gefangenen eine Fluchtmöglichkeit zu eröffnen, ohne sich dadurch in seiner Eigenschaft als Befehlsempfänger selbst zu gefährden, hat er selbst nicht einmal vorgetragen. Vor dem Hintergrund seiner schon früher analysierten Denkweise stellt sich eine derartige Annahme aber auch als eine rein theoretische Gedankenspielerei ohne Bezug zur Realität dar.
Es bedurfte keines besonderen Einfühlungsvermögens, um sich darüber klar zu werden, dass die Gefangenen, die der Ermordung ihrer wehrlosen, unschuldigen Landsleute hatten zusehen müssen, zwangsläufig von Hass und Rachegefühlen gegen ihn - P. - und seine Untergebenen ergriffen sein mussten. Diese Leute auf freien Fuss zu setzen, wäre gleichbedeutend damit gewesen, den denkbar verbissensten, zu allem entschlossenen Feind auf sich selbst zu hetzen. Nach allem, was früher über die Charakterzüge P.s ausgeführt worden ist, bedarf es keiner weiteren Begründung mehr, dass eine solche Handlungsweise sicher nicht in das P.sche Denkschema passte.

Nach alledem ist die Kammer zu der gefestigten Überzeugung gelangt, dass P. einen Ausbruch der Gefangenen energisch zu verhindern versucht hat, in der Absicht, die Tötung der Gefangenen auf diese oder jene Weise zu Ende zu führen. Wenn den Inhaftierten dennoch die Flucht gelungen ist, hatten sie das dem Zusammentreffen einiger für sie glücklicher Umstände zu verdanken, keineswegs aber einer auf Anordnungen P.s zurückzuführenden Unterstützung von Seiten der SS.

Am nächsten Morgen wurden Soldaten, die die Lage erkunden sollten, ins Gefängnis entsandt, dies ergibt sich aus der insoweit glaubhaften Aussage des Zeugen Leh., wenn das Gericht ihn im übrigen auch nicht von dem Verdacht freisprechen konnte, über seine Erinnerungen an Sinn und Zweck seines Einsatzes im Gefängnisgelände nur unzureichend berichtet zu haben. Dass aber Kameraden am 3.8. mit einer Überprüfung und Nachsuche im Gefängnis beauftragt wurden, glaubt ihm die Kammer, weil seine Angabe insoweit durch die glaubhafte Bekundung des Zeugen Mic. abgesichert wird.

Über das teilweise Misslingen der Aktion hat P. Stillschweigen bewahrt. Das folgert die Kammer zum einen daraus, dass dem Reichsführer SS Himmler konkret das Entkommen mehrerer Hundert Häftlinge aus der Strafanstalt Mokotow nicht gemeldet worden ist. Wäre ihm nämlich eine entsprechende förmliche Mitteilung zugegangen, hätte es der urkundlich belegten Anfrage an die Hauptabteilung Justiz nicht bedurft, der offenkundig nur vage Informationen zugrunde lagen. Die Tatsache, dass der Reichsführer SS keine Meldung erhalten hat, indiziert, dass der SS- und Polizeiführer von Warschau Geibel seinerseits nicht informiert war. Die Kammer nämlich sieht keine einleuchtende Erklärung dafür, warum Geibel seine Meldepflicht dem Reichsführer SS gegenüber gröblichst hätte verletzen sollen, nur um P. oder gar Mis. vor diesen drohenden persönlichen Konsequenzen zu bewahren.

Zum anderen gründet sich die Überzeugung der Kammer darauf, dass Kirchner in seinen Nachtrag zum Bericht vom 6.8.1944 eine unzutreffende Sachverhaltsdarstellung aufgenommen hat, während sein Bericht als solcher, wie früher im einzelnen dargelegt, eine im wesentlichen durch die Beweisaufnahme abgesicherte Wiedergabe des Geschehensablaufs enthält. Für Kirchner, der sich durch förmliche Übergabe der Anstaltsbelegung an die SS von jeder Verantwortung freigezeichnet hatte, bestand kein erkennbares Eigeninteresse, die Flucht einer Vielzahl der Gefangenen zu verheimlichen. Um so weniger ist ein Grund erkennbar, warum er wider besseres Wissen in einem dienstlichen Bericht eine unrichtige Schilderung von Ereignissen niederlegen sollte, falls er wusste oder zumindest damit rechnen musste, dass P. gegenüber seiner vorgesetzten Dienststelle den Sachverhalt zutreffend melden würde. Daraus leitet sich nach Überzeugung der Kammer eine tragfähige Beweisgrundlage dafür her, dass Kirchner seinen Nachtrag in Übereinstimmung und aufgrund entsprechender Absprache mit P. so abgefasst hat, wie er der Kammer vorliegt.

Schliesslich war für die Überzeugungsbildung der Kammer noch mitbestimmend, dass P. - wie im Lebenslauf ausgeführt - das ungebrochene Vertrauen der Dienststelle des Reichsführers SS genoss, anderenfalls ihm mit Sicherheit eine Beförderung zum Leiter der Abteilung VI beim Beauftragten des Reichsführers SS in Kroatien versagt geblieben wäre. Dieses eine Höherstufung rechtfertigende Vertrauen wäre nach den Wertmassstäben der SS-Führung aber sicher nicht einem Offizier zuteil geworden, von dem aktenkundig war, dass er es nicht zu verhindern gewusst hatte, dass Hunderte ihm zur Liquidierung überantworteter potentieller Gegner entkommen und in ihrer Mehrzahl tatsächlich zum Feind übergelaufen waren.

Die Einlassungen des Angeklagten P. haben weder für noch gegen diese Überzeugung der Kammer etwas erbracht, da P. je nach Verfahrensstadium und dem jeweiligen Zuschnitt seiner Verteidigung mal von einer zutreffenden, mal von einer unzutreffenden Meldung an Geibel gesprochen hat.

Die Feststellungen über die Tat, deren Vorgeschichte, Begleitumstände und Folgen beruhen im übrigen auf den Einlassungen der Angeklagten, soweit das Gericht ihnen glauben konnte, auf den glaubhaften Angaben und überzeugenden Ausführungen der nach Massgabe der Feststellungen hierzu vernommenen Zeugen und gehörten Sachverständigen sowie auf den sonstigen in die Hauptverhandlung eingeführten Beweismitteln.

VII. Das Verhalten der Angeklagten in Warschau im übrigen

Bevor das Gericht in eine abschliessende rechtliche Würdigung eintreten und sich der Bemessung der gegen die Angeklagten zu verhängenden Strafen zuwenden konnte, hatte es seine Aufmerksamkeit noch darauf zu richten, dass die Staatsanwaltschaft in einer Vielzahl weiterer Fälle gegen P. und Angehörige seiner Kampfgruppe wegen des Verdachtes strafbarer Handlungen, begangen in Warschau zur Aufstandszeit, ermittelt hatte. Zwar hat die Staatsanwaltschaft diese Ermittlungsverfahren mit unterschiedlicher Begründung im Einzelfall vor Anklageerhebung eingestellt, aber die Kammer hielt sich dessen ungeachtet zum Zwecke der umfassenden Sachaufklärung für verpflichtet, die Beweisaufnahme auf solche die Angeklagten berührenden Vorfälle auszudehnen, um alle Möglichkeiten auszuschöpfen, sich einen vertieften Einblick in die innere Einstellung der Angeklagten gegenüber den seinerzeit bestehenden Richtlinien und Befehlen zu verschaffen, die sich in aller Regel in dem nach aussen in Erscheinung tretenden Verhalten verrät. Die insoweit durchgeführte Beweisaufnahme hat folgendes erbracht:

Über den Angeklagten Mis. sind Besonderheiten aus der Aufstandszeit nicht bekannt geworden. Bald nach der Gefängnisaktion wurde er mit den Angehörigen seiner Einheit im Häuserkampf eingesetzt. Sein Wirkungsbereich veränderte sich in Richtung Westen/Nord-Westen, von der Staufer-Kaserne aus gesehen, wo er dann an nicht eindeutig geklärter Stelle seinen Gefechtsstand unterhielt. Dafür, dass in der Folgezeit von ihm oder mit seiner Billigung schwerwiegende Verstösse gegen Recht und Gesetz begangen worden wären, hat die Beweisaufnahme nichts hergegeben. Mis. verhielt sich unauffällig, was seinen Niederschlag darin gefunden hat, dass er der Mehrzahl der vernommenen Zeugen weder von Person noch wenigstens dem Namen nach bekannt bzw. in Erinnerung war. Sein Verhältnis zu den Offizierskameraden und Untergebenen war gut, wie die durch keine Gegenstimme - ausser P. - angefochtenen positiven Werturteile der Zeugen Hey., Krö., Dob. und B. belegen. Auch seitens der polnischen Zeugen fiel keine abfällige Bemerkung über ihn.

Wenn der Zeuge Kn. - unwidersprochen - über ihn bekundete, dass er ihn zusammen mit anderen Offizieren und Unteroffizieren später durch die geräumten Häuser habe gehen sehen und Anweisungen habe geben hören, welche Teile des Inventars mitgenommen werden sollten, und wenn der Zeuge Dob. seine früher schon gemachte Angabe bestätigte, dass Mis. Frauen aus der Zivilbevölkerung zum Schanzen mit eingesetzt habe - wozu Mis. sich mit fehlender Erinnerung erklärte -, dann erschöpften sich darin die Wahrnehmungen von Zeugen über irgendwelche negativ zu bewertenden Verhaltensweisen Mis.s zur Zeit des Warschauer Aufstands. Da der Vorwurf eines nicht richtigen Verhaltens seine Gewichtung aber oft erst im Vergleich mit den anderen gegenüber wegen desselben Sachzusammenhanges erhobenen Anschuldigungen erhält, wird man diese beiden Mis. zur Last gelegten Verhaltensweisen cum grano salis als Bagatellverstösse zu deklarieren haben, wenn man sie in Relation zu den unter II. abgehandelten Verbrechen sieht, die während des Warschauer Aufstandes begangen worden sind. Danach lässt das bekanntgewordene Auftreten Mis.s nicht einen Schluss des Inhaltes zu, dass sein Handeln in einer Einstellung wurzelte, die sich durch besonderen Eifer, Fanatismus, Hass oder Machthunger ausgezeichnet hätte.

Im Vergleich zu ihm trat P. als Kommandant in der Staufer-Kaserne sehr viel stärker ins Blickfeld der Zeugen, die sich dort aufhielten. Über die Vorgänge in der Staufer-Kaserne, den Geist, der dort herrschte, die Befehle, die dort galten, hat die Kammer denn auch einiges mehr in Erfahrung bringen können.

Die Soldaten schätzten die Kaserne nicht gerade als einen bevorzugten Standort; wer sich einen Einsatz in einer Stellung ausserhalb sichern konnte, tat es. Die Soldaten in den Stellungen ausserhalb der Kaserne führten dort ihr Eigenleben, P. bekamen sie - wie sie sagten - nie zu Gesicht. Der Alkoholkonsum nahm Ausmasse an, dass der Zeuge Kot. es für angebracht hielt, seinen Zustand und den der Kameraden in seiner Umgebung als eine Art Dauer-Delirium zu beschreiben. Aber auch in der Staufer-Kaserne verfiel die Disziplin zusehends, je länger der Aufstand dauerte und je mehr sich die Situation zugunsten der Deutschen entschärfte. Gelegentlich wurden dort in mindestens zeitweiliger Anwesenheit von P. wilde Feste gefeiert. Bei einem davon sah die Zeugin Bie., die als eine unter einer ganzen Anzahl polnischer Frauen zugegen war, Soldaten nackt auf den Tischen tanzen. P. duldete nicht nur, dass polnische Frauen in die Kaserne gebracht wurden, die den Soldaten zu Willen waren, er selbst fand nichts dabei, in seinen Diensträumen eine polnische Freundin zu beherbergen. Auch trat er des öfteren in angetrunkenem Zustand in Erscheinung. Er schritt nicht dagegen ein, dass die Soldaten ihre Unterkünfte mit Plünderungsgut aus den geräumten Häusern der Evakuierten luxuriös ausstatteten, und er liess Wachen vor dem der Kaserne gegenüberliegenden Eckhaus aufziehen, in dem später - nach der Räumung von der Zivilbevölkerung - weibliche Angehörige polnischer Arbeitskommandos untergebracht waren, die auffallend oft Besuch von deutschen Soldaten erhielten. In der Kaserne blühte das Bestechungsgeschäft; durch die Hingabe entsprechender Geldbeträge oder Wertgegenstände konnten sich die Internierten Vorteile während ihrer Unterbringungszeit oder sogar die Freilassung erkaufen.

Obwohl sein Regiment bei den Untergebenen als streng galt und die gelegentlich von ihm getroffene Anordnung des Strafexerzierens Missfallen erregte, wurde P. doch all dieser Missstände nicht Herr. Seiner Führung wohnte nicht die Umsicht, Konsequenz und Autorität inne, die erforderlich gewesen wäre, diese sich so verschiedenartig zusammensetzende Truppe in Disziplin zusammenzuhalten. Ein sehr entschlossenes Auftreten gegenüber seinen Leuten zeigte P. nach dem, was der Kammer bekannt geworden ist, dann, wenn Gefahr im Verzuge war. Hieher gehört der von dem Zeugen Met. beschriebene Ausbruch vom 1.8., bei dem er seine eigenen Leute massiv unter Druck setzte, weil sie sich seiner Meinung nach nicht genügend engagiert hatten, um die Gefahr zu beseitigen. Ein markantes Beispiel für Reaktionen des Angeklagten P. auf Verstösse gegen Sicherheitsbestimmungen lieferte dann der Zeuge Kol. Er habe im Bad gestanden, einem Parterrezimmer, um sich zu waschen, so berichtete er, das Licht habe er angehabt, plötzlich, ein Knall, und es sei dunkel geworden. Von draussen, von der Strasse her, sei ihm durchs Fenster die Glühbirne ausgeschossen worden; der Schütze, so hätten ihm Kameraden dann gesagt, das sei der Obersturmführer P. Die Kammer glaubt diesem gelassen vor Gericht auftretenden, bereitwillig im Zusammenhang berichtenden Zeugen, dass sich der geschilderte Vorfall ereignet hat und in seiner Erinnerung haften geblieben ist, ebenso wie sie an der Identifizierung des Schützen als des Angeklagten P., den der Zeuge noch heute an seinem Gang auf dem Gerichtsflur wiedererkannt hat, keine vernünftigen Zweifel hegt.

Sein Unvermögen, vornehmlich in Gefahrensituationen gemessen zu reagieren, die Kluft zwischen Befehlendem und Befehlsempfängern nicht zu deutlich zutage treten zu lassen, mag mit dazu beigetragen haben, das Werturteil seiner Untergebenen über ihn - P. - zu begründen: Arrogant, herrschsüchtig, unkameradschaftlich. Zu den Leuten, mit denen sich P. umgab, gehörte ausser Etz., den man häufig mit ihm zusammen sah, ein Zivilist ungeklärter Herkunft, den meisten Polen als "Baumeister" bekannt, ohne dass mittels dieses Hinweises dessen Identität hätte aufgedeckt werden können. Dieser "Baumeister", der fast ständig im Schatten von P. zu finden war, erweckte durch seine vorwiegend schwarze Kleidung ebenso wie durch sein selbstherrliches, gebieterisches Auftreten, das die Entscheidung über Leben und Tod einschloss, den Verdacht, der Gestapo oder dem SD anzugehören. Zumindest duldete P. über einen nicht genau geklärten Zeitraum dessen eigenmächtiges Agieren, ohne dass das Verhältnis, in dem "Baumeister" zu P. stand, hätte aufgeklärt werden können. Irgendwann wurde P. dessen Treiben zu arg, er beschnitt dessen Handlungsfreiheit und sorgte alsbald dafür, dass "Baumeister" mitsamt seiner polnischen Freundin unter Mitnahme ihres Gepäcks aus der Stadt herausgefahren wurden.

P. versicherte sich daneben der Dienste eines polnischen Internierten mit Namen Andrzej. Da er deutsch sprechen konnte, fungierte er zunächst als Dolmetscher, erwarb sich aber dann bald unter den Polen den Ruf, als "Nachrichtenhascher" für P. zwischen den Internierten zu leben. Nach einigen Wochen wechselte dieser Andrzej offiziell die Fronten, kleidete sich in eine SS-Uniform und zog zu den Soldaten. Fortan lieferte er Beweise seiner Fähigkeiten im Organisieren, nicht zuletzt zum Nutzen von P.

Was die Behandlung der Internierten im allgemeinen anbetrifft, so ist mit deren Festnahme zu beginnen. Das Eintreiben der Menschen in die Kaserne hatte P. am 2.8. so organisiert, dass seine Leute unter Panzerbedeckung vorrückten, in die Häuser eindrangen, die männlichen Bewohner - so seine unwiderlegt gebliebene Einlassung - daraus vertrieben und sie entlang einer gestaffelten Postenkette zum Gelände der Staufer-Kaserne dirigierten. Wurden in den Häusern Aufständische betroffen, waren diese sofort zu erschiessen. Wer auf dem Weg zur Kaserne Anstalten zur Flucht unternahm, machte sich der Beteiligung am Aufstand verdächtig und war deswegen ebenfalls auf der Stelle zu erschiessen. So lauteten die von P. ausgegebenen Befehle, zu denen er sich letztendlich auch bekannt hat. Dass diese Befehle von einigen seiner Untergebenen allzu eilfertig befolgt worden sind, hat die Kammer P. nicht angelastet; das gilt für den von der Zeugin Mie. eindrucksvoll geschilderten Fall exzessiver Befehlsüberschreitung ebenso wie für den, den der Zeuge Vet. im Zuge der Häuserräumung selbst vom Fenster aus beobachtete.

Wie es kam, dass ohne Vorliegen eines darauf gerichteten Befehls eine grosse Zahl an Frauen und Kindern zur Staufer-Kaserne geschickt wurde, entzog sich einer zuverlässigen Klärung. Jedenfalls nutzte P. die Gelegenheit, die Frauen und Kinder, bevor er sie wieder nach Hause entliess, gehörig einzuschüchtern, indem er - in Uniform, mit Handschuhen angetan - vor sie hintrat und sie wissen liess, die Männer würden erschossen werden und den Frauen werde man die Kinder wegnehmen, falls sie die Aufständischen unterstützen. Dann wurden Frauen und Kinder auf Befehl von P. nach Hause entlassen. Er bedachte dabei allerdings nicht, dass er das von Stahel in Verbindung mit einer totalen Ausgangssperre ausgegebene generelle Schiessgebot auch an seine Leute verbindlich weitergegeben hatte. So kam es, dass auf die Frauen und Kinder, als sie etwa den Bereich der Narbuttastrasse erreicht hatten, aus Richtung der Gefängniswachtürme / Narbutta-Kaserne Schussserien aus Maschinenwaffen abgefeuert wurden. Mindestens der 9jährige Freund des Zeugen Wit. wurde ein Opfer dieser Unachtsamkeit des Angeklagten P. Demgegenüber sollten die mehreren hundert Männer bis auf weiteres in der Kaserne festgehalten werden.

Mit dieser Internierung verfolgte P. einen dreifachen Zweck:
Der erste, vielleicht vordringlichste Zweck, dem die Einbringung in die Kaserne diente, war, aus den in den Häusern angetroffenen Männern diejenigen herauszusieben, die der aktiven Unterstützung des Aufstands verdächtig waren.
Der zweite, keineswegs unwesentliche Effekt bestand darin, Geiseln in die Gewalt zu bekommen, um zu gegebener Zeit aus gegebenem Anlass auf das in der Voraufstandszeit vielfach erprobte Mittel zur Terrorisierung und Demoralisierung des Gegners, die Repressalgeiselerschiessung, zurückgreifen zu können.
Schliesslich galt es, langfristig einer - freiwilligen oder erzwungenen - Rekrutierung neuer Verstärkung für die Aufständischen vorzubeugen. Entsprechend dieser Zielsetzung wurde alsdann mit den Internierten verfahren.

Um die der Aufstandsbeteiligung Verdächtigen von den unbeteiligten Angehörigen der Zivilbevölkerung zu selektieren, ordnete P. eine gründliche Identitätskontrolle an, an deren Ende die, die sich hinreichend hatten ausweisen können, in den westlichen Flügel der Kaserne geführt und dort in mehreren Parterreräumen untergebracht wurden. Wer hingegen ohne Ausweis oder mit unechten Papieren angetroffen worden war und sich auch nicht nachträglich legitimieren konnte, hatte sich vor dem rechten Kasernenflügel aufzustellen. Die Gruppe der dorthin Aussortierten wurde unter dem Verdacht, den Aufständischen anzugehören, wenig später auf Befehl von P. erschossen.

Was den Zweck der Geiselnahme anbetraf, so liess P. die in der Kaserne zusammengetriebenen Polen über diese Zielsetzung nicht im Unklaren. In einer Ansprache informierte er sie, dass sie als Geiseln festgehalten würden, die ihr Leben verwirkt hätten, wenn der Aufstand nicht binnen kurzem ein Ende nehme, ebenso wie dann, wenn aus dem Haus, in dem sie wohnten, auf Deutsche geschossen werde; büssen müssten auch alle dafür, falls einer von ihnen zu fliehen versuche; schliesslich werde jeder gefallene SS-Soldat, den man zu beklagen haben werde, durch den Tod polnischer Geiseln aus ihren Reihen gerächt werden.

Am Abend des 2.8. erschien in einem der Räume, in dem die polnischen Zivilisten festgehalten wurden, ein deutscher Unteroffizier, suchte aus den dort versammelten Polen nach eigenem Gutdünken 15 Leute aus, die - wie er erläuterte - zur Vergeltung dafür sterben müssten, dass die Aufständischen verwundete Deutsche im Krankenhaus an der Bema-Strasse umgebracht hätten. Unter den willkürlich ausgewählten Opfern befand sich der dem Zeugen Ry. bekannte Hausmeister eines in der Kwiatowastrasse gelegenen Hauses namens Michalak. Diese Geiseln wurden erschossen, ihre Leichen in einem der noch offenen Massengräber im Gefängnishof notdürftig bestattet. Am 3.8. erschienen 3 SS-Soldaten, einer von ihnen ein Unteroffizier, und erklärten den angsterfüllt wartenden Polen, dass die Aufständischen 30 Volksdeutsche ermordet hätten, dafür seien nun 30 Polen an der Reihe zu sterben, und man wählte aus den in diesem Saal versammelten Internierten 15 aus. 14 wurden auf dem Gefängnisgelände erschossen, einer kam zurück, weil er sich hatte freikaufen können, wie der Zeuge Ne. vermutete. Jedenfalls diese Geiselerschiessung geschah mit Wissen und Willen von P.

Wie er es den Polen angedroht hatte, so befahl P. denn auch seinen Leuten, die männlichen Bewohner solcher Häuser, aus denen auf Deutsche geschossen worden war, ohne Ansehen der Person zu töten. Entsprechend diesem Befehl wurde verfahren.

Am Abend des 2. oder 3.8. brachte man 24 Bewohner eines Hauses in der Narbutta-Strasse zur Staufer-Kaserne. Zur Vergeltung dafür, dass aus diesem Haus angeblich ein Schuss auf eine deutsche Streife gefallen war, wurden alle diese Männer an diesem Abend vor dem östlichen Kasernenflügel erschossen, ihre Leichen durch einige dazu bestimmte Internierte, unter ihnen der Zeuge Ry., auf das Gefängnisgelände geschafft und in den Massengräbern beigesetzt. Alle männlichen Bewohner eines Eckhauses an der Kreuzung Madalinskiego/-Kazimierzowska, aus dem auf Deutsche geschossen worden sein soll, wurden von Angehörigen der Kampfgruppe P. erschossen. Zu den Opfern gehörte ein Bekannter des Zeugen Ne., ein Professor Kunce. Das Haus, in dem sich noch Verwundete aufhielten, wurde in Brand gesetzt, ungeachtet der dabei möglicherweise grauenhaft zu Tode kommenden Verletzten. Als am 11.8. ein verfolgter Aufständischer in einen Kellereingang des Wohnblocks Aleja Niepodleglosci 132/136 floh, drangen SS-Soldaten aus der Staufer-Kaserne in dieses Treppenhaus ein, trieben alle Bewohner, die sie vorfanden, hinaus auf die Ligocka-Strasse, wo sie sie durch Schüsse niederstreckten, darunter auch zwei junge Mädchen im Alter von 15 und 17 Jahren etwa. Das Haus, dass dem Aufständischen als Zufluchtsort gedient hatte, wurde bald darauf in Brand gesteckt.

Ein weiterer Vorfall verdient in diesem Zusammenhang Erwähnung, weil er zeigt, mit welcher Rücksichtslosigkeit die Verfolgung Aufständischer betrieben wurde. Zu der Zeit, als Kolonnen von Zivilisten, die evakuiert wurden, an der Staufer-Kaserne vorbeimarschierten, versuchten eines Tages drei Festgenommene, die aus der Staufer-Kaserne abgeführt werden sollten, sich ihren Bewachern zu entziehen und in der vorbeimarschierenden Menschenmenge unterzutauchen. Die SS-Leute feuerten hinter den Fliehenden her mit der Folge, dass ein 8jähriges Mädchen aus der Kolonne tödlich getroffen auf die Strasse sank.

Die Verfolgung Aufstandsverdächtiger wurde mit aller Härte weiter betrieben, nur die Kriterien, nach denen man Aufständische und unbeteiligte Zivilbevölkerung voneinander unterscheiden zu können glaubte, wurden mit zunehmender Aufstandsdauer von P. sorgfältiger ausgewählt und gründlicher überprüft. Der Befehl aber, dass der Aufstandsbeteiligung Verdächtige auf der Stelle zu erschiessen waren, bestand unverändert fort. In Einzelfällen traf P. die Entscheidung persönlich. So ist durch den Zeugen Lys., dessen Aussage verlesen worden ist, verbürgt, dass der Professor Rakowski, dessen Leiche später im Gefängnishof exhumiert worden ist, auf einen Wink des Angeklagten P. hin zur Exekution ins Gefängnis geführt worden ist. Auch im Falle des Ingenieurs Kurowski, über den der Zeuge Ne. glaubhaft berichtet hat, entschied der Angeklagte P. über dessen Schicksal. Zugunsten des Angeklagten ist die Kammer in beiden Fällen davon ausgegangen, dass sich die Getöteten der Zugehörigkeit zur Widerstandsbewegung verdächtig gemacht hatten, ohne dass der Hintergrund ihres von P. für todeswürdig befundenen Verhaltens in der Beweisaufnahme hätte geklärt werden können. Im übrigen wurde aufgrund des bestehenden Befehls gehandelt, ohne dass jeweils eine Einzelfallentscheidung von P. aufgrund der Beweisaufnahme hätte nachgewiesen werden können. Wiederholt wurden an einem noch offenen Massengrab in einem der südlichen Gefängnishöfe unterschiedlich grosse Gruppen herangeführter Polen von Angehörigen der Kampfgruppe P. erschossen.

Auch im rückwärtigen Teil des Kasernengeländes starben wiederholt Männer, die der Aufstandsbeteiligung verdächtigt wurden, infolge der Kopf- oder Genickschüsse, die ihnen von Angehörigen der Kampfgruppe P. verabfolgt worden waren. Ihre Leichen mussten von eigens dafür herbeigeholten Internierten beseitigt werden. Die Massengräber auf dem Gefängnisgelände wurden bis auf ein oder zwei in den ersten Augusttagen zugeschüttet. Mindestens eines der Massengräber war aber noch am 14.8. zu einem Teil jedenfalls unabgedeckt und wartete auf die Aufnahme weiterer Leichen.

Erbarmen gegenüber dem kämpfenden Feind bewies der Angeklagte P. auch dann nicht, wenn dieser im Kampf verwundet worden war. Einer polnischen Rot-Kreuz-Gruppe, die sich unter Führung des Zeugen Wi. im Stadtteil Mokotow mit Billigung von P. etabliert hatte, untersagte er ausdrücklich, verwundeten Aufständischen und jungen Männern, die den Verdacht der Aufstandsunterstützung auf sich gezogen hatten, zu helfen. Er gestattete ihnen demgegenüber, die Leichen zu sammeln und zu begraben, die medikamentöse Versorgung und Alimentation der Zivilbevölkerung zu verbessern, ferner die Kolonnen der Evakuierten entsprechend zu betreuen.

Überhaupt zeigte sich P. der unverdächtigen Zivilbevölkerung gegenüber vergleichsweise human. Den ihm bekannten Befehl der obersten Führungsspitze, die Zivilbevölkerung mit ihrem Leben die Erhebung gegen die Deutschen entgelten zu lassen, führte er nicht aus, weil er - wie er selbst sagt - ihn nicht auf sich bezog, sondern nur den SD als dessen Adressaten ansah.

Anstatt rigoros die Erschiessung aller Menschen polnischer Zunge anzuordnen, entliess er die Frauen und Kinder nach Hause und ordnete bezüglich der Männer zunächst nur an, dass sie in der Kaserne festgehalten würden. Diese Internierten, soweit sie nicht sogleich als Aufstandsverdächtige selektiert und hingerichtet worden waren, mussten sich allerdings mit einem Leben unter unwürdigen Bedingungen abfinden, wobei dahingestellt bleiben musste, ob die Ursache dafür in organisatorischer Überforderung oder in Desinteresse und Gleichgültigkeit der Verantwortlichen zu suchen war. Jedenfalls wurden die mehreren hundert Männer auf engstem Raum zusammengepfercht, wo sich für die meisten ausser dem nackten Boden keine Schlafstätte bot. Decken gab es keine, ebensowenig wie Verpflegung. Etwa drei Tage lang bekamen die Internierten so gut wie nichts zu essen. Etwa am 4.8. entschloss sich P., die Ältesten unter den Internierten zu entlassen. Durch sie liess er den Frauen der festgehaltenen Männer mitteilen, dass sie fortan zu einer bestimmten Tageszeit ihren Männern Essen zur Kaserne bringen dürften. Zur Kenntlichmachung hatten sie ein bestimmtes Erkennungszeichen zu tragen. Der Schiessbefehl wurde insoweit ausser Kraft gesetzt. So wurde es fortan praktiziert bis in die letzte Dekade des Monats August hinein. Dann gestattete P. die Einrichtung einer Feldküche, aus der sich die Polen zukünftig selbst versorgten. Zwischenzeitlich waren die Entlassungen jedenfalls vereinzelt fortgesetzt worden, um dann etwa am 22./23.8. in einer Selektion der Männer von 39 Jahren an aufwärts zu münden, die sich zu ihren Familien begeben konnten, um mit ihnen zusammen anschliessend evakuiert und zumeist zum Arbeitseinsatz ins Reich deportiert zu werden.

Die Kolonnen der die Stadt verlassenden Zivilbevölkerung wurden zumindest gelegentlich auch von SS-Soldaten aus der Staufer-Kaserne begleitet. Mindestens einmal ist es vorgekommen, dass sie die infolge Gebrechlichkeit oder Krankheit Gehbehinderten aus dieser Kolonne ausgesondert, sie in unmittelbarer Nähe der Staufer-Kaserne erschossen und anschliessend Internierte aus der Kaserne zur Beseitigung der Leichen verdingt haben. Eine Verantwortlichkeit des Angeklagten P. für diese Massnahme konnte nicht mit der erforderlichen Gewissheit festgestellt werden.

Viele der Internierten blieben allerdings bis zum Ende des Aufstands in der Staufer-Kaserne. Während der gesamten Dauer ihres Aufenthaltes wurden sie über viele Stunden pro Tag zu Arbeiten herangezogen. Für die einen waren es niedere Dienstleistungen im Kasernenbereich wie das Reinigen der Toiletten und ähnliches. Nicht wenige wurden zu Arbeiten ins Gefängnis entsandt, sei es, dass durch die Inbrandsetzung von Gebäudeteilen Spuren verwischt werden sollten oder dass es darum ging, die Kleidung der ehemaligen Gefangenen herauszuholen, damit sie dem Winterhilfswerk zugute kommen könnte. Andere wieder wurden dazu eingeteilt, unter dem Beschuss der Aufständischen Barrikaden zu bauen, Fenster zu verblenden oder Verbindungsgräben auszuheben. Schliesslich mussten sie sich an der systematischen Plünderung der verlassenen Häuser ebenso beteiligen wie beim Abbruch von Baracken, die ins Reich geschickt werden sollten.

Inwieweit eine Gefährdung der Internierten durch die ihnen zugewiesenen Einsätze, die einige das Leben kosteten, durch Misshandlungen von Seiten der Wachsoldaten, von denen einige sich die Befugnis zur Verhängung von Prügelstrafen anmassten, oder durch körperliche Mangelerscheinungen, hervorgerufen infolge unzureichender Ernährung, körperlicher Überforderung und unzulänglicher medizinischer Betreuung, ihre Ursache findet in Ausführung, in Überschreitung oder in Missachtung P.scher Befehle hat sich im Rahmen der Beweisaufnahme im einzelnen nicht klären lassen.

Am 9. oder 10.8.1944 erschienen Angehörige der Polizei in der Staufer-Kaserne. Aus den im Hof angetretenen Internierten suchten sie nach Augenschein die vermeintlichen "Intelligenzler" heraus. Die ausgesonderten 40 bis 50 Personen wurden auf Wagen geladen, weggebracht und an unbekannter Stelle getötet. Der Angeklagte P. remonstrierte gegen diesen Entzug von Leuten, wobei die Kammer zu seinen Gunsten nicht auszuschliessen vermochte, dass er sich ausser von sachgebundenen Nützlichkeitserwägungen auch von menschlichen Regungen zugunsten "seiner" Internierten leiten liess. Jedenfalls erreichte er es auf im einzelnen nicht geklärte Weise, dass die Polizei die Arbeitskommandos, die sie auch künftig zwecks Deckung ihres Arbeitskräftebedarfs aus der Staufer-Kaserne abholte, zur vereinbarten Zeit wieder dorthin zurück schickte.

Ende August / Anfang September ordnete der Angeklagte P. die öffentliche Hinrichtung eines Mannes namens Sowinski an, eines ehemaligen Häftlings des Mokotow-Gefängnisses, der der Hinrichtung dort in einem Versteck entgangen war und der sich einige Zeit später unter die in der Kaserne festgehaltenen Polen hatte schmuggeln können. Über die Begleitumstände dieser öffentlichen Exekution steht soviel zur Gewissheit der Kammer fest, als den in der Kaserne aufhältlichen Polen befohlen worden war, im rückwärtigen Teil des Kasernengeländes Aufstellung zu nehmen. Eingerahmt von mehreren Maschinengewehren und umgeben von etlichen SS-Soldaten, mussten sie mit ansehen, wie ihr Landsmann Sowinski auf Befehl von P. aufgehängt wurde und in einem langen qualvollen Todeskampf dahinschied. Der Bitte Sowinskis, ihm den Tod durch Erschiessen zu gönnen, hatte P. nicht entsprochen. Ungeklärt blieb der wahre Grund, aus dem heraus P. es für notwendig hielt, dieses Exempel zu statuieren. Vordergründig wurde Sowinski vor seiner Hinrichtung seinen versammelten Landsleuten gegenüber als Unruhestifter, als Aufwiegler, als Feind der Deutschen hingestellt, während unter Polen wie unter Deutschen darüber gemunkelt wurde, er habe sich entehrend an einem Führerbild vergangen.

Dass der Angeklagte P. im Umgang mit Polen, die nach seiner Einschätzung der Unterstützung Aufständischer nicht unverdächtig waren, auch gegen Ende des Aufstands nicht gerade schonend verfuhr, zeigt schliesslich das Beispiel der Frau Bie. Einer drohenden Vergewaltigung durch Angehörige der Kampfgruppe P. kaum entgangen, wurde sie zur Staufer-Kaserne gebracht und dort dem Angeklagten P. vorgeführt, der sich in angetrunkenem Zustand befand. Er beschuldigte sie, Partisanin zu sein. Auf ihr Bestreiten hin drohte er ihr mit Erschiessung, wenn sie den Tatbestand nicht einräume, und schüchterte sie noch weiter mit der unrichtigen Behauptung ein, es gebe Bilder von ihr als Partisanin. Schliesslich endete das Gespräch mit der an sie gerichteten Frage, welche Arbeiten sie verrichten könne. Mit dem Auftrag, fortan Näharbeiten zu leisten, wurde sie gegen ihren Willen bei der Kampfgruppe behalten.

Die vorstehend unter VII getroffenen Feststellungen beruhen auf den Einlassungen der Angeklagten, soweit das Gericht ihnen zu folgen vermochte, auf den eidlichen Bekundungen der polnischen Zeugen Bas., Bie., Jed., Kn., Mie., Mil., Ne., Sko., Wit. und Zag., des weiteren auf den eidlichen Bekundungen der Zeugen Bu., Dob., Gem., Gor., Hey., Hn., Ih., H. Kön., Kol., Kot., Krö., Mau., Mei., Met., Ohl., Plo., Ram., Rap., Rie., Sz., Tob., Urb., Vet. und Völ., ferner auf den uneidlichen Bekundungen des Zeugen Uba., den verlesenen richterlichen Vernehmungsniederschriften der Zeugen Ge., Grz., Lys., Muc., Ry., Sob. und Wi. sowie den verlesenen teils richterlichen, teils nichtrichterlichen Vernehmungsniederschriften der Zeugen B., Pra. und Scho., schliesslich auf den überzeugenden Darlegungen des Sachverständigen Prof. Dr. Dr. Bre. und der dem Gericht dadurch vermittelten Sachkunde, auf den ausweislich der Sitzungsniederschrift verlesenen Urkunden sowie den in Augenschein genommenen Skizzen und Lichtbildern.

VIII. Beweiswürdigung zu VII

Soweit Einzelheiten über das Wirken Mis.s bekanntgeworden sind, wird auf die in dem Zusammenhang unter VII. bereits namhaft gemachten Zeugen verwiesen. Sein sich an die Tat anschliessender Einsatz im Häuserkampf wird von beiden Angeklagten übereinstimmend behauptet; ihre Angaben hat der Zeuge Dob., der in Warschau unter dem Angeklagten Mis. eingesetzt war, glaubhaft bestätigt. Im übrigen passt diese Darstellung in die Beschreibung des weiteren Aufstandsverlaufs, der durch Urkunden und Zeugen belegt ist, so dass die Kammer keine Bedenken hatte, ihr zu folgen.

In der Einschätzung Mis.s hat die Kammer die Bekundungen der genannten Zeugen verwertet, von denen einzig die lediglich verlesene Aussage des Zeugen B. den Gedanken an eine Verwechslung Mis.s mit einem anderen Offizier aufkommen lassen konnte, keineswegs diese Annahme aber derart nahelegte, dass es gerechtfertigt gewesen wäre, diese positive Beurteilung eines ehemaligen Soldaten Mis. nicht gutzubringen. Umgekehrt hat die Kammer Äusserungen der Zeugen Sko., Zag. und Rap. nicht gegen Mis. verwertet, weil insoweit eine Personenverwechslung nicht von der Hand zu weisen war. Die Bekundung des Zeugen Zag. betreffs eines Offiziers "Augusberger" und dessen Unsicherheit bei der Bestimmung dieser Person mit Hilfe ihm angebotener Lichtbilder sind bereits an anderer Stelle ausführlich gewürdigt worden; auf die früheren Ausführungen wird insoweit verwiesen.

Der Zeuge Sko. gab bei Durchsicht der Lichtbildmappen, ohne dass ihm Bilder gesondert vorgelegt worden wären, an, dass er auf Bild Nr.46 (Mis.) einen der Angeklagten zu erkennen glaube; nähere Angaben dazu, welche Erinnerungen sich mit diesem Bild für ihn verbänden, machte er nicht. Aus Sonderband 16/2 suchte er dann ohne fremde Hilfe das Bild Nr.168 (Etz.) heraus und erklärte, dass er darauf einen der Angeklagten zu erkennen glaube. Ihm ordnete er auf entsprechende Frage annähernd alles an verbrecherischen Aktionen zu, die miterlebt zu haben er sich erinnern konnte. Ohne Zögern suchte er treffsicher auch die weiteren Bilder heraus, auf denen Etz. zu sehen ist, und bezeichnete ihn immer wieder als den von Bild Nr.168. Namen ordnete er den auf den Lichtbildern wiedererkannten vermeintlichen Angeklagten nicht zu. Deswegen wurden die voraufgegangenen Ausführungen dieses Zeugen unbrauchbar, weil er die Aktionen, die er vorher in Zusammenhang mit dem Namen Mis. gebracht hatte, später dem spontan herausgefundenen Bilde Etz.s zuordnete. Der Zeuge muss demnach einem Irrtum erlegen sein. Da die Annahme, dass er sich in der Person, nicht aber im Namen getäuscht hat, in der Beweisaufnahme durch nichts untermauert worden ist, hat die Kammer diese mögliche Interpretation der mehrdeutigen Zeugenaussage, die zu Lasten des Angeklagten Mis. gegangen wäre, nicht in ihre Überzeugungsbildung einfliessen lassen.

Die Kammer hat ebensowenig die Äusserung des Zeugen Rap. verwertet, und zwar weder zu Lasten des einen noch des anderen Angeklagten. Dieser Zeuge hatte bei Durchsicht der Lichtbildmappen festgestellt, dass auf Bild Nr.41 (P.) und Bild Nr.45, links aussen (Mis.), derselbe Offizier zu erkennen sei, mit dem sich in seiner Erinnerung die Vorstellung verbinde, dass es besser gewesen sei, ihm aus dem Weg zu gehen. Eine so offenkundige Unsicherheit in der Zuordnung eines Gesichtes oder einer Figur machte es der Kammer unmöglich, die zugehörige Erklärung zu Ungunsten eines der beiden Angeklagten zu verwerten. Ungeachtet dieses Mangels seiner Aussage blieben die Bekundungen des Zeugen Rap. aber doch insoweit brauchbar, als er allgemein - ohne Zuordnung bestimmter Erinnerungsbilder an bestimmte auf Lichtbildern abgebildete Personen - über seine Eindrücke in Warschau berichtet hat. Dabei hat die Kammer nicht ausser Acht gelassen, dass der Zeuge in seiner polizeilichen Aussage sehr wenig zu wissen vorgegeben hatte, während er vor dem erkennenden Gericht etwas mehr an Wissen einräumte, den Verdacht, mit weiteren Einzelheiten hinter dem Berge zu halten, deswegen aber nicht vollständig auszuräumen vermochte. Sein an sich gutes Erinnerungsvermögen, sein entspannt wirkendes Aussageverhalten und die Einpassung seiner Angaben in das übrige Ergebnis der Beweisaufnahme haben dem Gericht jedoch die Überzeugung vermittelt, dass der Zeuge insoweit, als er über Einzelheiten berichtet hat, diese wahrheitsgemäss wiedergegeben hat. Deshalb glaubt die Kammer ihm auch, wenn er sagt, die Kameraden seien froh gewesen, wenn sie die Kaserne mit einer Stellung draussen hätten vertauschen können.

Über das eigenständige Leben in den Stellungen, unkontrolliert von P., haben im gleichen Sinne etwa die Zeugen Bu., Kot. und Rie. berichtet. Dass es an Alkohol dort nicht mangelte und dieser auch reichlich genossen wurde, weiss die Kammer aus den insoweit ineinandergreifenden, teils sehr plastischen Bekundungen der Zeugen Dob., Kot., Mei., Rie. und Sz. sowie aus den in Augenschein genommenen Lichtbildern und Bildunterschriften.

Die ausschweifenden Feiern in der Staufer-Kaserne sind von der Zeugin Bie. - in Übereinstimmung und in weiterer Ergänzung zu ihrer früheren Aussage vor der Polizei - in einem Fall selbst gesehen und beschrieben worden, während sie nur aus Erzählungen anderer wusste, dass vergleichbare Feste des öfteren stattfanden. Diese Zeugin, die später einen ehemaligen Angehörigen dieses Bataillons geheiratet hat, seit Jahrzehnten in Deutschland wohnt und hier mit Deutschen zusammen arbeitet, erweckte durch ihre Verhaltenheit, ihre vorsichtigen Formulierungen, ihre selbstkritischen Bemerkungen ganz und gar nicht den Eindruck einer vorurteilsbeladenen, zu Übertreibungen und Phantastereien neigenden Zeugin. Ein derart veranlagter Mensch hätte in seiner Aussage sicher auch nicht des verstorbenen damaligen Kommandeurs Bel. wohlwollend gedacht und einige namenlos gebliebene ehemalige Soldaten dieser Einheit lobend erwähnt, wie es die Zeugin Bie. ganz unaufdringlich, nahtlos in ihre Bekundungen eingepasst, getan hat. Wenn die Zeugin dann andererseits, ohne grosse Worte zu machen, nüchtern beschreibt, was sie sonst gesehen und erlebt hat, dann besteht nach Überzeugung der Kammer kein Anlass, diese Berichte, denen gleichwertige Beweismittel nicht entgegenstehen, inhaltlich anzuzweifeln. Die Kammer hat sich deswegen sowohl ihren Bericht über den Verlauf der Feier in der Kaserne zu eigen gemacht wie auch ihre Feststellung, dass P. bei zwei von insgesamt drei Begegnungen, die sie mit ihm hatte, mindestens angetrunken war.

Dazu, dass in der Kaserne von den Deutschen ausgiebig getrunken und gefeiert worden ist, hat sich im übrigen auch der Zeuge Sko. erklärt. Allerdings liess dieser Zeuge die Distanziertheit, Zurückhaltung und Ausgewogenheit in seiner Aussage vermissen, die man der Zeugin Bie. attestieren kann. Bei diesem Zeugen fielen die krassen Formulierungen ebenso auf wie der grosszügige Umgang mit Wissen vom Hörensagen, das er in seiner Aussage vor Gericht jedenfalls dem ersten Anschein nach als auf eigenen Wahrnehmungen beruhende Kenntnis ausgab. Insbesondere dadurch unterschied sich seine mündliche Erklärung vor dem erkennenden Gericht von seiner inhaltlich viel zurückhaltenderen, genauer differenzierenden Aussage aus September 1974, die ausweislich des Protokolls im Wege des Vorhalts in die Hauptverhandlung eingeführt worden ist. Die Kammer hat deswegen Beobachtungen, die er jetzt erstmals offengelegt hat, besonders kritisch gewürdigt. Das gilt auch für seine Angabe, die Deutschen in der Kaserne hätten getrunken, gefeiert und reich gelebt. Diese Beobachtung hat jedoch in der übrigen Beweisaufnahme Entsprechungen gefunden, so dass die Kammer sie als hinreichend abgesichert in ihre Betrachtungen ergänzend einbezogen hat.

Die entgegenstehenden Erklärungen P.s hindern die getroffenen Feststellungen nicht. Soweit P. seine Anwesenheit bei einem derartigen Fest, wie von der Zeugin Bie. beschrieben, in Abrede gestellt hat, tat er es in dem Sinne, er erinnere sich nicht, dass solche Feiern stattgefunden hätten, halte es auch für unwahrscheinlich, könne dazu im einzelnen aber nichts sagen. Diese Erklärungen stehen der Glaubwürdigkeit der Zeugin Bie. nicht entgegen. Wenn er die Behauptung, wiederholt in angetrunkenem Zustand angetroffen worden zu sein, entschieden zurückgewiesen hat, so ist seine im Zusammenhang mit jeder Frage nach Genuss von Alkohol immer wieder abgegebene Beteuerung, in seinem Leben "nur vier-", später "fünfmal" betrunken gewesen zu sein, zu gestellt, zu stereotyp, zu wenig den situativen Gegebenheiten entsprechend, als dass die Kammer bereit wäre, ihr bedenkenlos zu vertrauen, vorausgesetzt, dass P. mit dieser Erklärung jeden Zustand von leichter Alkoholisierung an aufwärts erfasst wissen wollte - nur dann aber steht dieses Bestreiten im Gegensatz zum Vorbringen der Frau Bie. Um eine derart fragwürdige Erklärung auszuräumen, genügte der Kammer die Beobachtung der als glaubwürdig eingeschätzten Zeugin Bie., die für die Kammer nachvollziehbar dargetan hat, warum es sich bei dem ersten Zusammentreffen mit P. um ein für sie denkwürdiges Ereignis gehandelt hat, dessen Einzelheiten ihr im Gedächtnis haften geblieben sind, während P. nach eigenem Bekunden keine konkrete Erinnerung an diese Begegnung mit der Zeugin hat.

Die Anwesenheit polnischer Frauen in der Kaserne ist durch die Zeugin Bie. bekundet, unabhängig davon von den Zeugen Kn. berichtet und von P. zuletzt auch nicht mehr in Abrede gestellt worden, ebensowenig wie die ihm zuzurechnende polnische Freundin namens Krystina, über die ebenfalls die Zeugin Bie. glaubhafte Angaben gemacht hat. Insoweit wird das Beweisergebnis zusätzlich durch in Augenschein genommene Lichtbilder abgesichert.

Die Kenntnis des Gerichtes über die Vorgänge in dem fraglichen Eckhaus basiert auf den Angaben des Zeugen Kol., denen P. letztendlich gar nicht mehr entgegengetreten ist. Bestätigt hat er - P. - auch die Ausstattung der Unterkünfte mit Plünderungsgut, eine Beobachtung, die von den Zeugen Kn. und Sko. mitgeteilt worden ist.

Für das florierende Bestechungsgeschäft, von dessen Ausmass zumindest der Angeklagte P. nichts gewusst haben will, haben glaubhaft die Zeugen Bas., Ne. und Zag., ergänzt durch die verlesenen Bekundungen der Zeugen Grz. und Ry., Beispiele geliefert.

Die Einschätzung P.s durch seine Untergebenen hat die Kammer den Aussagen der Zeugen Kol., Kot., Krö., Met., Ohl. und Völ. sowie den Äusserungen des Mitangeklagten Mis. entnommen. Sie hat dabei die Angaben des Zeugen Völ. mit besonderer Skepsis betrachtet, da seinem Aussageverhalten anzumerken war, dass Aversionen gegen P. bei ihm trotz erkennbarer Bemühungen, sie zurückzudrängen, noch heute zum Durchbruch kamen. Die Gründe dafür hat er nach Überzeugung der Kammer nicht vollständig offengelegt; wenn er die Anordnung von Strafexerzieren zur Begründung anführte, so zweifelt die Kammer daran, dass der Ursprung dieser erkennbaren menschlichen Ablehnung damit erschöpfend dargestellt ist, sie sieht aber keinen Anlass, daran zu zweifeln, dass er wenigstens einen der Gründe zutreffend bezeichnet hat.

Es entspricht der eigenen Einlassung von P., dass von den Offizierskameraden der Kampfgruppe Etz. der einzige war, mit dem er persönliche Kontakte pflegte. Diese Angabe, der die Kammer nichts entgegenzusetzen hatte, erfuhr zudem eine Bekräftigung durch die Wahrnehmung des Zeugen Kn., der mit Hilfe eines Lichtbildes in Etz. spontan den zuvor zutreffend beschriebenen Offizier wiedererkannte, den er sehr oft auf dem Kasernenhof mit P. zusammen gesehen habe.

Über die dubiose Erscheinung "Baumeister" haben nicht nur fast alle polnischen Zeugen berichtet, die ehedem in der Kaserne festgehalten worden waren, auch manchen der deutschen Zeugen war er als eine suspekte Person unbekannter Herkunft und Aufgabe in Erinnerung geblieben. Der Zeuge Krö. beschrieb einen halb zivil gekleideten Mann, den er am 2.8. auf dem Kasernenhof im Gespräch mit P. gesehen habe, und seine Angaben über das Aussehen dieses Mannes finden eine genaue Entsprechung in den Personenbeschreibungen der Zeugen Bas., Zag., Wi. und Sob., die sie dem sogenannten "Baumeister" oder dem von ihnen auch als "graue Eminenz" bezeichneten Deutschen gewidmet haben. Auch im Erinnerungsbild des Zeugen Kol. tauchte ein Halbziviler im Zusammenhang mit dem von ihm bewachten Eckhaus auf, ohne dass er aber - wie er glaubhaft bekundete - von den Kameraden Einzelheiten über dessen Funktion innerhalb der Kampfgruppe habe in Erfahrung bringen können. Die Kammer vermochte trotz umfangreicher Ermittlungen weitere Aufklärung über diese schemenhaft gebliebene Figur "Baumeister" nicht zu erlangen. Sie ist über dessen Auftreten und dessen Aktivitäten durch die stimmig ineinandergreifenden, glaubhaften Angaben der Zeugen Bas. und Zag. sowie der der Zeugen Grz., Wi., Ry. und Sob., deren Aussagen verlesen worden sind, informiert. Daran, dass P. um dessen Treiben wusste und es jedenfalls eine Zeitlang tolerierte, hat die Kammer keinen Zweifel, auch wenn er selbst Gegenteiliges behauptet, gerade weil er - wie er andererseits selbst zugesteht - in ständiger über einen rein dienstlichen Kontakt hinausgehender Verbindung mit ihm stand, so dass nach Überzeugung der Kammer sicher ihm nicht das verborgen geblieben ist, was selbst die in ihrer Informationsfähigkeit stark eingeengten polnischen Internierten mitbekamen. Bezüglich der Beschneidung der Befugnisse "Baumeisters" und seiner Verbannung beruhen die Feststellungen auf den unwiderlegt gebliebenen Erklärungen P.s.

Über die Verwendung des Polens namens Andrzej haben in gleichem Sinne die Zeugen Bie., Kn. und Zag. berichtet; aus der Gesamtschau ihrer glaubhaften Angaben leitete sich das in den Feststellungen gezeichnete Bild ab.

Die Zeugen Kn., Mie., Ne., Sko., Zag. und Wit. haben ebenso wie die Zeugen Ge., Grz., Ry., Muc. und Wi., deren Aussagen verlesen worden sind, kongruente Darstellungen über die im wesentlichen gleichförmige Verfahrensweise abgegeben, nach der bei der Internierung der Zivilbevölkerung aus dem die Staufer-Kaserne umgebenden Gelände vorgegangen worden ist. Die Richtigkeit dieser einander abdeckenden Erklärungen ernsthaft in Zweifel zu ziehen, hält die Kammer für durch nichts geboten. Die Einlassungen der Angeklagten stehen ebensowenig entgegen wie andere Beweismittel. Die Identität der Räumkommandos mit Angehörigen der Kampfgruppe P. steht fest aufgrund der örtlichen Gegebenheiten - unmittelbare Umgebung der Staufer-Kaserne und Sammelpunkt für die Festgenommenen dort - in Verbindung mit der Einlassung des Angeklagten P., die wiederum eine Bestätigung erfährt durch die Angaben ehemaliger Einheitsangehöriger wie der Zeuge Gem., H. Kön., Krö., Mau., Ram. und Vet.

Nach Überzeugung der Kammer ist auch erwiesen, dass P. seine Leute angewiesen hatte, Aufständische und Aufstandsverdächtige sofort zu erschiessen. Dafür hat sie zum einen die Einlassung P.s, der im Frühstadium der Hauptverhandlung zögernd, später aber unumwunden zugegeben hat, einen darauf lautenden Befehl ausgegeben zu haben. Die Kammer hat dafür zum anderen die urkundlich belegte nationalsozialistische Gesetzgebung zur Partisanenbekämpfung im allgemeinen und die auf die Niederschlagung des Warschauer Aufstandes gerichtete Befehlsgebung von oben im besonderen. Die Behauptung einiger ehemaliger Einheitsangehöriger, von solchen Befehlen nichts gewusst zu haben oder jedenfalls nichts mehr zu wissen, bringt diese Überzeugung der Kammer nicht zu Fall. Abgesehen davon, dass möglicherweise der ein oder andere Befehl wirklich nicht bis zum kleinen Panzergrenadier durchgedrungen ist, hat die Kammer bezüglich aller der als Zeugen vernommenen ehemaligen Einheitsangehörigen Bedenken, sie von jeder bewussten oder unbewussten Zurückhaltungstendenz in ihren Aussagen freizusprechen, sofern Bereiche angesprochen waren, die den

Zeugen befürchten lassen konnten, ein eventuell vorwerfbares Verhalten seiner selbst oder ehemaliger Kameraden eingestehen zu müssen.

Im übrigen deuten die von den Zeugen Mie. und Vet. geschilderten Beispiele - auch wenn sie als Exzesse anzusehen sind - darauf hin, dass ein solcher Befehl, auf Aufstandsverdächtige - als solche eben auch auf Flüchtende - zu schiessen, bestanden hat. Anders ist nach Ansicht der Kammer die fast vollständige Ausrottung der Familie Mie., die sich zunächst nach rechts - entgegengesetzt zur Staufer-Kaserne - auf der Rakowieckastrasse abzusetzen versucht hatte, ebensowenig vernünftig zu erklären wie die von dem Zeugen Vet. beobachtete Erschiessung von Frauen und Kindern im Zuge der Internierung der Bevölkerung. Um zu einer anderen einleuchtenden Erklärung zu gelangen, müsste man annehmen, dass die Soldaten entweder aufgrund eines allgemeinen Erschiessungsbefehls handelten oder eigenmächtig ohne jede Befehlsgrundlage willkürlich Leute erschossen. Anhaltspunkte dafür, dass P. das wahllose Ausmorden der Zivilbevölkerung befohlen hatte, erbrachte die Beweisaufnahme nicht. Ebensowenig aber vermochte sich die Kammer davon zu überzeugen, dass Angehörige der Häuserräumkommandos ohne jedweden Schiessbefehl einfach aus Lust am Töten ganze Familien niedermachten. Um eine völlig disziplinlose Truppe, die nicht mehr Befehlen, sondern nur noch spontanen Eingebungen gehorchte, und die sich aus Leuten zusammensetzte, denen ein Menschenleben gar nichts mehr galt, handelte es sich bei der P. unterstehenden Resteinheit nämlich keineswegs, schon gar nicht zu Beginn des Aufstands. Diesbezüglich glaubte die Kammer den Angaben der Zeugen Hey., Krö. und Mei. vertrauen zu dürfen, zumal einige der durch Verlesung in die Hauptverhandlung eingeführten Bataillontages- und -sonderbefehle den disziplinarisch intakten Zustand der Einheit belegen. Nach alledem hatte die Kammer keine Bedenken, der Einlassung P.s zur Befehlsgebung bezüglich der Aufstandsverdächtigen zu folgen.

Was die Einbringung der Frauen und Kinder in die Kaserne anbetrifft, so widerstreitet diese Tatsache als solche, die von den Zeugen Kn., Mie., Ne., Sko. und Wit., ergänzt durch die verlesenen Aussagen der Zeugen Ge., Grz., Lys., Muc., Ry. und Wi., bezeugt worden ist, der Einlassung P.s, nur die Einbringung der Männer befohlen zu haben. Dennoch stufte die Kammer diese Erklärung als unwiderlegt ein, weil er für sich in Anspruch nehmen kann, die Frauen und Kinder alsbald wieder entlassen zu haben, was durch die weit überwiegende Mehrzahl der zu diesem Komplex gehörten polnischen Zeugen bestätigt worden ist, und weil darüber hinaus nach der Bekundung des Zeugen Zag., eines gemessen, sachbezogen, detailreich aussagenden, geistig beweglichen Mannes, bei der Häuserräumung sehr wohl nach Alter und Geschlecht unterschieden und nur den Männern befohlen worden ist, zur Kaserne zu gehen.

Über das, was P. der Gruppe von Frauen und Kindern vor ihrer Entlassung mit auf den Weg gegeben hat, verschaffte der Zeuge Wit. der Kammer die notwendige Kenntnis. Die Kammer hat diesem Zeugen Glauben geschenkt, auch wenn er das Geschehen als erst 9jähriger Junge miterlebt hat. Sie ist aber überzeugt, dass er mit den Augen eines Kindes ganz bewusst einige wenige Eindrücke mitgenommen hat, die sich in seinem Erinnerungsbild unauslöschlich verfestigt haben. Die innere Bewegung, die ihn noch heute bei der Wiedergabe des Erlebten übermannte, zeugte von der Nachhaltigkeit, mit der das noch kindlich empfindende Gemüt durch das Miterlebte beeindruckt worden ist. Da zudem der vom erkennenden Gericht vernommene Zeuge Zag. ebenso wie die Zeugen Grz. und Lys. in ihren verlesenen Aussagen über die Maschinengewehrsalven berichteten, die sie bei der Entlassung der Frauen und Kinder vernahmen, darüber hinaus der Zeuge Grz. in seiner sehr detailreichen, emotionslosen Aussage, die in vielen Punkten durch andere Beweismittel abgesichert worden ist, vom Hörensagen über den Tod des kleinen Jungen Bescheid wusste, den der Zeuge Wit. selbst hat sterben sehen, erfuhr die Aussage des Zeugen Wit. in so wesentlichen Teilen eine Bestätigung, dass die Kammer nicht gezögert hat, den Angaben dieses Zeugen auch insoweit Vertrauen entgegenzubringen, als er den Inhalt der Ansprache referierte, als deren Urheber er dann den Angeklagten P. identifizierte.

Die Frauen und Kinder sind auf dem Heimweg nicht etwa deswegen beschossen worden, weil P. einen darauf gerichteten Befehl an seine Leute gegeben hat. Einen solchen Schluss erlaubte das Ergebnis der Beweisaufnahme nicht. Die Kammer hat aufgrund der oben erörterten Erwägungen aber ebensowenig Anlass zu der Annahme, dass schiesswütige Soldaten, ohne im Besitz eines ihr Tun deckenden Befehls zu sein, ihrer Mord- oder Terrorisierungslust freien Lauf liessen. Vielmehr drängte sich der Kammer auf der Grundlage der getroffenen Feststellungen der Schluss auf, dass der - von P. eingeräumte - Schiessbefehl auf alles, was sich trotz Ausgehverbotes auf der Strasse bewegte, die ausserhalb der Kaserne stationierten Soldaten in Unkenntnis dessen, was zwischenzeitlich in der Kaserne vor sich gegangen war, veranlasste, das Feuer auf diese Gruppe zu eröffnen. Daraus leitete sich zwangsläufig der Vorwurf gegen P. ab, dass er es aus Unachtsamkeit nicht bedacht hat, diesen Befehl innerhalb seines gesamten Kommandobereiches vorübergehend ausser Kraft zu setzen.

Die Internierung der Männer, deren Anzahl sich in der festgestellten Grössenordnung bewegte, ist belegt durch in Augenschein genommene Lichtbilder und die in Einklang damit stehenden Bekundungen der Zeugen Ne., Kn. und Zag. sowie Grz., Sob. und Wi. Eine genauere Eingrenzung der Zahl der Internierten war nicht möglich, weil alle vorhandenen Beweismittel - die noch ungenaueren Aussagen der damaligen Kampfgruppenangehörigen eingeschlossen - kein konkretes Wissen, sondern nur Schätzungen anzubieten hatten, die naturgemäss zu stark divergierenden Zahlenangaben führten. Deswegen vermochte die Kammer nur den Rahmen abzustecken, der durch die Extreme der Zahlenschätzungen bestimmt wurde, sofern sich diese Schätzungen mit den in Augenschein genommenen Lichtbildern, den glaubhaften Angaben zum Umfang der Häuserräumung und den Beschreibungen zu Modalitäten der Unterbringung in der Kaserne vereinbaren liessen. Danach blieb eine Zahlenangabe im Bereich zwischen 300 und 700 übrig.

Entgegenstehende frühere Angaben des Angeklagten P. sind widerlegt. Die bereits früher erwähnte Behauptung, die Anzahl der Internierten habe das 10- bis 12-fache der SS-Mannschaft ausgemacht, bei einer Kampfgruppenstärke von ca. 300 Mann demnach 3.000 bis 3.600 Zivilisten etwa, ist folglich ebenso unrichtig wie die anfangs der Hauptverhandlung von 100 bis 120 auf später 150 bis 180 gesteigerte Zahlenangabe. Wenn der Angeklagte P. zuletzt von höchstens 350 Männern sprach, besteht aber letztendlich nicht einmal mehr ein Widerstreit zwischen seiner Einlassung und den getroffenen Feststellungen.

Was die Zielsetzung P.s bei der Internierung der männlichen Zivilbevölkerung anbetraf, so konnte sich die Kammer davon ein Bild machen auf Grund seiner Einlassung zum einen, auf Grund seines durch Zeugenaussagen belegten damaligen Verhaltens zum anderen.

Wie bereits an anderer Stelle abgehandelt, hat P. für die Kammer glaubhaft erklärt, in dem zuerst geräumten Haus zurückgelassene Armbinden aufgefunden, sich daraufhin das unauffällige Untertauchen der Aufständischen in der Zivilbevölkerung vorgestellt und deswegen die Verbringung aller männlichen Hausbewohner zur Kaserne angeordnet zu haben. Dieser Gedankenablauf, der schon wegen seiner Schlüssigkeit ein gewisses Mass an Glaubhaftigkeit für sich hat, findet eine Entsprechung in dem erwiesenen tatsächlichen Vorgehen, was der Kammer zusammengenommen ausreichte, der Einlassung zu glauben. Erwiesen ist nämlich nicht nur, dass die Männer zur Kaserne getrieben worden sind, sondern auch, dass aus der Masse der Versammelten die herausfiltriert worden sind, die sich nicht oder nicht genügend ausweisen konnten. Das steht zur Überzeugung der Kammer fest aufgrund der übereinstimmenden Beobachtungen der Zeugen Kn., Ne., Sko. und Zag., die sich mit dem Inhalt der verlesenen Aussagen der Zeugen Ge., Grz. und Muc. insoweit decken und darüber hinaus eine Bestätigung in den glaubhaften Angaben des Zeugen Vet. gefunden haben.

Diese Ausweiskontrolle war nichts anderes als ein Mittel, aus den anscheinend unbeteiligten Zivilisten die möglichen Widerstandskämpfer herauszufinden. Das steht für die Kammer ausser Zweifel. Der Ausweis nämlich konnte als erstes darüber Aufschluss geben, ob dessen Eigentümer in dem geräumten Gebiet regulär ansässig war oder nicht, ein erstes Kriterium, Verdächtige von Unverdächtigen zu sondern. Gewichtiger aber noch war, dass allgemeiner Übung entsprechend Widerstandskämpfer keine Papiere bei sich zu tragen pflegten, die ihre wahre Identität verraten konnten. Gilt das im Partisanenkampf allgemein, so ist auch für den Aufstand in Warschau nichts anderes anzunehmen. Dafür gibt es stichhaltige Anhaltspunkte. Aus dem Munde des Zeugen Jed. weiss die Kammer, dass die Widerstandskämpfer selbst untereinander nicht ihre richtigen Namen gebrauchten, sondern sich nur per Pseudonym kannten. Dieser Verbleib in der Anonymität indiziert den Verzicht auf alle die wahre Identität verratenden Hinweise, was wiederum ergänzend untermauert wird durch den urkundlich nachgewiesenen Sippenhafterlass, der die Widerstandskämpfer aus Rücksichtnahme auf ihre Familien zu strikter Geheimhaltung ihrer Identität zwang. Von daher bildete die Kontrolle auf das Mitführen von Legitimationspapieren einen brauchbaren Anhalt für die Aussonderung Aufstandsverdächtiger.

Die Kammer sieht sich in ihrer Überzeugung, dass die Ausweiskontrolle als Mittel zur Selektion Aufstandsverdächtiger eingesetzt worden ist, bestätigt durch die Angabe des verstorbenen Zeugen Pra., dessen Aussage verlesen worden ist. Er hörte von Kameraden - so seine Bekundung -, dass von Zeit zu Zeit polnische Zivilisten, die sich nicht hatten ausweisen können, im Gefängnishof erschossen wurden. Die Kammer sieht keinen Anlass, den knappen, aber ungekünstelt, aufrichtig wirkenden Angaben dieses offenbar einfach strukturierten Mannes zu glauben, der - soweit er sich noch an Einzelheiten zu erinnern wusste - eine mit dem Ergebnis der Beweisaufnahme in Einklang stehende Sachverhaltsdarstellung abgegeben hat. Wenn es sich bei seiner angesprochen Detailkenntnis auch nur um Wissen vom Hörensagen handelt, so fehlt es doch an einer auf der Hand liegenden Erklärung, warum er einer Fehlinformation seitens seiner Kameraden aufgesessen sein soll. Nach alledem ist die Kammer davon überzeugt, dass P. die Ausweiskontrolle zum Zwecke der Feststellung jener Personen angeordnet hat, die der Zugehörigkeit zur Widerstandsbewegung verdächtig waren.

Die auf diese Weise Selektierten sind bald darauf auf Befehl von P. erschossen worden. Das steht zur Überzeugung der Kammer fest, auch wenn sie sich insoweit auf Zeugen vom Hörensagen verlassen musste. Zwar gab der Zeuge Sko. dem erkennenden Gericht an, er habe gesehen, wie die vor dem rechten Kasernenflügel gesammelte Gruppe Ausweisloser in Richtung Gefängnis weggeführt worden sei, aber insoweit schlugen die schon früher angesprochenen Bedenken gegen die Verlässlichkeit der über den Umfang der früheren Bekundungen hinausgehenden angeblichen Wahrnehmungen dieses Zeugen durch. Die Kammer konnte sich nicht des Eindrucks erwehren, dass der Zeuge vor dem deutschen Gericht von so gesteigerter Unsicherheit oder Erregung befallen war, dass er - anders als in seiner Vernehmung vor dem polnischen Richter - nicht mehr zu differenzieren in der Lage war zwischen dem, was er gesehen, und dem, was er lediglich nachträglich erzählt bekommen hatte. Demgegenüber hatte die Kammer keine Bedenken, seine Bekundungen aus der 1974er Aussage, die sich inhaltlich in die Wahrnehmungen anderer Zeugen einpassten, zu verwerten.

Sowohl der Zeuge Sko. als auch der Zeuge Ge. hörten bald nach ihrer Internierung gerüchteweise, dass die am 2.8. nach rechts Aussortierten wenig später erschossen worden seien. Konkretere Kenntnis erlangte der Zeuge Kn., der von dem seinen Raum bewachenden SS--Mann am nächsten Morgen hörte, die zur zweiten Gruppe Aussortierten seien in der Nacht erschossen worden, weil sie keinerlei Dokumente hätten vorweisen können. Diese 1973 gemachte Angabe hat der Zeuge auf Vorhalt vor dem erkennenden Gericht wiederholt. Er hat sich vor Gericht als ein geistig wendiger, sachbezogen, detailreich und differenziert aussagender, zurückhaltend formulierender Zeuge erwiesen, dessen jetzige Angaben vielleicht um einige Nuancen weniger detailliert waren, sich im übrigen aber mit dem Inhalt seiner früheren Aussage in völliger Übereinstimmung befanden, so dass die Kammer keinen Grund sah, ihm eine Einzelheit, die er bei seiner tatzeitnäheren Vernehmung kundgab, um dessentwillen nicht zu glauben, weil sie ihm in der Hauptverhandlung nicht mehr auf Anhieb präsent war. Auch aus anderen Gesichtspunkten heraus ergaben sich keine Zweifel an seiner Glaubwürdigkeit.

Die Kammer ist mithin davon überzeugt, dass aus Kreisen der SS-Wachen über die Erschiessung der ausweislos angetroffenen Polen berichtet worden ist. Damit im Zusammenhang zu betrachten ist die bereits behandelte Erklärung des Zeugen Pra., von Kameraden über die gelegentliche Hinrichtung nicht ausgewiesener Polen erfahren zu haben. Liesse sich im Hinblick auf die Bekundung des Zeugen Kn. vielleicht noch die Möglichkeit erörtern, der SS-Mann habe die Internierten durch die erlogene Mitteilung einer erfolgten Massenerschiessung schockieren wollen, so versagt diese ohnehin wenig überzeugend wirkende Erklärung jedenfalls gegenüber einem gleichlautenden Informationsfluss im Kameradenkreis. Gerade der Umstand, dass sowohl hier wie da Berichte über die Erschiessung nicht hinreichend ausgewiesener Zivilisten eingingen, lässt vernünftigerweise nur den Schluss darauf zu, dass Entsprechendes passiert und zumindest von einigen der informierten SS-Leute darüber auch gesprochen worden ist.

Dieses Ergebnis steht schliesslich auch in Einklang mit allgemeinen Erwägungen. Diente die Ausweiskontrolle dazu, die Aufstandsverdächtigen auszusondern, wie zur Überzeugung der Kammer feststeht, dann mussten sich daran ja wohl zwangsläufig irgendwelche Konsequenzen für diejenigen anschliessen, die als Aufstandsverdächtige festgestellt worden waren; anderenfalls hätte man das ganze Ausleseverfahren getrost unterlassen können. Welches aber konnten in Anbetracht der bestehenden Befehle die Konsequenzen sein für Personen, die sich im weitesten Sinne der Beteiligung an Widerstandshandlungen verdächtig gemacht hatten? Sie waren grundsätzlich sofort zu erschiessen, wie es P. - aufgrund eigenen Eingeständnisses - befohlen hatte. So erscheint das mit Hilfe der genannten Beweismittel gewonnene Ergebnis auch gemessen an den situativen Gegebenheiten am 2./3.8.1944 folgerichtig.

Die Einlassung P.s steht - nicht partiell, sondern im Gesamtzusammenhang betrachtet - nur scheinbar entgegen. Sein früheres Bestreiten, dass solche Ausweiskontrollen überhaupt durchgeführt worden sind, hat er später aufgegeben zugunsten der Einlassung, er könne sich nicht erinnern, warum diese Legitimierung verlangt worden sei, wisse aber genau, dass er die Erschiessung der ohne Papiere Angetroffenen nicht befohlen habe. An anderer Stelle erklärte er dann, er habe über die Gründe, deretwegen eine solche Ausweiskontrolle durchgeführt worden sein könne, nachgesonnen und sei zu dem Schluss gelangt, dass sie nur den Sinn gehabt haben könne, die aus dem Bezirk Kommenden von den Auswärtigen zu trennen. Warum nach diesem Gesichtspunkt getrennt werden sollte, dazu gab der Angeklagte dann keine Erklärung mehr ab. Sinnvollerweise konnte auch bei solcher Unterscheidung nur im Hintergrund diese Überlegung stehen, dass als Partisan verdächtigt sei, wer in der Umgebung der Kaserne angetroffen werde, ohne dort seinen regulären Aufenthalt zu haben. So führt die von dem Angeklagten - allerdings nur als Schlussfolgerung - abgegebene Erklärung in dieselbe Denkkategorie, wie sie auch den getroffenen Feststellungen zugrunde liegt.

Die weiteren Beweggründe für die Internierung der männlichen Zivilbevölkerung lassen sich aus dem Inhalt der Ansprache ablesen, die P. am 2.8. vor den auf dem Kasernenhof zusammengetriebenen Polen hielt. Er teilte ihnen mit, dass sie als Geiseln festgehalten würden. So berichteten es übereinstimmend und glaubhaft die Zeugen Kn. und Zag. sowie in ihren verlesenen Aussagen die Zeugen Grz. und Lys. Die Bekundungen des Zeugen Ne. stehen dem allerdings entgegen. Dieser Zeuge hob als den Kernpunkt der Ansprache den Aspekt der Schutzunterbringung hervor, also ein Festhalten der unbeteiligten Zivilbevölkerung, damit sie nicht von den Aufständischen zur Unterstützung ihrer Sache gezwungen werden könnte. Die Kammer sieht darin aber nicht die miteinander unvereinbare Wiedergabe eines sich auf einen

Punkt beschränkenden Anspracheinhaltes, sondern vielmehr eine unterschiedliche Akzentuierung in der Wiedergabe einer verschiedene Aspekte aufgreifenden Rede. Auch die Bekundungen der übrigen Zeugen machen deutlich, dass ihnen verschiedene Schwerpunkte der Ansprache in Erinnerung geblieben sind. Die darin enthaltene Drohung, alle männlichen Bewohner eines Hauses, aus dem auf Deutsche geschossen werde, dafür mit ihrem Leben bezahlen zu lassen, ist dem Zeugen Ne. einerseits, dem Zeugen Ge. andererseits in der Erinnerung haften geblieben. Die Ankündigung, die Männer als Geiseln zu erschiessen, falls der Aufstand nicht alsbald ende, findet sich in den Inhaltsangaben der Zeugen Kn., Zag. und Grz. Von der Inaussichtstellung der Repressalgeiselerschiessung für jeden gefallenen deutschen Soldaten haben die Zeugen Kn. und Lys. berichtet. Der Zeuge Zag. schliesslich erinnerte sich, dass die Erschiessung von Geiseln auch für den Fall angedroht worden sei, dass einer der Internierten zu fliehen versuche.

Ähnliche Erwägungen, wie sie bei der Würdigung der Wahrnehmungen der damaligen Insassen des Gefängnisses Mokotow Platz gegriffen haben, kommen nach Ansicht der Kammer auch hier zum Tragen. Angstvoll einem ungewissen Schicksal entgegenblickend, war die Wahrnehmungsfähigkeit der Betroffenen je nach Sensibilität mehr oder weniger eingeengt. Der Kammer erscheint es im Hinblick darauf auch verständlich, dass der eine sein Augenmerk auf den ihm Hoffnung verheissenden Ausschnitt der Ansprache richtete, wo von Schutz, Obhut, Sicherheit die Rede war, während andere von den angsteinflössenden Drohungen so gefangengenommen wurden, dass in Gegensatz dazu stehende Vokabeln bei ihnen keinerlei bleibenden Eindruck zu hinterlassen vermochten. Aufgrund der gleichen Erwägungen sieht die Kammer die Glaubwürdigkeit einzelner Zeugen auch nicht deswegen nachhaltig in Zweifel gezogen, weil sie unterschiedliche Bedingungen nennen, an die die Geiselerschiessungen geknüpft werden sollten. Die Kammer sieht es vielmehr aufgrund dieser sich teilweise überschneidenden, im übrigen einander in vergleichbarem Sinne ergänzenden Bekundungen als erwiesen an, dass die mehreren genannten Ankündigungen und Erklärungen sämtlich in der P.schen Rede enthalten waren.

Die Kammer ist davon überzeugt, dass es der Angeklagte P. war, der diese Rede gehalten hat. Sie hat dafür das Wort des Zeugen Kn. - eines aus den an anderer Stelle genannten Gründen für glaubwürdig befundenen Zeugen -, der P. als Redner bezeichnet hat und der durch Beschreibungen und das spontane Heraussuchen der P. zeigenden Lichtbilder jeden Zweifel an seiner Fähigkeit, Namen und Person einander richtig zuzuordnen, ausgeräumt hat. Im übrigen haben die Zeugen Ne., Grz., Ge. und Lys. unabhängig von Kn. den Kasernenkommandanten P. als den Redner namhaft gemacht.

Da nach Lage der Dinge vieles dafür spricht, dass P. und kein anderer sich an die auf seinen Befehl hin zusammengetriebenen Leute wandte, sieht die Kammer keinen Grund, dieser vielfach bestätigten Angabe zu misstrauen. Die vielgestaltigen, wechselvollen Einlassungen P.s können ernstzunehmenden Grund auch nicht liefern. Allein während der Hauptverhandlung schwankten die Einlassungen zwischen einer fehlenden Erinnerung an jedwede am 2.8. gehaltene Ansprache über eine Ansprache, bei der den Polen ohne Sanktionsandrohung, insbesondere ohne Ankündigung von Geiselerschiessungen, die Unterstützung der Aufständischen untersagt worden sei, bis hin zu dem Eingeständnis, die Polen als Geiseln angesprochen, ihnen Hilfeleistung für die Partisanen untersagt und ihnen die Geiselerschiessung in Aussicht gestellt zu haben für den Fall, dass versucht werde, die Wachen zu überfallen und sich in den Besitz von Waffen zu bringen.

Eine ähnliche Entwicklung nahm die P.sche Verteidigungshaltung in der Frage, ob von ihm Geiselerschiessungen nicht nur angedroht, sondern tatsächlich befohlen worden seien. Zunächst gab er sich ob der Fragestellung geradezu entrüstet. So erklärte er in der Hauptverhandlung vom 26.1.1979 sinngemäss:

"Geiselerschiessung - was sollte das? Das hätte an dem Aufstand nichts geändert. Ich habe keine Geiselerschiessung befohlen."

Nachdem der Zeuge Tob. in der Verhandlung vom 30.4.1979 ausgesagt hatte, es seien wiederholt auch nach der Gefängnisaktion Exekutionskommandos zusammengestellt worden, empörte sich der Angeklagte P. etwa mit folgenden Worten:

"Ich kann nur immer wieder sagen, dass von mir keine Erschiessungskommandos zusammengestellt worden sind. Auch wenn da ein Pole sagt, die Menschen seien im Verhältnis von 1 : 40 erschossen worden, dann ist das so ungeheuerlich! Kein einziger Pole ist für einen erschossenen SS-Mann hingerichtet worden, soviel ich weiss und soviel ich mich erinnere."

Dieser Stand blieb bis zum 27.6.1979 erhalten. Dann gab der Angeklagte bekannt, er wisse von einem Fall, den er aber nicht zu verantworten habe. Beim Lesen der Aussagen polnischer Zeugen, die im Sonderband 19 gesammelt sind, sei ihm wieder in Erinnerung gekommen, dass von den in der Staufer-Kaserne weilenden Angehörigen der Panzertruppe 15 Internierte, darunter wohl ein Pfarrer, zur Vergeltung für die Vorfälle im Bema-Krankenhaus ohne sein Wissen erschossen worden seien. Diese Darstellung wurde dann weiterverfolgt und jede Eigenverantwortlichkeit für geschehene Geiselerschiessungen negiert, bis er an einem der letzten Hauptverhandlungstage den Durchbruch zur Geständnisbereitschaft schaffte. Auf die Frage, ob er ein- oder zweimal Geiselerschiessungen angeordnet habe, antwortete er an diesem Tag mit einem schlichten, unumwundenen "ja". Dieses Eingeständnis hält die Kammer für zutreffend.

Sie stützt diese ihre Einschätzung zuvorderst auf die Bekundungen der Zeugen Ne., Wi. und Ry. Der Zeuge Ne. hat - gelegentlich zu Ergänzungen angeregt durch den Vorhalt seiner früheren Aussage - bekundet, dass drei SS-Leute, einer von ihnen ein Unteroffizier, am 3.8. in ihrem Saal erschienen seien, der Unteroffizier ihnen erklärt habe, dass zur Vergeltung für den Tod 30 Volksdeutscher nun 30 Polen sterben müssten, woraufhin er aus ihrem Saal 15 ausgesucht und mitgenommen habe. Sie seien auf das Gefängnisgelände geführt worden. Einer sei zurückgekommen, vermutlich, weil er sich habe freikaufen können. Auf Frage gab der Zeuge an, dass es sich bei diesen Soldaten sicher um SS- nicht etwa um Gestapo-Leute gehandelt habe, ob um Mitglieder der Kasernenbesatzung, wisse er hingegen nicht. Die Zeugen Ry. und Wi. haben demgegenüber in ihren verlesenen Aussagen über das Erscheinen eines SS-Mannes in ihrem Saal berichtet, der 15 Leute herausgesucht habe, die als Geiseln mit ihrem Leben die Ermordung verwundeter Deutscher im Krankenhaus an der Bemastrasse abgelten sollten. Sie sollen - wie der Zeuge Wi. erfahren haben will - erschossen worden sein.

Diese Zeugenaussagen, denen die Kammer aus den nachfolgend noch zu erörternden Gründen glaubt, erbringen Beweis dafür, dass mindestens zweimal eine Gruppe von Geiseln aus den Internierten willkürlich ausgewählt worden ist, wobei bezüglich des von den Zeugen Wi. und Ry. dargestellten Vorfalles eine Verantwortlichkeit der P. nicht unterstehenden Panzersoldaten zu seinen Gunsten nicht mit letzter Sicherheit ausgeschlossen werden konnte.

Was die Verwertbarkeit der verlesenen Aussagen Ry. und Wi. angeht, hatte die Kammer genügend Zutrauen zu diesen beiden detailreichen, sachlichen, ausgewogen erscheinenden Vernehmungsniederschriften, um eine Feststellung auf diese beiden insoweit übereinstimmenden Bekundungen zu gründen. Neben Form und Inhalt der beiden Aussagen war deren zeitliche Nähe zum Geschehen positiv zu berücksichtigen. Weiterhin kam stützend hinzu, dass die Zeugen Zag. und Grz., weniger bestimmt auch der Zeuge Muc., gerüchteweise über die Erschiessung einer Geiselgruppe aus einem anderen Raum am 2.8. gehört haben wollen. Diese Zeitbestimmung lässt sich mit den zeitlichen Eingrenzungen, die von den Zeugen Ry. und Wi. vorgenommen worden sind, vereinbaren, nicht aber mit der sehr konkreten zeitlichen Festlegung des Zeugen Ne. Schliesslich sprach noch entscheidend für den Wahrheitsgehalt,

dass der Zeuge Ry. namentlich als eine der herausgesuchten Geiseln einen Hausmeister namens Michalak, wohnhaft in der Kwiatowastrasse, bezeichnet hat. Urkundlich belegt, befand sich unter den später im Gefängnisgelände exhumierten Leichen ein als Michalak, stammend aus der Kwiatowastrasse, identifizierter Mann. Das Ineinandergreifen dieser Argumente bewog die Kammer, die Auswahl und Erschiessung einer Geiselgruppe, wie von den Zeugen Ry. und Wi. beschrieben, anzunehmen. Sie vermochte jedoch trotz erheblicher Zweifel an deren Richtigkeit nicht mit der erforderlichen Sicherheit die P.sche Einlassung zu widerlegen, dass es sich dabei um das Werk der Panzerbesatzung gehandelt habe. Unter Berücksichtigung der aufgebrachten Stimmung am 2.8. einerseits, der vielfältigen von P. zu erfüllenden Aufgaben andererseits, die ihn daran hinderten, an jedem Brennpunkt gleichzeitig zu sein, erschien es nicht denkunmöglich, dass diese eigenständige Truppe auf eigene Faust ein derartiges Unterfangen wagte. Nimmt man die Bekundung des Zeugen Wi. hinzu, dass P. auf seine Intervention hin eine Einstellung der Geiselerschiessungen zugesagt und gleichzeitig behauptet habe, sie seien ohne sein Wissen geschehen, dann ist damit der von P. erst spät eingeführten, aber danach konsequent weiter verfolgten Einlassung ein so standfester Unterbau verliehen, dass sie zu seinen Gunsten zu berücksichtigen war.
Die Kammer sieht es aber als erwiesen an, dass P. für die zweite der festgestellten Geiselerschiessungen befehlsmässig verantwortlich war.

Der von den Zeugen Ne. geschilderte Vorfall ist mit dem von den Zeugen Ry. und Wi. berichteten Ereignis nicht identisch. Einmal besteht ein zeitlicher Unterschied; der Zeuge Ne. hat einen Vorgang vom 3.8. beschrieben, während sich mit Hilfe der Aussagen Grz. und Zag. die andere Geiselerschiessung auf den 2.8. eingrenzen lässt. Zum anderen divergieren die Angaben über die Anzahl der handelnden SS-Leute; in der Bekundung des Ne. sind es drei SS-Soldaten, die zu den Internierten kommen, während Ry. und Wi. übereinstimmend von einem SS-Mann berichten. Auch die Begründung für die Tötung der Geiseln ist hier eine andere als da. Gerade in Ansehung der ihm vorgehaltenen Vernehmungsniederschrift des Zeugen Ne. muss auffallen, dass er - während er in diesem Zusammenhang die Tötung Volksdeutscher als Begründung anführt - in Zusammenhang mit einem anderen Ereignis als das die Vergeltungsmassnahmen auslösende Geschehen die Ermordung verwundeter Deutscher erwähnt. Die Kammer hat aufgrund dessen keinen Anlass zu vermuten, dass der Zeuge Ne. zwischen Volksdeutschen und verwundeten Deutschen - etwa wegen sprachlicher Schwierigkeiten - nicht zu unterscheiden vermochte. Wenn er das Heraussuchen einer Geiselgruppe sehr bestimmt in Verbindung bringt mit der angeblichen Tötung einer Gruppe Volksdeutscher, dann hält die Kammer das angesichts seiner Differenzierung im übrigen für glaubhaft, zumal er diese Begründung auch heute noch, wenn auch nur dunkel, erinnerte, immerhin aber nach so langer Zeit noch etwas im Kopf hatte, dass es zwei verschiedene Vorkommnisse mit zwei verschiedenen Begründungen gegeben habe.

Für die Kammer steht ausser Zweifel, dass die in Gegenwart des Zeugen Ne. zusammengestellte Geiselgruppe erschossen worden ist, auch wenn es insoweit an einem Augenzeugen ebenso wie an urkundlichen Belegen fehlt. Für die Kammer ergibt sich dies jedoch zwingend aus der Gesamtheit folgender Umstände: Die Erschiessungsandrohung in der P.schen Ansprache, die Ankündigung der Vergeltungserschiessungen durch den auswählenden Unteroffizier, das Abführen der Leute und deren endgültiges Verschwinden mit Ausnahme eines, der sich vermutlich hatte freikaufen können und im Gegensatz zu allen anderen zurückkehrte. In diesem Zusammenhang war auch zu würdigen, dass einige der Zeugen angaben, gehört zu haben, dass Geiselerschiessungen vorgekommen seien. Dies trifft auf die Zeugen Bas. und Rap. unmittelbar zu, während sich die Kenntnis der Zeugen Plo. und Tob. auf die wiederholte Zusammenstellung von Exekutionskommandos beschränkte, ohne dass sie deren Aufgabenstellung im einzelnen angeben konnten.

Nach Überzeugung der Kammer fällt die Verantwortlichkeit für diese Geiselerschiessung P. zur Last. Sie hat dafür nicht nur sein eigenes Eingeständnis gegen Ende der Hauptverhandlung, es sind darüber hinaus die festgestellten Umstände, in die sich dieses Eingeständnis so nahtlos einfügt, dass sie geeignet sind, es zu tragen. Zu diesen Umständen gehört die Innehabung der Befehlsgewalt durch P. ebenso wie die von ihm selbst ausgesprochene Androhung von Geiselerschiessungen; dann sind ferner zu nennen die ihm wesenseigene Arroganz und sein Geltungsbedürfnis, Eigenschaften, die der Annahme entschieden widerstreiten, er habe seine Leute in der Kaserne in Bereichen, in denen es um Tod und Leben ging, agieren lassen, wie sie wollten, ohne auf deren Befehlsunterworfenheit zu pochen, dies um so mehr, als es sich jedenfalls zu Beginn des Aufstands - wie andernorts begründet - um eine disziplinierte, soldatisch straffe Führung gewohnte, wenn auch heterogene Truppe handelte.

Diese Argumente wiegen nach Ansicht der Kammer schwerer als die von P. gegenüber dem Zeugen Wi. damals in den ersten Augusttagen 1944 abgegebene Erklärung, die Geiselerschiessungen seien ohne sein Wissen erfolgt. Diese Aussage war mindestens teilweise unrichtig. Das steht aufgrund der vorstehenden Erwägungen für die Kammer fest. Warum P. sich veranlasst sah, einem Polen gegenüber sich damals schon freizuzeichnen, dafür gibt es allenfalls Vermutungen, bedurfte letztlich aber keiner Aufklärung; insoweit verdient das heutige Bekenntnis von P. ein höheres Mass an Vertrauen, weil es sich zwanglos in die übrigen Gegebenheiten einpasst.

Soweit die Zeugen Lys. und Sob. - nicht ganz eindeutig diesbezüglich auch die Aussage Wi. - über weitere Geiselerschiessungen berichten, ist die Kammer diesen Angaben nicht gefolgt. Die von dem Zeugen Lys. eingeführte Zahl von 40 Geiseln, die für jeden gefallenen SS--Mann hätten sterben müssen, wird von keinem anderen Zeugen bestätigt. Sie erscheint aber auch wenig realistisch in Anbetracht der Verluste einerseits, die die Kampfgruppe zu Beginn des Aufstandes ausweislich der Verlustlisten zu beklagen hatte, und im Hinblick auf die Zahl der Internierten andererseits, die um all diejenigen verringert werden muss, die irgendwann lebend aus der Kaserne entlassen worden sind oder aber im fortdauernden Dienst für die Einheit überlebt haben. Da diese durch die Beweisaufnahme nicht abgesicherte Aussage den Zeugen Lys. dem Verdacht aussetzte, in seinen Erinnerungen von überzeichnenden Tendenzen nicht frei zu sein, hat die Kammer seine Bekundungen auch im übrigen zurückhaltend verwertet, und zwar nur insoweit, als sie in anderen Beweismitteln eine Entsprechung fanden.

Denselben Vorbehalt hielt die Kammer gegenüber der verlesenen Aussage des Zeugen Sob. für angezeigt, nach dessen Angaben innerhalb eines einzigen Tages viermal eine Gruppe von Geiseln zu je 20 Mann ausgewählt und alsdann erschossen worden sein soll. Auch diese Darstellung erfuhr in der übrigen Beweisaufnahme keinerlei Bestätigung.

Demgegenüber sieht es die Kammer als erwiesen an, dass mehrfach die Bewohner solcher Häuser, aus denen auf Deutsche geschossen worden sein sollte, von Angehörigen der Kampfgruppe P. exekutiert worden sind.

Die Erschiessung der 24 Männer aus einem Haus in der Narbuttastrasse steht aufgrund der verlesenen Bekundung des Zeugen Ry. fest. Bereits an anderer Stelle wurde ausgeführt, dass die Kammer wegen des sachlichen Aussagestils, wegen der vielfältigen, durch andere Beweismittel abgesicherten Einzelheiten, die sich in dieser Aussage finden, ferner wegen des Fehlens jeglicher Anhaltspunkte für eine Überzeichnungs- oder Dramatisierungstendenz die Aussage als glaubhaft eingestuft hat. In Anbetracht der zahlreichen bestätigten Details hatte die Kammer keine Bedenken, ihm auch darin zu glauben, dass er mit eingesetzt worden ist, um die Leichen der 24 Erschossenen zu den Massengräbern im Gefängnis zu schaffen, zumal der Zeuge Grz. in seiner Aussage unaufgefordert darauf hinwies, dass Ry. an der Bestattung von Leichen Erschossener auf dem Kasernengelände mitgewirkt habe. Glaubt die Kammer ihm aber seine Teilnahme an der Entfernung der Leichen vom Kasernengelände, dann ist kein einleuchtender Grund dafür vorhanden, ihm insoweit zu misstrauen, als er gleichermassen nüchtern und detailliert über Hintergründe und Begleitumstände der Tötung berichtete.

Die Kammer sieht sich nicht etwa durch die Einlassung P.s daran gehindert, dem Zeugen Ry. auch insoweit zu folgen. Er hat sich dahingehend erklärt, nur einmal, nämlich am Abend des 1.8., sei eine Gruppe von 6 bis 8 Polen vor dem rechten - östlichen - Kasernenflügel erschossen worden, aber nicht etwa auf Befehl, sondern eigenmächtig durch ihm nicht bekanntgewordene Angehörige seiner Kampfgruppe aus ungeklärter Ursache. Dieser Vorfall - seine wahrheitsgetreue Wiedergabe einmal unterstellt - kann unmöglich der von dem Zeugen Ry. beschriebene sein; es hapert diesbezüglich nicht nur an einer wenigstens annähernd gleich grossen Zahl von Opfern, es fehlt vor allem an der nachgewiesenen Möglichkeit des Zeugen Ry., den von P. beschriebenen Vorgang zu beobachten, weil Ry. selbst glaubhaft angegeben hat, erst am 2.8. - wie auch die ganz überwiegende Zahl der Internierten - zur Staufer-Kaserne gekommen zu sein.

Die Kammer hat sich aus den genannten Gründen die Darstellung des Zeugen Ry. zu eigen gemacht. Bei der danach gegebenen Sachlage sind ihr weder Zweifel an der Täterschaft SS-Angehöriger aus der Kampfgruppe P. noch an der Verantwortlichkeit des Angeklagten P. für diese auf seinen Befehl zurückgehende Art des Vorgehens verblieben.

Die Kammer vermag nicht zu erkennen, wer anders als Angehörige der Kampfgruppe P. in den allerersten Augusttagen polnische Zivilisten aus den umliegenden Strassen hätte auf das Gelände der Staufer-Kaserne bringen und sie eben dort erschiessen sollen, wenn nicht Angehörige der Kampfgruppe P. Die Mitglieder der Panzertruppe, auf die in diesem Zusammenhang nicht einmal der Angeklagte P. verwiesen hat, dürften wohl kaum Leute, die sie ohnehin umbringen wollten, zuvor noch auf ein Hoheitsgelände geschafft haben, auf dem sie nicht einmal Hausrecht genossen. Dieses Vorgehen ist vernünftig erklärbar nur für Angehörige der in dieser Kaserne beheimateten Kampfgruppe P., wobei die Tatsache, dass die Betroffenen nicht an Ort und Stelle exekutiert worden sind, dafür spricht, dass ein entsprechender Befehl entweder noch nicht bekannt war oder von den vor Ort Verantwortlichen nicht befolgt worden ist. P. selbst, der vorgibt, sich an eine derartige Befehlsgebung nicht erinnern zu können, kommt insoweit nur als Befehlsgeber in Betracht. Dafür ist die Ausführung in seinem unmittelbaren Kommandobereich ein ebenso stichhaltiges Indiz wie der Umstand, dass er es war, der diese Verfahrensweise gegenüber den Polen angekündigt hatte, und dass auch im weiteren Verlauf des Aufstands von seinen Leuten entsprechend diesem Befehl vorgegangen worden ist.

Ein gleichartiges Exempel ist nach Überzeugung der Kammer an den Bewohnern des Eckhauses Madalinskiego/Kazimierzowska statuiert worden. Die Kammer folgt diesbezüglich den insoweit ineinandergreifenden Bekundungen der Zeugen Ne. und Wi. Die Ausführung dieser Tat durch Angehörige der Kampfgruppe P. sieht sie aufgrund folgender Überlegungen als erwiesen an: Die Strassen Madalinskiego und Kazimierzowska gehörten zum P.schen Verteidigungsbereich, innerhalb dessen die Häuser geräumt und die Männer in der Staufer-Kaserne interniert worden waren. Auch der in den Feststellungen genannte Professor Kunce war unter den Internierten gewesen, bis es ihm gelungen war, sich durch Geldleistungen freizukaufen. Die fragliche Strassenkreuzung Madalinskiego/Kazimierzowska war nur einen Steinwurf weit von einem der Hauptstützpunkte der Kampfgruppe P., der Narbutta-Kaserne, entfernt. Es fehlt jeder Anhaltspunkt dafür, dass in diesem von der Kampfgruppe P. sicher beherrschten Gebiet andere Einheiten unbemerkt ihr Unwesen hätten treiben können. Durch die Aussage des Zeugen Ne. ist im Gegenteil glaubhaft verbürgt, dass auf die Einhaltung der Kampfgebietsgrenzen nachhaltig geachtet wurde, selbst dann, wenn es nur um die Zueignung materieller Werte ging. Damit vereinbaren lässt sich die von P. mehrfach abgegebene Versicherung, er habe sich eine Einmischung des SD in Angelegenheiten, über die er zu befehlen gehabt habe, nachdrücklich verbeten. Zwar soll es, wie er behauptet hat, zu wiederholten

Ausschreitungen SD-Angehöriger in Mokotow gekommen sein, die ihm Anlass gegeben hätten einzuschreiten, aber einen konkreten Bezug zu der hier angesprochenen Tötung der Bewohner eines bestimmten Hauses hat nicht einmal der Angeklagte selbst hergestellt. Die Kammer ist nach alldem überzeugt, dass auf Befehl von P. die Angehörigen seiner Einheit auf einen gegen sie geführten Angriff in eben der Weise reagiert haben, wie es von P. dem im Kasernenhof versammelten Polen gegenüber angekündigt worden war.

Angehörige der Kampfgruppe P. zeichneten auch für die Hinmordung zahlreicher Bewohner des Hauses Aleja Niepodleglosci 132/136 verantwortlich. Die Tat als solche sieht die Kammer aufgrund der sich miteinander deckenden Bekundungen der Zeugen Wit. und Wi., ergänzt durch die insoweit detailreiche und sich in die beiden übrigen Aussagen einpassende Darstellung des Zeugen Lys., als hinreichend belegt an. Der Zeuge Wit. sah die Verfolger und späteren Täter aus Richtung Ligockastrasse kommen, also aus dem Kampfgebiet der P.schen Einheit. Seine Beschreibung ihrer Uniformierung ist genau diejenige, die er selbst an anderer Stelle über die Angehörigen des Räumkommandos abgegeben hatte - zweifellos SS-Leute aus der Staufer-Kaserne -, mit dem einzigen Unterschied, dass sie bei der Räumung Stahlhelme, bei der Verfolgung der Aufständischen Feldmützen trugen. Diese Angabe in Verbindung mit dem Umstand, dass der Tatort zu dem von der Kampfgruppe P. beherrschten Bereich gehörte, liess die Kammer zu der gefestigten Überzeugung gelangen, dass die Täter dieser teilweise exzessiven Befehlsüberschreitung, die als solche P. nicht anzulasten ist, im Kreise der Untergebenen des Angeklagten P. zu suchen sind.

Der zweite Fall rücksichtsloser Verfolgung Aufstandsverdächtiger gründet sich auf die glaubhafte Bekundung des Zeugen Ne., die er in Übereinstimmung mit seiner früheren Aussage spontan ohne entsprechenden Vorhalt vor dem erkennenden Gericht wiederholt hat, und die anzuzweifeln die Kammer keine Veranlassung hatte.

Die Entscheidungen P.s, die zur Exekution des Prof. Rakowski und des Ingenieurs Kurowski geführt haben, wurden der Kammer von den in den Feststellungen dazu benannten Zeugen berichtet.

Eingedenk der früher erörterten Vorbehalte, die die Kammer gegenüber den verlesenen Angaben des Zeugen Lys. für angebracht hielt, hat sie sich mit dessen Bekundung allein nicht zufriedengegeben. Seine Wahrnehmungen sind aber verzahnt mit urkundlichen Beweismitteln. Er sieht, wie Rakowski in Richtung des Gefängnisses geführt wird, und hört bald darauf von Mitinternierten, dass dessen Leiche im Massengrab auf dem Gefängnisgelände gesehen worden sei. Ausweislich eines verlesenen Exhumierungsprotokolls ist eine der im Gefängnisgelände exhumierten Leichen als Jan Rakowski identifiziert worden. In Anbetracht dieser Absicherung kommt der Aussage insoweit eine der Kammer ausreichende Überzeugungskraft zu. Davon wird zugleich seine Wahrnehmung erfasst, dass es P. gewesen sei, der nach kurzer Unterredung den Wink gegeben habe, auf den hin Rakowski in Richtung des Gefängnisses abgeführt worden sei. Anhaltspunkte, die es erforderlich machen könnten, diesen Teil seiner Wiedergabe ein- und desselben Vorganges auszusparen, sind nicht hervorgetreten; insbesondere gibt seine Aussage insgesamt keinen Anlass, daran zu zweifeln, dass ihm der Angeklagte P. zuverlässig von Person bekannt war.

Die Kammer ist auch mit dem Zeugen Ne. der Überzeugung, dass P. im Falle des Ingenieurs Kurowski dessen Erschiessung angeordnet hat. Der Zeuge Ne. hat sich als ein gut informierter, aufmerksamer Beobachter der Ereignisse erwiesen, dessen Erinnerungen im Vergleich zum Zeitpunkt seiner früheren Aussage heute noch nicht wesentlich verblasster waren. Dieser Eindruck bestätigte sich auch im Falle Kurowski, bezüglich dessen Schicksal er mit viel Hintergrundwissen aufwartete. Die Angaben stimmten mit denen seiner früheren Aussage überein, wurden darüber hinaus in der ausführlichen Vernehmung vor dem erkennenden Gericht noch ergänzt und vertieft. Die flüssige Art der Darstellung im Zusammenhang, die spontan vorgenommenen Erläuterungen oder Ergänzungen auf dazwischengeworfene Fragen, erweckten bei Gericht den Eindruck der Verlässlichkeit seiner Angaben betreffs Kurowski. Die Kammer glaubt ihm daher, dass eine kritische Äusserung Kurowskis gegenüber einem deutschen Offizier über die herrschenden Zustände den Anlass dafür bot, ihn zur Kaserne zu schaffen. Wenn das Geschehen, wie von Ne. glaubhaft berichtet, dann weiter so ablief, dass er ins Gebäudeinnere gebracht wurde, kurz darauf wieder herauskam und zum Gefängnis geführt wurde, dann zieht die Kammer daraus dieselbe Schlussfolgerung, wie sie der Zeuge gezogen hatte, dass nämlich der betreffende Offizier P. die beanstandete Bemerkung dieses Mannes gemeldet und seine Entscheidung eingeholt hat, was mit ihm geschehen solle. Wenn es dem vorführenden Offizier nicht um eine Weisung P.s gegangen wäre, hätte er an Ort und Stelle handeln können, denn in der Staufer-Kaserne eine andere übergeordnete Instanz ausser P. anzutreffen, war nicht zu erwarten.

Bei dieser Geschehensabfolge - kritische Äusserung, Vorführung beim Kampfgruppenkommandanten, Abführen zum Gefängnisgelände - zweifelt die Kammer auch nicht daran, dass dieser Mann erschossen worden ist, auch wenn seine Leiche bei der Exhumierung - wie zahllose andere - nicht identifiziert worden ist. Der Kammer ist kein Vorfall bekannt geworden, bei dem das Verbringen eines einzelnen unter Bewachung zum Gefängnisgelände einem anderen Zweck diente als dem, die Person dort zu erschiessen.

P. hat dazu erklärt, an solche Einzelfälle keine konkrete Erinnerung zu haben, hat zuletzt aber eingeräumt, in Einzelfällen persönlich über das Schicksal ihm vorgeführter Verdächtiger entschieden zu haben. P. hat darüber hinaus selbst bestätigt, dass der Befehl, Aufständische und Aufstandsverdächtige zu erschiessen, fortbestanden habe. Dass diese Begriffe anfangs des Aufstandes sehr extensiv ausgelegt worden sind, hat er - gewollt oder ungewollt - eingeräumt, indem er sinngemäss erklärte:

> "Ich habe hinterher den Befehl gegeben, mit Sorgfalt darauf zu achten, ob es sich tatsächlich um Partisanen handelte."

Dass es noch über einen längeren Zeitraum hin zu Erschiessungen vornehmlich in den Gefängnishöfen, vereinzelt aber auch im Kasernengelände, und zwar hauptsächlich hinter den Garagen bei den Erdwällen, gekommen ist, ist durch die Bekundungen ehemaliger Gefangener und Internierter wie auch durch die Aussagen ehemaliger Einheitsangehöriger bezeugt.

Wahrnehmungen zur Erschiessung unterschiedlich grosser Gruppen von Polen an einem der Massengräber im Gefängnisgelände haben die Zeugen Gor., Hn. und Ih. unmittelbar als Augenzeugen gemacht. Der Zeuge Plo. sah an verschiedenen Tagen die zum Teil noch zukkenden Leiber in der Grube und hörte die Rufe der Verwundeten, die um Erlösung durch einen Gnadenschuss baten. Diese Bitte zu erfüllen, war jedenfalls der Wachmannschaft, der Plo. angehörte, im Zuge einer eingehenden Wachbelehrung, deren Urheber von der Kammer nicht ausfindig gemacht werden konnte, ausdrücklich untersagt worden. Der Zeuge Mil. wurde während seines mehrwöchigen Aufenthaltes auf dem Gefängnisgelände wiederholt Ohrenzeuge von Schüssen, die vom östlichen Hinterhof des Gefängniskomplexes widerhallten. Der Zeuge Bas. sah, dass drei Männer, einer noch ein Junge von etwa 15 bis 16 Jahren, auf das Gefängnisgelände geführt wurden; am nächsten Tag musste er - selbst noch ein Junge - helfen, deren Leichname zu verbrennen. Nimmt man ergänzend die Bekundungen der Zeugen Tob., Gem., Rap. und Pra. hinzu, die mehr oder weniger widerstrebend einräumten, über die wiederholte Zusammenstellung von Exekutionskommandos oder über Erschiessungen von Polen gehört zu haben, und berücksichtigt man, dass diese Zeugen sämtlich eher zurückhaltend denn überzeichnend ausgesagt haben, dann genügen diese Einzelfälle der Kammer als Beweis dafür, dass nach der Gefängnisaktion noch mehrfach Exekutionen an den Massengräbern stattgefunden haben.

Damit erklärt sich zugleich zwanglos, warum nicht alle Massengräber sofort nach Abschluss der Aktion zugeschüttet worden sind. Die Zeugen Bas., Sko., Lys. und Ry. haben unabhängig voneinander über Arbeitseinsätze im Gefängnisgelände während der ersten Augustdekade berichtet, bei der sie jeweils eine Grube in dem Hof, in dem sie eingesetzt waren, noch unabgedeckt vorfanden. Der Zeuge Urb., der die Exekution nachträglich aufgefundener Gefängnisinsassen mit ansah, war sich dessen sicher, dass dieser Vorfall sich am Tage seiner Verwundung - urkundlich belegt der 14.8. - zugetragen habe; zu diesem Zeitpunkt sei die betreffende Grube, an der die Hinrichtung geschah, noch nicht gefüllt gewesen. Damit vereinbaren lässt sich die Bekundung des Zeugen Bas., der um den 7./8.August herum nahe des Gefängnislazaretts eine noch offene Grube sah; die drei einzig darinnen liegenden Leichname mussten auf Geheiss der Soldaten von ihm und seinen Kameraden herausgenommen und verbrannt werden. Beide Zeugen benennen so feste Bezugspunkte für ihre Erinnerungen - bei Urb. der Tag seiner eigenen Verwundung, bei Bas. der Anblick der drei in dem Massengrab liegenden Leichname, von denen einer ein Junge im gleichen Alter wie er selbst war -, dass die Kammer ihnen den Vorzug gegeben hat gegenüber den Erinnerungen des Zeugen Kn., die sich in seiner 1973 gemachten Aussage vor dem polnischen Richter wesentlich unterschieden von denen in seiner Aussage vor dem erkennenden Gericht. Während ihm damals drei Gruben auf dem Osthof vor Augen standen, zwei davon frisch zugeschüttet, die dritte, die von ihm und seinen Kameraden bei diesem Arbeitseinsatz am 4. oder 5.8. habe zugeschüttet werden müssen, berichtete er jetzt, als einer von 20 Freiwilligen in einem bis zum Abend dauernden Arbeitseinsatz auf dem östlichen Gefängnishof die dort befindlichen zwei Gruben auf Befehl der Deutschen mit Erde abgedeckt zu haben. Da es dem Zeugen Kn. in Bezug auf Zahl und Zustand der vorgefundenen Gruben offenkundig an einer durchgängigen Erinnerung fehlt, bildete seine Bekundung kein gleichwertiges Gegengewicht zu den insoweit stets gleich gebliebenen Aussagen der Zeugen Urb. und Bas.

Die Kammer ist davon ausgegangen, dass es sich bei den Opfern dieser Erschiessungen jeweils um Aufständische bzw. Aufstandsverdächtige handelte, ausgenommen jene von dem Zeugen Urb. beschriebene Gruppe nachträglich aufgefundener Gefängnisinsassen, die auf Veranlassung eines unbekannt gebliebenen Befehlsgebers aus der Staufer-Kaserne an einem der Massengräber im Gefängnishof erschossen worden sind.

Von derselben Annahme ist die Kammer bei den Exekutionen ausgegangen, die gelegentlich im hinteren Teil des Kasernengeländes durchgeführt worden sind. Die Zeugen Ry., Sob. und Scho., deren Aussagen verlesen worden sind, wussten aus eigener Kenntnis über das Auffinden zivilbekleideter Leichname mit Kopf- oder Genickschüssen auf dem Kasernengelände zu berichten. Das Manko eines fehlenden persönlichen Eindrucks von diesen Zeugen wurde dadurch ausgeglichen, dass vernommene Zeugen immerhin vom Hörensagen die gelegentliche Exekution einzelner oder kleiner Gruppen von Polen jenseits des Kasernengebäudes bestätigen konnten. Dazu gehörten die Zeugen Gem., Met., Vet. und Völ. als ehemalige Einheitsangehörige ebenso wie die polnischen Zeugen Bie., Kn. und Sko. In der Zusammenschau dieser Aussagen hat die Kammer das Bild gewonnen, das in den Feststellungen Niederschlag gefunden hat.

Das P.sche Verbot, verwundeten Aufständischen zu helfen, ist dem Gericht durch die verlesene Aussage des verstorbenen Zeugen Wi. überliefert. Ausnahmsweise hat sich die Kammer in diesem Punkt auf die durch lebendigere Beweismittel nicht abgesicherte Bekundung eines nicht vor dem erkennenden Gericht vernommenen Zeugen verlassen. Sie hielt das in Anbetracht der Persönlichkeit dieses Zeugen und des Stiles seiner Aussage für vertretbar. Wi., Inspektor des polnischen Roten Kreuzes, hob sich aus der Masse der namenlosen Internierten dadurch heraus, dass dank seiner Initiative eine Totengräberkolonne mit Einwilligung von P. ins Leben gerufen wurde, die in sich ausdehnenden Grenzen Samariterdienste an der einheimischen Bevölkerung leistete. Des persönlichen Mutes und der Opferbereitschaft dieses Mannes wird in der Aussage des Zeugen Ge. mit solcher Verve gedacht, dass die Kammer keinen Zweifel an der Aufrichtigkeit dieser Empfindungen hegt. Das der Kammer aufgrund dessen vermittelte Persönlichkeitsbild weist auf Charakterzüge hin, die weder einen Hang zu Phantastereien noch ein Bedürfnis, sich wichtig zu machen, vermuten lassen, ebensowenig wie sie Anhaltspunkte für mangelnde Wahrheitsliebe liefern oder eine Neigung zur gehässigen Herabsetzung Dritter erkennen lassen. Irgendwelche Ansätze, die Verdachtsmomente in dieser Richtung begründen könnten, lassen sich denn auch seiner Aussage nicht entnehmen. Sie wird gekennzeichnet durch Nüchternheit, Schnörkellosigkeit, Ausgewogenheit. Deswegen hatte die Kammer keine Bedenken, diesem Zeugen zu glauben, der einerseits P. gutbringt, dass er - P. - auf seine - des Zeugen - Intervention hin weitere Exekutionen unterbunden habe, andererseits aber - ohne jede Wertung - bemerkt, die Deutschen hätten jede Hilfe für verwundete Aufständische oder Aufstandsverdächtige untersagt. Wenn der Zeuge hier - anders als in anderen Zusammenhängen - nicht P. persönlich nennt, sondern von "den Deutschen" spricht, ist darin nach Überzeugung der Kammer eine sprachliche Variante zu erblicken, die aber inhaltlich sehr wohl P. als Begründer dieses Verbotes ausweist. Das folgt daraus, dass Wi. an anderer Stelle P. als Kommandanten der Kaserne bezeichnet und verschiedene Anlässe benennt, deretwegen er bei P. vorstellig geworden sei, um ein bestimmtes Ziel zu erreichen. Diese Passagen seiner Aussage machen deutlich, dass er P. als seinen Gesprächspartner, als den Mann, der in der Kaserne das Sagen hatte, erkannt hatte. Das zeigt aber andererseits, dass dort auch die Quelle verbindlicher, zu beachtender Befehle zu suchen war. Ein Mann von dem Selbstbewusstsein und der Zivilcourage, wie sie dem Zeugen Wi. nach Überzeugung der Kammer eigen gewesen sein muss, hätte einem solchen Verbot, wäre es von einem untergeordneten Dienstgrad ausgegangen, sicher ebenso eine Intervention bei dem Kommandanten P. folgen lassen wie in punkto Exekutionen, auf deren Einstellung er bei P. hinwirkte. Inwieweit der Wahl der Formulierung "die Deutschen haben untersagt" ein Sinngehalt dergestalt inne wohnt, dass ausser P. auch noch andere dieses Verbot ausgesprochen haben, konnte die Kammer dahingestellt lassen, entscheidend war für die zur Entscheidung anstehende Sache nur die Verantwortlichkeit des Angeklagten P. für diese Befehlsgebung; eine Mitverantwortlichkeit des Angeklagten Mis. stand mangels jedweden Anhaltspunktes nicht zur Diskussion.

Die vorstehend abgehandelte Bekundung des Zeugen Wi. büsst nicht deswegen an Glaubhaftigkeit ein, weil der Zeuge Ge., der der von Wi. geleiteten Rot-Kreuz-Gruppe ebenfalls angehörte, dieses Verbot, verwundeten Aufständischen zu helfen, nicht in derselben Deutlichkeit benennt. Vielmehr wird die Richtigkeit dieser Angabe Wi.s noch dadurch unterstrichen, dass Ge. in der Aufzählung dessen, was die Deutschen der Rot-Kreuz-Gruppe erlaubten, den Besuch Kranker erwähnt, wobei dem Wort "Kranke" die in Klammern gesetzte Einschränkung folgt: "Aus der Zivilbevölkerung". Eingeschlossen darin ruht, dass es nicht erlaubt war, Aufständische zu betreuen. Die durch die Aussage Ge.s abgestützte Bekundung des nach dem Gesamteindruck zuverlässig erscheinenden Zeugen Wi. genügte der Kammer, das Bestreiten des Angeklagten P., der sich entschieden gegen diesen der Aussage Wi. inne wohnenden Vorwurf verwahrt hat, als widerlegt anzusehen.

Die Feststellungen dessen, was die Rot-Kreuz-Gruppe demgegenüber tun durfte, beruhen ebenfalls auf den ineinandergreifenden Angaben der Zeugen Wi. und Ge., denen der Angeklagte P. insoweit nicht entgegengetreten ist.

Über die Lebensbedingungen der Internierten haben die Zeugen Bas., Kn., Ne., Sko. und Zag., bestätigt und ergänzt durch die verlesenen Aussagen der Zeugen Grz., Ge., Ry. und Wi., glaubhaft Auskunft gegeben. P. hat zuletzt selbst nicht mehr ausgeschlossen, dass die Polen möglicherweise in den ersten Tagen nichts oder nur sehr wenig zu Essen bekommen haben könnten. Die nach wenigen Tagen arrangierte Versorgung von aussen ist ausser durch die Aussagen der polnischen Zeugen Kn., Ne., Sko., Zag., Ge. und Grz. auch durch in Augenschein genommene Lichtbilder und durch die hinzuzurechnenden Beobachtungen der Zeugen Kol. und H. Kön. belegt; die Einlassung P.s steht damit in Einklang. Soweit sich der

Zeuge Gem. erinnern zu können glaubte, die Polen seien bis zum Beginn der Selbstversorgung aus der Soldatenküche mitverpflegt worden, ist das in dieser Ausschliesslichkeit nach dem Ergebnis der Beweisaufnahme nicht richtig. Die gegen seine Erinnerung sprechenden Beweismittel deuten unzweideutig darauf hin, dass er insoweit einem Irrtum unterlegen ist. Die später ermöglichte Selbstversorgung ist hingegen durch den Zeugen Gem. ebenso berichtet worden wie durch die Zeugen Kn. und Grz., denen die Kammer insoweit gefolgt ist.

Die frühzeitige Entlassung der Ältesten ist der Kammer zu ihrer Überzeugung von den Zeugen Ne., Zag., Ry. und Wi. berichtet worden. Die verstärkt vorgenommenen Entlassungen im letzten Drittel des August sind bewiesen durch die Bekundungen der Zeugen Ne., Grz., Ry. und Sob., ergänzt durch eine Wahrnehmung des Zeugen Rie. Der verlesenen Aussage des Zeugen Grz. ist die Kammer insoweit nicht gefolgt, als er die Altersgrenze von 39 Jahren schon für den Zeitpunkt der ersten Entlassungen verwendet, sich damit aber in Widerspruch zu den Erinnerungen seiner vorbenannten Landsleute setzt, die übereinstimmend von dieser Altersgrenze erst im Zusammenhang mit den Entlassungen im letzten Augustdrittel sprechen. Da die Zeugen Ry. und Sob. von diesem Auslesekriterium persönlich betroffen wurden, hält die Kammer ihre diesbezüglichen Erinnerungen für besonders verlässlich.

Aus den Bekundungen der Zeugen Ne., Ry. und Sob. weiss die Kammer, dass zumindest die meisten der Entlassenen zum Arbeitseinsatz ins Reich verschickt worden sind. Diesen Angaben, die detailliert über einzelne Stationen des Weges Auskunft geben, zu misstrauen, sah die Kammer keine Veranlassung.

Angehörige der Kampfgruppe P. haben gelegentlich Begleitkommandos gestellt. Diese Feststellung gründet sich auf die glaubhaften Berichte der Zeugen Zag. und Ne., die eine Bestätigung erfahren haben durch das freimütige Bekenntnis des Zeugen Uba., in solchen Begleitkommandos mitgegangen zu sein. Der in der Einlassung P.s enthaltenen Einschränkung, nur freiwillig Geleitkommandos zum Schutz der Zivilisten gestellt zu haben, ist die Kammer nicht gefolgt. Ihr steht einerseits die Bekundung des Zeugen Ne. entgegen, dass die begleitenden SS-Männer sie vor Übergriffen der Ukrainer nicht geschützt hätten. Der Umstand, dass der Zeuge insoweit die SS-Männer von einer aktiven Beeinträchtigung der polnischen Zivilisten ausnimmt, zeigt Differenzierungsvermögen und spricht nach Ansicht der Kammer für die Glaubhaftigkeit dieser Bekundung. Andererseits hat sich der Angeklagte P. letztlich darauf zurückgezogen, dass er sich an eine Gestellung regulärer Begleitmannschaften nicht erinnere, es aber auch nicht ausschliessen könne.

Über die Aussonderung und nachfolgende Erschiessung gehbehinderter Personen aus der Kolonne haben die Zeugen Zag. und Sko. berichtet, die jedoch nur jeweils die Ausgesonderten bemerkt, dann von Landsleuten über deren Tötung gehört und anschliessend selbst die Grabstelle gesehen oder sie eigenhändig mit ausgehoben haben. Diese Wahrnehmungen vermittelten der Kammer in ihrer Zusammenschau die Überzeugung, dass es zur Tötung Gehbehinderter aus der Kolonne gekommen ist. Sie sah sich in Anbetracht der Unsicherheitsfaktoren solcher teilweise auf Hörensagen beruhenden Kenntnisse aber ausserstande festzustellen, dass es sich bei den berichteten Vorkommnissen um zwei verschiedene gehandelt hat. Ebensowenig konnte sie aufgrund dieser Angaben eine Verantwortlichkeit des Angeklagten P. für die Geschehnisse feststellen.

Über Art und Dauer der verschiedenen Arbeitseinsätze, zu denen die Internierten herangezogen worden sind, haben die deutschen Zeugen Dob., Gem., Hn. und Met. in ähnlicher Weise berichtet wie die Zeugen Bas., Kn., Ne., Sko. und Zag., ferner in ihren verlesenen Aussagen die Zeugen Grz., Ry. und Sob. Die Kammer hatte keine Veranlassung, diesen einander gleichenden und einander ergänzenden Bekundungen zu misstrauen.
Um die Lebensgefahr, unter der die beim Barrikadenbau und ähnlichem eingesetzten Internierten arbeiten mussten und die einigen von ihnen zum Verhängnis geworden ist, wussten

die Zeugen Hn., Kn., Ne. und Grz. Über die Misshandlung Internierter durch Angehörige der Wachmannschaft ist das Gericht von den Zeugen Kn., Ne., Sko., Grz. und Völ. glaubhaft informiert worden. Der Umstand, dass mit Ausnahme des Zeugen Völ. kein deutscher Zeuge von dergleichen wusste oder wissen wollte, stellte für die Kammer in Anbetracht der beobachteten Zurückhaltungstendenz kein tragfähiges Argument gegen die Glaubhaftigkeit der von den polnischen Zeugen berichteten Vorkommnisse dar. Andererseits ist das Gericht den Bekundungen der Zeugen Mau. und Völ. gefolgt, die für eine wenigstens oberflächliche medizinische Betreuung der Internierten Zeugnis abgelegt haben, wofür sich eine Unterstützung in der Schilderung der Zeugin Mie. finden lässt. Im übrigen jedoch war von den polnischen Zeugen eine Bestätigung dieser Angabe nicht zu erlangen.

Die Kammer sieht es aufgrund der Bekundungen der Zeugen Kn., Ne., Sko. und Zag. in Verbindung mit den verlesenen Aussagen der Zeugen Grz., Ry., Muc. und Sob. als erwiesen an, dass mindestens einmal um den 9./10.8. herum Angehörige des SD - so P. - oder der Gestapo - so die polnischen Zeugen - eine Gruppe von 40 bis 50 anscheinend willkürlich herausgesuchter Internierter mitgenommen hat.

Dass es bei der Auslese darauf ankam, die "Intelligenzler" zu treffen, entnimmt die Kammer zum einen der übereinstimmenden Bekundung der Zeugen Grz. und Muc., wonach Stunden zuvor eine Liste von Angehörigen der sogenannten Intelligenzberufe durch die Internierten erstellt werden sollte, zum anderen hat die Kammer die sich dahinein einfügende Einlassung des Angeklagten P., wonach er unter einem Vorwand überlistet worden sein will, dem SD aus seinen Internierten eine Gruppe von Intelligenzlern vorübergehend zur Verfügung zu stellen. P. räumt darüber hinaus auch ein, dass diese Gruppe getötet worden sein soll, wie er aus zuverlässiger Quelle erfahren haben will. Die Kammer hat keinen Zweifel daran, dass die Leute tatsächlich getötet worden sind. Sie vertraut der Angabe der genannten polnischen Zeugen, dass sie von dieser Gruppe keinen wiedergesehen habe, während dieselben Zeugen wenig später über Arbeitskommandos im Dienste der Gestapo berichten, die stets in die Kaserne zurückgekehrt seien. Die Kammer vermag keinen Grund zu erkennen, warum in Bezug auf die erste Gruppe wahrheitswidrig behauptet werden sollte, diese sei nicht wieder aufgetaucht. In Anbetracht der an anderer Stelle beschriebenen Verfahrensweise, in der man sich im Polizeiviertel als lästig empfundener Menschen zu entledigen pflegte, steht für die Kammer ausser Zweifel, dass auch die Gruppe dieser verschwundenen Intelligenzler dort den Tod gefunden hat. Diesen einen Vorfall räumt P. auch ein, bestreitet aber weitere gleichartige Vorkommnisse. Insoweit haben sich aus der Beweisaufnahme auch keine gesicherten Erkenntnisse gewinnen lassen.

Der Zeuge Wi. berichtet in seiner verlesenen Aussage darüber, dass in der Zeit vom 2. bis 8.8. täglich Gruppen von bis zu vier Personen von der Gestapo abgeholt worden seien, die man dann nicht wiedergesehen habe. Diese Wahrnehmung ist von keinem der übrigen Zeugen gemacht worden. Die Kammer war sich deswegen nicht sicher, ob der Zeuge insoweit nicht Fehlinformationen anderer Internierter aufgesessen ist oder sich vielleicht ein falsches Bild über die oben festgestellte einmalige Selektion gemacht hat, die zu einer Zeit erfolgte, als er bereits durch die ins Leben gerufene Rot-Kreuz-Gruppe andernorts zu tun hatte. Auch die Angaben der Zeugen Sko. und Muc., neuerdings auch Zag., wonach mindestens zweimal eine Gruppe ohne Wiederkehr ins Polizeiviertel mitgenommen worden sei, haben der Kammer nicht ausgereicht, damit die der Einlassung P.s entsprechenden Aussagen der Zeugen Ne., Kn., Grz., Ry. und Sob. zu überwinden, die nur von einem Mal wissen, da Leute mitgenommen worden sind, die man nicht mehr zurückgebracht hat. Einig waren sich die Zeugen Kn., Ne., Grz. und Sob. darin, dass in der Folgezeit die Gestapo immer wieder aus Internierten bestehende Arbeitskommandos aus der Staufer-Kaserne geholt hat, die aber dann zurückkamen. Die Kammer zweifelt nicht an der Richtigkeit dieser Angabe, zu der selbst P. entgegen früheren ganz anderslautenden Darstellungen zuletzt gesagt hat, es könne so gewesen sein, eine lebendige Erinnerung daran habe er nicht.

Was nun die Gegenvorstellung P.s bei der Polizei anbetrifft, so ist die Kammer seiner Einlassung darin gefolgt, dass er gegen die Mitnahme von Internierten und deren Tötung durch die Polizei opponiert hat. Insoweit kann er für sich geltend machen, dass sich die Praxis in der Folgezeit tatsächlich geändert hat; die abgeholten Internierten kamen lebend wieder zurück. Es steht ausser Zweifel, dass dafür zahlreiche denkbare Gründe angeführt werden können, von denen aber keiner durch die Beweisaufnahme so nachhaltig indiziert worden ist, dass die Einlassung P.s damit hätte widerlegt werden können. Darüber hinaus hatte das Gericht die Bekundung des Zeugen Sob. zu berücksichtigen, wo von einem vergeblichen Versuch der Gestapo, eine Gruppe Internierter mitzunehmen, berichtet wird, vergeblich deswegen, weil es, wie sich herausstellte, an einer Absprache mit der Kasernenleitung gefehlt habe, so dass die Leute wieder hätten herausgegeben werden müssen.

Zur Frage, aus welcher Motivation heraus der Angeklagte gegen das Vorgehen der Polizeiangehörigen interveniert hat, stand der Kammer einmal die vorstehend referierte Erklärung des Zeugen Sob. zur Verfügung, die ihrerseits in Zusammenhang zu sehen war mit der von dem Zeugen Ne. berichteten Episode, die P. in der Auseinandersetzung mit dem Wlassow--Offizier über die Einhaltung von Machtbereichsgrenzen bei Plünderungen beschreibt. Beide Vorfälle zeigen an, dass P. aufmerksam darüber wachte, dass in seine Kompetenzen nicht von unbefugter Seite eingegriffen wurde. Dieses Verhalten passt zu einem geltungsbedürftigen, eitlen Menschen, wie es P. nach Einschätzung der Kammer ist. Auf der Grundlage dieser Bewertung sieht die Kammer ein wesentliches Moment für sein Aufbegehren in einer Verletzung seines Stolzes, einer Art Besitzerstolz, indem unter Übergehung seiner Entscheidungsbefugnisse seitens der Polizei eigenmächtig über das Schicksal dieser Gruppe Internierter entschieden worden ist. Die Kammer vermochte nicht auszuschliessen, dass in diesen Empfindungen auch menschliches Mitgefühl mitgeschwungen haben mag, wenngleich sie dem keinen hohen Stellenwert beimessen konnte in Ansehung dessen, dass er diese Männer gleich Objekten in der Kaserne gesammelt hatte und sie dann seiner Zielsetzung entsprechend einsetzte, dabei jedenfalls in den Anfangstagen selbst vor der Tötung Unschuldiger als Geiseln nicht zurückschreckte.
Die Nützlichkeit der Internierten als Arbeitsmaterial war in den Augen der Kammer ein weiteres schwerwiegendes Motiv für P., sich dagegen zu verwahren, dass sie ihm durch die Polizei hingemordet wurden. Dies ergibt sich zum einen aus der vielfältigen, fast ununterbrochenen Verwendung der Männer bei irgendwelchen Arbeitseinsätzen. Zum anderen deutet die Beobachtung des Zeugen Sob. in Verbindung mit dem weiteren Ablauf der Dinge daraufhin, dass P. gegen die Zusage, dass ihm die Arbeitskräfte erhalten blieben, sich bereitgefunden hat, ein Kommando an die Polizei abzustellen.

Die Erhängung des Polen Sowinski erfolgte in Gegenwart der Zeugen Met. und Ohl., wurde ferner von dem Zeugen Mei. aus einiger Entfernung beobachtet. Das Ineinandergreifen der Bekundungen dieser schon früher als glaubwürdig eingestuften Zeugen mit den Beschreibungen der vernommenen Zeugen Kn., Sko. und Zag., ferner denen des Zeugen Grz., dessen Aussage verlesen worden ist, belegen zur Genüge, dass und unter welchen Begleitumständen dieser Pole erhängt worden ist.

Die persönliche Anwesenheit des Angeklagten P. bei der Hinrichtung ist von den Zeugen Kn., Sko. und Zag. beobachtet und auch von dem Zeugen Ohl. ausdrücklich bestätigt worden. Die Bitte Sowinskis an P., ihn erschiessen und nicht erhängen zu lassen, haben sowohl Kn. als auch Zag. gehört, zwei schon früher als zuverlässig und genau charakterisierte Zeugen. Ihrer sachlichen Beschreibung des Vorgangs, von denen jede in der des anderen eine Entsprechung findet, hat die Kammer geglaubt. Die Zeugen Kn., Sko., Zag. und Grz. erinnerten sich, dass in der ihnen gehaltenen Ansprache Sowinski sinngemäss der Aufwiegelei bzw. der Unruhestiftung bezichtigt worden sei. Die gegebene Begründung für die Erhängung wusste der Zeuge Ohl. zwar nicht mehr zu nennen, vermochte aber dennoch die Angaben der zeitlich nach ihm vernommenen polnischen Zeugen hinreichend abzudecken, indem er bekundete, es sei eine Ansprache von P. gehalten worden und darin sei den Polen angedroht worden, dass es ihnen genauso ergehen würde, wenn sie sich ebenso verhielten.

Das Gerücht, der Gehängte habe für die Verunglimpfung eines Führerbildes büssen müssen, war Deutschen wie Polen in der Kaserne gleichermassen zu Ohren gekommen; dem Gericht haben darüber einerseits die Zeugen Mei. und Met., andererseits der Zeuge Kn. berichtet. Die entgegenstehenden Einlassungen des Angeklagten P., der die Erhängung als solche nie in Abrede gestellt hat, sind widerlegt. Der Gehängte Sowinski hat keinen Sprengstoffanschlag auf das Lazarett begangen, wie es P. lange Zeit behauptet hatte. Das steht zur Überzeugung des Gerichtes fest aufgrund der Bekundung des ehemaligen Sanitäters Mau., der mit Gewissheit sagen konnte, dass das Lazarett unversehrt erhalten geblieben sei. Die wechselnden unsteten Einlassungen des Angeklagten P. auch zu diesem Thema haben ein übriges getan, der Kammer das Zutrauen in die Verlässlichkeit seiner Darstellung zu nehmen. Nachdem der Zeuge Mau., wie vorstehend wiedergegeben, ausgesagt hatte, machte P. aus dem Sprengstoffanschlag auf das Lazarett einen Anschlag mit einer geballten Ladung, "wenn nicht auf das Truppenrevier, dann vielleicht bei den Garagen". Nachdem ihm daraufhin vorgehalten worden war, dass er die Details seiner Einlassung ständig auswechsele, bekannte er, das mit den Garagen auch nur so gesagt zu haben. Wenn er sich dann später darauf zurückzog, es sei nach seiner Erinnerung irgend etwas mit Handgranaten im Zusammenhang mit Sowinski gewesen, dann hält die Kammer dieses Erinnerungsbild für viel zu vage, als dass es nicht durch die anderslautenden Bekundungen der genannten Zeugen ausgeräumt wäre.

Die festgestellte Behandlung, die der Angeklagte P. der Zeugin Bie. angedeihen liess, ist durch sie selbst glaubhaft bezeugt worden. Was die Verlässlichkeit dieser Zeugin anbetrifft, wird auf die früher gemachten diesbezüglichen Ausführungen verwiesen.

Die getroffenen Feststellungen beruhen im übrigen auf den Einlassungen der Angeklagten, soweit das Gericht ihnen zu folgen vermochte, auf den glaubhaften Angaben der nach Massgabe der Feststellungen hierzu vernommenen Zeugen sowie den überzeugenden Ausführungen des gehörten Sachverständigen und schliesslich auf den sonstigen in die Hauptverhandlung eingeführten Beweismittel.

IX. Rechtliche Würdigung

Beide Angeklagte haben sich der gemeinschaftlichen Beihilfe zum Mord an mindestens 250 Menschen schuldig gemacht (§§211, 27 Abs.1, 25 Abs.2 StGB).

Stahel und ihm nacheifernd Geibel hatten befohlen, die Gefangenen aus der Strafanstalt Mokotow grausam zu töten, sie mithin zu morden. Die Anordnung grausamer Tötung wohnte dem Befehl inne, annähernd 800 Menschen alsbald zu töten. Dieser Befehl beinhaltete eine Massenexekution zum Nachteil unschuldiger, an Aufstandshandlungen nicht beteiligter Menschen, die keine todeswürdigen Verbrechen begangen hatten. Bei einer Massenexekution solchen Ausmasses erfahren die Opfer regelmässig, welches Schicksal ihnen zugedacht ist, bevor sie an der Reihe sind. Wer im Bewusstsein seiner Schuldlosigkeit erleben muss, wie er unentrinnbar seiner eigenen Hinrichtung entgegengeht, der durchleidet in dieser Zeitspanne unsägliche seelische Qualen. Seine Tötung ist deswegen grausam (vgl. auch BGH, NJW 1951, 666 f.). Stahel und Geibel waren nach Überzeugung der Kammer hinreichend lebens- und kriegserfahren, um über Ablauf und Begleitumstände einer Massenexekution unterrichtet zu sein. Wenn sie dennoch keinerlei Anordnungen trafen, um das Auftreten des vorstehend beschriebenen vorhersehbaren Effektes zu verhindern, nahmen sie mindestens billigend in Kauf, dass die Tötung der Opfer grausam verlaufen werde. Sie handelten aus roher, gefühlloser Gesinnung; denn die Leiden der Betroffenen interessierten sie nicht. Für sie hatten militärische Nützlichkeitserwägungen einen sehr viel höheren Stellenwert als das Leben und Leiden von Menschen, die dem Volk des Feindes angehörten. Deutlich tritt diese Geringschätzung auch in der Leichtfertigkeit zutage, mit der Geibel über Leben und Tod der polnischen Aufsichtsbeamten verfügte. Dieselbe Willkür, die ihn ihr Todesurteil sprechen liess, erlaubte es ihm auch, kurz darauf seine Entscheidung zu revidieren.

Stahel und Geibel als die eigentlichen Taturheber handelten mit Täterwillen. Zur Herbeiführung des von ihnen angestrebten Erfolges bedienten sie sich der Angeklagten.

Der Angeklagte P. hat deren Tat dadurch unterstützt, dass er den ihm erteilten Rahmenbefehl mit Details ausfüllte, diesen konkretisierten Befehl weiterleitete und nach dem erzwungenen Abbruch der Erschiessungen die nachgehenden Massnahmen anordnete.

Die von dem Angeklagten P. ins Werk gesetzte Durchführung der Liquidierungsaktion war grausam, und zwar deutlich über das Mass der ihm durch Befehl vorgegebenen Grausamkeit hinaus. Seine Anordnungen waren es, die bewirkten, dass die Todeskandidaten ihr eigenes Grab schaufeln mussten, dass sie im Angesicht des eigenen Todes mit ansehen konnten, wie zahllose Leidensgenossen - darunter Väter, Freunde, Bekannte - systematisch hingemordet wurden, dass sie mitanhören mussten, wie die Hinrichtungsopfer in ihrer Todesnot brüllten, riefen oder flehten, und dass sie die Seelenpein der Zellengenossen mit durchleben mussten, die ebenso wie sie selber auf das Eintreffen des anscheinend Unvermeidlichen warteten. Die P.sche Befehlsgebung war auch ursächlich dafür, dass die Opfer an Massengräbern getötet wurden, wo ihr letzter Blick von dem Anblick der zerschossenen, blutüberströmten sich in der Agonie windenden, vielleicht noch einmal aufbäumenden Leiber gefangengenommen wurde, bevor man sie selbst in die Grube stiess, damit sie dort mehr oder weniger qualvoll verendeten. Auch diese Auswüchse sind jedenfalls insoweit der Verantwortlichkeit des Angeklagten P. zuzurechnen, als sie sich infolge des reichlich zur Verfügung stehenden Alkohols ereigneten, dessen unbegrenzte Ausgabe er veranlasst hatte. Den von diesen Anordnungen P.s solchermassen Betroffenen wurden Leiden und seelische Qualen zugemutet, die an Dauer und Intensität das für die Tötung als solche erforderliche Mass bei weitem überschritten.
Der Angeklagte P. war bei seiner Befehlsgebung von einer gefühllosen, unbarmherzigen Gesinnung beherrscht. In Kenntnis des Umstandes, dass er Schuldlose zu töten befahl, ordnete er die Exekution an Massengräbern an, die von den späteren Opfern selbst auszuheben waren. Die ihm bekannte Möglichkeit der Mithäftlinge, das Geschehen zu beobachten, kümmerte ihn nicht, auch dann noch nicht, als er in der Kaserne den Lärm vom Gefängnis her vernahm und ihm spätestens da in vollem Ausmass bewusst wurde, was in den Menschen drüben im Gefängnis vor sich gehen musste. Abhilfe traf er deswegen nicht.
Wen das Leid anderer so wenig zu rühren vermag, wer seine Überlegungen ausschliesslich an der Effektivität von Massnahmen orientiert, ohne einen Gedanken an die die Opfer treffenden Auswirkungen zu verschwenden, dessen Handeln ist Ausdruck einer rohen, gefühllosen Gesinnung.

Der Angeklagte P. hat im Rahmen seines Tatbeitrages eigenständig Merkmale der Grausamkeit gesetzt.

Die Kammer hat sich nicht die erforderliche Gewissheit davon verschaffen können, dass der Angeklagte P. die ihm anbefohlene Tat als eigene gewollt hat. Einer Prüfung daraufhin, ob der Angeklagte P. als Mittäter gehandelt hat, war die Kammer nicht etwa schon im Hinblick auf die Formulierung des §47 Abs.1 Satz 2 MilStGB enthoben. Diese Bestimmung, die im Hinblick auf den personellen Geltungsbereich (vgl. VO vom 17.10.1939, RGBl. I 2107) hier ebenso unbedenklich zur Anwendung kommt wie in Bezug auf ihre zeitliche Fortgeltung (vgl. BGH NJW 1951, 323; BGHSt. 5, 239 ff.), steht der Einstufung eines handelnden Untergebenen als Mittäter nicht entgegen, weil mit der dort angesprochenen "Strafe des Teilnehmers" eine Teilnahme im weiteren Sinne, also unter Einschluss der Mittäterschaft, gemeint ist (so schon RGSt. 6, 432, 440 f.; ferner BGH NJW 1951, 323 sowie BGH, Urteil vom 15.Juli 1951 - 3 StR 333/51 [123] -).

Der Angeklagte P. konnte aber deswegen nicht als Mittäter bestraft werden, weil den diversen Beweisanzeichen, die auf ein Erstreben des Taterfolges als eines eigenen hindeuten, gewichtige Anhaltspunkte entgegenstehen, die zur Negation eines bei ihm vorhandenen Täterwillens zwingen.

Die Kammer hat den Umstand, dass der Angeklagte nicht aus eigener Initiative heraus, sondern durch einen Befehl angestossen die Tatausführung in Angriff genommen hat, nicht als massgebliches Kriterium für die Qualifizierung seines auf die Tat gerichteten Willens verwendet. Sie hat vielmehr aus seinem nach aussen in Erscheinung getretenen Verhalten seine innere Einstellung zu dem ihm zugegangenen Befehl zu eruieren versucht (vgl. BGHSt. 18, 87 ff.). Bei dieser Suche nach Anhaltspunkten musste die ehrgeizige Beflissenheit ins Auge springen, mit der er sich ohne Zagen und Zaudern an die Ausführung des Befehls begeben hat. Ferner stach hervor, dass ihm lediglich die Auswahl der Opfer und die sich aus der Natur der Sache ableitende Bedingung einer raschen Tatausführung vorgegeben waren, er im übrigen aber diesen weitgesteckten Rahmen eigenmächtig ausfüllen durfte, was er ohne Zeitaufschub auch tat. Des weiteren konnte die Kammer nicht übersehen, mit welcher auf Perfektion bedachten Nachhaltigkeit er die Weiterführung der Aktion noch betrieb, nachdem sie einmal gescheitert zu sein schien und ihm einen brauchbaren Vorwand hätte liefern können, auf seine mangelnde Eignung für die Leitung eines solchen Unternehmens hinzuweisen und die Verantwortung von sich abzuschieben zu versuchen.

Dieses von dem Angeklagten P. an den Tag gelegte Verhalten liess den Verdacht aufkommen, er habe den Liquidierungsbefehl in seiner Begründung und Zielsetzung gebilligt und die Sache der Befehlsgeber auch zu seiner eigenen gemacht. Dieser Verdacht wurde zusätzlich genährt durch sein im übrigen festgestelltes Verhalten als Restkommandoführer in Warschau, das Härte, Unnachgiebigkeit und eine aus Angst geborene Neigung zur Überreaktion in Gefahrensituationen offenbart; man denke nur an das Verbot, verwundeten Aufständischen zu helfen, an den Befehl, ausweislos angetroffene Personen zu erschiessen, oder an die Weigerung, den zum Tode verurteilten Sowinski erschiessen statt erhängen zu lassen.

Allerdings - so sieht es die Kammer - machte der Angeklagte P. Unterschiede in der Behandlung solcher, die der aktiven Gegnerschaft nach seiner Meinung verdächtig waren, und solcher, die er der unbeteiligten Zivilbevölkerung zurechnete. Beweise für seine unbarmherzige Einstellung lieferte er im Aufeinandertreffen mit den Widerständlern und denen, die er dafür hielt; sie liess er erschiessen, notfalls auch verenden, wie jene Verwundeten, denen Hilfe zu bringen er untersagte. Seine Verhaltensrichtlinien gegenüber für unverdächtig befundenen Zivilisten waren hingegen andere. Vom Fall der Geiselerschiessung abgesehen, die aber auch in Blickrichtung auf den bewaffneten Feind erfolgte, liess er die Zivilbevölkerung leben. Nachdem eine erste Beruhigung der Situation eingetreten war, erbrachte er ihnen gegenüber sogar Beweise einer noch nicht völlig verkümmerten Humanität: Entlassung der Alten, Duldung der Versorgung von aussen, Gestattung einer notdürftigen medizinischen Betreuung. Im Zusammenhang damit ist zu würdigen, dass er es sogar verstand, den allgemeinen Tötungsbefehl, der von manchen anderen Einheiten befolgt wurde, zu unterlaufen, indem er sich auf den Standpunkt stellte, er habe sich bei der Befehlsausgabe nicht angesprochen gefühlt.

Von daher drängt sich die Vermutung auf, dass es auch nicht seinem Impetus entsprach, die Gefängnisinsassen zu töten, wusste er doch, dass sie zum einen wehrlos waren, sich zum

[123] Siehe Lfd.Nr.268b.

anderen bei Aufstandsbeginn ruhig und abwartend verhalten hatten. In seinem vom Sicherheitsstreben beherrschten Denken stellten diese hinter Schloss und Riegel befindlichen, unbewaffneten, von SS-Soldaten und deutschen Beamten bewachten Männer keinen zu grossen Risikofaktor dar.

Das folgt im Wege des Umkehrschlusses aus der von ihm initiierten Aktion, sich Hunderte polnischer Männer in die Kaserne zu holen, die dort sehr viel schwieriger unter Kontrolle zu halten waren als die in der Anstalt verschlossenen Gefangenen. Aber nicht einmal diese in der Kaserne Internierten betrachtete er als einen nicht beherrschbaren Gefahrenherd, sei es, dass er der Aufmerksamkeit und dem Reaktionsvermögen seiner Wachsoldaten vertraute, sei es, dass er sich auf die Wirksamkeit seiner Drohungen und der dementsprechend statuierten Exempel verliess. Um so weniger Grund gab es dann für ihn, die Insassen des Gefängnisses über Massen zu fürchten. Das gilt auch unter Berücksichtigung der erörterten Gefahr eines Befreiungsversuches von aussen. War den Aufständischen an der Eroberung des Gebäudekomplexes gelegen, verlor dieses Objekt seine Anziehungskraft nicht dadurch, dass man dessen Insassen umbrachte. Ging es den Partisanen hingegen um die Befreiung und Bewaffnung des dort einsitzenden Nachschubpotentials, dann liess sich diese Befürchtung mit mindestens derselben Berechtigung auf die in der Kaserne festgehaltenen Männer übertragen, die den Gefängnisinsassen noch dadurch überlegen waren, dass sie einen Angriff von aussen infolge ihrer grösseren Bewegungsfreiheit und schlechteren Bewachung von innen her tatkräftiger hätten unterstützen können.

Auch diese Erwägungen weisen darauf hin, dass es nicht dem Willen des Angeklagten P. entsprach, die gesamte Anstaltsbelegung in einer umfassenden Aktion systematisch niederzumachen.

In Anbetracht dieser gewichtigen Anhaltspunkte ist die Kammer zugunsten des Angeklagten P. davon ausgegangen, dass er ohne eigenes Interesse am Erfolg nur die ihm anbefohlene fremde Tat unterstützen wollte.

Der Mitangeklagte Mis. hat durch die Führung des Exekutionskommandos und die Beaufsichtigung der Liquidierungsaktion Beihilfe zu dem ihm anbefohlenen Mord geleistet. Er hat in Kenntnis aller Tatumstände, die die Grausamkeit der Tötung bedingten, gehandelt. Hingegen vermochte die Kammer keine Anhaltspunkte dafür zu finden, dass er aus einer gefühllosen, unbarmherzigen Gesinnung heraus selbst die äusseren Merkmale der Grausamkeit verwirklicht hätte.

Der Angeklagte Mis. hat die Tat nicht als eigene gewollt. Indizien, die einen gegenteiligen Schluss rechtfertigen könnten, sind weder aus den getroffenen Feststellungen über sein Verhalten bei der Tat und in deren zeitlichem Umfeld noch aus dem, was dem Gericht über seine Person bekannt geworden ist, hervorgetreten. Vielmehr legen seine Flucht in den Alkohol vor Beginn der Erschiessungen, die Abgabe der Kommandogewalt an P. nach dem Eintritt einer unvorhergesehenen Entwicklung, die weitgehende Verdrängung des Geschehenen und das bis heute erkennbare Unvermögen zur psychischen Bewältigung seines als Versagen erkannten Handelns im Gehorsam Zeugnis davon ab, dass er sich mit dem ihm durch Befehl auferlegten Tun nicht identifiziert hat. Er unterstützte eine fremde grausame Tötung, ohne selbst grausam zu handeln.

Beide Angeklagte haben in natürlicher Handlungseinheit Beihilfe zum Mord an den mindestens 250 Menschen geleistet, die den Feststellungen gemäss bei den Erschiessungen in den beiden südlichen Gefängnishöfen am 2.8.1944 ums Leben gekommen sind.

Für die Annahme, dass die Schuldfähigkeit eines oder beider Angeklagter aus einem der in §§20, 21 StGB aufgeführten Gründe ausgeschlossen oder gemindert gewesen sein könnte, fehlt es an ausreichenden tatsächlichen Anhaltspunkten. Dies gilt insbesondere auch für die allein näher ins Auge zu fassende Minderung der Schuldfähigkeit des Angeklagten Mis. infolge alkoholbedingter Intoxikation. Wenn auch feststeht, dass er vor Beginn der Erschiessungen einigen Alkohol konsumiert hat, und wenn des weiteren nicht zu übersehen ist, dass er den Verlauf der Aktion nur noch bruchstückhaft reproduzieren kann, dann erlauben diese Feststellungen doch keinesfalls einen stringenten Schluss auf eine durch Alkoholgenuss hervorgerufene tiefgreifende Bewusstseinsstörung im Sinne des §21 in Verbindung mit §20 StGB, wobei noch gar nicht die Frage angeschnitten werden soll, ob ein bewusst herbeigeführter Alkoholrausch, der die Ausführung des Vorhabens erleichtern sollte, dem Angeklagten entlastend zugute kommen könnte. Diese Frage zu beantworten, bestand für die Kammer kein Anlass, weil das situationsangemessene Verhalten Mis.s, das einen zunächst geordneten Ablauf der Aktion garantierte, seine erhalten gebliebenen Erinnerungen an Feuerausbruch und Überwältigung des Unterführers, seine Meldung an P. nach dem unvorhergesehenen Scheitern der planmässigen Durchführung Marksteine eines folgerichtigen, den Gegebenheiten angepassten Verhaltens sind, das eine schwerwiegende alkoholische Beeinflussung ausschliesst. Im übrigen hat sich der Angeklagte Mis. selbst niemals auf eine solchermassen verminderte Steuerungsfähigkeit berufen.

Einen entschuldigenden Notstand im Sinne des §35 StGB kann keiner der beiden Angeklagten für sich reklamieren. Die getroffenen Feststellungen lassen nicht erkennen, dass die Angeklagten einer realen, fassbaren, gegenwärtigen Gefahr für Leben, Leib oder Freiheit ausgesetzt gewesen wären und dass sie gehandelt hätten, um eben diese Gefahr von sich abzuwenden. Selbst wenn sie das Bestehen einer solchen Gefahr irrig angenommen haben sollten, verschaffte ihnen das nicht über §35 Abs.2 StGB den Zugang in den entschuldigenden Notstand. Sie haben nämlich nichts dafür dargetan, dass sie irgendwelche Überlegungen angestellt hätten, wie sie die Gefahr anders als durch die befehlsgemässe Tötung annähernd 800 unschuldiger Menschen von sich abwenden konnten. Wer sich aber nicht nach allen Kräften gewissenhaft bemüht hat, der vermeintlichen Gefahr auf eine die Straftat vermeidende Weise zu entgehen (BGH NJW 1972, 834), sie stattdessen widerspruchslos und ohne Zögern in Angriff nimmt wie beide Angeklagte, dem ist die Berufung auf den Entschuldigungsgrund des §35 StGB verschlossen.

Den Angeklagten steht auch nicht etwa der persönliche Schuldausschliessungsgrund des §47 Abs.1 Satz 1 MilStGB zur Seite. Diesen Freispruch von eigener Verantwortlichkeit haben die Angeklagten verwirkt, weil sie - wie an anderer Stelle ausgeführt - erkannten, dass der ihnen erteilte Befehl auf eine Handlung gerichtet war, die ein allgemeines Verbrechen bezweckte (§47 Abs.1 Satz 2 Nr.2 MilStGB).

Die Kammer vermochte auch keine Anhaltspunkte dafür zu finden, dass die Angeklagten ungeachtet des ihnen bewussten verbrecherischen Charakters des Befehls irrig an dessen Verbindlichkeit geglaubt hätten und sich deswegen berühmen könnten, im Verbotsirrtum gehandelt zu haben (BGHSt. 22, 223 ff.). Beide Angeklagte waren sowohl nach ihrem Lebensalter als auch nach der Dauer ihres Soldatseins erfahren genug, um sich schon ihre Gedanken darüber gemacht zu haben, was dem einzelnen selbst unter der Bedingung des Krieges noch abverlangt werden könne und was nicht mehr. Sie waren hinreichend schulisch gebildet, intelligent und lebenserfahren genug, um bestimmte Wertvorstellungen richtig in die in allen Kulturnationen gültige Wertskala einordnen zu können. Sie hatten als Soldaten Unterführer- und Führerschulungen erfolgreich durchlaufen, wo erfahrungsgemäss viel über die Pflichten des Soldaten gesprochen wird, vornehmlich, die Pflicht zu gehorchen, aber auch die, in Ausnahmefällen nicht zu gehorchen.

Nach alledem hat sich die Kammer nicht davon zu überzeugen vermocht, dass gerade den Angeklagten verborgen geblieben war, dass kein Soldat einen Befehl auszuführen brauchte, der auf die Begehung eines ungeheuerlichen Verbrechens abzielte, das den immer und überall fortgeltenden und unaufhebbaren Gesetzen der Menschlichkeit Hohn sprach.

Dass es sich bei ihnen um Menschen handelte, die schlechthin jeden Befehl - ganz gleich welchen Inhaltes - als für sie verbindlich werteten, weil sie in einen keiner Differenzierung mehr fähigen, stumpfen, blinden Kadavergehorsam verfallen gewesen wären dafür haben sich aus der Persönlichkeitsstruktur der Angeklagten, ihrem persönlichen und militärischen Werdegang und ihren dienstlichen Beurteilungen keine Anhaltspunkte ableiten lassen. Autoritätsgläubigkeit, Beflissenheit gegenüber Vorgesetzten, ehrgeiziges Karrierestreben, Geltungsdrang und Furcht vor persönlichen Unannehmlichkeiten, natürlich ergänzt durch den soldatischen Drill zum Gehorchen, machten den Angeklagten P. zum Gehorchen geneigt, ohne dass diese Motive nach Ansicht der Kammer auf eine verlorengegangene Fähigkeit zur Prüfung und Einordnung eines erteilten Befehls in die Kategorien verbindlich/unverbindlich hindeuten. Bei dem Angeklagten Mis. waren es der Befehl und die stillschweigend dahinterstehende Androhung eines ungewissen Übels für den Fall der Nichtbefolgung, die ihn gehorchen liessen. Er wollte sich diesem Risiko noch unbestimmter Nachteile oder Gefahren nicht aussetzen, weil er - des Kriegsdienstes überdrüssig - der Entlassung in die Heimat entgegenfieberte. Deswegen handelte er nach dem Befehl. Das besagt aber nichts darüber, dass er sich nicht seines Rechtes, besser: seiner Pflicht, den Befehl zu verweigern, bewusst gewesen wäre. Die Auswirkungen dieses Handelns entgegen besserer Erkenntnis sprachen noch in der Hauptverhandlung aus ihm; er bekannte, sich noch heute zu schämen für sein Versagen damals, für sein Handeln entsprechend dem Befehl anstatt ihm zu trotzen.

Die Kammer sah sich schliesslich ausserstande, der Verteidigung darin zu folgen, dass beide Angeklagte gemäss §47 Abs.2 MilStGB wegen geringer Schuld ohne Strafe zu bleiben hätten. In Anbetracht der Schwere des Schuldvorwurfs und in Ansehung des Gewichtes ihrer Tatbeiträge erübrigen sich nach Auffassung der Kammer vertiefte Darlegungen dazu, dass der Gesetzgeber diese Wohltat eines möglichen Absehens von Strafe nicht Tätern wie den beiden Angeklagten zugedacht hatte, die sich in ganz erheblichem Masse in Schuld verstrickt haben. In Bezug auf die übrigen Insassen der Strafanstalt Mokotow, die der Massenhinrichtung entgangen sind, liegt nach Ansicht der Kammer noch kein strafbarer Versuch vor.

Gemäss §2 Abs.3 StGB war die gegenüber älterem Recht einengende Vorschrift des §22 StGB heranzuziehen. Ein unmittelbares Ansetzen zur Tatbestandsverwirklichung war - gemessen am Täterplan - insoweit noch nicht festzustellen. Dazu reichte das Ausheben der Gruben, das Einteilen der Soldaten, das Erschiessen der ersten Opfer an der Grube nicht aus. Unmittelbar angesetzt zur Tötung der konkretisierten Opfer war erst mit der Räumung der Zellen in Bezug auf die jeweils darinnen Eingeschlossenen. Die in Abteilung VI und VII einsitzenden Häftlinge sind von diesen Räumungen jedoch nicht mehr betroffen worden mit Ausnahme der ersten Zelle auf dem Flur von Abteilung VII; deren Insassen wurden aber auch bei der Anzahl der Tatopfer berücksichtigt.

X. Strafzumessung

Nach alledem hatte die Kammer die Strafen für beide Angeklagte aus einem ihr zur Verfügung stehenden Strafrahmen von 3 bis 15 Jahren Freiheitsstrafe zu entnehmen (§§211, 27 Abs.2, 49 Abs.1 Satz 1, 38 Abs.2 StGB).

Zur Auffindung der schuldangemessenen Strafe musste die Kammer zunächst einmal ihren Blick auf die Zahl der von der Tat betroffenen Opfer, auf das Ausmass des Leides richten, das durch eben diese Tat über Tausende von Menschen gebracht worden ist, die den Verlust ihrer Männer, Väter, Söhne, Brüder zu beklagen hatten. Die Kammer teilt die Ansicht anderer erstinstanzlicher Entscheidungen in NS-Verfahren, dass die konkrete Zahl der Getöteten, auf deren Auswahl beide Angeklagte keinen Einfluss hatten, aber von untergeordneter Bedeutung ist, dass vielmehr das Mass der Schuld, das beide auf sich geladen haben, nachhaltig geprägt wird durch ihre Bereitwilligkeit, an der Ermordung Hunderter von Menschen mitzuwirken. Um dieses Mass der Schuld abzugelten, konnte nach Ansicht der Kammer nur eine Strafe in Betracht gezogen werden innerhalb eines Spielraumes, der sich deutlich von der untersten Grenze des zur Verfügung stehenden Strafrahmens abhob.

Innerhalb des sich abzeichnenden Strafenbereichs war zwecks Bestimmung der konkret schuldangemessenen Strafe zugunsten beider Angeklagter der von ihnen nicht bereitete ideologisch-situative Nährboden zu betrachten, aus dem heraus diese Tat gewachsen ist.

Dieses Umfeld der Tat wurde mitgestaltet durch die nationalsozialistische Polenpolitik. Bestandteil deren war es, die Unterschiede herauszuarbeiten zwischen dem Wert des Lebens eines Deutschen und dem "Unwert", dem "Nichts" des Lebens eines Polen, der allein dazu geschaffen schien, niedere Arbeiten für den Deutschen zu verrichten.

Es ist allgemeinkundig, welche Brillanz, welche unnachahmliche Perfektion die nationalsozialistische Propaganda darin erreicht hatte, die Massen anzusprechen, sie zu fanatisieren. Das galt für die Frage, wie Polen zu behandeln seien, ebenso wie für viele andere Gebiete. Es ist ebenso allgemeinkundig, dass diese ständig wiederholten Phrasen, eingängig formuliert, einhämmernd gesprochen, nicht ohne Wirkung blieben auf die, die sie immer wieder hören mussten. Die subjektiven Wertvorstellungen wandelten sich, jedenfalls bei vielen.
Beide Angeklagten waren schon aufgrund ihrer beruflichen Stellung dieser weltanschaulich verbrämten Indoktrination in besonderem Masse ausgesetzt, Mis. als langjähriger Waffen-- SS-Angehöriger, P. als hauptamtlicher, dementsprechend geschulter HJ-Führer. Die Kammer konnte den Angeklagten nicht absprechen, dass sie gegen diese Wirkung beständiger geschickter propagandistischer Indoktrination, der so viele erlegen waren, vielleicht auch nicht gefeit gewesen sind. Das kann zur Folge gehabt haben - was die Kammer nicht auszuschliessen vermochte -, dass in ihrem subjektiven Wertgefüge das Leben eines Polen einen geringeren Stellenwert verkörperte als das Leben eines Deutschen, sie daher geringere Hemmschwellen zu überwinden hatten, bevor sie dessen Leben auslöschten, im Vergleich zu den inneren Widerständen gegen die Tötung eines Landsmannes.

Des weiteren war in diesem Zusammenhang zugunsten beider Angeklagter zu berücksichtigen, dass sie - mit einigen Unterbrechungen - im 5.Jahr im Fronteinsatz standen. Da das Töten zum Kriegshandwerk gehört, dieser Krieg inzwischen von allen Seiten erbarmungslos geführt wurde und längst vor der Zivilbevölkerung auch nicht mehr Halt machte, hatte die Achtung vor dem menschlichen Leben nicht mehr die überragende Bedeutung, die in Friedenszeiten als selbstverständlich gilt. Für jemanden, der - wie beide Angeklagte - im jahrelangen Kampf ums eigene Überleben ständig gefordert ist, dem Bewaffneten gegenüber den Garaus zu machen, der eine ungeklärte Anzahl von Feinden von seiner Hand hat sterben sehen, muss es zwangsläufig leichter fallen zu töten als einem nicht kampfgewohnten Zivilisten im Kriege oder gar einem Normalbürger in Friedenszeiten. Auch insoweit war den Angeklagten gutzubringen, dass ihre innerlich einer Tötung entgegenstehenden Barrieren niedriger waren als sie bei einem Individualverbrechen ausserhalb kriegerischer Auseinandersetzungen zu bemessen sind.

Die Kammer hat auch nicht die konkrete militärische Situation ausser Acht gelassen, in der sich die Angeklagten zur Tatzeit befanden. Sie hat berücksichtigt, dass die verhältnismässig schwachen deutschen Truppen sich am 1.8. wie ein Tier in der Falle fühlen mussten. In der Stadt Warschau tobte der Aufstand, entfesselt von einem nach Zahl und Ausbildung weit unterschätzten Gegner, der, vom unbedingten Siegeswillen vorwärts getrieben, motiviert war durch das Verlangen nach Aufrechnung, nach Vergeltung, nach Bestrafung der Deutschen. Vor den Toren der Stadt lagen die bestens ausgerüsteten russischen Verbände, bei deren Eingreifen das Schicksal der deutschen Besatzer besiegelt gewesen sein dürfte. In den ersten

Augusttagen war für die Deutschen nicht abzusehen, dass die Russen ihren unaufhaltsamen Vormarsch gerade jetzt an der Weichsel stoppen würden. Die deutschen Soldaten hatten zu dieser Zeit allen Grund, um ihr Leben zu fürchten. Erfahrungstatsache aber ist, dass die in die Enge getriebene Kreatur sich blindwütig und verbissen zur Wehr setzt. Auch dies hat die Kammer bedacht und den Angeklagten zugute gehalten, dass verständliche Sorge um das eigene Überleben ihren Sinn für Mass und Ziel etwas verdunkelt haben könnte. Dieser Effekt mag begünstigt worden sein durch die ersten eintreffenden Nachrichten vom schonungslosen Vorgehen der Partisanen, die die ohnehin schon brodelnde Atmosphäre noch weiter aufheizte. Die Kammer hat insoweit berücksichtigt, dass ein Freisetzen von Rachegelüsten, wie durch die Greueltaten bei Aufstandsbeginn von polnischer Seite geschehen, dazu angetan ist, die Fähigkeit zu nüchternem sachlichem Denken und Handeln herabzusetzen.

In diesem Zusammenhang hat die Kammer schliesslich noch in die Waagschale geworfen, dass der Angeklagte P. ungewollt in eine Position hineingeraten war, die seine Leistungsfähigkeit überstieg. Dieser Umstand konnte aber kaum ins Gewicht fallen, weil er nicht einmal den Versuch unternommen hat, sich die Unterstützung umsichtiger, erfahrener Offiziere zu sichern, beispielsweise der sich dafür anbietenden Offizierskameraden Krö. und Mis., die beide lebens- und dienstälter waren als er. Bezogen auf den Angeklagten Mis. war dessen spezielle Situation entlastend zu würdigen: Gerade einen verlustreichen, kräftezehrenden Fronteinsatz hinter sich, hatte er sich gedanklich auf einen gefahrlosen Rückzug ins Reich eingerichtet. Stattdessen geriet er - ohnehin kriegsmüde geworden - in ein neues, anfangs fast hoffnungslos erscheinendes kriegerisches Spektakel hinein. Die Kammer konnte in Anbetracht dessen nicht ausschliessen, dass seine Nervenkraft geschwächt und sein inneres Rückgrat durch die Einwirkungen der letzten Tage angebrochen war.

Das Gericht hat auch nicht übersehen, dass sich die Angeklagten bei Begehung ihres Verbrechens im Einklang mit der Staatsmacht wähnen durften. Bei ihnen hätte es der Auseinandersetzung mit der staatlichen Autorität bedurft, um das Verbrechen nicht zu begehen, während beim Individualverbrechen ausserhalb von Machtapparaten der Täter sich gegen das staatliche Ordnungsgefüge auflehnen muss, wenn er das Verbrechen begeht. Die Ausübung der verbrecherischen Tat verlangte von den Angeklagten nur die Überwindung einer im Rechtsgefühl aller Angehörigen eines Kulturvolkes vorhandenen Hemmschwelle, die zudem infolge der propagandistischen nationalsozialistischen Indoktrination noch herabgesetzt gewesen sein mag. Hingegen hatten sie keine von der herrschenden Autorität errichtete, mit staatlichen Sanktionsandrohungen versehene Barriere zu bewältigen. Insofern mussten die Angeklagten eine geringere kriminelle Energie aufwenden als der Gesetzesbrecher im herkömmlichen Sinne, was ihre Schuld mindert.

Zugunsten der Angeklagten hat das Gericht auch gewertet, dass sie dem Druck des ihnen zuteil gewordenen Befehls ausgesetzt waren. Für beide gilt, dass der Befehl das auslösende Moment für die Tat war, die sie ansonsten nicht begangen hätten. Unterschiedlich hingegen ist für die beiden Angeklagten die Last Befehlsdrucks graduell zu veranschlagen. Den Angeklagten Mis. hat sie offensichtlich in eine belastendere psychische Zwangslage gebracht als den Angeklagten P. Das belegt die unterschiedliche Reaktion auf den erhaltenen Befehl. Der Angeklagte P. nahm ihn zur Kenntnis und handelte danach, zielgerichtet, erfolgsbedacht, nachhaltig. Er versuchte nicht etwa, Verantwortung für das, was geschehen sollte, wegzuschieben, indem er den Befehl genau so pauschal, wie er ihn selbst empfangen hatte, weitergab. Vielmehr machte er sich ohne zwingende Notwendigkeit daran, dem Angeklagten Mis. einen bis in die wesentlichen Details ausgearbeiteten Mordplan zu präsentieren, den dieser nur noch auszuführen hatte. Im Vergleich dazu sind besondere Aktivitäten, die Mis. in Bezug auf die Befehlsausführung entfaltet hätte, nicht bekannt geworden. Bezeichnenderweise musste er sich vielmehr Mut antrinken, um die ihm gestellte Aufgabe bewältigen zu können.
Die verschiedenartige Last des Befehlsdrucks erhellt auch aus dem Verhalten nach Auftreten des massierten Widerstandes von Seiten der Betroffenen. Nicht der Angeklagte Mis. war es,

der am Tatort die Initiative ergriff, sondern er wandte sich an P., damit dieser entscheide, ob weitere Massnahmen zu veranlassen seien. P. entschied sich positiv und traf diverse Anordnungen, um ein vorzeitiges Scheitern der Liquidierungsaktion zu verhindern.

Daraus wird deutlich, dass der Angeklagte Mis. unter der Einwirkung des Befehlsdrucks das tat, was ihm befohlen war, aber auch nicht mehr, während der Angeklagte P. durch den Befehl zwar erst zum Handeln veranlasst wurde, die Zwangslage, in die er dadurch gebracht worden war, dann aber nicht mehr als so drückend empfand, dass er gehindert gewesen wäre, aus eigener Initiative auf die vollkommene Realisierung des Befehlsinhaltes hinzuwirken.

Schlug der Befehl insoweit für die Angeklagten - hier mehr, da weniger - strafmildernd zu Buche, so konnte die Kammer andererseits nicht übersehen, dass beide Angeklagte nicht nur als Befehlsempfänger, sondern auch als Befehlsgeber fungierten. Aufgrund ihrer Dienststellung als Offiziere trugen sie gegenüber den ihnen anvertrauten Soldaten eine gesteigerte Verantwortung. Von daher betrachtet, fiel strafschärfend ins Gewicht, dass sie durch die Weiterleitung des von ihnen als verbrecherisch erkannten Befehls den ihrer Führung Unterworfenen ein verbrecherisches Tun ansannen, sie in Schuld verstrickten und jedenfalls einen Teil von ihnen über die Grenzen ihrer physischen und psychischen Leistungsfähigkeit hinaus belasteten. Das gilt auch im Verhältnis des Angeklagten P. gegenüber dem ihm zum Gehorsam verpflichteten Mitangeklagten Mis.

Der Vergleich der von beiden geleisteten Tatbeiträge führt zu einer unterschiedlichen Bewertung, die sich in der Strafzumessung ausdrücken musste.
Der Angeklagte P. war der Mann, der eigene Initiative entfaltete, der die Abwicklung des Geschehens planerisch gestaltete, der die Leitung vor Ort delegierte, aber im Hintergrund sofort wieder ordnend und lenkend eingriff, als das Vorhaben zu scheitern drohte. Der Angeklagte P. ist vor allem dafür verantwortlich zu machen, dass die Aktion so, wie sie abgelaufen ist - vom erfolgreichen Widerstand der Gefangenen abgesehen - ablaufen musste. Er war es, der aus eigener Verantwortung heraus Elemente der grausamen Tatausführung dem schon auf eine grausame Tötung angelegten Rahmenbefehl noch hinzufügte. Der Berücksichtigung dieses Umstandes steht §46 Abs.3 StGB nicht entgegen; der Angeklagte hätte sich der Beihilfe zum Mord auch schuldig gemacht, wenn er nur die fremde grausame Tötung unterstützt hätte, ohne selbst grausam zu handeln.
Der Angeklagte Mis. hat demgegenüber gehandelt, wie es ihm in einzelnen vorgeschrieben war. Im Vergleich zu der planenden, lenkenden Rolle des Angeklagten P. übernahm er befehlsgemäss die Rolle des ausführenden Organs. Als sein Befehl nicht mehr ausreichte, um auf die neu eingetretene Situation zu reagieren, gab er auf und reichte das Heft des Handelns an den Angeklagten P. zurück. Das Gewicht seines Tatbeitrages ist deutlich höher zu veranschlagen; er stand als spiritus rector über dem zum Handeln verpflichteten Mis.

Zugunsten des Angeklagten Mis. konnte die Kammer in ihre Überlegungen einbeziehen, dass er zu den Tätern zu zählen ist, die einmal unter den besonderen Anforderungen, die eine Ausnahmesituation an sie stellte, versagt haben. Das Gericht ist davon überzeugt, dass es die äusseren Umstände, vornehmlich die situativen Gegebenheiten am 2.August 1944, und der Befehlsdruck innerhalb einer fanatisierten Umwelt waren, die den Angeklagten Mis. einmal schuldig werden liessen. Die Ermittlungen bezüglich seines sonstigen Auftretens als Soldat haben keinerlei Hinweis auf eine unbarmherzige, gnadenlose, von Verachtung getragene Grundeinstellung gegenüber den Menschen schlechthin, dem militärischen Feind im besonderen oder speziell den Polen gegenüber geliefert. Auch die wiederholt angesprochene Last des Schuldempfindens, die den Angeklagten bis heute drückt, ist ein Indiz für die Einmaligkeit seines hier abzuurteilenden Verhaltens, das vollständig aus seinem sonstigen Verhaltensschema herausfiel. Zu einer anderslautenden Beurteilung gab auch sein Auftreten im Verlaufe der 14-monatigen Hauptverhandlung keine Veranlassung. Sein Erscheinen vor Gericht war gekennzeichnet durch Selbstdisziplin, durch respektvolle Distanziertheit, durch eine schweigsame, aber aufmerksame Verfolgung des Prozessverlaufs. Versuche, die Verantwortung von sich auf andere abzuwälzen, hat er nicht unternommen. Soweit er bereits bei seiner ersten polizeilichen Vernehmung P. bezichtigt hatte, ihn über den Grund für die Gefängnisaktion getäuscht zu haben, und diese Anschuldigung letztendlich, wenn auch etwas entschärft, im Raum stehengeblieben ist, konnte die Kammer daraus keine für Mis. nachteiligen Schlüsse ziehen, weil sich schon an anderer Stelle erwiesen hatte, dass seine verzerrten Erinnerungsbilder ihn auch dahin gebracht hatten, sich selbst mit einem schwereren Vorwurf zu belegen, als er ihn tatsächlich verdiente. Bedeutung hat diese unrichtige Bezichtigung Mis.s nur für P. erlangt. Sie enthob ihn des möglicherweise strafschärfenden Vorwurfs, durchgängig bis gegen Ende der Hauptverhandlung bemüht gewesen zu sein, die Verantwortung für alles Mis. zuzuschieben. In Anbetracht dieser zeitlich früheren falschen Anschuldigung Mis.s - mag sie auch ohne böse Absicht abgegeben worden sein - erhielt diese Verhaltensweise des Angeklagten P. den Anstrich einer Revanche, weswegen die Kammer dem keine straferhöhende Bedeutung beigelegt hat.

Was die Einmaligkeit des Fehlverhaltens anbetrifft, so lagen die Dinge bei dem Angeklagten P. anders als bei dem Angeklagten Mis. Wie die unter VII. getroffenen Feststellungen zeigen, war P. von seinen Wesenszügen und seinen Ansichten her sehr viel eher zu der hier in Rede stehenden Tat disponiert. Wesensfremd war sie für ihn insofern, als es um die Tötung erkanntermassen Unschuldiger, der Beteiligung an bewaffneten Aufstandshandlungen Unverdächtiger ging. Wesensfremd waren ihm hingegen nicht Eigenschaften wie Unbarmherzigkeit, Rigorosität, Unnachgiebigkeit, schonungslose Härte, wenn die Auseinandersetzung mit dem Feind anstand. Die Erschiessung der ausweislos angetroffenen Zivilisten, die Repressal--Geisel-Erschiessung, die Erhängung Sowinskis und das Verbot, verwundete Aufständische zu versorgen, sprechen eine beredte Sprache - um nur die markantesten Beispiele zu nennen. Dabei durfte die Kammer auch nicht die Aussagekraft der zeitlichen Komponente ausser Ansatz lassen. Sie hält es für vielsagend, dass der Angeklagte P. um dieselbe Zeit, da er die Gefängnisbelegung zu liquidieren hatte, der internierten Zivilbevölkerung mit weiteren Erschiessungen drohte und dieser Drohung alsbald Taten folgen liess. Die bereits weiter oben dargelegte Überzeugung, dass die durch den Befehl Stahels in P. verursachte psychische Zwangslage nicht allzu tiefgreifend war, findet hier eine weitere Bestätigung. Anderenfalls hätte er sicher davon abgesehen, den ihm abgenötigten Morden freiwillig weitere folgen zu lassen wie insbesondere die Erschiessung der Repressal-Geiseln.

Die Gefährlichkeit des Angeklagten P. liegt nach Einschätzung der Kammer deutlich höher als die des Angeklagten Mis., was in der für jeden einzelnen schuldangemessenen Strafe ihren Niederschlag finden musste.

Die Tatsache, dass der Angeklagte P. den allgemeinen Tötungsbefehl nicht hat ausführen lassen, konnte sich demgegenüber nicht wesentlich strafmildernd auswirken. Diese Zurückhaltung gegenüber der Zivilbevölkerung beweist lediglich zum einen, dass er nicht bar jeder Menschlichkeit war, zum anderen, dass er nicht der Kategorie der völlig verblendeten, in blindem Kadavergehorsam befangenen Gefolgsleute der Nationalsozialisten zuzuordnen ist. Dies gilt abgeschwächt auch für die weiteren von ihm erbrachten Beweise eines noch erhaltengebliebenen Restes menschlicher Rücksichtnahme, als die die Entlassung der alten Männer, die Duldung alimentärer und medizinischer Versorgung der Internierten, die Gestattung der Aktivitäten der Rot-Kreuz-Gruppe und bedingt die Intervention gegenüber der Polizei zu werten sind.

Eine verschiedenartige Behandlung in der Strafzumessung verlangten die beiden Angeklagten auch insoweit, als der Zweck der Strafe für sie in Rede stand. Die Zeitspanne von gut 35 Jahren, die zwischen Tatbegehung und Aburteilung liegt, ist für beide gleich lang gewesen, aber sie haben sie unterschiedlich genutzt.

Der Angeklagte Mis. hat sich in dieser Zeit mit der Tat gedanklich auseinandergesetzt. Das zeigt die unbewusste Zuflucht in Verdrängungsmechanismen, die teilweise den dem Regelfall entgegengesetzten Effekt ausgelöst haben, nämlich die Verböserung statt der Verharmlosung im vermeintlichen Erinnerungsbild. Das beweist auch sein ohne äussere Not, sprich: ohne einen dazu veranlassenden Stand der Ermittlungen, abgegebenes Schuldeingeständnis in 1967. Die Kammer glaubt ihm, dass er die Gelegenheit der Vernehmung genutzt hat, um sich das ihn bedrückende Wissen einmal von der Seele zu reden. Diese innere Not deutet das Mass der psychischen Belastung an, unter der der Angeklagte Mis. im Bewusstsein, schwere Schuld auf sich geladen zu haben, bereits damals 23 Jahre gelebt hatte. Seither lastete weitere 11 Jahre der Druck des Verfahrens auf ihm, bis die Staatsanwaltschaft endlich im Jahre 1978 Anklage erhob. Nach Überzeugung der Kammer spiegeln seine angegriffene gesundheitliche Verfassung mit kaum objektivierbaren Befunden und sein äusseres deutlich vorgealtertes Erscheinungsbild die inneren Auseinandersetzungen dieses Mannes mit sich selbst wider als eines, der versagt und dadurch Schuld auf sich geladen hat. Die Kammer meint, dass dieser Angeklagte schon gesühnt hat. Die gegen ihn zu verhängende Strafe konnte sich daher im unteren Grenzbereich des schuldangemessenen Strafrahmens bewegen.

Anders sieht die Kammer die Sachlage bei dem Angeklagten P. Auch bei ihm konnte sie den Zeitablauf von 35 Jahren zwischen Tat und Aburteilung nicht vollständig ausser Betracht lassen. Dieser verstrichene Zeitraum war im Rahmen seiner Strafzumessung insoweit mildernd in Ansatz zu bringen als die Strafe, die der Tat nicht unmittelbar nachfolgt, immer eine härtere ist und hier auf einen Menschen trifft, der im Herbst seines Lebens steht und wegen seines Alters, seiner geminderten Lebenserwartung und seiner vermehrten Leiden und Gebrechen strafempfindlicher geworden ist.

Hingegen ist die Kammer nicht der Ansicht, dass der Zeitablauf als solcher eine Herabsetzung des Sühnebedürfnisses bewirkt habe. Wenn auch die polnischen Zeugen verhalten und beherrscht ausgesagt haben, so war doch manchem von ihnen anzumerken, mit welcher inneren Erregung er auch heute noch zurückdenkt an die damaligen Geschehnisse. Die Wunden, die durch die Tat geschlagen worden sind, sind bis heute nicht verheilt, so dass nach Ansicht der Kammer auch nicht von einer merklichen Verringerung des Sühnebedürfnisses gesprochen werden kann.

Der Angeklagte P. hat auch nicht etwa dadurch eine Reduktion des staatlichen Strafanspruches herbeigeführt, dass er ohne das äussere Zwangsmittel der Strafe eine innere Umkehr vollzogen hätte.

Vor Beginn des Hauptverfahrens hat er keine Schuldeinsicht gezeigt. Ohne auf den schon bei Kriegsende unternommenen Versuch näher einzugehen, sich Ungelegenheiten durch Vorlage einer gefälschten Bescheinigung zu ersparen, sei nur auf die markantesten seiner Äusserungen während des Ermittlungsverfahrens noch einmal verwiesen. Da war vom Denkmal die Rede, das die Polen ihm richtigerweise hätten setzen müssen, da sprach er von der Erhörung seines Gebetes, weil angeblich nur 10 Gefangene getötet worden seien, wohl wissend, dass es mindestens 250 waren, da schmückte er wortgewaltig und voller Ideenreichtum seinen Kampf mit Geibel um die Rücknahme des Befehles aus, einen Kampf, der nicht einmal ansatzweise stattgefunden hat. Alle diese Erklärungen enthalten bestenfalls Lippenbekenntnisse, aber nirgendwo auch nur die Andeutung einer echt empfundenen Schuldeinsicht. Anderenfalls wäre es ihm unmöglich gewesen, sich derart heuchlerisch in einer aufdringlichen Selbstglorifizierung als Wohltäter der Polen, ausgerechnet auch noch als den Retter der Gefängnisinsassen herauszustellen, denen er in Wirklichkeit nach dem Leben getrachtet hatte, und das Ganze geradezu blasphemisch mit einer Hülle tiefer Gläubigkeit zu verbrämen.

Ein im Kern gewandeltes Verhalten legte der Angeklagte P. auch in der Folgezeit nicht an den Tag. Nachdem er vergeblich versucht hatte, durch Manipulierung mit seinen körperlichen Leiden dem Verfahren zu entgehen, begann er seine Verteidigung in der Hauptverhandlung auf eben jener Linie, wie sie vorstehend aufgezeigt ist. Erinnert sei hier nur an seine schon früher zitierte Erklärung:

> "Durch die Aktion sind nicht nur Leute ums Leben gekommen, viele wurden auch vor dem Tode bewahrt und an Leib und Gut geschützt."

Erst sehr viel später, schon gegen Ende der Hauptverhandlung, rang er sich eine Schuldigerklärung ab, die er sinngemäss wie folgt formulierte:

> "Wenn ich geschrieben habe, dass wir alle schuldig geworden sind, dann meinte ich das in dem Sinne wie das Schuldbekenntnis der evangelischen Kirche, dass wir alle, die wir dabei waren, schuldig geworden sind ... Ich kann nur Ruhe finden in dem tiefen Glauben, in dem ernsten Glauben an den Mann von Golgatha."

Immerhin - und das hat die Kammer zu seinen Gunsten gewürdigt - war er am Ende der Hauptverhandlung bei einem Eingeständnis eines grossen Teils der Verhaltensweisen angelangt, die Gegenstand der Beweisaufnahme gewesen waren und die er früher entschieden von sich gewiesen hatte.

Nach Ansicht der Kammer steht der Angeklagte am Beginn des Weges zur Läuterung, zur inneren Auseinandersetzung mit der Tat. Dieser Angeklagte bedarf des Aufrufes durch die staatliche Strafe, um auf diesem Wege weiter voranzukommen. Ihm stellen sich Hindernisse entgegen in Gestalt seiner ausgeprägten Egozentrik, seiner mangelnden Fähigkeit zur Selbstkritik, seiner auffälligen Neigung zum Selbstmitleid, die ihn für das Leid anderer unempfänglich macht. Diese Hindernisse zu überwinden, hat er aus eigener Kraft nicht geschafft. Aus dem Gesichtspunkt des Sühnebedürfnisses musste ihn daher eine Strafe treffen, die deutlich über der des Angeklagten Mis. lag. Allerdings hat die Kammer auch zugunsten des Angeklagten P. die lange Dauer des Ermittlungsverfahrens in die Strafbemessung eingebracht, weil ungeachtet der inneren Einstellung zu Schuld und Strafe ein solches Verfahren den Betroffenen schon wegen der sich daran knüpfenden ungewissen Folgen belastet.

Nach alledem war gegen den Angeklagten Mis. eine Strafe zu verhängen, die seiner Schuld angemessen war und dabei auch dem Zweck gerecht wurde, das Rechtsbewusstsein in der Bevölkerung zu erhalten und zu festigen, wozu die Ahndung so schweren Unrechts durch fühlbare Strafen gehört. Andererseits hatte das Gericht die Wirkungen der Strafe zu bedenken, die für das künftige Leben des Angeklagten Mis. in der Gesellschaft zu erwarten sind. Unter Abwägung aller für und gegen ihn sprechenden Umstände erschien dem Gericht eine 4½jährige Freiheitsstrafe ausreichend, aber auch erforderlich, um unter Wahrung aller aufgeführten Strafzwecke dem Angeklagten und seiner Tat gerecht zu werden.

Die Strafe, auf die gegen den Angeklagten P. zu erkennen war, musste aus den dargelegten Gründen deutlich höher ausfallen. Um seine Tatschuld abzugelten und die der Strafe inne wohnenden Zwecke zu erreichen, bedurfte es nach Überzeugung der Kammer einer Strafe aus der oberen Hälfte des zur Verfügung stehenden Strafrahmens. Mit Rücksicht vornehmlich auf die die Tat prägenden Zeitumstände glaubte das Gericht, es bei einer Freiheitsstrafe von 9 Jahren bewenden lassen zu können.

Die Kostenentscheidung folgt aus §465 StPO.

Lfd.Nr.861

Tatkomplex
NS-Gewaltverbrechen in Haftstätten

Tatort
Roswaschew

Tatzeit
430921

Gerichtsentscheidungen
LG Braunschweig vom 17.03.1980, 31 Ks 3 Js 26909/78

31 Ks 3 Js

Im Namen des Volkes

In der Strafsache gegen

a) den Rentner Friedrich Rei., geb. am 15.5.1915 in Kolonie Andrijw der Gemeinde Wolschkowskoya, wohnhaft in Burgdorf, verh., Deutscher,
b) den Rentner Ewald Sim., geb. am 7.4.1910 in Emiljanowka/UdSSR, wohnhaft in Wolfsburg, verh., Deutscher,

wegen Mordes

hat die Schwurgerichtskammer des Landgerichts Braunschweig in den Sitzungen vom 13. und 17.März 1980 am 17.März 1980 für Recht erkannt:

Die Angeklagten werden freigesprochen.
Die Kosten des Verfahrens und die notwendigen Auslagen der Angeklagten trägt die Staatskasse. Die Angeklagten sind für die vom 3. bis 31.August 1978 erlittene Untersuchungshaft zu entschädigen.

GRÜNDE
(abgekürzt gem. §267 Abs.5 StPO)

Den Angeklagten ist vorgeworfen worden, sie hätten in Roswaschew im Gebiet Kiew am 21.9.1943 gemeinschaftlich einen Menschen grausam getötet. Sie sollen in einer Haftzelle des Polizeigebäudes die Lehrerin Antonina Sawtschenko durch insgesamt 12 Pistolenschüsse getötet haben, wobei sie im Verlaufe einer Stunde zunächst auf ihre Beine und dann körperaufwärts geschossen haben sollen. Verbrechen gem. §211, 47 a.F. StGB.

Die Angeklagten waren nach dem Ergebnis der Hauptverhandlung vor der Schwurgerichtskammer aus tatsächlichen Gründen freizusprechen.

Der Anklagevorwurf beruht im wesentlichen auf der Aussage des russischen Augenzeugen Ter. Die Kammer hat auch keine Zweifel, dass das Geschehen im Kern von diesem Zeugen richtig wiedergegeben worden ist. Die vorliegenden Vernehmungsprotokolle der russischen Behörden geben keine Anhaltspunkte dafür, dass die Aussage des Zeugen Ter. offensichtlich falsch sein könnte. Sie sind in ihrer Gesamtheit vorsichtig und offen abgefasst. Es bestehen aber Zweifel, ob die Angeklagten diese Tat begangen haben. Zwar hat der Zeuge Ter. auch insoweit eindeutig beide als Täter bezeichnet. Bei kritischer Überprüfung der Zeugenaussage sind aber Zweifelsmomente aufgetreten.

Der Zeuge Ter. hat Rei. bei seiner Personenbeschreibung als blondhaarig mit rötlicher Gesichtstönung beschrieben. Das trifft offensichtlich nicht zu, wie die den Ermittlungsakten beigefügten Bilder des Angeklagten Rei. aus jener Zeit zeigen. Dabei handelt es sich zwar um schwarz-weiss Aufnahmen. Aber auch sie lassen bei Vergleichen mit anderen Bildern dieser Akten erkennen, dass der Angeklagte Rei. damals dunkle Haare hatte und auch nichts auf eine charakteristische Rottönung seines Gesichts schliessen lässt. Der Angeklagte Rei. hat noch heute einen dunklen Haarkranz. Eine Gegenüberstellung mit dem Zeugen Ter. ist heute nicht mehr möglich, weil er zwischenzeitlich verstorben ist.

Es fällt auch auf, dass der russische Zeuge God., obwohl er ebenfalls Schutzpolizist in Roswaschew war, nichts über die Täter jenes Vorfalles weiss. Er hat nach seiner Aussage lediglich gehört, dass Frau Sawtschenko in der Zelle im Gefängnisgebäude getötet worden sei. Auch dieser Zeuge ist zwischenzeitlich verstorben.

Die Zeugin Byt., eine Schwester der Getöteten, hat erfahren, dass ihre Schwester von einem deutschen Straftrupp in Roswaschew erschossen worden sei. Dabei kann nicht grundsätzlich davon ausgegangen werden, dass es sich insoweit um einen Irrtum handeln könnte. Vielmehr ist davon auszugehen, dass die Einheimischen sehr wohl zwischen den "Reichsdeutschen" und den einheimischen Schutzpolizisten zu unterscheiden vermochten.

Die sich schon aus diesen Aussagen der russischen Zeugen ergebenden Zweifel werden entscheidend verdichtet durch die Zeugin Bes. Sie hat von Anfang an mit Bestimmtheit bekundet, dass sich der Angeklagte Sim. zur Tatzeit nicht mehr in Roswaschew aufgehalten habe. Da die Zeugin aus gesundheitlichen Gründen nicht reisefähig war, ist sie von den richterlichen Mitgliedern der Schwurgerichtskammer kommissarisch in Offenburg vernommen worden. Dabei hat sie ihre frühere Aussage wiederholt und ergänzt. Sie hat ihre Erinnerung an die damaligen Geschehnisse eindrucksvoll belegt. Sie hat u.a. folgendes bekundet:

> "Am 6.Mai 1943 war ich dabei, mich auf die Flucht aus Pataleowka vorzubereiten, da wurde ich von Partisanen überfallen. Es waren 4 Gewehre auf mich gerichtet, und ich sollte erschossen werden. Dann kam Paul Rei. dazwischen, das war, wie ich später vom Staatsanwalt erfahren habe, der Bruder von Friedrich Rei., und ich konnte fliehen. Ich fühlte mich zum zweiten Mal geboren, deshalb kann ich mich so genau an das Datum erinnern.
> Mein damaliger Ehemann war als Volksdeutscher von der deutschen Wehrmacht zur Ukrainischen Schutzpolizei verpflichtet worden. Soweit ich über die Tätigkeit meines damaligen Mannes Bescheid weiss, lag die Befehlsgewalt bei den Reichsdeutschen. Die Schutzpolizisten hatten in wichtigen Dingen nichts zu sagen.
>
> Wir sind am 6.Mai 1943 auf dem Bahnhof in Pataleowka, genauer gesagt in Borejanka in der Nähe dieses Ortes verladen worden. Ewald Sim. war mit seiner Familie dabei. Daran kann ich mich genau entsinnen. Der Treck dauerte etwa 2 bis 3 Tage und ging bis Kalinowki, von dort ging es mit Pferdegespannen nach Holowci. Die einheimischen Russen aus diesem Dorf waren ausgesiedelt, so sagte man es uns jedenfalls, und wir mussten die Ernte einbringen. Geerntet wird dort in den Monaten Juli bis August.
>
> Nach unserer Ankunft in Holowci mussten die Männer, jedenfalls soweit sie bei der Polizei waren, wieder an ihren ursprünglichen Einsatzort zurück, also auch Herr Sim. Zur Ernte war jedoch Sim. wieder in Holowci. Daran kann ich mich gut erinnern, weil er mir beim Dreschen geholfen hat. Ich fragte ihn, warum denn mein Mann, der in Roswaschew war, nicht auf Urlaub nach Holowci kommen könne. Sim. lächelte etwas verschmitzt und sagte etwa sinngemäss: "Dein Mann kann erst kommen, wenn ich zurück komme, und ich komme nicht zurück, weil mein Urlaubsschein weg ist." Er erzählte mir, dass der Gebietskommissar oder irgendein ähnlicher Mann ihm den Urlaubsschein weggenommen habe, weil er als Transportbegleiter gebraucht würde. Ich hatte damals eine mächtige Wut auf Sim., weil ich 5 ha abzuernten hatte und meinen Mann dazu dringend brauchte. Nach meiner Erinnerung ist Sim. in der Folgezeit nie mehr nach Roswaschew zurückgekehrt. Ich habe ihn in Holowci hin und wieder gesehen. Er wohnte allerdings nicht in unmittelbarer Nähe von mir.

Im Oktober 1943 ging der Treck weiter nach Kamenpodolsk, nahe der polnischen Grenze. Herr Sim. war auch dabei. Herr Sim. trug eine Polizeimütze, sonst hatte er keine Uniform an. Er war bei seiner Familie, aber wenn irgendetwa brenzlig war und irgendwo Ordnung geschaffen werden musste, war er dabei.

Im Januar 1944 bin ich mit meinem Mann zusammengetroffen, der erfahren hatte, wo unser Treck stand. Er hat mir bestätigt, dass er deshalb nicht nach Holowci auf Urlaub kommen konnte, weil Sim. nicht zurückgekehrt war. Sinngemäss hat er auch weiter bestätigt dass Sim. in der Zwischenzeit niemals mehr in Roswaschew war. Den Umständen nach war das für mich auch ausgeschlossen, denn wenn einer aus dem Urlaub nicht zurückkehrte, müsste er damit rechnen, wegen Fahnenflucht verfolgt zu werden."

Ihre Aussage war ernst und offen. Sie war nicht ohne Emotionen. Nichts daran erschien eingelernt oder aufgesetzt. Die Einzelheiten kamen spontan und unverfälscht. Anhaltspunkte dafür, dass sie aus Solidarität zum Angeklagten Sim. etwas Falsches gesagt haben könnte, liessen sich nicht finden. Schliesslich wird ihre Aussage auch im Kern vom Zeugen Ra. bestätigt, der ebenfalls angegeben hat, dass sich der Angeklagte Sim. damals nicht mehr in Roswaschew aufgehalten habe.

Endlich lagen der Kammer von beiden Angeklagten Abschriften der Einbürgerungsurkunden vom 30.Mai 1944 vor. In den dazugehörigen Antragsformularen vom selben Tage sind die Stationen ihrer Aufenthaltsorte genau angegeben worden. Für beide Angeklagte ergibt sich daraus, dass sie Anfang Mai 1943 Roswaschew verlassen haben. Da zur damaligen Zeit keinerlei Gründe vorlagen, diese Daten zu manipulieren, sind sie von nicht unerheblichem Beweiswert.

Insbesondere die Aussage der Zeugin Bes., die an Präzision derjenigen des Zeugen Ter. nicht nachsteht, führte dazu, dass die Unschuldsvermutung sich auch auf den Angeklagten Rei. erstrecken musste.

Bei der erforderlichen Gesamtwürdigung der Aussage des Zeugen Ter. blieben nach alledem unüberwindbare Zweifel, dass die Angeklagten tatsächlich jene Tat begangen haben.

Die Kostenentscheidung folgt aus §467 StPO.

Die Entscheidung über die Entschädigung beider Angeklagter für die erlittene Untersuchungshaft beruht auf §2 StrEG.

Lfd.Nr.862

Tatkomplex
Verbrechen der Endphase

Tatort
Auf dem Weg des Evakuierungsmarsches
von dem KL Gassen in das KL Leipzig-Thekla

Tatzeit
450212-450222

Gerichtsentscheidungen
LG Köln vom 23.10.1980, 59-19/80
LG Köln vom 02.07.1979, 40-31/74
BGH vom 23.07.1980, 2 StR 216/80

INHALTSVERZEICHNIS

der unter Lfd.Nr.862a und 862b veröffentlichten Urteile

LG Köln vom 23.10.1980, 59-19/80

LG Köln vom 02.07.1979, 40-31/74

59 - 19/80

Im Namen des Volkes

In der Strafsache gegen

den ehemaligen SS-Hauptscharführer und Schriftsetzer Walter Karl Heinrich Kno. [124], geboren am 13.2.1913 in Herford/Westf., wohnhaft: 4900 Herford/Westf., Deutscher, verheiratet, - zur Zeit in dieser Sache in Untersuchungshaft in der Justizvollzugsanstalt Köln seit dem 16.8.1978 -

wegen Beihilfe zum Mord.

Die 15. grosse Strafkammer des Landgerichts Köln als Schwurgericht hat in den Sitzungen vom 21. und 23.Oktober 1980 am 23.10.1980 für Recht erkannt:

> Der Angeklagte wird wegen Beihilfe zum Mord zu einer Freiheitsstrafe von fünf Jahren verurteilt. Die erlittene Untersuchungshaft wird auf die erkannte Strafe angerechnet. Im übrigen bleibt es beim Freispruch.
> Soweit der Angeklagte freigesprochen worden ist, fallen die Kosten des Verfahrens und die ihm erwachsenen notwendigen Auslagen der Staatskasse zur Last; im übrigen werden sie dem Angeklagten auferlegt. Die Rechtsmittelgebühr wird um 1/3 ermässigt.

(§§211, 49, 43, 44, 73 StGB a.F., 211, 27 I, II, 52 StGB n.F.)

GRÜNDE

I. « Verfahrensgeschichte »

Durch Urteil vom 2.Juli 1979 hat die 11. grosse Strafkammer des Landgerichts Köln als Schwurgericht den Angeklagten wegen Beihilfe zum Mord zu einer Freiheitsstrafe von neun Jahren verurteilt.

Auf die Revision des Angeklagten hat der Bundesgerichtshof durch Beschluss vom 23.Juli 1980 - 2 StR 216/80 - das Urteil im Strafausspruch mit den Feststellungen hierzu aufgehoben. Das Schwurgericht war zu dem Ergebnis gelangt, dem Angeklagten sei nicht nur das Mordmerkmal der Grausamkeit zuzurechnen, vielmehr liege bei ihm auch das Merkmal des Handelns aus niedrigen Beweggründen vor. Diesen Vorwurf, dass der Angeklagte die Beihilfe aus niedrigen Beweggründen geleistet habe, hat der Bundesgerichtshof nicht für begründet gehalten und daher den Strafausspruch aufgehoben.

In Rechtskraft erwachsen ist danach der Schuldausspruch mit den ihm zugrunde liegenden Feststellungen, so dass in der erneuten Hauptverhandlung von folgendem auszugehen war:

[124] Rechtskräftig durch Beschluss des BGH vom 7.10.1981, 2 StR 259/81.

II. « Das KL Gassen und der Evakuierungsmarsch nach KL Leipzig-Thekla - Sachverhalt, Einlassung des Angeklagten und rechtliche Würdigung »

1) Das zum Konzentrationslager (= KL) Gross-Rosen gehörende Nebenlager Gassen wurde etwa Ende August / Anfang September 1944 errichtet. Es war ca. 1,5-2 km von der 3000 bis 4000 Einwohner zählenden Ortschaft Gassen (Niederlausitz) entfernt und lag - von Gassen aus gesehen - in einem Kiefernwäldchen auf der linken Seite der in nordöstlicher Richtung verlaufenden Strasse, die zu den Orten Meiersdorf und Witzen führte. Das Lager war quadratisch angeordnet und von zwei Stacheldrahtzäunen umgeben, von denen einer elektrisch geladen war. An den Ecken des Lagers standen Wachtürme. Vor der Umzäunung befand sich ein Kahlschlag von mehreren Metern Breite als Sichtstreifen. Im Inneren des Lagers standen mindestens vier Holzbaracken (sog. Blocks), die als Unterkünfte für die Häftlinge bestimmt waren. Ferner gab es noch eine weitere Baracke, in der sich das Krankenrevier und eine kleine Küche befanden, sowie eine kleinere Baracke in unmittelbarer Nähe des Eingangstores, die zum Aufenthalt der Wachposten diente. In der Baracke am Eingangstor waren auch das Dienstzimmer des Angeklagten und wahrscheinlich die Schreibstube untergebracht. Der Appellplatz befand sich zwischen dem Eingangstor und den Unterkünften der Häftlinge.

Die Wohnbaracken waren in mehrere Stuben unterteilt, die mit doppelstöckigen Holzpritschen als Schlafgelegenheit für die Häftlinge ausgestattet waren. In den Stuben standen ferner Öfen. Es war jedoch nicht erlaubt - auch nicht während der Winterzeit - die Unterkünfte zu beheizen. Ob es in einem jeden Block einen Waschraum und Toiletten gab oder ob sich die sanitären Anlagen in einer gesonderten Baracke befanden, darüber konnten keine sicheren Feststellungen getroffen werden. Ebenso liessen sich im einzelnen keine genaueren Feststellungen treffen über die Lage der Baracken sowie über die Lage und die Abmessungen des Appellplatzes und des Lagergeländes insgesamt, über das insoweit aus der damaligen Zeit keinerlei Unterlagen mehr existieren.

2) Die erste Gruppe von Häftlingen traf im Spätsommer 1944 im Nebenlager Gassen ein. Die überwiegende Zahl dieser Häftlinge war im ca. 100 km entfernten Stammlager Gross-Rosen aufgrund der blossen Berufsangabe als Schlosser oder Mechaniker ausgesucht und zur Verlegung nach Gassen bestimmt worden. Der Transport erfolgte bis zum Bahnhof des Ortes Gassen in Güterwaggons. In den ersten Wochen nach der Ankunft im Lager hatten die Häftlinge zunächst die Sicherungsanlagen, insbesondere Stacheldrahtzäune und Wachtürme, errichten müssen, bevor sie in einem Werk der Firma Focke-Wulf im Ort Gassen zum Arbeitseinsatz kamen, worauf später noch näher eingegangen wird. Die Holzbaracken waren bei der Ankunft der ersten Häftlinge im Lager bereits erstellt, da vorher auf dem Lagergelände andere Personen - wahrscheinlich Kriegsgefangene - untergebracht waren.

Schon bald nach der Fertigstellung des Lagers kamen weitere Häftlingstransporte aus Gross--Rosen. Die Häftlinge waren dort zum Teil von Fachleuten aus der Fabrik in Gassen ausgesucht worden, wobei die Häftlinge eine fachliche Eignung als Schlosser, Mechaniker oder dergleichen nachweisen mussten. Der Nachweis bestand zum Beispiel bei den Zeugen Prz., Paw., Mas., Kra., Kos., Dzi., Deb., Cis. und B. darin, in einen Schraubstock ein Stück Eisen fachgerecht einzuspannen und/oder dieses zu feilen. In ähnlicher Weise mussten unter anderem auch die Zeugen Wal., Urb., Sid., Loi., Esc., Kl., Dom. und Mus. ihre handwerkliche Qualifikation unter Beweis stellen. Teilweise wurden die Häftlingstransporte nach Gassen aber auch so zusammengestellt, dass entweder die Häftlinge, die sich auf eine entsprechende Nachfrage als Schlosser oder Mechaniker gemeldet hatten, ohne weiteres nach Gassen geschickt wurden oder aber, dass die Häftlinge mit einer entsprechenden Vorbildung anhand der im Lager befindlichen Unterlagen beim Appell aufgerufen und ohne vorherige Prüfung ins Nebenlager Gassen verlegt wurden. Diese Häftlinge wurden dann - wie beispielsweise die Zeugen Ref., Mos., Mah., Kac. - in der Fabrik von den deutschen Facharbeitern bei der Arbeit beobachtet und entsprechend ihren Fähigkeiten eingesetzt.

Es kam auch vor, dass sich Häftlinge ohne die gewünschte berufliche Vorbildung nach Gassen meldeten und die ihnen abverlangte Prüfung, deren Anforderungen nicht sehr hoch waren, bestanden. Sie erhofften sich im Arbeitslager Gassen bessere Lebensbedingungen als im KL Gross-Rosen.

Genaue Angaben hinsichtlich Anzahl, Grösse und Ankunft der einzelnen Häftlingstransporte konnten in der Hauptverhandlung nicht festgestellt werden. Es steht jedoch fest, dass sich um die Jahreswende 1944/1945 bis etwa zum Zeitpunkt der Evakuierung des Lagers ca. 700 bis 800 Häftlinge - wahrscheinlich jedoch noch wesentlich mehr - im Lager befanden. Sie waren überwiegend polnischer und russischer Nationalität. Daneben gab es noch Häftlinge französischer, tschechischer, kroatischer, rumänischer, belgischer, italienischer und deutscher Nationalität. Die überwiegende Anzahl der Häftlinge trug rote "Winkel", die zusammen mit den in Gross-Rosen ausgegebenen Häftlingsnummern auf die Kleidung genäht waren, womit eine Einlieferung aus politischen Gründen kenntlich gemacht wurde.

3) Die Bewachung des Lagers wurde von Angehörigen eines SS-Totenkopfbataillons gestellt. Die Wachmannschaft bestand nach unwiderlegter Darstellung des Angeklagten aus einem Zug mit etwa vierzig Wachleuten und drei Unterführern. Ihre Unterkunft befand sich wie auch die des Lagerführers ausserhalb des Lagergeländes in der Nähe der bereits erwähnten Strasse nach Meiersdorf und Witzen.

Als Zugführer der Wachmannschaft fungierte ein nicht näher bekannter SS-Oberscharführer, der möglicherweise Fricke hiess. Er vertrat den Angeklagten, dem als Lagerführer alle Angelegenheiten oblagen, die mit der Verwaltung des Lagers, dem Arbeitseinsatz der Häftlinge sowie deren Behandlung und Versorgung zusammenhingen. Ob der Leiter der Wachmannschaft dem Lagerführer unmittelbar unterstand oder ob der Leiter der Wachmannschaft - wie im übrigen auch der Angeklagte - nur dem Lagerkommandanten von Gross-Rosen unmittelbar unterstand, konnte nicht aufgeklärt werden. Es ist daher nicht auszuschliessen, dass der Lagerführer gegenüber dem Zugführer der Wachmannschaft innerhalb des diesem zugewiesenen Aufgabenbereichs keine Befehlsbefugnis hatte. Ausserdem war ein SS-Scharführer als Rapportführer tätig, der möglicherweise Müller hiess. Er hatte für die Ordnung im Lager zu sorgen und nahm ferner die Zählappelle entgegen, die morgens und abends jeweils vor und nach dem Arbeitseinsatz der Häftlinge im Lager durchgeführt wurden.
Den unwiderlegten Angaben des Angeklagten zufolge gab es darüber hinaus in Gassen keinen eigentlichen Kommandanturstab, wie dies bei grösseren Konzentrationslagern die Regel war.

4) Die Überwachung und Kontrolle der Häftlinge wurde in Gassen aber nicht nur unmittelbar durch die SS-Angehörigen bewirkt. Diesen stand vielmehr - wie ebenfalls in Konzentrationslagern allgemein üblich - die sog. Häftlingsselbstverwaltung zur Seite, die einen Teil der internen Verwaltungsangelegenheiten zu erledigen hatte.

An der Spitze der Häftlingsselbstverwaltung stand der Lagerälteste, dessen Funktion vom deutschen Zeugen Peter Kle. ausgeübt wurde. Er hatte die Befehle der Lagerführung gegenüber den Häftlingen durchzusetzen und für Ruhe und Ordnung im gesamten Lager zu sorgen. Er arbeitete hierbei insbesondere mit dem Rapportführer zusammen. Dem Lagerältesten unterstanden sogenannte Blockälteste, die in den Baracken ein eigenes Zimmer bewohnten und für die Ordnung innerhalb eines Blocks verantwortlich waren. In den Stuben waren ferner sog. Stubenälteste eingesetzt, denen die Aufgabe zukam, den Blockältesten zu helfen.
Neben den bislang erwähnten Tätigkeiten gab es im Rahmen der Häftlingsselbstverwaltung in Gassen noch sog. Kapos, die einzelnen Häftlingskommandos vorstanden und der Lagerführung verantwortlich waren. Schliesslich waren in der Schreibstube noch etwa zwei Häftlinge tätig, die unter Aufsicht des Lagerführers den gesamten Schriftverkehr abwickelten.

Der Einsatz innerhalb der Lagerselbstverwaltung hob die sog. Funktionshäftlinge aus der Masse der übrigen Häftlinge heraus, womit vielfach erhebliche Vergünstigungen verbunden waren wie zum Beispiel Befreiung vom Arbeitseinsatz, bessere Unterbringung oder zusätzliche Verpflegung. Daher waren die Funktionshäftlinge regelmässig darauf bedacht, ihre Positionen nicht zu verlieren. Um dies zu gewährleisten, traten sie meist selbst als harte und unnachgiebige Vollstrecker der Befehle der SS-Lagerführung auf und waren bereit, ihre Häftlingskollegen entsprechend zu behandeln, worauf später in einem gesonderten Kapitel näher eingegangen wird. Gleichwohl haben sich aber im Bereich der Häftlingsselbstverwaltung vereinzelt auch Häftlinge gegenüber ihren Kollegen durchaus menschlich verhalten, wie die Hauptverhandlung ebenfalls ergeben hat. Neben dem bereits erwähnten Lagerältesten Kle. sind in Gassen vornehmlich folgende Personen als Funktionshäftlinge durch rücksichtsloses Verhalten gegenüber der Mehrzahl ihrer Kollegen in Erscheinung getreten: die polnischen Häftlinge Georg Ziolkowski - genannt Jurek - und Lucian Wujek; ferner je ein tschechischer und rumänischer sowie ein weiterer deutscher Häftling, deren Namen nicht näher ermittelt werden konnten.

5) Die Häftlinge des Nebenlagers Gassen wurden zum überwiegenden Teil zur Produktionssteigerung im Werk der Firma Focke-Wulf in Gassen eingesetzt, wo Vorrichtungen für den Flugzeugbau hergestellt wurden. Das Stammwerk der Firma hatte seinen Sitz in Bremen. Als zum Schutze vor immer häufigeren Luftangriffen der Alliierten kriegswichtige deutsche Unternehmen dezentralisiert wurden, war u.a. auch der Vorrichtungsbau dem Stammwerk der Firma Focke-Wulf in Bremen ausgegliedert worden. Er war zunächst - etwa im Sommer 1943 - nach Sorau verlegt worden und dann - etwa im Herbst des Jahres 1943 - nach Gassen. Hier hatte die Firma Focke-Wulf einen Teil der Produktionshallen der ortsansässigen Landmaschinenfabrik Raussendorf bezogen, die Maschinen für das damals auslaufende sog. Ostprogramm produziert hatte und nunmehr über frei gewordenen Produktionsraum verfügte. Als die Produktion angelaufen war, und der vorhandene Produktionsraum voll ausgenutzt wurde, bestand die Gesamtbelegschaft von Focke-Wulf in Gassen aus ca. 1400 Personen. Diese setzten sich neben den Häftlingen des Lagers Gassen wie folgt zusammen: Etwa 400-500 Mann Stammpersonal von Focke-Wulf und übernommene Arbeitskräfte der Firma Raussendorf, ca. 100 Angehörige einer sog. Torpedofliegereinheit, die dem Werk seit ca. Sommer 1944 zugewiesen waren, ca. 40 Franzosen, bei denen es sich teils um Kriegsgefangene und teils um Zivildienstverpflichtete handelte, sowie ca. fünfzehn sog. "Hiwi-Russen".

An der Spitze des Werkes standen der Betriebsleiter und sein Stellvertreter, denen zwei oder drei Betriebsingenieure zugeordnet waren. Diesen wiederum unterstanden insgesamt etwa fünf Meister, die zusammen mit sog. Untermeistern etwa acht Vorarbeiter (pro Schicht) beaufsichtigten. Einem Vorarbeiter waren schliesslich 60-80 Arbeitskräfte zugeteilt, die in Kolonnen von ca. sechs Personen unter Aufsicht eines Kolonnenführers tätig waren. Die Häftlinge des Lagers Gassen wurden in aller Regel in den in der Produktionshalle arbeitenden Kolonnen eingesetzt, wobei sie insbesondere Entgratungs- und Bohrarbeiten nach den Weisungen der deutschen Facharbeiter ausführten. Da der Einsatz der Häftlinge nach dem im Werk Gassen praktizierten Gruppenakkordsystem bei der Bemessung der Leistungspensen für die deutschen Zivilarbeiter berücksichtigt wurde, war diesen durchaus an einer guten Zusammenarbeit mit den Häftlingen gelegen.

Zur Auslastung der Werkskapazität wurde in Gassen zumindest ab Januar 1945 regelmässig - ausser sonntags - in Tag- und Nachtschichten produziert, zu denen die Häftlinge im wöchentlichen Wechsel herangezogen wurden. Die Tagschichten dauerten wahrscheinlich dreizehn Stunden (von 6.00-19.00 Uhr) und die Nachtschichten elf Stunden. Möglicherweise betrug aber auch die Arbeitszeit für beide Schichten je zwölf Stunden. Die Häftlinge wurden von Angehörigen der Wachmannschaft zum Arbeitseinsatz in die Fabrik gebracht, die ca. 300 m von der Ortsmitte entfernt an der Flöterstrasse lag. Diese Strasse, die nach dem Gründer der oben näher beschriebenen Landmaschinenfabrik benannt war, führte etwa am Ortsrand von

Gassen durch eine Eisenbahnunterführung der Bahnstrecke Gassen-Sorau und ging dann in die ebenfalls bereits erwähnte Landstrasse nach Meiersdorf und Witzen über.
Nach der Ankunft in der Fabrik bezogen die Angehörigen der Wachmannschaft dort Wachposten und führten die Häftlinge nach der Arbeit wieder in das Lager zurück.

6) Die allgemeinen Lebensbedingungen im Lager, insbesondere Ernährung und ärztliche Versorgung, waren völlig unzureichend.

Frühstück und Abendbrot, das jeweils aus geringen Mengen Brot, Margarine und Brotbelag bestand, nahmen die Häftlinge in der Regel im Lager ein. Ferner gab es morgens und abends Kaffee, der in der kleinen Lagerküche gekocht wurde. Das Mittagessen erhielten die Häftlinge, soweit sie zur Tagschicht eingeteilt waren, in der Fabrik, wo es auch in einer gesonderten Baracke hinter der eigentlichen Werksküche zubereitet wurde. Für die übrigen Häftlinge, die nicht in der Tagschicht arbeiteten, wurde das Mittagessen aus der Fabrik ins Lager gebracht. An arbeitsfreien Tagen wurde das Mittagessen für die Häftlinge in der Lagerküche hergerichtet. Es bestand vorwiegend aus einer dünnen Suppe. Als eines Tages dem Betriebsleiter in Gassen die dürftige Zusammensetzung des Häftlingsessens aus Wasser und sog. Graumehlteigwaren auffiel, beschaffte er von Landwirten in der Umgebung zusätzlich Rüben oder Möhren, die in einer grossen Miete gelagert und dem Essen der Häftlinge beigegeben wurden. Die schlechte Ernährungssituation der Häftlinge konnte aber hierdurch ebensowenig entscheidend verbessert werden wie durch die Tatsache, dass einigen Häftlingen in der Fabrik - wie z.B. den Zeugen Wl. Szy., Wro., Mus., Leg. und Esc. - gelegentlich von den deutschen Arbeitern Lebensmittel zugesteckt wurden.

Die ärztliche Betreuung der Häftlinge lag zunächst nur in den Händen des polnischen Arztes Dr. Novak und des Zeugen Mic., der damals einige Semester Medizin studiert hatte und daher als Krankenpfleger eingesetzt wurde. Beide waren etwa Anfang Oktober 1944 als Häftlinge von Gross-Rosen nach Gassen gekommen, wo sie die medizinische Betreuung des Krankenreviers übernehmen mussten. Etwa ab Anfang November 1944 wurde ein weiterer Häftlingsarzt, der französische Zeuge Dr. Rep., zusätzlich im Krankenrevier eingesetzt, wo es einen durchschnittlichen Krankenbestand von ca. 60-80 Personen gab. Eine ordnungsgemässe Behandlung der Patienten war jedoch nicht möglich, weil trotz entsprechender Materialanforderungen in Gross-Rosen, die monatlich erstellt wurden, weder genügend Medikamente noch die erforderliche Anzahl von Geräten für die Kleinchirurgie zur Verfügung gestellt wurden. Unter diesen Umständen musste daher z.B. Toilettenpapier als Verbandsmaterial verwandt werden. Als eines Tages aus einem nicht weiter zu klärenden Anlass Angehörige der Werksleitung von Focke-Wulf in Gassen das Krankenrevier im Lager besuchten, wies der Zeuge Dr. Rep. die Gäste auf die ungenügende medizinische Versorgungslage hin. Daraufhin wurden von Focke-Wulf Geldmittel bereitgestellt, mit denen das allernotwendigste medizinische Material angeschafft werden konnte. Dieses wurde schliesslich im Februar 1945 vor der erneuten Verlegung des Werkes von Gassen nach Karlsbad von der Firma Focke--Wulf zurückgefordert.

Zum Teil meldeten sich aber auch die Häftlinge des Lagers Gassen, die sich arbeitsunfähig fühlten, erst gar nicht krank oder sie hielten unumgängliche Revieraufenthalte möglichst kurz. Sie befürchteten nämlich, anderenfalls durch eine Verlegung zum Arbeitseinsatz im Steinbruch von Gross-Rosen oder auf sonstige Art und Weise dem sicheren Tod entgegenzugehen. Ob derartige Befürchtungen der Häftlinge tatsächlich begründet waren, darüber liessen sich in der Hauptverhandlung keine sicheren Feststellungen treffen.

7) Stellten schon die Unzuträglichkeiten des Lagers, insbesondere der Mangel an allen Enden, die langen Arbeitszeiten und die Ungewissheit über das eigene Schicksal für die Lagerinsassen harte und menschenunwürdige Lebensbedingungen dar, so wurden die Häftlinge darüber hinaus noch durch ständige Schikanen und Misshandlungen der SS-Leute und Funk-

tionshäftlinge gequält. Bei derartigen Aktionen tat sich besonders der Lagerälteste Peter Kle. hervor, der mit seinen brutalen Züchtigungen Furcht und Schrecken unter den Häftlingen verbreitete. Oftmals erfolgten die Misshandlungen der Häftlinge grundlos oder aus geringfügigem Anlass, wozu bereits ein falsches oder unterlassenes Grüssen oder Melden ausreichend war. Häufig kam es auch zu Misshandlungen, weil man bei den Häftlingen aus der Fabrik beschafftes Brennmaterial fand, womit die Stuben heimlich beheizt werden sollten. Ebenso wurden die Häftlinge misshandelt, wenn sie zum Schutz vor Kälte Papier unter ihre Kleidung steckten, die aus einem blau-weiss gestreiften Häftlingsanzug und Holzpantinen bestand. Ein nicht seltener Anlass für Misshandlungen war es schliesslich auch, dass bei einer Kontrolle der Zustand der Stube - insbesondere der Bettenbau - nicht für "ordnungsgemäss" befunden wurde oder dass Häftlinge nicht schnell genug zu den täglichen Appellen antraten bzw. dass sie sich hierbei oder beim Marschieren nicht richtig in Reihe und Glied befanden.

Es war an der Tagesordnung, dass die Häftlinge für "Vergehen" der vorgenannten Art sofort an Ort und Stelle getreten und geschlagen wurden, wobei auch Schlaggeräte wie Ochsenziemer oder ähnliches benutzt wurden. Daneben gab es aber auch förmliche körperliche Züchtigungen, bei denen in der Regel den Häftlingen eine gewisse Anzahl von Schlägen mit einem Stock oder dergleichen auf das Gesäss verabfolgt wurden. Diese Strafe wurde auf dem sogenannten Bock vollzogen, über den der Häftling gelegt wurde. Ob es im Lager Gassen einen besonderen Raum für den Vollzug dieser Strafe gab oder ob die Stockschläge in den Unterkünften der Häftlinge durchgeführt wurden, wobei ein normaler Stuhl als Bock diente, konnte nicht aufgeklärt werden.

Als Disziplinarmassnahme gab es weiterhin das sog. Strafstehen. Der Häftling, der mit dieser Massnahme belegt wurde, musste oftmals stundenlang ohne Rücksicht auf Witterungsverhältnisse auf dem Lagergelände - insbesondere in der Nähe des Lagertores - stehen, ohne sich von der Stelle bewegen zu dürfen. Es kam auch vor, dass die Häftlinge bei den Zählappellen mehrere Stunden auf dem Appellplatz stehen mussten. Dies geschah insbesondere, wenn sich die Unvollständigkeit der Lagerbelegschaft herausgestellt hatte, weil Häftlinge geflohen waren, was im Lager Gassen einige Male der Fall war. Welches Schicksal im einzelnen die geflohenen Häftlinge ereilt hat, konnte in der Hauptverhandlung nicht weiter festgestellt werden.

Ausser den bereits genannten Massnahmen wurden die Häftlinge entweder einzeln oder in Gruppen auch mit sog. Sporttreiben geschunden. Dabei mussten Häftlinge jeden Alters oft stundenlang laufen, rollen, robben, hüpfen, exerzieren oder dergleichen, wobei nicht selten die Häftlinge noch zusätzlich durch Schläge und Tritte misshandelt wurden. Derartige "Übungen" wurden auch an arbeitsfreien Sonntagen durchgeführt.

Schliesslich waren die Häftlinge auch am Arbeitsplatz in der Fabrik nicht sicher vor Misshandlungen. Hieran beteiligten sich jedoch nur die SS-Angehörigen und Funktionshäftlinge, nicht aber die sonst im Werk beschäftigten Personen. Am Arbeitsplatz wurden die Häftlinge am häufigsten deshalb misshandelt - insbesondere geschlagen -, weil ihre Arbeit für zu langsam oder zu schlecht befunden wurde. Vielfach wurden aber auch nur in der Fabrik die Lagernummern der betreffenden Häftlinge notiert, die dann nach der Rückkehr von der Arbeit im Lager gemassregelt und gezüchtigt wurden.

8) Das Lagerleben hatte für viele Häftlinge schon bald Unterernährung und Anfälligkeit für Krankheiten zur Folge. Ruhr, Bronchitis, Lungenentzündung, Wasserlunge und eitrige Entzündungen aufgrund Vitaminmangels waren die häufigsten Erkrankungen, die im Revier - notdürftig - behandelt wurden. Sehr oft mussten auch Kiefern- und Rippenbrüche ärztlich versorgt werden, die auf die erwähnte brutale Behandlung der Häftlinge zurückgingen und mehrfach sogar zum Tode von Häftlingen führten. Neben den Krankheiten wurden die Häftlinge ausserdem noch - bedingt durch die insgesamt unzulänglichen hygienischen Verhältnisse

im Lager - von Ungeziefer geplagt. Als Angehörige der Werksleitung eines Tages in der Fabrik bemerkten, dass die Häftlinge sehr stark verlaust waren, wurde auf ihre Veranlassung eine sog. Entlausungsaktion durchgeführt, bei der die Häftlinge zum Duschen geführt und deren Kleidungsstücke zur gleichen Zeit desinfiziert wurden. Es war indessen nicht mehr aufklärbar, wo im einzelnen diese Aktion durchgeführt wurde, mit der jedoch letztlich die Verlausung der Häftlinge nicht vollends beseitigt werden konnte.

Die schlechte Behandlung der Häftlinge und die unzureichende medizinische Versorgung führten schliesslich zu einer hohen Sterblichkeit im Lager Gassen, obwohl es sich bei den Häftlingen durchweg um Personen im arbeitsfähigen Alter von ca. 20 bis 45 Jahren handelte.

9) Die toten Häftlinge wurden in der ersten Zeit nach Gross-Rosen gebracht und hier im Krematorium verbrannt. Später wurden die Toten - zumindest teilweise - ausserhalb des Lagers im Waldgelände vergraben.

Der Bestand an Häftlingen wurde im Lager Gassen in Listen erfasst, die auf der Schreibstube geführt wurden. Beim Ableben von Häftlingen wurden Todesbescheinigungen in vierfacher Ausfertigung erstellt. Hiervon verblieb ein Exemplar im Lager Gassen, während die übrigen Ausfertigungen für das Stammlager Gross-Rosen, die staatlichen Gesundheitsämter und das statistische Reichsamt bestimmt waren. Die Todesbescheinigungen wurden unter Angabe der Todesursache von einem der im Revier tätigen Ärzte unterzeichnet. Es war jedoch dem bescheinigenden Arzt wegen der zu erwartenden Repressalien gegen die eigene Person praktisch nicht möglich, die wahre Todesursache anzugeben, wenn das Ableben eines Häftlings auf brutale Misshandlungen zurückzuführen war. Als Todesursache wurde in solchen Fällen z.B. Ruhr oder Herzversagen eingetragen. Aufgrund der Meldung aus Gassen wurde im Stammlager Gross-Rosen unter anderem der Tod eines Häftlings in einem der Totenbücher beurkundet, die im lagereigenen Standesamt geführt wurden. Von der vorerwähnten Beurkundung waren jedoch aufgrund des Erlasses des Reichsführers-SS vom 15.9.1943 "sowjetrussische und nichteindeutschungsfähige polnische Zivilarbeiter" ausgeschlossen, deren Tod lediglich an die einliefernde Polizeibehörde gemeldet wurde, weil diese Meldung "der Unterrichtung der Arbeitsbehörde dient und somit einen wichtigen praktischen Zweck erfüllt".

10) In der Hauptverhandlung konnte nicht geklärt werden, ob sich der Angeklagte, der nach eigenen Angaben häufig bei Abwesenheit der Häftlinge deren Unterkünfte zusammen mit dem Lagerältesten kontrollierte und sich unter anderem auch öfter in der Fabrik aufhielt, um hier mit den Meistern den Arbeitseinsatz der Häftlinge zu besprechen, selbst an Häftlingsmisshandlungen beteiligt hat oder ob er bei solchen Gelegenheiten zugegen war. Es steht jedoch fest, dass dem Angeklagten die Lagerverhältnisse und die Lebensbedingungen der Häftlinge im einzelnen genau bekannt waren.

Als Anfang Februar 1945 die russischen Truppen immer weiter nach Westen vordrangen, wurde die bereits erwähnte abermalige Verlegung des Vorrichtungsbaues der Firma Focke-Wulf von Gassen nach Karlsbad angeordnet. Ein Teil der Häftlinge des Nebenlagers Gassen wurde dazu eingesetzt, in der Fabrik die Maschinen abzubauen und diese auf dem Werksgelände, das einen eigenen Eisenbahnanschluss besass, in Güterwaggons zu verladen. Diese Arbeiten waren etwa am 10.2.1945 abgeschlossen.

Etwa zu dieser Zeit - Anfang Februar 1945 - erhielt der Angeklagte vom Stammlager Gross-Rosen einen schriftlichen Befehl, der die bevorstehende Evakuierung des Nebenlagers regelte, die unabhängig von der Verlegung des Werkes erfolgen sollte. Der Urheber dieses Befehls und dessen genauer Wortlaut konnten nicht festgestellt werden. Wegen seiner Bedeutung ist jedoch anzunehmen, dass der Befehl von höchsten Partei- oder SS-Stellen erging und auf dem Wege über das Stammlager Gross-Rosen dem Angeklagten als Lagerführer des Nebenlagers ausgehändigt wurde. Mit Sicherheit kann aber zumindest von folgendem Inhalt des

Befehls ausgegangen werden: Bei Näherrücken der Front sollten das Lager Gassen evakuiert und die Lagerinsassen irgendwie zum Lager Leipzig-Thekla, einem Nebenlager des KL Buchenwald, gebracht werden. Hierbei war es dem Angeklagten überlassen, von sich aus den Zeitpunkt für den Abmarsch festzulegen und nach Rücksprache mit dem für die beabsichtigte Evakuierung zuständigen Kreisamtsleiter alles Notwendige zu veranlassen. Der Befehl enthielt ferner die Anordnung, dass auf dem Evakuierungsmarsch alle kranken und marschunfähigen Häftlinge zu erschiessen seien.

Der Angeklagte erkannte, dass dieser Tötungsbefehl, der ersichtlich nur dazu diente, keinen Häftling in Feindeshand fallen zu lassen und bei der Evakuierung Verzögerungen zu vermeiden, verbrecherischen Inhalts war.

Nachdem der Angeklagte den Befehl erhalten und zur Kenntnis genommen hatte, gab er ihn an den Zugführer der Wachmannschaft und die Unterführer weiter. Ebenso informierte er den Betriebsleiter in Gassen von der beabsichtigten Evakuierung des Lagers. Dem Betriebsleiter gelang es, einen Eisenbahnwaggon zu beschaffen, mit dem 53 im Krankenrevier des Lagers befindliche Häftlinge in Begleitung des Arztes Dr. Novak und des Zeugen Mic. zum KL Buchenwald transportiert wurden. Dieser Transport, der insgesamt aus 55 Häftlingen bestand, verliess unter Bewachung von zwei oder drei SS-Angehörigen der Wachmannschaft das Lager vor den übrigen Häftlingen, deren Abmarsch der Angeklagte für den 12.2.1945 festgelegt hatte.

Am Morgen des 12.2.1945 wurde im Lager ein Appell durchgeführt, in dessen Verlauf den Lagerinsassen nähere Einzelheiten über die Evakuierung bekanntgegeben wurden. Den Häftlingen wurde insbesondere erklärt, dass jeder, der auf dem Evakuierungsmarsch einen Fluchtversuch unternehme oder infolge Marschunfähigkeit zurückbleibe, erschossen werde. Wer im einzelnen den Häftlingen diese Mitteilung gemacht hat, konnte nicht aufgeklärt werden. Sicher ist aber, dass der Erschiessungsbefehl auf Anordnung des Angeklagten den Lagerinsassen bekanntgegeben wurde, wobei Häftlinge, die der deutschen Sprache mächtig waren, als Dolmetscher fungierten.

Der Angeklagte wusste spätestens zu der Zeit, als er die Bekanntgabe des Erschiessungsbefehls an die Häftlinge anordnete, dass es wegen deren schlechter körperlicher Verfassung auf dem Evakuierungsmarsch zahlreiche Marschunfähige geben werde. Er war sich ferner darüber im klaren, dass diese Häftlinge unterwegs erschossen werden würden. Es liess sich indessen nicht feststellen, dass der Angeklagte die zu erwartenden Erschiessungen als eigene Tat wollte. Vielmehr muss angenommen werden, dass der Angeklagte bei der Tötung der marschunfähigen Häftlinge lediglich die Tat der unbekannt gebliebenen Befehlsgeber unterstützen wollte. Hierbei war dem Angeklagten jedoch das Leben der ihm anvertrauten Häftlinge völlig gleichgültig. Er sah sie in Übereinstimmung mit der Auffassung der SS-Führung nur als Arbeitssklaven an, deren sonstiges Ergehen ihn nicht interessierte.

Ihm war auch bekannt, dass die Bekanntgabe des Erschiessungsbefehls an die Häftlinge zur Folge hatte, dass die Häftlinge sich bemühen würden, mit letzter Kraft bei der Evakuierungskolonne zu bleiben und dass sie infolgedessen zusätzlichen körperlichen und seelischen Qualen ausgesetzt waren. Dies war ihm jedoch aufgrund seiner Übereinstimmung mit der SS--Ideologie gleichgültig.

Nach dem Appell am 12.2.1945 traten die im Lager verbliebenen Häftlinge und SS-Angehörigen den Evakuierungsmarsch nach Leipzig an. Die Häftlinge marschierten in Vierer- oder Fünferreihen, wobei sie von den SS-Leuten, die sich vornehmlich an beiden Seiten entlang der Marschkolonne aufhielten, bewacht wurden.

Der Angeklagte benutzte auf dem Evakuierungsmarsch ein Fahrrad, das er sich vor dem Abmarsch in Gassen von Bekannten besorgt hatte. Er fuhr hiermit im Laufe des Tages unter anderem den Häftlingen voraus, um Rastplätze für die Nacht ausfindig zu machen. Anschliessend kehrte er dann zur Marschkolonne zurück.

Im übrigen wurde bei der Evakuierung an Fahrzeugen nur ein offener, gummibereifter Akkerwagen mitgeführt, der nach Angaben des Angeklagten eine Ladefläche von ca. 2 x 3 m besass und von Häftlingen gezogen und geschoben wurde. Auf ihm wurden das Gepäck der SS-Leute und Proviant transportiert. Der Wagen war wahrscheinlich in der Fabrik in Gassen beschafft worden, wo sich auf dem Werksgelände zahlreiche derartiger Fahrzeuge befanden.

Der Evakuierungsmarsch von Gassen zum Lager Leipzig-Thekla dauerte insgesamt vom 12. bis 22.Februar 1945 und stellte nicht zuletzt auch wegen der Wetterverhältnisse für die Häftlinge eine ungeheure Strapaze dar. Die Aussentemperaturen lagen um oder unter dem Gefrierpunkt. Der Boden war hart gefroren und zumindest streckenweise mit Schnee bedeckt. Für solche Witterungsverhältnisse war die normale Häftlingskleidung und eine einzige Dekke, die jeder Häftling beim Verlassen des Lagers mitnehmen musste, ein unzureichender Schutz vor Kälte. Ebenso untauglich war das Schuhwerk der Häftlinge. Waren deren Holzpantinen schon an sich für einen Fussmarsch völlig ungeeignet, so bereitete das Marschieren auf dem harten und schneebedeckten Boden den Häftlingen noch zusätzliche Erschwernisse und Qualen.

Die Evakuierungskolonne bewegte sich meistens auf Nebenstrassen und kaum benutzten Wegen. Sie passierte hierbei möglicherweise u.a. die Ortschaften Spremberg, Senftenberg und Muskau. Weitere Feststellungen über den genauen Verlauf der Marschstrecke, insbesondere über die täglich zurückgelegten Wegstrecken, konnten nicht getroffen werden.

An den ersten fünf oder sechs Marschtagen marschierte die Kolonne regelmässig von morgens bis etwa zum Anbruch der Dunkelheit und bezog dann die vom Angeklagten zuvor ausgesuchten Nachtquartiere, die in erster Linie aus verlassenen Fabrikgebäuden, Scheunen oder Stallungen bestanden. Am Abend des fünften oder sechsten Marschtages bezog man Quartier in einem Gutshof, wo die Häftlinge wiederum in einer grossen Scheune untergebracht waren. An diesem Rastplatz verweilte die Marschkolonne insgesamt zwei oder drei Tage. Während dieser Zeit beschaffte der Angeklagte in einer Ortschaft unweit des Gutshofes ein Pferd, das sich aus nicht näher bekannten Grund einen Knochenbruch zugezogen hatte und daher notgeschlachtet werden musste. Vom Fleisch dieses Pferdes liess der Angeklagte auf dem Gelände des Gutshofes eine Suppe zubereiten, die auch an die Häftlinge verteilt wurde, denen auf dem gesamten Evakuierungsmarsch nur unregelmässig und in geringen Mengen Verpflegungsrationen zugeteilt wurden. Während der mehrtägigen Rast gelang es dem Angeklagten weiterhin, auf seinem in der Nähe liegenden Güterbahnhof sechs Güterwaggons zu besorgen, um hiermit die Häftlinge auf dem Rest des Weges nach Leipzig zu befördern. Die Bahnfahrt, bei der die Häftlinge sehr dicht gedrängt in die Waggons gepfercht waren, dauerte insgesamt zwei oder drei Tage.

Unter den gegebenen Umständen brach ein Teil der Häftlinge, die ohnehin infolge des Lagerlebens schon sehr geschwächt waren, auf dem Evakuierungsmarsch zusammen und kam nicht mehr weiter. Soweit diese Häftlinge nicht eines natürlichen Todes verstarben (z.B. im Verlaufe der Nachtpausen oder auch während der mehrtägigen Bahnfahrt), wurden sie in Ausführung des o.g. Befehls gewaltsam getötet. Die Zahl der auf diese Weise ums Leben gekommenen Häftlinge beläuft sich auf mindestens acht. Diese Angabe liegt auch an der untersten Grenze dessen, was sich der Angeklagte bei der Weitergabe des Erschiessungsbefehls vorgestellt hatte. Sieben der getöteten Häftlinge sind namentlich nicht näher bekannt. Sie wurden auf dem ersten Teil des Evakuierungsmarsches - vor dem Antritt der Zugfahrt - an im einzelnen nicht näher feststellbaren Orten erschossen und anschliessend von Häftlingen notdürftig begraben, die eigens zu diesem Zwecke ausgesucht wurden. Bei dem achten Häftling, der auf dem Evakuierungsmarsch getötet wurde, handelt es sich um den französischen Stabsfeldwebel Paul Roussard. Er litt - wie im übrigen zahlreiche seiner Häftlingskollegen - an Ruhr und war nach einigen Marschtagen so geschwächt, dass er nicht mehr weitermarschieren konnte. Im Verlaufe der oben genannten mehrtägigen Rast wurde er schliesslich wegen Marschunfähigkeit ausgesondert und zur Erschiessung weggeführt. Im Anschluss daran wurde er wahrscheinlich von SS-Leuten erschossen. Es ist jedoch nicht auszuschliessen, dass er auf dem Weg zur Erschiessung von Kapos so misshandelt wurde, dass er daran verstarb.

Ob der Angeklagte eigenhändig Häftlinge erschossen hat oder ob er bei den einzelnen Tötungshandlungen zugegen war, liess sich nicht feststellen. Jedenfalls hatte er Kenntnis von der Tötung der marschunfähigen Häftlinge.

Während des Evakuierungsmarsches wurden über die toten Häftlinge keine ärztlichen Todesbescheinigungen mehr erstellt. Ein Kapo notierte lediglich die Lagernummern der Toten. Wahrscheinlich wurden dann anhand dieser Notizen die Toten in den Häftlingslisten vermerkt, die zu Beginn der Evakuierung aus Gassen mitgeführt worden waren. Jedenfalls wurden diese Listen mit den eingetragenen Veränderungen nach der Ankunft im Lager Leipzig-Thekla auf Veranlassung des Angeklagten an die Verwaltung des KL Gross-Rosen weitergeleitet. Wo die Verwaltung des Lagers Gross-Rosen, dessen Insassen seit etwa Mitte Februar 1945 ebenfalls evakuiert wurden, zur damaligen Zeit ihren Sitz hatte, liess sich nicht feststellen. Möglicherweise wurden aber die Verwaltungsangelegenheiten des KL Gross--Rosen damals im KL Buchenwald abgewickelt.

Im Lager Leipzig-Thekla wurden ausweislich einer unter dem Datum des 5.3.1945 erstellten Zugangsliste und einer Nachtragsliste vom 20.3.1945 insgesamt 580 Häftlinge aus Gassen als Neuzugänge übernommen, denen neue Lagernummern des KL Buchenwald zugeteilt wurden. Von diesen 580 Neuzugängen waren in beiden Listen insgesamt 20 Häftlinge mit dem Vermerk gekennzeichnet: "... bereits vor Übernahme in die Lagerstärke verstorben". Wie und wann diese Häftlinge im einzelnen umgekommen sind, konnte nicht aufgeklärt werden. Die überlebenden Häftlinge aus Gassen kamen im Lager Leipzig-Thekla nicht mehr zum Arbeitseinsatz. Sie wurden wegen ihres schlechten Gesundheitszustandes zunächst in Quarantäne untergebracht und wurden dann nach einigen Wochen auf die im Lager befindlichen Baracken verteilt.

Als etwa im April 1945 die Front immer näher an Leipzig heranrückte, wurde auch die Evakuierung des Lagers Thekla angeordnet. Die Häftlinge, die körperlich noch in der Lage waren, an einem Evakuierungsmarsch teilzunehmen, wurden in Richtung Sudetenland geführt. Hier wurden sie auf dem Gebiete der Tschechoslowakei etwa Anfang Mai 1945 von sowjetischen Truppen befreit. Die übrigen Häftlinge, die sich nicht dazu in der Lage gesehen hatten, einen Evakuierungsmarsch durchzustehen, waren unter Bewachung im Lager Leipzig-Thekla zurückgeblieben. Sie wurden wenige Tage nach dem Ausrücken der Evakuierungskolonne - etwa am 17. oder 18.April 1945 - von ihren Bewachern in einer Baracke eingeschlossen, die mit Benzin begossen und in Brand gesteckt wurde. Auf diese Weise kamen zahlreiche der im Lager verbliebenen Häftlinge ums Leben. Viele wurden auch bei dem Versuch, sich aus der brennenden Baracke zu retten, von den Bewachern erschossen, bevor das Lager schliesslich kurze Zeit später von amerikanischen Soldaten befreit werden konnte.

Soweit die Angaben des Angeklagten von den getroffenen Feststellungen abweichen, ist seine Einlassung im wesentlichen folgende:

Es habe im Lager Gassen nie mehr als 200-300 Häftlinge gegeben, die im Vorrichtungsbau von Focke-Wulf nur in Tagschicht, nicht aber auch in Nachtschichten, gearbeitet hätten. Die Lebensbedingungen dieser Häftlinge seien im Gegensatz zu den Bedingungen in Gross-Rosen relativ gut gewesen. Es habe insbesondere in Gassen keinerlei Misshandlungen von Häftlingen gegeben. Zwar sei der Lagerälteste bei den Häftlingen gefürchtet gewesen, weil er diesen gegenüber "zu grob" gewesen sei und sich immer wieder habe durchsetzen können. Ebenso seien auch die Kapos, die wie der Lagerälteste für Ordnung sorgen mussten, bei den übrigen Lagerinsassen verhasst gewesen. Jedoch seien in seinem, des Angeklagten, Beisein keine Häftlinge geschlagen oder mit sonstigen Disziplinarmassnahmen belegt worden. Es sei lediglich einmal ein Zählappell von mehreren Stunden Dauer durchgeführt worden, als Häftlinge geflohen waren. Bei diesem Appell seien aber die Häftlinge nur immer wieder gefragt worden, ob sie nähere Einzelheiten wüssten. Darüber hinaus habe es in Gassen keine Disziplinarmassnahmen gegeben. Derartiger Massnahmen habe es auch nicht bedurft, weil es zur Aufrechterhaltung der Ordnung im Lager ausreichend gewesen sei, wenn er - der Angeklagte - den Häftlingen habe androhen lassen, sie würden bei pflichtwidrigem Verhalten wieder nach Gross-Rosen verlegt.

Das Lagerleben in Gassen habe auch nicht zu einer hohen Häftlingssterblichkeit geführt. Bis zur Evakuierung des Lagers habe es - soweit ihm erinnerlich sei - nur einen einzigen Todesfall gegeben, den er vorschriftsgemäss nach Gross-Rosen gemeldet habe. Der betreffende Häftling sei eines natürlichen Todes gestorben und dann irgendwo ausserhalb des Lagers im Wald begraben worden. -

Nachdem er - der Angeklagte - den Befehl zur Räumung des Lagers erhalten habe, habe er die Führung der Evakuierungskolonne dem Zugführer der Wachmannschaften übertragen. Wegen der für ihn schrecklichen Anordnung, unterwegs die marschunfähigen Häftlinge zu erschiessen, habe er sich bemüht, nicht zu oft bei der Kolonne zu sein. Er habe die Kolonne auf den Fahrrad begleitet, sei aber jeweils zur Quartiersuche vorausgefahren und erst anschliessend wieder zur Kolonne zurückgekehrt. Wenngleich er auch für den Evakuierungsmarsch verantwortlich gewesen sei, so habe diesen doch praktisch der Oberscharführer geleitet. Er - der Angeklagte - wisse von Erschiessungen kranker und marschunfähiger Häftlinge während des Evakuierungsmarsches nichts. Der Oberscharführer habe ihm unterwegs nur gemeldet, dass zwei Häftlinge, die einen Fluchtversuch unternommen hätten, erschossen worden seien. Er - der Angeklagte - wolle aber nicht ausschliessen, dass in seiner Abwesenheit von der Kolonne "Schweinereien" passiert seien. Ausser den beiden vorerwähnten Erschiessungen sei ihm ansonsten an Veränderungen im Häftlingsbestand nur die Flucht von fünf Häftlingen gemeldet worden. Dieser Vorfall habe sich während der mehrtägigen Rast ereignet.

In Leipzig seien schliesslich etwa 160 Häftlinge angekommen. Die Tatsache, dass nach den Listen vom 5. und 20.3.1945 insgesamt 580 Neuzugänge aus Gassen im Lager Leipzig-Thekla registriert wurden, sei nur so erklärlich, dass ihm - dem Angeklagten - Häftlinge aus anderen Lagern des niederschlesischen Bereichs, die auch nach Leipzig evakuiert worden seien, bei der Registrierung zugeordnet und daher in der Aufstellung erfasst worden seien. Diese Einlassung ist im Sinne der getroffenen Feststellungen widerlegt.

Nach den getroffenen Feststellungen hat sich der Angeklagte der Beihilfe zum Mord an mindestens acht Häftlingen, begangen durch eine einzige natürliche Handlung, schuldig gemacht, §§211, 49, 73 StGB a.F., 211, 27, 52 StGB n.F.

Die Tötung der acht marschunfähigen Häftlinge ist in rechtlicher Hinsicht als tatbestandsmässiger, rechtswidriger und vorsätzlich begangener Mord zu werten (§211 StGB). Dies gilt auch für die Tötung des französischen Häftlings Roussard.

Täter sind jedenfalls die unbekannt gebliebenen Urheber des Erschiessungsbefehls, möglicherweise auch der Lagerkommandant von Gross-Rosen, und diejenigen SS-Leute, die die Erschiessungen der marschunfähigen Häftlinge durchgeführt haben.

Die Tötungen waren grausam im Sinne von §211 StGB. Sie waren für die Opfer - über die blosse Tötungshandlung hinaus - mit besonders schwerer Zufügung von Schmerzen seelischer und körperlicher Art verbunden und gingen zudem aus einer gefühllosen und unbarmherzigen Gesinnung hervor. Die Opfer sind nämlich vor ihrem Tod und in unmittelbarem Zusammenhang damit auf unmenschliche Art gequält worden. Sie mussten sich, dem Zusammenbrechen nahe, unter Aufbietung ihrer letzten Kräfte qualvoll so lange weiterschleppen, bis sie schliesslich doch nicht mehr weiter konnten, wobei sie stets den angekündigten Erschiessungstod drohend vor Augen hatten, der sie schliesslich gnadenlos ereilte.

Was den Tatbeitrag des Angeklagten angeht, so hat dieser durch die Weitergabe des verbrecherischen Befehls eine entscheidende Ursache für die Tötung der marschunfähigen Häftlinge gesetzt. Er hat weiterhin durch die Organisation des Rückmarsches, insbesondere durch die veranlasste Bekanntgabe des Befehls an die Häftlinge und durch die Festlegung der Etappenziele, zur Beschleunigung des Taterfolges beigetragen und hat somit noch weitere unterstützende Tatbeiträge geliefert. In diesem Zusammenhang ist es ohne Bedeutung, ob der Angeklagte als Lagerführer nur für das Wohl der Häftlinge verantwortlich war oder ob er auch als Befehlshaber der Wachmannschaft fungierte. Es kommt hier nur darauf an, dass die Handlungen des Angeklagten in tatsächlicher Hinsicht ursächlich für den Tod der marschunfähigen Häftlinge waren.

Dies trifft ebenfalls für den Tod des französischen Häftlings Roussard zu. Es ist zwar nicht ausgeschlossen, dass Roussard von Kapos erschlagen und nicht erschossen wurde. Aber auch bei dieser Fallgestaltung war der Tatbeitrag des Angeklagten für den Tod Roussards ursächlich; denn die Beweisaufnahme hat keine Anhaltspunkte dafür ergeben, dass Roussard aus anderen, vom Erschiessungsbefehl unabhängigen Gründen - wie z.B. wegen eines Fluchtversuchs oder wegen Widerstandes - den Tod erlitten hat. Vielmehr steht fest, dass die Aussonderung Roussards und seine anschliessende Tötung wegen Marschunfähigkeit erfolgten, also letztlich wie bei den übrigen getöteten Häftlingen aufgrund des Erschiessungsbefehls. Da es unter diesen Umständen für die Bewertung der Tat unwesentlich ist, ob Roussard erschlagen oder erschossen wurde, müssen dem Angeklagten jedenfalls die Handlungen der Kapos, die möglicherweise zum Tode Roussards geführt haben, zugerechnet werden.

Inwieweit der vorstehend näher dargelegte Tatbeitrag des Angeklagten unter der Geltung des §25 Abs.I StGB n.F. als "Täterschaft" zu werten ist, mag dahinstehen. Gemäss §2 Abs.III StGB muss jedenfalls die Frage, ob der Tatbeitrag des Angeklagten als Täterschaft oder lediglich als Beihilfe anzusehen ist, anhand des damals gültigen Rechtszustandes beantwortet werden, wenn dies zu Ergebnissen führt, die sich für den Angeklagten günstiger auswirken.

Dies ist hier der Fall.

Zur Zeit der Tat wurde jedenfalls die Abgrenzung zwischen Täterschaft und Beihilfe ausschliesslich nach der vom Reichsgericht entwickelten und später auch vom Bundesgerichtshof in ständiger Rechtsprechung vertretenen subjektiven Teilnahmetheorie vorgenommen, der sich auch insoweit das Schwurgericht angeschlossen hat, da nur anhand von subjektiven Abgrenzungskriterien eine täter- und fallgerechte Unterscheidung der einzelnen Teilnahmeformen - insbesondere bei staatlich organisierten Massenverbrechen - ermöglicht wird.

Unter Zugrundelegung der subjektiven Abgrenzungstheorie, die nicht auf den äusseren Tatbeitrag, sondern auf die innere Einstellung des Beteiligten zur Tat abstellt (sog. animus auctoris = Täter; sog. animus socii = Gehilfe), konnte jedoch nach dem Ergebnis der Beweisaufnahme nicht ausgeschlossen werden, dass der Angeklagte mit seinem Tatbeitrag lediglich die Tat der Befehlsgeber unterstützen wollte. Dem steht nicht entgegen, dass die Position des Angeklagten, der für die Organisation und die Durchführung des Evakuierungsmarsches alleine verantwortlich war, letztlich auf einen "animus auctoris" und somit auf eine Täterschaft des Angeklagten hindeuten. Für das Schwurgericht war es vielmehr entscheidend, dass sich letzte Zweifel am "animus socii" des Angeklagten nicht ausräumen liessen, da nicht übersehen werden konnte, dass sich der Angeklagte möglicherweise in seiner Vorstellung nur dem erteilten Befehl untergeordnet hat, ohne dass er die Tötung der marschunfähigen Häftlinge zu seiner eigenen Sache gemacht hätte. Darüber hinaus lagen auch keine Beweise vor, dass der Angeklagte eigenhändig Häftlinge erschossen hat oder dass er bei der Beteiligung an der Tat seiner Befehlsgeber einen besonderen einverständlichen Eifer an den Tag gelegt hätte. Schliesslich bot die Persönlichkeit des Angeklagten, der als "Mitläufertyp" einzuordnen ist, keine hinreichenden Anhaltspunkte, die den Rückschluss rechtfertigen könnten, er habe aus eigenem Antrieb bei der Tötung der Häftlinge mitgewirkt.

Nach alledem konnte nur eine Beihilfe zum Mord in Betracht kommen.

Der Angeklagte kannte und billigte auch die "Grausamkeit" der Haupttäter. Dies ergibt sich zur Überzeugung des Schwurgerichts aus der Kenntnis des Angeklagten vom Inhalt des Befehls sowie seiner Kenntnis der Gesamtumstände, zumal der Angeklagte selbst eingeräumt hat, auch nach seiner Auffassung habe der Befehl dazu gedient, keine Häftlinge in Feindeshand fallen zu lassen und bei der Evakuierung des Lagers Verzögerungen zu vermeiden. Da dem Angeklagten das Wohlergehen der ihm anvertrauten Lagerinsassen gleichgültig war und er den gesamten Tatverlauf voraussah, er insbesondere aufgrund der Gesamtumstände auch wusste, wie sehr die Opfer vor ihrem Tode körperlich und seelisch leiden würden, ist ihm auch selbst das Merkmal der "Grausamkeit" im Sinne von §211 StGB zuzurechnen.

Der Angeklagte handelte auch rechtswidrig. Gründe, welche die Tat oder den Tatbeitrag des Angeklagten rechtfertigen könnten, sind nicht ersichtlich. Insbesondere war §211 StGB auch damals geltendes Recht und nicht etwa durch Führerbefehl oder in sonstiger Weise ausser Kraft gesetzt.

Der Angeklagte hat seinen Tatbeitrag auch schuldhaft geleistet.

Er kannte und billigte alle Tatumstände einschliesslich derer, die das Merkmal der "Grausamkeit" ausmachen. Der Angeklagte hat somit vorsätzlich gehandelt. Dabei spielt es keine Rolle, dass er bei den einzelnen Tötungen nicht zugegen war und er infolgedessen nicht alle Einzelheiten und Umstände der Tötungen kannte. Denn dem Angeklagten waren alle wesentlichen Umstände bekannt. Er wusste insbesondere, dass die marschunfähigen Häftlinge, die sich mit letzter Kraft dahinschleppten, um ihr Leben zu verlängern, erschossen würden. Er wusste auch spätestens im Zeitpunkt der Weitergabe des Erschiessungsbefehls, dass zumindest acht Häftlinge wegen Marschunfähigkeit erschossen würden. Somit waren alle wesentlichen Tatumstände vom Vorsatz des Angeklagten umfasst. Die mögliche Unkenntnis des Angeklagten von unwesentlichen Einzelheiten der Tatausführung ist rechtlich ohne Bedeutung.

Als eine solche unwesentliche Einzelheit ist es auch anzusehen, wenn möglicherweise der französische Häftling Roussard nicht durch Erschiessen, sondern bereits aufgrund der Schläge der Kapos auf dem Weg zum Erschiessungsort den Tod erlitten hat. Denn auch diese Tötung erfolgte in Ausführung des Tötungsbefehls wegen der Marschunfähigkeit von Roussard.

Der Angeklagte hatte auch das Bewusstsein, Unrecht zu tun. Er hatte nämlich zweifelsfrei erkannt, dass der Befehl, die marschunfähigen Häftlinge zu töten, unter den gegebenen Umständen verbrecherischen Inhalts war. Der Angeklagte kann sich im Hinblick auf den Tötungsbefehl nicht auf die Vorschrift des §47 des damals geltenden Militärstrafgesetzbuches

(MStGB) berufen, wonach der befehlende Vorgesetzte alleine verantwortlich ist, wenn durch die Ausführung eines Befehls in Dienstsachen ein Strafgesetz verletzt wird.
Zwar ist §47 MStGB noch heute auf die unter seiner Geltung begangenen Taten anwendbar. Gemäss §3 der Verordnung über die Sondergerichtsbarkeit in Strafsachen für Angehörige der SS erstreckt sich die Geltung des §47 MStGB auch auf die Taten des Angeklagten, soweit dieser auf Befehl gehandelt hat. Jedoch ist gemäss §47 Abs.I Satz 2 Ziff.2 MStGB der gehorchende Untergebene - hier also der Angeklagte - u.a. dann für seine Handlungen selbst verantwortlich, wenn er erkannt hat, dass der Befehl des Vorgesetzten eine Handlung betraf, welche ein Verbrechen bezweckte. Dass diese Voraussetzungen in der Person des Angeklagten vorliegen, ist ebenfalls schon dargetan, so dass hierauf verwiesen werden kann.

Die Verantwortung für die Tötung der Häftlinge lag somit beim Angeklagten.

Dieser befand sich auch nicht dadurch in einem Verbotsirrtum, dass er an die Verbindlichkeit des Erschiessungsbefehls geglaubt hat. Ein irriger Glaube an die Verbindlichkeit des Befehls setzt nämlich voraus, dass sich der Angeklagte insoweit überhaupt irgendwelche Vorstellungen gemacht hat. In Anbetracht der erwähnten Grundeinstellung des Angeklagten gegenüber den ihm anvertrauten Häftlingen ist das Schwurgericht jedoch davon überzeugt, dass nicht der Glaube an die Verbindlichkeit des Befehls für den Tatbeitrag des Angeklagten massgebend war, sondern, dass dieser sich - da ihm das Wohlergehen der Häftlinge gleichgültig war - überhaupt keine ernsthaften Gedanken über den Umfang der Gehorsams- oder Treuepflicht gegenüber seinen Befehlsgebern gemacht hat, er vielmehr unter den gegebenen Umständen den bequemsten Ausweg und damit den Weg des geringsten Widerstandes gewählt hat. Für die Richtigkeit dieser Überlegung sprechen letztlich auch die eigenen Angaben des Angeklagten, der dem Schwurgericht u.a. auf Befragen noch erklärt hat, der Befehl sei "von oben" gekommen und daher für ihn verbindlich gewesen. Eine solche Einstellung lässt allenfalls den Rückschluss auf einen "blinden" Gehorsam des Angeklagten zu. Ein solcher kann aber niemals die strafrechtliche Verantwortung ausschliessen, da von einem in einem Verbotsirrtum befangenen Täter ja gerade die Anspannung seines Gewissens gefordert wird (vgl. hierzu BGH LM Nr.6 zu §47 MStGB).

Es besteht auch kein Raum für die Annahme von Schuldausschliessungsgründen; insbesondere kann sich der Angeklagte nicht auf entschuldigenden Notstand (§52 StGB a.F. = §35 StGB n.F.) berufen.

Wer sich auf Nötigungsstand beruft, ist nur entschuldigt, wenn er sich unter Aufbietung all seiner körperlichen und geistigen Fähigkeiten bemüht hat, der Gefahr oder vermeintlichen Gefahr auf eine die Straftat vermeidende Weise zu entgehen, ohne einen Ausweg zu finden (vgl. hierzu BGHSt. 18, 311). Aufgrund der oben - bei der Prüfung des Verbotsirrtums - dargelegten Erwägungen ist das Schwurgericht auch davon überzeugt, dass der Angeklagte nicht aufgrund einer vermeintlichen Nötigung zu seinem Tatbeitrag veranlasst worden ist und dass er die nach §52 StGB a.F. bzw. §35 StGB n.F. erforderlichen Überlegungen überhaupt nicht angestellt hat. Es kommt hinzu, dass sich der Angeklagte selbst nicht darauf berufen hat, er habe letztlich nur aus Angst vor seinen Dienstvorgesetzten gehandelt.

Unabhängig davon ist das Schwurgericht nach dem Ergebnis der Beweisaufnahme auch davon überzeugt, dass dem Angeklagten durchaus eine Umgehung des Tötungsbefehls möglich gewesen wäre, ohne hierdurch sich selbst oder andere ihm nahestehende Personen ernsthaft zu gefährden.

Zunächst hat die Beweisaufnahme keinerlei Anhaltspunkte dafür ergeben, dass die Ausführung des Erschiessungsbefehls in irgendeiner Form überwacht worden wäre, zumal bereits am Tage nach dem Abmarsch der Evakuierungskolonne russische Truppen in Gassen einmarschiert sind und das Stammlager Gross-Rosen zur damaligen Zeit auch evakuiert wurde.

Unter diesen Umständen hätte der Angeklagte diejenigen Häftlinge, die sich in einer besonders schlechten körperlichen Verfassung befanden, im Lager oder an den jeweiligen Rastplätzen zurücklassen und von den russischen Truppen befreien lassen können. Es wäre weiterhin im Bereich des Möglichen gewesen, auf dem Evakuierungsmarsch mehr Plattformwagen zum Transport geschwächter Häftlinge mitzuführen, da genügend von diesen Wagen auf dem Fabrikgelände in Gassen standen. Da dem Angeklagten alleine die Organisation des Evakuierungsmarsches oblag, hätte er auch die einzelnen Etappen des Fussmarsches kürzen können, um auf diese Weise die Häftlinge zu schonen und nicht "marschunfähig" werden zu lassen. Schliesslich hält es das Schwurgericht mangels gegenteiliger Anhaltspunkte nicht für ausgeschlossen, dass der Angeklagte den nur an ihn gerichteten Befehl, das Lager zu evakuieren, ohne die Erschiessungsanordnung hätte weitergeben können, um so das Leben der ihm anvertrauten Häftlinge zu retten.

Die vorstehend beispielhaft aufgezeigten Auswege erforderten keine besondere Intelligenz oder Phantasie. Sie hätten sich auch dem Angeklagten nach dem persönlichen Eindruck, den das Schwurgericht von ihm während der über neun Monate dauernden Hauptverhandlung gewonnen hat, aufdrängen müssen, sofern er gegenüber den Häftlingen etwas mehr Menschlichkeit gezeigt hätte und ihm deren Wohlergehen nicht völlig gleichgültig gewesen wäre.

Nach alledem fehlt es auch bereits an einer unmittelbaren Gefährdung des Angeklagten, so dass auch mit Rücksicht hierauf eine Berufung auf §52 StGB a.F. bzw. §35 StGB n.F. nicht in Betracht kommt.

Somit hat der Angeklagte auch schuldhaft gehandelt.

Der Tatbeitrag des Angeklagten ist rechtlich als <u>eine</u> Beihilfe zum Mord an mindestens acht Menschen anzusehen, wobei dahinstehen kann, ob die übrigen Beteiligten nur einen Mord oder acht Morde begangen haben. Die Frage der Tateinheit oder der Tatmehrheit ist nämlich bei jedem der an einer Tat Beteiligten nach seinem Tatbeitrag zu beurteilen. Zwar setzt sich der Tatbeitrag des Angeklagten - wie bei der Prüfung der Kausalität erörtert - aus verschiedenen Einzelakten zusammen. Diese stellen sich jedoch bei natürlicher Betrachtungsweise als eine einheitliche Handlung dar (§73 StGB a.F. = §52 StGB n.F.). Sie beruhen auf einem einheitlichen Entschluss des Angeklagten. Sie hingen ferner zeitlich und räumlich zusammen und dienten einen einheitlichen Zweck, nämlich in der beschriebenen Weise bei der Durchführung des Evakuierungsmarsches mitzuwirken und hierbei die Ziele der SS-Führung zu unterstützen.

Der Bestrafung des Angeklagten steht auch kein sonstiges Verfahrenshindernis entgegen, insbesondere war der Angeklagte während der gesamten Dauer der Hauptverhandlung verhandlungsfähig.

Dies ergibt sich aus den zahlreichen ärztlichen Gutachten und Stellungnahmen, die das Schwurgericht zur Überprüfung der Verhandlungsfähigkeit des Angeklagten immer wieder - vor und während der Hauptverhandlung - eingeholt und in der Hauptverhandlung bekanntgegeben hat. Hierbei hat sich das Schwurgericht nicht nur auf einen einzigen Arzt verlassen. Vielmehr ist der Angeklagte von verschiedenen Ärzten verschiedener Fachrichtungen untersucht und - wenn notwendig - behandelt worden. Kein einziger dieser Ärzte hat dem Schwurgericht Befunde unterbreitet, die ernsthafte Zweifel an der Verhandlungsfähigkeit des Angeklagten hätten rechtfertigen können. Dieses Ergebnis steht auch in Einklang mit dem persönlichen Eindruck, den das Schwurgericht während der Hauptverhandlung vom Angeklagten gewonnen hat. Dieser hat wiederholt entweder von sich aus oder auf Befragen der übrigen Verfahrensbeteiligten dem jeweiligen Stand der Beweisaufnahme entsprechend Stellung genommen. Auch hierbei hat er zweifelsfrei erkennen lassen, dass er in der Lage war, seine

Interessen vernünftig wahrzunehmen, seine Verteidigung in verständiger und verständlicher Weise zu führen sowie Prozesserklärungen abzugeben und entgegenzunehmen.

III. « Der persönliche und berufliche Werdegang des Angeklagten »

Die erneute Hauptverhandlung hat aufgrund der Angaben des Angeklagten folgende Feststellungen ergeben:

Der heute 67-jährige Angeklagte wurde in Herford geboren und wuchs dort zusammen mit seiner 2 Jahre älteren Schwester, die im Frühjahr 1978 verstorben ist, im Elternhaus auf. Nach dem Besuch der Volksschule von 1919 bis 1927 begann er beim "Herforder Kreisblatt" eine vierjährige Lehre als Schriftsetzer, die er mit der Gesellenprüfung abschloss. Anschliessend war er noch ungefähr ½ Jahr in seinem erlernten Beruf tätig. Dann wurde er arbeitslos.

Die Arbeitslosigkeit dauerte 2½ Jahre. Während dieser Zeit bewarb sich der Angeklagte wiederholt vergeblich um Aufnahme in die Wehrmacht. Sein Vater war gleichfalls arbeitslos. Schliesslich meldete sich der Angeklagte nach Rücksprache mit seinen Eltern, denen er nicht länger zur Last fallen wollte, freiwillig zum Arbeitsdienst. Er kam zum Arbeitsdienstlager nach Wewelsburg, wo er u.a. dazu eingesetzt wurde, eine mittelalterliche Burg in eine sogenannte Führerschule umzubauen. Bei einem Besuch im Arbeitsdienstlager Wewelsburg im Jahre 1934 warb der spätere SS-Gruppenführer Eicke für Mitglieder der SS und bot eine Übernahme in die neu aufgestellte SS-Standarte Brandenburg an. Daraufhin besprach der Angeklagte den von ihm gewünschten Eintritt in die SS mit seinen Eltern, die bei der strengen Erziehung ihrer Kinder stets auf deren Gehorsam bedacht waren. Die Eltern erklärten sich schliesslich mit dem Eintritt ihres Sohnes in die SS einverstanden, obwohl sie nicht n.s.-freundlich waren. Der Vater des Angeklagten, ein gelernter Maurer, stand in politischer Hinsicht eher der Sozialdemokratie nahe, ohne jedoch einer politischen Partei anzugehören.

Am 1.4.1935 musste sich der Angeklagte in Berlin-Oranienburg, dem Standort des SS-Bataillons Brandenburg, zum Dienstantritt stellen. In der anschliessenden Ausbildungszeit, die ungefähr 2 Jahre dauerte, wurde er u.a. in Waffenkunde, Exerzieren, Infanterieausbildung und politischem Unterricht ausgebildet. Im politischen Unterricht wurde immer wieder der absolute Gehorsam gegenüber den Befehlen der Vorgesetzten, insbesondere gegenüber den Befehlen Hitlers, auf dessen Person die SS-Anwärter später auch vereidigt wurden, betont. Der Grundtenor, nach dem der politische Unterricht ausgerichtet war, lautete: "Meine Ehre heisst Treue!" Neben den genannten Ausbildungsfächern wurde während der Grundausbildung auch besonderer Wert auf die sportliche Ausbildung gelegt. Dies kam der Neigung des Angeklagten, der damals aktiv Handball spielte und Leichtathletik betrieb, entgegen. Er wurde des öfteren vom Wachdienst befreit, zu dem die vier Hundertschaften der Standarte Brandenburg abwechselnd eingeteilt wurden.

Nach der Grundausbildung gehörte der Angeklagte auch weiterhin der SS-Standarte Brandenburg an, bei der er überwiegend zum Wachdienst im KL Sachsenhausen eingesetzt wurde. Etwa im Jahre 1936/37 wurde er zum Rottenführer und ca. 1 Jahr später zum Unterscharführer befördert, bevor er im Jahre 1939 - noch vor Kriegsausbruch - den Rang eines Scharführers erhielt. Im Verlaufe des Jahres 1939 wurde der Angeklagte zum Kommandanturstab des KL Sachsenhausen versetzt, wo er zunächst in der politischen Abteilung und später in der Schreibstube tätig war.

Am 17.6.1939 heiratete der Angeklagte in Berlin, wo er auch seinen Wohnsitz nahm. Aus der Ehe sind zwei Kinder hervorgegangen, und zwar die am 11.11.1940 und 16.2.1945 geborenen Töchter Sigrid und Ingrid. Beide Töchter sind verheiratet, die ältere arbeitet in einer Getränkefirma und die jüngere ist Arzthelferin. Der Angeklagte hat drei Enkelkinder im Alter von 4, 6 und 15 Jahren. Nach dem Tod seiner Ehefrau am 22.3.1965 ist er seit 1967 in 2.Ehe verheiratet.

Etwa im Jahre 1941 wurde der Angeklagte nach zwischenzeitlicher Beförderung zum Oberscharführer zur Kanalinsel Alderney versetzt. Hier wurde er bei der Errichtung eines Nebenlagers des KL Neuengamme eingesetzt und war dem Lagerführer des dortigen Arbeitslagers, dem die Errichtung von Geschützbunkern oblag, zur Unterstützung zugewiesen. Der ungefähr 7 Monate dauernde Aufenthalt auf Alderney wurde für den Angeklagten als Fronteinsatz gewertet, weil die Insel wiederholt Ziel gegnerischer Luftangriffe war.

1942 wurde der Angeklagte nach Hamburg versetzt, wo er ein aus KL-Häftlingen bestehendes Arbeitskommando leitete, das nach einem Luftangriff auf Hamburg Aufräumungsarbeiten verrichten musste. Für kurze Zeit wurde dem Angeklagten die Leitung eines Nebenlagers des KL Sachsenhausen in Berlin übertragen, bevor er damit beauftragt wurde, von Pressburg aus einen Eisenbahntransport mit ca. 200 bis 300 Volksdeutschen zu begleiten, die sich freiwillig zur SS gemeldet hatten und nach Berlin zur Ausbildung kamen. Anschliessend wurde der Angeklagte - inzwischen im Range eines Hauptscharführers - in Berlin als Ausbilder eingesetzt und war hier bis ungefähr 1944 als Zugführer tätig.

Im Jahre 1944 erfolgte die Versetzung des Angeklagten zum KL Gross-Rosen. Bereits kurze Zeit nach seiner Ankunft im Lager wurde er damit beauftragt, in der Nähe von Zeisau bei Kohlfurt ein Nebenlager des KL Gross-Rosen zu errichten, und zwar das Arbeitslager Halbau, dessen Häftlinge in einer Kugellagerfabrik arbeiten mussten. Kurzfristig übte der Angeklagte die Tätigkeit eines Lagerführers des Nebenlagers Halbau aus, bis er sodann beauftragt wurde, in Gassen bei Sommerfeld ein weiteres Nebenlager des KL Gross-Rosen zu errichten. Der Angeklagte wurde damit, wie hauptsächlich in der Vergangenheit, im bautechnischen Bereich eingesetzt, wo er Kenntnisse und Erfahrungen gesammelt und sich bewährt hatte. Seinen Dienst in Gassen trat der Angeklagte von seinem Geburtsort Herford aus an, wo er sich zur Beerdigung seiner Mutter am 4.9.1944 aufgehalten hatte. In Gassen blieb der Angeklagte bis zur Evakuierung des Nebenlagers im Februar 1945. Zuletzt übte er hier die Funktion des Lagerführers aus. Nach dem Evakuierungsmarsch von Gassen nach Leipzig begab er sich von dort aus zu seiner Ehefrau nach Berlin, die inzwischen - am 16.2.1945 - das 2.Kind zur Welt gebracht hatte. Anschliessend wurde er zum Dienst im KL Buchenwald eingesetzt, das nicht evakuiert worden war und gegen die anrückenden amerikanischen Truppen verteidigt werden sollte. Kurz vor dem Eintreffen der Amerikaner in Buchenwald floh jedoch die gesamte SS-Mannschaft des Lagers und liess es unbewacht zurück.

Nach Kriegsende im Jahre 1945 wurde der Angeklagte in Berlin festgenommen und kam in russische Kriegsgefangenschaft, aus der er am 9.12.1949 entlassen wurde. Nach seiner Entlassung folgte er seiner Familie, die inzwischen im Hause seines im Jahre 1952 verstorbenen Vaters lebte, nach Herford. Seitdem wohnte der Angeklagte ständig in Herford, wo er - abgesehen von einer kurzen Tätigkeit in Vlotho/Weser - bis zum Eintritt des Rentenalters im Jahre 1970 beim "Herforder Kreisblatt" als Schriftsetzer tätig war.

Der Angeklagte, der bislang strafrechtlich nicht in Erscheinung getreten ist, befindet sich seit dem 16.8.1978 aufgrund Haftbefehls der 11. grossen Strafkammer des Landgerichts Köln als Schwurgericht vom 15.8.1978 in Untersuchungshaft in der Justizvollzugsanstalt Köln.

IV. « Strafzumessung und Kostenentscheidung »

Bei der Strafzumessung stand der Kammer nach §§211, 27 Abs.2, 49 Nr.1 StGB n.F. ein Strafrahmen von 3 bis 15 Jahren zur Verfügung.

Dem stand nicht entgegen, dass nach dem zur Tatzeit geltenden Recht Beihilfe zum Mord mit lebenslangem Freiheitsentzug bestraft werden konnte. Denn die vorgenannten Vorschriften, die für den Gehilfen eine zwingende Strafmilderung vorsehen, ist gegenüber dem zur Tatzeit geltenden Recht das mildeste Gesetz und muss somit gemäss §2 Abs.III StGB zugunsten des Angeklagten Anwendung finden.

Weitere gesetzliche Milderungsgründe kommen nicht in Betracht. Eine Milderung des Strafrahmens gemäss §28 Abs.I StGB n.F. kann schon deshalb nicht erwogen werden, weil, wie rechtskräftig feststeht, dem Angeklagten selbst das Mordmerkmal der "Grausamkeit" zuzurechnen war. Da der Angeklagte - wie bei der Prüfung des Verbotsirrtums und des Nötigungsstandes dargelegt - sich keine Gedanken über die Verbindlichkeit des Tötungsbefehls gemacht und er auch die nach §35 StGB n.F. bzw. §52 StGB a.F. erforderlichen Überlegungen nicht angestellt hat, muss eine Milderung des Strafrahmens nach §35 Abs.2 StGB ebenfalls ausser Betracht bleiben. Es konnte auch nicht gemäss §47 Abs.2 MStGB von einer Bestrafung des Angeklagten abgesehen werden; denn unter Berücksichtigung aller Umstände des Falles ist das Verschulden des Angeklagten nicht so gering, dass seine Bestrafung als eine unerträgliche Härte empfunden werden müsste (zu den Voraussetzungen des §47 Abs.2 MStGB vgl. BGH LM Nr.6 zu §47 MStGB).

Bei der Strafzumessung im einzelnen ist strafschärfend der gewichtige Tatbeitrag des Angeklagten zu werten. Dieser hat durch die Weitergabe des Erschiessungsbefehls eine entscheidende Ursache für den Tod von mindestens 8 Menschen gesetzt. Ferner konnte nicht ausser acht gelassen werden, dass er bei der Tötung nicht nur eines, sondern mehrerer - acht - Menschen geholfen hat.

Demgegenüber hat das Schwurgericht strafmildernd zunächst das Vorleben und die persönlichen Verhältnisse des Angeklagten gewertet. Es zeigt sich deutlich, dass dieser mit durchschnittlichen Geistesgaben ausgestattete Mann, der in seinem Elternhaus zu strengem Gehorsam erzogen und dem daher die Rolle eines "Befehlsempfängers" nicht fremd war, Opfer der nationalsozialistischen Ideologie und Propaganda war und schliesslich Werkzeug eines Unrechtssystems wurde. Im Ansatz wurde die Entwicklung noch dadurch begünstigt, dass der damals arbeitslose Angeklagte, in dessen Elternhaus zudem auch der Vater ohne Arbeit war, durch den Eintritt in die SS die Chance eines dauerhaften materiellen Auskommens sah. Nach dem Zusammenbruch des nationalsozialistischen Unrechtssystems hat der Angeklagte zu einem geordneten und bürgerlichen Wertvorstellungen entsprechenden Leben zurückgefunden, das ihm immerhin die Einsicht eröffnet hat, durch sein Verhalten moralisch schuldig geworden zu sein. Der Angeklagte hat ferner straffrei gelebt. Hinzu kommt, dass im Hinblick auf die über 34 Jahre zurückliegende Tatzeit die Strafe heute einen ganz anderen Menschen trifft, dessen Strafempfindlichkeit bereits aus diesen Umständen besonders hoch ist und noch zusätzlich gesteigert wird durch das fortgeschrittene Lebensalter, mit dem ferner altersbedingte psychische und physische Verschleisserscheinungen einhergehen.

Dem Angeklagten waren auch bestimmte äussere als auch in seiner Person liegende Umstände, unter denen der Evakuierungsmarsch von Gassen nach Leipzig stattfand, zugute zuhalten.

Wie der Einmarsch der Russen in Gassen am 13.Februar 1945 zeigt, war die Evakuierung des Lagers am 12.2.1945 in "letzter Minute" erfolgt. Bei der Nähe der russischen Front hatte der Angeklagte keine grosse Überlegungsfrist, wie er den Evakuierungsmarsch durchführen sollte. Hinzu kam, dass er vor einer aussergewöhnlichen Situation stand, in der die persönliche Angst vor der nahen russischen Front hinzukam. Die Evakuierung eines Häftlingslagers war für ihn ungewöhnlich. Der abgesehen von der letzten Zeit in Gassen vornehmlich mit Schreibstubenarbeit und der baulichen Errichtung von Barackenlagern betraut gewesene Angeklagte hatte keine ausgeprägte Erfahrung mit der Führung eines Häftlingslagers. Es konnte auch nicht festgestellt werden, dass der Angeklagte gegenüber dem Zugführer der Wachmannschaft innerhalb des diesem zugewiesenen Aufgabenbereiches Befehlsbefugnis hatte. War er insoweit nach seinen persönlichen und sachlichen Fähigkeiten überfordert, so muss zu seinen Gunsten angenommen werden, dass auch diese Umstände die Weitergabe des Erschiessungsbefehls gefördert haben, zumal ihm im übrigen eine schematische Befehlsausführung besonders bei dem in der SS geforderten unbedingten Gehorsam anerzogen und eingeprägt worden war. Über die Weiterleitung des Erschiessungsbefehls hinaus kann dem Angeklagten keine persönliche Unterstützung sei es auch nur durch seine Anwesenheit bei den acht Tötungen angelastet werden. Bei der nahen russischen Front, dem Flüchtlingsstrom der Zivilbevölkerung und der zurückweichenden deutschen Wehrmacht waren die Dispositionsmöglichkeiten des Angeklagten, die Strapazen bei der Durchführung des Evakuierungsmarsches zu mildern, beschränkt. Die Kammer hält dem Angeklagten daher auch zugute, dass er nach dem 5. oder 6.Marschtag eine mehrtägige Rast anordnete, während dieser Zeit ein Pferd schlachten und von dessen Fleisch eine Suppe zubereiten liess, die auch an die Häftlinge verteilt wurde, und ferner mehrere Güterwaggons beschaffte, in denen diese weiterbefördert wurden.

Unter Abwägung aller dieser für und gegen den Angeklagten sprechenden Umstände hielt das Schwurgericht eine Strafe für angemessen, die im unteren Bereich des eröffneten Strafrahmens liegt, so dass eine Freiheitsstrafe von fünf Jahren erkannt wurde. Diese Strafe trägt allen Strafzwecken hinreichend Rechnung.

Die Vollstreckung des noch zu verbüssenden Teils dieser Strafe konnte nicht nach §57 Abs.1 oder Abs.2 StGB zur Bewährung ausgesetzt werden. Die zunächst erforderliche Voraussetzung einer 2/3 oder hälftigen Verbüssung der Freiheitsstrafe ist nicht gegeben. Die Kammer hatte zwar keine Veranlassung, die Untersuchungshaft nicht auf die erkannte Freiheitsstrafe anzurechnen. Mit der seit dem 16.8.1978 andauernden Untersuchungshaft ist aber noch nicht einmal die Hälfte der verhängten Freiheitsstrafe verbüsst. Im übrigen konnte dem Angeklagten hingegen die Zeit seiner - wie er sie selbst bezeichnet hat - russischen Kriegsgefangenschaft von 1945 bis Dezember 1949 nicht angerechnet werden. Eine solche Anrechnung hätte nach §51 Abs.III Satz 2 StGB vorausgesetzt, dass der Angeklagte den Freiheitsentzug in Russland aus Anlass der Tat erlitten hätte, die Gegenstand dieses Verfahrens ist. Hierfür gibt es keine Anhaltspunkte. Der Angeklagte hat selbst von russischer Kriegsgefangenschaft gesprochen, so dass ein Zusammenhang dieser Gefangenschaft mit der hier abgeurteilten Tat nicht ersichtlich ist. Im übrigen haben nach Kriegsende die Alliierten grundsätzlich alle Militär- und SS-Angehörigen verhaftet. Es handelte sich um eine automatische Haft, bei der den betroffenen Personen regelmässig bestimmte strafbare Handlungen nicht zur Last gelegt wurden. Ein Anhalt, dass die Gefangenschaft bzw. die Internierungshaft aufgrund eines Urteils erfolgte oder zur Ermittlung eines bestimmten strafbaren Verhaltens dienen sollte, ist auch nicht gegeben.

Der Hilfsbeweisantrag der Staatsanwaltschaft für den Fall, dass die Kammer nicht auf eine Freiheitsstrafe von acht Jahren erkenne, die Ausführungen des Urteils der 11. grossen Strafkammer als Schwurgericht vom 2.7.1979 unter Ziffer VII 1., 2. zu verlesen, war als unzulässig abzuweisen, weil in ihm nicht die Tatsache bzw. die Tatsachen bezeichnet sind, die bewiesen werden sollen. Abgesehen davon war der Antrag unzulässig, weil er auf eine verbotene Beweiserhebung abzielt. Die Kammer hat schon im Beschluss vom 21.10.1980 ausgeführt, dass der Schuldspruch des Urteils vom 2.7.1979 mit seinen Feststellungen in Rechtskraft erwachsen ist, so dass diese von der Kammer nicht mehr geprüft werden können und es daher auch nicht mehr auf die Wiedergabe der diesen Feststellungen zugrunde liegenden Beweiswürdigung ankommt.

Die Kostenentscheidung folgt aus §§465, 467 StPO.

40 - 31/74

Im Namen des Volkes

In der Strafsache gegen

den ehemaligen SS-Hauptscharführer und Schriftsetzer Walter Karl Heinrich Kno. [125], geboren am 13.2.1913 in Herford/Westfalen, wohnhaft: 4900 Herford/Westfalen, Deutscher, verheiratet, - zur Zeit in dieser Sache in Untersuchungshaft in der Justizvollzugsanstalt Köln seit dem 16.8.1978 -

wegen Mordes.

Die 11. grosse Strafkammer des Landgerichts Köln als Schwurgericht hat in den Sitzungen vom 11., 13., 15., 19., 21., 25., 27., 28., 29.September 1978, 3., 5., 9., 11., 13., 17., 23., 25., 27.Oktober 1978, 6., 8., 10., 14., 16., 20., 24., 28., 30.November 1978, 4., 6., 8., 12., 14., 18., 20., 21., 29.Dezember 1978, 9., 17., 19., 23., 25., 29., 31.Januar 1979, 8., 12., 21., 28.Februar 1979, 5., 14., 16., 20., 22.März 1979, 2., 5., 11., 17., 18., 24.April 1979, 5., 7., 9., 11., 21., 23., 29.Mai 1979, 6., 13., 18., 25., 26.Juni 1979 und 2.Juli 1979, am 2.Juli 1979 für Recht erkannt:

> Der Angeklagte wird wegen Beihilfe zum Mord zu einer Freiheitsstrafe von ~...~ Jahren verurteilt.
> Im übrigen wird der Angeklagte freigesprochen.
> Der Angeklagte trägt die Kosten des Verfahrens sowie seine notwendigen Auslagen.
> Soweit der Angeklagte freigesprochen worden ist, fallen die Kosten des Verfahrens und die notwendigen Auslagen des Angeklagten der Staatskasse zur Last.

(§§211, 49, 43, 44, 73 StGB a.F., 211, 27 I, II, 52 StGB n.F.).

GRÜNDE

I. « Die persönlichen Verhältnisse des Angeklagten »

Der Angeklagte wurde am 13.2.1913 in Herford geboren. Er wuchs zusammen mit seiner zwei Jahre älteren Schwester, die im Frühjahr 1978 verstorben ist, im Elternhaus auf. Nachdem er von 1919 bis 1927 die Volksschule in Herford besucht hatte, begann er beim "Herforder Kreisblatt" eine vierjährige Lehre als Schriftsetzer, die er mit der Gesellenprüfung abschloss. Anschliessend war er noch ca. ein halbes Jahr in seinem erlernten Beruf tätig, dann wurde er arbeitslos.
Während der Zeit der Arbeitslosigkeit, die insgesamt ca. zweieinhalb Jahre dauerte, bewarb sich der Angeklagte wiederholt vergeblich um Aufnahme in die Wehrmacht. Im Jahre 1934 meldete er sich schliesslich nach Rücksprache mit seinen Eltern, denen er nicht länger zur Last fallen wollte, freiwillig zum Arbeitsdienst. Er kam zum Arbeitsdienstlager nach We-

[125] Dieses Urteil wurde im Strafausspruch aufgehoben und die Sache insoweit zurückverwiesen durch Beschluss des BGH vom 23.7.1980, 2 StR 216/80, Lfd.Nr.862c; abschliessendes Urteil des Landgerichts bei Lfd.Nr.862a.

welsburg, wo er u.a. dazu eingesetzt wurde, eine mittelalterliche Burg in eine sogenannte Führerschule umzubauen. Anlässlich eines Besuches im Arbeitsdienstlager Wewelsburg im Jahre 1934 warb der spätere SS-Gruppenführer Eicke für Mitglieder der SS und bot eine Übernahme in die neu aufgestellte SS-Standarte Brandenburg an.

Der Angeklagte besprach daraufhin den von ihm gewünschten Eintritt in die SS mit seinen Eltern, die bei der strengen Erziehung ihrer Kinder stets auf deren Gehorsam bedacht waren. Die Eltern erklärten sich schliesslich mit dem Eintritt ihres Sohnes in die SS einverstanden, obwohl sie nicht ns-freundlich waren. Vielmehr war der Vater des Angeklagten, ein gelernter Maurer, in politischer Hinsicht eher der Sozialdemokratie nahestehend, ohne jedoch einer politischen Partei anzugehören.

Nachdem sich der Angeklagte zur SS beworben hatte, musste er sich am 1.4.1935 in Berlin--Oranienburg, dem Standort des SS-Bataillons Brandenburg, zum Dienstantritt stellen. In der sich anschliessenden Ausbildungszeit, die ca. zwei Jahre dauerte, wurde er u.a. in Waffenkunde, Exerzieren, Infanterieausbildung und politischem Unterricht ausgebildet. Im politischen Unterricht wurde immer wieder der absolute Gehorsam gegenüber den Befehlen der Vorgesetzten, insbesondere gegenüber den Befehlen Hitlers, auf dessen Person die SS-Anwärter später auch vereidigt wurden, in den Vordergrund gestellt. Der Grundtenor, nach dem der politische Unterricht ausgerichtet war, lautete: "Meine Ehre heisst Treue!" Neben den vorgenannten Ausbildungsfächern wurde während der Grundausbildung auch besonderer Wert auf die sportliche Ausbildung gelegt. Da der Angeklagte zum damaligen Zeitpunkt aktiv Handball und Leichtathletik betrieb, wurde er des öfteren vom Wachdienst befreit, zu dem die vier Hundertschaften der Standarte Brandenburg noch während der Ausbildungszeit abwechselnd eingeteilt wurden. Die Standarte Brandenburg stellte unter anderem die Wachposten für das damals neu eingerichtete Konzentrationslager (KL) Sachsenhausen.
Nach der Grundausbildung gehörte der Angeklagte, der seine Zugehörigkeit zur SS als Beruf auffasste, auch weiterhin der SS-Standarte Brandenburg an, bei der er überwiegend zum Wachdienst im KL Sachsenhausen eingesetzt wurde.

Etwa im Jahre 1936/1937 wurde er zum Rottenführer und ca. ein Jahr später zum Unterscharführer befördert, bevor er im Jahre 1939 - noch vor Kriegsausbruch - den Rang eines Scharführers erhielt. Im Verlaufe des Jahres 1939 wurde der Angeklagte zum Kommandanturstab des KL Sachsenhausen versetzt, wo er zunächst in der politischen Abteilung und später in der Schreibstube tätig war.

Am 17.6.1939 - kurz vor der Versetzung zur Kommandantur des KL Sachsenhausen - hatte der Angeklagte in Berlin, wo er auch seinen Wohnsitz nahm, geheiratet. Aus der Ehe sind zwei Kinder hervorgegangen, und zwar die am 11.11.1940 und 16.2.1945 geborenen Töchter Sigrid und Ingrid.

Etwa im Jahre 1941 wurde der Angeklagte nach zwischenzeitlicher Beförderung zum Oberscharführer zur Kanalinsel Alderney versetzt. Hier wurde er bei der Errichtung eines Nebenlagers des KL Neuengamme eingesetzt und war dem Lagerführer des dortigen Arbeitslagers, dem die Errichtung von Geschützbunkern oblag, zur Unterstützung zugewiesen. Der insgesamt ca. sieben Monate dauernde Aufenthalt auf Alderney wurde für den Angeklagten als Fronteinsatz gewertet, weil die Insel wiederholt Ziel gegnerischer Luftangriffe war.

Im Jahre 1942 wurde der Angeklagte nach Hamburg versetzt, wo er ein aus KL-Häftlingen bestehendes Arbeitskommando leitete, das nach einem Luftangriff auf Hamburg Aufräumungsarbeiten verrichten musste. Anschliessend wurde dem Angeklagten für kurze Zeit die Leitung eines Nebenlagers des KL Sachsenhausen in Berlin übertragen, bevor er damit betraut wurde, von Pressburg aus einen Eisenbahntransport mit ca. 200-300 Volksdeutschen zu begleiten, die sich freiwillig zur SS gemeldet hatten und nach Berlin zur Ausbildung kamen.

In der Folgezeit wurde der Angeklagte - inzwischen im Range eines Hauptscharführers - in Berlin als Ausbilder eingesetzt und war hier bis ca. 1944 als Zugführer tätig.

Im Jahre 1944 erfolgte die Versetzung des Angeklagten zum KL Gross-Rosen. Bereits kurze Zeit nach seiner Ankunft im Lager wurde er damit beauftragt, in der Nähe von Zeisau bei Kohlfurt ein Nebenlager des KL Gross-Rosen zu errichten, und zwar das Arbeitslager Halbau, dessen Häftlinge in einer Kugellagerfabrik arbeiten mussten. Die Tätigkeit des Lagerführers des Nebenlagers Halbau übte der Angeklagte bis Anfang September 1944 aus. Sein Nachfolger in Halbau wurde der damalige SS-Oberscharführer Hesshaus.

Der Angeklagte wurde sodann damit beauftragt, in Gassen bei Sommerfeld ein weiteres Nebenlager des KL Gross-Rosen zu errichten und hier die Funktion des Lagerführers auszuüben. Seinen Dienst in Gassen trat der Angeklagte von seinem Geburtsort Herford aus an, wo er sich zur Beerdigung seiner Mutter am 4.9.1944 aufgehalten hatte. In Gassen blieb der Angeklagte bis zur Evakuierung des Nebenlagers im Februar 1945. Die Geschehnisse auf dem Evakuierungsmarsch von Gassen nach Leipzig bilden den eigentlichen Gegenstand des vorliegenden Verfahrens und werden weiter unten noch ausführlich abgehandelt.

Von Leipzig aus begab sich der Angeklagte zu seiner Ehefrau nach Berlin, die inzwischen - am 16.2.1945 - das zweite Kind zur Welt gebracht hatte. Anschliessend wurde er zum Dienst im KL Buchenwald eingesetzt, das nicht evakuiert worden war und gegen die anrückenden amerikanischen Truppen verteidigt werden sollte. Kurz vor dem Eintreffen der Amerikaner in Buchenwald floh jedoch die gesamte SS-Mannschaft des Lagers und liess dieses unbewacht zurück.

Nach dem Kriege - im Jahre 1945 - wurde der Angeklagte in Berlin festgenommen und kam in russische Kriegsgefangenschaft, aus der er am 9.12.1949 entlassen wurde. Nach seiner Entlassung folgte er seiner Familie, die inzwischen im Hause seines im Jahre 1952 verstorbenen Vaters lebte, nach Herford. Seither wohnte der Angeklagte ständig in Herford, wo er - abgesehen von einer kurzen Tätigkeit in Vlotho/Weser - bis zum Eintritt des Rentenalters im Jahre 1976 beim "Herforder Kreisblatt" als Schriftsetzer tätig war. Er verdiente hier zuletzt inklusive Überstunden und Nachtzulagen ca. 2.000,- DM netto im Monat. Heute bezieht er eine Rente von ca. 1.100,- DM monatlich. Er ist nach dem Tode seiner Ehefrau am 22.3.1965 seit 1967 in zweiter Ehe verheiratet.

Seit dem 16.8.1978 befindet sich der Angeklagte, der bislang strafrechtlich nicht in Erscheinung getreten ist, in dieser Sache aufgrund Haftbefehls der Kammer vom gleichen Tage in Untersuchungshaft in der Justizvollzugsanstalt Bochum bzw. Köln.

II. « Das Nebenlager Gassen des KL Gross-Rosen »

1) Das Nebenlager Gassen wurde etwa Ende August / Anfang September 1944 errichtet. Es war ca. 1,5-2 km von der 3000 bis 4000 Einwohner zählenden Ortschaft Gassen (Niederlausitz) entfernt und lag - von Gassen aus gesehen - in einem Kiefernwäldchen auf der linken Seite der in nordöstlicher Richtung verlaufenden Strasse, die zu den Orten Meiersdorf und Witzen führte. Das Lager war quadratisch angeordnet und von zwei Stacheldrahtzäunen umgeben, von denen einer elektrisch geladen war. An den Ecken des Lagers standen Wachtürme. Vor der Umzäunung befand sich ein Kahlschlag von mehreren Metern Breite als Sichtstreifen. Im Inneren des Lagers standen mindestens vier Holzbaracken (sog. Blocks), die als Unterkünfte für die Häftlinge bestimmt waren. Ferner gab es noch eine weitere Baracke, in der sich das Krankenrevier und eine kleine Küche befanden, sowie eine kleinere Baracke in unmittelbarer Nähe des Eingangstores, die zum Aufenthalt der Wachposten diente. In der Baracke am Eingangstor waren auch das Dienstzimmer des Angeklagten und wahrscheinlich die Schreibstube untergebracht.

Der Appellplatz befand sich zwischen dem Eingangstor und den Unterkünften der Häftlinge. Die Wohnbaracken waren in mehrere Stuben unterteilt, die mit doppelstöckigen Holzpritschen als Schlafgelegenheit für die Häftlinge ausgestattet waren. In den Stuben standen ferner Öfen. Es war jedoch nicht erlaubt - auch nicht während der Winterzeit - die Unterkünfte zu beheizen. Ob es in einem jeden Block einen Waschraum und Toiletten gab oder ob sich die sanitären Anlagen in einer gesonderten Baracke befanden, darüber konnten keine sicheren Feststellungen getroffen werden. Ebenso liessen sich im einzelnen keine genaueren Feststellungen treffen über die Lage der Baracken sowie über die Lage und die Abmessungen des Appellplatzes und des Lagergeländes insgesamt, über das insoweit aus der damaligen Zeit keinerlei Unterlagen mehr existieren.

2) Die erste Gruppe von Häftlingen traf im Spätsommer 1944 im Nebenlager Gassen ein. Die überwiegende Zahl dieser Häftlinge war im ca. 100 km entfernten Stammlager Gross-Rosen aufgrund der blossen Berufsangabe als Schlosser oder Mechaniker ausgesucht und zur Verlegung nach Gassen bestimmt worden. Der Transport erfolgte bis zum Bahnhof des Ortes Gassen in Güterwaggons. In den ersten Wochen nach der Ankunft im Lager hatten die Häftlinge zunächst die Sicherungsanlagen, insbesondere Stacheldrahtzäune und Wachtürme, errichten müssen, bevor sie in einem Werk der Firma Focke-Wulf im Ort Gassen zum Arbeitseinsatz kamen, worauf später noch näher eingegangen wird. Die Holzbaracken waren bei der Ankunft der ersten Häftlinge im Lager bereits erstellt, da vorher auf dem Lagergelände andere Personen - wahrscheinlich Kriegsgefangene - untergebracht waren.

Schon bald nach der Fertigstellung des Lagers kamen weitere Häftlingstransporte aus Gross--Rosen. Die Häftlinge waren dort zum Teil von Fachleuten aus der Fabrik in Gassen ausgesucht worden, wobei die Häftlinge eine fachliche Eignung als Schlosser, Mechaniker oder dergleichen nachweisen mussten. Der Nachweis bestand zum Beispiel bei den Zeugen Prz., Paw., Mas., Kra., Kos., Dzi., Deb., Cis. und B. darin, in einen Schraubstock ein Stück Eisen fachgerecht einzuspannen und/oder dieses zu feilen. In ähnlicher Weise mussten unter anderem auch die Zeugen Wal., Urb., Sid., Loi., Esc., Kl., Dom. und Mus. ihre handwerkliche Qualifikation unter Beweis stellen. Teilweise wurden die Häftlingstransporte nach Gassen aber auch so zusammengestellt, dass entweder die Häftlinge, die sich auf eine entsprechende Nachfrage als Schlosser oder Mechaniker gemeldet hatten, ohne weiteres nach Gassen geschickt wurden oder aber, dass die Häftlinge mit einer entsprechenden Vorbildung anhand der im Lager befindlichen Unterlagen beim Appell aufgerufen und ohne vorherige Prüfung ins Nebenlager Gassen verlegt wurden. Diese Häftlinge wurden dann - wie beispielsweise die Zeugen Ref., Mos., Mah., Kac. - in der Fabrik von den deutschen Facharbeitern bei der Arbeit beobachtet und entsprechend ihren Fähigkeiten eingesetzt. Es kam auch vor, dass sich Häftlinge ohne die gewünschte berufliche Vorbildung nach Gassen meldeten und die ihnen abverlangte Prüfung, deren Anforderungen nicht sehr hoch waren, bestanden. Sie erhofften sich im Arbeitslager Gassen bessere Lebensbedingungen als im KL Gross-Rosen.

Genaue Angaben hinsichtlich Anzahl, Grösse und Ankunft der einzelnen Häftlingstransporte konnten in der Hauptverhandlung nicht festgestellt werden. Es steht jedoch fest, dass sich um die Jahreswende 1944/1945 bis etwa zum Zeitpunkt der Evakuierung des Lagers ca. 700 bis 800 Häftlinge - wahrscheinlich jedoch noch wesentlich mehr - im Lager befanden. Sie waren überwiegend polnischer und russischer Nationalität. Daneben gab es noch Häftlinge französischer, tschechischer, kroatischer, rumänischer, belgischer, italienischer und deutscher Nationalität. Die überwiegende Anzahl der Häftlinge trug rote "Winkel", die zusammen mit den in Gross-Rosen ausgegebenen Häftlingsnummern auf die Kleidung genäht waren, womit eine Einlieferung aus politischen Gründen kenntlich gemacht wurde.

3) Die Bewachung des Lagers wurde von Angehörigen eines SS-Totenkopfbataillons gestellt. Die Wachmannschaft bestand nach unwiderlegter Darstellung des Angeklagten aus einem Zug mit etwa vierzig Wachleuten und drei Unterführern. Ihre Unterkunft befand sich wie

auch die des Lagerführers ausserhalb des Lagergeländes in der Nähe der bereits erwähnten Strasse nach Meiersdorf und Witzen.

Als Zugführer der Wachmannschaft fungierte ein nicht näher bekannter SS-Oberscharführer, der möglicherweise Fricke hiess. Er vertrat den Angeklagten, dem als Lagerführer alle Angelegenheiten oblagen, die mit der Verwaltung des Lagers, dem Arbeitseinsatz der Häftlinge sowie deren Behandlung und Versorgung zusammenhingen. Ob der Leiter der Wachmannschaft dem Lagerführer unmittelbar unterstand oder ob der Leiter der Wachmannschaft - wie im übrigen auch der Angeklagte - nur dem Lagerkommandanten von Gross-Rosen unmittelbar unterstand, konnte nicht aufgeklärt werden. Es ist daher nicht auszuschliessen, dass der Lagerführer gegenüber dem Zugführer der Wachmannschaft innerhalb des diesem zugewiesenen Aufgabenbereichs keine Befehlsbefugnis hatte. Ausserdem war ein SS-Scharführer als Rapportführer tätig, der möglicherweise Müller hiess. Er hatte für die Ordnung im Lager zu sorgen und nahm ferner die Zählappelle entgegen, die morgens und abends jeweils vor und nach dem Arbeitseinsatz der Häftlinge im Lager durchgeführt wurden.
Den unwiderlegten Angaben des Angeklagten zufolge gab es darüber hinaus in Gassen keinen eigentlichen Kommandanturstab, wie dies bei grösseren Konzentrationslagern die Regel war.

4) Die Überwachung und Kontrolle der Häftlinge wurde in Gassen aber nicht nur unmittelbar durch die SS-Angehörigen bewirkt. Diesen stand vielmehr - wie ebenfalls in Konzentrationslagern allgemein üblich - die sog. Häftlingsselbstverwaltung zur Seite, die einen Teil der internen Verwaltungsangelegenheiten zu erledigen hatte.

An der Spitze der Häftlingsselbstverwaltung stand der Lagerälteste, dessen Funktion vom deutschen Zeugen Peter Kle. ausgeübt wurde. Er hatte die Befehle der Lagerführung gegenüber den Häftlingen durchzusetzen und für Ruhe und Ordnung im gesamten Lager zu sorgen. Er arbeitete hierbei insbesondere mit dem Rapportführer zusammen. Dem Lagerältesten unterstanden sogenannte Blockälteste, die in den Baracken ein eigenes Zimmer bewohnten und für die Ordnung innerhalb eines Blocks verantwortlich waren. In den Stuben waren ferner sog. Stubenälteste eingesetzt, denen die Aufgabe zukam, den Blockältesten zu helfen.
Neben den bislang erwähnten Tätigkeiten gab es im Rahmen der Häftlingsselbstverwaltung in Gassen noch sog. Kapos, die einzelnen Häftlingskommandos vorstanden und der Lagerführung verantwortlich waren. Schliesslich waren in der Schreibstube noch etwa zwei Häftlinge tätig, die unter Aufsicht des Lagerführers den gesamten Schriftverkehr abwickelten.

Der Einsatz innerhalb der Lagerselbstverwaltung hob die sog. Funktionshäftlinge aus der Masse der übrigen Häftlinge heraus, womit vielfach erhebliche Vergünstigungen verbunden waren wie zum Beispiel Befreiung vom Arbeitseinsatz, bessere Unterbringung oder zusätzliche Verpflegung. Daher waren die Funktionshäftlinge regelmässig darauf bedacht, ihre Positionen nicht zu verlieren. Um dies zu gewährleisten, traten sie meist selbst als harte und unnachgiebige Vollstrecker der Befehle der SS-Lagerführung auf und waren bereit, ihre Häftlingskollegen entsprechend zu behandeln, worauf später in einem gesonderten Kapitel näher eingegangen wird. Gleichwohl haben sich aber im Bereich der Häftlingsselbstverwaltung vereinzelt auch Häftlinge gegenüber ihren Kollegen durchaus menschlich verhalten, wie die Hauptverhandlung ebenfalls ergeben hat. Neben dem bereits erwähnten Lagerältesten Kle. sind in Gassen vornehmlich folgende Personen als Funktionshäftlinge durch rücksichtsloses Verhalten gegenüber der Mehrzahl ihrer Kollegen in Erscheinung getreten: die polnischen Häftlinge Georg Ziolkowski - genannt Jurek - und Lucian Wujek; ferner je ein tschechischer und rumänischer sowie ein weiterer deutscher Häftling, deren Namen nicht näher ermittelt werden konnten.

5) Die Häftlinge des Nebenlagers Gassen wurden zum überwiegenden Teil zur Produktionssteigerung im Werk der Firma Focke-Wulf in Gassen eingesetzt, wo Vorrichtungen für den Flugzeugbau hergestellt wurden. Das Stammwerk der Firma hatte seinen Sitz in Bremen. Als

zum Schutze vor immer häufigeren Luftangriffen der Alliierten kriegswichtige deutsche Unternehmen dezentralisiert wurden, war u.a. auch der Vorrichtungsbau dem Stammwerk der Firma Focke-Wulf in Bremen ausgegliedert worden. Er war zunächst - etwa im Sommer 1943 - nach Sorau verlegt worden und dann - etwa im Herbst des Jahres 1943 - nach Gassen. Hier hatte die Firma Focke-Wulf einen Teil der Produktionshallen der ortsansässigen Landmaschinenfabrik Raussendorf bezogen, die Maschinen für das damals auslaufende sog. Ostprogramm produziert hatte und nunmehr über frei gewordenen Produktionsraum verfügte. Als die Produktion angelaufen war, und der vorhandene Produktionsraum voll ausgenutzt wurde, bestand die Gesamtbelegschaft von Focke-Wulf in Gassen aus ca. 1400 Personen. Diese setzten sich neben den Häftlingen des Lagers Gassen wie folgt zusammen: Etwa 400-500 Mann Stammpersonal von Focke-Wulf und übernommene Arbeitskräfte der Firma Raussendorf, ca. 100 Angehörige einer sog. Torpedofliegereinheit, die dem Werk seit ca. Sommer 1944 zugewiesen waren, ca. 40 Franzosen, bei denen es sich teils um Kriegsgefangene und teils um Zivildienstverpflichtete handelte, sowie ca. fünfzehn sog. "Hiwi-Russen".

An der Spitze des Werkes standen der Betriebsleiter und sein Stellvertreter, denen zwei oder drei Betriebsingenieure zugeordnet waren. Diesen wiederum unterstanden insgesamt etwa fünf Meister, die zusammen mit sog. Untermeistern etwa acht Vorarbeiter (pro Schicht) beaufsichtigten. Einem Vorarbeiter waren schliesslich 60-80 Arbeitskräfte zugeteilt, die in Kolonnen von ca. sechs Personen unter Aufsicht eines Kolonnenführers tätig waren. Die Häftlinge des Lagers Gassen wurden in aller Regel in den in der Produktionshalle arbeitenden Kolonnen eingesetzt, wobei sie insbesondere Entgratungs- und Bohrarbeiten nach den Weisungen der deutschen Facharbeiter ausführten. Da der Einsatz der Häftlinge nach dem im Werk Gassen praktizierten Gruppenakkordsystem bei der Bemessung der Leistungspensen für die deutschen Zivilarbeiter berücksichtigt wurde, war diesen durchaus an einer guten Zusammenarbeit mit den Häftlingen gelegen.

Zur Auslastung der Werkskapazität wurde in Gassen zumindest ab Januar 1945 regelmässig - ausser sonntags - in Tag- und Nachtschichten produziert, zu denen die Häftlinge im wöchentlichen Wechsel herangezogen wurden. Die Tagschichten dauerten wahrscheinlich dreizehn Stunden (von 6.00-19.00 Uhr) und die Nachtschichten elf Stunden. Möglicherweise betrug aber auch die Arbeitszeit für beide Schichten je zwölf Stunden. Die Häftlinge wurden von Angehörigen der Wachmannschaft zum Arbeitseinsatz in die Fabrik gebracht, die ca. 300 m von der Ortsmitte entfernt an der Flöterstrasse lag. Diese Strasse, die nach dem Gründer der oben näher beschriebenen Landmaschinenfabrik benannt war, führte etwa am Ortsrand von Gassen durch eine Eisenbahnunterführung der Bahnstrecke Gassen-Sorau und ging dann in die ebenfalls bereits erwähnte Landstrasse nach Meiersdorf und Witzen über. Nach der Ankunft in der Fabrik bezogen die Angehörigen der Wachmannschaft dort Wachposten und führten die Häftlinge nach der Arbeit wieder in das Lager zurück.

6) Die allgemeinen Lebensbedingungen im Lager, insbesondere Ernährung und ärztliche Versorgung, waren völlig unzureichend.

Frühstück und Abendbrot, das jeweils aus geringen Mengen Brot, Margarine und Brotbelag bestand, nahmen die Häftlinge in der Regel im Lager ein. Ferner gab es morgens und abends Kaffee, der in der kleinen Lagerküche gekocht wurde. Das Mittagessen erhielten die Häftlinge, soweit sie zur Tagschicht eingeteilt waren, in der Fabrik, wo es auch in einer gesonderten Baracke hinter der eigentlichen Werksküche zubereitet wurde. Für die übrigen Häftlinge, die nicht in der Tagschicht arbeiteten, wurde das Mittagessen aus der Fabrik ins Lager gebracht. An arbeitsfreien Tagen wurde das Mittagessen für die Häftlinge in der Lagerküche hergerichtet. Es bestand vorwiegend aus einer dünnen Suppe. Als eines Tages dem Betriebsleiter in Gassen die dürftige Zusammensetzung des Häftlingsessens aus Wasser und sog. Graumehlteigwaren auffiel, beschaffte er von Landwirten in der Umgebung zusätzlich Rüben oder Möhren, die in einer grossen Miete gelagert und dem Essen der Häftlinge beigegeben wurden. Die schlechte Ernährungssituation der Häftlinge konnte aber hierdurch ebensowenig entscheidend verbessert werden wie durch die Tatsache, dass einigen Häftlingen in der Fabrik - wie z.B. den Zeugen Wl. Szy., Wro., Mus., Leg. und Esc. - gelegentlich von den deutschen Arbeitern Lebensmittel zugesteckt wurden.

Die ärztliche Betreuung der Häftlinge lag zunächst nur in den Händen des polnischen Arztes Dr. Novak und des Zeugen Mic., der damals einige Semester Medizin studiert hatte und daher als Krankenpfleger eingesetzt wurde. Beide waren etwa Anfang Oktober 1944 als Häftlinge von Gross-Rosen nach Gassen gekommen, wo sie die medizinische Betreuung des Krankenreviers übernehmen mussten. Etwa ab Anfang November 1944 wurde ein weiterer Häftlingsarzt, der französische Zeuge Dr. Rep., zusätzlich im Krankenrevier eingesetzt, wo es einen durchschnittlichen Krankenbestand von ca. 60-80 Personen gab. Eine ordnungsgemässe Behandlung der Patienten war jedoch nicht möglich, weil trotz entsprechender Materialanforderungen in Gross-Rosen, die monatlich erstellt wurden, weder genügend Medikamente noch die erforderliche Anzahl von Geräten für die Kleinchirurgie zur Verfügung gestellt wurden. Unter diesen Umständen musste daher z.B. Toilettenpapier als Verbandsmaterial verwandt werden. Als eines Tages aus einem nicht weiter zu klärenden Anlass Angehörige der Werksleitung von Focke-Wulf in Gassen das Krankenrevier im Lager besuchten, wies der Zeuge Dr. Rep. die Gäste auf die ungenügende medizinische Versorgungslage hin. Daraufhin wurden von Focke-Wulf Geldmittel bereitgestellt, mit denen das allernotwendigste medizinische Material angeschafft werden konnte. Dieses wurde schliesslich im Februar 1945 vor der erneuten Verlegung des Werkes von Gassen nach Karlsbad von der Firma Focke--Wulf zurückgefordert.

Zum Teil meldeten sich aber auch die Häftlinge des Lagers Gassen, die sich arbeitsunfähig fühlten, erst gar nicht krank oder sie hielten unumgängliche Revieraufenthalte möglichst kurz. Sie befürchteten nämlich, anderenfalls durch eine Verlegung zum Arbeitseinsatz im Steinbruch von Gross-Rosen oder auf sonstige Art und Weise dem sicheren Tod entgegenzugehen. Ob derartige Befürchtungen der Häftlinge tatsächlich begründet waren, darüber liessen sich in der Hauptverhandlung keine sicheren Feststellungen treffen.

7) Stellten schon die Unzuträglichkeiten des Lagers, insbesondere der Mangel an allen Enden, die langen Arbeitszeiten und die Ungewissheit über das eigene Schicksal für die Lagerinsassen harte und menschenunwürdige Lebensbedingungen dar, so wurden die Häftlinge darüber hinaus noch durch ständige Schikanen und Misshandlungen der SS-Leute und Funktionshäftlinge gequält. Bei derartigen Aktionen tat sich besonders der Lagerälteste Peter Kle. hervor, der mit seinen brutalen Züchtigungen Furcht und Schrecken unter den Häftlingen verbreitete. Oftmals erfolgten die Misshandlungen der Häftlinge grundlos oder aus geringfügigem Anlass, wozu bereits ein falsches oder unterlassenes Grüssen oder Melden ausreichend war. Häufig kam es auch zu Misshandlungen, weil man bei den Häftlingen aus der Fabrik beschafftes Brennmaterial fand, womit die Stuben heimlich beheizt werden sollten. Ebenso wurden die Häftlinge misshandelt, wenn sie zum Schutz vor Kälte Papier unter ihre Kleidung steckten, die aus einem blau-weiss gestreiften Häftlingsanzug und Holzpantinen bestand. Ein nicht seltener Anlass für Misshandlungen war es schliesslich auch, dass bei einer Kontrolle der Zustand der Stube - insbesondere der Bettenbau - nicht für "ordnungsgemäss" befunden wurde oder dass Häftlinge nicht schnell genug zu den täglichen Appellen antraten bzw. dass sie sich hierbei oder beim Marschieren nicht richtig in Reihe und Glied befanden.

Es war an der Tagesordnung, dass die Häftlinge für "Vergehen" der vorgenannten Art sofort an Ort und Stelle getreten und geschlagen wurden, wobei auch Schlaggeräte wie Ochsenziemer oder ähnliches benutzt wurden. Daneben gab es aber auch förmliche körperliche Züchtigungen, bei denen in der Regel den Häftlingen eine gewisse Anzahl von Schlägen mit einem Stock oder dergleichen auf das Gesäss verabfolgt wurden. Diese Strafe wurde auf dem sogenannten Bock vollzogen, über den der Häftling gelegt wurde. Ob es im Lager Gassen einen besonderen Raum für den Vollzug dieser Strafe gab oder ob die Stockschläge in den Unterkünften der Häftlinge durchgeführt wurden, wobei ein normaler Stuhl als Bock diente, konnte nicht aufgeklärt werden.

Als Disziplinarmassnahme gab es weiterhin das sog. Strafstehen. Der Häftling, der mit dieser Massnahme belegt wurde, musste oftmals stundenlang ohne Rücksicht auf Witterungsverhältnisse auf dem Lagergelände - insbesondere in der Nähe des Lagertores - stehen, ohne sich von der Stelle bewegen zu dürfen. Es kam auch vor, dass die Häftlinge bei den Zählappellen mehrere Stunden auf dem Appellplatz stehen mussten. Dies geschah insbesondere, wenn sich die Unvollständigkeit der Lagerbelegschaft herausgestellt hatte, weil Häftlinge geflohen waren, was im Lager Gassen einige Male der Fall war. Welches Schicksal im einzelnen die geflohenen Häftlinge ereilt hat, konnte in der Hauptverhandlung nicht weiter festgestellt werden.

Ausser den bereits genannten Massnahmen wurden die Häftlinge entweder einzeln oder in Gruppen auch mit sog. Sporttreiben geschunden. Dabei mussten Häftlinge jeden Alters oft stundenlang laufen, rollen, robben, hüpfen, exerzieren oder dergleichen, wobei nicht selten die Häftlinge noch zusätzlich durch Schläge und Tritte misshandelt wurden. Derartige "Übungen" wurden auch an arbeitsfreien Sonntagen durchgeführt.

Schliesslich waren die Häftlinge auch am Arbeitsplatz in der Fabrik nicht sicher vor Misshandlungen. Hieran beteiligten sich jedoch nur die SS-Angehörigen und Funktionshäftlinge, nicht aber die sonst im Werk beschäftigten Personen. Am Arbeitsplatz wurden die Häftlinge am häufigsten deshalb misshandelt - insbesondere geschlagen -, weil ihre Arbeit für zu langsam oder zu schlecht befunden wurde. Vielfach wurden aber auch nur in der Fabrik die Lagernummern der betreffenden Häftlinge notiert, die dann nach der Rückkehr von der Arbeit im Lager gemassregelt und gezüchtigt wurden.

8) Das Lagerleben hatte für viele Häftlinge schon bald Unterernährung und Anfälligkeit für Krankheiten zur Folge. Ruhr, Bronchitis, Lungenentzündung, Wasserlunge und eitrige Entzündungen aufgrund Vitaminmangels waren die häufigsten Erkrankungen, die im Revier - notdürftig - behandelt wurden. Sehr oft mussten auch Kiefern- und Rippenbrüche ärztlich versorgt werden, die auf die erwähnte brutale Behandlung der Häftlinge zurückgingen und mehrfach sogar zum Tode von Häftlingen führten. Neben den Krankheiten wurden die Häftlinge ausserdem noch - bedingt durch die insgesamt unzulänglichen hygienischen Verhältnisse im Lager - von Ungeziefer geplagt. Als Angehörige der Werksleitung eines Tages in der Fabrik bemerkten, dass die Häftlinge sehr stark verlaust waren, wurde auf ihre Veranlassung eine sog. Entlausungsaktion durchgeführt, bei der die Häftlinge zum Duschen geführt und deren Kleidungsstücke zur gleichen Zeit desinfiziert wurden. Es war indessen nicht mehr aufklärbar, wo im einzelnen diese Aktion durchgeführt wurde, mit der jedoch letztlich die Verlausung der Häftlinge nicht vollends beseitigt werden konnte.

Die schlechte Behandlung der Häftlinge und die unzureichende medizinische Versorgung führten schliesslich zu einer hohen Sterblichkeit im Lager Gassen, obwohl es sich bei den Häftlingen durchweg um Personen im arbeitsfähigen Alter von ca. 20 bis 45 Jahren handelte.

9) Die toten Häftlinge wurden in der ersten Zeit nach Gross-Rosen gebracht und hier im Krematorium verbrannt. Später wurden die Toten - zumindest teilweise - ausserhalb des Lagers im Waldgelände vergraben.

Der Bestand an Häftlingen wurde im Lager Gassen in Listen erfasst, die auf der Schreibstube geführt wurden. Beim Ableben von Häftlingen wurden Todesbescheinigungen in vierfacher Ausfertigung erstellt. Hiervon verblieb ein Exemplar im Lager Gassen, während die übrigen Ausfertigungen für das Stammlager Gross-Rosen, die staatlichen Gesundheitsämter und das statistische Reichsamt bestimmt waren. Die Todesbescheinigungen wurden unter Angabe der Todesursache von einem der im Revier tätigen Ärzte unterzeichnet. Es war jedoch dem bescheinigenden Arzt wegen der zu erwartenden Repressalien gegen die eigene Person praktisch nicht möglich, die wahre Todesursache anzugeben, wenn das Ableben eines Häftlings auf brutale Misshandlungen zurückzuführen war. Als Todesursache wurde in solchen Fällen z.B. Ruhr oder Herzversagen eingetragen. Aufgrund der Meldung aus Gassen wurde im Stammlager Gross-Rosen unter anderem der Tod eines Häftlings in einem der Totenbücher beurkundet, die im lagereigenen Standesamt geführt wurden. Von der vorerwähnten Beurkundung waren jedoch aufgrund des Erlasses des Reichsführers-SS vom 15.9.1943 "sowjetrussische und nichteindeutschungsfähige polnische Zivilarbeiter" ausgeschlossen, deren Tod lediglich an die einliefernde Polizeibehörde gemeldet wurde, weil diese Meldung "der Unterrichtung der Arbeitsbehörde dient und somit einen wichtigen praktischen Zweck erfüllt."

10) In der Hauptverhandlung konnte nicht geklärt werden, ob sich der Angeklagte, der nach eigenen Angaben häufig bei Abwesenheit der Häftlinge deren Unterkünfte zusammen mit dem Lagerältesten kontrollierte und sich unter anderem auch öfter in der Fabrik aufhielt, um hier mit den Meistern den Arbeitseinsatz der Häftlinge zu besprechen, selbst an Häftlingsmisshandlungen beteiligt hat oder ob er bei solchen Gelegenheiten zugegen war. Es steht jedoch fest, dass dem Angeklagten die Lagerverhältnisse und die Lebensbedingungen der Häftlinge im einzelnen genau bekannt waren.

III. « Der Evakuierungsmarsch zum KL Leipzig-Thekla »

Als Anfang Februar 1945 die russischen Truppen immer weiter nach Westen vordrangen, wurde die bereits erwähnte abermalige Verlegung des Vorrichtungsbaues der Firma Focke-Wulf von Gassen nach Karlsbad angeordnet. Ein Teil der Häftlinge des Nebenlagers Gassen wurde dazu eingesetzt, in der Fabrik die Maschinen abzubauen und diese auf dem Werksgelände, das einen eigenen Eisenbahnanschluss besass, in Güterwaggons zu verladen. Diese Arbeiten waren etwa am 10.2.1945 abgeschlossen.

Etwa zu dieser Zeit - Anfang Februar 1945 - erhielt der Angeklagte vom Stammlager Gross-Rosen einen schriftlichen Befehl, der die bevorstehende Evakuierung des Nebenlagers regelte, die unabhängig von der Verlegung des Werkes erfolgen sollte. Der Urheber dieses Befehls und dessen genauer Wortlaut konnten nicht festgestellt werden. Wegen seiner Bedeutung ist jedoch anzunehmen, dass der Befehl von höchsten Partei- oder SS-Stellen erging und auf dem Wege über das Stammlager Gross-Rosen dem Angeklagten als Lagerführer des Nebenlagers ausgehändigt wurde. Mit Sicherheit kann aber zumindest von folgendem Inhalt des Befehls ausgegangen werden: Bei Näherrücken der Front sollten das Lager Gassen evakuiert und die Lagerinsassen irgendwie zum Lager Leipzig-Thekla, einem Nebenlager des KL Buchenwald, gebracht werden. Hierbei war es dem Angeklagten überlassen, von sich aus den Zeitpunkt für den Abmarsch festzulegen und nach Rücksprache mit dem für die beabsichtigte Evakuierung zuständigen Kreisamtsleiter alles Notwendige zu veranlassen. Der Befehl enthielt ferner die Anordnung, dass auf dem Evakuierungsmarsch alle kranken und marschunfähigen Häftlinge zu erschiessen seien.

Der Angeklagte erkannte, dass dieser Tötungsbefehl, der ersichtlich nur dazu diente, keinen Häftling in Feindeshand fallen zu lassen und bei der Evakuierung Verzögerungen zu vermeiden, verbrecherischen Inhalts war.

Nachdem der Angeklagte den Befehl erhalten und zur Kenntnis genommen hatte, gab er ihn an den Zugführer der Wachmannschaft und die Unterführer weiter. Ebenso informierte er den Betriebsleiter in Gassen von der beabsichtigten Evakuierung des Lagers. Dem Betriebsleiter gelang es, einen Eisenbahnwaggon zu beschaffen, mit dem 53 im Krankenrevier des Lagers befindliche Häftlinge in Begleitung des Arztes Dr. Novak und des Zeugen Mic. zum

KL Buchenwald transportiert wurden. Dieser Transport, der insgesamt aus 55 Häftlingen bestand, verliess unter Bewachung von zwei oder drei SS-Angehörigen der Wachmannschaft das Lager vor den übrigen Häftlingen, deren Abmarsch der Angeklagte für den 12.2.1945 festgelegt hatte.

Am Morgen des 12.2.1945 wurde im Lager ein Appell durchgeführt, in dessen Verlauf den Lagerinsassen nähere Einzelheiten über die Evakuierung bekanntgegeben wurden. Den Häftlingen wurde insbesondere erklärt, dass jeder, der auf dem Evakuierungsmarsch einen Fluchtversuch unternehme oder infolge Marschunfähigkeit zurückbleibe, erschossen werde. Wer im einzelnen den Häftlingen diese Mitteilung gemacht hat, konnte nicht aufgeklärt werden. Sicher ist aber, dass der Erschiessungsbefehl auf Anordnung des Angeklagten den Lagerinsassen bekanntgegeben wurde, wobei Häftlinge, die der deutschen Sprache mächtig waren, als Dolmetscher fungierten.

Der Angeklagte wusste spätestens zu der Zeit, als er die Bekanntgabe des Erschiessungsbefehls an die Häftlinge anordnete, dass es wegen deren schlechter körperlicher Verfassung auf dem Evakuierungsmarsch zahlreiche Marschunfähige geben werde. Er war sich ferner darüber im klaren, dass diese Häftlinge unterwegs erschossen werden würden. Es liess sich indessen nicht feststellen, dass der Angeklagte die zu erwartenden Erschiessungen als eigene Tat wollte. Vielmehr muss angenommen werden, dass der Angeklagte bei der Tötung der marschunfähigen Häftlinge lediglich die Tat der unbekannt gebliebenen Befehlsgeber unterstützen wollte. Hierbei war dem Angeklagten jedoch das Leben der ihm anvertrauten Häftlinge völlig gleichgültig. Er sah sie in Übereinstimmung mit der Auffassung der SS-Führung nur als Arbeitssklaven an, deren sonstiges Ergehen ihn nicht interessierte.

Ihm war auch bekannt, dass die Bekanntgabe des Erschiessungsbefehls an die Häftlinge zur Folge hatte, dass die Häftlinge sich bemühen würden, mit letzter Kraft bei der Evakuierungskolonne zu bleiben und dass sie infolgedessen zusätzlichen körperlichen und seelischen Qualen ausgesetzt waren. Dies war ihm jedoch aufgrund seiner oben erwähnten Übereinstimmung mit der SS-Ideologie gleichgültig.

Nach dem Appell am 12.2.1945 traten die im Lager verbliebenen Häftlinge und SS-Angehörigen den Evakuierungsmarsch nach Leipzig an. Die Häftlinge marschierten in Vierer- oder Fünferreihen, wobei sie von den SS-Leuten, die sich vornehmlich an beiden Seiten entlang der Marschkolonne aufhielten, bewacht wurden.

Der Angeklagte benutzte auf dem Evakuierungsmarsch ein Fahrrad, das er sich vor dem Abmarsch in Gassen von Bekannten besorgt hatte. Er fuhr hiermit im Laufe des Tages unter anderem den Häftlingen voraus, um Rastplätze für die Nacht ausfindig zu machen. Anschliessend kehrte er dann zur Marschkolonne zurück. Im übrigen wurde bei der Evakuierung an Fahrzeugen nur ein offener, gummibereifter Ackerwagen mitgeführt, der nach Angaben des Angeklagten eine Ladefläche von ca. 2 x 3 m besass und von Häftlingen gezogen und geschoben wurde. Auf ihm wurden das Gepäck der SS-Leute und Proviant transportiert. Der Wagen war wahrscheinlich in der Fabrik in Gassen beschafft worden, wo sich auf dem Werksgelände zahlreiche derartiger Fahrzeuge befanden.

Der Evakuierungsmarsch von Gassen zum Lager Leipzig-Thekla dauerte insgesamt vom 12. bis 22.Februar 1945 und stellte nicht zuletzt auch wegen der Wetterverhältnisse für die Häftlinge eine ungeheure Strapaze dar. Die Aussentemperaturen lagen um oder unter dem Gefrierpunkt. Der Boden war hart gefroren und zumindest streckenweise mit Schnee bedeckt. Für solche Witterungsverhältnisse war die normale Häftlingskleidung und eine einzige Dekke, die jeder Häftling beim Verlassen des Lagers mitnehmen musste, ein unzureichender Schutz vor Kälte. Ebenso untauglich war das Schuhwerk der Häftlinge. Waren deren Holzpantinen schon an sich für einen Fussmarsch völlig ungeeignet, so bereitete das Marschieren auf dem harten und schneebedeckten Boden den Häftlingen noch zusätzliche Erschwernisse und Qualen.

Die Evakuierungskolonne bewegte sich meistens auf Nebenstrassen und kaum benutzten Wegen. Sie passierte hierbei möglicherweise u.a. die Ortschaften Spremberg, Senftenberg und Muskau. Weitere Feststellungen über den genauen Verlauf der Marschstrecke, insbesondere über die täglich zurückgelegten Wegstrecken, konnten nicht getroffen werden.

An den ersten fünf oder sechs Marschtagen marschierte die Kolonne regelmässig von morgens bis etwa zum Anbruch der Dunkelheit und bezog dann die vom Angeklagten zuvor ausgesuchten Nachtquartiere, die in erster Linie aus verlassenen Fabrikgebäuden, Scheunen oder Stallungen bestanden. Am Abend des fünften oder sechsten Marschtages bezog man Quartier in einem Gutshof, wo die Häftlinge wiederum in einer grossen Scheune untergebracht waren. An diesem Rastplatz verweilte die Marschkolonne insgesamt zwei oder drei Tage. Während dieser Zeit beschaffte der Angeklagte in einer Ortschaft unweit des Gutshofes ein Pferd, das sich aus nicht näher bekanntem Grund einen Knochenbruch zugezogen hatte und daher notgeschlachtet werden musste. Vom Fleisch dieses Pferdes liess der Angeklagte auf dem Gelände des Gutshofes eine Suppe zubereiten, die auch an die Häftlinge verteilt wurde, denen auf dem gesamten Evakuierungsmarsch nur unregelmässig und in geringen Mengen Verpflegungsrationen zugeteilt wurden.

Während der mehrtägigen Rast gelang es dem Angeklagten weiterhin, auf einem in der Nähe liegenden Güterbahnhof sechs Güterwaggons zu besorgen, um hiermit die Häftlinge auf dem Rest des Weges nach Leipzig zu befördern. Die Bahnfahrt, bei der die Häftlinge sehr dicht gedrängt in die Waggons gepfercht waren, dauerte insgesamt zwei oder drei Tage.

Unter den gegebenen Umständen brach ein Teil der Häftlinge, die ohnehin infolge des Lagerlebens schon sehr geschwächt waren, auf dem Evakuierungsmarsch zusammen und kam nicht mehr weiter. Soweit diese Häftlinge nicht eines natürlichen Todes verstarben (z.B. im Verlaufe der Nachtpausen oder auch während der mehrtägigen Bahnfahrt), wurden sie in Ausführung des o.g. Befehls gewaltsam getötet. Die Zahl der auf diese Weise ums Leben gekommenen Häftlinge beläuft sich auf mindestens acht. Diese Angabe liegt auch an der untersten Grenze dessen, was sich der Angeklagte bei der Weitergabe des Erschiessungsbefehls (vgl. S.29 der Urteilsgründe [126]) vorgestellt hatte. Sieben der getöteten Häftlinge sind namentlich nicht näher bekannt. Sie wurden auf dem ersten Teil des Evakuierungsmarsches - vor dem Antritt der Zugfahrt - an im einzelnen nicht näher feststellbaren Orten erschossen und anschliessend von Häftlingen notdürftig begraben, die eigens zu diesem Zwecke ausgesucht wurden. Bei dem achten Häftling, der auf dem Evakuierungsmarsch getötet wurde, handelt es sich um den französischen Stabsfeldwebel Paul Roussard. Er litt - wie im übrigen zahlreiche seiner Häftlingskollegen - an Ruhr und war nach einigen Marschtagen so geschwächt, dass er nicht mehr weitermarschieren konnte. Im Verlaufe der oben genannten mehrtägigen Rast wurde er schliesslich wegen Marschunfähigkeit ausgesondert und zur Erschiessung weggeführt. Im Anschluss daran wurde er wahrscheinlich von SS-Leuten erschossen. Es ist jedoch nicht auszuschliessen, dass er auf dem Weg zur Erschiessung von Kapos so misshandelt wurde, dass er daran verstarb.

Ob der Angeklagte eigenhändig Häftlinge erschossen hat oder ob er bei den einzelnen Tötungshandlungen zugegen war, liess sich nicht feststellen. Jedenfalls hatte er Kenntnis von der Tötung der marschunfähigen Häftlinge.

[126] = Seite 632 dieses Bandes.

Während des Evakuierungsmarsches wurden über die toten Häftlinge keine ärztlichen Todesbescheinigungen mehr erstellt. Ein Kapo notierte lediglich die Lagernummern der Toten. Wahrscheinlich wurden dann anhand dieser Notizen die Toten in den Häftlingslisten vermerkt, die zu Beginn der Evakuierung aus Gassen mitgeführt worden waren. Jedenfalls wurden diese Listen mit den eingetragenen Veränderungen nach der Ankunft im Lager Leipzig--Thekla auf Veranlassung des Angeklagten an die Verwaltung des KL Gross-Rosen weitergeleitet. Wo die Verwaltung des Lagers Gross-Rosen, dessen Insassen seit etwa Mitte Februar 1945 ebenfalls evakuiert wurden, zur damaligen Zeit ihren Sitz hatte, liess sich nicht feststellen. Möglicherweise wurden aber die Verwaltungsangelegenheiten des KL Gross-Rosen damals im KL Buchenwald abgewickelt.

Im Lager Leipzig-Thekla wurden ausweislich einer unter dem Datum des 5.3.1945 erstellten Zugangsliste und einer Nachtragsliste vom 20.3.1945 insgesamt 580 Häftlinge aus Gassen als Neuzugänge übernommen, denen neue Lagernummern des KL Buchenwald zugeteilt wurden. Von diesen 580 Neuzugängen waren in beiden Listen insgesamt 20 Häftlinge mit dem Vermerk gekennzeichnet: "... bereits vor Übernahme in die Lagerstärke verstorben". Wie und wann diese Häftlinge im einzelnen umgekommen sind, konnte nicht aufgeklärt werden. Die überlebenden Häftlinge aus Gassen kamen im Lager Leipzig-Thekla nicht mehr zum Arbeitseinsatz. Sie wurden wegen ihres schlechten Gesundheitszustandes zunächst in Quarantäne untergebracht und wurden dann nach einigen Wochen auf die im Lager befindlichen Baracken verteilt.

Als etwa im April 1945 die Front immer näher an Leipzig heranrückte, wurde auch die Evakuierung des Lagers Thekla angeordnet. Die Häftlinge, die körperlich noch in der Lage waren, an einem Evakuierungsmarsch teilzunehmen, wurden in Richtung Sudetenland geführt. Hier wurden sie auf dem Gebiete der Tschechoslowakei etwa Anfang Mai 1945 von sowjetischen Truppen befreit. Die übrigen Häftlinge, die sich nicht dazu in der Lage gesehen hatten, einen Evakuierungsmarsch durchzustehen, waren unter Bewachung im Lager Leipzig-Thekla zurückgeblieben. Sie wurden wenige Tage nach dem Ausrücken der Evakuierungskolonne - etwa am 17. oder 18.April 1945 - von ihren Bewachern in einer Baracke eingeschlossen, die mit Benzin begossen und in Brand gesteckt wurde. Auf diese Weise kamen zahlreiche der im Lager verbliebenen Häftlinge ums Leben. Viele wurden auch bei dem Versuch, sich aus der brennenden Baracke zu retten, von den Bewachern erschossen, bevor das Lager schliesslich kurze Zeit später von amerikanischen Soldaten befreit werden konnte.

IV. « Einlassung des Angeklagten »

Soweit die Angaben des Angeklagten von den getroffenen Feststellungen abweichen, ist seine Einlassung im wesentlichen folgende:

Es habe im Lager Gassen nie mehr als 200-300 Häftlinge gegeben, die im Vorrichtungsbau von Focke-Wulf nur in Tagschicht, nicht aber auch in Nachtschichten, gearbeitet hätten. Die Lebensbedingungen dieser Häftlinge seien im Gegensatz zu den Bedingungen in Gross-Rosen relativ gut gewesen. Es habe insbesondere in Gassen keinerlei Misshandlungen von Häftlingen gegeben. Zwar sei der Lagerälteste bei den Häftlingen gefürchtet gewesen, weil er diesen gegenüber "zu grob" gewesen sei und sich immer wieder habe durchsetzen können. Ebenso seien auch die Kapos, die wie der Lagerälteste für Ordnung sorgen mussten, bei den übrigen Lagerinsassen verhasst gewesen. Jedoch seien in seinem, des Angeklagten, Beisein keine Häftlinge geschlagen oder mit sonstigen Disziplinarmassnahmen belegt worden. Es sei lediglich einmal ein Zählappell von mehreren Stunden Dauer durchgeführt worden, als Häftlinge geflohen waren. Bei diesem Appell seien aber die Häftlinge nur immer wieder gefragt worden, ob sie nähere Einzelheiten wüssten. Darüber hinaus habe es in Gassen keine Disziplinarmassnahmen gegeben. Derartiger Massnahmen habe es auch nicht bedurft, weil es zur

Aufrechterhaltung der Ordnung im Lager ausreichend gewesen sei, wenn er - der Angeklagte - den Häftlingen habe androhen lassen, sie würden bei pflichtwidrigem Verhalten wieder nach Gross-Rosen verlegt.

Das Lagerleben in Gassen habe auch nicht zu einer hohen Häftlingssterblichkeit geführt. Bis zur Evakuierung des Lagers habe es - soweit ihm erinnerlich sei - nur einen einzigen Todesfall gegeben, den er vorschriftsgemäss nach Gross-Rosen gemeldet habe. Der betreffende Häftling sei eines natürlichen Todes gestorben und dann irgendwo ausserhalb des Lagers im Wald begraben worden.

Nachdem er - der Angeklagte - den Befehl zur Räumung des Lagers erhalten habe, habe er die Führung der Evakuierungskolonne dem Zugführer der Wachmannschaften übertragen. Wegen der für ihn schrecklichen Anordnung, unterwegs die marschunfähigen Häftlinge zu erschiessen, habe er sich bemüht, nicht zu oft bei der Kolonne zu sein. Er habe die Kolonne auf dem Fahrrad begleitet, sei aber jeweils zur Quartiersuche vorausgefahren und erst anschliessend wieder zur Kolonne zurückgekehrt. Wenngleich er auch für den Evakuierungsmarsch verantwortlich gewesen sei, so habe diesen doch praktisch der Oberscharführer geleitet. Er - der Angeklagte - wisse von Erschiessungen kranker und marschunfähiger Häftlinge während des Evakuierungsmarsches nichts. Der Oberscharführer habe ihm unterwegs nur gemeldet, dass zwei Häftlinge, die einen Fluchtversuch unternommen hätten, erschossen worden seien. Er - der Angeklagte - wolle aber nicht ausschliessen, dass in seiner Abwesenheit von der Kolonne "Schweinereien" passiert seien. Ausser den beiden vorerwähnten Erschiessungen sei ihm ansonsten an Veränderungen im Häftlingsbestand nur die Flucht von fünf Häftlingen gemeldet worden. Dieser Vorfall habe sich während der mehrtägigen Rast ereignet.

In Leipzig seien schliesslich etwa 160 Häftlinge angekommen. Die Tatsache, dass nach den Listen vom 5. und 20.3.1945 insgesamt 580 Neuzugänge aus Gassen im Lager Leipzig-Thekla registriert wurden, sei nur so erklärlich, dass ihm - dem Angeklagten - Häftlinge aus anderen Lagern des niederschlesischen Bereichs, die auch nach Leipzig evakuiert worden seien, bei der Registrierung zugeordnet und daher in der Aufstellung erfasst worden seien.

V. « Allgemeine Gesichtspunkte zur Bewertung der Zeugenaussagen »

Da die vom Verteidigungsvorbringen des Angeklagten abweichenden Feststellungen überwiegend auf den Bekundungen von Zeugen beruhen, musste bei der Beweiswürdigung wegen der lange zurückliegenden Tatzeit und der Besonderheiten der Tatumstände das Augenmerk insbesondere auf die möglichen Fehlerquellen gerichtet werden, die sich aus diesen Besonderheiten ergeben konnten. Diese Würdigung ist bei den einzelnen Feststellungen jeweils unter Berücksichtigung aller in Betracht kommenden Gesamtumstände vorgenommen worden.

Es ist aber angebracht, einige allgemeine Gesichtspunkte, die generell für die Bewertung der Zeugenaussagen oder zumindest doch für bestimmte Gruppen gelten, voranzuschicken und hierbei einige Kriterien aufzuzeigen, anhand derer das Schwurgericht die Zeugenvernehmungen ausgerichtet hat.

Das Schwurgericht hat von Beginn dieses Verfahrens an - wie es im übrigen auch in seinem Beschluss vom 14.12.1978 zum Ausdruck gebracht hat - den Standpunkt eingenommen, dass generelle Zweifel an der Aussagetüchtigkeit und Glaubwürdigkeit ehemaliger KL-Insassen nicht bestehen, sondern dass die Frage, ob einem Zeugen aus irgendeinem Grunde gefolgt werden kann oder nicht, immer nur im Einzelfall vom Gericht - und nicht etwa grundsätzlich von einem Sachverständigen - entschieden werden muss. Nur der Einzelfall könnte dann eventuell die Zuziehung eines Sachverständigen erforderlich machen, wenn das Gericht nach eingehender Prüfung aller Umstände glaubt, ohne besondere Fachkenntnisse den Zeugen nicht beurteilen zu können und ohne den zweifelhaften Zeugen nicht auskommen zu können.

Zwar hat es in diesem Verfahren auch einzelne Zeugen gegeben, deren Aussagen zweifelhaft waren. Wenn das Gericht diese Zeugen dennoch nicht in Gegenwart eines Sachverständigen vernommen hat, so nicht deshalb, weil es sich über solche Zweifel hinweggesetzt oder diese verkannt hat. Vielmehr ist bei solchen Zeugen kein Sachverständiger zugezogen worden, weil das Gericht diese Vernehmungen im allseitigen Einverständnis alsbald beendet und nicht zum Nachteil des Angeklagten berücksichtigt hat.

Im übrigen aber hat das Gericht, um den hohen Anforderungen zu genügen, nach denen die Zuverlässigkeit des Erinnerungsvermögens der Zeugen - insbesondere der ehemaligen Lagerinsassen - zu prüfen war, die Vernehmungen über mehrere Stunden und, falls erforderlich, über mehr als einen ganzen Verhandlungstag erstreckt. Den Zeugen wurden hierbei zunächst vom Vorsitzenden Fragen zu den allgemeinen Lagerverhältnissen in Gassen gestellt, die in erster Linie dazu dienten, die Erinnerung zu testen oder aufzuwecken und den Zeugen allmählich die Scheu vor der Wiedergabe der schrecklichen Geschehnisse und vor der in aller Regel für die Zeugen ungewohnten Atmosphäre des Gerichtssaals zu nehmen. Anschliessend erhielten die Zeugen Gelegenheit, zu den Vorfällen auf dem Evakuierungsmarsch von Gassen nach Leipzig im Zusammenhang auszusagen, bevor ihnen vom Gericht Zusatzfragen gestellt und etwaige Widersprüche zu den Vorvernehmungen aufgeklärt wurden. Sodann mussten die Zeugen auf Fragen der übrigen Prozessbeteiligten antworten.

Nicht selten haben die Zeugen bei der Vernehmung in der Hauptverhandlung Geschehnisse bekundet, die bisher noch nicht oder nicht so in den Protokollen über frühere Vernehmungen enthalten waren. Als Erklärung hierfür gaben die Zeugen wiederholt an, dass sie vor diesem Gericht endlich einmal in Ruhe und ohne Zeitdruck aussagen könnten.

In diesem Zusammenhang ist das Schwurgericht bei der Bewertung der Zeugenaussagen unter anderem davon ausgegangen, dass widersprüchliche Angaben nicht generell auf die Unzuverlässigkeit des betreffenden Zeugen schliessen lassen.

Der Erinnerungsvorgang stellt einen lebendigen, dynamischen Vorgang dar, bei dem auch unter normalen Bedingungen das Erinnerungsmaterial nicht unverändert bleibt. Es ist durchaus möglich, dass dem Zeugen im Laufe einer sorgfältigen Vernehmung einzelne Vorfälle oder Geschehnisse wieder ins Gedächtnis zurückgerufen werden oder sich nunmehr dem Zeugen anders darstellen. So haben die Zeugen oft bei entsprechenden Vorhalten sinngemäss erklärt: "Jetzt, wo mir dieses oder jenes vorgehalten wird, fällt mir wieder ein ..." und haben dann ihre früheren Angaben insoweit ergänzt oder berichtigt. Das Gericht hat jedoch bei allen diesen Fällen sorgsam abgewogen, ob die zu Tage getretene Diskrepanz der Angaben auf der Unzuverlässigkeit der betreffenden Zeugen oder auf dem echten Wiederaufleben der Erinnerung beruht.

Ferner hat sich das Gericht bemüht, bei jedem einzelnen Zeugen zu prüfen, ob und inwieweit er eigene Wahrnehmungen geschildert hat oder nur Vorkommnisse, die er vom Hörensagen weiss, und inwieweit die Darstellung eines Zeugen zu einem bestimmten Sachverhalt durch physiologisch bedingtes Nachlassen der Gedächtniskraft getrübt oder durch nachträgliche Mitteilungen - insbesondere durch Erfahrungsaustausch mit anderen ehemaligen Häftlingen - oder durch frühere Vernehmungen oder Gefühlsregungen beeinflusst worden sein kann.

Bei der Würdigung der Zeugenaussagen war es noch von besonderer Bedeutung, dass ein Teil der Häftlinge des Lagers Gassen von Leipzig aus noch einen weiteren Evakuierungsmarsch angetreten hat. Soweit diese Zeugen Bekundungen zu den Geschehnissen gemacht haben, die sich auf dem Evakuierungsmarsch von Gassen nach Leipzig zugetragen haben, musste das Gericht besonders kritisch prüfen, ob insoweit Verwechslungen mit den Vorfällen während des zweiten Evakuierungsmarsches auszuschliessen seien.

Wie im einzelnen noch bei der Beweiswürdigung zu den Geschehnissen auf dem Evakuierungsmarsch von Gassen nach Leipzig zu zeigen sein wird, haben viele Zeugen vor den strengen Anforderungen des Gerichts nicht bestanden und ihre Angaben tragen daher das Urteil nicht. Dabei ist nicht übersehen worden, die Angaben dieser Zeugen auch daraufhin zu überprüfen, ob sich aus ihnen Umstände ergeben, die Zweifel an den Angaben der übrigen Zeugen rechtfertigen könnten oder sonst zur Entlastung des Angeklagten beitragen könnten.

Um sicherzustellen, dass diese hohen Anforderungen des Gerichts auch bei den kommissarischen Vernehmungen gewährleistet waren, haben richterliche Mitglieder des Gerichts an den auswärtigen Rechtshilfevernehmungen teilgenommen und mit dafür Sorge getragen, dass die Niederschriften über die Vernehmungen alle Fragen und Antworten enthalten, die das Gericht entsprechend dem jeweiligen Stand der Beweisaufnahme für notwendig hielt. Wenn auch der bei diesen Vernehmungen gewonnene persönliche Eindruck der Zeugen wegen des Grundsatzes der Unmittelbarkeit der Beweisaufnahme nicht in dieses Verfahren eingeführt werden konnte, so ist doch dadurch, dass die Protokolle in dieser Weise unter Mitwirkung der richterlichen Mitglieder des Schwurgerichts zustandekamen, das erreichbare Höchstmass an Zuverlässigkeit gewährleistet.

Aus diesem Grunde hat das Gericht auch sämtliche im Wege der Rechtshilfe gefertigten Protokolle der inzwischen verstorbenen Zeugen, die ohne Mitwirkung der richterlichen Mitglieder des Gerichts zustandekamen und durch Verlesung in die Hauptverhandlung eingeführt wurden, bei der Urteilsfindung nicht zum Nachteil des Angeklagten verwertet und im übrigen, soweit sich noch weitere derartiger Protokolle bei den Akten befanden, einen allseitigen Verzicht auf deren Verlesung herbeigeführt.

Bei der Würdigung der Zeugenaussagen ist das Gericht weiterhin (entsprechend den Ausführungen im Beschluss vom 14.12.1978) davon ausgegangen, dass die Person des Täters nicht notwendig zum Kerngeschehen gehört und dass an die Identifizierung des Angeklagten hohe Anforderungen zu stellen sind, weil mehrere von den Zeugen nicht ohne weiteres unterscheidbare und damals gleichermassen wie der Angeklagte uniformierte SS-Angehörige als Täter in Frage kamen. Soweit einige Zeugen den Angeklagten in der Hauptverhandlung oder aufgrund der ihnen vorgelegten Lichtbilder aus der damaligen Zeit wiedererkannt haben wollen und sie ihm vorwerfen, eigenhändig Häftlinge misshandelt oder getötet zu haben, hat das Schwurgericht hieraus wegen der möglichen Irrtümer bei der Identifizierung insoweit keine für den Angeklagten ungünstigen Schlüsse gezogen.

Schliesslich ist noch darauf hinzuweisen, dass die ehemaligen Häftlinge als Zeugen ganz überwiegend ein erstaunliches Mass an Objektivität, Leidenschaftslosigkeit und Abstand zu den Geschehnissen gezeigt haben. Die Aussagen waren durchweg nicht von Hass- und Rachegefühlen geprägt - was verständlich gewesen wäre - und selbst dort, wo Zeugen aufgrund der Rückerinnerung ihre Erschütterung zeigten und mit Tränen kämpften, haben sie sich bemüht, nüchtern und objektiv und eher zurückhaltend auszusagen.

VI. « Die Verhältnisse im KL Gassen - Beweismittel und Beweiswürdigung »

1) Abweichend zu den Angaben des Angeklagten ist das Schwurgericht davon ausgegangen, dass sich um die Jahreswende 1944/1945 bis etwa zum Zeitpunkt der Evakuierung ca. 700 bis 800 Häftlinge - wahrscheinlich jedoch wesentlich mehr - im Lager Gassen befunden haben.

Die dahingehenden Feststellungen beruhen zunächst auf den Bekundungen der überwiegenden Anzahl der hierzu als Zeugen vernommenen ehemaligen Häftlinge des Lagers Gassen, ohne dass es an dieser Stelle einer eingehenden Würdigung der einzelnen Aussagen bedürfte. So haben z.B. die nachbenannten Zeugen folgende Angaben zu der in Frage stehenden Häftlingszahl gemacht: Bed.: ca. 1.000; Bie.: 700-800; Bro.: 750-800; Cis.: ca. 1.000; Dzi.: ca. 700; Ehr.: 650-800; Jas.: ca. 1.000; Kas.: ca. 1.000; Krz.: ca. 700; Lig.: ca. 900-1.000; Lut.: ca. 1.200; Mah.: 1.000 bis 1.500; Maj.: ca. 1.000; Mas.: ca. 1.000; Mos.: ca. 1.000; Pa.: ca. 1.000; Paw.: ca. 1.000; Pik.: ca. 1.000; Pla.: ca. 800; Prz.: ca. 1.000; Pyr.: 800-1.000; Ral.: ca. 700; Ref.: 900-1.000; Rep.: ca. 1.000; Sar.: ca. 800-1000; A. Szy.: ca. 900; Wl. Szy.: ca. 800; Wal.: 700-800; Wos.: ca. 1.000.

Die Feststellungen zur Anzahl der Häftlinge im Lager stehen weiterhin im Einklang mit den Bekundungen des Zeugen Hit., der damals die Funktion des stellvertretenden Betriebsleiters bei Focke-Wulf in Gassen innehatte. Der Zeuge hat u.a. bekundet, es habe bei Focke-Wulf in Gassen insgesamt ca. 1.400 Beschäftigte gegeben. Mit Ausnahme der oben unter I, 5 (s. S.17 der Urteilsgründe [127]) näher beschriebenen Personengruppen seien ca. 750 bis 850 Häftlinge des Lagers Gassen im Vorrichtungsbau bei Focke-Wulf tätig gewesen, wo regelmässig in Tag- und Nachtschichten gearbeitet worden sei.

Für das Schwurgericht bestanden keine Zweifel, den präzisen und überzeugenden Angaben des Zeugen Hit. zu folgen, zumal dessen Angaben zu den allgemeinen Lagerverhältnissen in der Fabrik in wesentlichen Punkten durch den Zeugen Pet., den ehemaligen Leiter des Betriebsbüros bei Focke-Wulf in Gassen, bestätigt werden. Dem steht nicht entgegen, dass der Zeuge Pet. keine genauen Angaben dazu machen kann, wie viele Häftlinge im Werk Gassen beschäftigt waren und ob es regelmässig Nachtschichten gegeben habe. Diese Unkenntnis erklärt sich nach der insoweit glaubhaften Bekundung des Zeugen daraus, dass die Frage des Arbeitseinsatzes der Häftlinge und die Einteilung der Schichten nicht in den damaligen Zuständigkeitsbereich Pet.s fielen. Der Zeuge Pet. hat jedoch die Angaben des Zeugen Hit. insofern untermauert, als auch er von einer Gesamtbelegschaft im Werk Gassen von ca. 1.500 Personen ausgeht und er hierbei die Personengruppen, die neben den Lagerinsassen im Werk beschäftigt waren, ebenso wie Hit. angibt. Darüber hinaus hat der Zeuge u.a. noch erklärt, dass zur Frage des Arbeitseinsatzes der Häftlinge, insbesondere zur Anzahl der in der Fabrik eingesetzten Häftlinge und zum Schichtdienst, in erster Linie der Zeuge Hit. aufgrund seiner damaligen Funktion im Werk Gassen verlässliche Angaben machen könne.

Da beide Zeugen auf das Gericht einen zuverlässigen Eindruck gemacht haben und keinerlei Anhaltspunkte ersichtlich sind, die sie zu einer für den Angeklagten ungünstigen Aussage veranlassen könnten, hat das Gericht den Angaben der Zeugen Pet. und Hit. bezüglich der Anzahl der in der Fabrik eingesetzten Häftlinge und somit auch zur Anzahl der Häftlinge im Lager insgesamt ein besonderes Gewicht beigemessen.

Zugleich sieht das Schwurgericht aufgrund dieser Bekundungen - in Verbindung mit den zahlreichen insoweit übereinstimmenden Aussagen der ehemaligen Lagerinsassen - die Darstellung des Angeklagten als widerlegt an, es habe in Gassen keine Nachtarbeit gegeben.

Dass im übrigen die Angaben des Angeklagten über die Zahl der Lagerinsassen nicht den tatsächlichen Gegebenheiten entsprechen, ergibt sich auch aus den dem Gericht in Ablichtung vorliegenden und zum Gegenstand der Hauptverhandlung gemachten Zugangslisten (vgl. S.35 der Urteilsgründe [128]). Hiernach sind insgesamt 580 Häftlinge aus Gassen in Leipzig ange-

[127] = Seite 628 dieses Bandes.

[128] = Seite 634 dieses Bandes.

kommen. An der Richtigkeit dieser Listen zu zweifeln, besteht kein Anlass. Zwar sind sie dem Gericht nur in Ablichtung zugänglich gewesen. Anhaltspunkte dafür, dass die Kopien Abweichungen zum Original aufweisen, sind jedoch nicht ersichtlich.

Darüber hinaus ist das Schwurgericht aber auch von der inhaltlichen Richtigkeit der Listen überzeugt. Abgesehen davon, dass die Listen ihrem äusseren Eindruck nach ersichtlich aus der damaligen Zeit stammen, hat das Gericht seine Überzeugung in erster Linie daraus hergeleitet, dass alle Zeugen, von denen man zunächst irrig angenommen hatte, es seien ehemalige Häftlinge des Lagers Gassen - wie z.B. die Zeugen Ba., Cla. und Bot. - in der Liste nicht aufgeführt sind. Umgekehrt sind jedoch sämtliche Zeugen, deren Vernehmung zweifelsfrei ergab, dass es sich um ehemalige Lagerinsassen aus Gassen handelt, in der Liste verzeichnet, wobei die Namen der Häftlinge zum Teil - wie etwa bei den Zeugen B. und Dzi. - in phonetischer Schreibweise (Bo. und Dzio.) aufgeführt sind. Der inhaltlichen Richtigkeit der Listen steht auch nicht entgegen, dass hierin die Namen der ehemaligen Häftlinge Ehr. und Paw. nicht enthalten sind und dass das Geburtsdatum des Zeugen Bie., der am 20.7.1921 geboren wurde, in der Liste v. 5.3.1945 unter der lfden. Nr. 177 mit 20.7.1917 angegeben wird. Nach den glaubhaften Bekundungen der vorgenannten Zeugen erklären sich diese "Unstimmigkeiten" daher, dass Ehr. sich als Jude falsche Ausweispapiere unter dem Namen Jan Novak beschafft hatte und dass Paw. zur damaligen Zeit nach seiner Flucht aus der Kriegsgefangenschaft unter dem falschen Namen Sacharow lebte; schliesslich wurde Bie. unter dem Geburtsjahr 1921 geführt, weil er sich freiwillig zum polnischen Militär gemeldet und, um die Aufnahmevoraussetzungen zu erfüllen, ein falsches Geburtsjahr angegeben hatte. Das Schwurgericht hat die Tatsache, dass die Pseudonyme der Zeugen Ehr. und Paw. (vgl. die lfden. Nrn. 83 und 365 der Liste vom 5.3.1945) und das falsche Geburtsdatum des Zeugen Bie. in der Liste aufgeführt sind, als zusätzliches Indiz für die Richtigkeit der Zugangsliste gewertet wie im übrigen auch den Umstand, dass in der Zugangsliste zahlreiche Namen enthalten sind, die von ehemaligen Lagerinsassen als Mithäftlinge aus Gassen bezeichnet werden, deren Verbleib und weiteres Schicksal zum Teil bis heute nicht aufgeklärt werden konnte. Die Übereinstimmung derartiger Einzelheiten mit dem Inhalt der Zugangsliste wäre nach Überzeugung des Schwurgerichts kaum möglich, wenn die inhaltliche Richtigkeit der Listen ernsthaft in Zweifel stünde.

Im übrigen lässt auch der unter dem 20.3.1945 gefertigte Nachtrag zur Zugangsliste vom 5.3.1945, der nur einen einzigen und inzwischen zudem noch verstorbenen Häftling erfasst, eindeutig erkennen, mit welcher Sorgfalt noch gegen Ende des Krieges die Registrierung der Häftlinge von den zuständigen SS-Dienststellen gehandhabt wurde, so dass auch insoweit etwaige Zweifel an der Korrektheit der Zugangslisten ausgeräumt werden.

Entsprechend den obigen Darlegungen ist das Schwurgericht davon ausgegangen, dass 580 Häftlinge aus Gassen in Leipzig angekommen sind. Berücksichtigt man weiterhin, dass im Lager - wie im einzelnen noch zu zeigen sein wird - eine hohe Sterblichkeit herrschte und dass der gesonderte Krankentransport weitere 55 Häftlinge umfasste, wie die Zugangsliste des KL Buchenwald vom 23.2.1945 (vgl. S.202 ff. der Akten) zweifelsfrei erkennen lässt, so ergibt sich hieraus eine Häftlingszahl, die im Bereich der insoweit vom Gericht getroffenen Feststellungen liegt.

Schliesslich stehen die Bekundungen der Zeugen über die Anzahl der Lagerinsassen sowie der Inhalt der Zugangslisten vom 5.3. und 20.3.1945 auch in Einklang mit den eigenen Angaben des Angeklagten, er habe während der mehrtägigen Rast beim Evakuierungsmarsch von Gassen nach Leipzig sechs Eisenbahnwaggons zum Weitertransport der Häftlinge beschafft. Schon hiernach muss davon ausgegangen werden, dass der Häftlingsbestand im Lager weit über der vom Angeklagten angegebenen Zahl von 300 liegt. Es widerspräche nämlich jeder Wahrscheinlichkeit, dass angesichts der gegen Kriegsende allgemein herrschenden - und zudem auch vom Angeklagten bestätigten - Transportmittelknappheit für die Beförderung von maximal 250 KL-Insassen, die unter Berücksichtigung des gesonderten Krankentransportes noch zu befördern gewesen wären, eine derartige Transportkapazität zur Verfügung gestellt worden wäre. Hinzu kommt, dass nach den insoweit glaubhaften Bekundungen zahlreicher Zeugen in den Waggons eine qualvolle Enge geherrscht hat, wobei noch zu berücksichtigen ist, dass die Häftlinge infolge ihres Untergewichts ohnehin nur wenig Raum in Anspruch nahmen.

Nach alledem sind die Angaben des Angeklagten, es habe im Lager Gassen nur 200 bis 300 Häftlinge gegeben, die niemals in Nachtschicht gearbeitet hätten, widerlegt.

2) Die Feststellungen über die hohe Sterblichkeit der Häftlinge beruhen zunächst auf den Angaben des französischen Zeugen Dr. Rep., der seinerzeit als Häftlingsarzt im Krankenrevier des Lagers Gassen tätig war. Der Zeuge hat u.a. bekundet, es habe im Lager Gassen täglich Todesfälle gegeben, wobei Schwäche, Bronchitis, Lungenentzündung, Ruhr und auch die Folgen brutaler Misshandlungen die häufigsten Todesursachen gewesen seien. Er habe selbst als Arzt die in vierfacher Ausfertigung erstellten Todesbescheinigungen unterschreiben müssen. Für das Schwurgericht bestanden keinerlei Zweifel, den sachlichen und widerspruchsfreien Angaben des Zeugen Dr. Rep., der über ein hervorragendes Altgedächtnis verfügte, Glauben zu schenken. Darüber hinaus erfahren die Angaben dieses Zeugen eine Bestätigung durch die Eintragungen im Sterbebuch für das Jahr 1945, das im lagereigenen Standesamt des KL Gross-Rosen geführt wurde. Nach den Eintragungen im Sterbebuch, das sich im Original in Prag befindet und in beglaubigter Fotokopie zum Gegenstand der Hauptverhandlung gemacht wurde, sind allein für den Zeitraum vom 21.1. bis 11.2.1945 neun Todesfälle im Lager Gassen beurkundet worden (die Eintragungen im Sterbebuch unter den Nummern I/105, I/126, II/88, II/89, II/90, II/132, II/133, II/134, II/135).

Nach der Überzeugung des Schwurgerichts bestehen keine Anhaltspunkte, die im Sterbebuch beurkundeten Todesfälle anzuzweifeln. Zwar mögen sich gewisse Zweifel an der Richtigkeit der in den Urkunden enthaltenen Angaben über die jeweilige Todesstunde ergeben, weil - von wenigen angesichts der Vielzahl der Eintragungen nicht ins Gewicht fallenden Ausnahmen abgesehen - nach den Eintragungen die betreffenden Häftlinge jeweils bei einer durch 5 teilbaren Minutenzahl verstorben sind, was jedoch ziemlich unwahrscheinlich ist.

Ferner erscheint es zweifelhaft, dass - auch hier wieder von sehr wenigen Ausnahmen abgesehen - der jeweilige Todestag mit dem Datum der schriftlichen Todesanzeige des Lagerkommandanten von Gross-Rosen übereinstimmt. Denn zumindest während des in diesem Verfahren in Frage stehenden Evakuierungsmarsches kann die Weiterleitung der Todesmeldungen an die Verwaltung des Stammlagers einige Zeit in Anspruch genommen haben. Die jeweilige Übereinstimmung vom Todestag und dem Datum der schriftlichen Anzeige legt es daher nahe, dass generell das Datum der schriftlichen Anzeige als Todestag übernommen und hierzu selbst keine genauen Feststellungen getroffen wurden.

Diese vorgenannten - durchaus möglichen - inhaltlichen Ungenauigkeiten der Urkunden zum Todeszeitpunkt stellen aber keine Anhaltspunkte dar, die Tatsache des Todes der in den Urkunden erwähnten Personen in Zweifel zu ziehen.

In diesem Zusammenhang ist es für das Schwurgericht ein gewichtiges Indiz für die Richtigkeit seiner Auffassung, dass nach den glaubhaften Angaben der französischen Zeugen Esc., Gui. und Loi. die Kameraden Rose und Morel im Lager Gassen verstorben sind, was insoweit mit den Eintragungen im Totenbuch zu Nr.II/89 und II/134 in Einklang steht, wonach hier der Tod französischer Häftlinge namens Louis Rose und Josef Morel beurkundet ist. Mit Rücksicht darauf, dass unter den konkreten Umständen die o.g. Zeugen weder die Existenz noch den Inhalt des Sterbebuches kennen konnten, ist eine derartige Übereinstimmung ihrer

Angaben mit dem Inhalt des Sterbebuches sinnvollerweise nur so erklärlich, dass die Häftlinge Rose und Morel tatsächlich verstorben sind.

Aus den gleichen Erwägungen erklärt sich letztlich nur die Übereinstimmung des Sterbebuches zu Nr.II/110 mit der weiteren - im Ergebnis auch vom Zeugen Loi. bestätigten - Bekundung des Zeugen Gui., wonach der französische Häftling Fougnies während des Evakuierungsmarsches von Gassen nach Leipzig ums Leben gekommen ist.

Ein weiteres Indiz dafür, dass die Tatsache des Todes im Sterbebuch zutreffend beurkundet ist, stellt die Eintragung im Sterbebuch zu Nr.II/102 dar, der zufolge der französische Häftling Paul Roussard "auf dem Transport" verstorben ist. Dies steht in Einklang mit den vom Gericht dazu getroffenen Feststellungen zu den Geschehnissen auf dem Evakuierungsmarsch, worauf noch im Rahmen der Beweiswürdigung an anderer Stelle näher eingegangen wird.

Schliesslich ergibt sich ein zusätzliches Indiz für die Richtigkeit der vom Schwurgericht vertretenen Auffassung, dass jedenfalls die Tatsache des Todes in den in Frage stehenden Urkunden richtig angegeben ist, aus der Übereinstimmung des Sterbebuches mit dem Inhalt der Zugangsliste vom 5.3.1945. Hiernach sind u.a. unter den laufenden Nummern 575 und 576 die kroatischen Häftlinge Pawlak und Celuc mit dem Vermerk gekennzeichnet: "Die Häftlinge ... sind bereits vor Übernahme in die Lagerstärke verstorben." Dies wiederum stimmt mit den Eintragungen im Sterbebuch zu Nr.II/112 und II/113 überein.

An der nach alledem gewonnenen Überzeugung des Schwurgerichts, dass die Tatsache des Todes im Sterbebuch zutreffend beurkundet ist, ändert sich auch nichts aufgrund des Umstandes, dass als Beurkundungsort "Gross-Rosen" auch noch zu einem Zeitpunkt angegeben ist, als das Lager wegen der näherrückenden Front bereits geräumt war. So hat der Angeklagte selbst angegeben, nach Beendigung des Evakuierungsmarsches sei die Häftlingsliste mit den eingetragenen Veränderungen im Lagerbestand auf seine Veranlassung "nach Gross--Rosen weitergeleitet" worden, obwohl das Lager Gross-Rosen zur damaligen Zeit nach den vom Gericht getroffenen Feststellungen, die insoweit auf den glaubhaften Angaben des Zeugen Bot. beruhen, bereits evakuiert worden war. Die Ortsangabe in den Urkunden lässt sich so erklären, dass die Verwaltungsgeschäfte des KL Gross-Rosen von anderer Stelle aus getätigt wurden und dass der die Todesurkunden ausstellende Standesbeamte die Beurkundung unter dem offiziellen Sitz der Behörde vornahm und hierbei nicht auf den jeweiligen Aufenthaltsort abstellte.

Wenn sich weiterhin nach dem Inhalt der Urkunden zeitliche Diskrepanzen zwischen dem Zeitpunkt der Todesanzeige und dem Tage der Beurkundung ergeben, so sind diese zum einen dadurch zu erklären, dass die Übermittlung der Anzeige an den Standesbeamten eine gewisse Zeit in Anspruch genommen haben mag und dass zum anderen alle Eintragungen offenbar nach der Reihenfolge der Eingänge der Todesanzeigen vorgenommen wurden.

Soweit schliesslich der Zeuge Dr. Rep. die Folgen von Misshandlungen als Todesursache angegeben hat und diese bei keinem der im Sterbebuch verzeichneten Todesfälle beurkundet ist, so lassen sich auch hieraus keine ernsthaften Zweifel herleiten, dass die Tatsache des Todes richtig beurkundet ist. Bei Todesfällen, die auf äussere Gewalteinwirkungen zurückgehen, wurde nämlich - wie der Zeuge Dr. Rep. weiter glaubhaft bekundet hat - die wahre Todesursache verschwiegen, indem hierzu entweder keine oder falsche Angaben in den Totenscheinen und somit auch im Sterbebuch gemacht wurden.

Da nach den vorstehenden Ausführungen die inhaltliche Richtigkeit der Urkunden hinsichtlich der Tatsache des Todes des bestimmten Häftlings nicht ernsthaft angezweifelt werden kann, ist - auch unter Berücksichtigung etwaiger Ungenauigkeiten bei den Angaben zum Todeszeitpunkt - davon auszugehen, dass jedenfalls innerhalb weniger Wochen neun Todesfälle in

Gassen zu verzeichnen waren. Diese sind im Lager selbst und nicht etwa auf dem Evakuierungsmarsch aufgetreten; denn nach dem insoweit eindeutigen Erklärungsgehalt der Urkunden sind die Sterbefälle, die sich auf einer Evakuierung zugetragen haben, bei der Angabe des Todesortes mit dem Zusatz "auf dem Transport" gekennzeichnet.

Sind aber schon neun Todesfälle im Lager beurkundet, so muss die Sterblichkeitsquote wesentlich höher gewesen sein. In Übereinstimmung mit dem Erlass des Reichsführers-SS vom 15.9.1943 (vgl. S.26 der Urteilsgründe [129]) sind nämlich auch im Standesamt des KL Gross-Rosen Todesfälle polnischer und russischer Häftlinge nicht registriert worden, wie sich zur Überzeugung des Gerichts schon daraus ergibt, dass bei der Vielzahl der im Sterbebuch für das Jahr 1945 beurkundeten Todesfälle kein einziger enthalten ist, der einen Häftling polnischer oder russischer Nationalität betrifft. Geht man nun aufgrund der Zugangslisten vom 5.3. und 20.3.1945 davon aus, dass es sich bei ca. 90% der Insassen des Lagers Gassen um Polen und Russen handelte - was im übrigen mit den Angaben fast aller Zeugen, die als ehemalige Häftlinge aus Gassen zur Frage der im Lager vertretenen Nationalitäten gehört wurden, in Einklang steht -, so rechtfertigt sich der Schluss auf die vom Gericht festgestellte hohe Sterblichkeit im Lager. Denn es ist völlig unwahrscheinlich, dass es nur die beurkundeten neun Todesfälle gegeben hat und nicht auch in ähnlicher Häufigkeit Todesfälle polnischer und russischer Häftlinge zu verzeichnen gewesen sind.

Dieses Ergebnis stimmt mit den bereits dargelegten Bekundungen des Zeugen Dr. Rep. zur Sterblichkeit im Lager Gassen überein und erklärt im übrigen die Angaben zahlreicher weiterer Zeugen, die - wie z.B. die Zeugen Bro., Fre., Jas., Maj., Sid. - übereinstimmend zum Ausdruck gebracht haben, es seien wiederholt Häftlingstransporte in Gassen angekommen, um den durch Todesfälle dezimierten Häftlingsbestand aufzufüllen.

Nach alledem hat das Schwurgericht die Darstellung des Angeklagten, er könne sich nur an einen Sterbefall im Lager Gassen erinnern, als Schutzbehauptung qualifiziert.

3) Aufgrund der Angaben des Zeugen Dr. Rep. ergibt sich ebenfalls schon, dass die Angaben des Angeklagten zur Frage der Häftlingsmisshandlungen im Lager Gassen nicht zutreffend sein können. Die diesbezüglichen Feststellungen des Gerichts beruhen jedoch nicht nur auf den Bekundungen des Zeugen Dr. Rep. Nahezu alle ehemaligen Häftlinge des Lagers Gassen, die als Zeugen gehört worden sind, wussten von Misshandlungen zu berichten, wie sie vom Gericht festgestellt wurden, so dass insoweit eine eingehende Würdigung der einzelnen Aussagen entbehrlich erscheint, da wegen der Vielzahl der Übereinstimmungen nur auf die Richtigkeit der Aussagen geschlossen werden kann. Soweit einige wenige ehemalige Häftlinge zu den in Frage stehenden Misshandlungen keine konkreten Angaben gemacht haben - wie etwa die Zeugen Bet., Jac. oder Kob. -, so konnte dies die vom Gericht gewonnene Überzeugung nicht erschüttern, da diese Zeugenaussagen nicht besagten, es habe keine Fälle von Häftlingsmisshandlungen gegeben. Vielmehr ergab die Gesamtwürdigung dieser Aussagen, dass die betreffenden Zeugen nur deshalb keine konkreten Angaben zur Frage der Misshandlungen machen konnten, weil in aller Regel insoweit ihr Erinnerungsvermögen versagte.

4) Bei der Feststellung, dass dem Angeklagten die allgemeinen Lagerverhältnisse, insbesondere die Misshandlungen und hohe Sterblichkeit der Häftlinge bekannt waren, hat das Schwurgericht im wesentlichen folgende Überlegung zugrunde gelegt:

[129] = Seite 631 dieses Bandes.

Zum einen erscheint es schon wenig einleuchtend, dass dem Angeklagten als Lagerführer die tatsächlichen Gegebenheiten im Lager nicht bekannt gewesen sein sollen. Dies um so mehr, als der Angeklagte seiner eigenen Einlassung zufolge wusste, dass der Lagerälteste sich gegenüber den Lagerinsassen "zu grob" verhielt und dass er - wie auch die Kapos - "im Lager verhasst" war. Schon diese Angaben des Angeklagten legen es nahe, dass ihm nach den konkreten Umständen auch der Grund für Unbeliebtheit der Funktionshäftlinge, nämlich ihr brutales Auftreten gegenüber den Häftlingen, bekannt war. So hat der Angeklagte praktisch auch die von vielen Zeugen erwähnten Dauerappelle im Lager eingeräumt, indem er sich u.a. dahingehend eingelassen hat, es sei einmal anlässlich der Flucht von Häftlingen ein Appell durchgeführt worden, der mehrere Stunden gedauert habe.

Schliesslich konnte dem Angeklagten auch nicht die hohe Häftlingssterblichkeit im Lager verborgen bleiben; denn nach seinen eigenen Angaben musste über Todesfälle Meldung nach Gross-Rosen gemacht werden, was über seinen Schreibtisch gegangen sei.

Aufgrund der vorstehenden Erwägungen hat das Gericht die Überzeugung gewonnen, dass dem Angeklagten die Lebensbedingungen der Häftlinge im einzelnen bekannt waren und dass seine gegenteilige Darstellung nur eine Schutzbehauptung darstellt.

VII. « Die Tötung von Häftlingen auf dem Evakuierungsmarsch - Beweismittel und Beweiswürdigung »

Im folgenden Kapitel der Beweiswürdigung wird dargelegt, aufgrund welcher Überlegungen das Schwurgericht seine Feststellungen über die Tötung marschunfähiger Häftlinge (Ziff. 4.) - 6.) der Anklageschrift) getroffen hat, die zur Verurteilung des Angeklagten geführt haben. Hierzu werden zunächst die Aussagen der Zeugen, die von Erschiessungen Marschunfähiger auf dem Evakuierungsmarsch von Gassen nach Leipzig berichtet haben und denen im Ergebnis zu folgen war, wiedergegeben und gewürdigt (1). Sodann wird gesondert auf die Feststellungen über die Tötung des französischen Häftlings Paul Roussard eingegangen (2). Im Anschluss daran werden die Aussagen derjenigen Zeugen abgehandelt, aufgrund deren die Sitzungsvertreter der Staatsanwaltschaft - abweichend vom Schwurgericht - weitere Häftlingserschiessungen als erwiesen angesehen haben (3). Schliesslich wird darauf einzugehen sein, inwieweit einzelne der von den Zeugen geschilderten Tötungen identisch sind oder sein können, die dann für die Bestimmung der Mindestzahl der auf dem Evakuierungsmarsch getöteten Häftlinge ausser Betracht bleiben müssen (4).

1) Die Zeugenaussagen haben im einzelnen folgendes ergeben:

Der bei seiner Vernehmung vierundsiebzig Jahre alte Zeuge Florian Bar., der wegen seiner Tätigkeit im Untergrund nach kurzen Aufenthalten im Gefängnis Posen und im KL Gross--Rosen "zur Zeit der Zuckerrübenernte" nach Gassen kam und an dem weiteren Evakuierungsmarsch von Leipzig aus teilgenommen hat, hat u.a. folgende Angaben zu den in Frage stehenden Geschehnissen gemacht:
Er habe unterwegs einen Vorfall gesehen, bei dem einem marschunfähigen Häftling aus Warschau mit dem Spitznamen "Droschkenfahrer" vom Lagerältesten Kle. mit einem Ochsenziemer der Kopf gespalten worden sei, wobei ein SS-Mann von hinten auf den Häftling geschossen habe. Er, der Zeuge, habe den toten Häftling mit begraben müssen. Ferner hat der Zeuge u.a. bekundet, er habe gesehen, dass ein weiterer Häftling aus einer Scheune, in der die Evakuierungskolonne genächtigt habe, abgeführt und im Wald erschossen worden sei. Er könne nicht mit Sicherheit sagen, ob er auch diesen Häftling habe mit begraben müssen. Insgesamt habe er jedoch bei ca. 100 Fällen mitgeholfen, erschossene Häftlinge zu begraben, die teilweise vor der Erschiessung wegen Schwäche von kräftigeren Kollegen zu viert hätten getragen werden müssen.

Aufgrund dieser Angaben ist das Gericht lediglich von der Erschiessung eines marschunfähigen Häftlings auf dem hier interessierenden Evakuierungsmarsch ausgegangen. Zwar hat sich der Zeuge, der trotz seines Alters geistig noch sehr beweglich war und über ein gutes Gedächtnis verfügte, noch an erstaunlich viele Details des Lageraufenthaltes in Gassen erinnern können; so z.B. an die auf dem Fabrikgelände in Gassen stehenden Ackerwagen, über die u.a. auch der Zeuge Hit. berichtet hat, dessen Angaben das Gericht - wie bereits dargelegt - ein besonderes Gewicht beigemessen hat. Wenn gleichwohl das Schwurgericht dem Zeugen Bar. nicht uneingeschränkt gefolgt ist, so deshalb, weil der Zeuge auf Befragen einräumen musste, es könne durchaus sein, dass er bei seiner Schilderung die Geschehnisse auf dem Evakuierungsmarsch von Gassen nach Leipzig mit denen des zweiten Evakuierungsmarsches vermischt habe. Trotz der hieraus resultierenden Bedenken hat das Schwurgericht jedoch die Angaben des Zeugen mit Rücksicht auf die geschilderte Vielzahl der Erschiessungen marschunfähiger Häftlinge nicht vollends übergehen können. Mag auch - nicht zuletzt schon wegen der Tatsache, dass die in Frage stehenden Ereignisse über vierunddreissig Jahre zurückliegen - die Bezifferung der Todesfälle durch den Zeugen ("ca. 100") zweifelhaft sein, so ist das Gericht doch nach Würdigung der Gesamtumstände davon überzeugt, dass der Zeuge Bar. jedenfalls eine grosse Anzahl von Erschiessungen marschunfähiger Häftlinge gesehen hat und anschliessend seine getöteten Kameraden mit begraben musste. Dass aber sämtliche dieser zahlreichen Erschiessungen sich auf dem zweiten Evakuierungsmarsch ereignet haben sollen und nicht eine einzige auf dem Evakuierungsmarsch von Gassen nach Leipzig, hält das Schwurgericht für ausgeschlossen. Ein derartiger gravierender Unterschied der beiden Evakuierungsmärsche hätte sich dem Zeugen nach dem persönlichen Eindruck, den das Schwurgericht von ihm bei der Vernehmung gewonnen hat, einprägen müssen und wäre sicherlich auch während der Vernehmung zum Ausdruck gekommen. Umgekehrt spricht aber der Umstand, dass dem Zeugen heute eine Verwechslung der Geschehnisse auf beiden Evakuierungsmärschen möglich erscheint, gerade dafür, dass es auch auf beiden Märschen Erschiessungen schwacher Häftlinge gegeben hat. Demnach ist das Schwurgericht davon ausgegangen, dass der Zeuge Bar. zumindest eine Erschiessung auf dem Evakuierungsmarsch von Gassen nach Leipzig erlebt hat.

Der am 8.4.1922 geborene Zeuge Leon Bed., der im Juni 1944 verhaftet und nach kurzen Aufenthalten im Gefängnis in Inowroclaw und im KL Gross-Rosen nach Gassen verlegt wurde, hat zu den in Frage stehenden Vorfällen auf dem Evakuierungsmarsch u.a. bekundet: Die Fälle von Erschiessungen schwacher Häftlinge seien häufig gewesen. In einem Falle habe er selbst den Befehl erhalten, einen schwachen Häftling in den Wald zu bringen, wo einer der Wachmänner in seiner Gegenwart auf den entkräfteten Häftling, der mit dem Gesicht zur Erde gelegt worden sei, geschossen habe. Auf entsprechendes Befragen durch den Vorsitzenden des erkennenden Schwurgerichts hat der Zeuge weiter erklärt: Die Zahl der von ihm, dem Zeugen, erwähnten häufigen Erschiessungen könne er nicht angeben. Er habe fünfzehn bis zwanzig derartiger Fälle beobachtet, wobei die Zahl der jeweils erschossenen Häftlinge unterschiedlich gewesen sei, ohne dass er hierzu genaue Zahlenangaben machen könne.

Aufgrund dieser Angaben ist das Schwurgericht davon überzeugt, dass Bed., der in Polen im Wege der Rechtshilfe richterlich vernommen wurde und dessen Aussage durch Verlesung des Vernehmungsprotokolls in die Hauptverhandlung eingeführt wurde, zumindest Augenzeuge von zwei Häftlingserschiessungen war.
Grundsätzliche Bedenken gegen die Glaubwürdigkeit des Zeugen und die Glaubhaftigkeit seiner Angaben bestehen nicht. Hierbei war es von entscheidender Bedeutung, dass der Zeuge - wie sich aus seiner verlesenen, widerspruchsfreien Aussage ergibt - ersichtlich bemüht war, nur solche Angaben zu machen, die ihm als Gegenstand seiner eigenen Wahrnehmung noch genau in Erinnerung sind. Für den Beweiswert der Aussage war es ferner von Bedeutung, dass der Zeuge nur am Evakuierungsmarsch von Gassen nach Leipzig teilgenommen hat, so

dass insofern keine Verwechslungen mit den Geschehnissen, die sich auf dem zweiten Evakuierungsmarsch von Leipzig aus zugetragen haben, möglich sind.
Da der Zeuge selbst ausführt, keine genauen Angaben über die Anzahl der getöteten Häftlinge machen zu können, es aber im übrigen in Anbetracht der insoweit eindeutigen Bekundung ausser Frage steht, dass der Zeuge jedenfalls eine Mehrzahl von Tötungen gesehen hat, ist das Schwurgericht von mindestens zwei Erschiessungen schwacher Häftlinge ausgegangen.

Der am 29.9.1923 geborene Zeuge Marian Bet., der als ehemaliger Häftling des Lagers Gassen in Polen im Wege der Rechtshilfe richterlich vernommen wurde, hat u.a. bekundet: Er wisse, dass auf dem Evakuierungsmarsch schwach gewordene Häftlinge erschossen worden seien. Man habe sie von der Strasse zur Seite abgeführt und die SS-Funktionäre hätten sie dort erschossen, wobei die Häftlinge sich vorher hätten nackt ausziehen müssen. Er persönlich habe einige solcher Exekutionen gesehen. Er habe selbst dreimal für die Mithäftlinge, die dann erschossen worden seien, eine Grube ausgehoben und habe anschliessend die Leichen begraben müssen. Die Kleidungsstücke der Häftlinge seien auf einen mitgeführten Fuhrwagen geworfen worden. Die Erschiessung der Häftlinge, die sich in etwa zwei Meter Entfernung von ihm abgespielt habe, sei dergestalt erfolgt, dass der entblösste Häftling vor der ausgehobenen Grube habe hinknien müssen und die SS-Leute dann in den Hinterkopf geschossen hätten.

Auch beim Zeugen Bet. hatte das Gericht keine grundsätzlichen Zweifel an der Richtigkeit seiner Angaben. Dem steht nicht entgegen, dass der Zeuge bei seiner übrigen Vernehmung nur noch über relativ wenige Einzelheiten des Lagerlebens in Gassen und des Evakuierungsmarsches nach Leipzig zu berichten wusste. Es ist verständlich, wenn nach ca. vierunddreissig Jahren dem Zeugen im wesentlichen nur die für ihn besonders markanten Geschehnisse im Gedächtnis haften geblieben sind und demgegenüber die Ereignisse, die aus der damaligen Sicht des Zeugen von untergeordneter Bedeutung sein mussten, in der Erinnerung verblasst sind.
Das Schwurgericht hat es als gewichtiges Indiz für die Glaubwürdigkeit des Zeugen gewertet, dass dieser - wie sich aus dem verlesenen Vernehmungsprotokoll ergibt - immer wieder unmissverständlich zum Ausdruck gebracht hat, wenn er zu einzelnen Punkten keine Angaben machen konnte und dass er auf diese Weise zweifelsfrei zu erkennen gegeben hat, nur das zu bekunden, woran er sich tatsächlich noch erinnern kann. Ferner hat das Gericht bei der Prüfung der Glaubwürdigkeit des Zeugen Bet. berücksichtigt, dass auch er wiederum nur an dem Evakuierungsmarsch von Gassen nach Leipzig teilgenommen hat und dass insoweit keine Verwechslungen mit ähnlichen Geschehnissen, die sich auf dem zweiten Evakuierungsmarsch zugetragen haben können, zu besorgen sind. Bestehen demnach auch keine grundsätzlichen Bedenken gegen die Glaubwürdigkeit des Zeugen, so hat das Schwurgericht aber auch hier nicht ausser Betracht gelassen, dass - ungeachtet der grundsätzlichen Glaubwürdigkeit des Zeugen - nach vierunddreissig Jahren durchaus Irrtümer bei der Bezifferung der Todesfälle möglich sein können und dass sich im übrigen aus dem Vernehmungsprotokoll des Zeugen - mit Ausnahme der Tatsache, dass zweifelsfrei von einer Mehrzahl die Rede ist - keine sicheren Anhaltspunkte ergeben, die den Rückschluss auf eine exakte Bezifferung der Todesfälle durch den Zeugen zulassen.
Nach alledem ist das Schwurgericht davon ausgegangen, dass der Zeuge Bet. bei einer Mehrzahl von Häftlingserschiessungen, also bei mindestens zwei, zugegen war.

Der zur Zeit seiner Vernehmung neunundfünfzig Jahre alte Zeuge Czeslaw Bie., der Anfang 1944 ohne Angabe von Gründen durch die Gestapo festgenommen wurde und schliesslich nach Aufenthalten im KL Auschwitz und im KL Gross-Rosen im Oktober 1944 nach Gassen kam, hat u.a. zu den in Frage stehenden Vorfällen auf dem Evakuierungsmarsch bekundet: Die Evakuierungskolonne sei unterwegs hinter dem Ort Muskau angehalten worden. Bei dieser Gelegenheit habe er Schüsse gehört. Er habe daraufhin in dem umliegenden, nicht dicht bewaldeten Gelände zwei Häftlinge bemerkt, die in Anwesenheit des Lagerkommandanten und des Rapportführers irgendetwas vergraben hätten. Die beiden Häftlinge seien dann zur Kolonne zurückgelaufen und hätten einen schwachen Häftling ergriffen, den sie auf eine neben dem Weg liegende Anhöhe geschleppt hätten. Hier sei der schwache Häftling entkleidet und in eine Grube geworfen worden, bevor ihn der Lagerkommandant aus nächster Nähe mit dem Gewehr des Rapportführers erschossen habe. Danach sei die Evakuierungskolonne auf Befehl des Lagerkommandanten weitermarschiert.

Soweit der Zeuge bekundet hat, der Angeklagte habe eigenhändig den schwachen Häftling erschossen, ist ihm das Schwurgericht wegen der nicht mit letzter Gewissheit ausschliessbaren Irrtümer bei der Identifizierung des Täters (vgl. auch S.44/45 der Urteilsgründe [130]) nicht gefolgt. Im übrigen bestanden aber keine Anhaltspunkte, den Inhalt der Zeugenaussage anzuzweifeln. Durchgreifende Bedenken ergeben sich auch nicht deshalb, weil der Zeuge am zweiten Evakuierungsmarsch teilgenommen hat. Ihm waren nämlich - abgesehen von dem bereits erwähnten falschen Geburtsdatum (vgl. S.49 der Urteilsgründe [131]) - noch derartig viele Einzelheiten des Lageraufenthaltes in Gassen und des Evakuierungsmarsches nach Leipzig in Erinnerung, dass mit Rücksicht hierauf sowie auch aufgrund des persönlichen Eindrucks, den das Schwurgericht vom Zeugen bei der Vernehmung gewonnen hat, eine falsche Zuordnung des bekundeten Vorfalles auszuschliessen war und die Glaubhaftigkeit der Angaben ausser Frage stehen musste.
Somit ist davon auszugehen, dass der Zeuge Bie. eine Häftlingserschiessung auf dem Evakuierungsmarsch von Gassen nach Leipzig gesehen hat.

Der Zeuge Karol Dzi., der im Alter von fünfundsiebzig Jahren in Polen im Wege der Rechtshilfe richterlich vernommen wurde, hat u.a. über die Geschehnisse auf dem Evakuierungsmarsch nach Leipzig bekundet:
Er erinnere sich, dass man unterwegs schwache Häftlinge erschossen habe. Diese Tötungshandlungen habe der SS-Mann "Müller" vorgenommen. Ob ausser "Müller" noch andere SS-Leute an der Exekution beteiligt gewesen seien, daran könne er sich nicht erinnern. Jedenfalls sei "Müller" der "Hauptmacher" gewesen, der etwa siebzig Häftlinge mit der Pistole getötet habe. Die Erschossenen seien unweit der Strasse begraben worden, indem man sie in eine Grube geworfen habe. Er, der Zeuge, sei auch persönlich am Ausheben von Gruben und am Begraben von Leichen beteiligt gewesen. Die Erschiessung der schwachen Häftlinge sei manchmal in unmittelbarer Nähe vor seinen Augen geschehen. Man habe insbesondere die Häftlinge durch Kopfschuss getötet. Hierbei sei auf die bereits vor Erschöpfung liegenden oder knieenden, aber auch auf stehende Häftlinge geschossen worden, und zwar sowohl von vorne als auch von hinten.

Aufgrund dieser Angaben ist das Schwurgericht davon überzeugt, dass Dzi., der nur an dem hier interessierenden Evakuierungsmarsch nach Leipzig teilgenommen hat, zumindest Augenzeuge von drei Häftlingserschiessungen war.
Zwar konnte nicht übersehen werden, dass Dzi.s Angaben zu den allgemeinen Lagerverhältnissen in Gassen relativ knapp waren. Dies begründete jedoch auch hier für sich allein keine ernsthaften Bedenken gegen die Glaubwürdigkeit des Zeugen und die Glaubhaftigkeit seiner Angaben. Abgesehen davon, dass die teilweise lückenhaften Angaben zu den allgemeinen Lagerverhältnissen in Anbetracht des hohen Alters des Zeugen durchaus verständlich sind, war es für das Schwurgericht ausschlaggebend, dass der Zeuge seine Bekundungen im übrigen sachlich und frei von Widersprüchen gemacht hat und dass nach Würdigung aller in Betracht kommender Umstände sich keinerlei Anhaltspunkte gezeigt haben, wieso die vom Zeugen geschilderten Vorgänge auf dem Evakuierungsmarsch nach Leipzig nicht in ihrem Kernbe-

[130] = Seite 658 dieses Bandes.

[131] = Seite 660 dieses Bandes.

reich der Wirklichkeit entsprechen sollten. Somit musste ausser Zweifel stehen, dass der Zeuge auf dem Evakuierungsmarsch nach Leipzig jedenfalls eine Mehrzahl von Erschiessungen marschunfähiger Häftlinge erlebt und zumindest teilweise beim Begraben mitgeholfen hat.
Da der Zeuge im übrigen bei seiner Vernehmung davon gesprochen hat, dass die betreffenden Häftlinge liegend, knieend oder stehend erschossen wurden, also auf drei verschiedene Arten, ist das Schwurgericht mangels sonstiger verlässlicher Kriterien zur Bezifferung der Todesfälle davon ausgegangen, dass Dzi. zumindest Augenzeuge von drei Erschiessungen war.

Der am 21.2.1904 geborene Zeuge Norbert Ehr., der - wie bereits auf S.49 der Urteilsgründe [132] dargelegt - als Jude im Lager Gassen unter dem Decknamen "Jan Novak" lebte und seit 1958 in Israel seinem Beruf als Rechtsanwalt nachgeht, hat u.a. zu den Geschehnissen auf dem Evakuierungsmarsch bekundet:
Da unterwegs zahlreiche Häftlinge nicht mehr dazu in der Lage gewesen seien, mit ihren Holzschuhen auf dem klebrigen Schneeboden das Marschtempo durchzuhalten, seien sie von ihren Kameraden gestützt worden. Er selbst habe auch viele seiner Kameraden gestützt. Die Schwachen seien aber alle auf Anweisung der an den Seiten der Kolonne auf- und abgehenden SS-Leute weggeführt und erschossen worden. Einmal sei er selbst bei der Erschiessung eines älteren Kollegen aus Bielane zugegen gewesen. Als der besagte Kollege schwach geworden sei, habe er, der Zeuge, der zufällig in der Nähe gewesen sei, ihn zunächst abwechselnd mit anderen Kameraden gestützt. Nachdem dies schliesslich ein SS-Mann bemerkt habe, sei ihm, dem Zeugen, und drei anderen Häftlingen befohlen worden, den schwachen Kollegen ein Stück von der Strasse wegzutragen. Hier hätten sie den Häftling mit dem Gesicht zur Erde niedergelegt, bevor er von zwei SS-Leuten, die ihnen gefolgt seien, durch Schüsse in den Hinterkopf getötet worden sei. Anschliessend habe er, der Zeuge, den Häftling mit begraben müssen.

Aufgrund dieser Bekundungen steht zur Überzeugung des Schwurgerichts fest, dass Ehr. Augenzeuge der oben näher beschriebenen Häftlingserschiessung war.
Den dahingehenden Angaben ist das Schwurgericht zunächst deshalb gefolgt, weil der Zeuge bei seiner Aussage völlig leidenschaftslos, zurückhaltend und frei von Hassgefühlen gegen den Angeklagten war. Zudem hatte er bei seiner Vernehmung insgesamt noch sehr viele Einzelheiten des Lagerlebens in Gassen und des Evakuierungsmarsches nach Leipzig in Erinnerung, die in vielen Punkten durch das übrige Ergebnis der Beweisaufnahme bestätigt worden sind und somit bereits ohne weiteres auf die Zuverlässigkeit seiner Bekundungen schliessen lassen. Es kommt hinzu, dass die Angaben des Zeugen Ehr. in wesentlichen Punkten durch den Zeugen Prz. bestätigt werden. Dieser hat u.a. bekundet, er könne sich noch an einen Rechtsanwalt aus Warschau namens Jan Novak erinnern, der ihn zusammen mit einem anderen Häftling aus seiner Fünferreihe unterwegs in die Mitte genommen und gestützt habe. Auf diese Weise hätten die SS-Leute nicht bemerkt, dass er - Prz. - nicht mehr gut habe gehen können. Da unter den gegebenen Umständen die Übereinstimmung der Angaben Prz.s und Ehr.s weder auf Zufall beruhen noch in irgendeiner Weise abgesprochen sein konnte, musste ihr bei der Prüfung der Glaubwürdigkeit des Zeugen Ehr. ein besonderes Gewicht beigemessen werden. Schliesslich war es in diesem Zusammenhang noch von Bedeutung, dass der Zeuge Ehr. nur an dem Evakuierungsmarsch nach Leipzig teilgenommen hat und dass insofern keine Verwechslungen mit den Geschehnissen des zweiten Evakuierungsmarsches in Erwägung zu ziehen sind.
Demnach musste es ausser Zweifel stehen, dass Ehr. Augenzeuge der oben näher dargelegten Häftlingserschiessung war.

[132] = Seite 660 dieses Bandes.

Der zur Zeit der Vernehmung fünfundfünfzig Jahre alte Zeuge Bodgan Kos., der im Juni 1944 wegen seiner Tätigkeit im Untergrund verhaftet wurde und im Oktober 1944 ins Lager Gassen kam, hat u.a. zu den Vorfällen auf dem Evakuierungsmarsch nach Leipzig bekundet: Er erinnere sich noch an einen Mithäftling aus Krakau, der mit ihm in Gassen in der Fabrik in einer Schicht gearbeitet und hier bei einem Arbeitsunfall einen Zeh verloren habe. Als dieser Kollege unterwegs auf dem Evakuierungsmarsch schwach geworden sei, habe er, der Zeuge, ihn zusammen mit dem Mithäftling Bed. zum nächsten Nachtquartier der Evakuierungskolonne, einer Scheune, geschleppt. Dem Kollegen aus Krakau sei es nämlich im Gegensatz zu anderen marschunfähigen Häftlingen, die auf dem Weg zum Nachtquartier ausgesondert und abgeführt worden seien, gelungen, unbehelligt das Etappenziel zu erreichen. Als am nächsten Morgen die Häftlinge vor dem Weitermarsch je eine Scheibe Brot in Empfang nehmen sollten, hätten sie ihren geschwächten Kollegen aus Krakau in der Reihe vorgelassen. Der Häftling aus Krakau sei dann aber aus Schwäche zusammengebrochen. Sogleich sei ein in der Nähe stehender SS-Mann gekommen, habe seine Pistole gezogen und den besagten Häftling auf der Stelle erschossen.

Diesen Angaben Kos.s ist das Schwurgericht gefolgt. Auch hier war es im Rahmen der Beweiswürdigung zunächst entscheidend, dass der Zeuge bei seiner Vernehmung, die sich insgesamt über mehr als einen ganzen Verhandlungstag erstreckte, sehr viele Einzelheiten des Lageraufenthaltes zutreffend wiedergegeben hat. So war er z.B. als einziger der als Zeugen gehörten ehemaligen Lagerinsassen in der Lage, auf vorgelegten Lichtbildern die ehemals im Lager Gassen eingesetzten Wachleute Dautermann und Schoenrock zu identifizieren. Er konnte sich sogar noch zutreffend daran erinnern, dass Schoenrock aus Wollstein bei Posen stammte, was er anlässlich eines damals mit Schoenrock geführten Gespräches erfahren hatte. Die richtige Wiedergabe derartiger Einzelheiten lässt erkennen, dass der Zeuge über ein hervorragendes Gedächtnis verfügt, was wiederum den Rückschluss auf die Zuverlässigkeit seiner Angaben insgesamt rechtfertigt.
Allerdings hat das Schwurgericht nicht übersehen, dass der Zeuge Kos. auch am zweiten Evakuierungsmarsch teilgenommen hat und einige seiner Angaben über die Geschehnisse auf dem Evakuierungsmarsch nach Leipzig - wie z.B. ein Bombenangriff während der Rast auf einem Sportplatz - darauf hindeuten, dass er die beiden Märsche teilweise verwechselt hat, da sich dieser Bombenangriff nach dem Gesamtbild der Beweisaufnahme nur auf dem zweiten Evakuierungsmarsch zugetragen haben kann. Nach Überzeugung des Schwurgerichts ist jedoch hinsichtlich der hier in Frage stehenden Häftlingserschiessung eine Verwechslung der beiden Evakuierungsmärsche ausgeschlossen. Wenn Kos. nämlich den marschunfähigen Häftling aus Krakau am Tage vor der Erschiessung zusammen mit Bed. gestützt hat, dann kann dies nur auf dem Evakuierungsmarsch nach Leipzig geschehen sein, weil Bed. an der weiteren Evakuierung von Leipzig aus - wie oben bereits erwähnt - gar nicht teilgenommen hat. Für die Richtigkeit der hier in Rede stehenden Bekundung spricht weiterhin, dass Kos.s Angaben durch den Zeugen Bed. bestätigt werden, der u.a. noch bekundet hat, er habe unterwegs zusammen mit anderen Häftlingen einen schwachen Kollegen gestützt. Da die Vernehmungen beider Zeugen zeitlich über ein Jahr auseinanderliegen und sie in sich sehr viele unvorhersehbare Einzelheiten beinhalten, kann diese Übereinstimmung der Angaben nach Überzeugung des Schwurgerichts weder auf einer Absprache der Zeugen noch auf einer sonstigen Beeinflussung wie etwa durch Gespräche mit anderen ehemaligen Lagerinsassen beruhen, sondern nur als Indiz dafür angesehen werden, dass der oben wiedergegebene Vorfall objektiv der Wahrheit entspricht und Kos. Augenzeuge dieser Häftlingserschiessung war.

Der am 26.2.1908 geborene Zeuge Marcel Philippe Loi., der ca. Ende 1940 in Kriegsgefangenschaft geriet und nach Aufenthalten in verschiedenen Lagern Anfang 1945 nach Gassen kam, hat bei der im Wege der Rechtshilfe in Frankreich durchgeführten richterlichen Vernehmung u.a. zu den Vorfällen auf dem Evakuierungsmarsch von Gassen nach Leipzig bekundet:

Unterwegs seien diejenigen Häftlinge, die nicht mehr hätten folgen können, von den SS--Leuten erschossen worden. Während eines Halts der Evakuierungskolonne sei gerade neben ihm ein marschunfähiger Häftling niedergeschossen worden. Er, der Zeuge, habe einen SS-Mann einen Pistolenschuss abgeben und den Häftling in ein zuvor von Kapos ausgehobenes Loch fallen sehen. Dieser Vorfall habe sich am zweiten oder dritten Tag des Marsches ereignet. Er habe auch noch weitere Erschiessungen marschunfähiger Häftlinge auf dem Evakuierungsmarsch gesehen, und zwar während einer Rast von eineinhalb Tagen in einem Schuppen, den die Häftlinge später "Todesschuppen" genannt hätten. In der Nähe habe es eine Art Steinbruch gegeben, wo es Schienen für Loren gegeben und sich am Ende der Schienen ein grosses Loch - wahrscheinlich zum Entleeren der Loren - befunden habe. Bei dieser Rast hätten die SS-Leute von einem zuvor geschlachteten Pferd eine Suppe gekocht. Zum Zeitpunkt des Abmarsches von diesem Halt hätten die SS-Leute alle marschunfähigen Häftlinge entlang des Loches am Steinbruch aufgestellt und sie dort niedergeschossen. Zwei seiner guten Kameraden, nämlich Paul Roussard und Fougnies (vgl. hierzu S.54 der Urteilsgründe [133]), hätten trotz ihres schlechten Gesundheitszustandes weitermarschieren wollen. Roussard hätte es aber, da er durch Ruhr ausgezehrt gewesen sei, nicht gekonnt. Er habe sich von ihm, dem Zeugen, sinngemäss mit den Worten: "Ich lasse mich umlegen!" verabschiedet und sei dann, als die Kolonne wieder abmarschiert sei, zurückgeblieben und in Begleitung eines SS-Mannes zum Steinbruch gegangen. Der geschwächte Fougnies sei von Kameraden bis zur Verladung in die Eisenbahnwaggons mitgeschleift worden, wo er schliesslich in einen getrennten Waggon für Kranke und Tote verladen worden sei.

Aufgrund dieser Bekundungen ist das Schwurgericht davon überzeugt, dass Loi. - abgesehen vom Fall Roussard, der noch gesondert abgehandelt wird - zumindest Augenzeuge von drei Häftlingserschiessungen war. Grundsätzliche Bedenken gegen die Glaubwürdigkeit des Zeugen und die Glaubhaftigkeit seiner Angaben bestehen nicht. Anhaltspunkte dafür, dass er den Angeklagten in jedem Falle belasten wollte, waren nicht zu erkennen. Der Zeuge hat im Gegenteil zu Beginn seiner Aussage darauf hingewiesen, er habe mit Rücksicht auf die weit zurückliegenden Ereignisse "Gedächtnisverluste" und es könne daher vorkommen, dass er nicht auf alle Fragen antworten könne. Im übrigen war es für den Beweiswert der Aussage von Bedeutung, dass der Zeuge bei allen von ihm erwähnten Vorkommnissen auf dem Weg nach Leipzig streng differenziert hat, ob es sich insoweit um eigene Wahrnehmungen handelt. Auch dies hat das Schwurgericht davon überzeugt, dass der Zeuge seine Angaben sorgfältig abgewogen und wohl durchdacht hat.
Zweifel an der Zuverlässigkeit der Angaben Loi.s ergeben sich auch nicht daraus, dass der Zeuge Teilnehmer des weiteren Evakuierungsmarsches von Leipzig aus war. Nach Überzeugung des Schwurgerichts ist auch bei Loi. hinsichtlich der hier interessierenden Vorfälle eine Verwechslung der beiden Märsche ausgeschlossen. Die Geschehnisse um die Kameraden Roussard und Fougnies im Laufe der mehrtägigen Rast stellen für Loi. einen so markanten Gesichtspunkt dar, dass dem Zeugen mit Rücksicht auf diesen "Fixpunkt" ohne weiteres die richtige Zuordnung der Geschehnisse auf beiden Evakuierungsmärschen ermöglicht wurde und eine Verwechslung insoweit ausser Betracht bleiben muss.
Im übrigen lassen die detaillierten und zutreffenden Angaben zum Aufenthalt im "Todesschuppen" - wie z.B. die Tatsache einer mehrtägigen Rast in einer Scheune und die Zubereitung einer Suppe von einem geschlachteten Pferd - erkennen, dass dem Zeugen vom Evakuierungsmarsch nach Leipzig noch zahlreiche Einzelheiten in Erinnerung geblieben sind, so dass auch im Hinblick hierauf keine Bedenken gegen die Richtigkeit der Angaben Loi.s bestehen.
Nach alledem steht fest, dass Loi. einige Tage vor der mehrtägigen Rast Augenzeuge der oben näher beschriebenen Einzelerschiessung war und dass er am Ende der mehrtägigen Rast

[133] = Seite 662 dieses Bandes.

- ungeachtet des Falles Roussard - eine Erschiessung mehrerer Häftlinge gesehen hat. Da die exakte Anzahl der bei dieser Gelegenheit erschossenen Häftlinge nicht feststellbar ist, es sich aber nach den Angaben des Zeugen zweifelsfrei um eine Mehrzahl gehandelt hat, ist das Schwurgericht insoweit zugunsten des Angeklagten nur von mindestens zwei erschossenen Häftlingen ausgegangen.

Der zur Zeit der Vernehmung siebenundfünfzig Jahre alte Zeuge Kazimierz Mas., der etwa im Herbst 1944 über Gross-Rosen nach Gassen kam, hat u.a. zu den Geschehnissen auf dem Evakuierungsmarsch nach Leipzig bekundet:
Er habe unterwegs gesehen, dass ein Häftling, der in der Marschkolonne vor ihm gegangen sei, in einem Waldstück vor Schwäche zu Boden gefallen und nicht mehr aufgestanden sei. Die Kolonne sei einen kurzen Augenblick ins Stocken geraten, weil der besagte Häftling den Weg versperrt habe. Als der Lagerführer den marschunfähigen Häftling bemerkt habe, habe er diesen am Nacken gepackt und aus der Kolonne gezogen. Wenige Meter vom Weg entfernt - am Waldrand - habe der Lagerführer den Häftling dann mit dem Bauch zur Erde gelegt und ihn dann durch einen Pistolenschuss in den Hinterkopf erschossen. Was dann mit der Leiche geschehen sei, wisse er, der Zeuge, nicht. Er habe beim Anblick dieses Vorfalles einen Schrecken bekommen und in der Folgezeit versucht, nur noch vorne in der Kolonne zu marschieren. Hinten in der Kolonne habe er ständig Gebrüll und Schüsse gehört.

Soweit der Zeuge bekundet hat, der Angeklagte habe eigenhändig den schwachen Häftling erschossen, ist ihm das Schwurgericht nicht gefolgt, da auch hier nicht mit letzter Gewissheit Verwechslungen bei der Identifizierung des Täters ausgeschlossen werden konnten. Im übrigen bestanden aber keine Anhaltspunkte, den Inhalt der Zeugenaussage in Zweifel zu ziehen. Der Zeuge war bei seiner Vernehmung in der Hauptverhandlung ersichtlich bemüht, seine Angaben gewissenhaft und abgewogen zu machen. Hierbei hat er zweifelsfrei zum Ausdruck gebracht, dass ihm der aus seiner Sicht besonders eindringliche Vorfall, der sich in seiner unmittelbaren Nähe abgespielt hat, noch heute plastisch vor Augen ist. Der Zeuge hat im übrigen durch die zutreffende Wiedergabe zahlreicher Einzelheiten des Lageraufenthaltes und des Evakuierungsmarsches ein vorzügliches Detailgedächtnis bewiesen, so dass auch mit Rücksicht hierauf keine durchgreifenden Bedenken gegen die Richtigkeit seiner Angaben bestehen, zumal Mas. nur am Evakuierungsmarsch nach Leipzig teilgenommen hat und insoweit bereits Verwechslungen mit den Geschehnissen des zweiten Evakuierungsmarsches ausgeschlossen werden können.
Zweifel an der Richtigkeit der Bekundung ergeben sich schliesslich auch nicht deshalb, weil in dem Protokoll über die Vernehmung des Zeugen Mas. vom 4.11.1970, welches dem Zeugen bei seiner Vernehmung in der Hauptverhandlung vorgehalten worden ist, keinerlei Angaben über den hier in Rede stehenden Vorfall enthalten sind. Auf Befragen hat der Zeuge hierzu erklärt, er könne sich noch daran erinnern, dass er bei der Vernehmung im Jahre 1970 nur allgemein davon gesprochen habe, dass auf dem Evakuierungsmarsch nach Leipzig Häftlinge getötet worden seien. Es könne durchaus sein, dass er damals nach dem hier interessierenden konkreten Vorfall nicht befragt worden sei. Diese Aufklärung des scheinbaren Widerspruchs hat das Schwurgericht überzeugt und unterstreicht im übrigen wiederum die Zuverlässigkeit der Angaben des Zeugen. Wie sich nämlich aus dem Inhalt des gesamten Vernehmungsprotokolls aus dem Jahre 1970 ergibt, ging es bei der damaligen Vernehmung in erster Linie um die Geschehnisse im Lager Leipzig-Thekla, was sich im übrigen nach der Erklärung des Sitzungsvertreters der StA so erklärt, dass damals nur diese Vorfälle Gegenstand eines entsprechenden an die polnischen Behörden gerichteten Rechtshilfeersuchens waren. Somit erscheint es verständlich, dass die Geschehnisse auf dem Evakuierungsmarsch nach Leipzig bei der damaligen Vernehmung nur pauschal behandelt und entsprechend protokolliert worden sind.
Demnach ist davon auszugehen, dass Mas. Augenzeuge einer Häftlingserschiessung auf dem Weg nach Leipzig ist.

Der zur Zeit der Vernehmung dreiundfünfzig Jahre alte Zeuge Boguslaw Longin Prz., der während des Warschauer Aufstandes verhaftet und etwa Anfang November 1944 von Gross-Rosen nach Gassen verlegt wurde, hat u.a. zu den Geschehnissen auf dem Evakuierungsmarsch nach Leipzig bekundet:
Er sei unterwegs geschwächt gewesen. Es habe Augenblicke gegeben, in denen er gedacht habe, er schaffe es nicht mehr. Er habe seine Kollegen gebeten, ihn zu stützen, damit er seine Eltern wiedersehen könne. Er könne sich in diesem Zusammenhang noch an den Rechtsanwalt Jan Novak aus Warschau erinnern, der ihn zusammen mit einem anderen Häftling aus seiner Fünferreihe in die Mitte genommen und gestützt habe. Einmal sei er unterwegs von SS-Leuten aus der Marschkolonne herausgerufen und etwas von Weg entfernt zu sechs Leichen von Häftlingen geführt worden. An diesen Leichen sei Blut zu sehen gewesen und es sei zu erkennen gewesen, dass die betreffenden Häftlinge erschossen worden seien. Er habe die Leichen dann mit weiteren ihm nicht bekannten Häftlingen begraben müssen. Als er zur Kolonne zurückgekommen sei, hätten seine Kollegen, denen er von den Geschehnissen berichtet habe, zu ihm gesagt, er müsse jetzt durchhalten, sonst würde ihm das gleiche Schicksal widerfahren. Im weiteren Verlauf des Marsches habe er keine Leichen mehr begraben müssen. Man habe jedoch jedesmal, wenn die Kolonne unterwegs angehalten habe, Schüsse gehört.

Das Schwurgericht hatte keine Bedenken, den Angaben Prz.s, der einer der zuverlässigsten Zeugen dieses Verfahrens war, uneingeschränkt zu folgen. Der Zeuge war bei seiner Vernehmung völlig leidenschaftslos und frei von Hassgefühlen gegen den Angeklagten. Zudem hat er nur am Evakuierungsmarsch nach Leipzig teilgenommen und durch die zutreffende Wiedergabe zahlreicher Einzelheiten sein gutes Erinnerungsvermögen unter Beweis gestellt, was nicht zuletzt auch durch die Erinnerung an Rechtsanwalt "Jan Novak" (vgl. hierzu S.74 der Urteilsgründe [134]) zum Ausdruck kommt. Auch nach dem persönlichen Eindruck, den Prz. bei seiner Vernehmung in der Hauptverhandlung gemacht hat, stand es für das Schwurgericht ausser Zweifel, dass der Zeuge noch heute den hier in Rede stehenden Vorfall lebendig vor Augen hatte, zumal keinerlei Anhaltspunkte ersichtlich waren, wieso der Zeuge - bewusst oder unbewusst - die Unwahrheit gesagt haben soll. Vielmehr sprechen die vom Zeugen glaubhaft geschilderten Umstände, nämlich die Tatsache, dass er selbst heimlich gestützt wurde und dass ihm im Falle der Entdeckung der Tod drohte, gerade dafür, dass der o.g. Vorfall für Prz. zu einer schicksalhaften unvergesslichen Erinnerung geworden ist. Unter diesen Umständen ist das Schwurgericht auch davon überzeugt, dass Prz. die Anzahl der begrabenen Häftlinge richtig wiedergegeben hat.
Da es aufgrund der Angaben des Zeugen und unter Berücksichtigung der Gesamtsituation ausser Zweifel stehen muss, dass die betreffenden Häftlinge in Ausführung des zu Beginn des Evakuierungsmarsches bekanntgegebenen Erschiessungsbefehls getötet wurden, steht nach alledem zur Überzeugung des Schwurgerichts fest, dass Prz. sechs wegen Marschunfähigkeit erschossene Häftlinge auf dem Evakuierungsmarsch von Gassen nach Leipzig gesehen hat.

Der am 2.2.1910 geborene Zeuge Stefan Wi., der etwa Anfang Oktober 1944 nach Gassen kam und in Polen im Wege der Rechtshilfe richterlich vernommen wurde, hat u.a. über die Vorfälle auf dem Evakuierungsmarsch nach Leipzig ausgesagt:
Am zweiten Tag des Marsches sei einer aus Lodz, der in seiner Fünferreihe marschiert sei, schwach geworden. Er sei aus der Kolonne getaumelt und habe sich an einen dort wachsenden Baum gelehnt. Er, der Zeuge, habe gesehen, wie ein SS-Mann, der die Häftlinge bewacht habe, an den betreffenden Häftling herangegangen sei und ihn erschossen habe. Dieser Vorfall habe sich tagsüber ereignet, der Ort habe vermutlich Muskau geheissen. Am fünften Marschtag habe die Kolonne einen grossen Wald erreicht. Am Rande des Waldes, an der

[134] = Seite 668 dieses Bandes.

Landstrasse, hätten Funktionshäftlinge eine Grube ausgehoben, in welche die völlig entkräfteten Häftlinge, die von den kräftigeren Häftlingen getragen worden seien, hineingetragen und -geworfen worden seien. Man habe den schwachen Häftlingen die Kleidung ausgezogen und einer der SS-Männer habe auf sie aus einer Maschinenpistole geschossen. Der Lagerkommandant habe die Häftlinge dann getreten, um sich zu vergewissern, ob noch lebende unter ihnen seien. Wenn sich dann infolge des Trittes noch jemand bewegt habe, sei er vom Kommandanten mit einem Schuss aus der Pistole getötet worden. Bei diesem Vorfall, den er aus etwa drei Metern Entfernung beobachtet habe, seien insgesamt etwa vierzig Häftlinge erschossen worden. Er habe nicht mehr in Erinnerung, wie viele dieser Häftlinge vom Lagerkommandanten getötet worden seien.

Soweit der Zeuge dem Angeklagten eigenhändige Erschiessungen anlastet, ist auch ihm das Schwurgericht wegen der nicht mit letzter Sicherheit ausschliessbaren Irrtümer bei der Identifizierung des Täters nicht gefolgt. Im übrigen hatte aber das Schwurgericht keine Bedenken, den Angaben Wi.s im Kerngeschehen zu folgen, auch wenn es sich keinen persönlichen Eindruck vom Zeugen verschaffen konnte. Die Aussage ist in sich geschlossen, frei von Widersprüchen und reich an einprägsamen und anschaulichen Einzelheiten, die in vielen Punkten durch das übrige Ergebnis der Beweisaufnahme bestätigt werden. Es haben sich auch unter Berücksichtigung aller denkbaren Umstände keine vernünftigen Zweifel ergeben, wieso der Zeuge hinsichtlich der hier in Frage stehenden Vorfälle falsche Angaben gemacht haben sollte. Vielmehr liegt es nahe, dass der Zeuge Anteil am Schicksal seiner Kameraden genommen hat, die jeweils in seiner unmittelbaren Nähe erschossen wurden, und dass er die Erinnerung an diese für ihn eindringlichen Erlebnisse bis heute bewahrt hat. Es kommt hinzu, dass auch Wi. nur den Evakuierungsmarsch nach Leipzig mitgemacht hat und insoweit Verwechslungen mit den Geschehnissen auf dem zweiten Evakuierungsmarsch nicht in Erwägung kommen.
Nach alledem ist das Schwurgericht davon überzeugt, dass Wi. Augenzeuge einer Einzel- und einer Gruppenerschiessung war. Da der Zeuge - unbeschadet seiner grundsätzlichen Glaubwürdigkeit - zu dem letzteren Vorfall keine genaue Zahlenangabe machen kann, er aber im übrigen in diesem Zusammenhang unzweifelhaft von einer Häftlingsmehrzahl spricht, ist das Schwurgericht insoweit zugunsten des Angeklagten wiederum nur von mindestens zwei getöteten Häftlingen ausgegangen.

2) Die Feststellungen über die Tötung des französischen Häftlings Paul Roussard beruhen auf den Angaben der in der Hauptverhandlung vernommenen Zeugen Esc. und Rep. sowie den verlesenen Aussagen der Zeugen Loi., Ral., Gui. und Antoni Szy.

Der zur Zeit der Vernehmung sechsundsechzig Jahre alte französische Zeuge Karl Esc., der 1940 in Kriegsgefangenschaft geriet und nach Aufenthalten in verschiedenen Lagern schliesslich Anfang 1945 nach Gassen kam, hat u.a. bekundet:
Sein Kamerad Roussard habe an der Ruhr gelitten und sei nach der Ankunft in der Scheune, wo das Pferd geschlachtet worden sei, so geschwächt gewesen, dass er, Roussard, mit seiner Erschiessung wegen Marschunfähigkeit gerechnet habe. Er habe wegen seiner Erkrankung das Etappenziel nur mit Unterstützung seiner Kameraden erreicht. Roussard habe sich von seinen französischen Kameraden verabschiedet und sie gebeten, seine Familie zu benachrichtigen. Er, der Zeuge, habe gesehen, wie Roussard anschliessend von SS-Leuten aus der Scheune zur Erschiessung abgeführt worden sei. Danach habe er Roussard nicht mehr gesehen.

Der bereits oben (S.52 der Urteilsgründe [135]) erwähnte französische Zeuge Dr. Rep. erinnerte sich ebenfalls an den Kameraden Roussard. Er hat u.a. bekundet, Roussard habe an Ruhr gelitten und sich in der Scheune, wo auch das Pferd geschlachtet worden sei, u.a. von ihm, dem Zeugen, verabschiedet, weil er, Roussard, seine Erschiessung wegen Marschunfähigkeit vor Augen gesehen habe. Bald nach dieser Verabschiedung habe er, der Zeuge, in einiger Entfernung Schüsse gehört und daraus geschlossen, dass Roussard erschossen worden sei. Der französische Zeuge Loi. hat - wie oben auf S.77 ff. der Urteilsgründe [136] bereits erwähnt - den gleichen Vorfall bekundet. Dasselbe gilt auch für den französischen Zeugen Gabriel Louis Ral., der im Juni 1940 in Kriegsgefangenschaft geriet und schliesslich Anfang 1945 ins Lager Gassen verlegt wurde. Er hat u.a. angegeben, Roussard sei von der Ruhr geschwächt gewesen und habe sich von seinem Kameraden verabschiedet, bevor er in Begleitung eines SS-Mannes weggeführt worden sei. Der französische Zeuge Francois Gui., der ebenfalls Anfang des Jahres 1945 nach Gassen kam, erinnerte sich auch daran, dass Paul Roussard sich von seinen Kameraden in Erwartung seiner Tötung wegen Marschunfähigkeit verabschiedet hat. Gui. ist allerdings der Meinung, dass Roussard beim Abführen aus der Scheune erschlagen und nicht erschossen worden sei, weil nach seiner Erinnerung Roussard von einem polnischen Kapo in Begleitung von zwei Häftlingen, die Schaufeln und Hacken getragen hätten, abgeführt worden sei.

Aufgrund der übereinstimmenden Angaben all dieser Zeugen besteht kein Zweifel daran, dass sie alle den gleichen Vorfall schildern, die gleiche Person - nämlich Roussard - meinen und dass sich der Vorfall anlässlich der letzten mehrtägigen Rast vor der Verladung in die Güterwaggons ereignet hat.

Allerdings haben die vorgenannten französischen Zeugen nach dem Kriege ein Buch unter dem Titel "Hirschberg" mit verfasst, in dem sie ihre Erlebnisse in deutscher Gefangenschaft und auch die Erlebnisse auf dem Evakuierungsmarsch von Gassen nach Leipzig schildern. Daraus lassen sich jedoch keine durchgreifenden Bedenken gegen die Glaubwürdigkeit dieser Zeugen herleiten.

Bei den in der Hauptverhandlung vernommenen Zeugen Esc. und Rep. konnte das Gericht sich davon überzeugen, dass diese sich bemühten, die Geschehnisse aus ihrer Erinnerung wiederzugeben und sich nicht etwa auf die Wiedergabe der im Buch beschriebenen Fakten beschränkt haben. Dass ihnen dieses Bemühen gelungen ist, ergibt sich u.a. daraus, dass ihre Schilderungen in manchen Einzelheiten voneinander abweichen, was sich ohne weiteres durch die lange zurückliegende Zeit erklärt. Bei den Zeugen Gui. und Ral. ergibt sich aus den verlesenen Aussagen, dass sie sich der Möglichkeit einer Verwechslung von eigener Erinnerung mit Erzählungen von Kameraden durchaus bewusst gewesen sind. Sie haben jeweils darauf hingewiesen, wenn ihnen zu einzelnen Punkten ihrer Vernehmung eine solche Verwechslung nicht ausgeschlossen erschien. Sie haben jedoch den ihren Kameraden Roussard betreffenden Vorfall aus eigener Erinnerung wiedergegeben.

Im übrigen sind Einzelheiten der Bekundungen der oben genannten Zeugen durch andere Beweismittel bestätigt worden. So hat der in der Hauptverhandlung vernommene Zeuge Boris Nikolajewitsch Paw. (vgl. S.49 der Urteilsgründe [137]) u.a. bekundet, dass die französischen Zeugen, deren Anzahl verhältnismässig gering gewesen sei, sich untereinander bis zum Etappenziel gestützt hätten. Dieser Zeuge hatte ebenfalls in Erinnerung, dass an der Etappe, bei der es Pferdefleisch zu essen gegeben habe, eine Anzahl von Häftlingen zur Erschiessung

[135] = Seite 661 dieses Bandes.

[136] = Seite 669 f. dieses Bandes.

[137] = Seite 660 dieses Bandes.

weggeführt wurde, von denen einer während dieses Vorganges von Funktionshäftlingen geschlagen worden sei. Paw. konnte sich allerdings nicht mehr daran erinnern, ob bei dieser Gelegenheit ein französischer Häftling umgekommen sei. Eine Reihe weiterer Zeugen hatte ebenfalls in Erinnerung, dass bei der mehrtägigen Übernachtung Häftlinge wegen Marschunfähigkeit erschossen worden seien, ohne dass sie jedoch hierzu hätten konkretere Angaben machen können.

Eine entscheidende Bestätigung erhalten die Angaben der französischen Zeugen durch den Umstand, dass sie - wie bereits auf S.54 der Urteilsgründe [138] erwähnt - mit der Beurkundung des Todes von Paul Roussard zu Nr.II/102 des Sterbebuches übereinstimmen. In dieser Urkunde ist Paul Roussard als "am 19.2.1945 auf dem Transport verstorben" angegeben. Die Berufsbezeichnung "Feldwebel (Berufssoldat)" stimmt ebenfalls mit den Angaben der Zeugen überein. Der Zeuge Esc. erinnerte sich ausserdem noch daran, dass Roussard damals ungefähr dreissig Jahre alt war und aus Paris stammte, was ebenfalls mit den beurkundeten Personalien übereinstimmt. Den Umständen nach ist es ausgeschlossen, dass die Beurkundung im Totenbuch die Quelle für das Erinnerungsvermögen der Zeugen darstellen könnte, da das Totenbuch erst im Laufe der Hauptverhandlung aus Prag herbeigeschafft werden konnte und den Zeugen vor ihrer Vernehmung nicht bekannt gewesen ist. Auch der beurkundete Todeszeitpunkt und -ort stehen in Übereinstimmung mit den Aussagen der französischen Zeugen, selbst wenn man die bereits oben (vgl. S.53 der Urteilsgründe [139]) dargelegte mögliche Ungenauigkeit hinsichtlich des beurkundeten Todeszeitpunktes in Rechnung stellt.

Aufgrund des vorstehend erörterten Beweisergebnisses ist das Schwurgericht auch davon überzeugt, dass Paul Roussard wegen Marschunfähigkeit getötet worden ist. Zwar haben die Zeugen die Erschiessung ihres Mithäftlings nicht persönlich gesehen. Indessen ist die Möglichkeit, dass Roussard irrtümlich als "am 19.2.1945 auf dem Transport verstorben" beurkundet worden ist und in Wirklichkeit überlebt hat, derart fernliegend, dass sie nicht ernsthaft in Betracht gezogen werden kann.

Alle Umstände, die von den Zeugen über ihre letzte Begegnung mit Paul Roussard beschrieben worden sind, deuten darauf hin, dass Roussard aufgrund des Erschiessungsbefehls wegen Marschunfähigkeit zur Tötung abgeführt wurde. Sie wurden auch von den Zeugen entsprechend aufgefasst. Hinzu kommt, dass nach den Angaben der Zeugen auch Roussard selbst von seiner unmittelbar bevorstehenden Tötung überzeugt war. Angesichts des nahen persönlichen Verhältnisses, das er zu seinen französischen Mithäftlingen hatte, hätte er es ihnen mit Sicherheit mitgeteilt, wenn er geplant hätte, sich der ihm drohenden Tötung durch Flucht, Verstecken oder in sonstiger Weise zu entziehen.

Roussard war auch nicht so geschwächt, dass die Möglichkeit ernsthaft in Erwägung gezogen werden müsste, er sei im Anschluss an die von den Zeugen geschilderten Vorgänge eines natürlichen Todes gestorben und nicht getötet worden. Zwar war er physisch geschwächt und nicht mehr in der Lage, einen weiteren längeren Fussmarsch durchzuhalten. (Dass bereits von dieser Etappe aus die Evakuierungskolonne mit der Eisenbahn weiterbefördert wurde, war den Häftlingen und somit auch Roussard zu diesem Zeitpunkt noch nicht bekannt.) Roussard war jedoch geistig und psychisch noch voll orientiert, wie seine Abschiedsgeste an die Kameraden und das bewusste Aufsichnehmen des ihm nunmehr unabwendbar bevorstehenden Schicksals beweisen. Auch aus der Art der Erkrankung, die zur körperlichen Schwäche Roussards geführt hatte, nämlich Ruhr, ergeben sich keine Anhaltspunkte dafür, dass mit einem plötzlichen Tod aus natürlicher Ursache zu rechnen gewesen wäre.

[138] = Seite 662 dieses Bandes.

[139] = Seite 661 dieses Bandes.

Schliesslich war es für die Frage, ob Roussard wegen Marschunfähigkeit getötet worden sei, noch von Bedeutung, dass die Zeugen ihren Kameraden in der Folgezeit nicht mehr gesehen haben. Diesem Umstand kommt hier deshalb eine besondere Bedeutung zu, weil im Lager Gassen und somit auch auf dem Evakuierungsmarsch nach Leipzig sehr wenige französische Häftlinge waren, die sich zum überwiegenden Teil untereinander kannten, sich gegenseitig halfen und zusammenhielten, wie die französischen Zeugen - insoweit auch bestätigt durch die Aussage des russischen Zeugen Paw. - bestätigt haben. Das Schwurgericht ist deshalb davon überzeugt, dass es den französischen Zeugen nicht entgangen wäre, wenn Roussard sich nach der mehrtägigen Rast entgegen ihrer Annahme noch bei der Evakuierungskolonne befunden hätte. Zudem hätte Roussard dann in Leipzig in einer der oben genannten Zugangslisten registriert werden müssen, was jedoch nicht der Fall ist.

Steht somit zur Überzeugung des Schwurgerichts fest, dass Roussard aufgrund des Erschiessungsbefehls wegen Marschunfähigkeit getötet worden ist, so liess sich doch nicht mit letzter Sicherheit feststellen, ob er erschossen oder möglicherweise erschlagen worden ist.

Zwar steht - wie ausgeführt - fest, dass er zur Erschiessung abgeführt worden ist. Der Zeuge Gui. hielt es jedoch - wie dargelegt - für möglich, dass Roussard erschlagen und nicht erschossen worden ist. Ob diese Abweichung der Angaben Gui.s von denen der übrigen französischen Zeugen auf einem Erinnerungsfehler Gui.s beruht oder möglicherweise damit zu erklären ist, dass Gui. eine zeitlich spätere Phase des Vorfalles beobachtet und in Erinnerung hat, liess sich letztlich nicht klären. Dieser Widerspruch rechtfertigt aber keine Zweifel daran, dass der Vorfall im Kerngeschehen von den Zeugen richtig wiedergegeben worden ist.

Der polnische Zeuge Antoni Szy., der von 1940 bis 1944 zur Zwangsarbeit herangezogen wurde und schliesslich etwa Anfang November 1944 ins Lager Gassen kam, hat u.a. bekundet:
Bei der letzten Marschetappe vor dem Verladen in den Zug sei ein französischer Häftling auf Anweisung des Lagerführers Kno. und in dessen Gegenwart von vier Kapos aus der Scheune geschleppt, geschlagen, auf ein Feld gelegt und dort erneut geschlagen worden. Dies habe sich vor dem Abmarsch der Kolonne zugetragen.

Der Zeuge ist davon überzeugt, dass dieser Häftling von den Kapos erschlagen worden ist. Seine Aussage lässt allerdings auch für sich allein die Möglichkeit offen, dass der französische Häftling nicht durch die Schläge getötet, sondern anschliessend erschossen worden ist, ohne dass dies der Zeuge, weil er abmarschieren musste, noch sehen konnte.

Den Angaben dieses Zeugen insgesamt muss mit Vorsicht begegnet werden, da seine Aussage in anderen Punkten ersichtlich Unstimmigkeiten aufweist. Die Übereinstimmung des vorerwähnten Teils der Aussage Szy.s mit den Angaben der französischen Zeugen hinsichtlich des Falles Roussard ist jedoch so auffällig, dass die Kammer davon überzeugt ist, dass Szy. hier den gleichen Vorfall wie die französischen Zeugen im Kern zutreffend geschildert hat. Seine Orts- und Zeitangabe kann sich nur auf die letzte Etappe des Fussmarsches beziehen. Das Sterbebuch weist für den 19.2.1945 nur den Tod eines französischen Häftlings, nämlich Roussards, aus. Auch nach der Angabe der französischen Zeugen ist anlässlich der Übernachtung in der Scheune vor der Verladung in die Güterwaggons von ihren Landsleuten nur Roussard getötet worden. Es ist auch den Umständen nach ausgeschlossen, dass Szy. diesen Vorfall aus einer anderen Quelle als aus eigenem Erleben in Erinnerung hat, da ihm unter den gegebenen Umständen bei seiner Rechtshilfevernehmung in Polen (Posen) die Angaben der französischen Zeugen nicht bekannt sein konnten.

Die somit glaubhaften Aussagen Szy.s lassen einerseits den Schluss zu, dass Gui.s Annahme, Roussard sei von Kapos erschlagen worden, nicht völlig fernliegend ist, bestätigen aber andererseits die Richtigkeit der Angaben der französischen Zeugen darüber, dass Roussard wegen Marschunfähigkeit zur Tötung selektiert worden ist.

Wegen der bereits oben erwähnten Unsicherheit hinsichtlich der Identifizierung von SS-Leuten vermochte sich das Schwurgericht jedoch nicht davon zu überzeugen, dass Szy.s Angabe, der Angeklagte habe den Kapos die Befehle erteilt und sei bei dem Vorfall zugegen gewesen, mit Sicherheit zutreffend ist. Insoweit ist eine Personenverwechslung nicht ausgeschlossen. Im übrigen stimmt aber die Angabe Szy.s, ein SS-Mann sei bei der Aussortierung Roussards zugegen gewesen, mit den Angaben der Zeugen Esc., Rep., Loi. und Ral. überein. Esc., der die meisten Einzelheiten zu dem hier in Rede stehenden Vorfall in Erinnerung hatte, hat auch bekundet, er selbst habe sich noch in der Scheune befunden, als ein oder mehrere SS-Leute Roussard dort herausgeholt hätten. Demgegenüber hat allerdings Gui. erklärt, er habe nur den polnischen Kapo und die beiden Häftlinge in Begleitung Roussards gesehen, aber keinen SS-Mann. Gui. befand sich offenbar bereits ausserhalb der Scheune. So mag sich erklären, dass er die Aussortierung Roussards durch SS-Leute in der Scheune nicht gesehen und von den Vorgängen ausserhalb der Scheune nur den aus seiner Sicht eindrucksvollsten Vorfall - die Misshandlung Roussards durch die Kapos - in Erinnerung behalten hat. Aus ähnlichen Gründen mag auch Szy. die begleitenden SS-Leute nicht mehr in Erinnerung gehabt haben. Jedenfalls rechtfertigen diese Abweichungen angesichts des Beweisergebnisses zu dem hier in Rede stehenden Vorfall insgesamt keine Zweifel daran, dass Roussard auf die beschriebene Weise umgekommen ist.

3) Soweit die Sitzungsvertreter der Staatsanwaltschaft in ihrem Schlussvortrag über die vorstehend erörterten Fälle hinaus aufgrund anderer Zeugenaussagen noch weitere Häftlingserschiessungen zu den Punkten (4.-6.) der Anklageschrift als erwiesen angesehen haben, vermochte das Schwurgericht dem nicht zu folgen. Insoweit hat die Beweisaufnahme folgendes ergeben:

Der zur Zeit der Vernehmung einundfünfzig Jahre alte Zeuge Stephan Pa., der etwa Ende September 1944 ins Lager Gassen eingeliefert wurde, hat u.a. bekundet:
Am zweiten Marschtag sei die Evakuierungskolonne unterwegs angehalten und eine Selektion der marschunfähigen Häftlinge durchgeführt worden. Neben ihm sei ein junger Mann aus einer Adelsfamilie gegangen, der mit Familiennamen Tarnowski oder Tarkowski geheissen habe. Er habe den jungen Mann gestützt, weil dieser alleine nicht mehr habe gehen können. Dann habe er, der Zeuge, gesehen, dass der betreffende Häftling einige Meter von der Strasse weg in den Wald geführt worden sei, wo er knieend erschossen und schliesslich mit einem Fusstritt in ein zuvor von Kapos ausgehobenes Loch gestossen worden sei. Bei dieser Gelegenheit seien insgesamt etwa zehn marschunfähige Häftlinge aus der Kolonne geholt und im Wald erschossen worden. Anschliessend sei die Kolonne weitermarschiert.

Diese Angaben hat das Schwurgericht bei den Feststellungen über die Erschiessung marschunfähiger Häftlinge auf dem Weg nach Leipzig nicht berücksichtigt. Zwar hat der Zeuge Pa. bei seiner Vernehmung in der Hauptverhandlung einen zuverlässigen Eindruck gemacht. Er hat noch zahlreiche Einzelheiten des Lagerlebens in Gassen zutreffend wiedergegeben und insoweit sein gutes Erinnerungsvermögen unter Beweis gestellt. Es konnte jedoch nicht mit letzter Sicherheit ausgeschlossen werden, dass Pa., der auch an dem weiteren Evakuierungsmarsch von Leipzig aus teilgenommen hat, den hier in Rede stehenden Vorfall auf dem zweiten Marsch gesehen hat. Der Zeuge hat auf Befragen eingeräumt, dass sich heute in seiner Erinnerung die Fakten der beiden Märsche verwischen. Wenngleich auch der Zeuge der Auffassung ist, die oben genannte Häftlingserschiessung habe sich mit Sicherheit auf dem Evakuierungsmarsch nach Gassen ereignet, so konnte unter den gegebenen Umständen diese Angabe allein das Schwurgericht noch nicht von der richtigen zeitlichen Einordnung des Vorfalles überzeugen. Im übrigen liessen sich aus den Angaben Pa.s insgesamt keine sicheren

Anhaltspunkte gewinnen, die den Rückschluss auf eine richtige zeitliche Einordnung des Vorfalls rechtfertigen könnten.

Dass Pa. den Vorfall möglicherweise falsch eingeordnet hat, ergibt sich zusätzlich aus folgender Überlegung: Wie sich aus der Beschreibung des Zeugen, der junge Adelige habe Tarnowski oder Tarkowski geheissen, ergibt, ist Pa. heute der Familienname seines Mithäftlings nicht mehr genau in Erinnerung. Somit ist es auch nicht auszuschliessen, dass der Mithäftling einen sonstwie ähnlichen Namen - z.B. Tokarski oder Zarkowski - gehabt hat. Kann dies aber nicht ausgeschlossen werden, dann liegt es nicht ausserhalb jeglicher Wahrscheinlichkeit, dass es sich bei dem jungen Adeligen um einen derjenigen Häftlinge handelt, die in der Zugangsliste vom 5.3.1945 unter den laufenden Nummern 71 (= Tokarski) oder 175 (= Zarkowski) als in Leipzig lebend angekommen registriert wurden und demnach nur auf dem zweiten Evakuierungsmarsch umgekommen sein können.

Nach alledem konnte für sich allein aus der vom Zeugen Pa. beschriebenen Häftlingstötung nichts zum Nachteil des Angeklagten hergeleitet werden.

Der zur Zeit der Vernehmung sechsundsiebzig Jahre alte Zeuge Stanislaw Kra., der im September 1944 verhaftet und etwa im Dezember 1944 ins Lager Gassen verlegt wurde, hat u.a. bekundet:
Auf dem Evakuierungsmarsch nach Leipzig sei kurz vor Dresden der polnische Häftling Alexander Sawko oder Sawka, der mit ihm zusammen im Untergrund in der gleichen Abteilung tätig gewesen sei, schwach geworden und hinter der Marschkolonne zurückgeblieben. Er, der Zeuge, habe den geschwächten Kollegen mit anderen Häftlingen am Ende der Kolonne weggeholt und im weiteren Marschverlauf gestützt. Ihm sei noch in Erinnerung, dass die Marschkolonne hinter Dresden in einem Ort, der "Noskau" oder so ähnlich geheissen habe, in einer grösseren Scheune übernachtet habe. Am nächsten Morgen habe sein geschwächter Kollege nicht mehr gehen können. Er habe diesen dann zusammen mit dem Zeugen Kij. gestützt und zum Appellplatz gebracht, wo an die Häftlinge Brot verteilt worden sei. Er habe gesehen, dass ein Kapo seinem geschwächten Kollegen das in Empfang genommene Brot wieder abgenommen habe. Dann sei der Kollege von SS-Leuten hinter die Scheune geführt worden, wo Kapos ein nicht tiefes Loch ausgehoben hätten. Anschliessend habe ein SS-Mann den marschunfähigen Kollegen erschossen und Kapos hätten ihm dann mit Spaten den Schädel zertrümmert.

Auch bei Kra. liess sich nicht mit Sicherheit ausschliessen, dass Sawko oder Sawka auf dem zweiten Evakuierungsmarsch, an dem der Zeuge ebenfalls teilgenommen hat, erschossen worden ist. Die Aussage des Zeugen liess in einzelnen Punkten erkennen, dass Kra. bei seiner Vernehmung in der Hauptverhandlung nicht mehr in der Lage war, den Ablauf der beiden Märsche exakt auseinanderzuhalten und die einzelnen Geschehnisse richtig einzuordnen. Hierfür spricht bereits der Umstand, dass Kra. die Erschiessung seines Bekannten in unmittelbarem Zusammenhang mit "Dresden" erwähnt, wo nach der weiteren Bekundung des Zeugen die Evakuierungskolonne einem Bombenangriff ausgesetzt war. Dieser Bombenangriff kann sich aber - wie bereits an anderer Stelle erwähnt - nach dem Ergebnis der Beweisaufnahme nur auf dem zweiten Evakuierungsmarsch und nicht auf dem Marsch von Gassen nach Leipzig zugetragen haben.
Auch die Zugangslisten vom 5. und 20.3.1945 lassen keinen sicheren Rückschluss darauf zu, dass sich der von Kra. beschriebene Vorfall auf dem Evakuierungsmarsch von Gassen nach Leipzig zugetragen hat. Zwar könnte hierfür sprechen, dass der Name Sawko oder Sawka (oder möglicherweise auch ein ähnlicher polnischer Name) nicht in den Listen enthalten ist. Hieraus lässt sich jedoch nicht zwingend herleiten, dass der betreffende Häftling auf dem Evakuierungsmarsch nach Leipzig umgekommen ist. Das Fehlen des Namens in den Listen lässt sich ebenso erklären, wenn Sawko an dem Evakuierungsmarsch von Gassen nach Leip-

zig überhaupt nicht teilgenommen hat und er seinen Bekannten Kra. erst nach dessen Ankunft im Lager Leipzig-Thekla getroffen hat.

Die Angaben Kra.s werden auch im Ergebnis nicht durch die verlesene Aussage des Zeugen Kij. gestützt, der ebenfalls an zwei Evakuierungsmärschen teilgenommen hat und nach Darstellung Kra.s den marschunfähigen Häftling bis kurz vor der Erschiessung mit gestützt hat. Zwar berichtet auch Kij. von einer Häftlingserschiessung anlässlich einer Rast bei Dresden. Jedoch weisen Kij.s Angaben zu diesem Vorfall insgesamt derartig zahlreiche Widersprüche und Ungereimtheiten auf, dass das Schwurgericht ihnen insoweit keinerlei Beweiswert beizulegen vermochte, zumal es sich vom Zeugen keinen persönlichen Eindruck verschaffen konnte. Dies wäre schon deshalb unbedingt erforderlich gewesen, weil es nach dem Inhalt des verlesenen Protokolls zweifelhaft war, ob Kij. die Vorfälle "bei Dresden" überhaupt aus eigener Wahrnehmung geschildert hat oder ob er insoweit sein Wissen aus Erzählungen ehemaliger Mithäftlinge hergeleitet hat. Kij. hat nämlich in diesem Zusammenhang u.a. bekundet, er habe sich inzwischen mit ehemaligen Lagerinsassen aus Gassen unterhalten und Erinnerungen ausgetauscht, wobei ihm zum Teil längst vergessene Erlebnisse wieder ins Gedächtnis zurückgerufen worden seien.

Nach alledem konnte weder aufgrund der Angaben Kra.s noch aufgrund der Angaben Kij.s mit der erforderlichen Sicherheit die Tötung eines marschunfähigen Häftlings auf dem Weg nach Leipzig festgestellt werden.

Der am 14.8.1906 geborene Zeuge Henryk Koz., der im Herbst 1944 nach Gassen kam und in Polen im Wege der Rechtshilfe richterlich vernommen wurde, hat u.a. zu den Geschehnissen auf dem Evakuierungsmarsch nach Leipzig bekundet: Im Ort Triebel habe die erste Erschiessung marschunfähiger Häftlinge stattgefunden, bei der ca. fünfzehn Personen getötet worden seien. Unter ihnen habe sich auch sein Kollege Tadeusz Adamski befunden, der noch vor dem Abmarsch im Lager Gassen vom SS-Mann "Müller" zusammengeschlagen worden sei, weil er Papier unter seine Kleidung gesteckt habe. Nachdem die Evakuierungskolonne in Triebel in einem Fabrikgebäude Nachtquartier bezogen habe, seien die marschunfähigen Häftlinge von den übrigen Häftlingen abgetrennt worden. Diese hätten keine Verbindung mehr zu ihren geschwächten Kollegen gehabt. Da es bei der Ankunft in Triebel schon dunkel gewesen sei, seien die marschunfähigen Häftlinge erst am nächsten Morgen in ein Wäldchen geführt und dort erschossen worden.
Nach der Befreiung habe die - heute nicht mehr lebende - Ehefrau Adamskis mit Hilfe von Einwohnern der Ortschaft Triebel die Leiche ihres Mannes gefunden. Diese sei dann zusammen mit anderen Leichen, die man bei der Exhumierung Adamskis an verschiedenen Stellen gefunden habe, auf dem Friedhof von Triebel begraben worden. Er, der Zeuge, sei nicht mit der Ehefrau Adamskis in Triebel gewesen. Er habe ihr lediglich erzählt, wo man ihren Ehemann erschossen habe. Dass man die Leichen Adamskis und anderer Personen in Triebel gefunden habe, wisse er aus späteren Erzählungen der Ehefrau Adamskis.

Diese Angaben Koz.s hat das Schwurgericht für sich allein nicht zum Nachteil des Angeklagten verwertet. Zwar hat der Zeuge hinsichtlich des hier in Rede stehenden Vorfalls sowie auch zu den allgemeinen Lagerverhältnissen in Gassen zahlreiche detaillierte Einzelheiten berichtet, die auf die Zuverlässigkeit seiner Angaben hindeuten. Gleichwohl hat das Schwurgericht aus den oben genannten Angaben für sich allein nichts Nachteiliges für den Angeklagten herleiten können.
Soweit es den Tod Adamskis betrifft, war es schon nicht mit letzter Sicherheit auszuschliessen, ob Adamski nicht im Laufe der Nacht eines natürlichen Todes gestorben ist. Denn nach den Angaben Koz.s liegt es nahe, dass Adamski den Evakuierungsmarsch bereits sehr geschwächt angetreten hat, da er noch unmittelbar vor dem Abmarsch von einem SS-Mann zusammengeschlagen worden ist, so dass jedenfalls eine natürliche Todesursache nicht aus-

serhalb jeglicher Wahrscheinlichkeit liegt und hiervon zugunsten des Angeklagten ausgegangen werden muss.
Was die Tötung der übrigen Häftlinge angeht, so hat das Schwurgericht die Angaben Koz.s nicht zum Nachteil des Angeklagten verwertet, weil es sich aufgrund der verlesenen Aussage nicht die notwendige Gewissheit darüber verschaffen konnte, ob Koz. die von ihm geschilderten Vorgänge auf dem Evakuierungsmarsch aus eigener Wahrnehmung bekundet hat. Die Angabe des Zeugen, die schwachen Häftlinge seien im Fabrikgebäude von dem Rest der Evakuierungskolonne vollständig abgetrennt worden, liegt es nahe, dass Koz. weder das Abführen der schwachen Häftlinge zur Erschiessung noch den Tötungsvorgang selbst beobachten konnte, zumal der Zeuge an anderer Stelle seiner Vernehmung zum Ausdruck gebracht hat, die übrigen Häftlinge seien während der Erschiessung ihrer marschunfähigen Kollegen in der Fabrik eingeschlossen gewesen und hätten nur Schüsse gehört, die auf die Erschiessung hingedeutet hätten. Unter den gegebenen Umständen hielt es das Schwurgericht nicht für ausgeschlossen, dass Koz. sein Erinnerungsbild nachträglich den Angaben der Ehefrau Adamskis "angepasst" hat, die im Zusammenhang mit dem Auffinden der Leiche ihres Mannes von weiteren Leichenfunden berichtet hat, die jedoch nach Überzeugung des Schwurgerichts nicht zwingend mit den Geschehnissen auf dem Evakuierungsmarsch nach Leipzig zusammenhängen müssen.
Somit liessen sich auch aufgrund der Angaben Koz.s keine gesicherten Feststellungen über die Erschiessung marschunfähiger Häftlinge auf dem Evakuierungsmarsch nach Leipzig treffen.

Der am 24.3.1920 geborene und im Wege der Rechtshilfe in Polen richterlich vernommene Zeuge Tadeusz Drz., der etwa Ende 1944 nach Gassen kam und schliesslich auf dem zweiten Evakuierungsmarsch befreit wurde, hat u.a. über die Geschehnisse auf dem Evakuierungsmarsch nach Leipzig bekundet:
Er habe noch seinen Kameraden Jerzy Leszczynski in Erinnerung, mit dem er nach seiner Verhaftung im August 1944 mehrere Wochen zusammen im Gefängnis eingesessen und den er im Lager Gassen wiedergetroffen habe. Leszczynski habe zu Beginn des Evakuierungsmarsches das Lager sehr geschwächt verlassen und sei während des anschliessenden Tagesmarsches noch mehr von Kräften gekommen. Leszczynski habe sich eines Tages auf dem Morgenappell gemeldet und einem der SS-Leute gesagt, er sei wegen Erschöpfung nicht zum Weitermarsch in der Lage. Er, der Zeuge, sei dann mit den anderen Häftlingen weitermarschiert und wisse nicht, was mit Leszczynski, den er nie mehr gesehen habe, geschehen sei. Er habe einige Zeit nach dem Abmarsch Schüsse gehört und deshalb nehme er an, Leszczynski sei erschossen worden.

Diese Angaben des Zeugen Drz.s hat das Schwurgericht nicht zum Nachteil des Angeklagten berücksichtigt. Sie sind jedoch nicht deshalb unberücksichtigt geblieben, weil der Zeuge auch am zweiten Evakuierungsmarsch teilgenommen hat und insofern eine Verwechslung der beiden Märsche zu besorgen wäre. Der Zeuge hat Leszczynski gut gekannt, so dass es nahe liegt, dass er den Vorfall noch besonders anschaulich in Erinnerung und zeitlich richtig eingeordnet hat. Darüber hinaus hat der Zeuge etwaige Bedenken, er könne die Geschehnisse auf beiden Märschen verwechseln, dadurch ausgeräumt, dass er u.a. noch bekundet hat, seine Kameraden Starczewski und Pasturczak, die mit ihm und Leszczynski in Gassen gewesen seien, seien später im Lager Leipzig-Thekla gestorben. Dies stimmt mit dem Inhalt der Zugangsliste vom 5.3.1945 überein (dort unter den laufenden Nummern 425 und 427) und deutet, da der Zeuge unter den gegebenen Umständen die Liste nicht kennen konnte, zweifelsfrei auf die Zuverlässigkeit seiner Angaben insgesamt und somit auch auf die richtige zeitliche Einordnung des geschilderten Vorfalles hin.
Wenn gleichwohl das Schwurgericht aus den Bekundungen Drz.s in dem hier erörterten Zusammenhang nichts Nachteiliges für den Angeklagten hergeleitet hat, so deshalb, weil es sich bei der Angabe, Leszczynski sei unterwegs erschossen worden, letztlich nur um eine

Vermutung des Zeugen handelt, ohne dass sich das Schwurgericht aufgrund sonstiger zuverlässiger Fakten von der Richtigkeit dieser Vermutung hätte überzeugen können.
Somit sind Drz.s Angaben zu wenig konkret, als das hieraus mit der strafprozessualen Anforderungen genügenden Gewissheit die Erschiessung eines marschunfähigen Häftlings hergeleitet werden könnte.

Der am 18.8.1898 geborene Zeuge Dr. Ernest Rep., der - wie bereits erwähnt - als Häftlingsarzt im Revier des Lagers Gassen tätig war, hat u.a noch zu den Geschehnissen auf dem Evakuierungsmarsch nach Leipzig bekundet:
Es sei den Häftlingen von Tag zu Tag schlechter ergangen, da sie kaum Schlaf, wenig zu essen und keine richtigen Waschgelegenheiten gehabt hätten. Wer unterwegs hingefallen sei, sei verloren gewesen, da er erschossen worden sei. Als erster sei ein Häftling russischer Nationalität hingefallen, den er aus dem Revier in Gassen gekannt habe. Während des Marsches sei auch ein Franzose gefallen, der von Mithäftlingen hochgehoben und in eine Scheune getragen worden sei. Zwei Minuten später sei man gekommen und habe ihn niedergestreckt, weil er gefallen sei. Ebenso erinnere er, der Zeuge, sich noch an einen jungen französischen Häftling, der aus Paris gestammt habe. Dieser sei nachher auf dem Evakuierungsmarsch sehr schwach gewesen, aus der Kolonne herausgezogen und in einer Entfernung von etwa 50 bis 200 m in einem Wäldchen niedergestreckt worden.

Diese Angaben haben das Schwurgericht nicht davon überzeugt, dass Dr. Rep. Augenzeuge dieser Häftlingserschiessungen auf dem Weg nach Leipzig war. Zwar hat Dr. Rep. bei seiner Vernehmung in der Hauptverhandlung einen zuverlässigen Eindruck gemacht und zahlreiche Einzelheiten über die Lagerverhältnisse in Gassen - insbesondere über die medizinische Versorgungslage und das Registrierungswesen der verstorbenen Häftlinge - bekundet, von deren Richtigkeit das Schwurgericht bedenkenfrei ausgehen konnte, zumal sie auch in vielen Punkten durch das übrige Beweisergebnis bestätigt worden sind. Bezüglich der hier in Rede stehenden Vorfälle zeigte es sich jedoch, dass die Erinnerungen Dr. Rep.s stark verblasst und seine Angaben insoweit lückenhaft waren. Auch auf entsprechende Fragen des Gerichts konnte der Zeuge keine weiteren Einzelheiten über das Schicksal des russischen und der beiden französischen Häftlinge berichten. Das Schwurgericht hält es daher für nicht ausgeschlossen, dass es sich bei der Angabe, die drei besagten Häftlinge seien erschossen worden, lediglich um eine Schlussfolgerung des Zeugen handelt, nicht aber um die Wiedergabe eines konkreten Geschehensablaufes, der Gegenstand eigener Wahrnehmung des Zeugen war.
Somit konnten aus den o.g. Angaben des Zeugen Dr. Rep. keine sicheren Feststellungen über die Erschiessung marschunfähiger Häftlinge hergeleitet werden.

Der am 6.5.1914 geborene Zeuge Mieczyslaw Mi., der als ehemaliger Häftling des Lagers Gassen in Polen richterlich vernommen wurde, hat u.a. bekundet:
Er habe selbst gesehen, wie sich ein polnischer Häftling, der nicht mehr habe gehen können, an seine Schulter gelehnt habe. Der schwache Häftling sei dann von einem der Wachmänner gefragt worden, ob er weitergehen könne. Als er diese Frage verneint habe, habe er, der Zeuge, den Befehl bekommen, den schwachen Häftling zu einem Graben zu führen, wo der Wachmann dem Kollegen in den Hinterkopf geschossen habe.

Bei Mi. liess sich wiederum nicht ausschliessen, dass sich der von ihm geschilderte Vorfall auf dem zweiten Evakuierungsmarsch ereignete, an dem der Zeuge ebenfalls teilgenommen hat. Die verlesene Aussage liess erkennen, dass der Zeuge nicht mehr in der Lage war, die beiden Evakuierungsmärsche exakt voneinander zu trennen. Auch sonst ergaben sich aus den Angaben Mi.s keine sicheren Anhaltspunkte, die das Schwurgericht von der richtigen zeitlichen Einordnung des Vorfalles hätten überzeugen können. Darüber hinaus konnte aber auch der Tod des betreffenden Häftlings aufgrund der Angaben des Zeugen Mi. nicht sicher festgestellt werden. Die Bekundungen des Zeugen insoweit sind nämlich nicht eindeutig. Während er zunächst aussagt, der betreffende Häftling habe einen Schuss in den Hinterkopf erhal-

ten, spricht er an anderer Stelle davon, er habe sich unmittelbar nach dem Vorfall umgeschaut und gesehen, wie drei Wachmänner auf den angeschossenen Häftling zugegangen seien, ohne dass er hierzu noch weitere Angaben macht, die sicher auf den Tod des Häftlings hindeuten könnten.
Somit konnten auf die Angaben des Zeugen Mi. keine Feststellungen über die Erschiessung dieses marschunfähigen Häftlings hergeleitet werden.

Der bei seiner Vernehmung fünfundfünfzig Jahre alte Zeuge Zenon Deb., der während des Warschauer Aufstandes verhaftet wurde und Anfang 1945 nach Gassen kam, hat zu den Vorfällen auf dem Evakuierungsmarsch u.a. bekundet:
Da er von kräftiger Statur gewesen und durch den relativ kurzen Lageraufenthalt noch nicht zu sehr geschwächt gewesen sei, sei er unterwegs einmal dazu ausgesucht worden, einen kranken Mithäftling, der nicht mehr habe gehen können, in Begleitung von SS-Leuten und Kapos in den Wald zu schleppen. Hier hätten sich bereits mehrere Häftlinge befunden, insgesamt vielleicht sechs oder acht Personen. Die Kapos hätten bei dieser Gelegenheit Gruben ausgehoben. Er habe einen Häftling bemerkt, der knieend um sein Leben gefleht habe. Als er beim Anblick dieses Häftlings vor Aufregung Schüttelfrost bekommen habe, sei er von einem SS-Mann zur Marschkolonne zurückgeschickt worden. Später habe er dann Schüsse gehört.

Auch aufgrund der Angaben des Zeugen Deb. liessen sich keine sicheren Todesfeststellungen treffen, obwohl nach dem persönlichen Eindruck, den das Schwurgericht vom Zeugen bei der Vernehmung gewonnen hat, keine Zweifel an der Glaubwürdigkeit des Zeugen bestanden. Für das Schwurgericht war es jedoch von ausschlaggebender Bedeutung, dass letztlich nur die Angabe des Zeugen, er habe Schüsse gehört, auf die Tötung der abgeführten Häftlinge hindeutet. Mag auch nach der Gesamtsituation die Tötung dieser Häftlinge wahrscheinlich sein, so sind aber Deb.s Angaben insgesamt zu dem Vorfall zu wenig konkret, als dass hieraus allein mit letzter Gewissheit Feststellungen über die Erschiessung marschunfähiger Häftlinge getroffen werden könnten.

Aus den gleichen Erwägungen liessen sich auch aus den Bekundungen der Zeugen Sar., Cis., Ref. und Ku. keine konkreten Tötungshandlungen nachweisen. Denn auch diese Zeugen haben nur bekundet, sie hätten im Verlaufe des Evakuierungsmarsches Schüsse gehört, nachdem zuvor schwache Häftlinge von der Marschkolonne weggeführt worden seien.

Zusammenfassend lässt sich nach alledem feststellen, dass nur aufgrund folgender Zeugenaussagen mit der erforderlichen Sicherheit von Häftlingserschiessungen ausgegangen werden kann:

Bar.:	1
Bed.:	2
Bet.:	2
Bie.:	1
Dzi.:	3
Ehr.:	1
Kos.:	1
Loi.:	3
Mas.:	1
Prz.:	6
Wi.:	3.

Unter Berücksichtigung des Falles Roussard sind es somit maximal 25 wegen Marschunfähigkeit getötete Häftlinge.

4) Dies bedeutet jedoch noch nicht, dass sich die Tötung von mindestens 25 Häftlingen sicher feststellen lässt. Vielmehr ist eine solche Feststellung aufgrund der Beweisaufnahme nur hinsichtlich mindestens 8 Häftlingen möglich:

Es ist nicht auszuschliessen, dass es sich bei den Toten, von denen die Zeugen Bar., Bed., Bet., Bie., Dzi., Kos. und Mas. berichtet haben, jeweils um einen Teil derjenigen Opfer handelt, die der Zeuge Prz. schliesslich mit begraben musste. Bei den Angaben der vorgenannten Zeugen fehlen insoweit verlässliche Kriterien, die eine exakte Abgrenzung der einzelnen Fälle ermöglichen. Ebenso ist nicht mit völliger Sicherheit auszuschliessen, dass die von den vorerwähnten Zeugen geschilderten Erschiessungen teilweise untereinander identisch sind. Schliesslich liess es sich mangels verlässlicher Abgrenzungskriterien auch nicht ausschliessen, dass Roussard sowie die Toten, von denen die Zeugen Loi. und Wi. anlässlich der von ihnen beschriebenen Massenerschiessungen berichtet haben, zu den von Prz. begrabenen Häftlingen gehört haben können.

Sind aber die Toten, von denen Loi. und Wi. anlässlich der von ihnen beschriebenen Massenerschiessungen unter den von Prz. begrabenen Opfern, dann muss es sich bei den von Loi. und Wi. erwähnten Einzelerschiessungen um andere Opfer gehandelt haben; denn diese von Loi. und Wi. geschilderten Vorfälle haben sich in einer anderen Phase des Evakuierungsmarsches zugetragen, so dass insoweit eine Identität der Opfer mit den von Prz. begrabenen auszuschliessen ist. Da aber Loi. und Wi. als Tatzeitpunkt der Einzelerschiessungen den 2. bzw. den 2. oder 3.Marschtag angeben, hat das Schwurgericht eine mögliche Identität dieser beiden Einzeltötungen untereinander nicht ausschliessen können, so dass nur einer dieser beiden Einzelfälle bei der Ermittlung der Mindestzahl der auf dem Evakuierungsmarsch erschossenen Häftlinge berücksichtigt werden kann.

Hinzu kommt schliesslich noch die vom Zeugen Ehr. geschilderte Häftlingserschiessung. Insoweit kann eine Identität des Opfers mit denen von Prz. begrabenen ausgeschlossen werden. Denn Prz. hat die sechs Leichen zusammen mit ihm unbekannten Kollegen begraben. Da er aber die Person des Zeugen Ehr. (= Jan Novak) damals gut gekannt hat, wäre es dem Zeugen Prz. aufgefallen, wenn ihm der Zeuge Ehr. beim Begraben der Häftlinge geholfen hätte.

Andererseits kann auch eine Identität des vom Zeugen Ehr. bekundeten Vorfalles mit der vom Zeugen Loi. oder Wi. beschriebenen Einzeltötung ausgeschlossen werden. Der Zeuge Ehr. hat zusammen mit drei Kollegen den schwachen Häftling aus der Kolonne heraus wegtragen müssen, bevor dieser in Gegenwart des Zeugen erschossen und begraben wurde. Dieser Geschehensablauf ist von denjenigen der Einzeltötungen, die die Zeugen Loi. und Wi. erwähnt haben, so abweichend, dass nach Überzeugung des Schwurgerichts eine Identität der Fälle nicht in Betracht kommt.

Somit ist das Schwurgericht zugunsten des Angeklagten nur von mindestens 8 wegen Marschunfähigkeit erschossenen Häftlingen ausgegangen.

VIII. « Weitere Beweismittel zur Erschiessung marschunfähiger Häftlinge »

Die Richtigkeit der vom Schwurgericht vertretenen Auffassung wird auch nicht durch das übrige Ergebnis der Beweisaufnahme in Zweifel gestellt. Im Laufe der insgesamt über neun Monate dauernden Beweisaufnahme sind noch zahlreiche andere ehemalige Insassen des Lagers Gassen als Zeugen vernommen worden, die auf dem Evakuierungsmarsch nach Leipzig Anzeichen für Erschiessungen marschunfähiger Häftlinge bemerkt haben. So haben z.B. die Zeugen B., Bic., Dom., Dzi., Esc., Fre., Har., Jaq., Jas., Kac., Kad., Kl., Kob., K., Leg., Lut., Mah., Maj., Mos., Mus., Paw., Pik., Pla., Pyr., Sid., Wladislaw Szy., Wol., Wro. u.a. bekundet, sie hätten unterwegs Schüsse gehört, nachdem zuvor marschunfähige

Häftlinge von der Kolonne weggeführt worden seien oder wenn diese von selbst aus Schwäche hinter der Marschkolonne zurückgeblieben seien. Darüber hinaus konnte sich ein Teil dieser Zeugen - wie etwa B., Dom., Dzi., Fre., Kob. - noch daran erinnern, dass unterwegs Gruben ausgehoben wurden oder dass sich jedenfalls Häftlinge, die mit Spaten ausgerüstet waren, in der Evakuierungskolonne aufhielten.

Wenn auch die Aussagen dieser Zeugen jeweils für sich allein noch keine sicheren Feststellungen über die Erschiessung marschunfähiger Häftlinge zuliessen, so konnten sie aber als Indiz für die Richtigkeit des vom Schwurgericht gewonnenen Ergebnisses gewertet werden. Denn angesichts der Vielzahl der in ihrem Kerngeschehen übereinstimmenden und auf Häftlingserschiessungen hindeutenden Angaben erscheint es ausgeschlossen, dass es auf dem Weg nach Leipzig überhaupt nicht zu Tötungen marschunfähiger Häftlinge gekommen ist.

Dem steht nicht entgegen, dass ein Teil der o.g. Zeugen auch an dem zweiten Evakuierungsmarsch von Leipzig aus teilgenommen hat und dass sie möglicherweise einzelne Geschehnisse der beiden Märsche verwechseln. Der Umstand, dass den hier in Rede stehenden Zeugen zum Teil eine falsche Zuordnung einzelner Vorkommnisse möglich erscheint, legt es indessen nahe, dass es auch auf beiden Märschen - und somit auch auf dem Evakuierungsmarsch von Gassen nach Leipzig - zu Tötungen marschunfähiger Häftlinge gekommen ist. Wenn es auf einem der beiden Evakuierungsmärsche überhaupt nicht zu Häftlingserschiessungen gekommen wäre, so hätte sich dieser gravierende Unterschied der Märsche den Zeugen eingeprägt und wäre sicherlich im Verlaufe der Vernehmungen in irgendeiner Form zum Ausdruck gekommen. Jedoch hat keiner der Zeugen, die Teilnehmer beider Märsche waren, angegeben, auf einem der beiden Märsche sei es überhaupt nicht zu Erschiessung schwacher Häftlinge gekommen.

Das Schwurgericht hält es für ausgeschlossen, dass die Übereinstimmung der Zeugenaussagen in ihrem Kernbereich auf eine gemeinsame Irrtumsquelle zurückzuführen ist. Diese Möglichkeit kann schon deshalb nicht ernsthaft in Betracht kommen, weil es sich um Zeugen aus den verschiedensten Staaten - z.B. Frankreich, Israel, Australien, Polen, UdSSR, CSSR - handelt, die sich unter den gegebenen Umständen nicht abgesprochen haben können und die auch in sonstiger Weise nicht gemeinsam beeinflusst worden sein können.

Die meisten vernommenen Zeugen leben zur Zeit in Polen. Auch bei diesen Zeugen hat das Schwurgericht sein Augenmerk bei den Vernehmungen und bei der Beweiswürdigung besonders auf die Möglichkeit bewusster oder unbewusster Beeinflussung hinsichtlich des Inhalts der Aussagen gerichtet. Anhaltspunkte hierfür haben sich nicht ergeben. Unter diesen Zeugen gab es sowohl solche, die sich noch an zahlreiche Einzelheiten erinnerten als auch solche, deren Gedächtnis infolge der lange zurückliegenden Tatzeit fast völlig versagte, und zwar unabhängig davon, ob die Zeugen in der Hauptverhandlung oder im Wege der Rechtshilfe in Polen vernommen worden sind. Auch der Vergleich der Aussagen untereinander ergab keinerlei Anhaltspunkte für Übereinstimmungen, die auf eine gemeinsame Irrtums- oder Beeinflussungsquelle hätten hindeuten können. Vielmehr sprechen gerade die erheblichen Unterschiede in den Aussagen auch dieser Zeugen gegen diese Möglichkeit. Diese Unterschiede erklären sich durch den langen Zeitablauf, die unterschiedlichen Wahrnehmungsbedingungen und die individuellen Unterschiede im Erinnerungsvermögen, Umstände, die - wie dargelegt - im Ergebnis dazu geführt haben, dass in vielen Fällen keine eindeutigen Feststellungen mehr getroffen werden konnten.

Die Richtigkeit des vom Schwurgericht gewonnenen Ergebnisses wird auch nicht durch die Angaben der Zeugen Cwi., Kr., Ply., Ras., Rem., Se. und Wla. in Zweifel gestellt. Zwar haben diese Zeugen keine besonderen Vorfälle erwähnt, die auf Erschiessungen marschunfähiger Häftlinge während des Evakuierungsmarsches hingedeutet hätten. Dies war jedoch bei diesen Zeugen ohne weiteres auf ein Nachlassen des Erinnerungsvermögens zurückzuführen, was sich zur Überzeugung des Schwurgerichts bereits daraus ergibt, dass die Angaben dieser Zeugen insgesamt recht lückenhaft und zum Teil sehr verworren waren.

Schliesslich konnte die vom Schwurgericht gewonnene Überzeugung nicht durch die Angaben des Zeugen Schi. erschüttert werden. Dieser hat u.a. bekundet, er sei gegen Kriegsende als Soldat auf einem Fernmeldewagen eingesetzt gewesen, der ständig seinen Standort gewechselt habe und auch ein paar Tage im Ort Gassen stationiert gewesen sei. Die Besatzung des Funkwagens, die zur Division "Gross Deutschland" gehört habe, habe die Aufgabe gehabt, in Frontnähe Feldtelefonleitungen abzumontieren. An dem Morgen, an dem die Insassen des Lagers Gassen abmarschiert seien, habe er zufällig in der Nähe des Lagers Panzerwache gehabt. Er habe gesehen, dass sich die Häftlinge bei Anbruch des Tages ausserhalb des Lagers zum Appell versammelt hätten. Bei dieser Gelegenheit sei ein Tagesbefehl verlesen worden, der u.a. besagt habe, dass die Häftlinge bei Fluchtversuch oder im Falle von Marschunfähigkeit erschossen würden. Er, der Zeuge, sei währenddessen mit einem Soldaten der Wachmannschaft ins Gespräch gekommen und habe von diesem erfahren, dass es sich bei den Lagerinsassen um polnische und russische Schwerverbrecher handele. Er sei dann schliesslich - noch bevor die Häftlinge abmarschiert seien - zum Funkwagen zurückgegangen, der sich im Ort Gassen befunden habe, wo noch zahlreiche andere, ebenfalls zur Division "Gross Deutschland" gehörende, Militärfahrzeuge gestanden hätten. Die Fahrzeugkolonne sei schon bald wegen der näherrückenden Front abgefahren. Der Funkwagen, dem er, der Zeuge, zugeteilt gewesen sei, habe jedoch wegen einer erforderlich gewordenen Reparatur des Wagens erst am späten Vormittag abfahren können. Nachdem der Funkwagen etwa gegen Nachmittag zur Fahrzeugkolonne der Division "Gross Deutschland" aufgeschlossen sei, hätten sie auch die Häftlingskolonne überholt. Die Häftlinge hätten zum Teil am Strassenrand oder im Strassengraben gesessen. Erst nach etwa einer weiteren Stunde Autofahrt habe der Funkwagen den Haupttrupp der Häftlinge erreicht, da die Strasse von Flüchtlingen vollgestopft und die Häftlingskolonne mindestens 5 km lang gewesen sei. Er, der Zeuge, habe sich gewundert, dass er keine erschossenen Häftlinge gesehen habe, weil ja zuvor dieser Befehl verlesen worden sei. Er habe sich noch gedacht: "Erst Sprüche klopfen und dann passiert nichts!"
An der Spitze der Häftlingskolonne habe sich die Wachmannschaft befunden. Ansonsten habe er nur alle paar Kilometer Posten gesehen, die sich aber um gar nichts mehr gekümmert hätten. Er habe beim Vorbeifahren an die Häftlinge Lebensmittel verteilt und ein Teil der Häftlinge sei auf dem Trittbrett des Funkwagens mitgefahren, um wieder Anschluss an die Marschkolonne zu gewinnen.

Das Schwurgericht hält es zunächst für zweifelhaft, ob sich der Zeuge Schi. am Morgen des 12.2.1945 überhaupt in Gassen aufgehalten hat. Abgesehen davon, dass nahezu alle ehemaligen Häftlinge des Lagers Gassen, die als Zeugen vernommen worden sind, den Verlauf des ersten Marschtages abweichend von Schi. darstellen, musste dieser auf Befragen einräumen, er sei sich letztlich nicht sicher, dass es sich bei den Häftlingen, deren Aufbruch er beobachtet habe, tatsächlich um die Insassen des Lagers Gassen gehandelt habe. Er sei an vielen Orten des niederschlesischen Bereichs im Einsatz gewesen, so dass es sich auch durchaus um ein anderes Lager gehandelt haben könne. Hierfür sprechen im übrigen die glaubhaften Angaben der Zeugen And., Mac., Poz., Seb. und Schn., die entweder bis zum Einmarsch der russischen Truppen oder jedenfalls bis kurze Zeit zuvor in Gassen gelebt haben. Sie haben übereinstimmend bekundet, dass sie in Gassen vor dem Einmarsch der Russen kein deutsches Militär gesehen hätten.

Selbst wenn man gleichwohl noch davon ausginge, Schi. sei tatsächlich zu dem fraglichen Zeitpunkt in Gassen gewesen, so ergeben sich schon deshalb Zweifel an der Richtigkeit seiner Angaben, weil kein vernünftiger Grund ersichtlich ist, wieso die Lagerinsassen sich bemüht haben sollen, unbedingt den Anschluss an die Evakuierungskolonne zu behalten, obwohl sie nach den Angaben Schi.s ohne weiteres zurückbleiben und auf die näherrückenden russischen Truppen warten konnten. Unter den gegebenen Umständen konnten diese aus der Sicht der Häftlinge doch nur als Befreier angesehen werden, die dem menschenunwürdigen Lagerdasein ein Ende bereiteten.

Nach alledem ist das Schwurgericht zu der Überzeugung gekommen, dass der Zeuge Schi. entweder am 12.2.1945 gar nicht in Gassen war oder dass seine Angaben hinsichtlich der Auflösung der Häftlingskolonne am ersten Marschtag masslos übertrieben und verfälscht sind, so dass das Ergebnis der Beweisaufnahme durch die Angaben Schi.s nicht in Zweifel gestellt wird.

IX. « Beweismittel und Beweiswürdigung zu weiteren Feststellungen zum Evakuierungsmarsch, zur inneren Einstellung des Angeklagten sowie zur Kenntnis der Häftlingstötungen und ihrer Rechtswidrigkeit »

1) Die Feststellung über das Abmarschdatum (12.2.1945) beruht zunächst auf den Angaben der oben bereits erwähnten Zeugin Mac., die u.a. bekundet hat, sie habe noch ein Gespräch mit ihrem damaligen Nachbarn in Erinnerung. Dieser habe ihr gesagt, so lange die Häftlinge noch im Lager seien, brauchten sie nicht mit dem Einmarsch der russischen Truppen zu rechnen. Nachdem das Lager dann geräumt worden sei, seien tatsächlich am nächsten Tag - am 13.2.1945 - die Russen im Ort Gassen einmarschiert.

Das Schwurgericht hatte keinen Anlass, die Richtigkeit dieser Angaben anzuzweifeln, zumal der 13.2.1945 auch von der Zeugin And. als Zeitpunkt des Einmarsches der russischen Truppen in Gassen angegeben wird. Darüber hinaus wird die Zeitangabe der Zeugin Mac. durch zahlreiche andere Zeugenaussagen im Ergebnis bestätigt. Abgesehen davon, dass nahezu sämtliche ehemaligen Häftlinge des Lagers Gassen, die in diesem Verfahren gehört worden sind, als Beginn des Evakuierungsmarsches die erste Februarhälfte 1945 angeben, konnten sich auch die französischen Zeugen Esc., Loi., Gui. und Ral. sowie die polnischen Zeugen Dom. und Lut. noch an den 12.2.1945 als das genaue Abmarschdatum erinnern.

Wenn der Angeklagte selbst den 13.2.1945 als Tag des Abmarsches angibt, so mag sich diese Unstimmigkeit daher erklären, dass der Angeklagte am 13.2. seinen Geburtstag hat und dass er diesen für ihn markanten Termin in der Rückerinnerung auch mit dem Datum des Abmarsches verbindet.

Den Zeitpunkt der Ankunft der Evakuierungskolonne in Leipzig (22.2.1945) hat das Schwurgericht einer schriftlichen Meldung der Verwaltung des Lagers Leipzig-Thekla an den Standortarzt des KL Buchenwald vom 9.3.1945 entnommen. Diese Meldung ist in beglaubigter Fotokopie zum Gegenstand der Hauptverhandlung gemacht worden und hat u.a. folgenden Inhalt:

> "..., befinden sich im hiesigen Lager ca. 200 Häftlinge vom Arbeitslager Gassen mit sehr starkem Durchfall. ... Es sind nun schon seit dem 22.2.1945 38 Häftlinge an dieser Krankheit eingegangen, und werden noch ein grosser Teil folgen."

In Anbetracht des eindeutigen Wortlautes der Urkunde musste es zunächst ausser Zweifel stehen, dass die Meldung vom 9.3.1945 tatsächlich das Lager Gassen betrifft, zumal der dort beschriebene Gesundheitszustand der Häftlinge mit den vom Gericht insoweit getroffenen Feststellungen übereinstimmt. Darüber hinaus hatte das Schwurgericht keine Bedenken, das in der Meldung angegebene Datum des 22.2.1945 als Ankunftstag der Evakuierungskolonne in Leipzig anzusehen. Dies steht in Einklang mit den Angaben einer Vielzahl von Zeugen, die übereinstimmend bekundet haben, der Fussmarsch nach Leipzig habe inklusive der Bahnfahrt etwa zehn Tage gedauert. Der Zeuge Loi. konnte sich schliesslich noch daran erinnern, dass ihm bei der Ankunft in Leipzig Häftlinge des Lagers Thekla den 22.2.1945 als Ankunftsdatum genannt hatten, was ebenfalls noch für die Richtigkeit der vom Schwurgericht getroffenen Feststellung spricht.

2) Die Feststellungen über die Witterungsverhältnisse während des Evakuierungsmarsches nach Leipzig beruhen auf den im wesentlichen übereinstimmenden Aussagen der ehemaligen Häftlinge des Lagers Gassen, die als Zeugen gehört worden sind. Auch hier erscheint eine Würdigung der einzelnen Bekundungen entbehrlich, da wegen der Vielzahl der Übereinstimmungen wiederum nur auf die Richtigkeit der Angaben geschlossen werden kann. Die Angaben der ehemaligen Häftlinge bezüglich der Witterungsverhältnisse werden zudem durch die Bekundungen der Zeugen And. und Poz. bestätigt, die noch in Erinnerung hatten, dass es beim Einmarsch der Russen in Gassen kalt war und dass Schnee gelegen hat.

Schliesslich wird die Richtigkeit der vom Schwurgericht festgestellten Witterungsverhältnisse auch noch durch die Angaben der Zeugen Pet. und Hit. untermauert. Sie haben glaubhaft und übereinstimmend bekundet, dass zur Zeit der Verlegung des Flugzeugwerkes von Gassen nach Karlsbad "bitteres Winterwetter" geherrscht habe.

3) Bei den Feststellungen darüber, dass der Angeklagte Kenntnis von den Tötungen der marschunfähigen Häftlinge hatte, hat das Schwurgericht folgende Überlegungen angestellt:

Der Angeklagte kannte zunächst der Befehl, unterwegs marschunfähige Häftlinge zu erschiessen. Darüber hinaus kannte er - wie bereits auf S.59/60 der Urteilsgründe [140] ausgeführt - die körperliche Verfassung der Häftlinge. Ferner waren ihm die Witterungsverhältnisse und der Marschablauf bekannt, den er sogar alleine festlegte. Schliesslich befand sich der Angeklagte nach eigenen Angaben anlässlich der Übernachtungen und auch zum Teil während der einzelnen Marschetappen - jeweils nach der Auswahl der Nachtquartiere - bei der Evakuierungskolonne.

Unter diesen Umständen hält es das Schwurgericht für ausgeschlossen, dass dem Angeklagten die Tötung der marschunfähigen Häftlinge verborgen geblieben sein soll, zumal der Angeklagte seiner eigenen Einlassung zufolge als Lagerführer für den Rückmarsch verantwortlich war und er nach der Ankunft in Leipzig selbst die Weiterleitung der Häftlingsliste "mit den eingetragenen Veränderungen" an die Verwaltung des Stammlagers Gross-Rosen veranlasst hat. Unter den dargelegten Umständen ist vielmehr das Schwurgericht davon überzeugt, dass der Angeklagte von den Tötungen der marschunfähigen Häftlinge gewusst und dies gebilligt hat.

Der Angeklagte mag sich zu dem Zeitpunkt, als er die Bekanntgabe des Erschiessungsbefehls an die Häftlinge anordnete, keine genauen Vorstellungen über die Anzahl der Häftlinge gemacht haben, die von dem Erschiessungsbefehl betroffen würden. Angesichts der vorerwähnten Umstände war für ihn jedoch offensichtlich, dass eine grössere Anzahl von Häftlingen - jedenfalls nicht weniger als acht - dieses Schicksal ereilen würde.

4) Die innere Einstellung des Angeklagten zu den ihm anvertrauten Häftlingen ergibt sich bereits daraus, dass der Angeklagte seinerzeit als Lagerführer in Gassen die allgemeinen Lagerverhältnisse, in denen für jedermann ersichtlich die menschenverachtende Grundeinstellung der SS-Führung gegenüber den Häftlingen zum Ausdruck kam, gekannt und in seiner Person massgeblich gefördert hat. Das Wohlergehen der ihm anvertrauten Häftlinge war ihm offensichtlich gleichgültig. Insbesondere unternahm er nichts gegen die ihm bekannte "zu grobe" Behandlung der Häftlinge durch die Kapos und den Lagerältesten Kle., der im übri-

[140] = Seite 663 f. dieses Bandes.

gen von nahezu allen als Zeugen vernommenen ehemaligen Häftlingen als Sadist beschrieben wird, der im Lager schalten und walten konnte.
Die Gleichgültigkeit des Angeklagten, mit der er den Häftlingen gegenüberstand, entspricht ebenfalls seiner Einstellung zur SS, deren Zugehörigkeit der Angeklagte nach eigenen Angaben "als Beruf auffasste" und mit deren Grundeinstellung er infolgedessen auch einverstanden war. Die menschenverachtende Einstellung der SS-Führung gegenüber den Häftlingen, die nur als Arbeitssklaven angesehen wurden, über deren Leben und Gesundheit skrupellos verfügt werden konnte, kam bereits während der gesamten Lagerzeit in der beschriebenen Weise zum Ausdruck und fand schliesslich ihre konsequente Fortsetzung in der Art der Durchführung des Evakuierungsmarsches.

Aus dem Umstand, dass der Angeklagte an der letzten Etappe des Fussmarsches eine mehrtägige Rast anordnete und sechs Eisenbahnwaggons zum Weitertransport der Häftlinge nach Leipzig beschaffte, lässt sich nichts anderes herleiten. Der Angeklagte hat sich nicht darauf berufen, dass er diese Handlungen aus Mitleid zu den Häftlingen oder aus sonstigen achtenswerten Beweggründen vorgenommen habe. Auch die Gesamtwürdigung seiner Handlungen und der sonstigen Umstände, unter denen der Rückmarsch durchgeführt wurde, ergibt, dass nicht humanitäre Erwägungen oder ähnliche Gründe für diese Anordnungen des Angeklagten ausschlaggebend oder wenigstens mit massgebend waren, sondern allein der Gedanke, die Häftlinge befehlsgemäss nach Leipzig zu bringen. Der Gedanke, die Häftlinge nicht in jedem Falle zu töten, sondern nur, soweit sie als Arbeitssklaven nicht mehr "verwertbar" waren, schliesst die menschenverachtende Gesinnung nicht aus, sondern bestätigt sie nur. Aus der oben beschriebenen Einstellung des Angeklagten resultiert nach Überzeugung des Schwurgerichts auch seine Gefühllosigkeit gegenüber dem Umstand, dass den Häftlingen durch die vorherige Bekanntgabe des Erschiessungsbefehls und dessen Durchführung zusätzliche Qualen bereitet wurden.

Dem steht nicht entgegen, dass der Angeklagte - wie noch auszuführen sein wird - den verbrecherischen Charakter des Erschiessungsbefehls erkannt hatte und er diesen als "schrecklich" ansah. Mit dieser Erkenntnis hatte sich beim Angeklagten keinerlei gefühlsmässige Reaktion verbunden. Vielmehr muss aus den Gesamtumständen und seinem eigenen Verhalten - insbesondere hat er auch aus Anlass der angeordneten Evakuierung des Lagers keine Anstrengungen unternommen, um das Schicksal der Häftlinge zu erleichtern - geschlossen werden, dass gerade seine gleichgültige und unbarmherzige Einstellung gegenüber den Häftlingen ein wesentlicher Grund dafür war, dass ihm etwaige Bedenken gegen die Durchführung des als verbrecherisch erkannten Befehls gar nicht erst kamen.

5) Dass die Anordnung, marschunfähige Häftlinge bedenkenlos zu erschiessen, nicht rechtens war, ist offensichtlich und bedarf keiner näheren Darlegung.

Nach Überzeugung des Schwurgerichts war es auch dem Angeklagten bekannt, dass der Tötungsbefehl verbrecherischen Inhaltes war. Dies ergibt sich schon aus den eigenen Angaben des Angeklagten, der zum einen eingeräumt hat, der Tötungsbefehl sei für ihn "schrecklich" gewesen. Darüber hinaus will der Angeklagte selbst nicht in Abrede stellen, dass in seiner Abwesenheit von der Evakuierungskolonne "Schweinereien" passiert seien. Hierdurch hat der Angeklagte laienhaft - aber unmissverständlich - zum Ausdruck gebracht, dass er die Tötung der marschunfähigen Häftlinge auf dem Evakuierungsmarsch als Unrecht ansah.

Schliesslich war es für das Schwurgericht in diesem Zusammenhang noch von Bedeutung, dass der Angeklagte kein fanatischer Nationalsozialist war, sondern vielmehr der Typ eines Mitläufers, der seine Zugehörigkeit zur SS als Beruf auffasste, so dass auch insoweit der Kernbereich sittlicher Wertvorstellungen - insbesondere des elementaren ethischen Gebotes, Menschen nicht grundlos zu töten - nicht durch ideologische Verblendung getrübt sein konnte.

Nach alledem ist das Schwurgericht davon überzeugt, dass dem Angeklagten der verbrecherische Inhalt des Befehls bekannt war.

X. « Rechtliche Würdigung »

Nach den getroffenen Feststellungen hat sich der Angeklagte der Beihilfe zum Mord an mindestens acht Häftlingen, begangen durch eine einzige natürliche Handlung, schuldig gemacht, §§211, 49, 73 StGB a.F., 211, 27, 52 StGB n.F.,

Die Tötung der acht marschunfähigen Häftlinge ist in rechtlicher Hinsicht als tatbestandsmässiger, rechtswidriger und vorsätzlich begangener Mord zu werten (§211 StGB). Dies gilt auch - wie im einzelnen noch näher auszuführen sein wird - für die Tötung des französischen Häftlings Roussard. Täter sind jedenfalls die unbekannt gebliebenen Urheber des Erschiessungsbefehls, möglicherweise auch der Lagerkommandant von Gross-Rosen und diejenigen SS-Leute, die die Erschiessungen der marschunfähigen Häftlinge durchgeführt haben.

Die Tötung der Häftlinge geschah aus niedrigen Beweggründen. Sie erfolgte aus einer Gesinnung, die nach gesundem Moralempfinden besonders verachtenswert ist. Dem Tötungsbefehl lag nämlich für jedermann ersichtlich eine innere Einstellung zu Grunde, die in einem KL--Häftling ein wertloses Nichts sah, das bedenkenlos aus jedem Anlass ausgelöscht werden konnte und an dessen Lebenserhaltung allenfalls wegen der Nutzung der Arbeitskraft ein Interesse bestand. Derartige Tötungen sind in hohem Masse verwerflich motiviert und sind daher aus niedrigen Beweggründen im Sinne von §211 StGB begangen.

Die Tötungen waren auch grausam im Sinne von §211 StGB. Sie waren für die Opfer - über die blosse Tötungshandlung hinaus - mit besonders schwerer Zufügung von Schmerzen seelischer und körperlicher Art verbunden und gingen zudem aus einer gefühllosen und unbarmherzigen Gesinnung hervor. Die Opfer sind nämlich vor ihrem Tod und in unmittelbarem Zusammenhang damit auf unmenschliche Art gequält worden. Sie mussten sich, dem Zusammenbrechen nahe, unter Aufbietung ihrer letzten Kräfte qualvoll so lange weiterschleppen, bis sie schliesslich doch nicht mehr weiter konnten, wobei sie stets den angekündigten Erschiessungstod drohend vor Augen hatten, der sie schliesslich gnadenlos ereilte.

Was den Tatbeitrag des Angeklagten angeht, so hat dieser durch die Weitergabe des verbrecherischen Befehls eine entscheidende Ursache für die Tötung der marschunfähigen Häftlinge gesetzt. Er hat weiterhin durch die Organisation des Rückmarsches, insbesondere durch die veranlasste Bekanntgabe des Befehls an die Häftlinge und durch die Festlegung der Etappenziele, zur Beschleunigung des Taterfolges beigetragen und hat somit noch weitere unterstützende Tatbeiträge geliefert. In diesem Zusammenhang ist es ohne Bedeutung, ob der Angeklagte als Lagerführer nur für das Wohl der Häftlinge verantwortlich war oder ob er auch als Befehlshaber der Wachmannschaft fungierte. Es kommt hier nur darauf an, dass die Handlungen des Angeklagten in tatsächlicher Hinsicht ursächlich für den Tod der marschunfähigen Häftlinge waren.

Dies trifft ebenfalls für den Tod des französischen Häftlings Roussard zu. Es ist zwar nicht ausgeschlossen, dass Roussard von Kapos erschlagen und nicht erschossen wurde. Aber auch bei dieser Fallgestaltung war der Tatbeitrag des Angeklagten für den Tod Roussards ursächlich; denn die Beweisaufnahme hat keine Anhaltspunkte dafür ergeben, dass Roussard aus anderen, vom Erschiessungsbefehl unabhängigen Gründen - wie z.B. wegen eines Fluchtversuchs oder wegen Widerstandes - den Tod erlitten hat. Vielmehr steht fest, dass die Aussonderung Roussards und seine anschliessende Tötung wegen Marschunfähigkeit erfolgten, also letztlich wie bei den übrigen getöteten Häftlingen aufgrund des Erschiessungsbefehls. Da es unter diesen Umständen für die Bewertung der Tat unwesentlich ist, ob Roussard erschlagen oder erschossen wurde, müssen dem Angeklagten jedenfalls die Handlungen der Kapos, die möglicherweise zum Tode Roussards geführt haben, zugerechnet werden.

Inwieweit der vorstehend näher dargelegte Tatbeitrag des Angeklagten unter der Geltung des §25 Abs.I StGB n.F. als "Täterschaft" zu werten ist, mag dahinstehen. Gemäss §2 Abs.III StGB muss jedenfalls die Frage, ob der Tatbeitrag des Angeklagten als Täterschaft oder lediglich als Beihilfe anzusehen ist, anhand des damals gültigen Rechtszustandes beantwortet werden, wenn dies zu Ergebnissen führt, die sich für den Angeklagten günstiger auswirken.

Dies ist hier der Fall.

Zur Zeit der Tat wurde jedenfalls die Abgrenzung zwischen Täterschaft und Beihilfe ausschliesslich nach der vom Reichsgericht entwickelten und später auch vom Bundesgerichtshof in ständiger Rechtsprechung vertretenen subjektiven Teilnahmetheorie vorgenommen, der sich auch insoweit das Schwurgericht angeschlossen hat, da nur anhand von subjektiven Abgrenzungskriterien eine täter- und fallgerechte Unterscheidung der einzelnen Teilnahmeformen - insbesondere bei staatlich organisierten Massenverbrechen - ermöglicht wird.

Unter Zugrundelegung der subjektiven Abgrenzungstheorie, die nicht auf den äusseren Tatbeitrag, sondern auf die innere Einstellung des Beteiligten zur Tat abstellt (sog. animus auctoris = Täter; sog. animus socii = Gehilfe), konnte jedoch nach dem Ergebnis der Beweisaufnahme nicht ausgeschlossen werden, dass der Angeklagte mit seinem Tatbeitrag lediglich die Tat der Befehlsgeber unterstützen wollte. Dem steht nicht entgegen, dass die Position des Angeklagten, der für die Organisation und die Durchführung des Evakuierungsmarsches alleine verantwortlich war, letztlich auf einen "animus auctoris" und somit auf eine Täterschaft des Angeklagten hindeuten. Für das Schwurgericht war es vielmehr entscheidend, dass sich letzte Zweifel am "animus socii" des Angeklagten nicht ausräumen liessen, da nicht übersehen werden konnte, dass sich der Angeklagte möglicherweise in seiner Vorstellung nur dem erteilten Befehl untergeordnet hat, ohne dass er die Tötung der marschunfähigen Häftlinge zu seiner eigenen Sache gemacht hätte. Darüber hinaus lagen auch keine Beweise vor, dass der Angeklagte eigenhändig Häftlinge erschossen hat oder dass er bei der Beteiligung an der Tat seiner Befehlsgeber einen besonderen einverständlichen Eifer an den Tag gelegt hätte. Schliesslich bot die Persönlichkeit des Angeklagten, der als "Mitläufertyp" einzuordnen ist, keine hinreichenden Anhaltspunkte, die den Rückschluss rechtfertigen könnten, er habe aus eigenem Antrieb bei der Tötung der Häftlinge mitgewirkt.

Nach alledem konnte nur eine Beihilfe zum Mord in Betracht kommen.

Der Angeklagte kannte und billigte auch die "niedrigen Beweggründe" und die "Grausamkeit" der Haupttäter. Dies ergibt sich zur Überzeugung des Schwurgerichts aus der Kenntnis des Angeklagten vom Inhalt des Befehls sowie seiner Kenntnis der Gesamtumstände, zumal der Angeklagte selbst eingeräumt hat, auch nach seiner Auffassung habe der Befehl dazu gedient, keine Häftlinge in Feindeshand fallen zu lassen und bei der Evakuierung des Lagers Verzögerungen zu vermeiden. Da - wie bereits im Rahmen der Beweiswürdigung ausgeführt wurde - dem Angeklagten das Wohlergehen der ihm anvertrauten Lagerinsassen gleichgültig war und er den gesamten Tatverlauf voraussah, er insbesondere aufgrund der Gesamtumstände auch wusste, wie sehr die Opfer vor ihrem Tode körperlich und seelisch leiden würden, sind ihm auch selbst die Merkmale der "niedrigen Beweggründe" und der "Grausamkeit" im Sinne von §211 StGB zuzurechnen.

Der Angeklagte handelte auch rechtswidrig. Gründe, welche die Tat oder den Tatbeitrag des Angeklagten rechtfertigen könnten, sind nicht ersichtlich. Insbesondere war §211 StGB auch damals geltendes Recht und nicht etwa durch Führerbefehl oder in sonstiger Weise ausser Kraft gesetzt.

Der Angeklagte hat seinen Tatbeitrag auch schuldhaft geleistet.

Er kannte und billigte alle Tatumstände einschliesslich derer, die das Merkmal der "Grausamkeit" ausmachen. Der Angeklagte hat somit vorsätzlich gehandelt. Dabei spielt es keine Rolle, dass er bei den einzelnen Tötungen nicht zugegen war und er infolgedessen nicht alle Einzelheiten und Umstände der Tötungen kannte. Denn dem Angeklagten waren - wie ausgeführt - alle wesentlichen Umstände bekannt. Er wusste insbesondere, dass die marschunfähigen Häftlinge, die sich mit letzter Kraft dahinschleppten, um ihr Leben zu verlängern, erschossen würden. Er wusste auch spätestens im Zeitpunkt der Weitergabe des Erschiessungsbefehls, dass zumindest acht Häftlinge wegen Marschunfähigkeit erschossen würden. Somit waren alle wesentlichen Tatumstände vom Vorsatz des Angeklagten umfasst. Die mögliche Unkenntnis des Angeklagten von unwesentlichen Einzelheiten der Tatausführung ist rechtlich ohne Bedeutung. Als eine solche unwesentliche Einzelheit ist es auch anzusehen, wenn möglicherweise der französische Häftling Roussard nicht durch Erschiessen, sondern bereits aufgrund der Schläge der Kapos auf dem Weg zum Erschiessungsort den Tod erlitten hat. Denn - wie bereits ausgeführt - erfolgte auch diese Tötung in Ausführung des Tötungsbefehls wegen der Marschunfähigkeit von Roussard.

Der Angeklagte hatte auch das Bewusstsein, Unrecht zu tun. Er hatte nämlich - wie ebenfalls bereits erörtert - zweifelsfrei erkannt, dass der Befehl, die marschunfähigen Häftlinge zu töten, unter den gegebenen Umständen verbrecherischen Inhalts war. Der Angeklagte kann sich im Hinblick auf den Tötungsbefehl nicht auf die Vorschrift des §47 des damals geltenden Militärstrafgesetzbuches (MStGB) berufen, wonach der befehlende Vorgesetzte alleine verantwortlich ist, wenn durch die Ausführung eines Befehls in Dienstsachen ein Strafgesetz verletzt wird. Zwar ist §47 MStGB noch heute auf die unter seiner Geltung begangenen Taten anwendbar. Gemäss §3 der Verordnung über die Sondergerichtsbarkeit in Strafsachen für Angehörige der SS erstreckt sich die Geltung des §47 MStGB auch auf die Taten des Angeklagten, soweit dieser auf Befehl gehandelt hat. Jedoch ist gemäss §47 Abs.I Satz 2 Ziff.2 MStGB der gehorchende Untergebene - hier also der Angeklagte - u.a. dann für seine Handlungen selbst verantwortlich, wenn er erkannt hat, dass der Befehl des Vorgesetzten eine Handlung betraf, welche ein Verbrechen bezweckte. Dass diese Voraussetzungen in der Person des Angeklagten vorliegen, ist ebenfalls schon dargetan, so dass hierauf verwiesen werden kann.

Die Verantwortung für die Tötung der Häftlinge lag somit beim Angeklagten.

Dieser befand sich auch nicht dadurch in einem Verbotsirrtum, dass er an die Verbindlichkeit des Erschiessungsbefehls geglaubt hat. Ein irriger Glaube an die Verbindlichkeit des Befehls setzt nämlich voraus, dass sich der Angeklagte insoweit überhaupt irgendwelche Vorstellungen gemacht hat. In Anbetracht der oben (vgl. S.3 ff. der Urteilsgründe [141]) erwähnten Grundeinstellung des Angeklagten gegenüber den ihm anvertrauten Häftlingen ist das Schwurgericht jedoch davon überzeugt, dass nicht der Glaube an die Verbindlichkeit des Befehls für den Tatbeitrag des Angeklagten massgebend war, sondern, dass dieser sich - da ihm das Wohlergehen der Häftlinge gleichgültig war - überhaupt keine ernsthaften Gedanken über den Umfang der Gehorsams- oder Treuepflicht gegenüber seinen Befehlsgebern gemacht hat, er vielmehr unter den gegebenen Umständen den bequemsten Ausweg und damit den Weg des geringsten Widerstandes gewählt hat. Für die Richtigkeit dieser Überlegung sprechen letztlich auch die eigenen Angaben des Angeklagten, der dem Schwurgericht u.a. auf Befragen noch erklärt hat, der Befehl sei "von oben" gekommen und daher für ihn verbindlich gewesen. Eine solche Einstellung lässt allenfalls den Rückschluss auf einen "blinden"

[141] = Seite 644 ff. dieses Bandes.

Gehorsam des Angeklagten zu. Ein solcher kann aber niemals die strafrechtliche Verantwortung ausschliessen, da von einem in einem Verbotsirrtum befangenen Täter ja gerade die Anspannung seines Gewissens gefordert wird (vgl. hierzu BGH LM Nr.6 zu §47 MStGB).

Es besteht auch kein Raum für die Annahme von Schuldausschliessungsgründen; insbesondere kann sich der Angeklagte nicht auf entschuldigenden Notstand (§52 StGB a.F. = §35 StGB n.F.) berufen.

Wer sich auf Nötigungsstand beruft, ist nur entschuldigt, wenn er sich unter Aufbietung all seiner körperlichen und geistigen Fähigkeiten bemüht hat, der Gefahr oder vermeintlichen Gefahr auf eine die Straftat vermeidende Weise zu entgehen, ohne einen Ausweg zu finden (vgl. hierzu BGHSt. 18, 311). Aufgrund der oben - bei der Prüfung des Verbotsirrtums - dargelegten Erwägungen ist das Schwurgericht auch davon überzeugt, dass der Angeklagte nicht aufgrund einer vermeintlichen Nötigung zu seinem Tatbeitrag veranlasst worden ist und dass er die nach §52 StGB a.F. bzw. §35 StGB n.F. erforderlichen Überlegungen überhaupt nicht angestellt hat. Es kommt hinzu, dass sich der Angeklagte selbst nicht darauf berufen hat, er habe letztlich nur aus Angst vor seinen Dienstvorgesetzten gehandelt.

Unabhängig davon ist das Schwurgericht nach dem Ergebnis der Beweisaufnahme auch davon überzeugt, dass dem Angeklagten durchaus eine Umgehung des Tötungsbefehls möglich gewesen wäre, ohne hierdurch sich selbst oder andere ihm nahestehende Personen ernsthaft zu gefährden.

Zunächst hat die Beweisaufnahme keinerlei Anhaltspunkte dafür ergeben, dass die Ausführung des Erschiessungsbefehls in irgendeiner Form überwacht worden wäre, zumal bereits am Tage nach dem Abmarsch der Evakuierungskolonne russische Truppen in Gassen einmarschiert sind (vgl. S.126 der Urteilsgründe [142]) und das Stammlager Gross-Rosen zur damaligen Zeit auch evakuiert wurde (vgl. S.35, 55/56 der Urteilsgründe [143]). Unter diesen Umständen hätte der Angeklagte diejenigen Häftlinge, die sich in einer besonders schlechten körperlichen Verfassung befanden, im Lager oder an den jeweiligen Rastplätzen zurücklassen und von den russischen Truppen befreien lassen können. Es wäre weiterhin im Bereich des Möglichen gewesen, auf dem Evakuierungsmarsch mehr Plattformwagen zum Transport geschwächter Häftlinge mitzuführen, da genügend von diesen Wagen auf dem Fabrikgelände in Gassen standen (vgl. S.31, 63 der Urteilsgründe [144]). Da dem Angeklagten alleine die Organisation des Evakuierungsmarsches oblag, hätte er auch die einzelnen Etappen des Fussmarsches kürzen können, um auf diese Weise die Häftlinge zu schonen und nicht "marschunfähig" werden zu lassen. Schliesslich hält es das Schwurgericht mangels gegenteiliger Anhaltspunkte nicht für ausgeschlossen, dass der Angeklagte den nur an ihn gerichteten Befehl, das Lager zu evakuieren, ohne die Erschiessungsanordnung hätte weitergeben können, um so das Leben der ihm anvertrauten Häftlinge zu retten.

Die vorstehend beispielhaft aufgezeigten Auswege erforderten keine besondere Intelligenz oder Phantasie. Sie hätten sich auch dem Angeklagten nach dem persönlichen Eindruck, den das Schwurgericht von ihm während der über neun Monate dauernden Hauptverhandlung gewonnen hat, aufdrängen müssen, sofern er gegenüber den Häftlingen etwas mehr Menschlichkeit gezeigt hätte und ihm deren Wohlergehen nicht völlig gleichgültig gewesen wäre.

[142] = Seite 686 dieses Bandes.

[143] = Seite 655 bzw. 662 dieses Bandes.

[144] = Seite 653 bzw. 665 dieses Bandes.

Nach alledem fehlt es auch bereits an einer unmittelbaren Gefährdung des Angeklagten, so dass auch mit Rücksicht hierauf eine Berufung auf §52 StGB a.F. bzw. §35 StGB n.F. nicht in Betracht kommt.

Somit hat der Angeklagte auch schuldhaft gehandelt.

Der Tatbeitrag des Angeklagten ist rechtlich als eine Beihilfe zum Mord an mindestens acht Menschen anzusehen, wobei dahinstehen kann, ob die übrigen Beteiligten nur einen Mord oder acht Morde begangen haben. Die Frage der Tateinheit oder der Tatmehrheit ist nämlich bei jedem der an einer Tat Beteiligten nach seinem Tatbeitrag zu beurteilen. Zwar setzt sich der Tatbeitrag des Angeklagten - wie bei der Prüfung der Kausalität erörtert - aus verschiedenen Einzelakten zusammen. Diese stellen sich jedoch bei natürlicher Betrachtungsweise als eine einheitliche Handlung dar (§73 StGB a.F. = §52 StGB n.F.).

Sie beruhen auf einem einheitlichen Entschluss des Angeklagten. Sie hingen ferner zeitlich und räumlich zusammen und dienten einen einheitlichen Zweck, nämlich in der beschriebenen Weise bei der Durchführung des Evakuierungsmarsches mitzuwirken und hierbei die Ziele der SS-Führung zu unterstützen.

XI. « Nicht bewiesene Häftlingstötungen »

Von den übrigen Anklagevorwürfen war der Angeklagte freizusprechen.

1) Unter Ziffer 1) der Anklageschrift wird dem Angeklagten zur Last gelegt, selbst einen marschunfähigen Häftling zu Tode getreten zu haben.

Der Anklagevorwurf war insoweit im wesentlichen auf die Angaben des Zeugen Pom. gestützt, die dieser im Vorverfahren gemacht hat. Diese Angaben sind zwar, da Pom. am 31.12.1971 verstorben ist, durch Verlesung des Vernehmungsprotokolls vom 2.10.1970 in die Hauptverhandlung eingeführt worden. Die Angaben des Zeugen Pom. zu dem hier in Rede stehenden Vorfall waren jedoch insgesamt zu wenig konkret, als dass hierauf nach der Überzeugung des Schwurgerichts mit der erforderlichen Gewissheit eine Verurteilung des Angeklagten hätte gestützt werden können. Auch die übrigen im Laufe der Hauptverhandlung zu Ziffer 1) der Anklageschrift gehörten Zeugen vermochten insoweit den Anklagevorwurf nicht hinreichend sicher zu bestätigen, zumal bei keinem der Zeugen mögliche Fehler bei der Identifizierung der Person des Täters auszuschliessen waren, an die das Schwurgericht in Anbetracht der lange zurückliegenden Tatzeit - wie bereits auf S.44/45 der Urteilsgründe [145] dargelegt - besonders hohe Anforderungen gestellt hat.

Soweit dem Angeklagten unter Ziffer 2) und 3) der Anklageschrift vorgeworfen wird, er habe insgesamt drei Häftlinge durch Schäferhunde zu Tode beissen lassen, konnte ebenfalls keine Verurteilung erfolgen.

Zwar haben einige Zeugen angegeben, auf dem Evakuierungsmarsch nach Leipzig seien Hunde von den SS-Leuten mitgeführt und teilweise auch auf Häftlinge gehetzt worden. Die Angaben dieser Zeugen weichen aber in entscheidenden Punkten so voneinander ab, dass sie eine Verurteilung des Angeklagten nicht tragen konnten. Es kommt hinzu, dass die überwiegende Anzahl der als Zeugen vernommenen ehemaligen Lagerinsassen sich entweder überhaupt nicht mehr an Hunde oder jedenfalls nicht an irgendwelche besonderen Vorfälle im Zusammenhang damit erinnern konnte.

[145] = Seite 658 dieses Bandes.

Nach alledem musste der Angeklagte hinsichtlich der Tatvorwürfe zu 1) bis 3) der Anklageschrift freigesprochen werden, was insoweit mit dem Antrag der Sitzungsvertreter der Staatsanwaltschaft übereinstimmt.

2) Der Angeklagte musste ferner insoweit freigesprochen werden, als ihm die Anklageschrift zu Ziffer 4) bis 6) die Tötung von 155 marschunfähigen Häftlingen anlastet. Nach dem Ergebnis der Beweisaufnahme hat der Angeklagte sich nur wegen Beihilfe zum Mord an mindestens acht Häftlingen schuldig gemacht, wie im einzelnen in dem Kapitel VII, VIII und X der Urteilsgründe ausgeführt wurde.

3) Zu 4) bis 6) der Anklageschrift musste der Angeklagte schliesslich noch teilweise freigesprochen werden, weil nur von einem einzigen einheitlichen Tatentschluss auszugehen ist, was insoweit wiederum in Einklang mit den Ausführungen der Staatsanwaltschaft steht.

XII. « Keine Strafverfolgungsverjährung »

Die Strafverfolgung der dem Angeklagten nachgewiesenen Tat ist nicht verjährt. Der Lauf der Verjährungsfrist wurde unter Berücksichtigung dessen, dass bei NSG-Verbrechen die Verjährung bis zum Ende der nationalsozialistischen Herrschaft geruht hat, am 8.5.1945 in Gang gesetzt und betrug zunächst gemäss §67 Abs.I StGB a.F. zwanzig Jahre. Denn auch die Beihilfe zum Mord war nach damaligem Recht (aufgrund der Strafrechtsangleichungsverordnung vom 29.5.1943 mit Wirkung ab 15.6.1943 - RGBl. I, 341 -) mit lebenslangem Zuchthaus bedroht, da gemäss §49 Abs.II StGB a.F. für Beihilfe nur eine fakultative Milderung vorgesehen war. Die Verjährungsfrist, die nach dem zuvor Gesagten am 8.5.1965 abgelaufen wäre, verlängerte sich dann aufgrund des Gesetzes über die Berechnung strafrechtlicher Verjährungsfristen vom 13.4.1965 (BGBl. I, 315) bis zum 31.12.1969. Gemäss §1 dieses Gesetzes blieb nämlich bei der Berechnung der Verjährungsfrist für die Verfolgung von Verbrechen, die mit lebenslangem Zuchthaus bedroht sind und deren Verfolgung bis zum Inkrafttreten dieses Gesetzes noch nicht abgelaufen ist, die Zeit vom 8.5.1945 bis zum 31.12.1949 ausser Ansatz.

An diesem Ergebnis änderte sich auch nichts durch die neue Fassung des §50 Abs.II StGB, die am 1.10.1968 in Kraft trat. Zwar bestimmte §50 Abs.II StGB, dass die Strafe eines Teilnehmers nach Versuchsgrundsätzen gemildert werden muss, wenn diesem besondere persönliche Merkmale fehlen, die beim Täter die Strafbarkeit begründen. Wenngleich sich hieraus ergibt, dass für den Mordgehilfen, bei dem Merkmale fehlen, welche beim Täter die Strafbarkeit begründen, nur noch ein Strafrahmen von drei bis fünfzehn Jahren vorgesehen ist mit der Folge einer 15-jährigen Verjährungsfrist gemäss §67 Abs.I StGB a.F. (vgl. hierzu BGH NJW 69, 1181 ff.), so lässt sich hieraus für den Angeklagten schon deshalb nichts herleiten, weil nach den vom Schwurgericht getroffenen Feststellungen die Mordmerkmale der "niedrigen Beweggründe" und der "Grausamkeit" auch in seiner Person vorliegen.

Demzufolge war beim Angeklagten für die Frage der Verjährung der Strafrahmen des §211 StGB massgeblich, der lebenslangen Freiheitsentzug und somit gemäss §67 Abs.I StGB eine 20-jährige Verjährungsfrist vorsah. Dies wiederum bedeutet, dass bei Inkrafttreten des 9.Strafrechtsänderungsgesetzes vom 4.8.1969 (BGBl. I, 1065) noch keine Verfolgungsverjährung eingetreten war und somit durch die damalige Neuregelung des §67 Abs.I StGB die Verjährungsfrist für mit lebenslange Freiheitsstrafe bedrohte Handlungen auf 30 Jahre festgelegt werden konnte, so dass die Verjährung der Tat des Angeklagten erst mit Ablauf des 31.12.1979 hätte eintreten können (vgl. hierzu auch Dreher-Tröndle, 38.Auflage, Anm.6 zu §78b StGB). Eine für den Angeklagten im Ergebnis abweichende Wertung ergibt sich auch nicht aufgrund des 2.Strafrechtsreformgesetzes vom 4.7.1969 (BGBl. I, 717 ff.), das am 1.10.1973 in Kraft trat.

Zwar war nunmehr gemäss §27 Abs.II StGB eine zwingende Strafmilderung für den Gehilfen vorgesehen, die bei Beihilfe zum Mord über §49 StGB einen Strafrahmen von 3 bis 15 Jahren eröffnet. Für die Frage der Verjährung der Tat des Angeklagten spielt dies jedenfalls im Ergebnis keine Rolle, weil sich gemäss §79 Abs.IV StGB die Verjährungsfrist nur noch nach der Strafdrohung des Gesetzes, dessen Tatbestand die Tat verwirklicht, richtet, ohne dass Milderungen, die nach den Vorschriften des allgemeinen Teils des Strafgesetzbuches vorgesehen sind, Berücksichtigung finden. Demnach beträgt gemäss §78 Abs.III Ziffer 1 StGB die Verjährung für die Tat des Angeklagten ebenfalls dreissig Jahre.

Somit ist zu keiner Zeit die Strafverfolgung der dem Angeklagten nachgewiesenen Tat verjährt gewesen, ohne dass es noch darauf ankäme, ob und zu welcher Zeit der Lauf der Verjährungsfrist durch richterliche Massnahmen unterbrochen worden ist.

XIII. « Keine sonstigen Verfahrenshindernisse »

Der Bestrafung des Angeklagten steht auch kein sonstiges Verfahrenshindernis entgegen, insbesondere war der Angeklagte während der gesamten Dauer der Hauptverhandlung verhandlungsfähig.

Dies ergibt sich aus den zahlreichen ärztlichen Gutachten und Stellungnahmen, die das Schwurgericht zur Überprüfung der Verhandlungsfähigkeit des Angeklagten immer wieder - vor und während der Hauptverhandlung - eingeholt und in der Hauptverhandlung bekanntgegeben hat. Hierbei hat sich das Schwurgericht nicht nur auf einen einzigen Arzt verlassen. Vielmehr ist der Angeklagte von verschiedenen Ärzten verschiedener Fachrichtungen untersucht und - wenn notwendig - behandelt worden. Kein einziger dieser Ärzte hat dem Schwurgericht Befunde unterbreitet, die ernsthafte Zweifel an der Verhandlungsfähigkeit des Angeklagten hätten rechtfertigen können. Dieses Ergebnis steht auch in Einklang mit dem persönlichen Eindruck, den das Schwurgericht während der Hauptverhandlung vom Angeklagten gewonnen hat. Dieser hat wiederholt entweder von sich aus oder auf Befragen der übrigen Verfahrensbeteiligten dem jeweiligen Stand der Beweisaufnahme entsprechend Stellung genommen. Auch hierbei hat er zweifelsfrei erkennen lassen, dass er in der Lage war, seine Interessen vernünftig wahrzunehmen, seine Verteidigung in verständiger und verständlicher Weise zu führen sowie Prozesserklärungen abzugeben und entgegenzunehmen.

XIV. « Strafzumessung »

Zur Ahndung der Tat des Angeklagten ist gemäss §§211, 27 Abs.II, 49 Nr.1 StGB n.F. eine Freiheitsstrafe von drei bis fünfzehn Jahren vorgesehen. Dem steht nicht entgegen, dass nach dem zur Tatzeit geltenden Recht Beihilfe zum Mord mit lebenslangem Freiheitsentzug bestraft werden konnte. Denn die Vorschriften der §§27 Abs.II, 49 Nr.1 StGB n.F., die für den Gehilfen eine zwingende Strafmilderung vorsehen, ist gegenüber dem zur Tatzeit geltenden Recht das mildeste Gesetz und muss somit gemäss §2 Abs.III StGB zugunsten des Angeklagten Anwendung finden.

Darüber hinaus kommen weitere gesetzliche Milderungsgründe nicht in Betracht. Eine Milderung des Strafrahmens gemäss §28 Abs.I StGB n.F. kann schon deshalb nicht in Erwägung kommen, weil - wie ausgeführt - dem Angeklagten selbst die Mordmerkmale der "niedrigen Beweggründe" und der "Grausamkeit" zuzurechnen waren. Da der Angeklagte - wie bei der Prüfung des Verbotsirrtums und des Nötigungsstandes dargelegt - sich keine Gedanken über die Verbindlichkeit des Tötungsbefehls gemacht und er auch die nach §35 StGB n.F. bzw. §52 StGB a.F. erforderlichen Überlegungen nicht angestellt hat, muss eine Milderung des Strafrahmens nach §35 Abs.2 StGB ebenfalls ausser Betracht bleiben. Schliesslich konnte nicht gemäss §47 Abs.2 MStGB von einer Bestrafung des Angeklagten abgesehen werden; denn unter Berücksichtigung aller Umstände des Falles ist das Verschulden des Angeklagten nicht so gering, als dass seine Bestrafung als eine unerträgliche Härte empfunden werden müsste (zu den Voraussetzungen des §47 Abs.2 MStGB vgl. BGH LM Nr.6 zu §47 MStGB).

Somit war in dem gemäss §§211, 27 Abs.II, 49 Nr.1 StGB n.F. vorgegebenen Strafrahmen von drei bis fünfzehn Jahren eine angemessene Freiheitsstrafe zu finden.

Bei der Strafzumessung im einzelnen hat das Schwurgericht dem Angeklagten zunächst sein Vorleben und seine persönlichen Verhältnisse zugute gehalten. Er war Opfer der nationalsozialistischen Ideologie und Propaganda und ihrer "weltanschaulichen Schulung" geworden, die bei diesem mit durchschnittlichen Geistesgaben ausgestatteten Menschen, der bereits in seinem Elternhause als "Befehlsempfänger" erzogen worden war, auf fruchtbaren Boden fiel. Auf diese Weise wurde er befehlsergeben und kritiklos zum willfährigen Werkzeug eines Unrechtssystems. Weiterhin hat das Schwurgericht dem Angeklagten zugute gehalten, dass er nach dem Zusammenbruch des nationalsozialistischen Unrechtssystems zu einem geordneten und bürgerlichen Wertvorstellungen entsprechenden Leben zurückgefunden und seither straffrei gelebt hat. Es kommt hinzu, dass mit Rücksicht auf die über 34 Jahre zurückliegende Tatzeit die Strafe heute einen ganz anderen Menschen trifft, dessen Strafempfindlichkeit unter den gegebenen Umständen besonders hoch anzusehen ist.

Demgegenüber wiegt der Tatbeitrag des Angeklagten verhältnismässig schwer und muss strafschärfend ins Gewicht fallen. Der Angeklagte hat immerhin durch die Weitergabe des Erschiessungsbefehls sowie durch die Art und Weise, in der er den Evakuierungsmarsch von Gassen nach Leipzig organisierte, die entscheidende Ursache für den Tod von mindestens acht Menschen gesetzt, obwohl es ihm aufgrund seiner Dienststellung - insbesondere aufgrund seiner Dispositionsfreiheit hinsichtlich der Durchführung des Evakuierungsmarsches - möglich gewesen wäre, den Lagerinsassen bessere Lebensbedingungen und somit grössere Überlebenschancen zu verschaffen. Es konnte auch nicht ausser Acht gelassen werden, dass zwei Mordmerkmale - Grausamkeit und niedrige Beweggründe - in der Person des Angeklagten verwirklicht sind und dass er bei der Tötung nicht nur eines, sondern mehrerer - acht - Menschen geholfen hat.

Die persönliche Gleichgültigkeit, die der Angeklagte dem Wohlergehen der Häftlinge entgegenbrachte sowie die Kritiklosigkeit, mit der er dem Unrechtssystem des nationalsozialistischen Regimes gegenüberstand, haben sich nicht straferschwerend ausgewirkt, soweit darin lediglich Umstände zu sehen sind, die den gesetzlichen Tatbestand erfüllen. Andererseits konnte daraus in Verbindung mit dem Umstand, dass der Angeklagte keinen besonderen persönlichen Eifer bei der Erfüllung der verbrecherischen Ziele der SS-Führung an den Tag gelegt hat, auch kein entscheidend ins Gewicht fallender Strafmilderungsgrund zu Gunsten des Angeklagten hergeleitet werden. Wenngleich nach der Überzeugung des Schwurgerichts der Angeklagte ohne die Verstrickung in das Unrechtssystem des Dritten Reiches nicht zum Verbrecher geworden wäre, so konnte doch andererseits nicht übersehen werden, dass die Machthaber des Dritten Reiches ihre Gewaltherrschaft nicht in der geschehenen Weise hätten ausüben können, wenn ihnen nicht Leute wie der Angeklagte in kritikloser Ergebenheit zur Seite gestanden hätten.

Unter Abwägung aller für und gegen den Angeklagten sprechenden Umstände hielt das Schwurgericht eine Strafe für angemessen, die im mittleren Bereich des eröffneten Strafrahmens liegt, so dass eine Freiheitsstrafe von neun Jahren erkannt wurde. Diese Strafe erscheint zur schuldangemessenen Sühne der Tat genügend, aber auch notwendig und trägt allen Strafzwecken hinreichend Rechnung.

XV. « Hilfsbeweisanträge »

A. Die Hilfsbeweisanträge, die die Verteidiger in ihren Schlussvorträgen gestellt haben, waren alle gemäss §§244 Abs.2 und 3 StPO abzulehnen.

Im einzelnen gilt hierzu folgendes:

1) Der Antrag auf Ladung und Vernehmung des sachverständigen Zeugen Morgen sowie der Sachverständigen Dr. Seraphim und Prof.Dr. Hillgruber zum Beweise der Tatsachen,

> dass die KL-Nebenläger - insbesondere Gassen - keinen eigenen Kommandanten, sondern lediglich einen Lagerführer hatten und diesem die Bewachungsmannschaft und deren Führer nicht unterstanden; vielmehr waren bei den KL-Nebenlägern - hier Gassen - dieser Lagerführer und der Kommandant der Bewachungsmannschaft gleichgeordnet,

war abzulehnen, weil die unter Beweis gestellten Tatsachen für die Entscheidung ohne Bedeutung sind. Für die Bewertung der zur Aburteilung anstehenden Tat kommt es darauf an, dass die Handlungen des Angeklagten in tatsächlicher Hinsicht für den Tod von mindestens acht Häftlingen ursächlich waren. Dabei ist es ohne Belang, ob der Angeklagte als Lagerführer nur für das Wohl der Häftlinge verantwortlich war oder ob er auch als Befehlshaber der Wachmannschaft fungierte.

2) Bei dem Antrag auf Ladung und Vernehmung der Sachverständigen Prof. Venzlaff, Prof. Ritter von Bayer und Prof. Matussek zum Beweise der Tatsache,

> dass die von diesen Sachverständigen erzielten Untersuchungsergebnisse, die auch die Kammer als wahr unterstellt hat, nach den Erkenntnissen dieser Sachverständigen zu dem Schluss zwingen, dass bei jedem ehemaligen KL-Häftling diese, die Aussagetüchtigkeit beeinflussenden Krankheitsbilder zu besorgen sind,

ist vorab klarzustellen, dass die Kammer nicht sämtliche Forschungsergebnisse der Sachverständigen, die die Verteidiger im Beweisantrag vom 24.11.1978 (dort zu Ziff.2 = S.130 ff. des Protokollbandes) behauptet haben, als richtig unterstellt hat. Hinsichtlich des behaupteten Forschungsergebnisses des Sachverständigen Prof.Dr. Venzlaff, wonach die Insassen der Konzentrationsläger psychische Spätschäden erlitten haben, die eine zuverlässige Reproduktion des damals Erlebten ausschliessen, ist zunächst im Beschluss der Kammer vom 14.12.1978 (= Protokollband S.166 ff.) lediglich unterstellt worden, dass die angegebenen Spätschäden mit den erwähnten Folgen auftreten können. Es ist ausdrücklich <u>nicht</u> unterstellt worden, dass dies immer oder regelmässig so ist.

Bei der weiteren im Beweisantrag vom 14.12.1978 (dort zu Ziff.3) aufgestellten Behauptung, die Sachverständigen Prof.Dr. Matussek und Prof.Dr. Venzlaff hätten bestimmte Reihenuntersuchungen an zahlreichen ehemaligen KL-Insassen durchgeführt und hierbei - im einzelnen näher dargelegte - psychische Störungen festgestellt, hat das Schwurgericht die behaupteten statistischen Ergebnisse der Reihenuntersuchungen in dem o.g. Beschluss vom 14.12.1978 zwar als wahr unterstellt. Zugleich ist aber darauf hingewiesen worden, dass es sich bei diesen Ergebnissen lediglich um <u>mögliche</u> Fehlerquellen handelt, wie sie tagtäglich in der Praxis des Schwurgerichts im Auge behalten werden müssen.

Soweit im Beweisantrag vom 24.11.1978 (dort zu Ziff.3) weiterhin behauptet wird, die erwähnten psychischen Schäden seien nach den Forschungsergebnissen des Sachverständigen Dr. Matussek grundsätzlich in der forensischen Praxis nicht erkennbar, sondern nur von einem Sachverständigen nach langer Untersuchung feststellbar, ist das Schwurgericht dieser Behauptung im Beschluss vom 14.12.1978 entgegengetreten und hat den Beweisantrag insoweit, da er in der behaupteten Allgemeinheit offensichtlich nicht zutrifft, als auf eine unmögliche Tatsache gerichtet abgelehnt.

Dies vorausgeschickt, war der Antrag auf Ladung und Vernehmung der Sachverständigen abzulehnen, weil die Behauptung, bei allen ehemaligen KL-Häftlingen seien die Aussagetüchtigkeit beeinflussende Krankheitsbilder zu besorgen, als richtig unterstellt werden kann. Damit ist aber noch nicht gesagt, dass tatsächlich auch alle ehemaligen KL-Insassen an Krankheiten leiden, die generell ihre Aussagetüchtigkeit beeinflussen. Soweit der Beweisantrag auf eine dahingehende Behauptung abzielen sollte, ist er, da dies in der unterstellten Allgemeinheit offensichtlich nicht zutrifft, auf eine unmögliche Tatsache gerichtet und deshalb abzulehnen. Im übrigen gilt in diesem Zusammenhang das auf S.39/40 der Urteilsgründe [146] Gesagte.

3) Der Antrag auf Ladung und Vernehmung des Sachverständigen Prof.Dr. Hillgruber zum Beweise der Tatsache,

> dass nach dessen Forschungsergebnissen im Dritten Reich die Berufung auf den verbrecherischen Inhalt eines Befehls faktisch unmöglich, sondern Selbstmord war,

war abzulehnen, weil die unter Beweis gestellte Tatsache für die Entscheidung bedeutungslos ist. Es kommt nämlich nicht auf abstrakte Forschungsergebnisse des Sachverständigen an, sondern darauf, ob unter den konkreten Gegebenheiten des Falles der Angeklagte den verbrecherischen Inhalt des Befehls erkannt und unter Aufbietung all seiner geistigen und körperlichen Fähigkeiten nach einen Ausweg, den verbrecherischen Befehl zu umgehen, gesucht hat.

4) Auch der Antrag auf Ladung und Vernehmung des Sachverständigen Prof.Dr. Undeutsch zum Beweise der Tatsache,

> dass der Angeklagte Kno. aufgrund seiner mangelnden Kritikfähigkeit, mangelnder Phantasie und geringen Intelligenz weder in der Lage war, sich ihm erteilten Befehlen zu entziehen oder sie zu umgehen, jedenfalls nicht mehr als er dies seiner Einlassung nach getan hat, noch in der Lage war, unter den damals herrschenden Bedingungen den verbrecherischen Zweck der erteilten Befehle zu erkennen,

war abzulehnen, weil das Gericht die zur Klärung des Beweisthemas erforderliche Sachkunde selbst besitzt. Das Gericht sieht insoweit keine Veranlassung, von seiner im Beschluss vom 31.1.1979 (= S.234 ff. des Protokollbandes) dargelegten Ansicht Abstand zu nehmen.

Ob der Angeklagte aufgrund seiner Persönlichkeit in der Lage war, sich ihm erteilten Befehlen zu entziehen und ihren etwaigen verbrecherischen Inhalt zu erkennen, ist eine Frage, die nicht von einem Sachverständigen, sondern durch das Gericht zu entscheiden ist. Das Gericht besitzt auch die hierzu notwendige Sachkunde, da die Entscheidung dieser Fragen nicht von Umständen abhängt, die besondere Kenntnisse auf medizinischem, psychiatrischem oder psychologischem Gebiet erfordern. In diesem Zusammenhang ist darauf hinzuweisen, dass das Gesetz davon ausgeht, dass grundsätzlich jeder Erwachsene in der Lage ist, zwischen Recht und Unrecht zu unterscheiden und sein Handeln danach einzurichten, sofern keiner der gesetzlich normierten Ausnahmefälle vorliegt. Dies gilt auch für Handlungen, die in der Verstrickung in ein Unrechtssystem wie dem nationalsozialistischen begangen worden sind.

5) Der Antrag auf Ladung und Vernehmung des Ortsvorstehers der Gemeinde Triebel zum Beweise der Tatsache,

> dass sich auf dem Gebiet der Gemeinde Triebel kein Massengrab befindet und auf dem Friedhof des Ortes Triebel kein Toter namens Adamski begraben ist,

war abzulehnen, da dieses Beweisthema für die Entscheidung ohne Bedeutung ist.

[146] = Seite 656 f. dieses Bandes.

Nach den Ausführungen S.106 ff. der Urteilsgründe [147] ist das Schwurgericht den Angaben des Zeugen Koz. insoweit nicht gefolgt, als dieser von der Bestattung Adamskis und sonstiger Leichen auf dem Friedhof in Triebel berichtet hat. Sonstige Zeugen haben derartige Bekundungen nicht gemacht.

6) Der Antrag auf Ladung und Vernehmung des
Sachverständigen Prof.Dr. Undeutsch zum Beweise der Tatsachen, dass

(1.) die Angabe des Zeugen Wi., er sei am Ende des Evakuierungsmarsches nicht mehr in der Lage gewesen, sich aus eigener Kraft zu erheben, zwingend darauf hindeutet, dass der Zeuge zumindest schon fünf Tage vor dieser völligen Erschöpfung nicht mehr in der Lage war, gesicherte Beobachtungen zu machen und diese in sein Gedächtnis aufzunehmen, was sich im übrigen auch zwingend aus der Tatsache ergebe, dass schon die allgemeinen Zustände in Konzentrationslagern so gewesen seien, dass ihre Auswirkungen auf die Physis und Psyche der betroffenen Häftlinge dazu hätten führen müssen, dass diese weder gesicherte Wahrnehmungen hätten machen, noch diese im Gedächtnis hätten behalten können;

(2.) die Schilderung der beiden Einzelerschiessungen in der Aussage des Zeugen Mi. zwingend auf ein sog. Verdoppelungsphänomen hindeutet;

(3.) unter Berücksichtigung der Aussage des Zeugen Mos., er habe bei dem Evakuierungsmarsch nur noch aus Haut und Knochen bestanden, feststeht, dass dieser Zeuge auf dem Marsch nicht in der Lage gewesen sei, gesicherte Wahrnehmungen zu machen und diese im Gedächtnis zu speichern,

wird abgelehnt, weil das Gericht auch insoweit die zur Klärung des Beweisthemas erforderliche Sachkunde besitzt.

Die Beantwortung der Frage, inwieweit den Angaben eines Zeugen gefolgt werden kann, stellt die Beurteilung des Wertes der Zeugenaussage dar, die zum Wesen richterlicher Rechtsfindung gehört und allein dem Tatrichter obliegt, nicht aber einem Sachverständigen. Ein Ausnahmefall, der nach den von der Rechtsprechung entwickelten Grundsätzen gleichwohl für die Frage der Glaubwürdigkeit eines Zeugen die Zuziehung eines Sachverständigen geboten erscheinen liesse, ist nicht gegeben. Insbesondere ist der Umstand, dass ein Zeuge als ehemaliger KL-Häftling über seine Erlebnisse während der Haft zu berichten hat, kein solcher Anhaltspunkt. Auch insoweit hatte das Gericht keine Veranlassung, von seinem im Beschluss vom 14.12.1978 dargelegten Standpunkt (= S.162/163 des Protokollbandes) abzurücken. Die Ablehnung zu Ziffer (2.) des Beweisantrages rechtfertigt sich zudem daraus, dass das Beweisthema für die Entscheidung ohne Bedeutung ist. Denn - wie auf S.113 ff. der Urteilsgründe [148] ausgeführt wurde - hat das Schwurgericht aus den Angaben Mi.s insoweit nichts hergeleitet.

7) Der Antrag auf Ladung und Vernehmung des Vorsitzenden Richters am Kreisgericht in Zawiercie Pytel und der Protokollführerin Bor. zum Beweise der Tatsache, dass

der Zeuge Cis. bei seiner Vernehmung vom 31.10.1970 ausdrücklich danach gefragt worden ist, ob er sich selbst gemeldet habe oder habe melden wollen, als während des Marsches in Aussicht gestellt worden sei, die marschunfähigen Häftlinge könnten zurückbleiben, und dass der Zeuge dies verneint hat,

sowie der Antrag auf Ladung und Vernehmung des Vize-Staatsanwalts Pia. sowie der Protokollführerin Si. zum Beweise der Tatsache, dass

[147] = Seite 679 f. dieses Bandes.

[148] = Seite 681 f. dieses Bandes.

(1.) bei seiner Vernehmung am 4.10.1974 durch den Vizestaatsanwalt Pia. der Zeuge Kra. erklärt hat, der Häftling Sawka oder Sawko sei nicht etwa während einer Rast, sondern während des Evakuierungsmarsches von einem unbekannten SS-Mann erschossen worden;
(2.) der Zeuge Kra. darüber hinaus bei der gleichen Gelegenheit erklärt hat, dass er sich hieran mit Sicherheit erinnere,
werden abgelehnt, weil die angebotenen Beweismittel unerreichbar sind.

Wie das Schwurgericht bereits im Beschluss vom 5.3.1979 (= S.263 ff. des Protokollbandes) ausgeführt hat, gibt es nach polnischem Recht ausweislich des an den Vorsitzenden der 11. grossen Strafkammer gerichteten Telex des polnischen Justizministeriums - Hauptkommission zur Untersuchung von Hitler-Verbrechen in Polen - vom 9.2.1979 (Telex Nr.85/79 = S.251 ff. des Protokollbandes) keine Grundlage für die Vernehmung von Personen, die Zeugen vernommen haben beziehungsweise an der Fertigung von Vernehmungsniederschriften beteiligt waren, so dass im Hinblick darauf eine Vernehmung der oben genannten Zeugen zu den behaupteten Beweistatsachen nicht möglich ist.

8) Der Antrag auf Ladung und Vernehmung der sachverständigen Zeugin Rup. zum Beweis der Tatsache, dass
die von Frau Dolmetscherin Br. angefertigte Übersetzung der Rechtshilfeaussage des Zeugen Kij. vom 3.11.1978 eine ganze Reihe von Übersetzungsfehlern aufweist,
sowie der Antrag auf Ladung und Vernehmung der Zeugin Br. zum Beweise der Tatsache, dass
die Zeugin Br. bei der Übersetzung der Aussage des Zeugen Kra. im Hauptverhandlungstermin vom 10.11.1978 nur den von ihr für wesentlich gehaltenen Teil der Aussage Kra.s übersetzt hat und sie nicht ausschliessen kann, dass ein Teil der Aussage des Zeugen auch deshalb unübersetzt blieb, weil es ihr nicht gelungen ist, jeweils alle Einzelheiten der Angaben des Zeugen im Gedächtnis zu behalten,
werden abgelehnt. Es handelt sich der Sache nach nicht um Beweisanträge, die auf die Klärung von für die Schuld- oder Rechtsfolgenfrage erheblichen Tatsachen abzielen, sondern um Beweisermittlungsanträge, die darauf abzielen, von der Verteidigung vermutete Übersetzungsfehler, welche die Feststellung der für die Schuld- oder Rechtsfolgenfragen erheblichen Tatsachen beeinflusst haben könnten, erst zutage zu fördern.
Die Anträge zielen zudem ersichtlich darauf ab, eine Verfahrensfrage zu klären, nämlich diejenige, ob Frau Br., die teilweise als Dolmetscherin für die polnische Sprache zugezogen worden ist, über die gemäss §185 GVG erforderliche Sachkunde verfügt.

Die Beweisermittlungsanträge sind gemäss §244 Abs.2 StPO zu bescheiden, die Verfahrensfrage im Wege des Freibeweises zu klären. Unter beiden Gesichtspunkten sind die beantragten Zeugenvernehmungen abzulehnen, da ausser Zweifel steht, dass der Vorschrift des §185 GVG genügt ist und das Schwurgericht die Überzeugung gewonnen hat, dass die Dolmetscherin Br. vollständig und richtig übersetzt hat. Es haben sich nämlich insoweit unter keinem in Betracht kommenden Gesichtspunkt Anhaltspunkte ergeben, die durchgreifende Bedenken gegen die Sachkunde der Dolmetscherin rechtfertigen könnten. Diesen Standpunkt hat das Schwurgericht bereits in seinem Beschluss vom 31.1.1979 (= S.235 ff. des Protokollbandes) vertreten und es besteht auch mit Rücksicht auf das weitere Vorbringen der Verteidigung kein Anlass, nunmehr von dieser Auffassung Abstand zu nehmen.

Selbst wenn man aber die hier in Frage stehenden Anträge als Beweisanträge ansähe, so wäre deren Zurückweisung auch deshalb gerechtfertigt, weil jedenfalls die behaupteten Fehler bei der Übersetzung der Aussagen Kij.s und Kra.s für die Entscheidung ohne Bedeutung sind; denn auf keiner der beiden Zeugenangaben ist die Verurteilung des Angeklagten gestützt.

B. Das Schwurgericht sah unter Berücksichtigung des gesamten Prozessstoffes keine Veranlassung, über den geschehenen Umfang hinaus von Amts wegen gemäss §244 Abs.2 StPO noch weitere Beweismittel zur Sachaufklärung heranzuziehen, insbesondere bestand kein Anlass, den französischen Zeugen Nau. zu vernehmen.

Dem steht nicht entgegen, dass es sich bei diesem Zeugen um einen ehemaligen Häftling des Lagers Gassen handelt, der somit als möglicher Tatzeuge in Betracht kommt. Es war vorgesehen, den Zeugen gemäss §223 StPO im Wege der Rechtshilfe in Gegenwart deutscher Verfahrensbeteiligter richterlich vernehmen zu lassen. Zu dieser Vernehmung kam es jedoch nicht, weil der für die Vernehmung zuständige Untersuchungsrichter des Landgerichts Perpignan dem Vorsitzenden des erkennenden Gerichts anlässlich der Dienstreise, in deren Verlauf noch weitere französische Zeugen vernommen worden sind, telegrafisch mitgeteilt hat, dass die vorgesehene Reise nach Perpignan gegenstandslos erscheine, weil der zum Vernehmungstermin geladene Zeuge Nau. mit unbekanntem Ziel abgereist sei (s. die Anlage zum Hauptverhandlungsprotokoll vom 64.Verhandlungstag).

Unter diesen Umständen hat das Schwurgericht die Überzeugung gewonnen, dass der Zeuge sich jedenfalls nicht in Gegenwart deutscher Verfahrensbeteiligter vernehmen lassen möchte, was aber mit Rücksicht auf die Besonderheit des Verfahrensstoffes bei der Vernehmung von Tatzeugen unerlässlich erschien (vgl. S.43/44 der Urteilsgründe [149]). Ist demnach aber von der Aussageunwilligkeit des Zeugen auszugehen, so ist nach Überzeugung des Schwurgerichts der persönliche Eindruck des Zeugen für die Bewertung seiner Angaben so entscheidend, dass nur eine Vernehmung in der Hauptverhandlung zur Wahrheitsfindung dienlich wäre. Da dies jedoch nicht möglich ist, muss der Zeuge Nau. als unerreichbares Beweismittel angesehen werden.

Soweit sich Anhaltspunkte für das Vorhandensein weiterer Beweismittel - insbesondere Zeugen - ergeben haben, die zur Sachaufklärung beitragen konnten, ist diesen in allen Fällen nachgegangen worden. Dies gilt insbesondere für Hinweise, die sich bei der Vernehmung von Zeugen in der Hauptverhandlung oder im Wege der Rechtshilfe ergeben haben, aber auch für die Auswertung der Mitteilungen der um Rechtshilfe gebetenen Stellen und Behörden, insbesondere des polnischen Justizministeriums - Hauptkommission zur Untersuchung von Hitlerverbrechen in Warschau -. Diese Hinweise haben in Verbindung mit dem Umstand, dass zahlreiche Zeugen in Unterbrechung der Hauptverhandlung im Wege der Rechtshilfe vernommen werden mussten, dazu geführt, dass Umfang und Dauer der Beweisaufnahme das ursprünglich vorgesehene Ausmass erheblich überschritten haben. Anhaltspunkte dafür, dass darüber hinaus noch erreichbare Beweismittel, die zur Sachaufklärung beitragen könnten, existieren, haben sich nicht ergeben.

XVI. « Kostenentscheidung »

Die Kostenentscheidung beruht auf §§465, 467 StPO.

[149] = Seite 658 dieses Bandes.

2 StR 216/80

Beschluss

In der Strafsache gegen

den Schriftsetzer Walter Karl Heinrich Kno. aus Herford, dort geboren am 13.Februar 1913, zur Zeit in Untersuchungshaft,

wegen Beihilfe zum Mord.

Der 2. Strafsenat des Bundesgerichtshofs hat nach Anhörung des Generalbundesanwalts und des Beschwerdeführers am 23.Juli 1980 gemäss §349 Abs.2 bis 4 StPO beschlossen:

> Auf die Revision des Angeklagten wird das Urteil des Landgerichts Köln vom 2.Juli 1979 im Strafausspruch mit den Feststellungen hierzu aufgehoben.
> In diesem Umfang wird die Sache zu neuer Verhandlung und Entscheidung, auch über die Kosten des Rechtsmittels, an eine andere Strafkammer (Schwurgericht) des Landgerichts zurückverwiesen. Die weitergehende Revision wird verworfen.

GRÜNDE

Der Angeklagte ist wegen Beihilfe zum Mord zu einer Freiheitsstrafe von neun Jahren verurteilt worden. Mit seiner Revision beanstandet er das Verfahren und rügt Verletzung sachlichen Rechts.

Die Verfahrensbeschwerden sind offensichtlich unbegründet. Dagegen hat die Sachrüge teilweise Erfolg.

Das Schwurgericht ist zu dem Ergebnis gelangt, dem Angeklagten sei nicht nur das Mordmerkmal der Grausamkeit zuzurechnen, vielmehr liege bei ihm auch das Mordmerkmal des Handelns aus niedrigen Beweggründen vor. Diese hat es in seiner "Gleichgültigkeit" gegenüber dem Wohlergehen der ihm anvertrauten Lagerinsassen gesehen. Eine solche Würdigung ist aber unvereinbar mit der Einlassung des Angeklagten, für ihn sei der - von höchster Stelle - erteilte Befehl, dass auf dem Evakuierungsmarsch alle kranken und marschunfähigen Häftlinge zu erschiessen seien, "schrecklich" gewesen. Auf diese Einlassung hat das Landgericht massgeblich seine Überzeugung gestützt, dass der Angeklagte den verbrecherischen Inhalt des Tötungsbefehls erkannt hat. Demgemäss ist es von der Richtigkeit der Einlassung ausgegangen. Steht danach fest, dass der Befehl in dieser Weise auf den Angeklagten gewirkt hat, so lässt sich hiermit der Vorwurf der Gleichgültigkeit nicht in Einklang bringen. Das gilt um so mehr, als er nach dem 5. oder 6.Marschtag eine mehrtägige Rast anordnete, während dieser Zeit ein Pferd schlachten und von dessen Fleisch eine Suppe zubereiten liess, die auch an die Häftlinge verteilt wurde, ferner mehrere Güterwaggons beschaffte, in denen sie weiterbefördert wurden.

Der Vorwurf, dass der Angeklagte die Beihilfe aus niedrigen Beweggründen geleistet habe, kann somit nicht bestehen bleiben. Dies bedingt die Aufhebung des Strafausspruchs. Da das Schwurgericht unter anderem als straferschwerend angesehen hat, dass vom Angeklagten beide Mordmerkmale verwirklicht worden seien, lässt sich nicht mit der erforderlichen Sicherheit ausschliessen, dass das Landgericht ohne diese Erwägung auf eine niedrigere Strafe erkannt hätte.

Im übrigen hat die Prüfung des Urteils keinen Rechtsfehler zum Nachteil des Angeklagten ergeben.

ABKÜRZUNGSVERZEICHNIS

«...»	Die Wörter zwischen diesen Zeichen sind von den Bearbeitern in den Urteilstext eingefügt worden
~...~	Auslassungszeichen für nicht veröffentlichte, nicht-rechtskräftige Teile eines Urteils
→	siehe
14 f 13	Tarnbezeichnung für die Euthanasie in den KL
a.	am
A- und E-Bataillon	Ausbildungs- und Ersatzbataillon
a.A.	am Anfang; anderer Ansicht
a.a.O.	am angeführten Ort
AA	Auswärtiges Amt
A.A.	auf Anordnung
AAR	Allgemeine Anweisungen an Richter
a.B., A.B.	auf Befehl
ABA	Armee-Bekleidungsamt
Abfahrbhf	Abfahrtbahnhof
abgedr.	abgedruckt
AbKdo.	Arbeitskommando
ABl.	Amtsblatt
ABlAHK	Amtsblatt der Alliierten Hohen Kommission in Deutschland
ABlKR	Amtsblatt des Kontrollrats in Deutschland
ABN	Antibolschewistisches Block der Nationen
Abs.	Absatz
Abschn.	Abschnitt
Abt., Abtl., Abtlg.	Abteilung
Abtrsp.	Abtransport
Abw.	Abwehr
a.d.	an / aus der (dem, den)
a.D.	ausser Dienst
a.d.D.	an der Donau
Adj	Adjutant
AdO	Admiral der Ostsee
Adr.	Adresse
ADSt.	Aussendienststelle
a.E.	am Ende
AE	Arbeitserziehungslager
AEG	Allgemeine Elektrizitäts-Gesellschaft
ähnl.	ähnlich
AEL	Arbeitserziehungslager
ärztl.	ärztlich
AES	Allgemeine Erlass Sammlung
a.F.	alte Fassung
AfV	Amt für Volksgesundheit
AG	Aktiengesellschaft; Amtsgericht; Ausführungsgesetz
AGBGB	Ausführungsgesetz zum BGB
A.Geb.	Armeegebiet
AGR	Amtsgerichtsrat
AGRat	Amstgerichtsrat
AHK	Alliierte Hohe Kommission
AHKABl.	Amtsblatt der Alliierten Hohen Kommission in Deutschland
AHKG, AHKGes.	Gesetz der AHK
AK	Armeekorps; Armia Krajowa (poln., Heimatarmee)
Akdo.	Aussenkommando
a.Kr.	auf Kriegsdauer
AKR	Alliierter Kontrollrat
Aktenz.	Aktenzeichen
a.L	an der Lahn
AL	Arbeitslager; poln. kommunistische Widerstandsbewegung
All.	Alliierte
allgem.	allgemein
Allg.Anw. an Richter	Allgemeine Anweisungen an Richter
a.M.	anderer Meinung
AMA	Allgemeines Marineamt
amtl.	amtlich
Amtsbl.	Amtsblatt
AMT	Amerikanisches Militärtribunal
angef.	angeführt
Angekl.	Angeklagte
Anl., Anlg.	Anlage
AnlBd.	Anlageband
Anm.	Anmerkung
Anmerk.	Anmerkung
anschl.	anschliessend
Anw.	Anwärter
ao.	ausserordentlich
AO	Abwehroffizier; Anordnung; Auslandsorganisation (der NSDAP)
AOK	Allgemeine Ortskrankenkasse; Armeeoberkommando
ap., apl.	ausserplanmässig
AP	Aussenposten
Art.	Artikel
Artl.	Artillerie

a.S.	auf Seite
Aso	Asozialer
ASR	Asozialen (KL)
AT	Algemeiner Teil
atü	Atmosphärenüberdruck
Aufl., Auflg.	Auflage
Ausb.	Ausbildung
Ausf.	Ausführungs-
ausl.	ausländisch
AV	Allgemeine Verfügung
a.W.	auf Widerruf
Az.	Aktenzeichen
a.zit.O.	am zitierten Orte
a.zul.a.O	am zuletzt angegebenen Ort
AZR	Arbeitszwang Reich
b., b/	bei
BA	Beiakten
bad.	badisch
Bakt.	Bakteriologisch
BASF	Badische Anilin- und Sodafabrik
BAT	Bundes-Angestelltentarifvertrag
Batl.	Bataillon
Batle	Bataillone
bay., bayer.	bayerisch
BayAhndungsG	Gesetz Nr.22 zur Ahndung nationalsozialistischer Straftaten (Bayern)
BayBS	Bayerische Sammlung des bereinigten Landesrechts
BayObLG, Bay.Ob.LG.	Bayerisches Oberstes Landesgericht
BayObLGSt.	Entscheidungen des Bayer. Obersten Landesgerichts in Strafsachen
BayVerf.	Verfassung des Freistaats Bayern
BayVfGH	Bayerischer Verfassungsgerichtshof
B.B., BBs	Blockadebrechers
Bd.	Band
BDC	Berlin Document Center
Bde	Bände
BDM	Bund Deutscher Mädel
BdU	Befehlshaber der Unterseeboote
BdO	Befehlshaber der Ordnungspolizei

BdS	Befehlshaber der Sicherheitspolizei und des SD
BdW	Wehrmachtbefehlshaber
BE	Berichterstatter
Bedeis	Befehlshaber der Eisenbahnpioniere
Bef., Befehlsh., Befh.	Befehlshaber
BefrG	Gesetz zur Befreiung von Nationalsozialismus und Militarismus (Befreiungsgesetz)
beg.	begangen
BEG	Bundesentschädigungsgesetz
Begl.	beglaubigt
Begr.	Begründung
Bek.	Bekanntmachung
Bem.	Bemerkung
Ber.	Bericht
bes.	besonders
Beschl.	Beschluss
Bes.Teil	Besonderer Teil
Best.	Bestimmung
betr.	betreffend
Bew.St.	Beweisstück
Bez.	Bezirk
bez., bezgl.	bezüglich
bezw.	beziehungsweise
BfA	Bundesversicherungsanstalt für Angestellte
BG	Bezirksgericht (DDR)
BGB	Bürgerliches Gesetzbuch
BGBl.	Bundesgesetzblatt
BGE	Entscheidungen des schweizerischen Bundesgerichts
BGH	Bundesgerichtshof; Entscheidungen des Bundesgerichtshofes
BGHSt.	Entscheidungen des Bundesgerichtshofes in Strafsachen
BGHZ	Entscheidungen des Bundesgerichtshofes in Zivilsachen
BGs	Aktenzeichen für einzelne Anordnungen des Ermittlungsrichters beim BGH
BHE	Bund der Heimatvertriebenen und Entrechteten
Bhf.	Bahnhof
Bifo.	Bibelforscher
BJM	Bundesjustizministerium
BKA	Bundeskriminalamt
Bl.	Blatt; Block

Bld.	Boulevard
Bln.	Berlin
BlutSchG	Gesetz zum Schutze des deutschen Blutes und der deutschen Ehre (Blutschutzgesetz)
BNSDJ	Bund nationalsozialistischer Deutscher Juristen
BPD	Bundespolizeidirektion
b.R.	bitte Rücksprache
Br., Brit.	Britische
BRD	Bundesrepublik Deutschland
B.R.H.	Befehlshaber rückwärtiges Heeresgebiet
BriF.	Brigadeführer
BrigadeF	Brigadeführer
Brigf.	Brigadeführer
Brsg.	Breisgau
BRT	Bruttotonnen
BrZ	Britische Zone
Bs	Registerzeichen von Privatklagen vor dem Amtsgericht
BS	Sammlung des Bereinigten Landesrechts
BSG	Gesetz zum Schutze des deutschen Blutes und der deutschen Ehre (Blutschutzgesetz)
BSW	Bratskoje Soieszwendske Wojestrennich (Brüderliche Vereinigung der (russischen) Kriegsgefangenen)
BT	Bundestag
Btl.	Bataillon
Btsmt.	Bootsmannsmaat
bürg.	bürgerlich
bulg.	bulgarisch
BuV	Bevölkerungswesen und Fürsorge
BV	Verfassung des Freistaats Bayern
BV, BVer	Berufsverbrecher (KZ-Jargon)
BV/Jug	Berufsverbrecher Jugoslawien
BVerfG	Bundesverfassungsgericht
BVerfGE	Entscheidungen des Bundesverfassungsgerichts
BVerwG	Bundesverwaltungsgericht
BVFG	Gesetz über die Angelegenheiten der Vertriebenen und Flüchtlinge (Bundesvertriebenengesetz)
BVG	Bundesverfassungsgericht, Bundesversorgungsgesetz, Bundesvertriebenengesetz, Berliner Verkehrsgesellschaft
BVGE	Entscheidungen des Bundesverfassungsgerichts
BvTO	Bevollmächtigter Transportoffizier
b.w.	bitte wenden
BWGöD	Gesetz zur Regelung der Wiedergutmachung nationalsozialistischen Unrechts für Angehörige des öffentlichen Dienstes
BZ	Britische Zone
bzgl.	bezüglich
bzw.	beziehungsweise
ca.	circa, zirka
Capt.	Captain
cbm	Kubikmeter
CDJC	Centre de Documentation Juive Contemporain
CdS	Chef der Sicherheitspolizei und des SD
CdZ	Chef der Zivilverwaltung
CCG (BE)	Control Commission for Germany (British Element)
ChdDtPol.	Chef der Deutschen Polizei
ChdSPudSD	Chef der Sicherheitspolizei und des SD
chem.	chemisch
Chef P	Chef Persönlicher Stab Reichsführer SS
ChSipo	Chef der Sicherheitspolizei
ChSiPouSD	Chef der Sicherheitspolizei und des SD
CI	Counter Intelligence
C.I.C., CIC	Counter Intelligence Corps (militärischer Abwehrdienst, USA)
CID	Criminal Investigation Department
CIO	Counter Intelligence Organisation
Col.	Colonel
Cpt.	Captain, Capitaine (Hauptmann)
Cs	Registerzeichen von Strafbefehlen
CSA	Christlich-soziale Arbeitsgemeinschaft
CSR, CSSR	Tschechoslowakei
CSSD	Chef der Sicherheitspolizei und des SD
CVJM	Christlicher Verein junger Männer

D 4	Durchgangsstrasse 4 (von Lemberg über Tarnopol nach Osten)
d.A.	der Akten
dAdV	der (Straf)Akten dieses Verfahrens
DAF	Deutsche Arbeitsfront
DAW	Deutsche Ausrüstungswerke
dBdV	der Beiakten dieses Verfahrens
DBG	Deutsches Beamtengesetz
DC	Document Center (Berlin)
DDR	Deutsche Demokratische Republik
Degesch	Deutsche Gesellschaft für Schädlingsbekämpfung m.b.H.
Degussa	Deutsche Gold- und Silberscheideanstalt
Dema.Linie	Demarkationslinie (Frankreich)
Dep.	Département
dergl.	dergleichen
ders.	derselbe
DEST	Deutsche Erd- und Steinwerke
"DF"	"der Führer"
dfg.	dienstfähig
d.G.	des Generalstabes
DG 4, Dg.4	Durchgangsstrasse 4 (von Lemberg über Tarnopol nach Osten)
d.Gend.	der Gendarmerie
dgl.	dergleichen
d.h.	das heisst
dHdV	der Hauptakten dieses Verfahrens
DHV	Deutschnationaler Handlungsgehilfenverband
d.i.	das ist
dies.	dieselbe
DIN	Deutsche Industrie Norm
d.Inf.	der Infanterie
Dipl.	Diplom; Diplomatie
Dir.	Direktor
Diss	Dissertation
Distr.	Distrikt
Div.	Division
d.J., d.Js.	dieses Jahres
DJ	Deutsche Justiz; Deutsche Jugend ("Jungvolk")
DJT	Deutscher Juristentag
DJuNSV	DDR-Justiz und NS-Verbrechen. Sammlung ostdeutscher Strafurteile wegen nationalsozialistischer Tötungsverbrechen
DJZ	Deutsche Juristenzeitung
d.L.	der Luftwaffe
DLs	Registerzeichen von Verbrechenssachen vor dem Amtsgericht
d.M., d.Mts., ds.Mts	dieses Monats
DNB	Deutscher Nachrichtenbüro
DNSAP	Deutsche Nationalsozialistische Arbeiterpartei (in der CSSR)
DNVP	Deutschnationale Volkspartei
Doc.	Dokument
Doc.Center	Document Center Berlin
Dok.	Dokument
Dok.B.	Dokumentenbuch
dort.	dortig
Doz.	Dozent
DP	Displaced Person
DPD	Demokratische Partei Deutschlands
Dpf.	Pfennig
d.R.	der Reserve
DR	Deutsches Recht, Zentralorgan des National-Sozialistischen Rechtswahrerbundes
"DR"	"Das Reich"
DR Sch	Deutsches Reich, Schutzhäftling
Dr.	Doktor
Dres.	Doktores
DRiG	Deutsches Richtergesetz
DRiZ	Deutsche Richterzeitung
DRK	Deutsches Rotes Kreuz
DRsp., DRspr.	Deutsche Rechtsprechung
DRZ	Deutsche Rechts-Zeitschrift
Ds	Registerzeichen von Vergehenssachen vor dem Amtsgericht
D.S.	Dienstsiegel; Dienststempel
d.Sch.	der Schutzpolizei
DStR	Deutsches Strafrecht
Dt.	Deutsch
dto.	dito
DU	Dienstuntauglich(keit)
Dulag	Durchgangslager
Durchf.	Durchführungs-
DV	Deutsche Vereinigung
DV, DVO	Durchführungsverordnung
DVO	Dienst-Vollzugsordnung
DWB	Deutsche Wirtschaftsbetriebe GmbH
Dz.	Dozent

E	Entscheidung
(E)	Ersatz
E-Kost	Einfache Kost
E-Offizier	Ersatz-Offizier
E-Polen	Eindeutschungsfähige Polen
E-Werk	Elektrizitätswerk
EB	Eröffnungsbeschluss
ebd.	ebenda
EG	Einführungsgesetz; Einsatzgruppe; Entschädigung
EGB	Einsatzgruppe B
EGOWiG	Einführungsgesetz zum Ordnungswidrigkeitengesetz
EGStGB	Einführungsgesetz zum Strafgesetzbuch
EGr.	Einsatzgruppe
EheG	Ehegesetz
ehel.	ehelich; eheliches Kind
eh., ehem.	ehemalig
eidl.	eidlich
Einf.	Einführung
Einf.Ges.	Einführungsgesetz
Eings.	Eingangs
Einl.	Einleitung
einschl.	einschlägig; einschliesslich
Eintr.	Eintragung
Eisb.-Pi.-Kp	Eisenbahnpionierkompanie
EK	Einsatzkommando
EK I (II)	Eisernes Kreuz I. (II.) Klasse
EKD	Evangelische Kirche in Deutschland
EKG	Elektrokardiogramm
EK's	Eiserne Kreuze
EM	Ereignismeldung UdSSR des Chefs der Sipo und des SD
EMRK	Europäische Menschenrechtskonvention
EKs	Einsatzkommandos
engl.	englisch
entl.	entlassen
Entsch.	Entscheidung
Entschl.	Entschliessung; Entschluss
entspr.	entsprechend
Entw.	Entwurf
Erg.	Ergänzung
ErgVO	Ergänzungsverordnung
Erl.	Erlass; Erläuterung
ers.	ersatz
EStA	Erster Staatsanwalt
ETRA	Eisenbahntransportabteilung
E.u.A.Batl.	Ersatz- und Ausbildungsbataillon
ev., evgl.	evangelisch
e.V.	eingetragener Verein

evtl.	eventuell
EWZ	Einwandererzentrale
f.	für; und 1 folgende
F	Front; Fachführer
F-Träger	Fluchtverdächtiger Häftling
Fa.	Firma
FA	Führeranwärter
FAB	Freiheitsaktion Bayern
FAD	Freiwilliger Arbeitsdienst
FAOK	Fallschirm-Armeeoberkommando
F.d.R.	Für die Richtigkeit
F.d.R.d.A.	Für die Richtigkeit der Ausfertigung
F.d.S.	Führer der Schnellboote
Feldgend	Feldgendarmerie
Feldktr.	Feldkommandantur
Feldpol.	Feldpolizei
Festg.	Festgabe
ff.	und folgende
Ffm	Frankfurt am Main
FGM	Faschismus-Getto-Massenmord
Fhr.	Führer
FK	Feldkommandantur
FKL	Frauenkonzentrationslager
Fl.	Flieger
Flak	Flugzeug-Abwehrkanone
fmdl	ferndmündlich
Fn.	Fussnote
folg.	folgende
Forts.	Fortsetzung
FPSt	Feldpost
fr.	Franc; früher
franz., französ.	französisch
freiw.	freiwillig
Frh.	Freiherr
Frkr.	Frankreich
Frl.	Fräulein
frs.	francs
FS	Fernschreib(er); Freiwilliger Schutzdienst
FSS	Field Security Service
FT	Funktelegramm
FU	Freie Universität (Berlin)
Fü	Führer
Fussn.	Fussnote
Fw.	Feldwebel
G-Leute	Gestapospitzel
G.-u.V.-Prüfstelle	Gesundheits- und Verwendungsprüfstelle
G-wagen	Güterwagen

GA	Goltdammers Archiv für Strafrecht; Generalakten; Gutachten
GASt.	Grenzaufsichtstelle
GBl.	Gesetzblatt
Gde.	Gemeinde
geb.	geboren
Geb.	Gebirgs-; Geburts-
Gedob	Generaldirektion der Ostbahn
gef.	gefangen; gefährlich
Gef.	Gefangener
Gef.B.Nr.	Gefangenenbuchnummer
gefl.	gefällig
Gef.Nr.	Gefangenennummer
Gefr.	Gefreiter
Gef.Std.	Gefechtsstand
geg.	gegen
geh.	geheim
Geh.Rat	Geheimer Rat
Gekrat	Gemeinnützige Krankentransportgesellschaft
gem.	gemäss, gemeinschaftlich
gen.	genannt
Gen.	Genehmigung; Genesenden; General; Genosse
GenA	Generalakten
Gend.	Gendarmerie
Gen.Dir.	Generaldirektor
genes.	genesenden; genesungs
Gen-Gouv.	Generalgouvernement
Gen.Kdo.	Generalkommando
Gen.Qu.	Generalquartiermeister
Gen.Komm.	Generalkommissar
GenQ, Gen.Qu.	Generalquartiermeister
Gen.Sekr.	Generalsekretär
Gen.StA	Generalstaatsanwalt(schaft)
GenStdH	Generalstab des Heeres
Ges.	Gesetz, Gesandter
gesch.	geschieden
Gesch.	Geschütz
gest.	gestorben
Gestapa	Geheimes Staatspolizeiamt
Gestapo	Geheime Staatspolizei
Gewalt-verbrVO	Gewaltverbrecherverordnung
gewerbl.	gewerblich
GewVVO	Gewaltverbrecherverordnung
gez.	gezeichnet
GFP	Geheime Feldpolizei
gg.	gegen
GG	Generalgouvernement; Grundgesetz der BRD
ggf., ggfl., ggfls., ggfs.	gegebenenfalls
ggl.	gottgläubig
GK	Generalkommando; Generalkonsul
gk	geheime Kommandosache
gKdos	geheime Kommandosache
GKG	Gerichtskostengesetz
Gks.	Generalkonsul
GmbH	Gesellschaft mit beschränkter Haftung
Gns	Registerzeichen für Gnadensachen (StA)
Goltd.Arch.	Goltdammer's Archiv für Strafrecht
gottgl.	gottgläubig
GP	Grenzpolizei
GPK	Grenzpolizeikommissariat
GPP	Grenzpolizeiposten
GPU	politische Polizei der Sowjetunion
Gr.	Gross; Gruppe
Greko	Grenzpolizeikommissariat
Gren.Regt.	Grenadierregiment
Grenzpo	Grenzpolizei
gRs, g.R.s., g.Rs	Geheime Reichssache
Gr.S., Gr.Sen.	Grosser Senat
Gr.Strafk.	Grosse Strafkammer
Grudokeis	Kommandeur der Eisenbahnpioniere bei der Heeresgruppe West
Gruf.	Gruppenführer
GrundG	Grundgesetz der BRD
Gs	Registerzeichen von einzelnen richterl. Anordnungen in Strafsachen
GS	Gesetz-Sammlung für die Preussischen Staaten
GSG	Bundesgrenzschutzgruppe
GSSt.	Registerzeichen des Grossen Senats des Bundesgerichtshofes in Strafsachen
GStA	Generalstaatsanwalt(schaft)
GUS	Gemeinschaft Unabhängiger Staaten (eh. UdSSR ohne baltische Staaten)
GV	Generalgouvernement
GVBl.	Gesetz- und Verordnungsblatt
GVG	Gerichtsverfassungsgesetz

gvH, g.v.H., GVH	garnisonsverwendungsfähig in der Heimat
h.	Uhr
HA	Hauptamt
HA, H.A.	Hauptakten
Häftl.	Häftling
Hann.Rpfl.	Hannoversche Rechtspflege
hans.	hanseatisch
HAOp, HAOrpo	Hauptamt Ordnungspolizei
HAPAG	Hamburg-Amerikanische Paketfahrt-Actien-Gesellschaft
HASAG	Hugo Schneider AG
HASipo	Hauptamt Sicherheitspolizei
Hauptverh.	Hauptverhandlung
HBd, H'Bd	Hauptband
Hbf.	Hauptbahnhof
H.B.M.	His Britannic Majesty
HCN	Zyklon B (Mischung von Kieselgur und flüssiger Blausäure)
Hd., Hdn.	Händen
HDStO	Heeresdisziplinarstrafordnung
HDv.	Heeresdienstvorschrift
h.E.	hiesigen Erachtens
hess.	hessisch
HESt.	Höchstrichterliche Entscheidungen, Sammlung von Entscheidungen der Oberlandesgerichte und der Obersten Gerichte in Strafsachen
hftl.	Häftling(s)
Hfw	Hauptfeldwebel
Hg.	Hydrargyrum (Quecksilber)
H.G.	Heeresgruppe
HGr.	Heeresgruppe
HIAG	Hilfsgemeinschaft auf Gegenseitigkeit der ehemaligen Angehörigen der Waffen-SS
Hicoc	US High Commissioner for Germany
hies.	hiesig
Higas	Hilfsgrenzschutzangestellter
hins.	hinsichtlich
Hiwi	Hilfswillige
HJ	Hitlerjugend
HK	Hohe Kommission
HKB	Häftlingskrankenbau
HKL	Hauptkampflinie
HKP	Heereskraftfahrzeugpark
h.L.	herrschende Lehre
hl., hlg.	heilig

HLKO	Haager Landkriegsordnung
h.M.	herrschende Meinung
Hn.	Herrn
HNW	Heeresnachrichtenwesen
HO	staatliche Handelsorganisation der DDR
Hpt.	Haupt
Hptfw.	Hauptfeldwebel
Hptm.	Hauptmann
Hptst, Hptstf., Hptstuf	Hauptsturmführer
HQ	Hauptquartier; Headquarters
HRR	Höchstrichterliche Rechtsprechung
Hrsg.	herausgegeben; Herausgeber
HS	Haftstätte
Hschaf, Hschf.	Hauptscharführer
HSP	Hauptsanitätspark
HSSPF, HSS und PF, HSSuPf	Höherer SS- und Polizeiführer
HStF, Hstf.	Hauptsturmführer
Hstuf., H'Stuf	Hauptsturmführer
HStV	Heeresstandortverwaltung
HuPa	Heil- und Pflegeanstalt
HV	Hauptverhandlung
HVA	Heeresverpflegungsamt
HVBl.	Heeres-Verordnungsblatt
HVM	Heeresverpflegungsmagazin
HV-Platz	Hauptverbandplatz
HV-Prot.	Protokoll der Hauptverhandlung
HZ, HZA	Hauptzollamt
i.	in
i.A.	im Amt; im Auftrag
Ia	Erster Generalstabsoffizier
Ib	Zweiter Generalstabsoffizier
i.Ber.	im Bereich
IBV	Internationale Bibelforschervereinigung
Ic	Dritter Generalstabsoffizier
i.d.	in der (dem, den)
ID, I.D.	Infanteriedivision
i.d.F.	in der Fassung
IdO	Inspekteur der Ordnungspolizei
i.d.R.	in der Regel
IdS	Inspekteur der Sicherheitspolizei und des SD
i.d.U.	in der Urschrift

I.d.V., i.d.V.	in der Vorlage
i.e.S.	im eigentlichen Sinne
i.G.	im Generalstab
IG, IG-Farben	Interessengemeinschaft der deutschen Farbenindustrie AG Hoechst
IIa	Adjutant
i.J.	im Jahre
IL, I.L.	Im Lager
IMG, IMGH, IMT	Internationales Militärtribunal (Nürnberg); Der Prozess gegen die Hauptkriegsverbrecher vor dem Internationalen Militärgerichtshof. Bd.I-XLII. Nürnberg 1947/1949
Inf.	Infanterie
Infor.	Information
Ing.	Ingenieur
Inh.	Inhaber
Inl.	Inland
insb., insbes.	insbesondere
Insp.	Inspektor
Insp.d.KZL.	Inspekteur der Konzentrationslager
Inst.	Institut
i.O.	in Oldenburg
i.P.	in Pommern
i.R.	im Rückfall; im Ruhestand
IR	Infanterieregiment
IRK	Int. Rotes Kreuz
IRO	International Refugee Organisation
i.S.	in Sache; im Sinne
i.S.d.	im Sinne der (der)
ISD, ITS	International Tracing Service (Int. Suchdienst des Internationalen Komitees vom Roten Kreuz)
i.Ü.	im Übrigen
i.v.	intravenös
i.V.	im Vertretung; im Vogtland
i.V.m.	in Verbindung mit
i.W.	im Wartestand; in Wörtern
i.w.S., i.w.Sinne	im weiteren Sinne
J-Kinder	Judenkinder
Jabo	Jagdbomber
JbAkDR	Jahrbuch der Akademie für Deutsches Recht
JBl.	Justizblatt

JBV	→ IBV
JD	→ ID
JDP	Jungdeutsche Partei
Jg.	Jahrgang
JG	Jagdgeschwader
JGG	Jugendgerichtsgesetz vom 16.2.1923 bzw. 4.8.1953; s.a. RJGG
Jhrs.	Jahres
JM	Justizminister
JMBl.	Justizministerialblatt
JME	Justizministerialerlass
JO	Journal Officiel du Commandement en Chef Français en Allemagne
JR	Juristische Rundschau
JR	→ IR (Infanterieregiment)
JRM	Judenratsmeldungen
JRP	Judenratsprotokolle
Js	Registerzeichen von Vorverfahren in Strafsachen bei der StA
JSS	Jüdische Soziale Selbsthilfe
JT	Juristentag
JU	Junker
jug.	Jugend(kammer)
Julag	Judenlager
JuNSV	Justiz und NS-Verbrechen, Sammlung deutscher Strafurteile wegen nationalsozialistischer Tötungsverbrechen
JurTag	Juristentag
JuS	Juristische Schulung
JUS	Jüdische Unterstützungsstelle
JuV, JustuVerw.	Justiz und Verwaltung
JVA	Justizvollzugsanstalt
JVBl., JverwBl., JVerw.Bl.	Justizverwaltungsblatt
JW	Juristische Wochenschrift
JZ	Juristenzeitung
(K)	Kriegsexamen
K-Leute	Kontrolleute
K-Staffel	Kraftfahrzeugstaffel
Kal.	Kaliber
Kap.	Kapitel
Kapo	KL-Häftling mit einer einem Vorarbeiter ähnlichen Stellung
kath.	katholisch
kaufm.,	kaufmännisch
Kav.	Kavallerie
KB	Krankenbau; Kriegsbeschädigte
KB-Rente	Kriegsbeschädigtenrente

Kd.	Kommandeur
Kdeur	Kommandeur
KdF	Kanzlei des Führers; "Kraft durch Freude" der DAF
KdG, KdGend.	Kommandeur der Gendarmerie
Kdo.	Kommando
KdO	Kommandeur der Ordnungspolizei
Kdr.	Kommandeur
Kds.	Kommandos
KdS	Kommandeur der Sicherheitspolizei und des SD
KdSch., KdSchu.	Kommandeur der Schutzpolizei
Kdt.	Kommandant
Kdtr-Stab	Kommandanturstab
kfm.	kaufmännisch
Kfm.	Kaufmann
Kfz	Kraftfahrzeug
KG	Kammergericht; Kampfgeschwader; Kommanditgesellschaft
Kgf.	Kriegsgefangenen
kgl.	königlich
KGL	Kriegsgefangenenlager
KGV	Kriegsgefangenen-Dienstvorschrift
KHM	Kriminalhauptmeister
KI	Kriminalinspektor
KjW	Kommissar für den jüdischen Wohnbezirk
KK	Kriminalkommissar
Kl.	Klasse
KL	Konzentrationslager (offizielle Abkürzung)
K.L.M., KLM	Konzentrationslager Mauthausen
KLs	Registerzeichen von Verbrechenssachen vor der Grossen Strafkammer
KLV	Kinderlandverschickung
KM	Kriegsmarine
KMR	Kleinknecht-Müller-Reitberger, Kommentar zur StPO
KMs	Registerzeichen von Vergehenssachen vor der Grossen Strafkammer
KOAss.	Kriminaloberassistent
Kodeis	Kommandeur der Eisenbahnpioniere
KOM	Kriminalobermeister

kom., komm.	kommissarisch; kommunistisch
Komm.	Kommentar
Komp.	Kompanie
Konf.	Konfession
kons.	konsularisch
KonsG	Konsulargesetz
KonzLager	Konzentrationslager
Korück, Korrück	Kommandeur des rückwärtigen Armeegebiets
KP	Kriminalpolizei; Kommunistische Partei
KPD	Kommunistische Partei Deutschlands
KPdSU	Kommunistische Partei der Sowjet Union
KPJ	Kommunistische Partei Jugoslawiens
KPL	Kriminalpolizeileitstelle
KPM	Kriminalpolizeimeister
KPst.	Kriminalpolizeistelle
Kr.	Kreis
KR	Kriminalrat; Kontrollrat
Krad.	Motorrad
Krb.	Kriminalbeamte(r)
KR-Fernschreiben	Kurierfernschreiben
KRG, KRGes.	Kontrollratsgesetz
krim.	kriminal
Krim.Komm	Kriminalkommissar
Krim.Sekr.	Kriminalsekretär
Kripo	Kriminalpolizei
KRProkl.	Kontrollratsproklamation
Krs.	Kreis
Ks	Registerzeichen von Strafsachen vor dem Schwurgericht
Ks.	Konsulat
KS	Kriminalsekretär
KSSVO	VO über das Sonderstrafrecht im Kriege und bei besonderem Einsatz
KStVO	VO über das militärische Strafverfahren im Kriege und bei besonderem Einsatz (Kriegsstrafverfahrensordnung)
KTB	Kriegstagebuch
KTI	Kriminaltechnisches Institut des RKPA
Ktnsn., Ktsn.	Kenntnisnahme
k.u.k.	königlich(e) und kaiserlich(e)

kv, k.v.	kriegsverwendungsfähig
KVA	Kraftfahrzeugtechnische Versuchsabteilung; Kriegsverwaltungsangestellte(r)
KVK	Kriegsverdienstkreuz
KVR	Kriegsverwaltungsrat
KWVO	Kriegswirtschaftsverordnung
KZ	Konzentrationslager (inoffizielle Abkürzung)
Kzl.Ang.	Kanzlei-Angestellte(r)
LÄ	Lagerältester
LAH	Leibstandarte Adolf Hitler
landw.	landwirtschaftlich
LAPO	Landespolizei
lat.	lateinisch
lebensl.	lebenslänglich
led.	ledig
Lehrkomm.	Lehrkommentar
Leipz. Komm.	Leipziger Kommentar
LeipzZ	Leipziger Zeitschrift für Deutsches Recht
Lett.	Lettisch
Lfd, Lfde	laufende
Lfd.Nr.	Laufende Nummer
LG	Landgericht
LGDir	Landgerichtsdirektor
LGR	Landgerichtsrat
L.I.	Leutnant-Ingenieur
li.	links
Lief.	Lieferung
lit.	littera; litauisch
LK	Leipziger Kommentar
LKA	Landeskriminalamt
LKO	→ HLKO
Lkrs.	Landkreis
LKW	Lastkraftwagen
LM, L-M, L/M	Nachschlagewerk des Bundesgerichtshofes, herausgegeben von Lindenmaier-Möhring
LM (StS)	Lindenmaier-Möhring, Sammlung von Urteilen in Strafsachen
LMG	leichtes Maschinengewehr
Ln.	Luftnachrichten
LO	Leitzordner
Lothr.	Lothringen
LP	Landespolizei, Leerzug, Leerpark
LpzK	Leipziger Kommentar
LR	Legaltionsrat; Löwe-Rosenberg
Ls	Registerzeichen von Verbrechenssachen vor dem Schöffengericht
LS	Legationssekretär; Luftschutz; Registrierzeichen von Dokumenten des IMT
LSSAH	SS-Leibstandarte Adolf Hitler
lt.	laut
Lt., Ltn.	Leutnant
Ltd.	Leitend
Lub.	Lubelski
LVA	Landesversicherungsanstalt
LVBl.	Luftwaffen-Verordnungsblatt
LZ	Leipziger Zeitschrift für Deutsches Recht
m.	mit
M-Stammlager	Mannschaftsstammlager
MA	Marine; Marine-Artillerie
Maj.	Major
MAN	Maschinenfabrik Augsburg-Mannheim AG
Mat.	Material
Matr.	Matrose
M.Att.	Marineattaché
m.a.W.	mit anderen Worten
MBl.	Ministerialblatt
MBliV	Ministerialblatt des Reichs- und Preussischen Ministeriums des Innern
MD	Ministerialdirektor
m.d.B.	mit der Bitte
m.d.B. um Ks.	mit der Bitte um Kenntnisnahme
m.d.F.b	mit der Führung beauftragt
mdl.	mündlich
m.d.L.b	mit der Leitung beauftragt
MdR	Mitglied des Reichstages
MDR	Monatschrift für deutsches Recht
m.E.	meines Erachtens
med.	medizinisch; medizinal
Med.Rat	Medizinalrat
MEZ	Mitteleuropäische Zeit
MG	Maschinengewehr
Mia.	Milliarde
MiG, M.i.G.	Militärbefehlshaber im Generalgouvernement
mil., milit.	militär(isch)
MilBef. Mil.Bef.	Militärbefehlshaber

Milorg	Militärorganisation (Geheimarmee norwegischer Offiziere)
MilReg.	Militärregierung
MilRegGes.	Militärregierungsgesetz
MilRegVO	Militärregierungsverordnung
MilStGB	Militärstrafgesetzbuch
MilStGO	Militärstrafgerichtsordnung
MilStPO	Militärstrafprozessordnung
Min.	Minute
MinDir.	Ministerialdirektor
MinDirig.	Ministerialdirigent
Mitgl.Nr.	Mitglied-Nummer
mkg.	Meterkilogramm
Mme	Madame
Mob-Fall	Mobilmachungsfall
Mob-Plan	Mobilmachungsplan
MOD	Memeldeutscher Ordnungsdienst
MOK	Marine Oberkommando
mos.	mosaisch
mot.	motorisiert
MP	Militärpolizei
MP, MPi	Maschinenpistole
MR	Marine Rechtsamt; Militärregierung
MRABl.	Amtsblatt der Militärregierung Deutschland
MRG	Militärregierungsgesetz
MRK	Europäische Menschenrechtskonvention
MRVO	Militärregierungsverordnung
Ms	Registerzeichen von Strafsachen vor dem Schöffengericht
MschrKrimPsych.	Monatsschrift für Kriminalpsychologie und Strafrechtsreform
m.Schw.	mit Schwertern
MS-Flottille	Minensuchflottille
MStGB	Militärstrafgesetzbuch
MStGO	Militärstrafgerichtsordnung
mündl.	mündlich
m.W.	meines Wissens
MW	Mittelwerk
MWD	Ministerium des Innern der UdSSR (auch: Bezeichnung der russ. politischen Geheimpolizei)
m.w.N.	mit weiteren Nachweisen
Mz.	Mehrzahl
N	Nachrichten
NA	Nachrichtenabteilung
nachf.	nachfolgend
Nachw.	Nachweis
NAPOLA	Nationalpolitische Erziehungsanstalt
NdsRpfl.	Niedersächsische Rechtspflege
n.F.	neue Fassung; neue Folge
N.F.	nouveaux Francs
NG	Registrierzeichen von Dokumenten der Nürnberger (Nachfolge) Prozessen
Niederschr.	Niederschrift
Nieders. Rpfl.	Niedersächsische Rechtspflege
NJ	Neue Justiz
NJW	Neue Juristische Wochenschrift
NKWD	Narodny Komissariat Wnutrennich Del (Bezeichnung für die russische politische Geheimpolizei)
NN	Nacht und Nebel
NO	Nordost
NO, NOKW	Registrierzeichen von Dokumenten des IMT
Nr.	Nummer
Nrn.	Nummern
NRW	Nordrhein-Westfalen
NS	Nationalsozialistisch
NSBO	Nationalsozialistische Betriebszellen-Organisation
NSDAP	Nationalsozialistische Deutsche Arbeiterpartei
NSDoB	Nationalsozialistischer Dozentenbund
NSDStB	Nationalsozialistischer Deutscher Studentenbund
NSF	Nationalsozialistische Frauenschaft
NSFK	Nationalsozialistisches Fliegerkorps
NSFO	Nationalsozialistischer Führungsoffizier
NSG	Nationalsozialistische Gauleitung; Nationalsozialistische Gewaltverbrechen
NS-Hago	Nationalsozialistische Handwerks-, Handels und Gewerbeorganisation
NSKK	Nationalsozialistisches Kraftfahrerkorps
NSKOV	Nationalsozialistische Kriegsopferversorgung
NSLB	Nationalsozialistischer Lehrerbund
NSRB	Nationalsozialistischer Rechtswahrerbund

NSRL	Nationalsozialistischer Reichsbund für Leibesübungen
NSV	Nationalsozialistische Volkswohlfahrt
Nürnb.Dok.	Der Prozess gegen die Hauptkriegsverbrecher vor dem Internationalen Militärgerichtshof. Bd.I-XLII. Nürnberg 1947/1949
Nürnb.Prot.	→ Nürnb.Dok.
Nürnb. Protokolle	→ Nürnb.Dok.
NW	Nordrhein-Westfalen
NZ	Nichtzigeuner
o.	oben
o.a.	oben angeführt
o.ä.	oder ähnliche
Ob.	Ober
OB	Oberbefehlshaber
Obb.	Oberbayern
ObdH, OB.d.H.	Oberbefehlshaber des Heeres
ObdL	Oberbefehlshaber der Luftwaffe
Oberost	Oberbefehlshaber Ost
Oberstlt.	Oberstleutnant
Oberstubaf.	Obersturmbannführer
Oberstuf.	Obersturmführer
Ob.Gef.	Obergefreiter
Obkdo.	Oberkommando
ObLG	Bayerisches Oberstes Landesgericht
ObLGSt.	Entscheidungen des Bayer. Obersten Landesgerichts in Strafsachen
Oblt., Obltn	Oberleutnant
Obstuf.	Obersturmführer
OBW	Ostdeutsche Bautischlerei-Werkstätten
od.	oder
Od.	Oder
OD	Ordnungsdienst
Odenw., Odw.	Odenwald
o.e.	oben erwähnt
Oest.	Oesterreichisch
ÖStPO	Oesterreichische Strafprozessordnung
ÖTV	Gewerkschaft Öffentliche Dienste, Transport und Verkehr
Offlag	Offizierskriegsgefangenlager
Offz.	Offizier
OFK	Oberfeldkommandantur
Ofr.	Oberfranken
Ofw.	Oberfeldwebel
OGH	Oberster Gerichtshof für die Britische Zone; Entscheidungen des Obersten Gerichtshofes für die Britische Zone
OGHBZ	Oberster Gerichtshof für die Britische Zone
OGHSt.	Entscheidungen des Obersten Gerichtshofes für die Britische Zone in Strafsachen
OGruf.	Obergruppenführer
OJs	Aktenzeichen für erstinstanzliche Strafsachen bei der Generalstaatsanwaltschaft
OK	Ortskommandantur
OKH	Oberkommando des Heeres
OKL	Oberkommando der Luftwaffe
OKM	Oberkommando der Kriegsmarine
OKW	Oberkommando der Wehrmacht
Old., Oldg., Oldbg., Oldenbg.	Oldenburg
OLG	Oberlandesgericht
OMGUS	Office of Military Government for the US-Zone
OP	Operations-
Opf.	Oberpfalz
Opr.	Ostpreussen
OQu	Oberquartiermeister
Ord.	Ordonnanz
Orgesch	Organisation Escherich (vgl. JuNSV Bd.VII, S.364, Fussnote 1)
Org.Todt	Organisation Todt
Orpo	Ordnungspolizei
ORR	Oberregierungsrat
O/S, OS	Oberschlesien
OScharF, Oschf.	Oberscharführer
OSpG	Oberster Spruchgerichtshof
OStA	Oberstaatsanwalt
OStF	Obersturmführer
Ostfr.	Ostfriesland
Osti	Ostindustrie GmbH
Ostpr.	Ostpreussen
Ostub., Ostubaf.	Obersturmbannführer
Ostuf., O'Stuf	Obersturmführer
ostw.	ostwärts
OT	Organisation Todt
OU, O.U.	Ortsunterkunft

O.v.D. Offizier vom Dienst
OVG Oberverwaltungsgericht
OviA, O.v.i.A. oder Vertreter im Amt
OWiG Ordnungswidrigkeitengesetz
OWM Oberwachtmeister

P Pole
P-Wagen Personenwagen
PA Politische Abteilung
Pak Panzerabwehrkanone
Par. Paragraph (§)
Pat. Patient
P.D. Panzerdivision
PDV Polizei-Dienstvorschrift
Pers. Personen
PF Polizeiführer
Pfd. Pfund
Pg. Parteigenosse (im allgemeinen: der NSDAP)
PH Politischer Häftling (KZ-Jargon); Pädagogische Hochschule
Pi.Ers.Batl. Pionierersatzbataillon
Pi-Lager Pionierlager
Pi-Zug Pionierzug
Pj polnische Juden
PK Propagandakompanie
PKs Registerzeichen von Strafsachen vor dem Schwurgericht
Pkt. Punkt
PKW Personenkraftwagen
PO Politische Organisation der NSDAP
Pol. Polizei
Pol.Ang. Polizei-Angestellte(r)
Politruk politischer Truppenkommissar (UdSSR)
PolM Polizeimeister
poln. polnisch
Pom. Pommern
pp. et cetera
PPK Polizei-Pistole (kurz)
PPR Polnische Widerstandsorganisation
PPS Sozialdemokratische Partei Polens
Pr. Preussen, preussisch
Präs. Präsident
prakt. praktisch
preuß., preuss. preussisch
Pr.Ges. Preussiche Gesetzsammlung
Prokl. Proklamation
Prop. Propaganda
Prot. Protokoll
Prov. Provinz
PrOVG Preussisches Oberverwaltungsgericht
Proz. Prozess(e)
Prozt. Prozent
P.Sch. polnischer Schutzhäftling
PS Registrierzeichen von Dokumenten des IMT
pss. passim
PVG Polizeiverwaltungsgesetz
Pz. Panzer
Pzkw Panzerkraftwagen

qKm Quadratkilometer (Km^2)
Q-Staffel Quartiermeisterstaffel
Qltg Querleitung

R. Rückseite
R-A-Kinder Reichsausschusskinder
R-Abzeichen Rüstungsabzeichen
RA Rechtsanwalt; Rechtsabteilung
RAD Reichsarbeitsdienst
RAe Rechtsanwälte
RAF Royal Air Force
RAG Reichsarbeitsgemeinschaft Heil- und Pflegeanstalten
RAM Reichsaussenminister
RAO Rechtsanordnung
R.a.s., R.a.S. Rassenschänder
RASS Reichsarzt SS
RBD Reichsbahndirektion
RBG Reichsbahngesetz; Reichsbeamtengesetz; Reichsbürgergesetz
RBürgG Reichsbürgergesetz
rd. rund
RD Reichsdeutscher
RdErl. Runderlass
Rdn., Rdnr. Randnummer
RDStO Reichsdienststrafordnung
Rdz. Randziffer
Recht Das Recht. Beilage zum Zentralblatt für Handelsrecht, ab 1935 zur Deutsche Justiz
Rechtspr. Rechtsprechung
Ref. Referat
Refa Reichsausschuss für Arbeitsstudien
Reg. Regierung; Register
RegBl. Regierungsblatt
Reg(t). Regiment

REinhG	Gesetz zur Wiederherstellung der Rechtseinheit auf dem Gebiete der Gerichtsverfassung, der bürgerlichen Rechtspflege, des Strafverfahrens und des Kostenrechts (Rechtseinheitgesetz)
ReichsBG	Reichsbürgergesetz
Res.	Reserve
Rev.	Revier; Revision
Rev.Begr.	Revisionsbegründung
RF	Reichsführer SS; Reichsführung
RFB	Rotfrontkämpferbund
RFSS, RF-SS	Reichsführer SS
RFSSuChdDtPol.	Reichsführer SS und Chef der Deutschen Polizei
RG	Reichsgericht; Entscheidungen des Reichsgerichts
RgBl.	Regierungsblatt
RGBl.	Reichsgesetzblatt
RGFestg.	Festgabe für das Reichsgericht
RGRanz.	Entscheidungen des Reichsgerichts, abgedruckt in der Beilage zum Deutschen Reichs- und Preussischen Staatsanzeiger
RGRechtspr., RGRspr.	Rechtsprechung des deutschen Reichsgerichts in Strafsachen (1879-1888)
RGSt., RGStr.	Entscheidungen des Reichsgerichts in Strafsachen
Rgt.	Regiment
Rgt.St.Qu.	Regimentsstabsquartier
RGZ	Entscheidungen des Reichsgerichts in Zivilsachen
Rh.	Rhein
Rhld.	Rheinland
RIF	Reichsstelle für industrielle Fette
RIM	Reichsministerium des Innern
RiStV	Richtlinien für das Strafverfahren
RJGG	Reichsjugendgerichtsgesetz vom 6.11.1943; s.a. JGG
RJM	Reichsminister(ium) der Justiz
RK	Reichskommissar
RK.f.d.F.d.V., RK.f.d.F.d.dt.V., RKF,	Reichskommissar für die Festigung des deutschen Volkstums
RKG	Reichskriegsgericht; Entscheidungen des Reichskriegsgerichts
RKPA	Reichskriminalpolizeiamt
RLB	Reichsluftschutzbund
RLM	Reichsluftfahrtministerium
RM	Reichsmark; Reichsminister(ium)
RMBl.	Reichsministerialblatt
RMBliV	Ministerialblatt des Reichs- und Preussischen Ministeriums des Innern
RMdI	Reichsministerium des Innern
RMdJ	Reichsministerium der Justiz
RMG	Reichsmilitärgericht; Entscheidungen des Reichsmilitärgerichts
Rn., Rndnr.	Randnummer
ROA	Reserveoffiziersanwärter
ROB	Reserve-Offizier-Bewerber
Roem., Röm.	römisch
ROW	Recht in Ost und West. Zeitschrift für Rechtsvergleichung und interzonale Rechtsprechung
Rpfl	Rechtspflege
Rs, RS	Rückseite
RSHA, RSiHA	Reichssicherheitshauptamt
RStAG	Reichs- und Staatsangehörigkeitsgesetz
RStGB	→ StGB
RStPO	→ StPO
Rückspr.	Rücksprache
rückw.	rückwärtig
RüIn	Rüstungsinspektion
Rüko	Rüstungskommando
RuK	Rüstung und Kriegsproduktion
RuPrMdJ	Reichs- und Preussisches Ministerium der Justiz
RuS, RuSHA	Rasse- und Siedlungshauptamt
russ.	russisch
RV	Reichsverteidigung
RVD	Reichsverkehrsdirektion
RVK	Reichsverteidigungskommissar
RVO	Reichsversicherungsordnung; Reichsstrassenverkehrsordnung
RWE	Rheinisch-Westfälische Elektrizitätswerke
RWM	Reichswehrminister; Reichswirtschaftsminister
Rz	Randzeichen

s.	siehe
S.	Seite; Satz
(S)	Stabsführer
S-Boot	Schnellboot
S-Wagen	Sonderwagen
s.a.	siehe auch
Sa.	Summa (Summe)
SA	Sturmabteilung der NSDAP
SAG	Starkstromanlagen AG
San.	Sanitäts
Sanka	Sanitätskraftwagen
SAW	Sonderaktion Wehrmacht
S.B., SB	Sonderband; Sonderbehandlung
Sbd	Sonderband
SBZ	Sowjetische Besatzungszone Deutschlands
sc.	scilicet (nämlich)
Sch.	Schutzhäftling
Scharf.	Scharführer
SchlHA	Schleswig-Holsteinische Anzeigen
SchP.	Schutzpolizei
Schr.	Schreiben
Schuma	Schutzmannschaft
Schumabtl.	Schutzmannschaftsbataillon
Schupo	Schutzpolizei
schwäb., schwb.	schwäbisch
SchwG	Schwurgericht
SchwGVO	(Bayer.) Schwurgerichtsverordnung
scil.	scilicet (nämlich)
SD	Sicherheitsdienst der SS
SDG	Sanitätsdienstgrad
SDP	Sudetendeutsche Partei
s.E.	seines Erachtens
SED	Sozialistische Einheitspartei Deutschlands
Sekr.	Sekretär
SG	Sondergericht
SHAEF	Supreme Headquarters of the Allied Expeditionary Forces
SHD	Sicherheits- und Hilfsdienst
SHW	Schutzhäftling Wehrmacht
Sich.-Brig.	Sicherungsbrigade
Sipo	Sicherheitspolizei (Gestapo und Kripo)
SJZ	Süddeutsche Juristenzeitung
SK	Sonderkommando; Strafkommando; Schuhläuferkommando (KL)
Skdo.	Sonderkommando
SKL	Seekriegsleitung
SMA	Sowjetische Militäradministration
SMAD	Sowjetische Militäradministration in Deutschland
SMG	schweres Maschinengewehr
SNCF	Société National des Chemins de Fer
s.o.	siehe oben
SOE	Special Operations Executive
sof.	sofortig
sog., sogen.	sogenannt
SOG	Gesetz zum Schutz der öffentlichen Sicherheit und Ordnung
SoldG	Soldatengesetz
Sovog	Sozialistische Volksgemeinschaft
Sp.	Spalte
SP	→ Sipo
SPD	Sozialdemokratische Partei Deutschlands
spez.	speziell
SpJs	Registerzeichen von Vorverfahren in Spruchgerichtssachen
SpLS	Registerzeichen von Verfahren vor dem Spruchgericht
SPN	Sonderdienst politischer Nachrichten
SprK	Spruchkammer
SpSS	Registerzeichen von Verfahren vor dem Obersten Spruchgericht
SPW	Schützenpanzerwagen
SRJ	Sonderreferat J (Juden)
Ss	Registerzeichen von Revisionsverfahren in Strafsachen vor dem Oberlandesgericht
SS	Schutzstaffel der NSDAP
SS-Brif.	SS-Brigadeführer
SS-Staf.	SS-Standartenführer
SSD	Staatssicherheitsdienst
SSFHA	SS-Führungshauptamt
SSPF	SS- und Polizeiführer
SSPFn	SS- und Polizeiführern
SSPolGerVO	VO über eine Sondergerichtsbarkeit in Strafsachen für Angehörige der SS und für die Angehörige der Polizeiverbände bei besonderem Einsatz
SSS	Sozialistische Sport Stafette
SSuPolG	SS- und Polizeigericht
St.	Sankt; Stück
StA	Staatsanwalt(schaft)

St.A.	Staatsangehörigkeit
StÄG	Strafrechtsänderungsgesetz
städt.	städtisch
Staf.	Standartenführer
Stalag	Stammlager (für Kriegsgefangene)
St.Angeh.	Staatsangehörige(r)
Stapo	→ Gestapo
Stapol.	Stapoleitstelle
Stapoleit	Stapoleitstelle
StARegG	Gesetz zur Regelung von Fragen der Staatsangehörigkeit
StAZ	Zeitschrift für Standesamtswesen (bis 1944); Das Standesamt (ab 1948)
StbF	Sturmbannführer
Std.	Stunden
stdg.	ständig
StE	Registerzeichen von Verfahren in erstinstanzlichen Strafsachen beim BGH
STEG	Staatliche Erfassungsgesellschaft für öffentliches Gut
stellv.	stellvertretend
Sten.Ber.	Stenographischer Bericht
StFG	Straffreiheitsgesetz
StGB	Strafgesetzbuch
StGVG	Strafgerichtsverfassungsgesetz
StKs	Registerzeichen von Strafsachen nach Befehl 201 vor der kleinen Strafkammer des Landgerichts (DDR)
STL	Stapoleitstelle
StM	Staatsministerium
StMdJ	Staatsministerium der Justiz
StPÄG	Gesetz zur Änderung der StPO und des GVG
StPO	Strafprozessordnung
StR	Registerzeichen von Revisionsverfahren in Strafsachen vor dem Bundesgerichtshof
StRG	Strafrechtsreformgesetz
StrafRpflO	Strafrechtspflegeordnung
StRÄndG, StrÄndG, StRÄG	Strafrechtsänderungsgesetz
StrEG	Gesetz über die Entschädigung von Strafrechtsverfolgungsmassnahmen
StrFG, StrFrG, StrFrGes.	Straffreiheitsgesetz
Strm.	Steuermann
StrR	Strafrecht
StrRG	Gesetz zur Reform des Strafrechts
StS	Strafsachen; Registerzeichen von Revisionsverfahren in Strafsachen vor dem Obersten Gerichtshof für die Britische Zone
St.S	Staatssekretär
StrVollzO	Strafvollzugsordnung
Stubf., Stubaf.	Sturmbannführer
Stuka	Sturzkampfflugzeug
SturmBaf	Sturmbannführer
stv.	stellvertretend
StVG	Strassenverkehrsgesetz
StVO	Strafvollzugsordnung
StVollstrO	Strafvollstreckungsordnung
StVZO	Strassenverkehrszulassungsordnung
s.u.	siehe unten
Sud.	Sudeten
Sv	Sicherungsverwahrung
SV, SVer	Sicherungsverwahrter
SV/DR	Sicherungsverwahrter Deutsches Reich
SWG	Siedlerwirtschaftsgemeinschaft
s.Z., s.Zt.	seinerzeit
t.	Tonne
T.	Teil
T 4	Tiergartenstrasse 4 (Tarnname für die Erwachseneneuthanasie)
T-Empfänger	Tornisterempfänger
tätl.	tätlich
TB	Totenbuch
Tel.	Telegramm
Tgb.	Tagebuch
Thrg.	Thüringen
TKdo.	Teilkommando
TN	Technische Nothilfe
to.	Tonne
Ts	Taunus
TTT	Tagebuch Tenenbaum Tamaroff
türk.	türkisch
TV	SS-Totenkopfverband
TWL	Truppenwirtschaftslager
Tz.	Teilzahl, Textzahl, Textziffer
u.	und; unter
u.a.	und andere; unter anderem (anderer)
UA	Urteilsausfertigung
u.ä.	und ähnliche(s)

u.ä.m.	und ähnliches mehr
u.a.m.	und andere(s) mehr
ÜbV	Überleitungsvertrag
UdSSR	Union der Sozialistischen Sowjetrepubliken
ÜV	Überleitungsvertrag
ü.M.	über dem Meeresspiegel
Ufa	Universum Film AG
Uffz.	Unteroffizier
Ufr.	Unterfranken
U-haft	Untersuchungshaft
uk, u.k.	unabkömmlich
Ukdo.	Unterkommando
ukr.	ukrainisch
ULRA	Wohlfahrtsorganisation der Amerika-Litauer
Umschl	Umschlag
unbek.	unbekannt
uneidl.	uneidlich
ung.	ungarisch
Univ.	Universitäts-
UNRRA	United Nations Relief and Rehabilitation Administration
Unterf.	Unterführer
Unterstuf.	Untersturmführer
Untf.	Unterführer
UNWCC	United Nations War Crimes Commission
UP	Umschlagplatz
UR	Untersuchungsrichter
Urk.	Urkunde
URO	United Restitution Organisation
urschr., urschriftl.	urschriftlich
Urt.	Urteil
Uscha, USchaf., U'Scharf., USchF	Unterscharführer
Uschla	Untersuchungs- und Schlichtungsausschuss
usf.	und so fort
USP	Unabhängige Sozialistische Partei
USt., USt.S U.St.S.	Unterstaatssekretär
UStF	Untersturmführer
Ustuf., U'Stuf	Untersturmführer
u.U.	unter Umständen
UvD	Unteroffizier vom Dienst
UVollzO	Untersuchungshaftvollzugsordnung

UWG	Gesetz gegen den unlauteren Wettbewerb
UWZ	Umwandererzentrale
UZwG	Gesetz über den unmittelbaren Zwang bei Ausübung öffentlicher Gewalt durch Vollzugsbeamte des Bundes
v.	von, vom
V-	Vertrauens-; Vergeltungs-
V-Mann	Verbindungsmann, Vertrauensmann
V-Waffen	Vergeltungswaffen
V1, V2, V3	Vergeltungswaffen
VA	Verwaltungsakt; Verwaltungsanordnung; Versorgungsamt
VAA	Vertreter des Auswärtigen Amtes
VB	Vorbeugungshäftling
VBl.	Verordnungsblatt
VBlGG	Verordnungsblatt für das Generalgouvernement
v.D.	vom Dienst
VDA	Volksbund für das Deutschtum im Ausland
VdK	Verband der Kriegsbeschädigten, Kriegshinterbliebenen und Sozialrentner Deutschlands
Veranl.	Veranlassung
verb.	verbunden
Verb.	Verbindung
Vereinf.	Vereinfachung
Verf.	Verfassung
VerfGE	Entscheidungen des Bundesverfassungsgerichts
vergl.	vergleiche
verh.	verheiratet
Verh.	Verhandlung(en)
verl.	verlesen
vers.	versuchte
Verschl.VO	Verschlussverordnung
verst.	verstärkt; verstorben
verw.	verwitwet
Vf.	Verfahren
Vfg.	Verfügung
VfGHG	Gesetz über den Verfassungsgerichtshof (Bayern)
Vg.	Volksgenosse
V.G.D.	Volksgrenadierdivision
VGH	Volksgerichtshof
VGHG	Gesetz über den Verfassungsgerichtshof (Bayern)
vgl.	vergleiche

Vgn.	Volksgenossen
v.g.u.	vorgelesen, genehmigt und unterschrieben
v.H.	%
VH	Vorbeugungshäftling
VL	Vernichtungslager
VLR	Vortragender Legationsrat
v.M.	vorigen Monats
v.o.	von oben
VO	Verordnung
VOBl., VOBlatt	Verordnungsblatt
VOBl.BrZ, VOBlBZ	Verordnungsblatt für die Britische Zone
VOBl. GG	Verordnungsblatt des Generalgouvernements
VOen	Verordnungen
Vomi	Volksdeutsche Mittelstelle
Vorb., Vorbem.	Vorbemerkung
Vorg.	Vorgang
vorgen.	vorgenannt
vorl.	vorliegend
vors.	vorsitzende(r)
VoStO	Volkssturmstrafgerichtsordnung
VoStVO	Volkssturmstrafrechtsverordnung
VPS	verstärkter Polizeischutz
VRs	Registerzeichen für Strafvollstreckungssachen (StA)
VRS	Verkehrsrechtssammlung
VRStVO	Verbrauchsregelungsstrafverordnung
VS-Vertr.	Verschlusssache - Vertraulich
VS-Verzeichnis	Verschlußsachenverzeichnis
v.u.	von unten
VU	Voruntersuchung
VVN	Vereinigungen der Verfolgten des Naziregimes
VVO	Verordnung gegen Volksschädlinge
VwA	Verwaltungsanordnung
VWHA	Verwaltungs- und Wirtschaftshauptamt
W-Juden	Wehrmachtjuden
W-Lager	Wehrmachtjudenlager
WASt.	Deutsche Dienststelle für die Benachrichtigung der nächsten Angehörigen von Gefallenen der ehemaligen deutschen Wehrmacht

WBK	Wehrbezirkskommando
WBN	Wehrmachtsbefehlshaber Niederlande
WBU	Wehrmachtsbefehlshaber für die Ukraine
WCP	War Criminal Prison
WDStO	Wehrmachtsdisziplinarstrafordnung
westl.	westlich
WehrStrG	Wehrstrafgesetz
Weim.Verf.	(Weimarer) Verfassung des Deutschen Reiches vom 11.8.1919
Westf.	Westfalen
WFA	Wehrmacht-Führungsamt
WFSt	Wehrmacht-Führungsstab
WGK	Wiedergutmachungskammer
WGO	Die wichtigsten Gesetzgebungsakte in den Ländern Ost-, Südosteuropas und in den ostasiatischen Volksdemokratien
WHA	Wirtschafts-Verwaltungs-Hauptamt
WHW	Winterhilfswerk
WIFO	Wirtschaftliche Forschungsstelle
W.i.G., WiG	Wehrkreisbefehlshaber im Generalgouvernement
WiK	Wiedergutmachungskammer
WIM	Württembergisches Innenministerium
WK	Wachkompanie; Wehrkeis
Wm.	Wachtmeister
WMA	Wehrmeldeamt
WO	Wachoffizier
wohnh.	wohnhaft
wr.	weissruthenisch
WRV	→ Weim.Verf.
Ws	Registerzeichen von Beschwerden in Strafsachen vor dem Oberlandesgericht
WStG	Wechselsteuergesetz; Wehrsteuergesetz; Wehrstrafgesetz
WSW	Westdeutsche Sperrholzwerke WiedenbrückWttbg.,
Württbg., Württembg	Württemberg
württ.	württembergisch
WuG	Waffen und Geräte
Wv.	Wiedervorlage; Wiederverwendung
WVD	Wehrmachtverkehrsdirektion

Wvl.	Wiedervorlage
WVHA	Wirtschafts-Verwaltungs-Hauptamt
Wwe.	Witwe
Wzbg.	Würzburg
z.	zu (zum, zur)
Z.	Zeile; Ziffer
ZA	Zentralabteilung
zahlr.	zahlreich
ZAkDR	Zeitschrift der Akademie für deutsches Recht
ZAL	Zwangsarbeitslager
ZALfJ	Zwangsarbeitslager für Juden
z.B., z.Bsp.	zum Beispiel
z.b.V., zbV	zur besonderen Verwendung
z.d.A.	zu den Akten
Zf.	Ziffer
ZfH	Zentrale für Heeresbedarf; Zubringer für das Heer
z.g.Kts.	zur gefälligen Kenntnisnahme
z.H., z.Hd., z.Hdn.	zu Händen
ZHO	Zentrale Handelsorganisation Ost
Zielbhf	Zielbahnhof
Ziff.	Ziffer
zit.	zitiert
Zit.	Zitat
ZJA	Zentraljustizamt für die Britische Zone
ZJBl.	Zentral-Justizblatt für die Britische Zone
z.Kts.	zur Kenntnis(nahme)
Zl	Zloty
ZM	Zigeunermischling
ZMA	Zentralmeldeamt
z.N.	zum Nachteile
ZO	Zivile Handelsorganisation
ZPO	Zivilprozessordnung
z.Pr.	zur Probe
z.R.spr.	zur Rücksprache
z.S.	zur See
ZSS	Jüdische Soziale Selbsthilfe
ZStW	Zeitschrift für die gesamte Strafrechtswissenschaft
z.T.	zum Teil
Ztg.	Zeitung
Ztr.	Zentner
zu Hd.	zu Händen
zul.	zulässig; zuletzt
z.V.	zur Verfügung; zur Vergeltung; zur Verwendung
ZVO	Zuständigkeitsverordnung
z.W.	zur Wiederverwendung
ZwehrR	Zeitschrift für Wehrrecht
z.Wv.	zur Wiederverwendung
ZZP	Zeitschrift für Prozessrecht
z.Z., z.Zt.	zur Zeit

RANGTAFEL

HJ	DJ	BDM	JM
Reichsjugendführer			
Stabschef			
Obergebietsführer			
Gebietsführer		Obergauführerin (Gebietsführerin)	
Hauptbannführer		Gauführerin (Hauptmädelführerin)	
Oberbannführer			
Bannführer		Untergauführerin (Bannmädelführerin)	
Oberstammführer	Oberjungstamm-führer		
Stammführer	Jungstammführer	Mädelringführerin	Jungmädelring-führerin
Hauptgefolg-schaftsführer	Hauptfähnlein-führer		
Obergefolgschafts-führer	Oberfähnleinführer		
Gefolgschaftsführer	Fähnleinführer	Mädelgruppen-führerin	Jungmädelgruppen-führerin
Oberscharführer	Oberjungzugführer		
Scharführer	Jungzugführer	Mädelscharführerin	Jungmädelschar-führerin
Oberkamerad-schaftsführer	Oberjungenschafts-führer		
Kameradschafts-führer	Jungenschaftsführer	Mädelschafts-führerin	Jungmädelschafts-führerin
Rottenführer	Oberhordenführer		
	Hordenführer		
Hitlerjunge	Pimpf	Mädel	Jungmädel